suhrkamp taschenbuch 318

Manfred Durzak, o. Professor für Neuere deutsche Literatur, Studium in Bonn und Berlin, Lehrtätigkeit an der Yale University, University of Toronto, Universität Kiel, Indiana University, z. Z. an der McGill University in Montreal. *Veröffentlichungen:* Hermann Broch. Der Dichter und seine Zeit, Stuttgart 1968; Der deutsche Roman der Gegenwart, Stuttgart 1973[2]; Dürrenmatt, Frisch, Weiss. Deutsches Drama der Gegenwart zwischen Kritik und Utopie, Stuttgart 1972[2]. Zwischen Symbolismus und Expressionismus: Stefan George, Stuttgart 1974; als Herausgeber: Die deutsche Exilliteratur 1933–1945, Stuttgart 1973; Die deutsche Literatur der Gegenwart, Aspekte und Tendenzen, Stuttgart 1976[3].

Durzak sagt: Die Vielfalt des zeitgenössischen deutschen Romans begreift, wer überlegt an Lukács' geschichtsphilosophische Bestimmung des Romans anknüpft. Der Roman heute reflektiert den Widerspruch von entfremdeter Wirklichkeit und Innerlichkeit des einzelnen. Nur die Romane, die den Widerspruch austragen, schaffen den utopischen Hinweis über die Entfremdung hinaus. Sie sind charakterisiert durch eine eigentümlich unabgeschlossene, vielschichtige, offene Form.

Die in den vorliegenden Band aufgenommenen Autoren vertreten das Spektrum dieser Romane. Durzak geht an die Texte je zweifach heran, im ausführlichen Gespräch mit dem Autor und in der selbständigen Analyse. Die Gespräche, das sind nicht »Monologe mit dem Fragenden als Stichwort-Geber«, sondern »Dialoge, an deren Erkenntnisbewegung beide Gesprächspartner möglicherweise partizipierten«.

Reflektierte Aufgeschlossenheit macht den Wert des Buchs aus: Klar stellt und begründet Durzak die Frage nach der geschichtsphilosophischen Leistung des Romans der Gegenwart einerseits, und flexibel und genau befragt er die ausgewählten Autoren andererseits.

Lesebuch und Hilfsmittel für literarisch Interessierte, der Band ist beides.

Inhalt

I.A. Der moderne Roman. Möglichkeiten einer Theorie des Romans. Am Beispiel von Georg Lukács 9
I.B. Konsequenzen für eine Romanpoetik 35
I.C. Die Intention des Autors. Ihr methodischer Nutzen 42

II.A. Ich habe mich immer in die Welt projiziert. Gespräch mit Joseph Breitbach 50
1. Aversion gegenüber Biographischem 50
2. Organisation als rationalistisches Modell 52
3. Dokumentarische Materialien im »Bruno«-Roman 55
4. Entstehung des »Bruno«-Romans 57
5. Der Erzähler im »Bruno«-Roman 58
6. Bruno als politischer Typus 61
7. Zu den anderen Romanen 62
8. Ein epischer Traditionalist? 63
9. Zur Handlung des »Clemens«-Romans 64
10. Dégoût vor dem Erzählen 65
11. Handlungsantizipation und -pointe 66
12. Gesellschaft in Frankreich und Deutschland 67
13. Die konservative Position 69
II.B. Der politische Roman als Erziehungsroman ex negativo. Joseph Breitbachs »Bericht über Bruno« 71

III.A. Die Welt ist nicht mehr so darzustellen wie in früheren Romanen. Gespräch mit Elias Canetti 86
1. Autobiographische Erkundung 86
2. Gegen-Einflüsse 87
3. Brecht als moralisches Gegenbild 89
4. Die Wirkung Berlins auf »Die Blendung« 90
5. Brand des Wiener Justizpalastes 92
6. Personal der »Blendung« 93
7. Autoren-Einflüsse 94
8. Akustische Masken 95
9. Die neue Sprache 97
10. Zur Wirkung der »Blendung« 99
11. Ein Exilautor? 101
III.B. Der Roman des abstrakten Idealismus als satirischer Roman. Elias Canettis »Die Blendung« 103

IV.A. Ich tendiere nur zu dem scheinbar Unpolitischen. Gespräch mit Heinrich Böll 128
1. Zur Funktion des Erzählers 128
2. Die Parteilichkeit des Erzählers 130
3. Exkurs über den Leser 132
4. Die Subjektivität des Erzählers 133
5. Ikonographie und Gegen-Ikonographie 137

6. Die Darstellung der Liebe 141
7. Die politische Dimension 143
8. Spontane Aktionen 145
9. Zum Problem der Leistungsverweigerung 148
10. Exkurs zur Wechselbeziehung der Künste 150
11. Geplante literarische Struktur 152
IV.B. Die problematische Wiedereinsetzung des Erzählers. Heinrich Bölls Romane. 154

V.A. Ich empfinde mich einfach nur als Geschichtenerzähler. Gespräch mit Siegfried Lenz. 177
1. Der Autor als Interpret 177
2. Die funktionale Erzählweise in der »Deutschstunde« . . . 180
3. Zur Erzählstruktur des »Vorbilds« 184
4. Erzählen als Rechtfertigung 188
5. Die epische Grundsituation im »Vorbild« 189
6. Zum Stoff des »Vorbilds« 190
7. Zum Thema des »Vorbilds« 191
8. Die politische Dimension 193
9. Tendenz zur Idyllisierung? 194
10. Psychologisierung statt politischer Darstellung? 197
11. Der Handelnde als Opfer 199
12. Zur Wirkung der Romane 202
V.B. Zeitromane mit moralischen Kunstfiguren. Das Romanwerk von Siegfried Lenz 204

VI.A. Vor deiner Haut beginnt die Fremde. Gespräch mit Hermann Lenz 225
1. Geschichtsverständnis 225
2. Zu »Spiegelhütte« 227
3. Darstellung Österreichs 231
4. Realistischer Zeitroman 232
5. Innere Emigration 235
6. Aufenthalt in Amerika 238
7. Literarische Einflüsse 240
8. Poetisches und reales Österreich-Bild 241
9. Beziehung zur jungen deutschen Literatur 243
10. Künftige literarische Arbeiten 244
VI.B. Epische Refugien des Ichs. Das Erzählwerk von Hermann Lenz 247

VII.A. Ich kann über nichts anderes schreiben als über ein potentielles Ich. Gespräch mit Wolfgang Hildesheimer 271
1. Biographischer Ausgangspunkt: Exil? 271
2. Literarische Anfänge 272
3. Sprach-Krise? 274
4. Beschäftigung mit Barnes und Joyce 275
5. Zur Form des Inneren Monologs 276
6. Die Erzähl-Vehikel des Monologischen 280
7. Entstehungsweise der Romane 282

8. Zum Stellenwert einzelner Erzähl-Episoden 283
9. Kompositionsform der Romane 284
10. Zufallsverknüpfungen im Erzählzusammenhang? 285
11. Elemente des konventionellen Romans in »Masante« . . . 286
12. Eine mögliche Radikalisierung des Monologischen 288
13. Zur thematischen Linie beider Bücher 289
14. Künstlerische Positionsbestimmung 291
15. Einstellung zum Literaturbetrieb 294
VII.B. Die Exekution des Erzählers. Wolfgang Hildesheimers »Tynset« und »Masante« 296

VIII.A. Für mich ist Literatur auch eine Lebenshaltung. Gespräch mit Peter Handke 314
1. Initiation als Autor 314
2. Arbeitsweise 318
3. Träume im »Kurzen Brief« 320
4. Selbstkritik 322
5. Widerstände beim Schreiben 324
6. Zur Rezeption des »Kurzen Briefes« und des »Wunschlosen Unglücks« 326
7. Literarkritische Methode 327
8. Durchbruch beim Publikum 328
9. Reaktion auf negative Kritik 330
10. Keine Entwicklung? 332
11. Epiphanien 333
12. Amerika als historisierte Natur 335
13. Das Verfolgungsschema im »Kurzen Brief« 338
14. Literaturbetrieb 340
15. Sich erinnern lernen 342
VIII.B. Epische Existenzprotokolle. Die Prosaarbeiten von Peter Handke 344

IX.A. Die intensivste Form des Lebens ist für mich ein Buch zu schreiben. Gespräch mit Hans Erich Nossack 369
1. Die biographische Umbruchsituation 369
2. Die Alogizität des Märchens 370
3. Wirklichkeit und Meta-Wirklichkeit 373
4. Ein existentialistischer Autor? 375
5. Die Kategorie des Monologischen 376
6. Entstehung der Arbeiten 378
7. Generationserfahrung 380
8. Reaktion auf Zeitgeschichte 382
9. Literarische Kursänderung 385
10. Politische Aktivität 388
11. Funktion des Erzählers 390
12. Entstehung von »Spätestens im November« 391
13. Das Nichtversicherbare in »Bereitschaftsdienst« 393
14. Einstellung zur Politik 397
IX.B. Epische Rechenschaftsberichte. Das Erzählwerk von Hans Erich Nossack 400

X.A. Dieser langsame Weg zu einer größeren Genauigkeit. Gespräch mit Uwe Johnson 428
1. Erzähltheorie 428
2. Sprachliche Verrätselung 431
3. Gesellschaftsbezogenheit des Autors 433
4. Erzählposition der »Jahrestage« 436
5. Die »New York Times« – ein Hilfsmedium des Erzählens? 440
6. Zum Montage-Prinzip in den »Jahrestagen« 447
7. Literarische Tradition, aber keine Abhängigkeit 448
8. Zur historischen Obsoletheit erzählter Ereignisse 450
9. Historische Personen als Katalysator 452
10. Historisch gewordene Details? 454
11. Einwirkung der Rezeption auf den Arbeitsprozeß 455
12. Auseinandersetzung mit Enzensberger 457
X.B. Mimesis und Wahrheitsfindung. Probleme des realistischen Romans. Uwe Johnsons »Jahrestage« 461
XI.A. Wir leben in einer unüberblickbaren Welt. Gespräch mit Walter Höllerer 482
1. Die Ausstellung »Welt aus Sprache« 482
2. In den Roman umgesetzte Realität? 483
3. Das Tonband als Arbeitsinstrument und erzählerisches Transportmittel 486
4. Chimären und greifbare Dinge 489
5. Zur Kompliziertheit der Romanstruktur 491
6. Die Schemenhaftigkeit des Romanpersonals 495
7. Keine Nachahmung von Mustern 498
8. Kommunikationssignale für den Leser 500
9. Handlungsplausibilität des Romans 502
10. Der sich selbst reflektierende Roman 505
11. Beschreibbarkeit der Struktur? 507
12. Die Position der Wissenschaftlichkeit im Roman 509
XI.B. Der Roman als offenes System. Walter Höllerers »Elephantenuhr« 512

XII. Über den Umgang mit Autoren 529

Nachbemerkung 534

Personenregister 535

I.A. Der moderne Roman. Möglichkeiten einer Theorie des Romans. Am Beispiel von Georg Lukács

1. Formbestimmungen des zeitgenössischen deutschen Romans – ist das nicht von vornherein ein illusorisches Unternehmen? Illusorisch, weil ein solcher Versuch die Möglichkeit impliziert, hinter der verwirrenden Pluralität von einzelnen Romanen durchgängige Muster sichtbar zu machen, die unausschöpfliche Vielfalt gegenwärtigen Romanschaffens in einige Kanäle abzuleiten, die mit einem Hauptstrom der Entwicklung verbunden sind?

Der Roman ist mehr denn je in der Moderne zum Proteus der literarischen Gattungen geworden, der auch im deutschen Sprachraum unter vielen Namen existiert. Was R. Grimm in Anlehnung an Gottfried Benn als »Roman des Phänotyp«[1] bezeichnet hat, ein Roman, dessen Held »sich wenig bewegt, seine Aktionen sind Perspektiven, Gedankengänge sein Element«[2], ein Roman, in dem Handlungen, Personen und Vorgänge auf ein Minimum reduziert sind, der »als reine Projektion eines abstrakten Intellekts« (78) in der Reflexion sein eigentliches Aktionselement findet, hat Ralph Freedman[3] am Beispiel von Hesse, Gide und Virginia Woolf in ähnlicher Richtung als »the lyrical novel« zu umschreiben versucht: »The ›I‹ of the lyric becomes the protagonist, who refashions the world through his perception and renders it as a form of the imagination.« (271)

Auf der andern Seite stehen Standortbestimmungen wie die am Beispiel Thomas Manns gewonnene des »intellektualen Romans«[4] oder die sich in mancher Beziehung als Leitformel anbietende Charakteristik Hermann Brochs, der vom »polyhistorischen Roman«[5] spricht. Weite Strecken der modernen Epik von Joyce bis hin zu Musil scheinen von diesem Begriff treffend charakterisiert zu werden. Es ist, um Stanzels[6] Analyse der Erzählperspektive aufzugreifen, nicht der auktoriale Roman und auch nicht der Ich-Roman, der hier dominiert, sondern der »personale Roman«, d. h. »ein erzählerloser Roman in dem Sinn, daß der Leser hier nirgends persönliche Züge eines Erzählers ausmachen kann und daher auch gar nicht den Eindruck bekommt, als werde erzählt« (40). Es ist zugleich die sich aus vielen Gattungselementen zusammensetzende integrale Struktur einer Romanform, in der Einzelerzählungen, essayistische Einschübe, dramatische und lyrische Teile eine Synthese eingehen, die entgegen dem oberflächlichen Eindruck chaotischer Formauflösung dennoch von der Absicht einer neuen architektonischen Einheit bestimmt wird.

Unter diesem Aspekt der architektonischen Vielstimmigkeit weisen Romane wie Joyces »Ulysses«, Gides »Falschmünzer«, Flakes »Stadt des Hirns«, Brochs »Schlafwandler«, Musils »Mann ohne Eigenschaften«, Hesses »Glasperlenspiel« oder Döblins »Hamlet oder Die lange Nacht nimmt ein Ende« eine unerwartete Strukturverwandtschaft auf. Gemeinsam ist allen diesen Romanen die Aufhebung der traditionellen Formeinheit. Eine Geschichte im Rahmen einer überschaubar gezeichneten Wirklichkeit zu erzählen, wobei die Erzählung bei »über 50000 Worten«[7] nach Forster zum Roman wird, reicht als Definition des modernen Romans nicht mehr aus. Die erzählerische Unmittelbarkeit, die den Roman des 19. Jahrhunderts großenteils auch auf der Ebene der Hochliteratur einem relativ breiten Lesepublikum erschloß, gehört endgültig der Vergangenheit an. Die Verbindungen von Hochliteratur und konsumierbarem Lesestoff, die etwa in den Romanen von Charles Dickens und Honoré Balzac hervortritt, läßt sich im 20. Jahrhundert kein gleichwertiges Beispiel an die Seite stellen. Die beiden dort noch verbundenen Stränge, der Roman als Kunstform und als Unterhaltungsmedium, sind zertrennt worden und haben sich isoliert weiterentwickelt.

Die Situation des Romans, wie sie sich den Theoretikern der Frühromantik noch avantgardistisch darstellte und in den folgenden Sätzen Friedrich Schlegels über eine Poesie, die »zwischen dem Dargestellten und dem Darstellenden ... auf den Flügeln der poetischen Reflexion in der Mitte schweben, diese Reflexion immer wieder potenzieren und wie in einer endlosen Reihe von Spiegelungen vervielfachen«[8] kann, den Typus des polyhistorischen Romans vorwegzunehmen scheint – diese Situation ist in unserem Jahrhundert zur Normalsituation geworden. »Gleichsam mit einem Schlage«, so schreibt Hannah Arendt, »ist die bisher verständlichste, dem großen Publikum zugänglichste Kunstform zu der schwierigsten und esoterischsten geworden.«[9]

Man hat diesen Wandel des Romans, der sich vor allem in der Auflösung der einheitlichen Form und der bereits erwähnten architektonischen Vielstimmigkeit einer aus vielen Einzelheiten entstehenden neuen integralen Form dokumentiert, häufig mit dem Stichwort »Krise des Romans« umschrieben. Und es hat nicht an didaktischen Ratschlägen zur Überwindung der vermeintlichen Krise gefehlt. Während J. W. Beach[10] mit dem Stichwort »Exit Author« einen zentralen Strukturwandel der modernen Epik konstatiert, nämlich das Zurücktreten des Erzählers, sieht Wolfgang Kayser[11] gerade im Verschwinden des Erzählers, den er als das »vielleicht wesentlichste Formprinzip« (445) des Romans definiert, den Niedergang des Romans, seine Formverwilderung beginnen und postuliert auf normative Weise: »Der Tod des Erzählers ist der Tod des Romans.« (445) Aber ein solches, von einer normativen Basis aus gefälltes Urteil suggeriert ein zeitloses Formideal des Romans, das auf dem Hintergrund des geschichtlichen Wandels zur Stilisierung einer privaten Vorliebe wird.

Es hat ebenso nicht an Stimmen gefehlt, die beim Versuch einer historischen Einordnung dieses Wandels wie Emrich festgestellt haben: »Die angebliche Krise, in die die moderne Roman- und Erzählkunst hineingeraten ist, ist gar keine Krise.«[12] Es handelt sich hier um eine Differenzierung des Blickfeldes, die auf die Ästhetik Hegels zurückgeht, der bekanntlich »die Historisierung des ästhetischen Formdenkens«[13] vollzog. Hegels Abgrenzung des Epos vom Roman, der »modernen bürgerlichen Epopöe«[14], und die damit verbundene geschichtliche Fortentwicklung von der Totalität der Welterfahrung, die sich bruchlos im Epos realisierte, zur prosaischen Ordnung des modernen Weltzustandes, dessen Korrelat der Roman ist, stellen entscheidende Denkmotive für die theoretische Beschäftigung mit dem Roman in der Folgezeit dar. Die Unmittelbarkeit des Poetischen, die sich dem Epos noch problemlos erschloß, ist in der »bereits zur Prosa geordneten Wirklichkeit« (395) gebrochen und die zu leistende epische Totalität wird zu einem Ziel, das immer ferner rückt und immer schwerer zu erreichen ist. Der Verlust des ursprünglich poetischen Weltzustandes läßt den Roman zum Versuch werden, die Disharmonie zwischen einer versachlichten Wirklichkeit und der »Welt des Herzens« in einer neu zu schaffenden poetischen Wirklichkeit zu überwinden.

Die geschichtsphilosophische Konzeption, die hier über der Entwicklung des Romans erscheint und die auf Hegel zurückgeht, durchzieht als gedankliches Leitmotiv viele der theoretischen Untersuchungen über den modernen Roman. Ihre ins

Breite gehende Wirkung fand diese Konzeption vor allem in einem Text, der bewußt auf den Voraussetzungen Hegelschen Denkens aufbaut, nämlich der 1914/15 entstandenen »Theorie des Romans« von Georg Lukács. Diese 1916 in Max Dessoirs »Zeitschrift für Ästhetik und Allgemeine Kunstwissenschaft« erschienene Abhandlung, 1920 dann ebenfalls als Buchveröffentlichung vorgelegt, ist nicht nur von Denkern wie Max Weber, Walter Benjamin und Benedetto Croce als eine der bedeutendsten Analysen der modernen Epik angesehen worden, sondern hat ebenso den Zuspruch zahlreicher Autoren, vor allem Thomas Manns, gefunden. Auch die umfangreichen romantheoretischen Reflexionen von Hermann Broch sind im wesentlichen Gedankengängen der Lukács'schen »Theorie des Romans« verpflichtet. Noch 1958 führte Adorno in einer Polemik gegen eine Spätschrift Lukács'[15] über den frühen romantheoretischen Entwurf aus: »Die ›Theorie des Romans‹ zumal hat durch Tiefe und Elan der Konzeption ebenso wie durch die nach damaligen Begriffen außerordentliche Dichte und Intensität der Darstellung einen Maßstab der philosophischen Ästhetik aufgerichtet, der seitdem nicht wieder verloren ward.« (152) Auch Lucien Goldmann spricht von der »Theorie des Romans« als von einem »beinahe schon klassisch gewordenen Werk.«[15a].

Die Nachwirkungen dieser Studie waren in der Tat groß. Formulierungen wie die Erich Kahlers in seinem Aufsatz »Untergang und Übergang der epischen Kunstform«[16], wo es heißt: »Unter diesem allgemeinen Aspekt einer Veränderung der Wirklichkeit als Resultat der fortschreitenden Wechselwirkung zwischen Mensch und Umwelt müssen wir, meine ich, die künstlerischen Formveränderungen ansehen. Es besteht der engste Zusammenhang zwischen Sehformen, Erlebensformen, Denkformen, Kunstformen, zwischen den sozialen, den wissenschaftlichen und den künstlerischen Prozessen...« (4), bezeugen dies ebenso wie Gedanken Emrichs, die er in seinem Aufsatz »Zur Ästhetik der modernen Dichtung«[17] vorträgt: »Erscheinung und Bedeutung fallen nicht mehr unmittelbar harmonisch zusammen. Das Zeichen löst sich vielmehr verfremdend von der sinnlich erscheinenden Wirklichkeit los, um die Gesetzmäßigkeit dieser Erscheinungswelt erkennen, aufzeigen zu lassen... Die scheinbar disharmonische Spaltung zwischen Erscheinung und Bedeutung, die Deformierung der Erscheinungswelt vermittels des verfremdenden Zeichens, dient der Aufschließung der Erscheinungswelt selbst, die deformiert wurde...« (132)

Solche Formulierungen weisen auf eine Reflexion des modernen Romans, die deutlich auf Lukács'schen Denkbahnen fortschreitet. Wenn Rohrmoser[18] daher in seiner Studie über die Lukács'sche Romantheorie mit der Feststellung einsetzt, diese Schrift sei »in der ästhetischen Diskussion fast folgenlos geblieben« (396), so stellt das eine merkwürdige Umkehrung des tatsächlichen Sachverhaltes dar. Lukács' romantheoretischer Entwurf nimmt aber nicht nur seiner erstaunlichen Ausstrahlung wegen eine Sonderstellung unter ähnlichen romantheoretischen Versuchen ein, sondern steht auch rein zeitlich gewissermaßen am Beginn. Mit guten Gründen kann also an die Stelle einer summarischen Bestandsaufnahme der verschiedenartigen Reflexionen über den modernen Roman der Lukács'sche Versuch als einer der zentralen romanpoetologischen Texte treten.

2. Als nach mehr als vierzig Jahren 1962 Lukács' Abhandlung in einer neuen Ausgabe[19] erschien, hat er selbst in einem Vorwort die Wirkungsgeschichte seiner Arbeit skizziert und sich zugleich, nun aus dezidiert marxistischer Sicht, von einigen Gedankengängen der »Theorie«, die im Prozeß seines »Übergangs von Kant zu Hegel« (6) entstand, distanziert. Lukács' Einwände richten sich einmal gegen die Methode und zum andern gegen die pessimistische Tendenz, die den Roman als Form einer disparaten, in sich zerfallenen Wirklichkeit begreift. Aber während diese Tendenz im Grunde aus der geschichtsphilosophischen Sicht Hegels erwächst, auf den sich Lukács auch im Vorwort nachdrücklich bezieht, und dadurch der psychologische Affekt philosophisch aufgefangen wird, deutet er diese Tendenz nun im Rückblick ausschließlich als psychologisches Faktum. Sie erscheint ihm nun als Ausdruck »einer Stimmung der permanenten Verzweiflung über den Weltzustand« (6) und wird auf das psychologische Klima der Entstehungszeit zurückgeführt, den Winter 1914/15, also auf die Erfahrung des Ersten Weltkrieges, den Lukács von Anfang an unter dieser Perspektive erlebte: »Die Aussicht auf einen Endsieg des damaligen Deutschland empfand ich als einen Alpdruck.« (5) Soweit neben dieser psychologischen Begründung des Geschichtspessimismus eine philosophische erwähnt wird, ist es nicht Hegel, auf den sich Lukács bezieht, sondern Fichte, dessen Formulierung vom »Zeitalter der vollendeten Sündhaftigkeit« (13) er als philosophische Präfiguration der

Tendenz seiner »Theorie des Romans« begreift. Das mag in der Terminologie zwar Fichte sein, den Lukács dann auch in der »Zerstörung der Vernunft« zu den Verblendeten der philosophischen Tradition Deutschlands rechnet[20], aber die Substanz des Gedankens ist ebenso bei Hegel zu finden, dessen Vorstellung von der prosaischen Ordnung des modernen Weltzustandes ebenfalls auf Disharmonie und Aufhebung der einstigen Wirklichkeitseinheit hindeutet.

Merkwürdig ist, daß Lukács sich im Rückblick nicht nur von der pessimistischen Tendenz der »Theorie des Romans« distanziert, sondern ebenso von deren Gegengewicht, dem Hinweis auf eine utopische Überwindung des Krisenzustandes in den Werken von Dostojewski. Dieser positive Ausblick auf Dostojewski, bewußt ans Ende der »Theorie des Romans« gestellt, wird jetzt als »primitiver Utopismus belächelt« (15) und auch hier wieder psychologisch zum Teil gerechtfertigt, nämlich durch Hinweise auf »eine damals real vorhandene geistige Strömung« (15), in der sich deutlich utopische Motive bemerkbar machten. Aber was sich Lukács gleichsam nur als mildernden Umstand zubilligt, wäre ganz im Gegenteil geeignet, seine Selbstbezichtigung aufzuheben und die utopische Wendung am Ende der »Theorie des Romans« als durchaus konsequenten Ausdruck eines Denkens zu begreifen, das sich ungefähr gleichzeitig in der ersten Fassung von Ernst Blochs »Geist der Utopie« dokumentiert.

Verständlich wird dieses Selbstgericht des späten Lukács nur, wenn man die Einwände beachtet, die er gegen die Methode seines Traktats erhebt. Der Angriff gegen sich selbst, wird zum Angriff gegen die »geisteswissenschaftliche Methode« (7), der der frühe Lukács der Heidelberger Zeit am Beispiel Simmels[21] etwa noch durchaus positiv begegnete und hinter der die imponierende wegweisende Gestalt Diltheys sichtbar wird, dessen in die Breite gehende Wirkung 1905 mit der Veröffentlichung seines Buches »Das Erlebnis und die Dichtung« einsetzte. Lukács charakterisiert diese Methode folgendermaßen: »Es wurde Sitte, aus wenigen, zumeist bloß intuitiv erfaßten Zügen einer Richtung, einer Periode etc. synthetisch allgemeine Begriffe zu bilden, aus denen man dann deduktiv zu den Einzelerscheinungen herabstieg und so eine großzügige Zusammenfassung zu erreichen meinte. Das war auch die Methode der ›Theorie des Romans‹.« (7)

Das ist hier ein Angriff, der sich im Kern zugleich gegen den sich später dokumentierenden monumentalen Darstellungsstil des

George-Kreises richtet, aber von der Sache her ebenfalls den ganz anders ausgerichteten Walter Benjamin trifft, dessen an die Begriffe des Ursprungs und der Konfiguration geknüpfte Erkenntnisvorstellung in eine ähnliche Richtung weist.[22] So sehr Lukács' Methodenkritik bedenkenswert erscheint, so wenig geht er jedoch auf der andern Seite darauf ein, was sich für ihn als methodische Alternative darstellt. Was hier unausgesprochen bleibt, läßt sich indirekt aus den Arbeiten des späten Lukács erschließen. Es ist die Fundierung der literartheoretischen Reflexion auf der Gedankengrundlage des Marxismus, der die Literatur nur als eine von vielen geistigen Objektivationen begreift, in denen sich die ökonomischen Gesetzmäßigkeiten des Unterbaus auswirken. Doch während der hermeneutische Zirkel, in dem das einzelne aus dem Allgemeinen und umgekehrt in wechselseitiger Spiegelung erschlossen wird, bei der kritisierten Methode des frühen Lukács eher erhalten zu bleiben scheint, wird er im zweiten Fall häufig aufgehoben.

Kann man Lukács' Methodenkritik, wenn auch nicht zustimmen, so doch nachvollziehen, so ist ein weiterer gegen die Denkmethode gerichteter Einwand wohl nur eine Projektion des späten Lukács. Er erkennt in der »Theorie des Romans« eine Geisteshaltung, der es um »Verschmelzung von ›linker‹ Ethik und ›rechter‹ Erkenntnistheorie (Ontologie etc.)« (16) ging und nennt als weitere Beispiele für die gleiche Einstellung Ernst Bloch, Walter Benjamin und den frühen Adorno. Während sich die Wirklichkeitsauslegung noch auf traditionellen philosophischen Bahnen bewege, werde sie bereits von »einer linken, auf radikale Revolution ausgerichteten Ethik« (17) bestimmt. Aber wie Lukács, der sowohl die pessimistische Tendenz als auch den abstrakten utopischen Schluß der »Theorie des Romans« kritisierte, nun dennoch eine auf radikale Revolution ausgerichtete Ethik in ihr erkennen will, bleibt rätselhaft, da die auf die Zukunft deutende Perspektive am Schluß rein literarisch bleibt, sich nämlich an der im Werk Dostojewskis verkörperten Hoffnung orientiert.

Es hat also den Anschein, als ob die Negationen, mit denen der späte Lukács seine Frühschrift versieht – vielleicht nur mit Ausnahme des Einwands gegen die geisteswissenschaftliche Methode –, dem Versuch entspringen, dieses frühe Zeugnis seines Denkens einer Entwicklung seiner philosophischen Haltung einzuordnen, die in der Gegenwart sehr viel stärker auf eine dogmatische Position festgelegt ist. Lukács' Selbstkritik stellt sich so als Ausräumung subjektiver Schwierigkeiten dar, sich von einer gegenwärtigen Position aus erneut mit seiner Frühschrift zu identifizieren. Aber dieser private Rechtfertigungsversuch läßt die Substanz seiner Gedanken unangetastet, deren Relevanz nicht zuletzt das ausgelöste große Echo bestätigt.

3. Wie steht es im einzelnen um die Relevanz dieser Gedanken? Wie stellt sich die Analyse des modernen Romans in ihren wichtigsten Punkten dar? Lukács hat seinen Traktat im Untertitel als »geschichtsphilosophischen Versuch über die Formen der großen Epik« bezeichnet und seine Reflexion in einen grundsätzlichen und einen typologischen Teil aufgegliedert. Besonders dieser erste Teil, der ein sich wandelndes Wirklichkeitsbild, ausgehend von der geschlossenen Kultur der griechischen Welt, auf sich ebenfalls ändernde Formen epischer Gestaltung bezieht, ist Hegel verpflichtet. Lukács hat selbst bekannt: »Meines Wissens ist ›Die Theorie des Romans‹ das erste geisteswissenschaftliche Werk, in dem die Ergebnisse der Hegelschen Philosophie auf ästhetische Probleme konkret angewendet wurden« (10). Am Beispiel eines ins Ideale verzeichneten Griechentums wird das »Weltzeitalter des Epos« (23) beschrieben. Es ist eine »abgerundete Welt« (26), deren »Sinn greifbar und übersichtlich« (23) ist und deren Einheit in ihr erkennbar beschlossen liegt. Das »beinahe platonische Hineinleuchten des Himmels in die irdische Wirklichkeit« (31), wie Lukács die Einheit dieser in sich geschlossenen Wirklichkeit charakterisiert, spiegelt sich in der formalen Geschlossenheit des Epos, das zum literarischen Korrelat dieses harmonischen Weltzustandes wird. Nicht nur die Nähe zu Hegel zeigt sich in dieser Charakteristik, ebenso deutlich ist hier Lukács' Anlehnung an das traditionelle Bildungsideal der deutschen Klassik. Peter Ludz hat denn auch in seiner Lukács-Studie zu Recht betont: »Mit der Konzeption der verlorenen, ursprünglichen Totalität der Griechen steht Lukács eindeutig im Banne jenes klassisch-humanistischen Ideals, das Winckelmann, Lessing, Herder, Goethe, Schiller,... aber auch spätere wie Simmel, beseelt hat...« (37-38) Das bedeutet: ein sehr traditionelles Bildungserbe wird hier von Lukács auf eine geschichtsphilosophische Formel gebracht, deren geistiges Konzept wiederum auf Hegel zurückweist.

In Parallele zu Hegel wird dann auch in pauschalem historischen

Aufriß die sich aufspaltende und den metaphysischen Einheitsverband aufhebende Moderne mit der »naturhaften Einheit der metaphysischen Sphären« (31) im Griechentum konfrontiert. War es dem Epos auferlegt, eine in der Wirklichkeit vorgegebene Totalität zu gestalten, so findet der Roman »keine spontane Seinstotalität« (32) mehr vor, sondern er wird, wie Lukács' berühmte Formulierung lautet, »zum Ausdruck der transzendentalen Obdachlosigkeit« (35). Die Totalität, die als solche in der empirischen Wirklichkeit nicht mehr vorhanden ist, wird dem Roman als Gestaltungsziel auferlegt. Der Roman wird zur »Epopöe eines Zeitalters, für das die extensive Totalität des Lebens nicht mehr sinnfällig gegeben ist, für das die Lebensimmanenz des Sinnes zum Problem geworden ist, und das dennoch die Gesinnung zur Totalität hat.« (53) Wenn Lukács die Geschichte so als einen Prozeß zunehmender Entfremdung zu sehen scheint, wobei Entfremdung Verschüttung der ursprünglichen Sinneinheit meint, gewinnt der Roman auf diesem Hintergrund eine utopische Funktion: Er wird zum Reflexionsorgan einer Wirklichkeit, die zu sich selbst in Widerspruch geraten und auf der Suche nach einer Überwindung dieses Zustandes ist. Der Roman erhält unter diesem Aspekt eine philosophische, eine gleichsam erkenntnistheoretische Aufgabe.

Es sind also nicht der jeweiligen Gattung innewohnende objektive Gestaltungsintentionen, die die Epopöe, das klassische griechische Epos, und den Roman voneinander unterscheiden, sondern die »geschichtsphilosophischen Gegebenheiten, die sie zur Gestaltung vorfinden« (53). Mit andern Worten: der geschichtsphilosophisch interpretierte Prozeß der sich wandelnden Wirklichkeit führt zu den verschiedenen Gestaltungsintentionen der beiden Gattungen.

Die aus dieser Situation erwachsenden Formprobleme des Romans hat Lukács im vierten Abschnitt des ersten Teils im einzelnen darzustellen versucht und damit indirekt bereits eine typologische Skala verschiedener Romanmöglicheiten entworfen, die er dann im zweiten Teil der »Theorie des Romans« am Beispiel einiger Romane explizit erläutert. Die der Gestaltung des modernen Romans innewohnenden Gefahren sieht Lukács aus seinem »abstrakten Grundcharakter« (69) erwachsen. Abstrakt ist der Roman einmal, weil seine Gestaltung ohne den Abstand von der konkreten Wirklichkeit nicht zu denken ist, abstrakt ist er ferner durch seine Gesinnung zur Totalität, da er die in der empirischen Wirklichkeit nicht mehr vorgegebene Einheit in der Verwirklichung seiner formalen Geschlossenheit vorwegnimmt und als utopisches Ziel postuliert. Lukács versucht, an einem Gegenbeispiel deutlich zu machen, was er mit dieser Abstraktheit des Romans und den daraus entstehenden Gefahren meint.

Dantes »Göttliche Komödie«, die für ihn den Übergang vom Epos zum Roman markiert, enthüllt sich ihm in ihrer sichtbaren Totalität durch das theologische Begriffssystem, das der Gestaltung zugrunde liegt, das jedoch gleichzeitig in der hierarchischen Ordnung der damaligen Welt konkret hervortritt und so als rational artikuliertes System des in der Wirklichkeit faktisch Vorhandenen gerechtfertigt wird. Für den Roman besteht jedoch die Möglichkeit nicht mehr, die gestaltete abstrakte Totalität gleichsam an der konkreten Wirklichkeit zu erhärten, da die von ihm angestrebte Totalität von vornherein utopisch ist und die Wirklichkeit übersteigt.

Die Flucht in die Konvention und damit die Gestaltung eines rückgewandten, nicht mehr existenten Wirklichkeitsbildes ist eine der Gefahren, die Lukács als Folge beschreibt. Er spricht von einer »Verengerung der Totalität ins Idyllenhafte« oder sogar von einem »Herabsinken auf das Niveau der bloßen Unterhaltungslektüre« (69). Es ist die Sehnsucht nach einer »heilen Welt«, die zum ästhetischen Überspielen der Diskrepanzen führt und sich im Roman ein ästhetisches Refugium schafft, das die Erkenntnis der faktischen Realität verschleiert. Ohne Frage hat Lukács hier Möglichkeiten zeitgenössischer epischer Gestaltung berührt, die von Wiechert bis hin zu Simmel reichen. Epische Regression ins Konventionelle findet statt, wobei alles überdekkende Gesinnung oder äußerliche Spannungsbrisanz nur graduelle Unterschiede markieren.

Die andere Gefahr, die Lukács mit der Abstraktheit des Romans verbunden sieht, bezeichnet er mit der Tendenz zum »Transzendieren ins Lyrische oder Dramatische« (69). Lukács geht es offensichtlich darum, das Gegenteil der zuerst beschriebenen Ausflucht zu charakterisieren. Während im ersten Fall die zerrissene Wirklichkeitseinheit durch eine oberflächliche Synthese verhüllt wird, führt im zweiten Fall die Erkenntnis der Wirklichkeitsauflösung zur Haltung der Resignation. Nicht mehr die »formgeforderte Sinnesimmanenz« (70) tritt in den Mittelpunkt der Romangestaltung, sondern – das gilt zumindest für das Transzendieren ins Lyrische – der subjektive Reflex, den die Erkenntnis des Wirklichkeitszerfalls auslöst, tritt um seiner selbst willen in den Vordergrund. Das, was Freedman offensichtlich im Typus des lyrischen Romans zu fassen sucht, die Verwandlung der Wirklichkeit zum Spiegel der inneren Imagination, wird hier von Lukács kritisch abgelehnt. Auf der anderen Seite hat jedoch gerade Lukács in der »Theorie des Romans« formuliert, allerdings in Zusammenhang mit den sogenannten »kleineren epischen Formen« (45), der Novelle etwa, daß »eine bewußte Setzung des schaffenden Wertsubjekts einen immanent herausstrahlenden Sinn in dem isolierten Dasein gerade dieses Lebensstückes zur Evidenz bringt... Die Lyrik ist hier die letzte epische Einheit« (46).

Hier wird darauf hingedeutet, daß im lyrischen Transzendieren des Epischen sich die einheitsbildende Kraft des Ichs verrät, das als »Setzung eines schaffenden Wertsubjekts« im Roman – eine Formulierung, die wörtlich auf Broch vorausdeutet – zum Zentrum der formalen Organisation wird. Damit wird ein Strukturelement berührt, das besonders in Brochs Romanen von konstitutiver Bedeutung ist. Das formale Experiment z. B. in Brochs »Tod des Vergil« erschließt sich unter diesem Aspekt in seiner Plausibilität. Denn Lyrik bedeutet hier nicht »Schwelgen eines vereinsamten Ich in der gegenstandsfreien Kontemplation seines Selbst, sondern normgeboren und formschaffend trägt sie die Existenz alles Gestalteten« (46-47).

Und im zweiten typologischen Abschnitt der »Theorie des Romans«, der das »Auseinanderfallen von Innerlichkeit und Welt« (114), die Verwandlung der Wirklichkeit zu einer sogenannten »zweiten Natur«, »zum Inbegriff sinnesfremder Gesetzlichkeiten, von denen aus keine Beziehung zur Seele gefunden werden kann« (115), nochmals als charakteristische geschichtsphilosophische Situation des Romans betont, wird ausdrücklich in einer »extremen Steigerung des Lyrischen« (116) eine Möglichkeit zur Überbrückung jener Kluft gesehen. Indem »die lyrische Subjektivität für ihre Symbole die Außenwelt erobert« (116), verwandelt sie den Roman zu einem »lyrischen Kosmos reiner Innerlichkeit« (116) – eine Formulierung, die in der Tat über Brochs »Tod des Vergil« stehen könnte –, in dem sich im Idealfall zugleich die in sich zerfallene Ordnung der äußeren Wirklichkeit spiegelt und wiederentdeckt.

Denn die in den epischen Verhältnissen verwirklichte Lyrik unterscheidet Lukács zugleich von dem, was man gattungsmäßig mit

Lyrik bezeichnet. Gilt für jene Unmittelbarkeit als Kriterium, so ist es Reflexion, die das Lyrische des Romans charakterisiert: »Die epische Innerlichkeit ist aber immer reflektiert, sie realisiert sich in einer bewußten und abstandsvollen Weise, im Gegensatz zur naiven Abstandslosigkeit der echten Lyrik« (116). Die geschichtsphilosophische Begründung liegt, wie bereits erwähnt, in der Tatsache, daß die »innere Wichtigkeit des Individuums den geschichtlichen Gipfelpunkt erreicht: es ist nicht mehr wie im abstrakten Idealismus, als Träger von transzendenten Welten bedeutsam, sondern trägt ausschließlich in sich selbst einen Wert...« (119)

Das Transzendieren ins Lyrische ist also nicht nur mit der Gefahr der Formauflösung verbunden, sondern stellt zugleich intentional eine Möglichkeit des modernen Romans dar, von der dem Individuum historisch zugespielten Position aus die verschüttete Wirklichkeitseinheit formal einzuholen. Was man romanpoetologisch als »the lyrical novel« beschrieben hat, wird hier indirekt von Lukács geschichtsphilosophisch begründet.

Lukács führt allerdings nirgendwo aus, wie sich analog dieser zwiefache Aspekt von Gefährdung und Zukunftsmöglichkeit beim Transzendieren des Romans ins Dramatische zeigt. Ein formal-stilistisches Phänomen, das sich sowohl bei Joyce als auch bei Broch, um nur zwei Beispiele zu nennen, belegen läßt. In den »Ulysses« und in die »Schlafwandler« sind bekanntlich dramatische Szenen eingebaut. Soweit Lukács in seinen Ausführungen auf das Drama Bezug nimmt, geschieht es im Sinne eines Kontrastes und aus rückgewandter Perspektive: Der, wie es heißt, »aus sich heraus substanzvolle und aus Substantialität runde Kosmos des Dramas« (44) ist als literarische Form auf das Bild einer harmonischen Vergangenheit bezogen.[23]

Obwohl Lukács an einer Stelle gesteht, »Reflektierenmüssen ist die tiefste Melancholie jedes echten und großen Romans« (84), ist es jedoch auffällig, daß er nicht explizit auf eine dritte Möglichkeit des formalen Transzendierens im modernen Roman eingeht: sein Transzendieren ins Essayistische[23a]. Das, was das zentrale Kennzeichen des vieldimensionalen oder polyhistorischen Romans ausmacht, der strukturelle Einbau von Reflexionspartien, wird von Lukács nirgendwo erwähnt. Das ist immerhin eine bemerkenswerte Lücke, obwohl Lukács die Tendenz zur Reflexion inhaltlich erwähnt, nämlich bei der Erörterung der wichtigen Rolle, die das Subjekt als einheitsbildendes Element des modernen Romans spielt. In diesem Sinne schließt das, was er als Transzendieren ins Lyrische bezeichnet, zugleich den formalen Übergang des Erzählens zur essayistischen Prosa mit ein. Auf diesem Hintergrund wäre dann allerdings anzumerken, daß die Charakteristik »lyrisch« bei Lukács nicht nur formal, sondern zugleich inhaltlich gemeint ist, wobei allerdings in seinem Gebrauch die Grenzen fließend werden.

Die Konsequenzen, die Lukács aus dieser geschichtsphilosophischen Beschreibung des modernen Romans zieht, sind aufschlußreich genug. Wenn er ausführt: »Die Dissonanz der Romanform, das Nichteingehen-Wollen der Sinnesimmanenz in das empirische Leben, gibt ein Formproblem auf, dessen formeller Charakter viel verdeckter ist, als der anderer Kunstformen...« (69), so betont er hier nochmals die besondere Situation des Romans: die Sinnhaftigkeit einer Wirklichkeit gestalten zu müssen, deren Sinn empirisch nicht mehr erfahrbar ist. Der Roman wird zum Experimentierfeld, zum permanenten Versuch der Sinnaufspürung und gerade im Ausweichen vor einer nur oberflächlich geleisteten Synthese, im formalen Durchhalten der Dissonanz dokumentiert er seine künstlerische Wahrheit, wird die ästhetische Gestaltung zugleich zum ethischen Postulat. Die mögliche Einheit des modernen Romans sieht Lukács nur auf dialektische Weise erreichbar: »Die formgeforderte Immanenz des Sinnes entsteht gerade aus dem rücksichtslosen Zu-Ende-Gehen im Aufdecken ihrer Abwesenheit« (70). Das bedeutet aber: gerade dadurch, daß die Sinnesimmanenz, d. h. die Einheit des Romans, als vorschnelle Lösung vermieden wird, erwächst aus dieser im Roman ständig vorhandenen Offenheit die Möglichkeit einer formal zu verwirklichenden Einheit, die jedoch erst am Ende eines noch zu durchlaufenden Prozesses steht. Die augenblicklich noch ausgehaltene Dissonanz, die noch nicht formal in Erscheinung getretene Sinnesimmanenz, wird also zugleich zur Bestätigung der potentiellen Einheit.

Was sich auf den ersten Blick als dialektischer Kunstgriff präsentiert, wird durch die Beobachtung einer charakteristischen Eigenheit des modernen Romans bestätigt: seine Offenheit nicht nur im Sinne eines Durchbruchs der tradierten formalen Geschlossenheit, sondern Offenheit im buchstäblichen Sinn als formale Unabgeschlossenheit. Kafkas große Romane sind fragmentarisch geblieben, ein Torso ist Musils »Mann ohne Eigenschaften«. Es sei ferner auf Hermann Brochs »Bergroman«

hingewiesen oder auf Döblins Romane, die, seinem eigenen Zeugnis zufolge, eher am Ende abbrechen als sinnvoll abgeschlossen werden. Wenn R. Brinkmann[24] einen »gewissen Experimentcharakter (als) adäquateste Vergegenwärtigung der Situation der Poesie in der Gegenwart« (373) bezeichnet hat, so weist er in die gleiche Richtung. Für Lukács erscheint deshalb der Roman »im Gegensatz zu dem in der fertigen Form ruhenden Sein anderer Gattungen als etwas Werdendes, als ein Prozeß. Es ist deshalb die künstlerisch am meisten gefährdete Form...« (71)

Die Richtung dieses Prozesses, den Lukács als die »innere Form des Romans« (79) begreift, beschreibt er als die »Wanderung des problematischen Individuums zu sich selbst,... von der trüben Befangenheit in der einfach daseienden, in sich heterogenen, für das Individuum sinnlosen Wirklichkeit zur klaren Selbsterkenntnis« (79). Aber selbst mit dem Erringen dieser Selbsterkenntnis wird die Dissonanz angesichts der erneut anschaulich gewordenen Sinneinheit nicht überwunden, »der Zwiespalt von Sein und Sollen ist nicht aufgehoben und kann auch in der Sphäre, wo dies sich abspielt, in der Lebenssphäre des Romans nicht aufgehoben werden« (79). Das Ideal ist anschaubar geworden, aber im Roman selbst nicht mehr ganz realisierbar. Die neue ästhetische Qualität, die Lukács aus dieser Situation für den Roman erwachsen sieht, bezeichnet er mit dem Begriff Ironie.

Er ist zwar in diesem Zusammenhang nicht auf Thomas Mann eingegangen, aber Rohrmoser hat ausgeführt, »daß die Möglichkeit eines unmittelbaren Einflusses von Lukács auf Thomas Mann nicht ausgeschlossen werden kann« (402). Ja, er geht sogar noch weiter und deutet die Möglichkeit an, daß in Lukács' theoretisch entwickelter Vorstellung bereits eine Rezeption des frühen Thomas Mann verarbeitet sein könnte. In der Tat ist es auffällig, daß die Ironie für Lukács gleichsam eine Schlüsselstellung im Roman einnimmt. Sie charakterisiert die im Roman verwirklichte Erkenntnishaltung, »die das von Gott Erfüllte der von Gott verlassenen Welt in intuitiver Doppelgesichtigkeit zu erblicken vermag; die die verlorene utopische Heimat der zum Ideal gewordenen Idee sieht und dieses doch gleichzeitig in seiner subjektiv-psychologischen Bedingtheit, in seiner einzig möglichen Existenzform erfaßt; ...Die Ironie als Selbstaufhebung der zu Ende gegangenen Subjektivität ist die höchste Freiheit, die in einer Welt ohne Gott möglich ist« (92f.).

Es ist allerdings fraglich, ob sich diese geschichtsphilosophische

Sicht von Ironie auf die vor allem stilistische Ironie Thomas Manns ausdehnen läßt. Für Thomas Mann, der brieflich gestand: »Ich kann überhaupt nirgends Partei nehmen...«[25] und dessen Tendenz »zu Ausgleich und Relativierung«[26] sich als Grundzug in allen seinen Arbeiten feststellen läßt, ist Ironie eine stilistische Balancebewegung, deren höchstes Gebot die Unbeteiligtheit des unpersönlichen, sich nirgendwo engagierenden Erzählers ist. Während also bei Mann die jeweils punktuell verwirklichte stilistische Ironie, so etwa in den ironischen leitmotivischen Personencharakteristiken, formal jeweils eine durchaus subjektive Aktion des Autors darstellt, soll sie im Ergebnis gerade die Subjektivität des Erzählers aufheben.

Auf diese stilistische Ironie ist jedoch Lukács' Begriff nicht einzuengen. Für ihn ist Ironie die im modernen Roman höchste noch zu erreichende Erkenntnisstufe. Daß Erkenntnis als einheitsstiftende Funktion des Ichs zum organisierenden Formzentrum des Romans wird, hat er im Ergebnis zugleich eingeschränkt. Die im Roman verwirklichte relative formale Geschlossenheit tritt der Wirklichkeit als Ideal gegenüber, nicht als Idee, die sich realisieren ließe. Die nicht zu überbrückende Diskrepanz wird gleichsam in der Erkenntnishaltung der Ironie überwunden, indem in ihr zugleich nur die relative Gültigkeit der im Roman verwirklichten Einheit bewußt gemacht wird. Das bedeutet aber: die Subjektivität als einheitsbildendes Zentrum des Romans wird selbst aufgehoben. Ironie meint also bei Lukács nur indirekt im Roman gestaltete Reflexion, sondern in erster Linie auf den Roman als vollendetes Kunstwerk gerichtete Reflexion, die seine formale Absolutheit relativiert. Alles das deutet entgegen Rohrmosers Annahme weniger auf eine innere Nähe der Lukács'schen Ironie zu der Thomas Manns hin als zu der der Frühromantiker. Lukács hat denn auch in seiner Einleitung von 1962 neben der Hegelschen Ausgangsbasis die Bedeutung der »ästhetischen Theorien des jungen Friedrich Schlegel« (10) und, gerade im Zusammenhang mit der »Ironie als modernem Gestaltungsmittel« (10), von Solger betont. Szondi meint sogar: »Vielleicht ist es kein Zufall, daß das Erhellendste über die romantische Ironie in jenen Schriften zu lesen ist, deren Autoren Schlegels theoretische Werke... nicht eigentlich zu interpretieren beabsichtigten, wie Lukács in seiner ›Theorie des Romans‹.«[27]

Mag Lukács also hier Schlegel seinen Tribut entrichten und indirekt zugleich die Bedeutung von Schlegels romantheoretischen

Reflexionen bezeugen, auf die konkrete Romanliteratur dieses Jahrhunderts bezogen, erscheint dieser Begriff der Ironie, in dem die geschichtsphilosophische Reflexion des ersten Teils der »Theorie des Romans« gipfelt, als reichlich traditionell und zugleich als abstrakt. Die Aufhebung der nicht erreichten Einheit durch potenzierte Reflexion, wie Lukács auf den Bahnen Schlegels das Einheitsziel des modernen Romans umschreibt, führt zu einem Reflexionsstandort außerhalb des Romans und ist kaum noch an im Roman gestalteten formalen Voraussetzungen nachzuweisen. Das führt aber zur Begründung einer Haltung, die in erster Linie den Romanbetrachter charakterisiert und der Möglichkeit nach gegenüber einer Vielzahl von Romanen eingenommen werden könnte.

Was Lukács ursprünglich zutreffender als in der Form des modernen Romans auszuhaltende Dissonanz bezeichnet hat, wird hier allzu schnell auf eine Formel gebracht, deren universale Anwendbarkeit eigentlich bereits ihre Fragwürdigkeit unterstreicht. Tatsächlich läßt schon ein stichwortartiger Überblick über die Romanliteratur dieses Jahrhunderts erkennen, daß die verlorengegangene Wirklichkeitseinheit durch andere formale Mittel wieder zu erreichen versucht wurde. Die Joycesche »Epiphanie«, der Musilsche »andere Zustand« und die Brochsche »Ekstase«, Augenblicke der blitzartigen Einheitserfahrung, können als Beispiele dienen. Der Romancier jedoch, der sich der Ironie als epischem Gestaltungsmittel am nachdrücklichsten bedient, Thomas Mann, scheint zugleich der Lukács'schen Vorstellung relativ fern zu stehen.

Dieser erste geschichtsphilosophische Teil der »Theorie des Romans« ist zweifelsohne zentral. Im zweiten Teil versucht Lukács lediglich gewisse typologische Konsequenzen zu ziehen, die aus den Prämissen des ersten Teils abgeleitet werden.

4. Cervantes' »Don Quixote«, Flauberts »Education sentimentale«, Goethes »Wilhelm Meister« und die Romane Tolstojs sind vor allem die Beispiele, an denen er bestimmte Formen des Romans demonstriert. Bereits bei Cervantes sieht Lukács charakteristische Entwicklungstendenzen des modernen Romans zum ersten Mal auftreten. Faktische Wirklichkeit und inneres Gefühl lassen sich nicht mehr integrieren: »Die Sphären der Seele und der Taten, Psychologie und Handlung haben gar nichts mehr miteinander gemein.« (98) Indem der »Don Quixote« als Parodie

auf jene Ritterromane seiner Zeit entstanden ist, in denen eine konventionserstarrte Form zum sinnentleerten Nachklang der mittelalterlichen Epen wurde, gelingt es Cervantes zugleich, in der Polemik die Gründe für jenen Verfall aufzudecken. Es ist der Verlust der »transzendentalen Orientierung« (103) und die damit verbundene Verwandlung des lenkenden Gottes zum zauberischen Dämon. Die im subjektiven Empfinden noch echt erlebte Idee tritt einer Wirklichkeit gegenüber, die nur noch Konvention dieser Idee ist und einer Verschmelzung widersteht. Die aus der Handlung des Romans konkret hervorgehenden grotesken Widersprüche sieht Lukács in diesem Zwiespalt wurzeln. So wird der »Don Quixote« für ihn zum »ersten großen Roman der Weltliteratur...« (104) in einer »Periode der großen Verwirrung der Werte bei noch bestehendem Wertsystem« (104).

In einem sehr weit gespannten historischen Überblick charakterisiert Lukács an den Romanen Balzacs gewissermaßen den Endpunkt der Entwicklung. Die Dissonanz zwischen Ideal und Wirklichkeit ist völlig zugedeckt worden, da für Lukács die »subjektiv-psychologische Dämonie etwas schlechthin Letztes« (109) bei Balzac geworden ist. Gemeint ist damit in der marxistischen Terminologie des späten Lukács der Endpunkt der prozeßhaft voranschreitenden Wirklichkeitsentfremdung. Mensch und Wirklichkeit, gleichermaßen vom Verlust der Einheit erfaßt, durchdringen sich wieder, aber im Negativen. Subjekt und Objekt werden austauschbar, indem sie sich im Negativen vereinen. Erstaunlich ist, daß der frühe Lukács dieses Phänomen bei Balzac unter ästhetischem Aspekt durchaus als positiv zu rechtfertigen versucht: »Durch diese paradoxe Homogenität des Stoffes, die aus der extremen Heterogenität seiner Elemente entstanden ist, wird die Sinnesimmanenz gerettet« (109f.). Das bedeutet offenbar, daß bei Balzac die epische Totalität erreicht wird, aber gleichsam in der Negation. Auch wenn Lukács einschränkend hinzufügt: »Dieser endgültige Sieg der Form ist aber nur für jede einzelne Erzählung und nicht für das Ganze der ›Comedie humaine‹ errungen...« (110), so ändert das wenig an der grundsätzlich positiv akzentuierten Aussage über die erreichte epische Totalität bei Balzac. Auffällig ist hier der Widerspruch zur Balzac-Interpretation des Marxismus, der sich auf Engels berühmt gewordenes Wort vom Sieg des Realismus[27a] bei Balzac bezieht. Der Akzent wird hier gerade nicht auf die sich im Negativen realisierende Einheit gelegt, sondern gerade auf die sich im

Ästhetischen dokumentierenden Brüche. Wichtig sind, unabhängig von der subjektiven Borniertheit des Autors, der sich in der Gestaltung wertend engagieren mag, gerade jene Momente, wo er die Gesetzmäßigkeit der Wirklichkeit enthüllt und damit zugleich seinen subjektiven Standort widerlegt. Am Beispiel formuliert: wenn der überzeugte Royalist Balzac zugleich die Fragwürdigkeit des royalistischen Regierungssystems und der Adelsschicht gestaltet, mit der er persönlich sympathisiert. Der späte Lukács schwenkt, wie zu erwarten, auf diese Richtung der Balzac-Deutung ein[28].

Diese paradoxe Balzac-Analyse des frühen Lukács erweckt denn auch deutlich den Eindruck, daß seine geschichtsphilosophische Reflexion hier zu einer Schematik herabsinkt, die seine ästhetische Beurteilung einseitig beeinflußt. Was der alte Lukács in seinem rückblickenden Selbstkommentar an Bedenken gegen die »geisteswissenschaftliche Methode« der »Theorie des Romans« angeführt hat, trifft sicherlich in erster Linie auf den zweiten Teil seiner Abhandlung zu. An die Stelle differenzierter literarischer Analyse tritt hier gelegentlich das abstrakte geistreiche Aperçu, das die Literaturgeschichte nach Details absucht, eine schematisierte These zu stützen.

Schematisch scheint auch die dialektisch vorgeführte Negation der Negation, die Lukács in einem Roman des Dänen Pontoppidan, »Hans im Glück«, zu erkennen glaubt. Auch der späte Lukács hat Pontoppidan, der 1917 den Nobelpreis erhielt und 1943 verstarb, gelegentlich erwähnt und ihn so in seiner 1944/45 entstandenen »Skizze zu einer Geschichte der neueren deutschen Literatur« positiv von Gerhart Hauptmann abgehoben[29]. Die negative Harmonie, die im Verhältnis des austauschbar gewordenen Subjekts und Objekts hervortritt, sieht Lukács in der Entwicklungsgeschichte von Pontoppidans Helden Schritt für Schritt aufgehoben, indem sich Per Sidenius, die Hauptfigur des Romans, zunehmend aus der Verstrickung in die Wirklichkeit löst: »Jeder Verzicht auf ein erobertes Stück Wirklichkeit ist in Wahrheit ein Sieg, ein Schritt zur Eroberung des illusionsfrei gewordenen Selbst« (112). Es ist, wie Lukács formuliert, die »retrospektive Klarheit der Sinnesimmanenz« (112), aus der die ästhetische Einsicht des Romans erwächst, da die prozeßhafte Wiederentdeckung des Ichs zugleich den verdeckten transzendenten Bezugspunkt von Ich und Welt als »sichtbar werdende prästabilierte Harmonie« (112) bestätigt.

Das mag als summarisch vorgetragene Interpretation Lukács' hier stehenbleiben. Bemerkenswert ist, daß auch Ernst Bloch noch 1943, wenn vermutlich auch bewußt auf Anregung des frühen Lukács, die Bedeutung von Pontoppidan und besonders des einen von Lukács erwähnten Romans ähnlich gesehen hat[30]. Es ist für ihn ein »Grundbuch der Weltliteratur« (84), in dem »ein Menschliches in seinem Inkognito, für das noch keine Wirklichkeit gekommen ist« (87), erscheint. Auch für Bloch stellt das Buch einen Versuch dar, alle verdinglichenden Mechanismen des Ichs zu durchbrechen und erneut zu seinem Kern vorzudringen, oder, wie er in offensichtlichem Hinweis auf Musil formuliert, »fast eine erste versuchte Art, ohne Eigenschaften zu sein« (88). Aber unabhängig von der Interpretation dieses bestimmten Romans, der ja auch nur als typologisches Beispiel fungiert, hat Lukács hier mit dem Stichwort »Wiederentdeckung der menschlichen Identität« einen thematischen Schwerpunkt der modernen Epik bezeichnet, der sich in der an Pontoppidan charakterisierten Weise nicht zuletzt in den Romanen Kafkas als zentral erkennen läßt.

Der zweite typologische Querschnitt, in dessen Mittelpunkt Flauberts »Education sentimentale« steht, charakterisiert die von Lukács postulierte Entwicklungsgesetzlichkeit der modernen Epik von der andern Seite her. Ist es dort die Herauslösung des Ichs aus der Wirklichkeit, so ist es hier der Versuch, durch die Erzeugung einer gleichsam gesteigerten Wirklichkeit aus dem Ich heraus die erwähnte Diskrepanz zu überwinden. Es ist »die Tendenz, alles, was die Seele betrifft, rein in der Seele zu erledigen« (115). Wenn Lukács diesen Romantypus folgendermaßen bezeichnet: »Verlust der epischen Versinnbildlichung, die Auflösung der Form in ein nebelhaftes und gestaltetes Nacheinander von Stimmungen, der Ersatz der sinnlich gestalteten Fabel durch psychologische Analyse« (115), so sind das Aussagen, die sich ohne weiteres auf eine Vielzahl moderner Romane beziehen lassen. Lukács' typologische Charakteristik dieser Form als *Desillusionsroman,* dem klassischen realistischen Roman als Illusionsroman gegenübergestellt, wird folgendermaßen begründet: »Die Erhebung der Innerlichkeit zu einer völlig selbständigen Welt ist nicht bloß eine seelische Tatsache, sondern ein entscheidendes Werturteil über die Wirklichkeit: diese Selbstgenügsamkeit der Subjektivität ist ihre verzweifeltste Notwehr, das Aufheben jedes bereits a priori als aussichtslos und nur als Erniedrigung angesehenen Kampfes um ihre Realisierung in der Welt außer ihr« (116). In dieser ästhetischen Ersatzwirklichkeit, die das Ich aus sich heraus erschafft, drückt sich für Lukács der generelle Verzicht auf eine Gestaltung der gegebenen Wirklichkeit aus. Oder anders formuliert: im Desillusionsroman ist die Kluft zwischen Ich und Wirklichkeit unüberbrückbar geworden.

Aber Lukács bleibt nicht bei einer ästhetischen Kategorisierung stehen, sondern erhebt die Frage nach einer wertenden Einordnung dieses Romantyps. Indem er die ästhetische Problematik unter ethischem Aspekt begreift, gewinnt er zugleich ein Kriterium der Wertung. Erst wenn sich »diese abgeschlossene Korrektur der Wirklichkeit in Taten umzusetzen« (117) vermag, wird sie ästhetisch gerechtfertigt. Gemeint ist damit im Grunde, daß die subjektiv erzeugte dichterische Eigenwelt sich im Ergebnis wieder auf die faktische Realität beziehen soll, indem in der Dichtung die Utopie dieser faktischen Wirklichkeit erscheint. Die Vermittlung zwischen Ich und Wirklichkeit, für den Desillusionsroman in seiner Entstehungssituation nicht realisierbar, soll sich dennoch am Ende des ästhetischen Gestaltungsprozesses erneut einstellen. Nur die in dieser Situation auf sich beschränkte Subjektivität läßt die ästhetische Leistung belanglos werden, da der Schritt zur Utopie, die Transzendierung zur Tat unterbleiben.

Das sind wichtige Gedankengänge, die in vielem auf die Position Adornos vorausdeuten, der hier auf Lukács aufbaut. Wenn in Adornos Essay »Standort des Erzählers im zeitgenössischen Roman«[31] etwa der herkömmliche Roman folgendermaßen dargestellt wird: »Der traditionelle Roman... ist der Guckkastenbühne des bürgerlichen Theaters zu vergleichen. Diese Technik war eine der Illusionen. Der Erzähler lüftet einen Vorhang: der Leser soll Geschehenes mitvollziehen, als wäre er leibhaftig zugegen...« (67), so wird der von Lukács inaugurierte Typus des Desillusionsromans von Adorno auf den modernen Roman schlechthin bezogen.

Wegweisend ist zugleich eine andere Formbestimmung des modernen Romans, die Lukács von der Basis des Desillusionsromans aus gewinnt. Es ist der Aspekt der Zeit, der hier anders als in der morphologischen Romananalyse Günther Müllers[32], wo es in erster Linie um strukturelle Verhältnisse verschiedener Zeitschichten geht, vor allem in seiner inhaltlichen Seite erscheint. Das »Sich-nicht-bewähren-können der Subjektivität« (123), wie Lukács formuliert, tritt in der Relation zwischen der aus dem Ich erzeugten Welt und dem monotonen »Ablauf der Zeit« (123) hervor. Die im Roman angelegte mögliche Transzendierung wird also erst auf dem Hintergrund einer Überwindung der Zeit möglich. Wenn Lukács in diesem Zusammenhang die Formulierung gebraucht, die Zeit müsse in Raum verwandelt werden[33], so nimmt er damit bereits einen der Kernsätze der Romanpoetik Brochs vorweg und berührt das Formprinzip der Simultaneität als eines der entscheidendsten Gestaltungselemente der modernen Epik. Hier spannt sich ein Bogen von Proust bis hin zu Joyce, von Thomas Mann bis hin zu Hermann Broch. Hoffnung und Erinnerung werden zum Ursprung der epischen Gestaltung: »Die ganze innere Handlung des Romans ist nichts als ein Kampf gegen die Macht der Zeit« (126).

Lukács' geschichtsphilosophische Begründung für diese zentrale Rolle der Zeit im modernen Roman ist einleuchtend. Da dem modernen Roman eine Transzendenz, an der er sich orientieren könnte, nicht mehr gegeben ist, wird der Kampf gegen die Zeit zur Suche nach dieser Transzendenz: »Die Zeit kann erst dann konstitutiv werden, wenn die Verbundenheit mit der transzendentalen Heimat aufgehört hat« (125). Simultaneität wird also zur Überwindung der Zeitlichkeit, und die sich in der Erinnerung vollziehende Einheit der Zeit wird zum Ausdruck der Totalitätsgesinnung, des »ahnend-intuitiven Erfassens des unerreichten und darum unaussprechlichen Lebenssinnes, des deutlich gewordenen Kerns aller Taten« (132).

Zentrale Strukturphänomene des modernen Romans werden von diesem Standort Lukács' aus überschaubar: Simultaneität, die damit häufig verbundene Leitmotivtechnik, die Joycesche »Epiphanie«, der Musilsche »andere Zustand« und die Brochsche »Ekstase«, wo es jeweils um Zeitüberwindung geht, ordnen sich hier einem plausiblen geschichtsphilosophischen Zusammenhang ein.

Die beiden Schlußabschnitte der »Theorie des Romans« treten an wegweisender Einsicht hinter die Überlegungen zum Typus des Desillusionsromans zurück. Am Beispiel von Goethes »Wilhelm Meister« charakterisiert Lukács in historischem Rückgriff den Versuch einer Synthese zwischen Ich und Wirklichkeit, von typologischer Bedeutung vor allem auf dem Gattungshintergrund des Entwicklungsromans. Aber was Goethe größtenteils gelungen sei, nämlich »in den Gebilden der Gesellschaft Bindungen und Erfüllungen für das Innerlichste der Seele zu finden« (136), trägt in der Moderne für ihn oft »den fatalen, belanglosen und kleinlichen Charakter des bloß Privaten« (141). Die Haltung des Ichs, sich mit der Wirklichkeit zu arrangieren, führt zu einem oberflächlichen Kompromiß, der die Vermittlung zwischen Subjekt und Objekt aufhebt und lediglich aus einer rückgewandten Attitüde heraus die Wirklichkeit romantisiert. Selbst bei Goethe findet Lukács im zweiten Teil des »Wilhelm Meister« diese Gefahr bereits angedeutet, etwa in der Konstruktion der Gesellschaft vom Turm, die die »brüchige Welt des Adels« (145) romantisiere. Lukács, der sich hier zugleich auf das Urteil von Novalis über »Wilhelm Meister« bezieht und die von jenem betonte Diskrepanz zwischen poetischer Darstellung und unpoetischem Gehalt zustimmend zitiert, sieht trotz dieser Einsicht des Novalis die gleiche Gefahr in dessen »Ofterdingen« radikalisiert.

Der Schlußabschnitt untersucht am Beispiel von Tolstoj eine weitere typologische Sonderentwicklung des modernen Romans, die das »Transzendieren zur Epopöe« charakterisiert. Wie im Desillusionsroman wird auch hier die bestehende Wirklichkeit abgelehnt. Aber nicht die im Subjekt erzeugte zweite Wirklichkeit wird an die Stelle der faktischen Realität gesetzt, vielmehr verkörpert eine als Ideal gesetzte Natur die eigentliche Realität. Doch wenn Lukács in der Betonung von Tolstojs Repräsentanz für diese Entwicklung ausführt: »Eine solche Möglichkeit war der westeuropäischen Entwicklung nicht gegeben...« (148), so stellen Döblins Romane, besonders »Berge, Meere und Giganten«, Beispiele dar, die diese Feststellung im Rückblick zweifelhaft werden lassen; wie ja überhaupt das Epos, d. h. – in der Lukácsschen Terminologie – die Epopöe, vor dem Roman die bevorzugte Gattung Döblins gewesen ist. Freilich entdeckt Lukács auch in diesem Mythos einer ursprünglichen Wirklichkeit, zu der die Natur sowohl bei Tolstoj als auch später bei Döblin wird, »ein sentimentales, romantisches Erlebnis, ...das Unbefriedigtsein der wesentlichen Menschen von allem, was ihnen die sie umgebende Welt der Kultur auch zu bieten vermag...« (151) Bemerkenswert die Kritik, die Lukács auch hier ansetzt. Die zur Natur mythisierte Wirklichkeit besitzt für ihn ein Janusgesicht: »Alles Seelische ist vom animalisch Naturhaften aufgesogen und zu nichts gemacht.« (153) Eine kritische Anmerkung, die zweifelsohne ebenso den »Giganten«-Roman Döblins charakterisiert.

Wo Lukács Tolstojs Vorstoß zur eigentlichen Realität gelungen sieht, erkennt er paradoxerweise eine Ebene, die für den Desillusionsroman konstitutiv ist. Es sind von Joyce, Musil, Broch oder Hofmannsthal vertraute Augenblicke der Epiphanie, »zumeist Augenblicke des Todes« (154), in denen der Mensch »das über ihn und zugleich in ihm waltende Wesen, den Sinn seines Lebens, mit einer alles durchleuchtenden Plötzlichkeit erblickt und erfaßt« (154). Die auch hier bei Tolstoj zentral werdende Zeit steht allerdings bei ihm nicht im Gestaltungsmittelpunkt, auch wenn es sich hier strukturell um die zentrale Zeitebene handelt. Der Zeit in der »Welt der Konvention« mit ihrem »ewig wiederkehrenden und sich wiederholenden Einerlei« (155) tritt bei Tolstoj intentional nichts qualitativ Verschiedenes gegenüber. Denn auch die Zeit der »Tolstojschen Natur« (155) ist von einer monotonen Wiederkehr gezeichnet, in der das »individuelle Geschick, das darin verflochten ist... auftaucht und untergeht...« (155). So ist es nicht Tolstoj, sondern Dostojewski, in dessen Romanen Lukács die repräsentative, in die Zukunft weisende Entwicklungslinie der neueren Epik erkennt. Freilich handelt es sich um ein, wie erwähnt, von Lukács selbst später eingeschränktes utopisches Postulat, über das die Geschichte des modernen Romans in der ersten Hälfte dieses Jahrhunderts mit den Romanen Faulkners, Gides, Brochs, Musils und Kafkas hinweggegangen ist.

5. Lukács' »Theorie des Romans« ist denn auch weit davon entfernt, so etwas wie eine integrale Geschichte des modernen Romans vorzuführen, von der aus die verschiedenen Formen der neueren Epik annähernd verständlich werden. Was den typologischen zweiten Teil der »Theorie« trotz der feststellbaren Lücken dennoch über parallele Romantypologien hinaushebt[34], die strukturelle Elemente wie Infragestellung der Fabel, Verlust des »Helden«, Aufhebung der Zeit, Überfremdung der Fabel durch Reflexion, Aufhebung der geschlossenen Form und ähnliches punktuell hervorheben und unhistorisch zu typologischen Kategorien machen, ist die Einheit des geschichtsphilosophischen Blicks, der in den disparaten Erscheinungen dennoch eine Entwicklung erkennen läßt. Bei allen methodischen Zweifeln, die Lukács selbst im Rückblick gegen seine Abhandlung formulierte, die Geschichte und nicht zuletzt die Geschichte des neueren Romans hat seine Analyse inzwischen in vielem eingeholt und ihn so gegen seinen eigenen Willen dennoch bestätigt.

Welche Konsequenzen lassen sich nun aus den Lukács'schen Darlegungen für eine Untersuchung des neueren Romans ziehen? Als entscheidender Ausgangspunkt ist festzuhalten: die Betonung der Geschichtlichkeit des Phänomens und die Ablehnung einer normativen Anatomie der ästhetischen Form. Das bedeutet konkret: die Form des jeweiligen Romans entzieht sich von vornherein verallgemeinernden Kategorien. Dazu gehören einmal herkömmliche, überwiegend an der Erzählfabel orientierte Gattungsraster wie Entwicklungsroman, Bildungsroman, Künstlerroman, Kriegsroman und wie diese Reihe auch immer x-beliebig erweitert wird. Deshalb dürfte auch – um am Beispiel zu sprechen – die Untersuchung von W. Welzig »Der deutsche Roman im 20. Jahrhundert«[35], die eine enorme Stoffülle bewältigt, im Ansatz verfehlt sein, da es gerade solche, sich auf die Handlung des Romans stützende Gattungskategorien sind, die den Stoff gliedern sollen. Auch wenn es sich dabei methodisch um Arbeitshypothesen handeln soll, entsteht dennoch, etwa im ersten Kapitel des Buches, das verzerrte Bild, als sei der Entwicklungsroman quantitativ nie maßgeblicher in Erscheinung getreten als gerade in der Moderne.

Die andere Konsequenz, die aus der Geschichtlichkeit des Phänomens erwächst, beleuchtet die zentrale Relation, die zwischen ästhetischer Form und vorgegebener Wirklichkeit besteht. Das heißt: die Erkenntnis der Form kann nicht ohne die Orientierung an der Wirklichkeit auskommen. Aber auch das Umgekehrte gilt: das, was sich an Erkenntnis der Wirklichkeit in der Analyse von Romanen ergibt, ist primär Erkenntnis der Form. Die Schwierigkeiten, die sich für eine Interpretation daraus ergeben, sind nicht unbeträchtlich. Die Erkenntnis der Wirklichkeit, die hinter der Gestaltung des Romans sichtbar wird, bezieht sich jeweils auf eine in der spezifischen ästhetischen Form vermittelte Wirklichkeit. Die Herstellung von Analogien z. B. zwischen einer auf statistischem Material fußenden soziologischen Wirklichkeitsdeskription und dem im Roman gestalteten Gesellschaftsbild etwa mag zu zusätzlicher Erhellung führen, aber das soziologische Diagramm zum wertenden Maßstab der im Roman durchgeführten Gesellschaftsgestaltung zu erheben, bedeutete Selbstaufgabe des Romans.

Damit ist in etwa auch die Problematik bezeichnet, mit der Lucien Goldmanns »Soziologie des Romans« konfrontiert ist, und besonders die für ihn grundlegende These, die er in seiner »Einführung in die Probleme einer Soziologie des Romans«[36], wo er im übrigen Lukács' »Theorie des Romans« ausführlich rezipiert, skizziert: »In Wirklichkeit besteht zwischen der Struktur der Romanform... und der Struktur des Warentausches in der liberalen Marktwirtschaft, so wie sie von den klassischen Nationalökonomen beschrieben wurde, eine strenge Homologie.« (26) Diese strukturell analogische Beziehung, die Goldmann herstellt, sieht so aus: Die ursprüngliche Relation zwischen Menschen und Gütern sei in einer Produktion zum Ausdruck gekommen, die vom Gebrauchswert der Güter, ihren konkreten qualitativen Eigenschaften, bestimmt gewesen sei. In der Marktproduktion sei diese Orientierung allmählich durch einen neuen abstrakten Wert ersetzt worden, nämlich einer ökonomisch-sozialen Eigenschaft der Güter: ihrem Tauschwert. Die Produktion habe sich mehr und mehr an Aspekten der Rentabilität, d. h. des Geldgewinns, orientiert, und die Konkretheit des Gebrauchswertes sei, lediglich ein Mittel zum Zweck, allmählich darin untergegangen. Für den Roman sei dieser Vorgang konstitutiv geworden. Die Suche nach einer verlorengegangenen Sinneinheit und die Problematisierung der Beziehung zwischen Helden und Umwelt als Folge davon sei eine Reaktion auf diesen ökonomischen Sachverhalt. Obwohl sich Goldmann hier noch im Bereich deduktiver Theorie bewegt, sind die Probleme nicht zu übersehen: die ästhetische Struktur tendiert zu Belegmaterial, das anderem empirischen Material, wenn auch auf andern Ebenen, analog zugeordnet, unter soziologischen Kategorien subsumiert scheint.

Freilich ist auch die Methodencrux des hermeneutischen Zirkels nicht weniger problembeladen. Das wird noch verstärkt durch das, was sich aus der Sicht von Lukács als Erkenntnisplus des Romans vor jeglicher andern Erkenntnisform der Wirklichkeit erweist. Hermann Broch hat hier in seinen werttheoretischen Reflexionen, die zum Teil in den dritten Band der »Schlafwandler« eingearbeitet wurden, die Lukács'schen Gedanken konsequent weitergeführt[37] und den Verlust der Sinnesimmanenz in der modernen Wirklichkeit mit der geschichtsphilosophischen Formel vom »Zerfall der Werte« charakterisiert. Die Aufsprengung der ursprünglichen Wirklichkeitseinheit in der Moderne führt zur Isolation und zur Verselbständigung der Teilgebiete der Wirklichkeit. Jeder Bereich – und auch die einzelnen wissenschaftlichen Disziplinen fungieren hier als sogenannte Partialwertsysteme – versucht, seine eigene Logik dogmatisch den andern Bereichen überzuordnen und die gesamte Wirklichkeit auf den nur ihm zugänglichen Ausschnitt einzuengen. Ein Widerstreit der einzelnen dogmatischen Teilwertsysteme und die daraus hervorgehende Wirklichkeitsauflösung, die Lukács beschreibt, sind das Ergebnis. Die potentielle neue Einheit, die hinter diesem widersprüchlichen Wirklichkeitsbild erscheint, wird – und das ist das Erkenntnisplus des Romans – in der ästhetischen Form vorweggenommen. Auf eine Formel gebracht, bedeutet das also, daß jeder künstlerisch gelungene Roman die Utopie der vorhandenen Wirklichkeit antizipiert. Aber es handelt sich um keine abstrakte Utopie, die aus einem Wunschdenken heraus als ideales Gegenbild der empirischen Realität gegenübergestellt wird, sondern um konkrete Utopie, d. h. um die ästhetische Vorwegnahme von Konsequenzen, die aus Bedingungen erwachsen, die in der empirischen Realität angelegt sind.

Eine sich dem modernen Roman nähernde Formbeschreibung wird also stets vorläufig bleiben und ständig bereit sein müssen, die formalen Kriterien als Hilfskonstruktionen auf den beschriebenen Zusammenhang zu beziehen, sie zu variieren und neu zu definieren. Diese Tatsache erklärt auch die Schwierigkeit, die sich einer versuchten Formbeschreibung des neueren Romans entgegenstellt. Soweit eine solche Formbeschreibung zustande kommt, formuliert sie die Charakteristika des modernen Romans im Vergleich mit der Tradition ex negativo. Das führt im Ergebnis zu Aussagen, die jeweils betonen, was der moderne Roman auf dem Hintergrund der bestehenden Romantradition nicht ist. Eine solche Möglichkeit bleibt legitim, solange das Bewußtsein erhalten bleibt, daß es sich dabei um Hilfskonstruktionen handelt. Wird jedoch diese sich in Negationen entfaltende Beschreibung vorschnell zur Basis von Wertung verabsolutiert, kommt es zu negativen Pauschalurteilen, für die die Schlagwörter »Tod des Romans« oder »Krise des Romans« beispielhaft sind.

I.B. Konsequenzen für eine Romanpoetik

Die zehn Autoren, mit denen sich die Überlegungen im folgenden beschäftigen, lassen sich denn auch nicht mit ihrem analysierten Romanwerk in einem äußerlichen Sinne als repräsentativ ansehen für das gegenwärtige Romanschaffen im deutschsprachigen Raum. Das gilt nicht einmal unter wirkungsästhetischem Aspekt. Zwar werden mit Namen wie Heinrich Böll, Siegfried Lenz und Peter Handke Autoren genannt, die von ihrer Auflagenhöhe her den Status von Bestseller-Autoren haben und, wie im Falle von Heinrich Böll, in eine Repräsentationsrolle der Öffentlichkeit gegenüber hineingedrängt wurden, die aus ihnen so etwas wie eine geistig-moralische Instanz zu machen versucht und versucht hat. In Bölls Fall, von außen betrachtet, sicherlich mit Erfolg. Aber ihnen stehen Autoren gegenüber, die unter wirkungsästhetischen Aspekten keineswegs repräsentativ scheinen, etwa Hans Erich Nossack, Walter Höllerer, Hermann Lenz, die aber dennoch, auf die Linie einer geschichtsphilosophischen Reflexion wie bei Lukács bezogen, wichtige Beispiele für den geschichtlichen Entwicklungsgang der Romanform darstellen und repräsentativ sind unter diesem geschichtsphilosophischen Aspekt.

Selbst auf die Gefahr abstrakter Verkürzung hin seien im folgenden, gleichsam aus der Vogelperspektive, einige Akzente gesetzt, die die Position der einzelnen hier genannten Autoren im historischen Entwicklungsspektrum und gespiegelt im Lukácsschen Reflexionsgang kurz andeuten. Das Verhältnis zwischen Helden und Umwelt und seine Sinnsuche in einer deformierten Wirklichkeit als konstitutiv voraussetzend, erscheint in Joseph Breitbach ein Romancier, der im »Bericht über Bruno« Bewußtsein des Helden und der Welt in einer scheinhaften Übereinstimmung zeigt und, allerdings um den Preis einer verengenden Konstruktion, einen traditionellen Romantypus nochmals verlebendigt. Das Ergebnis läßt sich als politischer Erziehungsroman ex negativo betrachten, wobei die Negation mehrschichtig angelegt ist. Sie bezeichnet einmal die Reduktion der Wirklichkeit auf ein politisches Mächtespiel, das mit der Kennzeichnung seiner Mechanismen ausgeschöpft scheint und als Einheitsmoment, d. h. als diese Wirklichkeit zusammenbindendes Gesetz, deutlich negativ akzentuiert ist. Dem entspricht als Bewußtsein des Helden die veräußerlichte Kategorie eines umfassenden Manipulationsvermögens, das mit der Erkenntnis der Mechanismen der Wirklichkeit auch diese zu beherrschen vermag. Wo die klassische Form des Bildungsromans, wie auch Lukács sie analysiert, eine Balance herzustellen vermag zwischen Individuation und Sozialisation des Helden, d. h. Integration in eine als sinnvoll erfahrene soziale Realität, erweist sich diese Balance hier als bloße Verfügungsgewalt des Mächtigsten über eine in ihren Funktionsbedingungen erkannte politische Realität.

Man könnte fast sagen, daß das Gestaltungsziel des Erziehungsromans hier ins Zynische gewendet wird, wobei dieser Zynismus jedoch mehr als ein subjektiver Affekt ist, er wird aufgefangen von der Beschaffenheit der gegenwärtigen Wirklichkeit. Die Distanz zeigt sich bei Breitbach nicht nur im Moment des Zynismus, sondern tritt auch konkret im Roman hervor, indem die Rolle des Helden gleichsam auf zwei Protagonisten verteilt wird. Während Bruno am Ende in die Machtposition gelangt, die der Großvater anfänglich innehatte und damit an Stelle der vollendeten Individuation wie im klassischen Bildungsroman die Stufe der individuellen Korruption und umfassenden Machtausübung erreicht, distanziert sich der Großvater von ihm und der von ihm repräsentierten Wirklichkeit.

Die Frage nach der eigentlichen Sinneinheit wird also am Ende neu gestellt. Daß es Breitbach jedoch durch diesen Kunstgriff gelingt, auf Grund dieser spezifischen Stellung seines Romans das formale Arsenal traditionellen Erzählens nochmals voll einzusetzen, ohne von vornherein der Gefahr der Epigonalität zu verfallen, bezeichnet die Besonderheit seines Romans, auch als Ausgangspunkt einer Entwicklung, die in den anderen herangezogenen Büchern veranschaulicht wird.

Von der chronologischen Entstehungszeit her steht Canettis Roman »Die Blendung« am Anfang aller hier angeführten Romanbeispiele. In ihm scheint die Tradition der großen österreichischen Romanciers unseres Jahrhunderts, von Musil über Broch bis hin zu Doderer, noch unmittelbar in die Gegenwart hineinzureichen. In der Radikalität seiner Konzeption geht Canetti jedoch über viele wesentlich später entstandene Arbeiten hinaus. Canetti hat gewissermaßen die Position, die Lukács am Beispiel von Cervantes' »Don Quixote« analysiert, um einige Stufen weiter vorangetrieben. Wirklichkeit und inneres Gefühl haben sich vollends entzweit, und damit hat zugleich der Zustand des Sinnverfalls in der Realität sein Extrem erreicht. Die Suche des Helden nach einem Sinn hat den Punkt erreicht, wo er auf jede Wirklichkeit verzichtet und sich in seinem Bibliotheks-Refugium eine phantasmagorische Ersatzwirklichkeit errichtet, die wahnhaft gegen das, was noch an Außenwelt reflexhaft wahrgenommen wird, ausgespielt wird. Canettis Protagonist Kien lebt, soziologisch gesehen, in einem Vakuum und büßt den Zustand seiner wahnhaften Verabsolutierung mit der Zerstörung und dem Verlust seiner realen Existenz. Der gänzliche Verzicht auf die Suche nach einem möglichen Sinn in der Wirklichkeit schlägt um in die Selbstdestruktion des Protagonisten durch die zum Dämonischen hin deformierte Außenwelt. Allerdings wird auch hier, in Kiens Bruder Georg, eine utopische Gegenmöglichkeit angedeutet.

In dem Sinne lassen Breitbach und Canetti im Vergleich die beiden äußersten Positionen im gegenwärtigen Romanschaffen hervortreten: einmal die Aneignung eines Scheinsinns der Realität in der Verfügbarmachung ihrer politischen Machtmechanismen und zum andern der Verzicht auf jeglichen Sinn der Realität durch einen selbsterzeugten Sinn in einer Vakuum-Existenz, die ihre Selbstzerstörung miteinschließt. Beide Positionen schließen formal die Möglichkeit mit ein, nochmals traditionelle Instrumentarien des Romans, bei Breitbach des politischen und bei Canetti des satirischen Romans, funktionell einzusetzen. Breitbach und Canetti, so läßt sich sagen, stecken gewissermaßen den Rahmen ab, innerhalb dessen sich die Intentionen der andern Romanentwürfe bewegen.

Beide sind in gewisser Weise radikaler als jene Autoren, die die Beziehung zwischen Helden und Umwelt in ihren Romanen noch sehr viel stärker in tradierte Bezüge einbetten, was den Versuch des Sichzurechtfindenwollens in einer fragwürdig gewordenen Realität betrifft. Das gilt sowohl für Heinrich Böll als auch für Siegfried Lenz. Das formale Spektrum ihrer letzten Romane scheint, isoliert betrachtet, durchaus von der Erkenntnis einer disparaten und sich einer Sinndeutung sperrenden Realität getragen, die nicht mehr durch aus eindeutiger Erzählperspektive linear erzählte Prosaentwürfe, sondern durch montierte, vielperspektivisch in sich aufgesplitterte Formen eingefangen wird. Konzentriert man sich jedoch, der Lukács'schen Perspektive folgend, auf die Sinnsuche ihrer Protagonisten, so wird die Traditionseinbettung deutlich genug: bei Böll ein aufgeklärtes Christentum, das institutionelle Heuchelei attackiert und das verlorengegangene Humanum in der Gesellschaft zu restaurieren versucht, häufig mit suggestivem Erfolg vorgetragen, bei Lenz eine ähnliche ethische Grundhaltung, die, den Ereignissen des Dritten Reiches gegenüber und der von ihnen heraufbeschworenen, großenteils unsichtbaren menschlichen Verwüstung gegenüber, die Erzählhaltung Siggi Jepsens in der »Deutschstunde« bestimmt und indirekt auch die Suche nach dem Vorbild, der gleichsam personifizierten Sinneinheit, der Lesebuch-Herausgeber im Roman »Das Vorbild« leitet.

Der ganz traditionellen Formen der epischen Introversion verhaftet scheinende Romancier Hermann Lenz läßt sich, verglichen mit Böll und Siegfried Lenz, in dem Sinne fast als kompromißloser ansehen, da er auf eine mit gesellschaftlichen Nebenzwecken befrachtete Sinnsuche seiner vielfach autobiographisch gezeichneten Helden verzichtet – bei Böll der Antiklerikalismus, die Kritik an der Selbstgenügsamkeit der Wohlstandsgesellschaft, bei S. Lenz die Bewältigung der Vergangenheit – und die Sinnfrage ganz individuell und gleichsam aus der Existenzmitte seiner Romanfiguren stellt.

Die thematische Linie des Lukács'schen Desillusionsromans, die Diskrepanz zwischen Sinnanspruch des Helden und sich ständig entziehender »sinnloser« Realität, tritt bei Hermann Lenz schärfer und reiner hervor, läßt ihn allerdings da, wo er die Sehnsucht nach einem Sinn im Bewußtsein seiner Protagonisten andeutungsweise Konturen gewinnen läßt, im Österreich-Bild des 19. Jahrhunderts, im Wien des Kaisers Franz Joseph, eindeutig in die Vergangenheit emigrieren und eine möglicherweise von einem neuen Sinn durchdrungene gegenwärtige Realität mit einer Wunschwirklichkeit vertauschen.

Der Position von Hermann Lenz stehen auch Peter Handke und Wolfgang Hildesheimer nahe. Bei beiden zeichnet sich der Reflex auf eine als sinnleer empfundene Wirklichkeit in einem zunehmenden Verzicht auf die Sinnsuche des Helden, der bei Hildesheimer zum reinen reflektierenden Ich geworden ist, das im äußerlichen Moment des Reisens seine innerliche Unrast und Sinnsuche kompensiert und nur noch in einzelnen verbalen Aufschwüngen ein Existenzgefühl zu verwirklichen vermag, das den Verlust der faktischen Realität augenblickhaft vergessen läßt. Der Verzicht auf tradierte Wertbezüge, in die die Protagonisten noch bei Siegfried Lenz und Böll eingebettet sind und mit ihrer utopischen Sehnsucht nach Wien auch noch andeutungsweise bei Hermann Lenz, führt auch zum Verzicht auf organisierende Formaspekte des Romans. Die Reisestationen, das Blättern im Kalender werden bei Hildesheimer zu Assoziationskeimen des Erzählens, das jeder organisierten epischen Großform widersteht und den Roman auch als Form in die additive monologische Reflexion aufzulösen beginnt. Der von Hildesheimer ausgesprochene Verzicht auf die Romanform erscheint auf diesem Hintergrund als konsequent.

Eine sprachliche Sensibilisierung des Bewußtseins von seiner Verstörtheit hat auch bei Handke weitgehend die Sinnsuche seiner Protagonisten ersetzt. Auch damit ist ein Verzicht auf gestaltbare Realität verbunden, die im Bewußtseinsreflex des Helden nur als fragmentarisch und dem Ich widerstrebend gezeigt wird. Für Handke scheint ebenfalls streckenweise der Abstand zwischen Ich und Umwelt unüberbrückbar geworden und das Bewußtsein von Isolation, Ausgestoßensein und nicht mehr möglicher Kommunikation die einzig legitime Antwort des Ichs. Freilich werden bei Handke immer wieder Versuche unternommen, diese Kluft zwischen Ich und Welt zu überbrücken, indem das Ich sich aus seiner destruktiven Sensibilisierung befreit und Energien der Veränderung freizusetzen sucht, die auch sein Verhältnis zur Wirklichkeit verändern und beruhigen könnten. Handkes Amerika-Roman ist ein Beispiel dafür, vor allem mit den hier erstmals von ihm erprobten Momenten der sprachlichen Epiphanie, die den Abstand zwischen Ich und Welt blitzartig überbrücken und ein neues Einheitsgefühl erzeugen. Diese Möglichkeit einer sich in bestimmten rätselhaften Erlebnis- und Sprachmomenten vollziehenden Identität von Subjekt und Objekt, die der Sinnsuche plötzlich wieder ein Ziel weist, wird nicht von ungefähr auch in der »Stunde der wahren Empfindung« erneut variiert, obwohl sich hier andererseits die Empfindung des deplazierten, aus der Wirklichkeit herausgeratenen Ichs radikalisiert hat.

Die thematische Linie, die in den Prosaarbeiten von Hans Erich Nossack hervortritt, ist auf der einen Seite deutlich dem Entwicklungsstrang des Desillusionsromans verbunden, in dem die Kluft zwischen Bewußtsein des Helden und Außenwelt thematisiert wird. Auf der andern Seite ist es jedoch nicht so, daß Nossack dem Isolationstrend des Ichs folgt, wie es sich bei Handke oder Hildesheimer andeutet. So wie er seine Position schon relativ früh in dem Prosastück »Der Untergang« artikulierte und seither mit erstaunlicher Konsequenz weiterentwickelte, neigt er weder dazu, die Frustrationsgefühle des Ichs als einziges Kontinuum sprachlich festzuhalten (wie Handke oder Hildesheimer), noch sucht er nach dem Ausweg, tradierte Werthaltungen (wie bei Siegfried Lenz oder Böll) in das Bewußtsein seiner Protagonisten hinüberzuretten.

Er setzt ein bei einer Situation der radikalen Bloßstellung des Ichs und seiner Konfrontation mit einer zum Inbegriff von Sinnlosigkeit gewordenen Wirklichkeit (so im »Untergang«), aber sieht zugleich das individuelle Bewußtsein in andere Bewußtseinsschichten eingelagert, die auch andere, rational schwer zu fassende Bindungen ergeben, die den Kontakt zur Realität nicht völlig abreißen lassen und die er auch formal mit Hilfe des Märchens oder der Parabel zu veranschaulichen vermag. Das Moment der Exterritorialität als spezifische Bewußtseinskategorie der Nossackschen Helden ergibt nicht nur ein thematisches Bindeglied zwischen den verschiedenen Arbeiten Nossacks, sondern erweist sich auch als Versuch einer geschichtsphilosophischen Antwort auf die Suche nach der verlorengegangenen Einheit. Daß es Nossack gelingt, die Thematisierung dieses Sachverhalts zugleich mit epischen Ausdrucksformen zu verschmelzen, die konkret anschaulich bleiben, beleuchtet die Besonderheit seiner Stellung: Er ist sich der Problematisierung modernen Erzählens voll bewußt und gibt epische Antworten, die traditionell scheinen, ohne restaurativ zu sein. Wo Siegfried Lenz und Böll abstrakt um Sinnbindungen des Ichs bemüht sind, indem sie es auf tradierte Werthaltungen zurückführen, versucht Nossack es konkret, indem er die reflektierende Bewußtseinsinstanz des Ichs um andere, kollektive, mythische, erweitert. Daß auch bestimmte Gefahren damit verbunden sind, liegt auf der Hand.

Wo Nossack das Bewußtsein durch Aufdeckung archaischer Schichten erweitert und dadurch auch bestimmte sprachliche Formen neu verfügbar macht, also im Grunde Traditionelles neu integriert, läßt sich bei Johnson und Höllerer eine ähnliche Tendenz, jedoch mit einer anderen Zielrichtung erkennen. Auch für sie ist die Beziehung zwischen Protagonisten und Umwelt zum Problem geworden. Aber sie ziehen sich nicht auf die Position des Ichs zurück, das, lediglich seine Irritation und Verstörung artikulierend, die Beschaffenheit dieser immer unverständlicher werdenden sinnleeren Wirklichkeit beklagt, sondern sie gehen den

Weg Nossacks in eine andere Richtung. Die sprachlichen Erfahrungsweisen des Ichs werden erweitert. Das Bewußtsein igelt sich nicht ein in seinen Frustrationsempfindungen und sensibilisiert nicht lediglich die Erfahrung der Einsamkeit und Isolation, sondern öffnet sich der Erscheinungsvielfalt der zeitgenössischen Realität, versucht, auszubrechen aus seinen Erfahrungsverkrustungen und mit einer neuen Optik zugleich die Realität und sich selbst neu zu entdecken. Konsequent wird auch der epische Zugriff formal anders.

Das zeigt sich bei Johnson in der von ihm verwendeten Montage-Technik, in dem breiten Raum, den das Bewußtsein der Protagonistin bestimmende Informationsmedien einnehmen. Das tritt in der Intention noch wesentlich schärfer bei Höllerer hervor, der eine Sensibilisierung der Auffassung von Wirklichkeit im Bewußtsein durch eine Sichtbarmachung der vielfältigen der Reflexion bei- und übergeordneten Anschauungssysteme (die das Stichwort Semiotik zusammenfaßt) sprachlich vorführt und damit die Sinnsuche des Helden qualitativ auf eine völlig neue Ebene hebt. Die verlorengegangene Entsprechung von Ich und Welt wird nicht pathetisch im Verlorenheitsgefühl des Ichs beklagt, sondern einer komplexer gewordenen Wirklichkeit wird ein komplexer gewordenes Bewußtsein als Korrelat gewiesen, das mit verinnerlichten Momenten einer traditionellen Ichpsychologie (Liebe, Schmerz, Ichbewußtsein als fest umgrenzter Größe, Erfahrungseinheit, Gefühlseinheit) radikal aufräumt.

Indem das Ich die Wirklichkeit neu zu sehen versucht, sieht es zugleich sich selbst neu und schafft die Voraussetzungen für eine neue Durchdringung, für ein neues Gleichgewicht. In dem Sinne steht Höllerers Roman zu Recht am andern Pol des Entwicklungsspektrums, das die hier behandelten zehn Autoren verdeutlichen, und ist als Gegenposition direkt Canettis »Blendung« gegenübergestellt. Der radikalen Isolation und Selbstzerstörung des Ichs tritt bei ihm der Versuch einer ebenso radikalen Änderung des Ichs gegenüber, dem, um ein Canettisches Bild aufzugreifen, Kopf ohne Welt bei Canetti die Welt im Kopf bei Höllerer.

I.C. Die Intention des Autors. Ihr methodischer Nutzen

Die Untersuchungen im folgenden bewegen sich auf zwei Ebenen: auf der Ebene des Autorengespräches und der Analyse. Es kommt also eine Doppelperspektive zustande, die von Fall zu Fall unterschiedliche Funktion hat. Sie kann als Korrektur, aber auch als Ergänzung dienen. Indem der Autor solcherart in den Interpretationsprozeß selbst miteinbezogen wird, soll versucht werden, der Besonderheit der hier behandelten Texte[37a] gerecht zu werden. Als noch zur Gegenwart gehörende und das aktuelle Bewußtsein von Autor und Interpreten gleichermaßen betreffende literarische Arbeiten werden sie nicht künstlich zu historischen Textbeispielen gemacht, indem solche Gegenwartsbezüge gekappt werden und gleichsam eine interpretative Labor-Situation fingiert wird, die nur den Text und den Exegeten gelten läßt, mit allen methodischen Variationen, die bei einer solchen philologischen Konstellation denkbar sind.

Mit dem hier versuchten Deutungsansatz wird zugleich der einer traditionellen Ästhetik angehörende Begriff von der Geschlossenheit des literarischen Werks unterlaufen, der die Intention des Werkes nur insoweit gelten läßt, als sie in einem spezifischen Formganzen verwirklicht worden ist. Gerade mit dem Blick auf die eingangs geschilderte Situation des Romanschaffens werden Intention und Realisierung aus jeglicher vorgegebenen Programmatik herausgelöst und als Elemente eines Spannungsverhältnisses begriffen, das für die Schwierigkeiten und die Problematik zeitgenössischen Romanschaffens charakteristisch ist. Wo ein Autor alle Traditionspfade hinter sich zu lassen beginnt und sich auf neues, noch nicht vermessenes Gelände traut, muß sein Unternehmen nicht nur von den faktisch beschrittenen Irrwegen her, sondern auch von den Absichten her beurteilt werden, die unvollkommen oder sogar selbstwidersprüchlich verwirklicht worden sein können.

Das gilt gerade angesichts sprachlicher Großformen, bei denen sich der Standpunkt der semantischen Autonomie[38], die den Autor als unwesentlich hinter die in seiner spezifischen Sprachform realisierte Bedeutung zurücktreten läßt, viel schwerer zu begründen ist als am Beispiel von Gedichten, die in ihrer Struktur (rein quantitativ) überschaubarer sind. Das soll freilich nicht dazu führen, daß die von dieser Interpretationshaltung herbeigeführte Entwicklung nun gleichsam umgekehrt wird, die E. D. Hirsch so beschrieben hat: »Die Kritiker usurpieren also den Platz des ursprünglichen Autors, den sie vorher absichtlich verbannt hatten, was notwendigerweise zu einigen unserer heutigen theoretischen Verwirrungen führte.« (20)

Der Autor wird nicht zur Autorität erhoben, die allein über die richtige Deutung und Lesung des literarischen Werks zu entscheiden vermag, wohl aber wird dem Sachverhalt Genüge getan, daß jedes Werk von einer bestimmten Autor-Struktur geprägt ist. Diese Autor-Struktur tritt am unmittelbarsten in bestimmten Absichten und Motivationen hervor, die die Entstehung einer Arbeit leiteten und begleiteten. Sie zeigt sich darüber hinaus in einem Kontext von thematischer und motivlicher Kontinuität, die das spezifische Œuvre eines Autors kennzeichnet. Es ist also das Gegenteil von dem richtig, was Northrop Frye an einer Stelle über die Interpretationen Jakob Böhmes angemerkt hat: »Von Böhme ist gesagt worden, seine Bücher seien eine Art Picknick, zu dem der Autor die Wörter und der Leser den Sinn mitbringe.«[39]

Die Autorengespräche, die im folgenden jeweils mit Interpretationskapiteln gekoppelt werden, versuchen, diese Autor-Struktur zu berücksichtigen, indem beispielsweise Themen- oder Motiv-Kontexte auch über ein bestimmtes Werk hinaus sichtbar gemacht werden, um dadurch die Möglichkeiten zum Verständnis eines spezifischen Werkes zu erweitern. Selbstverständlich schließt dieser Kontext manchmal auch Materialschichten mit ein, die in der Regel in dem vorgelegten literarischen Werk nur sehr indirekt zum Ausdruck gelangen: Bedingungen des Arbeitsprozesses, biographische Sachverhalte, Rückwirkungen aus der Stellung des jeweiligen Autors im literarischen Leben. Die Ermittlung dieser Autor-Struktur macht also ein größeres Spektrum sichtbar als einer der engagiertesten Verfechter des Standpunktes einer semantischen Autonomie, nämlich W. K. Wimsatt in seiner Studie »The Intentional Fallacy«[40] glauben machen will.

Wimsatt, hier repräsentativ für den vom New Criticism eingenommenen Standpunkt, läßt den Autor lediglich insoweit gelten, als er die Informationsquelle für »biographical or genetic inquiry« (18) sein kann, und er gibt das folgende konkrete Beispiel: »taking advantage of the fact that Eliot is still alive, and in the spirit of a man who would settle a bet, the critic writes to Eliot and asks what he means, or if he had Donne in mind.« (18) Die Antwort hätte für Wimsatt jedoch lediglich den Rang einer sekundären Information, denn: »Our point is that such an answer to such an inquiry would have nothing to do with the poem... it would not be a critical inquiry... Critical inquiries are not settled by consulting the oracle.« (18)

Aber selbst die hermetische Struktur von Gedichten voraussetzend, bleibt eine solche Haltung problematisch, da, um im Bild zu sprechen, das eigentliche Orakel nicht der Autor, sondern der Text bleibt und eine Eingrenzung der Auslegungsmöglichkeiten, von der Antwort des Autors her, eine nicht zu unterschätzende Hilfe bei der Befragung des Orakels darstellt. Die Gefahr, die mit dem andern Extrem verbunden ist, läßt sich ebensowenig übersehen: die Tendenz zu interpretatorischen Willkürakten. Zudem ist der Aspekt der rein faktischen Informationsvermittlung, wie Wimsatt andeutet, sicherlich nicht zentral, auch wenn er in bezug auf Romane einen ganz anderen Rang einnimmt als bei Gedichten. In bestimmte literarische Strukturen eingegangene historische Fakten, die der Autor dechiffriert und in ihren Quellen benennt, können in der ästhetischen Struktur einen völlig neuen Stellenwert angenommen haben, der keineswegs bereits mit der genetischen Kodifizierung bestimmt ist. Zumal es bei solchen punktuellen Fakten dem Kritiker nicht selten so gehen mag, wie es Raymond Chandler in einem seiner Briefe an einem Beispiel beschreibt: »... Ich erinnere mich noch, wie vor mehreren Jahren, als Howard Hawks den ›Big Sleep‹ machte, er und Bogart in Streit gerieten, ob eine der Figuren nun eigentlich ermordet worden sei oder Selbstmord begangen habe. Sie schickten mir ein Telegramm, um mich zu fragen, und verdammtnochmal, ich wußte's selber nicht...«[41]

Datierungsfehler, falsche historische Bezüge, die beispielsweise in der Struktur eines Romans auftreten können, stellen an der Aktionsoberfläche sichtbar werdende Defekte dar, die man bekanntlich in größeren literarischen Texten finden kann und die mit der Komplexität der vom Autor entwickelten literarischen Anschauungssysteme zu tun haben, aber keineswegs die Absicht des Autors generell als unwesentlich erweisen. Im Gegenteil: die Feststellung eines punktuellen Irrtums ist ja nur möglich auf dem Hintergrund einer schon teilweise erschlossenen Absicht und angesichts ihrer schon zum Teil erkannten Verwirklichung.

Die weiterreichende Bedeutung der Autor-Struktur liegt jedoch auf anderen Ebenen: in der Verdeutlichung des historischen, biographischen und kreativen Kontextes, aus dem heraus ein bestimmtes Werk entstanden ist, in der Herausarbeitung möglicher Einheitsmomente, die im Œuvre eines Autors verborgen liegen, in der Beleuchtung des Motivationsgeflechtes, das einem bestimmten Werk zugrunde liegt, in der Konfrontation des Autors mit der Rezeption, die ein bestimmtes Werk gefunden hat.

Die Bedeutung, die hier methodisch dem Autor eingeräumt wird, scheint, auf die aktuelle methodologische Diskussion in der Literaturwissenschaft bezogen, das Pendel von der Rezeptions- zur Produktionsästhetik zurückschwingen zu lassen und Adornos Appell in seiner »Ästhetischen Theorie«[42] aufzunehmen, nämlich das Verhältnis von Kunst und Gesellschaft, »nicht vorwiegend in der Sphäre der Rezeption aufzusuchen. Es ist dieser vorgängig: in der Produktion. Das Interesse an der gesellschaftlichen Dechiffrierung der Kunst muß dieser sich zukehren, anstatt mit der Ermittlung und Klassifizierung von Wirkungen sich abspeisen zu lassen, die vielfach aus gesellschaftlichem Grunde von den Kunstwerken und ihrem objektiven gesellschaftlichen Gehalt gänzlich divergieren.« (338/9)

Die methodisch vielfach aufgesplitterte und in interne Diskussionen verwickelte Rezeptionsästhetik[43], die inzwischen ein erstaunlich breites Spektrum angenommen hat, soll hier keineswegs als methodischer Kontrast genannt werden. Es handelt sich hier um verschiedene Wege, auf denen Unterschiedliches zu erreichen ist, das sich nicht unbedingt auszuschließen braucht. Daß beispielsweise der Begriff der Autoren-Intention auch für die Rezeptionsästhetik wichtig ist, beweist die Auseinandersetzung zwischen W. Iser[44] und H. Link[45].

Iser hat in seinem Vortrag »Die Appellstruktur der Texte«[46] am Beispiel von sogenannten Leerstellen in literarischen Texten, d. h. konstruktionellen Unbestimmtheitsfaktoren, einen kommunikationstheoretischen Sachverhalt akzentuieren wollen: »Die Leerstellen sind Bedingung für die Strukturierungsaktivität des Lesers und bewirken folglich seine Betätigung im Text. Die Negation bringt einen jenseits des Textes stehenden Leser in eine bestimmte Einstellung zum Text« (333). Die Leerstellen werden damit zu einer »zentrale(n) Bedingung für die Sinnkonstitution im Rezeptionsprozeß« (334). In der »Appellstruktur der Texte« heißt es noch prägnanter über den Unbestimmtheitsfaktor in literarischen Texten als »Umschaltelement zwischen Text und Leser« (33): »Sie wird zur Basis einer Textstruktur, in der der Leser immer schon mitgedacht ist« (33). Diese Formulierung ist zumindest mißverständlich, da das Prädikat »mitgedacht« einen Autor impliziert, der die Leerstellen konstruktiv anordnet. Klammert man hingegen den Autor völlig aus, deutet sich die Gefahr einer Ontologisierung des literarischen Textes an, der sich gewissermaßen, auch in bezug auf die Leerstellen, autonom organisiert. Da Iser andererseits mit dem Blick auf den Kommunikationsprozeß zwischen Text und Leser einer solchen Ontologisierung schärfstens widerspricht, bleibt das Problem bestehen, daß es offenbar Leerstellen verschiedener Qualität gibt: gleichsam unfreiwillig zustande gekommene und sich der Kontrolle des Autors entziehende Leerstellen, die auf dem Hintergrund einer traditionellen Ästhetik als Defekte zu deuten wären, und vom Autor mit dem Blick auf den Leser konstruktiv angeordnete Leerstellen. Aber was sind die Kriterien für eine Unterscheidung? Linke Ausführungen beschäftigen sich mit diesem Problem. Für sie ist der Unbestimmtheitsfaktor prinzipiell nur vom Autor her zu bestimmen: »Das Kriterium der Unterscheidung liefert einzig die Intention des Autors, deren Rekonstruktion für eine wissenschaftliche Beschäftigung mit Texten somit unerläßlich zu bleiben scheint« (581). Der vertiefte Kommunikationsakt zwischen Text und Leser in einer Interpretation wäre also ohne die Kenntnis der Autoren-Intention richtungslos.

Wie dieses Problem innerhalb der Rezeptionsästhetik weiter zu vertiefen wäre, soll hier nicht beschäftigen. Es kam nur darauf an, einige Hinweise zu geben für die Wichtigkeit dessen, was als Autor-Struktur eines literarischen Werkes zu bezeichnen ist. Mit einer kompakten Theorie soll hier nicht aufgewartet werden, zumal Zweifel erlaubt sind, ob Iser recht hat mit seinem Appell: »Für den Fall, daß Literaturwissenschaft auf dem Wege ist, eine Wissenschaft zu werden, muß sie zwangsläufig Modelle für das Erfassen historischer Sachverhalte konstruieren.«[47] Denn diesem läßt sich ein anderer Appell entgegenhalten: »Wer erst wieder an die Texte gehen will, wenn die Theorie fertig ist, der wird für diese Texte kaum noch Leser finden.«[48]

1 »Romane des Phänotyp«, in: R. Grimm, »Strukturen. Essays zur deutschen Literatur«, Göttingen 1963, 74-94.
2 Benn, zitiert nach Grimm, 78.
3 Vgl. »The Lyrical Novel«, Princeton 1966.
4 Vgl. Helmut Koopmann: »Die Entwicklung des ›intellektualen Romans‹ bei Thomas Mann«, Bonn 1962.
5 Vgl. Hartmut Steinecke: »Hermann Broch und der polyhistorische Roman«, Bonn 1968.
6 »Typische Formen des Romans«, Göttingen 1965.
7 »Ansichten des Romans«, Frankfurt 1949, 14.
8 »Jugendschriften«, hrsg. v. J. Minor, Bd II, 194.
9 »Hermann Broch und der moderne Roman«, 147, in: »Monat« I/8, 9 (1949), 147-151.
10 »The Twentieth Century Novel«, New York 1932.
11 »Die Anfänge des modernen Romans im 18. Jahrhundert«, in: »Deutsche Vierteljahrsschrift« 28/4 (1954), 417-441.
12 »Die Erzählkunst des 20. Jahrhunderts und ihr geschichtlicher Sinn«, 176, in: W. Emrich, »Protest und Verheißung«, Frankfurt/M 1960, 176-192.
13 Fritz Martini: »Zur Theorie des Romans im deutschen ›Realismus‹ «, 147, in: »Deutsche Romantheorien«, hrsg. v. R. Grimm, Frankfurt/M 1968, 142-164.
14 »Nachgelassene ästhetische Vorlesungen. Sämtliche Werke« Bd 14, hrsg. v. H. Glockner, Stuttgart 1928, 395.
15 »Erpreßte Versöhnung«, in: »Noten zur Literatur II«, Frankfurt/M 1961, 152-187.
15a »Soziologie des Romans«, Neuwied 1970, 17.
16 In: »Neue Rundschau« LXIV/1, (1953), 1-44.
17 In: »Protest und Verheißung«, 123-134.
18 »Literatur und Gesellschaft«, in: »Deutsche Romantheorien«, 396 bis 411.
19 Neuwied 1965.
20 Vgl.: »Einzelne Faschisten sind bestrebt, Fichtes Namen in ihre Ahnengalerie einzufügen« (»Zerstörung der Vernunft«, Neuwied 1962, 85).
21 Zum Simmel-Einfluß vgl. Ludz' Vorwort (32-33) zu: G. L., »Schriften zur Literatursoziologie«, Neuwied 1963.
22 Vgl. dazu den Aufsatz des Verf.s »Walter Benjamin und die Literaturwissenschaft«, in: »Monatshefte« LVIII/3 (1966), 217-231.
23 Vgl. dazu allerdings Lukács' schon 1909 geschriebene Arbeit: »Entwicklungsgeschichte des modernen Dramas«, Auszug in: G. L., »Literatursoziologie«, 71-74.
23a Vgl. dazu G. Haas: »Studien zur Form des Essays und zu seinen

Vorformen im Roman«, Tübingen 1966.

24 »Romanform und Werttheorie bei Hermann Broch«, 373, in: »Deutsche Romantheorien«, 347-373.

25 Thomas Mann: »Briefe 1889-1936«, Frankfurt/M 1962, 115.

26 H. Koopmann: »Thomas Mann. Theorie und Praxis der epischen Ironie«, 289, in: »Deutsche Romantheorien«, 274-296.

27 »Friedrich Schlegel und die romantische Ironie«, 15, in: P. S., »Satz und Gegensatz«, Frankfurt/M 1964, 5-24.

27a Ausgangspunkt sind Engels' Ausführungen über Balzac in seinem »Brief an Miss Harkness«, in: »Marxismus und Literatur I«, Reinbek 1969, 157-159.

28 Vgl. dazu die Ausführungen in seiner »Einführung in die ästhetischen Schriften von Marx und Engels« (die 1945 entstand) in: »Schriften zur Literatursoziologie«, 236ff.

29 Vgl. »Schriften zur Literatursoziologie«, 461.

30 Vgl. »Pontoppidans Roman ›Hans im Glück‹ «, in: E. Bloch, »Literarische Aufsätze«, Frankfurt/M 1965, 83-88.

31 In: »Noten zur Literatur I«, Frankfurt/M 1961, 61-72.

32 Vgl. dazu die gesammelten Studien in »Morphologische Poetik«, Darmstadt 1968.

33 Vgl. 125.

34 Es sei hier etwa auf die Einleitung von Mandelkows Buch »Hermann Brochs Romantrilogie ›Die Schlafwandler‹ «, Heidelberg 1962, 35ff. hingewiesen.

35 Stuttgart 1967.

36 »Soziologie des Romans«, 17-40.

37 Die erstaunliche Nähe des Romantheoretikers Broch zu Lukács' »Theorie des Romans« wird herausgearbeitet in der Studie des Verf. »Hermann Broch und James Joyce. Zur Ästhetik des modernen Romans«, in: »Deutsche Vierteljahrsschrift« 40/3 (1966), 391-433.

37a Zu Recht macht Hohendahl in der Einleitung zu dem von ihm herausgegebenen Reader »Sozialgeschichte und Wirkungsästhetik« (Frankfurt/M 1974, 9-48) darauf aufmerksam: »Die Entdeckung der Leserrolle bei Weinrich, Iser, Harth, Poulet und anderen wurde offenkundig angeregt, ja erzwungen durch die strukturellen Veränderungen im modernen Roman.« (18).

38 Ich beziehe mich bei diesem Begriff auf Ausführungen von E. D. Hirsch in seinem Buch »Prinzipien der Interpretation« (München 1972), wo die Wichtigkeit des Autors für die Interpretation am eingehendsten in letzter Zeit begründet wurde, von der der Rezeptionsforschung dabei diametral entgegenstehenden These ausgehend: »...die bei der Interpretation von Texten beteiligten Personen sind ein Autor und ein Leser.« (42).

39 Zitiert nach Hirsch, 15.

40 In: »The Verbal Icon. Studies in the Meaning of Poetry«, New York

1964[4], 3-18.

41 R. Chandler: »Die simple Kunst des Mordens«, Zürich 1975, 279.

42 Frankfurt/M 1970.

43 Vgl. dazu im einzelnen den schon erwähnten Reader von Hohendahl »Sozialgeschichte und Wirkungsästhetik«, ferner den von G. Grimm herausgegebenen Sammelband »Literatur und Leser. Theorie und Modelle zur Rezeption literarischer Werke« (Stuttgart 1975) und, für die Dokumentation und Diskussion der Forschungsansätze von Jauß und Iser besonders wichtig, den von R. Warning herausgegebenen Band »Rezeptionsästhetik«, München 1975.

44 »Im Lichte der Kritik«, in: »Rezeptionsästhetik«, 325-342.

45 »›Die Appellstruktur der Texte‹ und ein ›Paradigmawechsel in der Literaturwissenschaft‹?«, in: »Jahrbuch der dt. Schillergesellschaft« 17 (1973), 532-583.

46 (=Konstanzer Universitätsrede), Konstanz 1970.

47 »Im Lichte der Kritik«, 332.

48 Warning: »Rezeptionsästhetik als literaturwissenschaftliche Pragmatik«, 39, in: »Rezeptionsästhetik«, 9-39.

II.A. Ich habe mich immer in die Welt projiziert. Gespräch mit Joseph Breitbach

1. Aversion gegenüber Biographischem

D.: Herr Breitbach, die Reaktion der Literaturkritik Ihrer Person und Ihrem literarischen Werk gegenüber scheint mir von einer bestimmten Aversion bestimmt, einer Aversion gegenüber der Aura des großen Reichtums, die Sie umgibt. Könnten Sie in einigen Informationen den sachlichen Gehalt dieses Faktums etwas präzisieren?

B.: Ganz besonders ungern, weil ich gegen alles Autobiographische bin. Ich finde, ein Werk soll nicht durch die Biographie erklärbar sein.

D.: Ich meine das auch nicht im Sinne direkter Ableitbarkeit, sondern einfach als entstehungsgeschichtliches Material, als ein bestimmter Hintergrund, der zu jedem Autor gehört. Ich finde es bezeichnend, wenn in einer Besprechung in der »Neuen Zürcher Zeitung« gesagt wird: »Autobiographische Hinweise von Breitbach selbst gibt es kaum. Wer mehr über ihn wissen will, muß es sich in Veröffentlichungen anderer zusammensuchen.« Mir scheint, in diesen Kontext gehört ein anderes Zitat, das von Ihnen stammt und im Nachwort zu Ihren Stücken steht. Da sprechen Sie davon, wie Kritiker Sie dargestellt haben, daß man Ihnen eine Kindheit in goldener Wiege und eine Jugend in nobler Arbeitslosigkeit zugeschrieben und Sie andererseits zum Querulanten herunterstilisiert habe oder herunterstilisiere, wenn Sie sich gegen diese Legenden zur Wehr setzten. Liegt da nicht ein gewisser Widerspruch, der leicht von Ihnen aufgelöst werden könnte, wenn Sie einfach in Informationen dazu Stellung nehmen würden?

B.: Die Informationen kann ich geben. Linke Kritiker haben ein für allemal dekretiert, daß ich in »nobler Arbeitslosigkeit« groß geworden sei. Daß ich aber seit meinem 17. Lebensjahr allein stehe und mich selber durchgebracht, nicht einmal ein Abitur gemacht habe, das darf nicht wahr sein, weil ich nämlich nicht links bin. Das ist die ganze Wahrheit. Was für ein »Reichtum« der mir zugeschriebene ist, ob Kapitalreichtum oder ob das eine Rente ist, was es ja sein könnte, das sagen jene Übelwollenden nicht. Ich war das, was man heute »Manager« nennt.

D.: Da ist ein Terminus gefallen, der doch ziemlich realitätsbezogen ist. Sie sagen: Sie waren Manager.

B.: In dem Sinne, wie man es heute nennt. Hauptsächlich in der Warenhausbranche. Dort habe ich mich hochgearbeitet, von ganz unten nach oben.

D.: Nehmen wir an, Herr Breitbach, Sie würden sich hinsetzen und versuchen, Ihre Autobiographie zu schreiben. Sie würden also ein Gerüst der Autobiographie skizzieren. Wie sähen, ganz kurz gefaßt, die einzelnen Stationen Ihrer Biographie aus?

B.: Zunächst, ich würde nie eine schreiben. Aus Familienrücksichten, die die Öffentlichkeit nichts angehen. Das ist Grund genug, warum ich über Biographisches so diskret bin. Das, was man von außen hat sehen können, nämlich, daß ich in einem großen Warenhaus-Konzern tätig war, reicht, finde ich.

D.: Auf der andern Seite haben Sie jedoch in diesem Nachwort, das ich erwähnt habe, bestimmte, über Ihre Biographie umlaufende Legenden widerlegen wollen. Widerlegen aber kann man sie nur, indem man einfach die Informationen preisgibt.

B.: Aber die bisherigen Informationen genügen doch. Ich habe in dem Warenhaus-Konzern Soundso gearbeitet, das genügt. Damit kann man mir doch nicht eine prinzliche Geburt zudichten und daß ich auf Schlössern großgeworden sei, was nichts als böswillige Erfindung ist.

D.: Aber ist es nicht so, daß gewisse Themen, gewisse Motive autobiographisch verankert sind? Es fällt auf, daß die Beziehung zum Vater ein Motiv darstellt, das in verschiedenen Ihrer Arbeiten eine große Rolle spielt. Ganz deutlich in »Bericht über Bruno«, ebenso im »Clemens«-Fragment und desgleichen im »Requiem für die Kirche«.

B.: Sie irren sich ungemein, wenn Sie glauben, daß da der geringste autobiographische Hintergrund ist. Ich bin kein introvertierter Autor. Ich habe mich immer – so ist mein Leben gewesen – in die Welt projiziert, aber ich habe nie die Welt in mich hineingezogen, um sie zu verdauen.

D.: Woher dann diese Konstanz, die sich in Ihren Arbeiten gerade bei einem solchen Motiv zeigt?

B.: Weil ich diese Dinge immer beobachtet habe. Es gibt ja Dinge im täglichen Leben, die uns konstant auffallen, die uns auf irgendeine Weise anziehen als Beobachtungsobjekt. Wenn Sie zum Beispiel glauben, daß ich Schwierigkeiten mit meinem Vater gehabt hätte, irren Sie. Er ist früh gestorben. Auch das Modell des Küsters ist kein Verwandter, ich kenne aber Leute seiner Art. Ich ärgere mich immer, wenn man meinem Werk etwas Autobiographisches anhängt. Weil ich erstens Phantasie und wahrscheinlich auch eine zuverlässige Beobachtungsgabe habe. Sie finden in meinen Büchern ja auch keine Selbstanalyse oder Zergliederungen. Das liegt mir wenig. Ich habe mich nie für meine Person in diesem Sinne interessiert.

D.: Ich meine nicht, daß bestimmte biographische Informationen dazu dienen sollen, Ihre Arbeiten zu dechiffrieren, darum geht es nicht. Ich meine, daß bestimmte Themen, die Sie sehr anziehen – und eine solche Anziehungskraft tritt doch hervor, wenn ein bestimmtes Thema konstant auftaucht – darauf hindeuten, daß die Erfahrung des Autors eine bestimmte Art von Filter darstellt. Darum geht es. Es ist nur ein indirekter Bezug.

2. Organisation als rationalistisches Modell

B.: Der Autor gibt den Gegenstand, und Sie geben die Beleuchtung auf den Gegenstand und die Analyse. Ja, mich hat zum Beispiel mein Leben lang alles magisch angezogen, was Organisation eines großen Betriebes ist. Ich kann nicht an einem Warenhaus vorbeigehen, ohne hineinzugehen. Früher war es auch der Zirkus – das ist ein nichterfüllter Traum von mir –, nicht der künstlerische, sondern der kaufmännische Leiter eines solchen wandernden Unternehmens zu sein, wo die Organisation jede Woche neu gemacht werden muß, unter ganz neuen Bedingungen, weil es jedesmal eine neue Stadt ist. Das habe ich leider nie erreicht. Ich habe es versucht. Übrigens war auch der Grund meines Austritts aus der Kommunistischen Partei die Erkenntnis, daß in Rußland der Verteilungsapparat miserabel ist. Mich hat der Produktionsapparat nicht interessiert, auch die Unmoral der russischen Innenpolitik hat mich wenig tangiert, aber ich war abgestoßen von der Frustration des Verbrauchers durch die schlechte Verteilung der Produkte.

D.: Man könnte Ihnen entgegenhalten, daß Sie die Organisationsformen eines großen Kaufhauses mit der – unter diesem besonderen Aspekt – Organisationsform im Marxismus vergleichen, was eigentlich den Akzent auf ein formales Element legt. Nehmen Sie nicht den Standpunkt eines Formalisten, eines Ästheten ein, wenn Sie den Kommunismus unter diesem Aspekt betrachten?

B.: Nein, das bestreite ich, und zwar mit einem Wort Hofmannsthals. Ich glaube nicht, daß das ein formalistisches Element ist.

Denn »die Gestalt erledigt das Problem« – das überanstrengte Zitat kennen Sie.

D.: Mir scheint, daß diese Faszination von der Organisationsform eines großen Kaufhauses nun doch ein biographisches Statement ist, das offensichtlich auch wichtig ist in bezug auf Ihre Arbeiten.

B.: Ich gebe Ihnen in einem Punkt recht. Für mich hatte das Warenhaus auch einen ästhetischen Reiz als Ganzes. Heute kaum noch, aber früher hat es das eine Zeitlang gehabt. Das Warenhaus war nicht so unmenschlich gewesen, es hat sich stark gewandelt.

D.: Die Verbindung zwischen Ihren Arbeiten und der Faszination von der rationalen Durchorganisiertheit eines Kaufhauses scheint mir möglicherweise darin zu liegen, daß man zum Beispiel mit dem Blick auf »Bericht über Bruno« sagen könnte: Das ist ein Roman, der ein rationalistisches Weltbild vertritt, sogar im Stil, ein rationalistisches Menschenbild auch im Sinne der Psychologie, die den Figuren unterlegt wird. Stellvertretend dafür ist, glaube ich, die Formulierung des Großvaters am Ende des Romans im Gespräch mit seiner Frau. Er reflektiert: »Manchmal denke ich, meine Frau sehe das alles richtig und es habe ein Verhängnis gewaltet.« Aber dann fügt er an: »... sie kann nicht wissen, was Ehrgeiz für einen Mann bedeutet und wohin er ihn treibt, wenn Eifersucht hinzukommt.« Dieses Menschenbild geht davon aus, daß es bestimmte elementare Triebkräfte gibt, die zerstörend auftreten können, die aber die Handlungen des Menschen motivieren. Die Handlungen des einzelnen sind also im Grunde rational verstehbar, wenn man diese Triebe als Motivation dahinter erkennt.

B.: Ja, das haben Sie durchaus richtig gesehen, gerade weil Sie den »Bruno« erwähnen, in dem man immer ein besonderes Schlüssel-Buch von mir sehen will, was ich bestreite. Ich finde, meine frühen Erzählungen sind genauso, wenn Sie so wollen, »Schlüssel-Texte«: der gegen die Partei fehlende Held, der Mann, der gegen seine Prinzipien verstößt, der junge Kommunist, die junge Kommunistin – hier ist schon das Grundmuster. Aber warum nur soll das meiner Biographie entsprechen? Ich war zum Beispiel nie Liftjunge.

D.: Aber läßt sich dieses rationalistische Menschenbild noch in eine Realität projizieren, die zutiefst fragwürdig geworden ist?

B.: Den »Realitätsschwund«, den zahlreiche Autoren so lebhaft beklagen, den haben sie sich selber zuzuschreiben. Mancher dieser Autoren will oder kann die »Realität« freilich nicht sehen. Denn er stand ihr ja schon »kritisch« gegenüber, bevor er auch nur den Versuch gemacht oder die Gelegenheit gefunden hat, sich ihr in einem »normalen« Beruf zu stellen. Nichts Besseres für einen Autor als einen »normalen« Beruf auszuüben! Ich habe dies während der entscheidendsten Jahre meines Lebens getan. Mein erstes Buch habe ich sogar nur an Sonntagnachmittagen geschrieben, der einzigen freien Zeit, über die ich damals dafür verfügen konnte.

D.: Das hat natürlich auch mit der Art des Berufes zu tun. Wenn man einen Beruf gefunden hat, der einen fasziniert, wie Sie das vorhin am Beispiel der Organisationsformen, die in einem großen Kaufhaus existieren, dargelegt haben, dann vermag man beides zu verbinden. Aber es gibt ja auch Berufe, die sich als hemmend erweisen und kreative Anstrengung belasten.

B.: Es ist nicht nur das. Ich habe immer Berufe gesucht, wo ich sehr viele Kontakte mit Menschen hatte. Das haben Sie im Warenhaus ununterbrochen, aber nicht nur dort.

D.: Dann kann man doch offensichtlich sagen: Erzählungen wie »Rot gegen Rot« und ebenso »Die Jubilarin« haben Erfahrungen verarbeitet, die Sie in diesem Bereich gemacht haben.

B.: Ja, auf doppelte Weise: Zunächst, Erfahrungen in der Partei – ich war ja sehr jung schon Kommunist. 1929 habe ich mich innerlich losgetrennt vom Marxismus, 1931 hatte ich dann auch kein Parteibuch mehr. Dann neben den kaufmännischen die menschlichen Erfahrungen mit den kleinbürgerlich geprägten Warenhaus-Angestellten, die sich nur selten als Proletarier im marxistischen Sinn empfanden. Man brauchte nur zu beobachten, wie sie sich veränderten, wenn sie aus ihrem Großbetrieb in ihre Siedlung kamen. Einem aufmerksamen Leser meiner unter dem Titel »Die Rabenschlacht« wieder aufgelegten Erzählungen jener Zeit wird es nicht entgehen, daß ich diese Beobachtungen schon sehr früh festgehalten habe. Ich betone, daß ich die Bezeichnung »kleinbürgerlich« nie abschätzig gebrauche. Im Gegenteil, ich verstehe darunter spezifische Tugenden, unter anderem die zum Beispiel, die unsere hochnäsigen Intellektuellen von der Putzfrau, dem Klempner, dem Automechaniker usw. streng verlangen. Sehen Sie, junge Schriftstellerkollegen – denen ich hier nichts Böses sagen will, ich stelle nur etwas fest – kann ich manchmal nicht verstehen. Da kommen sie zu mir und suchen einen – wie sie so abstoßend sagen – »Job«. Job heißt: sie wollen gar keine wirkliche Arbeit leisten, sondern sie wollen Geld haben für eine abzusitzende Zeit. Wo suchen sie denn? Genau da, wo ein Schriftsteller nie zu früh sein sollte: im Journalis-

mus oder bei Rundfunk und Fernsehen. Das sind die gefährlichsten Brotberufe für einen jungen Autor.

D.: Das hat aber auch praktische Gründe. Diese Medien sind ja mit dem Literaturbetrieb verbunden.

B.: Das ist ja das Krankhafte, daß sie auf den Literaturbetrieb nicht verzichten können. Damit entziehen sie sich der Existenzerfahrung, die für die Mehrzahl der Menschen gültig ist. In den Redaktionen der Medien, jenen Stätten, wo Ereignisse und Vorgänge jeder Art nur kritisiert oder illustriert werden, erfahren sie das Leben nur aus zweiter Hand.

D.: Möglicherweise. Aber deutet das nicht alles ganz verstärkt darauf hin, daß eben bestimmte Erfahrungen, die man macht, überhaupt ein bestimmtes Erfahrungsquantum, das man im Laufe eines Lebens sammelt, ganz entscheidend ist für die schriftstellerische Arbeit?

3. Dokumentarische Materialien im »Bruno«-Roman

D.: Aber lassen Sie mich auf den »Bericht über Bruno« zurückkommen. Sie haben vorhin erwähnt, verschiedene Kritiker hätten den Roman als Schlüsselroman betrachtet. Das bedeutet doch, daß die Möglichkeit bestehen müßte, das zurückzutransponieren in historische Realität. Sind so zum Beispiel die Gespräche mit dem russischen Botschafter im Roman zum großen Teil authentisch?

B.: Ja, die haben mit mir stattgefunden. Das war Winogradow. Er war der russische Botschafter, der am längsten auf dem Posten in Paris geblieben ist. Man nannte ihn den russischen Gaullisten. Den habe ich gut gekannt und mit dem habe ich scharfe Zusammenstöße gehabt. Details unserer Gespräche habe ich in den Roman transponiert. Er wußte, daß ich verlangt hatte, daß in allen Pariser Studenten-Mensen auf der Speisekarte unter den zu zahlenden Preis der viel höhere Gestehungspreis gesetzt werde. Er wußte, daß ich verlangt hatte, daß auf die Metro-Karten zu stehen komme: Reisender, der Du mit der Metro fährst, Dein Platz ist größtenteils vom Pariser Steuerzahler bezahlt. Meine Überzeugung, daß jede Art von Subvention dem Verbraucher vor Augen geführt werden muß, war der Ausgangspunkt meiner großen Debatten mit Winogradow. Aber ich will Ihnen auch das Gegenbeispiel geben. Der königliche Hof von Belgien hat mehrere Male Fühler zu mir ausgestreckt, wo und wann ich die Königinmutter gekannt hätte. Das interessierte dort. Und am Jahrestag des Todes der Königinmutter hat man jemanden aus Brüssel zu mir geschickt: ich solle es doch endlich sagen. Nun, ich habe sie nie gekannt. Ich habe nur ein Foto von ihr gesehen, eine private Fotografie; die hat mir ein Musiker namens Wiener, den sie protegiert hat, gezeigt. Der Hof konnte es nicht fassen, daß ich sie nicht gekannt habe. Man hat mir dann sagen lassen: So war sie, wie Sie sie schildern. Das übrige wußte ich vom russischen Botschafter, aber nicht von dem in Belgien, sondern von dem in Frankreich.

D.: Das heißt also: Berichte des Botschafters über die belgische Königinmutter haben Sie im Roman verarbeitet?

B.: Er hat manchmal von ihr gesprochen, weil der Marschall Woroschilow, mit dem er gut stand, persönliche Beziehungen zur Königinmutter hatte. Deren Reise nach Moskau war von Woroschilow arrangiert worden. Ich finde, ein Autor muß auch die Phantasie haben, sich auf Grund von Beobachtungen, die andere gemacht und ihm zuverlässig vermittelt haben, Handlungen zu erfinden.

D.: Die Auswahl von Wirklichkeit, die erzählt wird, sagt doch etwas über bestimmte Orientierungen und Maßstäbe eines Autors aus.

B.: Über Vorlieben und Tendenzen, aber nicht über mehr.

D.: Ich habe vorhin anzudeuten versucht, daß zwischen Ihrem rationalistischen Menschenbild und der rationalen Durchkonstruiertheit des »Bruno« eine Beziehung besteht. Man könnte nämlich sagen, daß im Grunde der »Bruno«-Roman noch die Erzählhaltung des psychologischen Romans im 19. Jahrhundert verrät. Sie haben einen allwissenden Erzähler, den Großvater.

B.: Den habe ich allerdings versteckt.

D.: Am Ende des Buches kommt er jedoch stärker zum Vorschein. Ganz zum Schluß erzählt er ja der Freundin gegenüber, wie das mit Bruno gewesen ist. Da wird doch zumindest der Eindruck im Leser erweckt, daß dieses Mosaik, aus dem das Leben Brunos sich zusammensetzt, zum Teil durch das entstanden ist, was jetzt konkret im Bericht für die Freundin erzählt wird. Natürlich taucht auch noch der andere Aspekt auf: die Berichte über Bruno, die vom Sicherheitsdienst, vom Geheimdienst zusammengestellt wurden.

B.: Ja, ich hatte das Buch nicht »Bericht«, sondern »Berichte über Bruno« nennen wollen. Damit bin ich nicht durchgedrungen beim Verlag.

D.: Die Erzählform des psychologischen Romans im 19. Jahr-

hundert. Würden Sie einer solchen Charakteristik zustimmen können?

B.: Ich lehne vollkommen ab: 19. Jahrhundert! Ich bin ein meiner Zeit verhafteter Mensch, auch dann, wenn ich deren Tendenzen in vielen Punkten scharf ablehne.

4. Entstehung des »Bruno«-Romans

B.: Das Buch ist ja überhaupt durch Zufall entstanden.

D.: Können Sie das noch etwas genauer darstellen?

B.: Ja, Fritz Arnold, der damals den Insel Verlag leitete, hatte mich gebeten, für das 50-Jahr-Jubiläum der Insel-Bücherei eine zwischen 40 und 50 Seiten lange Erzählung, eine Jagd-Erzählung, zu schreiben. Man wollte eine besondere Reihe herausgeben: die sollte »50« heißen. Man wollte eine Liebesgeschichte haben, eine Jagdgeschichte usw. Ich hatte ihm einmal erzählt, daß ein Jäger in meiner Gegenwart eine Sau verschossen und es nach dem Ende der Jagd nicht gesagt hatte. Ich hatte Fritz Arnold versprochen, den Zwischenfall zum Thema der Erzählung zu machen. Dann sind mir die Personen aber weggelaufen, und es wurde der Roman. Ich habe ihn in sechs Monaten geschrieben.

D.: Aber der Roman ist dann ein sehr großer Erfolg geworden?

B.: Das ist ein optischer Irrtum. Das glauben alle Leute. Der Roman ist mehr berühmt als gelesen. Nach seinem Erscheinen in Frankfurt bin ich sofort aus Deutschland abgereist. Ich bin nach Amerika gegangen. In San Franzisko las ich dann einmal im »Spiegel«, daß das Buch auf der Bestseller-Liste stand. Da habe ich mir gedacht, da müssen ja mindestens 100000 Stück verkauft sein. Nicht die Spur, es waren damals 18000 verkauft. Bei S. Fischer, heute mein Verleger, gibt es jetzt zwei billige Ausgaben.

D.: Lassen sich von der sehr rational geprägten Struktur des Romans her Rückschlüsse ziehen auf bestimmte Autoren, die für Sie wichtig gewesen sind? Wenn man Ihren Roman gelesen hat, könnte man beispielsweise meinen, daß Sie Stendhal lieben.

B.: Als junger Mann habe ich ihn geliebt, aber wirklich nur die »Chartreuse de Parme«, und zwar deswegen: Ich habe die Oper immer um ihre Form beneidet, sie braucht keine Übergänge. Die »Chartreuse de Parme« ist fast wie eine Oper geschrieben. Das hat mich an ihr immer sehr gereizt, auch der Schauplatz hat mir gefallen. Ich bin aber kein ausgesprochener »Stendhalien«, ich schätze zum Beispiel Balzac viel höher.

D.: Was ja durchaus erklärbar ist angesichts dieser analytischen Sicht der Gesellschaft in Ihrem Roman.

B.: Ist denn da so viel Analyse drin?

5. Der Erzähler im »Bruno«-Roman

D.: Man könnte Ihnen eigentlich den Vorwurf machen, daß Ihr Roman im Grunde restaurativ geschrieben sei.

B.: Der Vorwurf ist mir auch gemacht worden.

D.: Allerdings haben Sie einen allwissenden Erzähler, dessen reale gesellschaftliche Position ihm all die Machtfülle gibt, die Sie ihm andererseits erzähltechnisch zusprechen.

B.: Als Innenminister ist er ja der Chef der Polizei. Er weiß alles. Das ist eine meiner Obsessionen, die Polizei. Sie fasziniert mich als Notwendigkeit.

D.: Er hat also real all die Informationsmöglichkeiten, die er dann auch erzähltechnisch einsetzt.

B.: Ich freue mich, daß Sie das gesehen haben. Ich habe dieses Element bewußt eingesetzt. Nicht zuletzt auch deshalb, weil es mir immer auffällt, daß das Publikum und sogar auch mancher Intellektuelle sich für informiert hält, ohne es zu sein. Viele wissen nicht, was Information überhaupt ist. Das was die Zeitungen geben, ist immer unvollständig und oft manipuliert. Die bieten etwas auf einem Tablett Vorbereitetes. Die eigentlichen Informationen erhalten nur die Ministerien, die Polizei, die Parteien und die Leiter der Gewerkschaften, und manchmal machen auch Journalisten einen Fund.

D.: Es sind also sozusagen Informationen aus erster Hand von Ihnen verarbeitet worden?

B.: Die Organisation der Polizei hat mich immer fasziniert. Ich finde die deutsche Polizei in mancher Beziehung schlecht. Sie läßt tausende dubioser Ausländer unangemeldet im Lande leben und dunklen Geschäften nachgehen.

D.: Man könnte sagen, daß das ein Positivum ist, weil dadurch eine bestimmte Sphäre von Freiheit aufrechterhalten wird.

B.: An diese Sphäre von Freiheit glaube ich nicht. Das ist ein Falschgeld, das den Leuten hingelegt wird. Im Leben gibt es nur Zwänge. Man kann sich kleine Freiräume schaffen, ein Schwimmbad, in dem man sich bewegen kann, aber nicht mehr. Sie können nicht im Meer nach Amerika schwimmen.

D.: Ich möchte nochmals auf den Erzähler in »Bericht über

Bruno« zurückkommen. Mir scheint, daß kritisierbar wäre, daß bestimmte epische Voraussetzungen gemacht werden. Bestimmte Dinge werden dem Leser mitgeteilt, ohne daß er die Möglichkeit zur Nachprüfung hätte. Ich meine vor allem die Biographie des Großvaters: er wird dargestellt als überlegener, weiser Mann, der gleichzeitig eine große Machtfülle besitzt. Das wird aber alles nur als Stenogramm mitgeteilt. Wir erfahren nicht, wieso das das Ergebnis einer bestimmten Entwicklung ist. Seine Entwicklung wird gleichsam ausgespart. Es werden eigentlich nur stenogrammartig gewisse Informationen eingeblendet: er stammt aus einer verarmten Adelsfamilie, sein Vater war Tramschaffner, er ist im Waisenhaus aufgewachsen und hat sich dann hochgearbeitet. Er kennt den Wert des Geldes, er ist ein berühmter Wissenschaftler geworden, er ist allmählich an die Spitze dieses Chemiekonzerns getreten.

B.: Zu dem letzten Punkt, das kann ich sagen, hat mich ein Deutscher angeregt: Bosch.

D.: Diese Weisheit und Moralität des Großvaters, die die Erzählperspektive des Romans sehr stark bestimmen, scheinen mir von Ihnen als realem Erzähler gemachte Voraussetzungen zu sein, die nicht im Erzählvorgang selbst geklärt werden.

B.: Weil ich es nicht für nötig hielt.

D.: Mir scheint das deshalb wichtig, weil doch der Großvater eine Art episches Gegengewicht zu Bruno bildet. Brunos Entwicklung, die sehr negativ verläuft, wird im einzelnen gezeigt. Am Ende heißt es dann, daß er mit dreißig ein Diktator werden will oder sein könnte. Er ist die absolut negative Figur. Und das Gegengewicht stellt der Großvater dar, nur daß seine eigene Entwicklung weitgehend ausgespart wird, obwohl er andererseits erzählstrukturell die Darbietung von Brunos Geschichte bestimmt.

B.: Der Großvater, das bin ich in vieler Hinsicht selbst. Seine Gedanken sind meistens meine. Als der Erzieher sich vorstellt, breitet er dem Großvater seine auf keine Praxis und keine Anschauung gestützten Ansichten von der Welt aus. Der Großvater vermerkt schließlich, daß der Erzieher nicht einmal weiß, wie überflüssig die meisten Berufe sind. Diese Stelle ist eine derjenigen, die man mir besonders verübelt hat. Was er sagt, das denke ich. Das bin ich, das sind meine Ansichten. Insofern ist dieses Buch sehr autobiographisch, nicht aber in der äußeren Biographie. Hat man nicht das Recht, von eigenen Erfahrungen auszugehen? Schulde ich dem Leser die Darstellung der Entwicklung dieses Mannes zu dem, der er beim Beginn des Romans ist? Dann hätte ich die Geschichte des

Großvaters schreiben müssen. Ich habe aber nur die Aventure des Großvaters mit seinem Enkel beschrieben. Der starke Widerstand, auf den er stößt, trifft ihn im Herzen – ich hoffe, daß Sie das gemerkt haben.

D.: Trotzdem scheint mir, daß eine Art Verschiebung in den Proportionen zu bemerken ist.

B.: Eine gewisse Ungerechtigkeit, ja.

D.: Die Genese des bösen Charakters wird sehr nuanciert dargestellt, während der positive Charakter eigentlich nur postuliert wird bzw. jeweils gespiegelt wird mit seinen Reaktionen in der Genese des Bösen.

B.: Ja, sonst hätte ich einen anderen Roman schreiben müssen. Der Roman ist ja aus einem Zufall entstanden. Ich hatte ursprünglich nur diese Jagd-Episode schildern wollen, also: den Fehler des Großvaters, der durch Unterlassung lügt.

D.: Zu diesem Punkt noch, da Sie dies Detail erwähnen: Bruno hat doch eigentlich den Großvater, kurz bevor er mit ihm den Pakt eingeht, nie mehr einander zu belügen, belogen. Warum dann die übersteigerte Bedeutung des Ganzen in seiner Reaktion, als der Pakt vom Großvater während der Jagd gebrochen wird?

B.: Haben Sie noch nie bemerkt, daß Lügner von anderen immer die äußerste Wahrheit verlangen?

D.: Aber wie steht es um diesen Punkt aus der Perspektive des Großvaters? Er sieht die Reaktion Brunos und führt alles auf diesen Punkt zurück. Damit beginnt ja der Roman.

B.: Ja, er weiß, daß junge Leute den älteren – meist sind es die Eltern, aber es war, glaube ich, von mir der richtige Kunstgriff, eine Generation zu überspringen – den geringsten Mangel an Wahrhaftigkeit sehr verübeln und daß sie von den Erwachsenen immer die alleräußerste Aufrichtigkeit sogar dann erwarten, wenn sie selber bewußt nicht bereit sind, auch ihrerseits aufrichtig zu sein. Der Gedanke an diese Erfahrung des Großvaters, die mir erst beim Schreiben gewärtig wurde, war es, der mich hinriß, die Erzählung zum Roman zu erweitern. Den schrieb ich wie in Trance in sechs Monaten nieder. Allerdings mußte ich wegen der verabredeten Drucktermine zu früh abliefern und den Schluß des Romans forcieren.

D.: Es gibt also in gewisser Weise eine Fortsetzung des Romans, ein Schlußkapitel, das ungedruckt ist?

B.: Ja. Das letzte Kapitel, das mir eigentlich vorschwebte.

D.: Darf ich fragen: wenn Sie das kurz zusammenfassen würden, wie hätte sich das weiterentwickelt?

B.: Das weiß ich nicht mehr in den Details. Ich war zu deroutiert von der Hetze, in der ich zuletzt hatte arbeiten müssen und von der mir eine so unangenehme Erinnerung geblieben war, daß ich den Roman lange Zeit nicht mehr in die Hand nehmen wollte, obwohl ich mich meinem Pariser Verleger gegenüber verpflichtet hatte, mit der Niederschrift der französischen Fassung sofort nach dem Erscheinen der deutschen zu beginnen. Die französische erschien dann auch erst 1964, sie erhielt 1965 den »Prix Combat«.

6. Bruno als politischer Typus

D.: Man hat in der Kritik angemerkt, daß dieses Porträt Brunos den Typus eines bestimmten Politikers vorstellt, der vor allem in den letzten Jahrzehnten auch historische Bedeutung gewonnen hat. Ist diese politische Kritik im Bilde Brunos beabsichtigt?

B.: Die hat sich mehr oder weniger unbewußt unterschoben. Ich verkehre viel mit Politikern. Sie sind mir vertraut als Typus, ich weiß, wie sie denken. Jedenfalls anders als etwa H. M. Enzensberger und dessen Kreis, deren politisches Denken ich für falsch im Ansatz halte.

D.: Weil sie nicht die Realitäten der Macht einkalkulieren?

B.: Nein, weil sie postulativ von Vorstellungen ausgehen, bei denen nicht nur ökonomische, klimatische und andere Sachzwänge zu kurz kommen, sondern vor allem die Natur des Menschen zu wenig mit einkalkuliert ist. Hier setzt mein Hauptargument gegen den Marxismus ein. In den sozialistischen Ländern ist, unter anderem, auch deshalb alles so schlecht, weil man immer wieder vergißt, wie träge, wie egoistisch der Mensch ist und wie, wenn sein Eigeninteresse nicht im Spiel ist, sofort seine Kräfte erlahmen. Aber damit sage ich nichts Neues.

D.: Aber könnte man jetzt nicht sagen, daß das Bild des russischen Botschafters im »Bruno«-Roman ein Gegenbeispiel ist?

B.: Diesen Typus gibt es, weil in Rußland ein politischer Repräsentant wie der Botschafter völlig außerhalb der marxistischen Zwänge lebt. Das sind Russen, keine Marxisten, sie vertreten die Außenpolitik, also die russische Expansion, und haben daher auch ungeheure Privilegien. Rußland kann keine andere Politik machen als eine expansionistische. Der Marxismus hat sich selbst dazu verurteilt, jeden Hohlraum zu besetzen. Also kann die russische Außenpolitik, die es früher auch schon immer war, nur expansio-

nistisch sein. Das Zusammentreffen von Marxismus und Imperialismus war ja das Glück für die Sowjetunion. Stalin hat Rußland groß gemacht. In Yalta sah er in dem noch nicht beendeten Krieg die einmalige Chance zur Vergrößerung Rußlands. Er hat sie genutzt. Das hätte ein Kerenski nicht getan. Ich meine damit den Typus des Humanistisch-Liberalen.

D.: Das heißt: der Politiker, der sich rücksichtslos durchsetzt, der alle Machtmittel an sich reißt, was ja in gewisser Weise der Intention Brunos nahekommt. Ist das jetzt im Grunde völlig wertfrei gesehen?

B.: Von mir ja.

D.: Ein Machtmensch, dem Sie also Berechtigung zusprechen?

B.: Das ist eine alte Fangfrage. Ob ich ihm Berechtigung zuspreche? Ich sehe vor allem, daß es ihn gibt und daß es ihn immer geben wird und daß er in jedem schlummert, wenn er Gelegenheit und genügend Willen hat. Wie viele sind Möchte-Machtmenschen, denen es lediglich an Willen fehlt.

7. Zu den anderen Romanen

D.: Herr Breitbach, Sie erscheinen in den Literaturgeschichten immer als ein Autor, der mehrere Romane geschrieben hat: »Die Wandlung der Susanne Dasseldorf«, der »Clemens«-Roman und »Frau Berta«, ein neuer, im Entstehen begriffener Roman. Es handelt sich jedoch um kryptische Romane.

B.: So kryptisch sind die nicht. »Die Wandlung der Susanne Dasseldorf« war erschienen in achttausend Exemplaren. Aber Gustav Kiepenheuer hatte ein unkorrigiertes Sicherheitsexemplar, das im Verlag war, in Druck gegeben und hatte die Korrekturen, da ich, um beim Erscheinen des Buches nicht auffindbar zu sein, auf Reisen war, von Verlagsangestellten lesen lassen. Kiepenheuers Irrtum habe ich erst entdeckt, als der Roman bereits von Goebbels verboten worden war. Auf einer Gesellschaft, wo ich mit François Mauriac war, hatte jemand etwas aus dem Roman zitiert. Mauriac sagte, das Zitierte stehe nicht in der französischen Ausgabe. Die hatte ich nicht selber verfaßt und nur das erste Kapitel kontrolliert. Beim Vergleich der beiden Fassungen entdeckte ich dann den Irrtum. Ich habe sofort die Rechte zurückgekauft und in beiden Sprachen keine neuen Auflagen mehr zugelassen. Den »Clemens« hat mir die Gestapo 1940 gestohlen. E. R. Curtius hatte vor dem Krieg bei einem Aufenthalt in der Schweiz das ganze Manuskript gelesen.

1937 hatte auch Thomas Mann, der daraus ein Kapitel zur Veröffentlichung in »Maß und Wert« wählen wollte, das Manuskript gehabt. Leider war Katia Mann so ordentlich und schickte mir das Ganze zurück. Als 1939 der Krieg auszubrechen drohte, habe ich am zweiten Mobilmachungstag das Manuskript zur Post gebracht. Ich wollte es bei dem Zürcher Verleger Oprecht in Sicherheit wissen. Ich höre noch das Schalterfräulein mir sagen, die Grenzen seien »seit einer halben Stunde« geschlossen. Als die Gestapo meine Wohnung besetzte, lag das Manuskript mit der Adresse des antifaschistischen Verlegers Oprecht auf meinem Schreibtisch. Ein Durchschlag lag in meiner Bank, wo es beschlagnahmt wurde, als die Gestapo Briefe Ernst Jüngers in meinem Safe suchte. Jünger erwähnt die Episode in »Strahlungen«. E. R. Curtius, Jean Schlumberger und Emil Oprecht waren die wenigen, die das ganze Manuskript gelesen hatten.

D.: Damals gingen auch Ihre Tagebücher verloren?

B.: Alle, die deponiert waren.

D.: Ging noch ein anderes Romanmanuskript verloren?

B.: Ja, außer dem des »Clemens« das eines kleineren Romans. Beides Arbeiten, zu denen ich, vor der Ablieferung an einen Verlag, Distanz gewinnen wollte. Und vor allem meine politisch-literarischen Tagebücher, die ich hatte veröffentlichen wollen.

8. Ein epischer Traditionalist?

D.: Herr Breitbach, von Ihren früheren Arbeiten her – und ich denke hier an die frühen Erzählungen und die »Susanne Dasseldorf« – ergibt sich der Eindruck eines epischen Traditionalisten. Zu Recht?

B.: Bei Doderer gibt es eine Stelle, wo er sich mit mir auseinandersetzt, weil ich sagte, daß die rein dem Ablauf der Zeit folgende Erzählweise die einzig höfliche ist. Das wollte Doderer nicht gelten lassen. In meinen Augen sind Rückblenden eine Zumutung für den Leser. Man soll sie, wo es nur möglich ist, vermeiden.

D.: Diese von Ihnen erwähnte Formulierung taucht ja auch im »Bruno«-Roman auf: »... auf die chronologische, die um Höflichkeit bemühte Weise erzählbar, wie ein Bericht es verlangt« – so heißt es dort.

B.: Ja, das habe ich aus Zorn geschrieben. Das war ein kleiner Hieb von mir für jene Autoren, deren auseinandergezogene Darstellungsweise mich ärgert.

D.: Das hat natürlich auch mit der Erzählperspektive zu tun.

B.: Über die habe ich nachgedacht. Die ist bei mir einheitlich, oder nicht?

D.: Sie ist einheitlich. Sagen wir: Sie hätten den Roman aus der Perspektive von Rysselgeert geschrieben, der im Buch viel weniger Überschau besitzt, dann hätten Sie wohl eine Struktur verwirklichen müssen, die weit weniger »höflich« wäre. Aber das wäre ein völlig anderes Buch geworden.

B.: Ein völlig anderes Buch, aber nicht ein tieferes. Ich mißtraue dem, was gern als deutsche Tiefe ausgegeben wird.

9. Zur Handlung des »Clemens«-Romans

D.: Um nochmals auf Ihren »Clemens« zurückzukommen: Sie haben gesagt, daß das Handlungsgerüst sich mit dem des »Requiems für die Kirche« deckt. Aber eigentlich ist das doch, was die Handlung betrifft, nur der Anfang, der auch im Erzählfragment vorhanden ist. Handelte es sich nicht um ein 1200 Seiten umfassendes Manuskript?

B.: Es war mein umfangreichstes Manuskript. Ich hatte meine ganze Lebenserfahrung in dieses Buch gesteckt. Ich glaube, jeder Autor will einmal »auspacken«. Daher später meine Ungeduld bei der Niederschrift des »Bruno«, daher seine Kürze, das Stenogrammartige des Stils. Ich hatte nicht noch einmal das sagen wollen, was ich im »Clemens« gesagt hatte.

D.: Können Sie ganz kurz skizzieren: wie sahen die weiteren Stationen aus, die sich an das Fragment anschlossen?

B.: Es gibt Teile davon, allerdings neue. Ich habe nämlich versucht, den Roman nach dem Kriege noch einmal zu schreiben, aus dem Gedächtnis. Ich gab es schließlich auf. Es ging nicht. Ich war nach dem Kriege nicht mehr derselbe, der ich vor dem Kriege gewesen war. Die Handlung? Sie ist zu verschlungen, um hier resümiert zu werden. Nur dies: als Clemens nach seinem vorgetäuschten Tod zurückgebracht worden ist, wird er von seinem Vater gezwungen, den Rest seiner Ersparnisse den Leuten zu bringen, die zu seiner Seelenmesse Kränze geschickt hatten. Bei diesem demütigenden Gang erfährt er zum erstenmal, was Menschen nie verzeihen. Er brennt von neuem durch, wird aber aufgegriffen und lebt wieder zu Hause, von der Bevölkerung genauso geächtet wie sein Vater. Diesem hat man nicht verziehen, daß er durch die Verhinderung der Seelenmesse für einen Gottesleugner den Leuten, die sich für Katholiken hielten, gezeigt hatte, was ein konsequenter Katholik nicht zulassen darf. Nicht Clemens, der Küster war, wie in der handlungsmäßig stark verkürzten, dramatischen Fassung des Stoffes, die Hauptperson des Romans. Daß die Kategorien »Mensch« und »Gott« unvereinbar sind und daß für den Katholiken nicht der Mensch, sondern Gott das Maß aller Dinge ist, das wird heute nur schwer verstanden. Die katholischen Kritiker, die mir die »Unmenschlichkeit« des Küsters ankreideten, zeigten damit nur, wie schlecht sie die katholische Lehre kennen. So schlecht wie andere Kritiker die deutsche Literatur, wenn sie den Küster, der die öffentliche Meinung nicht fürchtet, mit Hebbels Meister Anton vergleichen.

10. Dégoût vor dem Erzählen

D.: Dann gibt es noch einen weiteren Roman, »Frau Berta«.

B.: Daraus hat der S. Fischer Verlag zwei Kapitel herausgenommen.

D.: Und in der »Rabenschlacht« veröffentlicht.

B.: Es sind Kapitel aus einem Roman, dessen Niederschrift ich Ende 1961 unterbrach, um »Bericht über Bruno« zum vereinbarten Termin abzuliefern. Es lagen damals bereits zweihundert Seiten beim Insel-Verlag, aber ich fand 1962 nicht mehr zu dem Manuskript zurück. Mein nach der Aufführung der »Jubilarin« im Théâtre Hébertôt gesteigertes Interesse für die dramatische Form fiel mit einer Unlust, ja einem Dégoût am Erzählen zusammen, allerdings auch mit einer wachsenden Ablehnung modischer, den Leser quälender Erzählformen, der Uwe Johnsons zum Beispiel. Der Leser wird, finde ich, von ihm ohne Grund gequält, oder nicht?

D.: Nun ist es so, daß beispielsweise in den »Mutmassungen über Jakob« dieser Jakob ein Mensch ist, der sich selbst nicht zu definieren vermag in seiner Rolle, die er in der Gesellschaft der DDR spielt. Und die Schwierigkeiten, die er hat, werden nun umgesetzt in den Beschreibungsprozeß, den der Autor anstellt.

B.: Meine Antwort darauf schon jetzt: Soll ein Autor die Leser mit dem belästigen, was er, wo auch immer, nicht bewältigt: im Politischen, Ökonomischen usw. und welcher Art Probleme es seien. Ein Autor, der Antworten oder Hilfe vom Leser erwartet, von seinem Kunden, soll keine Bücher veröffentlichen oder aber ihm Gestalten vorsetzen, deren Naivität oder Mangel an Souveränität uns erheitern.

D.: Wenn Sie zum Vergleich den Erzähler aus Ihrem »Bruno«-Roman nehmen: da ist eben eine ganz andere soziale Rolle vorhanden, die ihm offensteht; der die Erzählperspektive bei Johnson bestimmende Jakob Abs spielt eine sehr viel untergeordnetere Rolle in der Hierarchie der DDR.

B.: Dann muß ich aber fragen: wo steckt denn der Verfasser, der doch gewiß nicht so wenig souverän ist, wie seine tumben Gestalten? Braucht er deren Hilflosigkeit vielleicht nur aus künstlerischen Gründen und überblickt und durchschaut er sehr wohl die kompakte Welt, die er darstellt? Ist das letzte der Fall, und das darf man schließlich erwarten, dann soll er dem Leser die Lösung der Probleme bieten, wie mager diese auch ausfalle, statt ihm mit dumpfem Gegrübel und Gefrage zuzusetzen, in meinen Augen der Gipfel der Unhöflichkeit. Wir lieben ja auch jene Menschen nicht, denen es eine Wollust ist, uns schlechte Nachrichten von sich aufzudrängen, um unser Interesse für ihre Person zu erzwingen, obwohl wir ihrer Krankheit oder ihrem durch andere erlittenem Unrecht nicht abhelfen können.

D.: Nein, der Verfasser durchschaut die Dinge zweifelsohne nicht und glaubt auch nicht, daß er die Möglichkeit hat, alles auf rational einsichtige Rezepte zu bringen. Er reflektiert darüber, und der Reflexionsvorgang ist der Erzählprozeß.

11. Handlungsantizipation und -pointe

D.: Ich wollte eigentlich noch eine Frage stellen, die mit der realistischen Erzählweise bei Ihnen zu tun hat. Es fällt auf, daß beispielsweise im »Bruno«-Roman die Handlung und auch die Spannung im Leser durch bestimmte Vorwegnahmen vorangetrieben wird. Wird das als bewußtes Kunstmittel von Ihnen eingesetzt?

B.: Das war eine aus der Not geborene List. Bei der Niederschrift des »Bruno« traute ich plötzlich dem Tragwert des Wortes nicht mehr, seinem Eigenwert, der Nicht-Gesagtes mitschwingen läßt. Dieses, damals für mich neue Mißtrauen reduzierte mir das Wort fast zum puren Vehikel. In diesem Zusammenhang ein Geständnis: es gibt einen großen Dichter, für dessen Wesen ich keine Sympathie aufbringe, Hölderlin. Ich habe eine Aversion gegen ihn.

D.: Das paßt zu dem, was Sie vorhin einmal gesagt haben: Ihre Aversion gegenüber dem deutschen Tiefsinn.

B.: Der ist ein Empfindungsplateau, auf dem ich nicht angesiedelt bin.

D.: Zu dieser Technik der erzählerischen Vorwegnahmen paßt eigentlich auch, daß Ihre Erzählungen zumeist alle in einer Pointe gipfeln. Das wird ganz deutlich in »Rot gegen Rot«.

B.: Diese Erzählung habe ich für die neue Buchausgabe gekürzt.

D.: Dann im »Radieschen«, wo der Titel in dem Augenblick plausibel wird, wenn man den letzten Satz gelesen hat.

B.: »Radieschen« ist zum geflügelten Wort in der Kommunistischen Partei geworden. Das war mein größter außerliterarischer Erfolg.

D.: Es taucht ja auch im »Bruno«-Roman auf. Bruno spricht ähnlich über den Außenminister. In diesen Zusammenhang von Vorwegnahme und Erzählpointe gehört auch das Ende des Fragmentes »In der Gärtnerei«. Das ist ja auch wieder eine Vorwegnahme und zugleich auch eine gewisse Pointe. Denn die Figur der Frau wird doch plötzlich ganz anders akzentuiert, als man sie einzuschätzen gelernt hat, nachdem man die ersten Seiten gelesen hat.

B.: Das ist eine Figur, die mich fasziniert.

D.: Aber deutet das nicht eigentlich von dieser Handlungsvorwegnahme her auf so etwas wie einen literarischen Kriminalroman hin? Das ist jetzt eine Spekulation.

B.: Ist nicht fast die ganze Literatur kriminalistisch, Dostojewski, oder melodramatisch, Racine?

D.: Ich erinnere mich, daß einer der Kritiker über den »Bruno«-Roman bei Erscheinen schrieb: »ein verschämter Kriminalroman«. Das würde also dann passen?

B.: Und die Droste-Hülshoff? Deren »Judenbuche« ist eines der schönsten deutschen Prosastücke. Ich habe die »Judenbuche« ins Französische übersetzt, so sehr liebe ich sie.

D.: In gewisser Weise ja auch eine Kriminal-Novelle.

B.: Aber ohne Knall! Die Figur des Doppelgängers, welch ein Fund dieser Westfalin. Sie ist der einzige Autor, für den ich je eine Wallfahrt gemacht habe. Ich wollte ihre Wohnung sehen, ich bin nach Meersburg gefahren. Das ist das einzige Mal in meinem Leben, daß ich so etwas gemacht habe.

12. Gesellschaft in Frankreich und Deutschland

D.: Man würde eigentlich annehmen, daß Ihre literarische Orientierung in erster Linie von Frankreich bestimmt wird.

B.: Nein, da sind zwei Seelen in der Brust eines Menschen, der in zwei Sprachen lebt und beide Zivilisationen streng auseinander-

hält. Mich interessiert deshalb der von den Franzosen viel zu stark beeinflußte Heinrich Mann nur wenig.

D.: Obwohl Heinrich Mann immer wieder in Zusammenhang mit Ihnen erwähnt wird: Sie seien sozusagen derjenige, der Heinrich Manns literarische Linie fortgeführt habe.

B.: Ich weiß nicht wo. Denn Heinrich Mann, spricht er politisch vom zeitgenössischen Frankreich, ist wenig überzeugend. Niemand hat das Frankreich der Dritten Republik so falsch gesehen wie er.

D.: Heinrich-Mann-Beziehung, jetzt aber gemeint im Sinne des Gesellschaftsromans, den es eigentlich in der deutschen Literatur nur sehr selten gibt.

B.: Finden Sie, daß ich je Gesellschaftsromane geschrieben habe?

D.: Ja, »Bericht über Bruno«.

B.: Das ist doch kein Gesellschaftsroman.

D.: In dem Sinne ist es ein Gesellschaftsroman, daß ganz bestimmte politische Sachverhalte dargestellt werden aus der Perspektive eines in der Gesellschaft voll aktiven Mannes, der auf Grund seiner sozialen Stellung Überschau besitzt. Von der stofflichen Erfassung der Realität und von der Erzählperspektive her ist das ein Gesellschaftsroman.

B.: Das habe ich nie so gesehen. Ich wollte das jedenfalls nicht. Wenn es einer geworden ist, dann gegen meinen Willen. Ich wollte nur ein Porträt geben. Nicht wahr, Gesellschaft nenne ich, wenn es eine die ganze Zivilisation prägende Oberschicht gibt, also zum Beispiel jene von Versailles und die des später nachfolgenden Paris, die beide das ganze französische Volk bis zur Concierge geprägt haben. Wenn Sie in Paris bei einem Busschaffner zum Abendessen eingeladen werden, dann bekommen Sie ein Essen genauso wie bei einem Minister, alle Gänge, nur in der Qualität ein bißchen anders. Wir haben eine prägende Gesellschaft, die hat Deutschland seit langem nicht mehr. In Deutschland gibt es reiche Leute und genießende Schichten, aber keine Gesellschaft. Bei uns wird sie, fürchte ich, auch verschwinden. In Deutschland ist sie mit der Monarchie gestorben. Sie war zwar nicht die schönste und geistvollste, das können Sie bei Fontane sehen, aber es war doch eine die Nation prägende Gesellschaft. Jetzt hat Deutschland als Muster einerseits eine frivole Schickeria, die für die Nennung ihrer Anwesenheit auf Parties miese Journalisten bezahlt, andererseits solide, ja reiche und erstaunlich oft auch hochgebildete Schichten kleinbürgerlicher Prägung. Adornos Lebensstil, noch mehr seine

Wohnung, sind mir unter diesem Aspekt besonders aufgefallen.

D.: Das erinnert mich an die Formulierung im »Bruno«-Roman, wo Sie sagen, daß ein Königshaus die Einhaltung eines gewissen Niveaus garantiere.

B.: Das tut es auch.

D.: Das paßt in den Kontext, den Sie vorhin angeschnitten haben. In der Weise hat es sicherlich eine Gesellschaft in Deutschland nicht gegeben.

B.: In Deutschland war es die Garnison, die vor allem nach unten gewirkt hat, mehr als der Hof.

D.: Ein sehr scharfes Wort.

B.: Ich kenne eigentlich nur noch ein anderes Land, wo es, wenigstens bis zum letzten Krieg, eine Gesellschaft in dem vorhin erwähnten Sinne gab: Italien. Aber sonst, zum Beispiel ein Land wie Dänemark scheint überhaupt keine die Nation prägende Gesellschaft mehr zu haben, und wahrscheinlich ganz Skandinavien nicht.

D.: Trotz Monarchien?

B.: Diese haben den Einbruch der Langeweile und Uniformität durch den sozialen Fürsorgestaat und durch den Abbau aller Tabus nicht verhindert. Ein Volk, das keine Tabus mehr kennt, wird seine Existenz bald farblos und fade finden, bei steigender Kriminalität.

13. Die konservative Position

D.: Herr Breitbach, lassen sich Ihre Ausführungen über die Gesellschaft nicht indirekt auch als politische Äußerungen deuten, und zwar in Richtung auf einen gewissen Konservativismus, den Sie vertreten? Sie haben diesen Standpunkt für die Öffentlichkeit schon sehr früh sichtbar akzentuiert, und zwar in einem 1958 in der »Frankfurter Allgemeinen« erschienenen Aufsatz »Vom Wohlstand geschlagen«.

B.: Der war gar nicht für die Frankfurter Zeitung geschrieben. Diese hat ihn nur nachgedruckt, zu meinem Erstaunen. Denn der Artikel war ein Scherz und nicht mehr. Bestimmt war er für den Jahresalmanach der zweisprachigen Buchhandlung Flinker in Paris, in dem französische und deutsche Autoren auf Vorschlag des Besitzers ihr Wort zu verschiedensten Problemen sagen. 1958 waren wir eingeladen worden, uns über die vorrangigsten Sorgen der Intellektuellen zu äußern. Im Laufe jenes Jahres war mir das Be-

klagen der Gefahr, die der Wohlstand für den revolutionären Geist der Arbeiter mit sich bringe, in den Publikationen der deutschen Linken aufgefallen. Angestimmt war das Gejammer von solchen Intellektuellen, die gerade an diesem Wohlstand teilhatten. Man brauchte nur ihre Wagen und ihre Ausgaben in teueren Restaurants und in den Hotels der Schickeria zu sehen. Ich mokierte mich also in dem Artikelchen über die Sorgen meiner den Luxus so liebenden Kollegen und machte ihnen detaillierte Vorschläge, wie sie den gefährlichen Wohlstand beseitigen könnten durch Anzettelung von Streiks, Sabotage und Zerstörung von Industrieanlagen, auf daß es bald wieder Elend und damit mehr revolutionären Geist und schließlich auf diese Weise dann endlich mehr Anlaß gebe, das Elend anzuprangern und dabei selber in flammenden Anklagen pathetisch zu brillieren. Der so charmante Martin Walser reagierte recht gekränkt, hetzte aber nicht gegen mich. Das haben dann andere Linkskonformisten, besonders der »Frankfurter Rundschau« nahestehende, getan und mein Einzelkampf mit der deutschen Linken setzte ein. Die Dramaturgen, fast alle ja links, boykottierten meine Stücke als politisch untragbar, besonders den »Genossen Veygond«, und jene goldene Wiege, in die ich gleich vom Kindsbett meiner Mutter gelegt worden sei, wurde erfunden… als Kriterium für die Minderwertigkeit meiner literarischen Produktion.

II.B. Der politische Roman als Erziehungsroman ex negativo. Joseph Breitbachs »Bericht über Bruno«

1. Ein deutscher und ein französischer Autor, in beiden Sprachen gleichermaßen heimisch, als Schriftsteller in beiden hervorgetreten, seiner kulturellen Vermittlertätigkeit wegen in beiden Ländern hoch dekoriert und doch in keinem der beiden Länder voll aufgehend: europäisch-aufklärerisch in Gesinnung und politischem Kalkül und damit als Siebzigjähriger antizipierend, was die Zukunft erst noch einzulösen hat. In seiner privaten Existenz in München und Paris (wo er seit 1929 auch als Steuerzahler residiert) angesiedelt, zugleich eine grandseigneurale Erscheinung des 19. Jahrhunderts, die Aura von großem Reichtum, auch im mäzenatischen Dienste der Literatur (von Joseph Roth und anderen Autoren) verbreitend und zugleich mit einem Affekt gegen alles Biographische begabt: »... ich bin an und für sich gegen alles Biographische. Wir sind diskrete Leute in der Familie. Ich bin gegen alle Neugierde.«[1]

Werk und Person Joseph Breitbachs tragen enigmatische Züge. Seine Außenseiterrolle hat komplexe Gründe und läßt sich nicht erst aus der Situation der letzten anderthalb Jahrzehnte ableiten, die ihn, den einstigen Marxisten und Rußland-Pilger[2] (freilich schon damals Marxist nicht aus messianischem Überschwang, sondern aus Sympathie für die Russen, die sich nach dem Ersten Weltkrieg als fast einzige für das politische Selbstbestimmungsrecht Elsaß-Lothringens aussprachen) zum Verfechter konservativer Bastionen erhob, der 1958, im schönsten Wirtschaftswunder-Morgen, das Dilemma der linken Intelligenz heraufdämmern sah: über zuviel materieller Prosperität den revolutionären Schwung einzubüßen und ihn – was damals als Zynismus wirkte – erst durch Zerstörung der Prosperitätssymbole wieder künstlich herbeiführen zu müssen. »Revolutionäre Ethiker zeigen voll saurer Verachtung auf den fetten Spatzen in der Hand der Proleten und beklagen es, daß diese der viel mehr Fleisch und seelische Genugtuung versprechenden Taube auf dem roten Dache keine Achtung mehr erweisen.«[3] Die »Sabotageakte«, die er als einziges Mittel zur Erzeugung der rechten linken Gesinnung damals ironisch empfahl, sind längst nicht mehr Ausdruck »demagogischer Übertreibung«, sondern jüngster zeitgeschichtlicher Ereignisse.

Joseph Breitbach ist eigentlich immer gegen den Strom geschwommen, hat sich und seine Arbeiten nie tragen lassen von der Gunst der »literarischen Öffentlichkeit«. Sein von der Geschichte unseres Jahrhunderts zerklüftetes literarisches Werk war unzeitgemäß zur Zeit seines Erscheinens, tauchte unter und wurde untergetaucht, blieb teils nach eigenem, teils nach fremdem Willen verschollen, aber war da, wo es nach einem Generationssprung wiederentdeckt wurde, zeitgemäßer und aktueller als manches, das heute geschrieben wird.

Paradigmatisch dafür sind die in der kürzlich erschienenen »Rabenschlacht«[4] enthaltenen frühen Erzählungen der Sammlung »Rot gegen Rot«, die 1928 zuerst auf Russisch erschien und zum Ende desselben Jahres dann auf Deutsch. Das Psychogramm des Liftjungen Karl in der Titelerzählung hat seine satirische Kraft keineswegs eingebüßt, sondern im inzwischen vergangenen halben Jahrhundert eher noch gesteigert. Karl, der sein Leben und seinen Kaufhaus-Fahrstuhl mit marxistischer Akkuratesse zu steuern glaubt – »Er stand mit beiden Füßen auf dem Boden, er hatte seine Partei und feste Ansichten über die Ordnung der Welt.« (37) – verstößt aus vitalem Interesse, einer Liebesaffäre wegen, gegen die Parteidisziplin, bringt Parteigenossen in Gefahr, muß untertauchen und träumt in der Verbannung den heroischen Traum von der künftigen Revolution weiter, aber nicht so sehr aus politischer Reue, sondern um sich vor seiner Partei wieder zu rehabilitieren und um »wieder an Lene denken« (83) zu dürfen: »Es ist sein größter Wunsch, daß es nicht zu weit sei bis dahin, zur nächsten REVOLUTION.« (83) Arbeitet solche ketzerische Ironisierung revolutionärer Euphorie nun reaktionärer Borniertheit in die Hände? Oder wird hier ganz im Gegenteil pseudolinke Revolutionsrhetorik in die Realität zurückgeholt?

Das Problem ist keineswegs konstruiert, sondern aus der Literatur der Aufbau-Phase, der fünfziger Jahre also, in der DDR bestens vertraut. Es geht um die Repräsentationsfunktion des sogenannten »positiven Helden«, der als Bannerträger der Zukunft ideal verzeichnet und real unglaubwürdig wird. Breitbach hat im Rückblick selbst hervorgehoben: »Ich war durch sehr intime Kenntnisse der kommunistischen Partei dahin gekommen, es als immer unerquicklicher zu empfinden, daß man in der Partei nur

Heroen duldete, also nur den vollkommenen, makellosen, nie einen Fehler begehenden Kommunisten.«[5] Der Beifall von der falschen Seite ist damit weniger wichtig als der Beifall, den das Buch bei offiziellen Vertretern der russischen kommunistischen Partei fand. Denn obwohl das Buch die programmierte Parteilinie angriff, erschien die russische Erstveröffentlichung, als literarisches Korrektiv lanciert, bezeichnenderweise mit der ausdrücklichen Unterstützung von Antonow Owsejenko und Lunacharski.

Der sich damals noch zum Kommunismus bekennende Breitbach hatte 1929 in der »Kolonne« in einer kurzen programmatischen Erklärung geschrieben: »Wenn ich mit dem Proletariat bin, habe ich erst recht die Pflicht, seine Fehler und deren Gründe zu sehen, während ich von dem Bürger zum wenigsten das zynische Eingeständnis seines tausendfachen Unrechts an den Massen verlange... Heiligenschein und Märtyrerkronen können mich nicht überzeugen. Hinter dem Heldentum stehen meist Ehrgeiz, Sadismus und Machtstreben... Ich glaube an kein Ideal in der Politik...« (10) Sätze, die auch noch Jahrzehnte später für den Autor des »Berichtes über Bruno« gelten, der seine einstige ideologische Position nun ebenfalls in seinen radikalen Zweifel miteinbezogen hat. Das Ziel, das er damals als Absicht seiner künstlerischen Arbeit formulierte, ist jedoch das gleiche geblieben: »Das Warum und die Tendenzen meines Schaffens lassen sich in einem Wort ausdrücken: Entlarven.« (10)

Breitbachs Liftjunge Karl, der in seiner Komödie »Die Jubilarin«[6] dann nochmals auftritt, ist zugleich ein literarischer Verwandter seines »Genossen Veygond«, einer anderen ketzerischen Komödie, die in der Gestalt Veygonds den Typus des salonlinken Erfolgsschriftstellers attackiert, der ein von Honoraren gesegnetes bürgerliches Wohlleben und revolutionären Elan konfliktlos zu vereinen weiß und von Parteigenossen, allerdings wiederum nicht aus lauteren Motiven, gezwungen werden soll, sich von seiner ideologischen Schizophrenie ein für allemal zu kurieren und zugunsten der Gewerkschaft auf Hab und Gut und großbürgerlichen Lebensstil teilweise zu verzichten. Freilich die Aufmerksamkeit, die die desillusionierenden Erzählungen des jungen Breitbach in den zwanziger Jahren in der kommunistischen Partei Rußlands fanden, ist man dem Dramatiker im Deutschland der sechziger Jahre bisher schuldig geblieben. Sein »Genosse Veygond« wird so gut wie nicht gespielt.

Denunziert Breitbach aus konservativer Borniertheit linkes

Engagement? Die Gleichung ist zu einfach, sie geht nicht auf. Er entlarvt aus aufklärerischem Elan, versucht, Widersprüche aufzudecken und bewußt zu machen, ist als Moralist zutiefst pessimistisch und von pragmatischem Skeptizismus gegenüber dem Menschen und seinen Anlagen zum Guten erfüllt. Er läßt sich nichts vormachen und macht seinen Lesern nichts vor.

Freilich wäre es denkbar zu fragen, ob sich in dieser Haltung nicht der Immoralismus eines Mannes verrät, der die Welt als das kennengelernt hat, was sie seiner Meinung nach ist: als chaotisch, als anarchisch, als käuflich, als formbar von dem Erfolgreichen, der ihre merkantilen Gesetze beherrscht. Kafkas undurchschaubare juristische Bürokratie, der Institution gewordene Merkantilismus in den Umschlagplätzen des Geldes, den Banken, die von Georg Kaiser bis hin zu Max Frisch[7] als Chiffren moderner entfremdeter Wirklichkeit erscheinen, und Breitbachs Kaufhaus als Warenumschlagplatz und reiner wirtschaftlicher Funktionsmechanismus – stehen dahinter analoge Erfahrungen, die auch den Autor bestimmt haben, der lange Zeit in einem französisch-schweizerisch-holländischen Warenhaus-Konzern an führender Stelle tätig war und heute noch in einer Art von ästhetischer Fasziniertheit große Kaufhäuser besucht und neue Menschen, die er kennenlernt, unter der charakteristischen Perspektive betrachtet: »Wenn ich jemand gegenüberhabe, frage ich mich fast willkürlich, ist dieser Mann verwaltungs- und regierungsfähig... Kann er regieren, kann er verwalten... ein Geschäft oder einen Staat oder ein Land. Das ist beinahe die erste Frage, die ich mir bei jedem Menschen stelle, mit dem ich es zu tun habe.«[8]

Wie dem auch sei, Breitbach ist kein Autor der versponnenen Ichbefragung, sondern stand so, wie seine geschäftliche Tätigkeit lange Jahre bei ihm vor der schriftstellerischen dominierte, immer mitten in der Realität, ein genuines politisches Temperament, das der literarischen Einkapselung mißtraut und dem die Literatur als Hauptbeschäftigung ein Horror ist: »Wenn ich am Fluß sitze, will ich auch hineinspringen und darin schwimmen, das Betrachten des Flusses allein hätte mich nie interessiert! Betrachten ist zweitrangig gegenüber dem Produzieren...«[9]

2. Aus solcher Perspektive nimmt der Literaturbetrieb höchstens den Rang eines Provisoriums ein, wie auch die Breitbach andererseits zudiktierte Rolle des Außenseiters eine Fiktion des Literaturbetriebs ist: Da verweigert sich eher jemand dem literari-

schen Jahrmarkt als umgekehrt. Dahinter steht jedoch, wohlgemerkt, nicht eine asketische Verabsolutierung der Literatur, ein ständiges, den Autor selbst nie zufriedenstellendes Umschmelzen seiner literarischen Arbeiten und im Ergebnis das bis ins letzte gefilterte literarische Gebilde: »Ich war nie Schriftsteller im Hauptberuf gewesen, ich habe mein erstes Buch immer nur Sonntagnachmittags geschrieben, ansonsten blieb mir dazu keine Zeit.«[10]

Nicht von ungefähr ist er ein exzessiver Tagebuchschreiber: Literatur als ein das Leben begleitender Reflexionsvorgang, aus sinnlicher Erfahrung geschöpft, Literatur jedoch nie als Ersatzwirklichkeit, als alles andere absorbierendes Hauptgeschäft. Bezeichnend dafür ist, daß einige seiner wichtigsten Arbeiten gleichsam zufällig entstanden sind. So berichtet er über den Entstehungsanlaß seiner Komödie »Die Jubilarin«: »Die erste Fassung war ein Geburtstagsgeschenk für eine alte Dame, die wollte ein Stück, in dem der Karl aus ›Rot gegen Rot‹ vorkommt.«[11] Den »Bericht über Bruno« begann er zu schreiben, weil ihn der damalige Lektor des Insel-Verlages um eine Jubiläumserzählung für die Insel-Bücherei bat: »Ich begann diese Erzählung, deren Handlung sich auf einer Treibjagd abspielen sollte, wie man ja auch im Roman wiederfindet, im Juli 1961 in der Normandie, sah aber schon im August, daß die Personen mich in eine ganz andere Richtung führten als ursprünglich geplant.«[12]

Auch hier liegt einer der Gründe dafür, warum er kaum den Versuch macht, den Torso seines Romanwerks zu vervollständigen. Von den vier Romantiteln, die mit seinem Autorennamen verbunden sind, ist nur einer greifbar, nämlich »Bericht über Bruno«. Der zwischen 1930 und 1939 entstandene Roman »Clemens«, von dem nur das in »Maß und Wert« vorabgedruckte Kapitel erhalten blieb und dessen Handlung in Breitbachs 1971 entstandenem Stück »Requiem für eine Kirche« verkürzt nachgezeichnet wurde, fiel 1940 nach der Okkupation Frankreichs den Nationalsozialisten in die Hände und wurde vernichtet. Sein Roman »Frau Berta«, an dem er seit 1959 arbeitet und von dem zwei suggestive Proben[13] in seinem jüngsten Erzählband »Rabenschlacht« erschienen, ist nach wie vor unvollendet.

Sein erster Roman wiederum, »Die Wandlung der Susanne Dasseldorf«, wird von ihm selbst unter Verschluß gehalten. Er hat die erst 1933 im Kiepenheuer Verlag erschienene Auflage großenteils aufgekauft und einstampfen lassen, da der Verleger irrtümlich das Sicherheitsexemplar und nicht das wesentlich umgearbeitete Korrekturexemplar an die Druckerei gehen und ausdrucken ließ. Das Buch ist trotz seines expressionistisch klingenden Titels eher am literarischen Gegenpol orientiert: der Neuen Sachlichkeit.

Der als ironisches Flaubert-Zitat über seiner 1928 entstandenen Erzählung »Éducation sentimentale«[14] stehende Titel könnte auch über diesem Roman stehen, dessen heimliche Hauptfigur, der liebenswerte junge Prolet und Tunichtgut Peter Hecker, in dem gerissenen Strichjungen Pitter Bünger seinen Zwillingsbruder hat. Handlungsort und Handlungsaufriß beider Texte ähneln sich. Im Koblenz der amerikanischen Besatzungszeit nach 1918 agiert auch der andere Pitter (wie er im Roman häufig genannt wird), Peter Hecker. Die erfolgreiche Karriere Pitter Büngers, der seine amerikanischen Kunden gegeneinander ausspielt und es durch freundliche Erpressung zu einer Ehefrau und einem Autogeschäft bringt, durchläuft Hecker nach der Absolvierung ähnlicher Aventuren und vorübergehender Inhaftierung wegen Diebstahls von amerikanischem Armeegut auf anderer Ebene analog: als Protegé des amerikanischen Majors Cather bringt er es zum erfolgreichen Boxer.

Heckers vorangegangene »éducation sentimentale« unterscheidet sich im Kern wenig von der seines literarischen Zwillings. Er wird, Sohn des Gärtners im Hause des honorigen Koblenzer Armeelieferanten Dasseldorf, von dessen Privatsekretär Schnath umschwärmt, der, ein mit allen Wassern gewaschener Zuträger, durch ein anlehnungsbedürftiges Mädchen in die für ihn peinlichste Situation seines Lebens gerät: »Schnath hielt das Mädchen, das auf seinen Schoß geplumpst war, mit beiden Armen von sich, als sei es ein Reptil« (185).

Schnaths unglückliche Werbung um den »vollkommenen Proletarier« (248) wird mit bemerkenswertem ironischen Engagement gegen bürgerliche Tabus – prompt fiel das Buch nach seinem Erscheinen unter den sogenannten Schmutz-und-Schund-Paragraphen – und mit dem Raffinement eines psychologischen Liebesromans erzählt, gespiegelt zugleich in einer konventionell gelagerten Liebesgeschichte: der distinguierten Werbung des Majors Cather um Susanne Dasseldorf, die ihm mit völliger Gleichgültigkeit gegenübersteht und ihn am Ende doch heiratet, freilich in Wirklichkeit von eben jenem Peter Hecker angezogen ist, von dem wiederum gilt: »Er übersah sie als Frau« (560).

Die Wandlung der energischen, geschäftstüchtigen Susanne, die an Willensstärke alle Mitglieder der Familie übertrifft und den Dasseldorfschen Armeezulieferer-Betrieb nach dem Krieg in eine Seifenpulver-Fabrik umfunktioniert, in eine Gefühle zeigende junge Frau hat freilich nicht die Gründe, die Herr Dasseldorf in seiner Rede zur Verlobung Susannes mit Cather andeutet: »Ihr wißt ja alle nicht, wie Suse sich verändert hat. Sie hat endlich etwas Liebliches, Mädchenhaftes in ihrem Wesen. Wie habe ich das früher vermißt! Wie hat das Kind mich oft gedauert! Da war sie so tüchtig, so mutig, so klug und mit mir auch so lieb, und doch hatte ich immer das Gefühl: ihr fehlt etwas, da stimmt's nicht... Ein Mädchen soll doch nicht wie ein Mann sein« (597).

Nicht die Neigung zu Cather hat diese Wandlung vollzogen, mit dem sie praktisch durch ihren Bruder Louis verlobt wird und den sie schließlich nimmt, weil alle es von ihr erwarten. Der Grund liegt woanders. Daß Peter Hecker, den sie im letzten Teil des Romans zielstrebig verführt, sie aus Rücksicht auf seine Boxer-Karriere verschmäht, während sie ihn, ohne falsche Gefühle, einfach körperlich begehrt, hat ihre Selbstsicherheit erschüttert. Ihre Reflexion über die Welt der Männer – »Ah, die Männer hatten sich die Welt eingerichtet.« (581) – ist der Beginn der Einsicht in ihre Niederlage. Der Versuch ihrer Emanzipation scheitert an der von der bürgerlichen Konvention festgelegten Rolle, die sie als Frau zu spielen hat, und an der Mediokrität des Domestiken, den sie zum Geliebten wollte. Am Ende ist sie selbst domestiziert. Sie gibt sich auf. Ihre Wandlung nimmt den Begriff zurück: sie gibt im Grunde klein bei.

Eine souverän, wenn auch konventionell erzählte bürgerliche Epopöe also? Jedoch mit einem deutlich antibürgerlichen Affekt, vertraute Tabus und Konventionen unterlaufend und in einer historischen Umbruchsituation in Deutschland spielend, als die bürgerliche Lebensform selbst anachronistisch zu werden begann. Erreicht wird eine ironische Vieldeutigkeit des Erzählens, die nicht zuletzt die verinnerlichte Form bürgerlicher Selbstbespiegelung im Seelendrama emotionaler Beziehungen demaskiert. Der Roman, »eine gesättigt hingleitende und reif ausgewogene Arbeit von hohem erzählerischen Reiz«[15], wird von Breitbach heute, gerade angesichts der irrtümlich veröffentlichten Vorform, als künstlerisch unbefriedigend abgelehnt, ist mit der Figur des Peter Hecker jedoch zugleich ein Beispiel für das, was man an seinen frühen Erzählungen hervorgehoben hat: »Es ist Breitbachs Leistung, daß er diese Volksschicht (der ›kleinen Leute‹) literaturfähig macht, ohne exotische Beimischung.«[16]

3. Im Vergleich zu »Bericht über Bruno« ist »Die Wandlung der Susanne Dasseldorf« jedoch höchstens ein stilistisches Präludium. Breitbachs biographische Auskunft – »Ich war durch meine Tätigkeit in einem großen Warenhauskonzern, in dem ich von ganz unten, ganz klein – denn ich habe kein Abitur gemacht – angefangen hatte,... in eine ziemlich gute Stellung gekommen...«[17] – läßt einen gesellschaftlichen Erfahrungshorizont erkennen, in den auch die Erlebniswelt des Liftjungen Karl und der beiden Liebesdiener Pitter Bünger und Hecker hineingehört, der aber weit darüber hinausreicht in jene »Chefetagen der Macht«[18], in denen der fiktive Erzähler des Berichtes über Bruno zu Hause ist, der Großvater Bruno Collignons, ein hochdekorierter Politiker und Industriekapitän, der bezeichnenderweise von sich sagt: »Meine Kindheit im Waisenhaus, mein selbstverdientes Studium, mein harter Aufstieg, bis zum Chef der größten Chemischen Werke des Landes...« (9) und, so muß man hinzufügen, bis zum Innenminister dieser kleinen westeuropäischen konstitutionellen Monarchie, in der sich – am Beispiel der mit common sense und wissenschaftlicher Intelligenz begabten Königinmutter – Umrisse Belgiens erkennen lassen. An einer andern Stelle heißt es noch prägnanter: »Ich bin ja der nationale Paradefall für die viel mißbrauchte Maxime, nach der, mit genügend Willen, jeder Laufjunge die höchsten Gipfel des Erfolgs erreichen könne« (9).
Der Titel des Romans ist vieldeutig, er meint »die Berichte über Bruno« (195), die der Innenminister über den in Rußland zum Agenten ausgebildeten Enkel, der es auf seinen Sturz und den eigenen politischen Aufstieg abgesehen hat, von seinem Geheimdienst gegen Ende der Geschichte zusammenstellen läßt. Aber auch das fließt ein in den eigentlichen Bericht, den der Großvater im Rückblick auf Brunos Entwicklung seiner Freundin gibt: »Am Abend erzählte ich meiner Freundin zum erstenmal alles, was ich mit Bruno seit meinem zehnten Lebensjahr erlebt hatte« (187). Er ist, in der Handlung realistisch motiviert, derjenige, der reflektierend die Ereignisse überdenkt und ihre Zusammenhänge und Verwicklungen rational durchleuchtet, indem er sie nicht kommentiert, sondern darstellt. Er bekennt sich – und das ist zugleich das Credo des Erzählers Breitbach – zu einer Erzählperspektive, deren rationalistischer Unvoreingenommenheit nichts

verborgen bleiben soll und die die verdeckten Muster zum Bild ordnet, auch stilistisch nachdrücklich akzentuiert durch die Bevorzugung der indirekten Rede. »Und doch hatten sich die Ereignisse, wie alles, was uns zustößt, hintereinander zugetragen und sind auf die chronologische, die um Höflichkeit bemühte Weise erzählbar, wie ein Bericht es verlangt« (230).

Das ist der erzählerische Angelpunkt des Romans. Man könnte dem skeptisch entgegenhalten: Läuft das nicht angesichts der erzählerischen Signatur der Gegenwart, in der mit dem Brüchigwerden verbürgter Horizonte die auktoriale Überlegenheit des Erzählers den epischen Mutmaßungen und Bewußtseinsprotokollen weicht, auf die Restaurierung einer historisch überholten Erzählposition hinaus? Ist nicht schon die in überschaubare Erzählstränge aufgegliederte Handlung der »Wandlung der Susanne Dasseldorf« restaurativ erzählt, da die jeweils um die drei Hauptfiguren (Susanne, Peter Hecker und Schnath) gelagerten Erzähleinheiten chronologisch ineinander geschoben werden, indem der souveräne Erzähler jeweils die Verknüpfung vornimmt und das Interesse des Lesers nicht nur durch spannend erzählte Handlungssequenzen (etwa die Flucht der Dasseldorfs mit dem Motorboot auf dem Rhein oder der Diebstahl der Armeedecken, an dem Peter Hecker beteiligt ist), sondern auch durch Antizipationssignale[19] in bewährter Weise stimuliert? Eine Adaption der Überlegenheit eines allwissenden Erzählers also? Diese Gefahr mag im Erstlingsroman gegeben sein, obwohl der von allen Voreingenommenheiten unbeschwerte Blick des Erzählers es bereits hier verhindert, daß dem Leser eine bestimmte Optik aufgedrängt wird. Die Figuren unterlaufen die Klischees, die sich einstellen. Ihre Handlungsweisen balancieren einander aus. Das Ethos des Erzählers, seine Tendenz, ist die Unbestechlichkeit seines Blicks.

Im »Bericht über Bruno« gelingt es Breitbach durch einen Kunstgriff, das ganze Potential dieser realistischen Erzählweise nochmals auszuschöpfen und zugleich die Gefahr einer unhistorischen Adaption zu überspielen. Die mit politischen Intrigen, Erpressungs- und Bestechungsmanövern und zwielichtigen Affären fast kolportagehaft durchsetzte Handlung des Romans wirkt nur auf den ersten Blick wie ein erzählerisches Kreuzworträtsel, dessen Faszination aus seiner schrittweise hervortretenden rationalen Durchsichtigkeit erwächst. Das ist weit mehr als ein erzählerisches Rechenexempel, ein »Schlüsselroman«[20] im trivialen Sinn. Die Omnipotenz des Erzählers entspringt keinem eigenmächtigen Postulat des Autors, sondern wird im Roman legitimiert durch die reale Machtfülle, die mit seiner politischen und gesellschaftlichen Position verbunden ist. Der traditionelle Erzähler, der vorgab, über den äußeren Handlungsspielraum und das Innenleben seiner Figuren umfassend informiert zu sein, der sozusagen in ihr Bewußtsein hinabstieg und, ein allmächtiger Gedankenleser, über all ihre Motivationen Bescheid zu wissen beanspruchte, wird bei Breitbach nochmals in seine Rechte eingesetzt: Die Basis seiner Informiertheit ist der Machtapparat, der ihm als Innenminister zur Verfügung steht, die Perspektive von oben verbürgt die Ausdehnung des Blickfeldes. Indem er kraft seiner politischen und gesellschaftlichen Funktion über dem Spielfeld steht und rückblickend die einzelnen Spielzüge um seinen Enkel Bruno rekonstruiert, verwirklicht er jenes rationalistische Pathos, das die Handlungen der Personen nicht mit Kommentaren überzieht, sondern sie in der Darstellung als erklärbare und damit zugleich als erzählbare zeigt.

Politisches Geschehen wird jenseits aller Mythisierung oder – so der Gegenpol – karikierenden Denunziation auf elementare Motive hin durchsichtig gemacht. Paradigmatische Bedeutung hat die Reflexion des Erzählers, die am Ende des Romans steht: »Manchmal denke ich, meine Frau sehe das alles richtig und es habe ein Verhängnis gewaltet. Oft aber denke ich, sie habe eine vollkommen falsche Vorstellung von Brunos Charakter, weil sie nicht wissen kann, was Ehrgeiz für einen Mann bedeutet und wohin er ihn treibt, wenn Eifersucht hinzukommt« (251). Der aufklärerische Impetus des Buches ist jedoch nicht nur gegen die Deutung von Politik als schicksalhaftem Verhängnis gerichtet, sondern auch gegen eine idealistische Deutung, die hinter dem politischen Geschehen theoretische Standpunkte und weltanschauliche Positionen als Movens annimmt.

Arthur, der in »Genosse Veygond« den berühmten Schriftsteller entführt, benutzt im Grunde nur einen Vorwand, wenn er Veygond zum Eingeständnis seines sozial schizophrenen Lebensstils bringen will. In Wirklichkeit versucht er, auf diese Weise in der Partei Karriere zu machen. Karl hofft in »Rot gegen Rot« auf die Revolution nicht aus marxistischer Überzeugung, sondern um eine Möglichkeit zur Kompensation seines Versagens und zur Rehabilitierung vor Lene zu haben. Die in der Erzählung »Das Radieschen«[21] selbst zur Kommunistin gewordene Verkäuferin

Lene, »die mit ihrem Marx hausieren ging« (172/3), denunziert ihre heimlich ein Praliné stehlende Kollegin nicht aus moralischen Gründen, sondern aus purer Eifersucht. Die Entlarvung, die ihr Bruder an ihr vollzieht – »Ein richtiges Radieschen bist du. Rot angelackt, aber innen, wie sieht es da bei dir aus!« (191) – gilt in »Bericht über Bruno« modifiziert auch für die Akteure der politischen Szene. Einzelne politische Gruppierungen werden bezeichnenderweise im Roman (von Bruno) leitmotivisch »Radieschen« (103) – der Außenminister fungiert als »Großradieschen« (103) – genannt.

Diese Bloßstellung schließt freilich die Person Bruno Collignons mit ein. Seine »Entwicklung zum Demagogen und Revolutionär« (5) wird eben nicht als der ideologisch programmierte Aufstieg eines fanatischen Doktrinärs geschildert, sondern als Rachefeldzug eines von verletzter Eitelkeit, verschmähter Liebe, von Ehrgeiz und Machtdrang beherrschten Taktikers, für den alles Mittel zum Zweck wird, der, wie es an einer Stelle, an die Adresse des Großvaters gerichtet, heißt, »den ganzen Verwaltungsapparat bis zur Abwehr hinauf mißbrauche, um einen Familienstreit zu gewinnen« (191).

Dahinter steht ein rationalistisches Welt- und Menschenbild, das im Handeln des Menschen als Antrieb elementare Impulse erkennt: sexuelle Bindungen (als tabuisierte gleichgeschlechtliche Beziehung im Handlungszusammenhang des Romans ein Politikum ersten Ranges), materiellen Besitz und vor allem Machtstreben. So wird, dramaturgisch geschickt, als auslösendes Moment der Entfremdung und Auseinandersetzung zwischen Großvater und Enkel, der für ihn anfänglich Sohnesersatz war, die verletzte Eitelkeit Brunos gezeigt. Den zwischen Bruno und seinem Großvater geschlossenen Pakt, sich immer die Wahrheit zu sagen (was Bruno nie einhält, was er aber nichtsdestoweniger von seinem Großvater erwartet) sieht Bruno gebrochen, als der Großvater während der für den russischen Botschafter arrangierten Treibjagd aus falscher Jägerehre heraus zu einer Notlüge greift, um eine von ihm verpatzte Schußchance zu beschönigen.

Daß Bruno zum politischen Gegenspieler seines Großvaters wird und am Ende dessen Sturz als Innenminister verursacht, hat freilich auch mit der nicht erwiderten Neigung Brunos zu dem politischen Protegé seines Großvaters, seinem ehemaligen Hauslehrer Rysselgeert, zu tun, dessen homophile Bindung an Max Jans, der ebenfalls politisch Karriere macht, die Eifersucht und dann die Feindschaft Brunos auslöst. Eine von dem Innenminister eingeleitete Reform der Gesetze, die Ehebruch und gleichgeschlechtliche Beziehung bestrafen, wird von Bruno benutzt, um durch gezielte Indiskretionen die öffentliche Meinung gegen die Regierung aufzupeitschen. Die Nation reagiert wie »ein Haufen vielleicht mitleids-, aber vor allem verabscheuenswürdiger Kleinbürger« (247) und bringt den demagogischen Taktiker, dem von keiner Moralität in seinem Handeln bestimmten, nur seinem Machtstreben gehorchenden Bruno an die Macht. Die am Ende des Romans stehende Frage des Erzählers – »Es ist doch nicht so, daß man an den Gott der Christen glauben muß, um ein Gewissen zu haben.« (251) – ist rhetorisch. Sie wird von der Person Bruno Collignons, dem rücksichtslosen, seinen Machtwillen als einzigen Wert setzenden Politiker, widerlegt.

Der politische Roman, soweit ihn die deutsche Literatur der letzten Jahrzehnte kennt, ist von Heinrich Mann bis hin zu Wolfgang Koeppen der Roman eines individualistischen Protestes, in dem die Kleinbürger-Perspektive, unter der politisches Geschehen gezeigt wird, zugleich die Ohnmacht dieses Protestes begründet. Breitbachs »allwissender« Erzähler macht diese Perspektive ebenso zunichte, wie er auch der progressiv klingenden These von der Politik als der Motorik objektiver Prozesse, die den Politiker zur austauschbaren Charaktermaske degradiert, widerspricht. Indem er in der mit allen realistischen Details ausgestalteten Parabel seines Romans politisches Geschehen auf elementare menschliche Antriebe zurückführt, plädiert er mit aufklärerischem Elan gegen alle ideologischen Rationalisierungen und für eine illusionslose Erkenntnis dessen, was Politik ist: ein schmutziges Geschäft, ein trockenzulegender Sumpf. Die Individuation seines »Helden« Bruno mündet zwar auch bei ihm in eine Sozialisation ein, aber zustandekommt eine gesellschaftliche Integration des Helden, die das Gestaltungsziel des klassischen Erziehungsromans auf den Kopf stellt: An die Stelle einer harmonischen Entsprechung von Ich und Wirklichkeit ist die Manipulation des politischen Machtapparates durch den Erfolgreichsten getreten.

Im Machtwechsel zwischen politisch scheiterndem Großvater und demagogisch triumphierendem Enkel signalisiert Breitbach unübersehbar die historische Stunde und die Vergeblichkeit seines Plädoyers. Dennoch, den politischen Roman als Staatsroman, wie er am ehesten in der Tradition des französischen Gesellschaftsromans vorbereitet liegt und wie er heute in seiner trivialisierten Veräußerlichung im Genre des Polit-Thrillers auftaucht, nochmals zu dieser Höhe der Darstellung geführt zu haben, bleibt singuläres Verdienst des Autors Breitbach, freilich eine Höhe, in der der erzählerische Bewegungsspielraum sehr eingeengt ist und von der nur noch ein Abstieg und kein Aufstieg mehr möglich scheint.

4. Über die widersprüchliche und zugleich charakteristische Rezeption seines Buches in Deutschland und Frankreich, wo man ihm für die neugeschriebene französische Fassung den Prix Combat verlieh, hat Breitbach berichtet: »In der deutschen Kritik ist mir aufgefallen, daß sie kleinbürgerlich und hämisch gefärbt war; daß diese Kritiker sich überhaupt nicht vorstellen konnten, daß es eine solche Welt gibt und infolgedessen glaubten, ich hätte sie falsch dargestellt... Der französischen Kritik ist nicht die Idee gekommen, an meiner Welt zu zweifeln, weil daran nicht zu zweifeln war.«[22]

Sowohl die progressiv als auch konservativ getönte jüngste Literaturgeschichtsschreibung hat diese Unsicherheit der deutschen Kritik, die von diesem meteorhaft in die vertraute deutsche Literaturlandschaft einschlagenden Fremdkörper irritiert war, inzwischen revidiert. Der Roman wird in der deutschen Nachkriegsliteratur nun mit Recht als der vielleicht einzig gültige Versuch hervorgehoben, »einen politischen Roman unter Voraussetzung der tatsächlichen Formen der Machtausübung zu schreiben«[23], als »eine Psychologie der Macht in fiktiver Form, wie sie in dieser Intensität sonst nur französische Romanciers... geliefert haben.«[24]

Joseph Breitbach als der Statthalter einer literarischen Provinz, die als aufklärerische Gestaltung der Dialektik von Moralität und Macht im realistisch entworfenen politischen Modell am ehesten von Heinrich Mann für den deutschen Roman erobert wurde? Breitbachs illusionsloser Blick hält jedoch auch nicht vor der literarischen Position Heinrich Manns ein. Dessen republikanisches Pathos und mangelnde Kenntnis der Situation Frankreichs zur Zeit Léon Blums: »Ich stellte ihm (H. M.) Fragen und sah, daß er weder wußte, was die Dinge kosten, noch wie schlecht die Arbeitnehmer bezahlt waren. Daraus zog ich Schlüsse über seine Unfähigkeit, die damals gewärtige Situation richtig zu sehen« waren ihm suspekt, wie er ihm auch aus einer überlegenen

Kenntnis Frankreichs vorwerfen konnte: »Er hatte die Vorstellung eines Frankreichs von 1789 und überhaupt nicht gesehen, daß er eine reine Verbaldemokratie bewunderte, die ganz undemokratisch im Sozialen war.«[25]

Ein Autor, der sich also gegen jede literarische Genealogie und Kanonisierung sträubt, der keine Utopien anzubieten hat, es sei denn die eines illusionslosen Rationalismus, der als künstlerische Wahrhaftigkeit in seinem »Bericht über Bruno« buchstäblich zu Buche schlägt.

Anmerkungen

1 Zitiert nach Horst Schumacher: »Gespräch mit Joseph Breitbach« (= Schumacher), 38, in: »Die Tat« v. 22. 3. 1969, 38-41.

2 Breitbach trat der Partei ca. im Alter von siebzehn Jahren bei und verließ sie nach neun Jahren wieder. Er hat zwischen 1923 und 1926 Rußland verschiedene Male (in geschäftlicher und nicht so sehr politischer Mission) besucht. An dem Schriftstellerkongreß von Charkow (vgl. G. Zehm: »Joseph Breitbach wird 70«, in: »Welt« v. 19. 9. 1973) hat er hingegen nicht teilgenommen.

3 »Vom Wohlstand geschlagen«, in: »Frankfurter Allgemeine« v. 6. 2. 1958.

4 »Die Rabenschlacht und andere Erzählungen«, Frankfurt/M 1973.

5 Zitiert nach Schumacher, 38.

6 Die 1960 im Europa Verlag (Zürich) erschienene Fassung trägt den Titel »Das Jubiläum«.

7 Vgl. Kaisers Stück »Von morgens bis mitternachts«. In Frischs Stück »Graf Öderland« werden durch die beiden Protagonisten der Doppelhandlung, den Staatsanwalt und den Bankkassierer, beide Chiffren kombiniert und im Bild von »Öderland« metaphorisch überhöht.

8 Zitiert nach Leonhard Rheinisch: »Gestern und Morgen. Interview mit Joseph Breitbach« (= Rheinisch), in: »Bayerischer Rundfunk« v. 26. 11. 1972, unveröffentlichtes Typoskript (46 S.), 12.

9 Zitiert nach Matthias Schmiegelt: »Zum 70. Geburtstag von Joseph Breitbach (Gespräch)« (= Schmiegelt), in: »Die Tat« v. 15. 9. 1973.

10 Zitiert nach Schmiegelt.

11 Zitiert nach Schumacher.

12 Zitiert nach K. H. Kramberg: »Ich kann mir einen Roman ohne Tendenz nicht denken. Interview mit Joseph Breitbach«, in: »Das Inselschiff« H. 4 (Okt. 1962). Der Roman wird im folgenden nach der in der Droemerschen Verlagsanstalt erschienenen, leicht zugänglichen Ausgabe (München 1964) zitiert.

13 Die Titelerzählung des Bandes und das Fragment »In der Gärtnerei.«

14 Wiederabgedruckt in der »Rabenschlacht«.
15 Adolf Frisé in seiner Besprechung des Romans in der »Vossischen Zeitung« v. 11. 12. 1932.
16 Rolf Michaelis: »Marzipan und Marxismus. Joseph Breitbachs gesammelte Erzählungen«, in: »Zeit« Nr. 48 v. 23. 11. 1973.
17 Zitiert nach Rheinisch, 15.
18 Horst Bienek: »Ein streitbarer Pessimist«, in: »Frankfurter Allgemeine« v. 20. 9. 1973.
19 Diese Technik der Handlungsantizipation durch kurze Verweise auf Künftiges spielt auch im »Bruno«-Roman eine große Rolle. Als geradezu »klassisches« Beispiel ist die Schlußsentenz des Erzählfragmentes »In der Gärtnerei« anzusehen: »Und um mir Geld für das erste Universitätssemester zu verdienen, arbeitete ich schließlich bei der Frau, die einige Monate später der Staatsanwalt die kälteste Mörderin nannte, die er je gesehen habe.« (14)
20 Gewisse Züge des Schlüsselromans hat Breitbach durchaus zugegeben: »Das Buch ist ein Schlüsselroman, von dem ich alle Personen sehr genau kenne, den russischen Botschafter inbegriffen. Seine wiedergegebenen Gespräche haben fast wörtlich bei mir stattgefunden.« (Zitiert nach Schumacher, 39)
21 Wiederabgedruckt in der »Rabenschlacht«.
22 Zitiert nach Schumacher, 39.
23 Heinrich Vormweg, in: »Die Literatur der Bundesrepublik Deutschland«, hrsg. v. D. Lattmann, München 1973, 243.
24 Klaus Günther Just: »Von der Gründerzeit bis zur Gegenwart«, Bern 1973, 658.
25 Zitiert nach Schumacher, 40.

III.A. Die Welt ist nicht mehr so darzustellen wie in früheren Romanen. Gespräch mit Elias Canetti

1. Autobiographische Erkundung

D.: Herr Canetti, Sie sind ein Autor, der sich von Literaturbetrieb weitgehend – aus Überzeugung, darf man wohl sagen – ferngehalten hat und der mit nicht erlahmender Konzentration sich seinen Arbeiten widmet. Und sieht man von Ihren veröffentlichten Aufzeichnungen ab, in denen Ihr privat-biographisches Schicksal ebenfalls ausgeklammert ist und sich vor allem Ihre geistige Biographie spiegelt, so könnte man eigentlich sagen, daß das Moment der Ichverschweigung, des Absehens von den Zufälligkeiten der eigenen Person, einen Grundzug Ihrer Arbeiten darstellt. Charakteristisch dafür ist auch, daß das persönliche Tagebuch, das Sie gleichwohl führen, in einem von Ihnen ersonnenen Kurzschrift-Kode abgefaßt ist, dessen Schlüssel Sie bisher niemandem mitgeteilt haben und das Sie von jeder Öffentlichkeit fernhalten wollen. Auf diesem Hintergrund ist es überraschend, daß Sie seit einiger Zeit mit der Abfassung einer Autobiographie beschäftigt sind. Darf man annehmen, daß diese Autobiographie ein dokumentarisches Zeugnis für Ihre künstlerischen Anfänge – und ich denke hier besonders an die »Blendung« – und zugleich eine Spiegelung der geistigen Umbruchsituation am Jahrhundertanfang in Wien werden wird?

C.: Ich möchte das jetzt noch nicht entscheiden. Aber es ist zweifellos so, daß die Lust zu einer Fortsetzung der Autobiographie sich sicher steigern wird im Laufe der Arbeit. Ich merke schon jetzt – ich bin erst bei meinem dreizehnten Lebensjahr –, daß mehr und mehr dazu kommt. Ich habe das Gefühl, daß da ein Berg vor mir liegt, den ich gerne noch besteigen würde, von jeder Seite. Ob ich in einer konzentrierten, konsistenten Form den weiteren Teil meines Lebens so schildere, wie ich die ersten zwanzig Jahre schildern möchte, kann ich noch nicht sagen. Was ich sicher tun werde, ist, daß ich die wichtigsten Begegnungen in meinem späteren Leben in Wien herauslösen werde und in einzelnen Kapiteln zusammenfassen werde.

D.: Sie haben einmal gesagt, daß für fünf Jahre Karl Kraus das wichtigste geistige Ereignis für Sie gewesen ist. Wird also beispiels-

weise Ihre Beziehung zu Kraus ausführlich dargestellt werden?

C.: Das habe ich ja zum Teil schon getan. Denn der Aufsatz, »Schule des Widerstands«, den ich über Karl Kraus geschrieben habe, behandelt ja gerade diese Beziehung. Ob ich das noch erweitern werde, also noch einzelne private Details hineinbringen werde, weiß ich nicht. Im allgemeinen würde ich es vorziehen, diese Begegnungen, Zusammenstöße oder Verbindungen mit wirklich bedeutenden Menschen in einer Weise zu schildern, die das geistig Wesentliche herausbringt und nicht überflüssige Details.

D.: Karl Kraus war ein schlecht von mir gewähltes Beispiel. Ich möchte auch sagen, daß Sie schon Ihre Beziehung zu Broch einigermaßen ausführlich dargestellt haben. Sie haben ferner schon an verschiedenen Stellen Ausführungen zu Musil gemacht. Von dorther ergibt sich bereits ein bestimmtes Bild der Zeit, an der Sie als junger Autor teilgehabt haben. Aber gibt es jetzt im Rückblick zusätzliche Namen von Autoren, Philosophen, die Sie aus heutiger Sicht als sehr wichtig ansehen würden, weil es – möglicherweise auch auf dem Wege der Beeinflussung – Affinitäten zwischen dem Standpunkt dieser Autoren und Ihrem gibt?

C.: Darauf möchte ich eine Antwort geben, die Sie wahrscheinlich enttäuschen wird. Denn die wesentlichsten Einflüsse jener Zeit, auch der frühen, waren fast alles Leute, die längst tot waren. Die merkwürdige Mischung von Einflüssen aus den verschiedensten ausländischen Literaturen, die eben bei mir damit zusammenhängt, daß ich in verschiedenen europäischen Kulturen als Kind aufwuchs, hat sich sicher in Wien dann fortgesetzt. Ich habe auch da englische und französische Dinge gelesen, deutsche Klassiker, chinesische Philosophen. Es waren keineswegs immer Leute, denen ich persönlich begegnet bin. Wohl aber wäre sehr viel zu sagen über Leute, die ich persönlich gekannt habe, Sie nannten Musil vorhin. Ich habe über Musil noch sehr wenig veröffentlicht. Wenn ich alles zusammenfasse, was ich über Musil zu sagen habe, wird das eine größere Arbeit sein, zumindest vom Umfang des Kafka-Essays, den Sie kennen.

2. Gegen-Einflüsse

D.: Die Fragen, die ich gestellt habe, implizieren natürlich eine andere Frage: nämlich ob Sie als junger Autor sozusagen auch geformt wurden im Kontakt mit anderen, zum Teil bereits etablierten Autoren, ob also Ihre Autobiographie über diesen Zeitabschnitt

Materialien bereitstellen wird, um das nachzuprüfen. Bei dieser Frage bin ich mir bewußt, daß Sie den Aspekt der Wirkung sehr relativieren. Sie haben gerade in Ihrem neuen Band Aufzeichnungen, »Die Provinz des Menschen«, zwei Reflexionen über den Aspekt der Wirkung veröffentlicht, wo Sie ganz expressis verbis meinen, daß Wirkung etwas wenig Substantielles sei. Ich will nur die folgenden Sätze zitieren: »Meist ist es so, daß man neue Phrasen in die Welt gesetzt hat, aber das ist gar nicht die eigentliche Wirkung, alles, was immer es sei, wird schließlich zur Phrase, und etwas, das auffallend leicht geworden ist, müßte darum noch nicht schlecht sein.« Dann führen Sie aus, daß sich die eigentliche Wirkung unkontrollierbar vollziehe, dadurch daß ein bestimmtes Wort zu einer Quelle von Energie werde. An einer andern Stelle entwikkeln Sie, mit der gleichen Skepsis gegenüber dem Moment der Wirkung, die These, daß man eigentlich nicht nach den Einflüssen auf einen Autor fragen sollte, sondern daß man den Autor sehr viel genauer charakterisieren könnte, wenn man die Fragen nach den Gegen-Einflüssen stellen würde. Sie schreiben dort: »Statt einer Literaturgeschichte der Einflüsse eine solche der Gegen-Einflüsse; sie wäre aufschlußreicher. Gegenbilder, nicht immer offensichtlich, sind oft wichtiger als Vorbilder.« Meine Frage nun, auf dieses autobiographische Arbeitsprojekt bezogen: wie sähe eine solche Literaturgeschichte der Gegen-Einflüsse in nuce am Beispiel Elias Canetti aus?

C.: Die Schwierigkeit bei der Beantwortung Ihrer Frage besteht darin, daß ich viel zu sagen hätte, aber jetzt nur einiges davon erwähnen kann. Es gab eine allgemeine Abwehr gegen eine geistige Atmosphäre, die mir höchst zuwider war, und das war die Atmosphäre Wiens zur Zeit, als ich jung da lebte. Diese Abneigung wurde natürlich bestärkt durch Karl Kraus, der in scharfer Opposition zu ihr stand und alles, was damals gang und gäbe war, Erfolg in Wien hatte, wirklich verachtete. Ich glaube, abgesehen von allem Einfluß, war es bei mir schon von selber so, daß ich mich an den großen Autoren maß, den Autoren der Vergangenheit, die mir viel bedeuteten: Gogol, Stendhal, Dostojewski, Aristophanes. So konnte mir natürlich die sentimentale, essayistische Wiener Literatur der Zeit nur widerlich sein. Als ich »Die Blendung« schrieb, war dieses Unternehmen entschieden ein Versuch, mich ganz scharf davon abzugrenzen. Es gibt Autoren aus der Zeit, die auch heute noch als »literarisch« gelten, von denen ich überhaupt nichts halte. Stefan Zweig ist einer. Das war der schlechteste. Werfel war *begabter als Zweig. Er war vielleicht der sentimentalste von den Autoren, die man zu Österreich rechnen würde. Ich kannte ihn gut, ich habe in dem Haus viel verkehrt. Da war also das Opernhafte, diese ungeheure Sentimentalität, eine Neigung, alles, was er aufnahm, sofort in Arien umzusetzen. Ich kann's nicht anders sagen. Bei Gesellschaften in seinem Haus passierte es immer wieder – er hatte eine gute Tenorstimme, er sang gern –, daß er plötzlich in Singen ausbrach, vor einer schönen Person auf die Knie sank und ihr eine wunderschöne Arie sang. Ich finde, daß sehr viel davon in seine Romane eingegangen ist. Er hat nicht umsonst Opern so geliebt. Er ist für mich* der *opernhafte Autor; da finde ich ihn auch schlecht. Das war sicher ein Gegenbild, wenn auch keines, das ich allzu ernst nahm.*

3. Brecht als moralisches Gegenbild

D.: Gab es andere Gegenbilder, wenn auch nicht unmittelbar in der literarischen Umgebung Wiens? Ich denke an Berlin, wo Sie sich ja 1928 und 1929 mehrere Monate aufhielten.

C.: Ich kam im Sommer 1928 zum ersten Mal nach Berlin, war dann drei, vier Monate dort. Es war ein Zufall, weil ich bei einem sehr bekannten Verleger arbeitete, um als Student leben zu können. Der brachte mich sofort unter all die literarischen Menschen, die es damals gab, und nicht nur unter literarische Menschen. Ich lernte plötzlich so viele kennen, daß es kaum zu bewältigen war. Da lernte ich auch Brecht kennen. Brecht war es lästig, daß ich mit einer gewissen überspannten Vorstellung von Literatur kam, mit ganz strengen moralischen Vorschriften, die zum Teil noch auf Karl Kraus zurückzuführen waren, und daß ich auch immer davon sprach, wie sauber ein Schriftsteller sein müsse, wie völlig frei von jedem materiellen Einfluß. Diese Reden gingen ihm natürlich auf die Nerven. So pflegte er mich immer durch besonders scharfe, zynische Bemerkungen zu reizen, zu verhöhnen.

D.: Können Sie ein Beispiel nennen?

C.: Ein Beispiel war, daß er mir einmal erzählte: Ja, er schreibe schon für Geld. Er habe eben für ein Preisausschreiben ein Gedicht geschrieben, in dem er ein Auto lobte, und habe dafür ein Auto geschenkt bekommen. Ich war bei meinen sehr strengen Vorstellungen von dem, was ein Dichter sein müsse, darüber so entsetzt, als hätte er mir erzählt: Ich habe einen Menschen umgebracht, und das macht mir nichts! Solche Dinge tat er gerne. Oder wenn er davon sprach, wie man arbeitet. Er fand es sehr komisch, daß ich damals noch davon überzeugt war, daß ein Schriftsteller, ein Dichter, sich völlig abschließen müsse, um konzentriert arbeiten zu können. Also sagte er mir: Ich kann nur arbeiten, wenn ich angerufen werde; ich hab das Telefon gleich beim Tisch. Er kam immer wieder mit solchen Dingen. Er war grausam, und es hat ihn einfach gereizt, diesen grünen, etwas überspannten jungen Menschen zu verhöhnen. Das hatte einen sehr guten Einfluß auf mich.

D.: Wäre das ein Beispiel für einen Gegen-Einfluß?

C.: So sonderbar es klingt, es war vielleicht das stärkste, was ich je in dieser Richtung erlebt habe. Denn als ich nach Berlin kam, hatte ich schon in Wien von ihm gelesen. Man sprach viel von ihm, man interessierte sich sehr für ihn. Ich las damals Gedichte von ihm, die mir einen ungeheuren Eindruck machten. Auch jetzt bedeutet mir seine Lyrik mehr als sein Drama. Dieser selbe Dichter sprach zu mir über sein Verhalten, über seine Art zu leben, bewußt zynisch. Er hat natürlich übertrieben und die Dinge viel schlimmer dargestellt, als er es gemeint hat. Das war – wenn ich so sagen darf – moralisch schon ein Gegenbild. Ich nahm mir also dann vor, als ich nach Wien zurückkehrte, noch mehr als je so zu leben, wie es Karl Kraus gefordert hätte, nämlich streng, ganz rein, nicht für Geld zu schreiben, vor allem nichts zu veröffentlichen, nur zu veröffentlichen, was man schon jahrelang gemacht hat und billigen kann. Insofern hatte diese Begegnung eine Wirkung in diesem Sinn: also nicht ein geistiges Gegenbild, sondern ein, wenn Sie so wollen, moralisches Gegenbild.

4. Die Wirkung Berlins auf »Die Blendung«

D.: Herr Canetti, Sie haben mit Ihrem zweimaligen Berliner Aufenthalt, der in die Zeit kurz vor der Konzeption der »Blendung« fällt, einen biographischen Lebensabschnitt berührt, der als Entstehungsvoraussetzung der »Blendung«, soweit ich sehe, bisher noch nie berücksichtigt worden ist. Wie würden Sie als Autor die Wichtigkeit dieser Berliner Aufenthalte selbst einschätzen?

C.: Ich war von der Schärfe und Vielfalt der Begabungen, die es damals in Berlin gab und die sich ganz öffentlich zeigten, ungeheuer beeindruckt, so sehr, daß ich dadurch völlig durcheinander gebracht wurde. Ich war völlig überwältigt davon. Zum Teil ist die »Blendung« auch aus diesem merkwürdigen Konflikt meiner Wiener Eindrücke mit den Berliner Erlebnissen entstanden. Das ist etwas, das im allgemeinen in den Arbeiten, die bis jetzt über die »Blendung« geschrieben wurden, nicht beachtet worden ist, weil man es nicht wußte. Aber da wäre, glaube ich, manches Interessante, auch psychologisch sehr Relevante zu finden. George Grosz war einer der Menschen in Berlin, die mir viel bedeuteten. Er nahm sich meiner persönlich ganz besonders herzlich und freundschaftlich an. Ich war ganz jung, ganz unbekannt, ich war ein Student. Ich konnte ihm nichts bedeuten. Trotzdem nahm er mich mit offenen Armen auf. Der andere war ein russischer Dichter, der zu Besuch war, Babel, den ich für den bedeutendsten russischen Schriftsteller seit der Revolution halte. Den lernte ich da kennen. Das war ein Mann, den ich damals aufs tiefste ins Herz schloß und der sich auch auf eine unglaubliche Art meiner annahm, obwohl ich ihm wirklich nichts bedeuten konnte zu der Zeit.

D.: Worin bestand der Gegensatz zwischen Wien und Berlin für Sie und was war vor allem die Auswirkung auf die Konzeption Ihres Romans, der bald danach zu entstehen begann?

C.: In Wien kannte ich keine Dichter, ich lebte allein, da alles von Karl Kraus verpönt war, hatte ich gar keine kennen wollen. Nun fand ich mich ganz plötzlich in Berlin, wo alles offen war, wo das Neue und Interessante, auch das Berühmte war. Ich bewegte mich nur unter diesen Menschen, die sich alle kannten. Sie führten ein rasches und heftiges Leben. Sie besuchten dieselben Lokale, sprachen übereinander ohne Scheu, liebten und haßten sich in aller Öffentlichkeit, ihre Eigenart stellte sich in den ersten Sätzen dar, es war, als würden sie mit sich auf einen losschlagen. Ich war in der expansivsten Erregung, und zugleich war ich erschreckt. Ich nahm so viel auf, daß es mich verwirren mußte. Ich sah vieles, das ich immer verabscheut hatte. Alles war möglich, alles geschah. Ich hatte nie zuvor das Gefühl gehabt, der ganzen Welt an jeder ihrer Stellen zugleich so nah zu sein, und diese Welt, die ich in drei Monaten nicht bewältigen konnte, schien mir eine Welt von Irren. Sie faszinierte mich so sehr, daß ich unglücklich war, als ich im Oktober nach Wien zurück mußte. Alles lag ungeschieden und unbewältigt in mir, ein ungeheurer Knäuel. Der zweite Aufenthalt (im Sommer 1929), der wieder ungefähr drei Monate dauerte, war etwas weniger fiebrig. Ich ließ mir Zeit und schrieb mir manches auf. Als ich diesmal im Herbst nach Wien zurückkehrte, begann der amorphe Knäuel sich zu entwirren. Aber was mich nach meiner Rückkehr aus Berlin am meisten beschäftigte, was mich nicht mehr losließ, waren die extremen und besessenen Menschen, die ich da kennengelernt hatte. Eines Tages kam mir der Gedanke, daß die Welt nicht mehr so darzustellen war, wie in früheren Romanen, sozusagen vom Standpunkt eines *Schriftstellers aus. Die Welt war zerfallen, und nur wenn man den Mut hatte, sie in ihrer Zerfallenheit zu zeigen, war es noch möglich, eine wahrhafte Vorstellung von ihr zu geben. Das bedeutete aber nicht, daß man sich an ein chaotisches Buch zu machen hatte, in dem nichts mehr zu verstehen war. Im Gegenteil: man mußte mit strengster Konsequenz extreme Individuen erfinden, so wie die, aus denen die Welt ja auch bestand, und diese auf die Spitze getriebenen Individuen in ihrer Geschiedenheit nebeneinanderstellen.*

D.: Die Konzeption der »Blendung« stellt also in gewisser Weise die Kristallisation dieser Erfahrung dar?

C.: Ich faßte jenen Plan einer Comédie Humaine an Irren und entwarf acht Romane, um je eine Figur am Rande des Irrsinns angelegt, und jede Figur war bis in ihre Sprache, bis in ihre geheimsten Gedanken hinein von allen anderen verschieden. Was sie erlebte, war so, daß keine andere dasselbe hätte erleben können. Nichts durfte austauschbar sein, und nichts durfte sich vermischen. Ich sagte mir, daß ich acht Scheinwerfer baue, mit denen ich die Welt von außen ableuchte. Ein Jahr lang schrieb ich an diesen acht Figuren durcheinander, je nachdem, welche mich im Augenblick am meisten reizte. Es gab einen religiösen Fanatiker darunter; einen technischen Phantasten, der nur in Weltraum-Plänen lebte; einen Sammler; einen von der Wahrheit Besessenen; einen Verschwender; einen Feind des Todes und schließlich auch einen reinen Büchermenschen.

5. Brand des Wiener Justizpalastes

D.: Aber nicht nur die Berliner Erfahrungen haben auf die Konzeption der »Blendung« eingewirkt. Wichtiger noch dürften wohl gewisse Einwirkungen Ihres Wiener Erfahrungsspektrums auf die Gestaltung der »Blendung« gewesen sein. Ich bin mir bewußt, daß es sich hier um ein sehr komplexes Motivationsgeflecht handelt. Auf einzelne Züge darin haben Sie schon verschiedentlich aufmerksam gemacht. So hat wohl der Brand des Wiener Justizpalastes im Sommer 1927 eine gewisse auslösende Funktion für die »Blendung« gehabt.

C.: Im Burgenland war geschossen, Arbeiter waren getötet worden. Das Gericht hatte die Mörder freigesprochen. Dieser Frei-

spruch wurde im Organ der Regierung als ›gerechtes Urteil‹ bezeichnet, nein ausposaunt. Es war dieser Hohn auf jedes Gefühl von Gerechtigkeit noch mehr als der Freispruch selbst, was eine ungeheure Erregung in der Wiener Arbeiterschaft auslöste. Aus allen Bezirken Wiens zogen die Arbeiter in geschlossenen Zügen vor den Justizpalast, der durch seinen bloßen Namen das Unrecht für sie verkörperte. Der Justizpalast brannte. Die Polizei erhielt Schießbefehl, es gab neunzig Tote. Es sind 46 Jahre her, und die Erregung dieses Tages liegt mir heute noch in den Knochen. Ich wurde zu einem Teil der Masse, ich ging vollkommen in ihr auf, ich spürte nicht den leisesten Widerstand gegen das, was sie unternahm.

D.: Es fällt nicht schwer, die Beziehungen, die sich schon äußerlich zu Ihrem Roman herstellen, hier angedeutet zu finden: das Feuer, mit dem sich Kien am Ende mit seiner Bibliothek vernichtet, das Masse-Erlebnis, das, aus der Perspektive von Kiens Bruder Georg im Roman dargestellt, ja auch positive Züge trägt und das vor allem Broch in seiner Einleitungsrede zu einer Ihrer frühen Lesungen in Wien als sehr wichtig für Sie charakterisiert hat.

6. Personal der »Blendung«

D.: Läßt sich der unmittelbare Bezug zur Wiener Realität nicht selbst bei der Konzeption von Romanfiguren erkennen? Ich denke an Kiens Haushälterin Therese.

C.: Das Urbild zu ihr war so wirklich wie der Büchermensch selbst unwirklich. Im April 1927 hatte ich außerhalb von Wien auf einem Hügel über Hacking in der Hagenberggasse ein Zimmer gemietet. Ich ging mir das Zimmer ansehen, die Hausfrau öffnete und führte mich in den zweiten Stock, der nichts als dieses Zimmer enthielt. Sie selber wohnte mit ihrer Familie im Parterre. Ich war begeistert von der Aussicht, über einen Spielplatz hinüber sah man auf die Bäume des großen erzbischöflichen Gartens, und auf der anderen Seite des Tals, auf der Höhe des Hangs gegenüber, hatte man die von einer Mauer umgebene Stadt der Irren, Steinhof vor Augen. Mein Entschluß war auf den ersten Blick gefaßt. Vorm offenen Fenster besprach ich die Einzelheiten mit der Hausfrau. Ihr Rock reichte bis zum Boden, sie hielt den Kopf schief und warf ihn manchmal auf die andere Seite; die erste Rede, die sie mir hielt, findet sich wörtlich im dritten Kapitel der »Blendung«: über die Jugend von heute und die Kartoffeln, die bereits das Doppelte kosten.

D.: Sie erwähnen, daß die Hauptfigur, der Sinologe Peter Kien, keinerlei Vorbild in der Realität hat. Wie kam es zur Konzeption dieser Figur? Die verschiedenen Namensänderungen deuten doch auf so etwas wie eine Entwicklungsgeschichte dieser Figur hin?

C.: Die Hauptfigur dieses Buches, heute als Kien bekannt, war in den ersten Entwürfen mit B. bezeichnet, was kurz für ›Büchermensch‹ stand. Denn als solchen, als Büchermenschen, hatte ich ihn vor Augen, so sehr, daß seine Verbindung mit Büchern weit wichtiger war als er selbst. Daß er aus Büchern bestand, war damals seine einzige Eigenschaft, er hatte vorläufig keine anderen. Als ich schließlich daran ging, seine Geschichte zusammenhängend niederzuschreiben, gab ich ihm den Namen Brand. In diesem Namen war sein Ende enthalten: er sollte in einem Feuer enden. Im Oktober 1931, nach einem Jahr, war der Roman beendet.

D.: Sie haben den Namen der Hauptfigur dann noch geändert.

C.: Brand hatte im Laufe der Arbeit seinen Namen gewechselt, er hieß jetzt Kant. Aber ich hatte Bedenken wegen der Namensgleichheit mit dem Philosophen. So war auch der Titel, den das Manuskript trug, ein vorläufiger, »Kant fängt Feuer«.

D.: Geht nicht der endgültige Name Kien für die Hauptfigur auf einen Rat Hermann Brochs zurück?

C.: Broch drängte mit einer für ihn ungewöhnlichen Hartnäckigkeit darauf, daß ich den Namen Kant aufgeben solle. Das hatte ich schon immer vorgehabt, aber nun geschah es endlich. Ich nannte ihn Kien, etwas von seiner Brennbarkeit geriet wieder in seinen Namen. Mit Kant verschwand auch »Kant fängt Feuer«, und ich entschloß mich zum neuen, endgültigen Titel »Die Blendung«.

7. Autoren-Einflüsse

D.: Daß Broch, der ja damals selbst erst begann sich als Schriftsteller zu profilieren, mit seinen literarischen Arbeiten irgendeine Wirkung auf die Konzeption Ihres Romans gehabt haben könnte, wäre wohl eine irreführende Annahme. Aber einen sehr starken Eindruck hat ein anderer Autor auf Sie gemacht, von dem Sie eine seiner wichtigsten Erzählungen während der Arbeit an der »Blendung« kennenlernten. Ich meine Kafka.

C.: Ich hatte das achte Kapitel der »Blendung«, das heute »Der Tod« heißt, beendet, als mir Kafkas »Verwandlung« in die Hand fiel. Etwas Glücklicheres hatte mir zu diesem Zeitpunkt nicht geschehen können. Da fand ich in höchster Vollkommenheit das Ge-

genstück zur literarischen Unverbindlichkeit, die ich so haßte, da war die Strenge, nach der ich mich sehnte. Da war schon etwas erreicht, was ich für mich allein finden wollte.

D.: Gibt es noch andere Autoren, die während der Arbeit an der »Blendung« für Sie eine gewisse Bedeutung gehabt haben?

C.: Gogol hatte einen großen Einfluß auf die »Blendung«, auch Stendhal. Die »Toten Seelen« von Gogol und »Le Rouge et le Noir«, das waren eigentlich die Bücher zu der Zeit, als ich die »Blendung« schrieb, die ich am liebsten las.

D.: Das sind aber – um ein schillerndes Wort aufzugreifen – verschiedene Arten von Einflüssen. Bei Stendhal war es wohl in erster Linie die Dichte, die sprachliche Konzentration, die Sie anzog. Wie könnte man das Entsprechende bei Gogol bezeichnen?

C.: Bei Gogol die Freiheit der Erfindung. Daß er sich erlaubt hat zu erfinden, was er wollte. Ich liebe ihn auch jetzt noch. Er ist auch jetzt einer meiner liebsten Dichter. Unter den Russen habe ich eigentlich ihn am liebsten, obwohl Dostojewski wahrscheinlich der größere ist von beiden, den ich auch sehr gut kannte und immer wieder lese. Aber persönlich liegt mir Gogol noch mehr.

8. Akustische Masken

D.: Einen sehr wichtigen sprachlichen Einfluß auf die »Blendung« und auf Ihre beiden ersten Dramen stellt ja wohl auch die Wiener Sprachumgebung dar mit ihren unzähligen Dialektnuancierungen. Sie haben das einmal mit dem Hinweis auf eine bestimmte Theorie der sprachlichen Mimesis zu erklären versucht. Ich meine die Theorie der akustischen Maske, von der sich ja viele der im Kern szenischen, also dramatisch konzipierten Episoden in der »Blendung« her verstehen lassen. Sie haben 1937 in einem Interview mit der Wiener Zeitung »Sonntag« erste Ausführungen dazu gemacht. Wie steht es nun im einzelnen um die Genesis dieser Theorie, was sind ihre Wurzeln?

C.: Da war natürlich der Haupteinfluß der von Karl Kraus. Das ist gar keine Frage. Also im einzelnen das, was ich in dem Aufsatz über Karl Kraus geschildert habe. Besonders wichtig waren die Nestroy-Lesungen, die einem wirklich das Ohr für die Wiener Laute geöffnet haben.

D.: Das liegt an der Dialektqualität der Nestroyschen Sprache?

C.: Ja, vor allem daran, daß man das zudem ständig in Wien erleben konnte. Natürlich haben mich auch die Lesungen der »Letzten

Tage der Menschheit« sehr beeindruckt, aber Nestroy hat mich noch mehr beeindruckt, weil ich vielleicht ohne diese Lesungen nicht so sehr darauf erpicht gewesen wäre, dann in Wien in jene kleinen Volkslokale zu gehen und wirklich Stunden und manchmal ganze Nächte – die wurden um 4 Uhr geschlossen – dort zu sitzen und zuzuhören, wie die Leute reden. Das war eine jahrelange Schulung, die mir sehr wichtig war.

D.: Aber ist es nicht bei Nestroy so, daß der Dialekt schon als Kunstmittel eingesetzt wird? Es gibt verschiedene Formen der sprachlichen Charakterisierung durch Dialekte. Es gibt zum Beispiel auch die ganz überzogene literarische Hochsprache, die kritisch-satirisch von Nestroy eingesetzt wird.

C.: Diese Hochsprache ist aber auch etwas, was in Wien vorkommt. Sie wird natürlich bei ihm gesteigert und auf eine unerhört witzige und geistreiche Weise nutzbar gemacht. Aber das gibt es ja im Wiener Alltag. Es gibt Leute, die versuchen so zu reden.

D.: Aber etwas kommt doch noch bei Nestroy hinzu: das Improvisationselement. Bei ihm ist es eigentlich so, daß seine Texte nicht primär als literarische Texte gedacht waren, sondern als Bühnenpartituren, und er selber hat doch auch als Schauspieler ständig verändert, improvisiert, neue Sachen hineingebracht.

C.: Ich glaube, dieses Element, von dem ich wußte, hat dazu beigetragen, mein Interesse an diesen Dingen zu vergrößern. Ich hatte ja nicht vor, akustische Masken zu nehmen und so zu verwenden, wie ich sie gehört hatte. Ich wollte ja ein Reservoir davon haben, möglichst viele gehört haben. Es hat einige gegeben, die mir wichtiger waren, und es hat einige gegeben, die mich direkt zu Figuren gebracht haben. Ich kann Ihnen ein Beispiel sagen, das wirklich peinigend war. Sie kennen in der »Komödie der Eitelkeit« die Emilie Fant. Das war die akustische Maske der Alma Mahler, von der ich lange kaum loskommen konnte: eine vulgäre, berechnende Person; nur ist sie natürlich im sozialen Stand ein ganz anderer Mensch geworden, aber sie kam mir wirklich wie eine Bordellmama vor. Dort führt sie ja am Schluß so etwas auf. Das waren die heuchlerischen Töne über ihr Kind, die gelähmte Tochter von Gropius, die Manon, die Art, wie sie sie vorgeführt, verlobt hat in ihrem Zustand und immer wieder über das Kind gesprochen, es zur Schau gestellt hat. Es gab Masken, die ich nicht anders loswerden konnte, die mich verfolgt haben, die mich wirklich gequält haben. Gewisse Masken konnte ich nicht anders loswerden, als sie irgend-

einmal, natürlich ganz transponiert wie im Falle der Emilie Fant, zu gestalten.

D.: Das wären also mehrere Elemente, die auf diese Theorie der akustischen Maske eingewirkt haben: Nestroy über die Lesungen von Karl Kraus, Karl Kraus selbst, ferner biographisches Material, bestimmte Menschen.

C.: Es kommt noch ein anderes Element hinzu, das mit am stärksten auf mich eingewirkt hat. Das war das japanische Kabuki-Theater.

D.: Es ist doch so, daß bei der akustischen Maske eine mimetische Qualität erhalten bleibt, nicht angetastet wird, bei aller Abstraktion und Konzentration. Das mimetische Element ist vorhanden und meint ganz konkret Widerspiegelung, Darstellung von etwas Wirklichem.

C.: Einige Grundelemente des Mimetischen bleiben bestehen, und vielleicht ist das auch eines der Hauptmotive, warum mir die akustischen Masken so wichtig geworden sind. Es schien mir da ein Element der Wirklichkeit vorhanden zu sein, das keineswegs ausgeschöpft ist, das nicht verbraucht ist, das verwendbar ist und dramatisch ungeheuer reich sein kann; ein Versuch, die Wirklichkeit wieder verfügbar zu machen dort, wo man sie nicht erschöpft hat. Das hat mich wahrscheinlich besonders gereizt daran.

D.: Wie ist es nun, wenn man versucht, mit dem Prinzip der akustischen Maske die »Blendung« zu deuten?

C.: Das ist gewiß möglich. In der »Blendung« geht das aber weiter, weil es sich ja auch um Gedankenabläufe handelt, bei denen ein bestimmter Wortschatz verwendet wird. Natürlich führen viele Dinge vom Gedanken zu dem, was man spricht. Es ist ja kaum eine Trennung da, es ist ein unaufhörlicher Übergang. Und die akustischen Masken gehen ja in den Menschen hinein. Es ist schon so, daß die Figuren schließlich aus akustischen Masken bestehen.

9. Die neue Sprache

D.: Mit dem Blick auf die »Blendung« könnte man sagen, daß die akustische Maske doch offensichtlich das Mittel ist, das sprachsatirische Funktion hat. Es wird ja immer kritisch eingesetzt. Wie steht es nun aber um die Funktion der anderen Sprachschicht, die im Begriff einer neuen Sprache, ja Sprachmystik in der Episode der Affen-Verwandlung dargestellt wird? Gibt es da ein zentrales Motiv?

C.: Sie meinen die Geschichte, die im letzten Teil der »Blendung« da ist? Ob ich mir dessen bewußt war, wie zentral diese Erfindung ist, weiß ich nicht.

D.: Ich erinnere mich, Sie haben mir einmal diese sehr interessante Geschichte von dem Film erzählt, dem Affen-Film, den Sie zusammen mit Broch gesehen haben.

C.: Der Ingagi-Film mit den Kindern?

D.: Und Sie haben gesagt, Sie wüßten das Kino noch, wo sie den Film damals sahen.

C.: Im Penzing, gleich in der Nähe der Bahnstation. Das habe ich Ihnen damals erzählt? Das habe ich sonst kaum je getan.

D.: Mir scheint dieser Film mit dem Blick auf das Motiv der vorhin angesprochenen Roman-Episode interessant. Übrigens spielt dieses Affen-Motiv ja auch eine große Rolle in einer noch unveröffentlichten Erzählung Brochs. Die neue Sprache, von der an dieser Stelle im Roman gesprochen wird, hat ja auch eine gewisse romanästhetische Funktion. Sie ist zugleich verbunden mit einer Kritik an der schönen Sprache des konventionellen Romans. Thomas Mann ließe sich möglicherweise als ein Beispiel für diese Attacke auf den konventionellen Roman erwähnen.

C.: Ich habe vielleicht auch an ihn gedacht, obwohl ich gerade den »Zauberberg« gelesen hatte, der mir wegen der Thematik großen Eindruck gemacht hat. Ich kenne kein Buch, daß dieses langsame Vordringen des Todes so dargestellt hat. Das ist ein Buch, zu dem ich immer noch stehen würde. Trotzdem hatte ich starke Einwände gegen seine Art von Roman.

D.: Mir scheint, daß Sie offenbar zwei Prinzipien des Stils implizieren, das Drumherumschreiben, das Alles-in-schöne-Worte-bringen, wobei die Wirklichkeit dahinter verschwindet. Und auf der andern Seite: die präzise Bezeichnung, die Verdichtung von Wirklichkeit in Sprache, und eine Potenzierung dieses Vorgangs stellt möglicherweise das dar, was man mit dem Hilfsbegriff Sprachmystik – ich denke hier auch an den Joyceschen Epiphanie-Begriff – bezeichnen könnte.

C.: Das ist ein merkwürdiger Zusammenhang.

D.: Der Ihnen nicht so bewußt gewesen ist? Während der Niederschrift des Romans hat das keine so große Rolle gespielt?

C.: Nicht in der Form. Was eine Rolle gespielt hat, war, daß mir in der Konzeption des Bruders, des Psychiaters, nicht genügt hat, daß er der Verwandlungsmensch par excellence ist, während Kien sich die Verwandlung versagt, da er zu ihr gar nicht fähig wäre. Das hat mir nicht genügt. Ich habe etwas mehr gebraucht. Und da habe ich zwei für den Aufbau seines Geistes wichtige Dinge herangezogen. Das eine war, daß ich ihm meine Beschäftigung mit der Masse gegeben habe. Das war damals noch eine sehr frühe Beschäftigung, die keineswegs differenziert genug war, aber ich war sehr fasziniert davon. Ich hab ihm das, was mich positiv an der Masse angezogen hat, geliehen, obwohl ich sehr wohl wußte, daß das, woran ich arbeitete, eine wirkliche Untersuchung der Masse, auch negative Aspekte enthalten mußte. Aber ihm gab ich dieses Gefühl des Sich-Auflösens in einer größeren Einheit, wodurch das Masse-Phänomen stark auf den Menschen einwirkt. Das andere war, daß ich ihn doch in Gegensatz zu Peter Kien als einen erfolgreichen Menschen konzipierte, der bei Frauen Erfolg hatte, der also in dieser Hinsicht ein »glatterer« Mensch war. Es war nachher unmöglich, ihn mir, als er ein bedeutender Psychiater wird, bloß als diesen glatten Erfolgsmenschen vorzustellen. Ich habe eine Konversion gebraucht bei ihm, ein Abschwenken von der Glätte seines frauenärztlichen Berufes, in dem ihm alles viel zu leicht ging, zu etwas geistig Aufregenderem, Interessanterem. Da hatte ich plötzlich den Einfall, er müßte an ein Geschöpf geraten, das eine ganz eigene Sprache hat. Das könnte zu dieser Konversion führen. Ich habe ihn dann in Verbindung mit dieser Bankiersfrau gebracht, die sozusagen zu seinem früheren Leben gehört, und diesem urtümlichen gorilla-ähnlichen Wesen gegenübergestellt. Da allerdings, als ich über die Sprache des Gorillas nachzudenken begann, bin ich darauf gekommen, daß es mir sehr wichtig war, und ich habe später für mich noch viel darüber aufgeschrieben. Aber es begann ganz spontan und aus einem Bedürfnis, diese Figur zu machen. Ich kann es nicht anders sagen. Man könnte es ja ganz anders durchdenken und in einen wichtigen geistigen Zusammenhang stellen, der sich später auch ergeben hat.

10. Zur Wirkung der »Blendung«

D.: Herr Canetti, Sie haben jahrzehntelang in relativer Abgeschlossenheit von dem, was sich als literarisches Leben bezeichnen läßt, gearbeitet, und auch die »Blendung«, die in den letzten Jahren als einer der wichtigsten Romane in der ersten Hälfte unseres Jahrhunderts anerkannt wird, hat lange gebraucht, um sich durchzusetzen. Ihre – wenn man es so nennen darf – Isolation als Schriftsteller und die verzögerte Wirkung Ihres literarischen Werks haben sicherlich auch mit besonderen Zeitumständen, Lebensumständen – daß Sie beispielsweise sehr lange in England gelebt haben und noch heute leben – ja besonderen Verlagsumständen zu tun. Inzwischen haben Ihre Werke eine starke Wirkung ausgelöst. Was ist der Grund dafür? Wie sehen Sie das selbst? Hat das mit Umorientierungen in Deutschland zu tun, mit Umorientierungen Ihrerseits? Kommt dahinter irgendeine Logik zum Vorschein oder läßt sich eine Art von Logik postulieren?

C.: Ich habe natürlich darüber nachgedacht und oft versucht, Gründe dafür zu finden. Sicherlich hängt das zum Teil von äußeren Dingen ab, daß die Werke nicht da waren, daß also die »Blendung« als Nachdruck wieder herauskam. Das spielt zweifellos eine Rolle. Etwas spielt auch mit, daß ich ein bißchen nachgegeben und einige der kleineren Dinge veröffentlicht habe, die für Menschen verständlicher sind. Ich glaube, daß die Rezeption ohne diese kleinen gelben Bände der Reihe Hanser noch länger auf sich hätte warten lassen. Es hätte bestimmt Leute gegeben, die meine Sachen gelesen hätten. Manche hätten sich mit »Masse und Macht« auseinandergesetzt. Die anderen Werke sind jedoch leichter. Ich würde sagen, die persönliche Fassung der Aufzeichnungen hat manchen Leuten das Gefühl gegeben: das ist ja nicht ein so objektiver, starrer Geist, sondern ein Mensch, der alle möglichen Regungen und Gefühle hat. Das war nicht meine Absicht bei den Aufzeichnungen, aber ich glaube, das dürfte mit dazu beigetragen haben. Natürlich gibt es auch andere Gründe. Ich glaube, daß z. B. die »Blendung« eine Zeitlang von der deutschen literarischen Öffentlichkeit ferngehalten wurde, und zwar von Leuten, die eine neue deutsche Literatur schaffen wollten. Viele von ihnen kannten die »Blendung«. Jetzt erfahre ich es, jetzt sagen sie es mir. Damals, fünfzehn Jahre lang, hat man darüber geschwiegen. Ich glaube, es war vielfach unbewußt. Es hat zum Prozeß des eigenen Kampfes gehört. Und ich glaube, bei manchen war der Eindruck der »Blendung« als eines isolierten Werkes so stark, daß sie ihn nicht wahrhaben wollten. Das klingt vielleicht anmaßend, doch es soll nur eine Erklärung sein. Ich sprach einmal mit Jakov Lind. Er hat mir erzählt, er hätte früher nicht schreiben können. Dann habe ihm Erich Fried die »Blendung« gegeben. Da habe er plötzlich gedacht, man kann auch so schreiben. Er hat dann seinen Novellenband geschrieben, »Seele aus Holz«, in dem er deutlich unter dem Einfluß der »Blendung« gestanden hat. Aber er ist Emigrant gewesen, er hat es mir genau geschildert, ohne es verschleiern zu wollen. Ich *habe überhaupt die Erfahrung gemacht, daß es Leute gibt, die nicht gern von ihren Ursprüngen sprechen, die sie verdecken wollen, und andere, die oft davon sprechen – und dazu gehöre ich –, da ich immer gern von den Leuten spreche, die mich beeinflußt haben. Ich will nicht sagen, daß das eine besser als das andere ist.*

11. Ein Exilautor?

D.: Herr Canetti, wäre es gerechtfertigt, in dieser von Ihnen geschilderten Situation des – ich überspitze – Ausgeschlossenwerdens vom literarischen Leben in der Nachkriegszeit durch Ignorieren Ihres Romans die Auswirkungen einer allgemeineren Situation zu erkennen, die auch Sie mitbetrifft, nämlich der Exilsituation? Könnte man Sie also gar als Exilschriftsteller mit Ihrem nach 1938 entstandenen Werk bezeichnen?

C.: Eigentlich habe ich mich nie als Exilautor empfunden. Das mag damit zusammenhängen, daß ich der Geburt nach doch nicht aus einem der deutschsprachigen Länder stamme, daß ich drei Sprachen sprach, bevor ich Deutsch sprach. Ich war eher ein Exilautor innerhalb der deutschen Literatur – hier wäre das Wort falsch –, jedenfalls etwas Entsprechendes in der Umkehrung davon. Nun ist es ja auch sonst so, daß ich Englisch und Französisch genau wie Deutsch immer sprach, daß ich mich immer mit der Literatur dieser Länder beschäftigt habe. Als ich nach England kam, war es nicht schwierig für mich, mich der englischen Sprache zu bedienen. Ich mußte mich nicht wie so viele andere Emigranten erst bemühen um die Sprache, sondern es war für mich eine Sprache, die ganz natürlich war. Es entstand nur eine sehr merkwürdige Beziehung zu den deutschen Worten, die ich viel weniger gebrauchte in der Zeit, als ich in London lebte. Was also passierte, war faktisch eine viel intensivere Befassung mit der deutschen Sprache, eine noch größere Leidenschaft für die Sprache, weil ich nicht immer in ihrer unmittelbaren Atmosphäre lebte. Wenn man das als die Wirkung eines Exils bezeichnen kann, dann könnte man mich dazu zählen. Aber ich glaube, daß das nicht eigentlich stimmt. Denn es scheint mir ein sehr wesentliches Zeichen der modernen Literatur überhaupt, daß Autoren in ganz anderen Ländern leben als denen, in denen sie aufgewachsen sind. Denken Sie an – um ein großes Beispiel zu nennen – Joyce, der sein Leben lang über Dublin geschrieben hat, aber doch in Triest schrieb oder Zürich, Paris. Denken Sie an Beckett, der in Paris lebt und sogar Französisch schreibt. Dieser Fall wird ja immer häufiger. Immer mehr Autoren brauchen diese Entfernung von ihrer eigentlichen Substanz. Sind das Exilautoren? Das wäre eine Frage, die man sehr genau untersuchen müßte.

III.B. Der Roman des abstrakten Idealismus als satirischer Roman. Elias Canettis »Die Blendung«

1. Schließlich hat der Ruhm ihn doch noch eingeholt. Was Kafka, Musil und Broch zu Lebzeiten nur in Ansätzen erfuhren, Überwindung der künstlichen Vergessenheit, an der die politische Verseuchung jener Jahre und – wie bei Musil und Broch – die Entwurzelung ihrer literarischen Existenz durch ein von außen aufgezwungenes Emigrantenschicksal beteiligt waren, scheint Elias Canetti, dessen Roman »Die Blendung«[1] ihn unter den repräsentativen Epikern des deutschsprachigen Romans in der ersten Hälfte dieses Jahrhunderts in vorderster Reihe zeigt, am Ende doch zu gelingen: die Rückkehr in einen Sprachraum, in dem er als Romancier, als Dramatiker, als Kulturphilosoph von hohen Graden verwurzelt ist, auch wenn seine äußere Existenz schon seit Jahrzehnten an England gebunden ist und bleibt, trotz seines heutigen zweiten Wohnsitzes in der Schweiz.

Jener östliche deutschsprachige Kulturraum, der weit über die Grenzen Kakaniens hinaus sich bis in die Tschechoslowakei und weiter in den Balkan hinein erstreckt, geschichtsträchtiger Boden, der nach der Zäsur des Ersten Weltkrieges von seiner Vergangenheit endgültig Abschied zu nehmen begann, Kreuzungspunkt vielfältiger politischer und kultureller Ausstrahlungen, künstlerische Reizzone ohnegleichen, in der manches Form und Gestalt gewann, was sich erst den nachfolgenden Generationen in seinem Wahrheitsgehalt erschloß. Dies ist zugleich die Atmosphäre, von der Canettis Dichtung geprägt ist. Ja, es will scheinen, daß das, was diesen Raum politisch und kulturell auszeichnet, sich in Canettis Person und Schicksal gleichsam potenziert. In ihm selbst überkreuzen sich die Sprachen und die Jahrhunderte.

Nicht Deutsch ist eigentlich die Muttersprache des 1905 in Bulgarien geborenen und seit 1939 in England lebenden Dichters, aber auch nicht Bulgarisch, sondern am ehesten jenes altertümliche Spanisch des 15. Jahrhunderts, das Canettis Vorfahren, spanische Juden, 1492 bei der Vertreibung aus dem Spanien Ferdinand von Aragons mit in die neue Heimat[2], das damalige türkische Reich, brachten und das sich in Bulgarien in Sprachinseln bis in die Gegenwart erhielt. Dieses archaische, fast zur Kunstsprache gewordene Idiom ist Canettis Muttersprache.

Merkwürdiges Phänomen, wie hier in der Sprache geschichtliche Räume übersprungen werden, Gegenwart in Vergangenheit taucht und umgekehrt. Wirklichkeit, von der die Sprache auf naive Weise Besitz ergreift, Wirklichkeit, die mit Gesprochenem unmittelbar identisch ist, kann es in einer solchen Situation nicht geben. Eingeschaltet ist Distanz, Sprache wird von vornherein zu einem Kunstprodukt, von der Wirklichkeit abstrahiert, wird als Instrument von Ausdrucksmöglichkeiten erfahren und ist nicht unmittelbarer Ausdruck von Wirklichkeit. Mir scheint, daß diese besondere Konstellation für den Autor Canetti wichtig geworden ist.

So berührt es denn fast als folgerichtig, daß es das elisabethanische Englisch Shakespeares ist, in dem Canetti zum ersten Mal die Faszination zu Dichtung gewordener Sprache erfährt: der Zehnjährige liest zusammen mit seiner Mutter die Shakespeareschen Dramen. Es sind die langen Gespräche darüber, die zum nachhaltigen Eindruck werden, der noch Jahrzehnte später gegenwärtig ist: »...ich glaube, diese Gespräche... waren... der Inhalt, der Hauptinhalt meiner frühen Jugend.«[3] Ein deutscher Autor, der unbeirrt zu dieser deutschen Sprache stand, auch in der Emigration nie der Versuchung erlag, mit dem Land, das ihn verstieß, auch seine Sprache hinter sich zu lassen, der dennoch erst auf so bedeutsamen Umwegen zu dieser Sprache kam: »Deutsch war erst die vierte Sprache, die ich lernte...«[4]

Auch hier muß man Geschichte rekapitulieren, um die Bedeutung zu verstehen, die das Deutsch in jenen Gebieten hatte. Dahinter wird die politische und kulturelle Ausstrahlung der k.u.k. Monarchie sichtbar, die damals noch unerschütterte Metropolenstellung Wiens. Deutsch war die Sprache der Oberschicht, Organ der gesellschaftlichen Kommunikation, identisch mit Bildung, Ansehen, Repräsentanz. »Deutsch Wiener Färbung war,« wie Erich Fried betont hat, »die Bildungssprache aller Menschen auf dem Balkan.«[5] Als Bildungssprache hatten Canettis Eltern Deutsch in ihrer Jugend gelernt: Sie waren nach Wien in die Schule geschickt worden. Die deutsche Sprache, die sie mitbrachten, war durchtränkt von dieser politisch-kulturellen Ausstrahlung Wiens, war vor allem für die Mutter identisch mit der hohen Theaterkultur des Wiener Burgtheaters, dessen von Enthusiasmus getragener Eindruck sich bei ihr nie verlor, den sie auf den Sohn übertrug und damit so entscheidend bestimmte, daß Canettis Wunsch, ein Dichter, ein Dramatiker in dieser Sprache zu werden, eigentlich in diesem Eindruck wurzelt.

Auch hier scheint es bemerkenswert, wie sich Canetti die deutsche Sprache erschloß. Nämlich nicht als Mittel der Verständigung, sondern eher im Gegenteil als Hindernis, als Verzögerung des Verstehens. Deutsch war die Wortbarriere, hinter der die Eltern Erfahrungen austauschten, die sich dem Verständnis der Kinder entziehen sollten. Daraus ergab sich für den jungen Canetti, der vielsprachig aufwuchs, mit einer immensen Sprachempfänglichkeit begabt war, eine charakteristische und folgenreiche Situation. Sein Eindringen in die deutsche Sprache begann gleichsam auf einer vorlogischen Stufe: Sprache, die sich ihm nicht unmittelbar in ihrer rationalen Aussage erschloß; sie war für ihn primär Klangbild, Wortbild, wenn man so will, Mythos, magische Wirklichkeit, die sich noch nicht, im Logos aufgehoben, in der Aussage verbirgt und im alltäglichen Gebrauch bis zur Unkenntlichkeit abgeschliffen wird. Canetti hat die Faszination dieser nur in ihrem Lautcharakter, in ihrer rhythmischen Formung wahrgenommenen deutschen Sprache eindringlich beschrieben: »Wenn wir etwas nicht verstehen sollten, sprachen die Eltern miteinander deutsch. Nun hörte ich diese deutschen Laute – man erklärte mir nur ein Wort, und das war Wien. Sonst habe ich damals nie ein deutsches Wort verstanden, aber es ging mir sehr nahe, daß ich nichts verstand, und so ging ich als Kind – ich erinnere mich genau – in ein anderes Zimmer und übte diese Laute für mich ein, wie magische Laute, ohne sie zu verstehen. Ich lernte ganze Sätze auswendig, im richtigen Tonfall, in der richtigen Geschwindigkeit, wie ein Kind eben lernt, und da es so geheimnisvoll war, kam es mir vor, als sei es die schönste aller Sprachen.«[6] Es fällt nicht schwer, in dieser Beschreibung den Keim eines zentralen dichterischen Motivs Canettis zu erkennen, zugleich die modellhaft entworfene Genese eines kunsttheoretischen Zusammenhangs, dessen Bedeutung für seine Dramen wie für die »Blendung« gilt.

Die Sprache als Tor zu einer mythisch erfahrenen Wirklichkeit stellt für Canetti nicht ein Bildungserlebnis dar, ist nicht durch Reflexion gefilterte Erkenntnis, sondern Urerlebnis, unmittelbar erfahrene Gegebenheit, in der Erinnerung der Kindheit wurzelnder Besitz. Eine Konstellation, die auf der dichterischen Gestaltungsebene ganz ähnlich erscheint, etwa in der »Blendung« in jener für den berühmten Psychiater Georges Kien, den Bruder des Sinologen, schicksalhaften Begegnung mit jenem Verrückten, der, Bruder eines reichen Bankiers, in dessen Haus in Verborgenheit lebt, aus der oberflächlichen konventionellen Wirklichkeit ausgebrochen ist, zum Gorilla wird und die angestrebte Verwandlung seiner Existenz in einer neuen, künstlich geschaffenen Sprache auszudrücken versucht. Es heißt über Georges' Reaktion: »Wenn der Gorilla nur wieder sprach. Vor diesem einen Wunsch verschwanden alle Gedanken..., als hätte er von Geburt an den Menschen oder Gorilla gesucht, der seine eigene Sprache besaß... Jeder Silbe, die er hervorstieß, entsprach eine bestimmte Bewegung. Für Gegenstände schienen die Bezeichnungen zu wechseln. Das Bild meinte er hundertmal und nannte es jedesmal verschieden; die Namen hingen von der Gebärde ab, mit der er hinwies. Vom ganzen Körper erzeugt und begleitet, tönte kein Laut gleichgültig.« (356)

Sprache geht hier über die Bedeutung eines rationalen Signalsystems weit hinaus, ist hier identisch mit einer neu erfahrenen, einmaligen Wirklichkeit, ist selbst in sich Wirklichkeit. Sie ist nicht abstrahierbar, nicht auf Zeichen eindeutig festzulegen, sondern Einheit von Klang und Bewegung, wird »vom ganzen Körper erzeugt«. Der Erkenntsnisumschwung, der sich in Georges vollzieht, zum Eintritt in ein »neues Leben« (357) bei ihm führt, wird von ihm selbst ausgesprochen: »Er sah sich selbst als Wanze neben einem Menschen... Welche Anmaßung, mit einem solchen Geschöpf an einem Tisch zu sitzen,... ohne den Mut zum Sein, weil Sein in unserer Welt Anders-Sein bedeutet, eine Schablone für sich, eine aufgezogene Schneiderreklame, durch einen gnädigen Zufall in Bewegung oder in Ruhestand versetzt, je nach dem Zufall eben, ohne den leisesten Einfluß, ohne einen Funken Macht, immer dieselben leeren Sätze leiernd, immer aus gleicher Entfernung verstanden« (356/7).

Das von äußerlichen Konventionen bestimmte gesellschaftliche Leben, das auf Karriere und Erfolg abgestimmt ist, das den einzelnen zur Funktion vielfältiger Bedingtheiten reduziert, ein Leben, dessen Mechanik bis zu diesem Augenblick für Georges selbst galt, wird nun in seiner seelenlosen Betriebsamkeit erkannt, wird abgewertet. So wie der einzelne hier um sein Ich betrogen wird, ist auch die Sprache nicht mehr als ein sinnlos rotierendes System, in dem die Worte sich stereotyp wiederholen, die Sätze leer geworden sind, ein monotoner Singsang.

Die Verhältnisse haben sich verkehrt. Der zum Gorilla Verwandelte, äußerlich als Tier Erscheinende ist der eigentliche

Mensch, der der Schablone widersteht und anders ist; der sich den glatten Konventionen Fügende, Erfolgreiche erscheint als Tier, als »Wanze«. Hier ist gleichsam in metaphorischer Verkürzung der Hinweis auf Kafka enthalten, der in seiner »Verwandlung« gerade das dargestellt hat, auf das Georges hier reflektiert: die metaphorische Mutation ist bei Gregor Samsa nur die in die äußere Wirklichkeit projizierte Konsequenz einer inneren Verformung, die sich schrittweise in seiner Einstellung zum Beruf, zu den Kollegen, zu seiner Familie längst vollzogen hat. Wir wissen, daß Canetti nach der Niederschrift der ersten acht Kapitel der »Blendung« auf Kafka stieß, die Bewunderung, mit der er ihn damals für sich entdeckte, nie aufgegeben hat und gerade über jene Erzählung sagte: »Es hat mich nie ein modernes Stück Prosa tiefer beeindruckt als ›Die Verwandlung‹. Die Romane Kafkas habe ich erst Jahre später gelesen.«[7]

Aber zentral für Canetti ist, daß diese Revolte gegen eine konventionell vergesellschaftete Wirklichkeit sich vor allem für ihn in der Entleerung der Sprache zeigt. Die sterile, in sich befangene Wortrotation, die die Absicht von Kommunikation ins Gegenteil verkehrt, ist ihm auffälligstes Symptom dieser entleerten Wirklichkeit. Georges' Einsicht – »...immer dieselben Sätze leiernd...« – ist freilich schon vorbereitet in seiner Abneigung gegen die konventionelle Glätte jener Sprache, die als sogenannte »schöne Literatur« das Bewußtsein der Menschen verformt und narkotisiert. Denn hinter Georges' von Karrieredenken und äußerem Erfolg bestimmter erster Lebenshälfte, in der die Liebschaft mit der Frau seines Chefs, ihre ihm freilich unbekannte Intrige, die Vergiftung ihres Gatten, seine Heirat mit ihr ihn schließlich an die Spitze der Irrenanstalt gebracht haben – hinter diesem Leben eines »großen Schauspielers« (352) erscheint die »schöngeistige Lektüre« (353) als Filter, durch den sein Bewußtsein geht, destilliert wird. Es heißt über jene Zeit: »Früher hatte er mit Leidenschaft gelesen und an neuen Wendungen alter Sätze, die er schon für unveränderlich, farblos, abgegriffen und nichtssagend hielt, großes Vergnügen gefunden. Damals bedeutete ihm die Sprache wenig. Er forderte von ihr akademische Richtigkeit; die besten Romane waren die, in denen die Menschen am gewähltesten sprachen.« (353)

Die Monotonie dieser Literatur, die formales Korrelat der geistigen Leere in seiner ersten Lebenshälfte ist, wird nun erkannt. »In Romanen stand immer dasselbe...« (353) heißt es nun und über den salonfähigen Gesellschaftsroman generell: »Die gesamte Romanliteratur ein einziges Lehrbuch der Höflichkeit.« (354) Hinter Georges' Angriff auf den konventionellen Roman erscheint hier Canetti selbst. Es ist in den Roman eingebaute poetologische Standortbestimmung des eigenen Werks, eine Attacke gegen den herkömmlichen Roman, die in dieser Schärfe, ungefähr gleichzeitig, bei Döblin[7a] auftaucht, für den der psychologische Gesellschaftsroman von gleicher geistabtötender Wirkung ist und gegen den er seine Vorstellung von einem ozeanischen Epos, vom futuristischen Roman stellt. Auch hier bei Canetti, im Roman verschlüsselt, eine ähnliche Intention. Wirklichkeitsvielfalt und konsumierbare ästhetische Glätte bezeichnen im konventionellen Roman die unüberbrückte Kluft, die ihn künstlerisch erledigt. Denn als Absicht des »schöngeistigen« Autors wird von Georges erkannt: »...die zackige, schmerzliche, beißende Vielgestalt des Lebens, das einen umgab, auf eine glatte Papierebene zu bringen, über die es sich rasch und angenehm hinwegglas.« (353/4)

Indem Georges auf den Gorilla-Verwandelten trifft, mit unsäglicher Mühe seine Sprache lernt, dringt er in seine, in *die* Wirklichkeit ein, und es heißt folgerichtig nach dieser Begegnung: »Von der schönen Literatur hatte er genug« (358). Wenn man so will, erscheint in diesem Handlungssegment des dritten Romanteils die Utopie des Romans, das kontrapunktisch gesetzte Gegengewicht zu den beiden ersten Teilen. Das tritt in den Titeln dieser Teile formelhaft hervor.

2. »Ein Kopf ohne Welt« ist das Titelstichwort, das das Schicksal des berühmten Philologen Peter Kien, »des größten lebenden Sinologen der Zeit« (271) definiert. Kien, dessen Gedankenmonolog ihn im Gespräch mit den Großen der Philosophie zeigt, dessen Privatbibliothek die faktische Wirklichkeit ersetzt, der, ohne seine Wissenschaft in Aktivität umzusetzen, ohne ein akademisches Lehramt auszuüben, als Privatgelehrter eine inselhafte Existenz führt, sich in ein grotesk wirkendes Selbstbewußtsein hineinsteigert, als Dreißigjähriger »seinen Schädel samt Inhalt einem Institut für Hirnforschung« (16) vermacht, der unter dem Titel »Spaziergänge eines Sinologen« (17) ein Notizbuch über die »Dummheiten der Menschen« führt, der den Kontakt zur Realität immer mehr verliert, eine Philosophie der Blindheit erfindet, um schließlich »blind« und »verdummt« für die Realität der pri-

mitiven Tücke einer reizlosen altjüngferlichen Haushälterin zu erliegen, die ihn seines vermeintlichen Reichtums wegen heiratet, ihn aus der Wohnung jagt und als brutale, mitleidlose Außenwelt ihn liquidiert. Kien – das bedeutet: eine Haltung extrem gesteigerter Intellektualität, ohne Verbindung zur Wirklichkeit, der abstrakte Idealismus par excellence, von Größenwahn und Selbstzerstörung auf die Spitze getrieben.

Stellt der erste Romanteil den Einbruch der triebhaften Realität in eine steril gewordene, sich selbst vergötzende Intellektualität dar, so erscheint im zweiten Teil, »Kopflose Welt«, der Gegenpol. Es ist Wirklichkeit auf der Ebene Thereses, der Haushälterin, für die der lange vorenthaltene sexuelle Genuß und das Geld die »fixen Ideen«, die Wahnvorstellungen sind, die ihre Aktionen ausschließlich bestimmen. Canetti entwirft eine beklemmende Galerie wahnhaft besessener Existenzen am Rande der menschlichen Gesellschaft[8]. Der verwachsene Gnom Fischerle, der Thereses Werk fortsetzt und Kien für sich auszunutzen versucht, dessen alles beherrschende Leidenschaft das Schachspiel ist und der davon träumt, als Schachweltmeister nach Amerika zu gehen. Fischerle, ein ferner Verwandter jenes anderen Gnom Oskar; aber ist jener ein kindlicher Zwerg mit dem Verstand eines Erwachsenen, so ist Fischerle ein alter Zwerg mit kindischem Verstand, völlig besessen von seinen bombastischen Schachphantasien: »In dreißig gigantischen Sälen spielt Fischerle Tag und Nacht dreißig Simultanpartien, mit lebenden Figuren, denen er zu kommandieren hat« (177).

Ihm gesellen sich die andern Figuren ebenbürtig zur Seite: »die Fischerin«, die kleine verwachsene Zeitungsverkäuferin, die ihren Fischerle unglücklich liebt, der »Kanalräumer«, der, von seiner Dummheit und von seiner Frau versklavt, in Fischerles »Firma« eintritt, um dem bücherrettenden Kien mit stets demselben Paket von Büchern Geld zu entlocken; der Hausierer, der trotz seiner hündischen Ergebenheit Fischerle gegenüber hinter das Geheimnis seiner Pakete zu kommen hofft; der »Blinde«, der Bettler, der als anscheinend Blinder bettelt und dessen beherrschende Wahnvorstellung zwischen seinen Weiberphantasien und dem Angsttraum, mit Knöpfen beim Betteln betrogen zu werden, ohne sich wehren zu dürfen, hin und her schwankt, der davon träumt, reich zu werden, sich ein Kaufhaus zu erwerben, in dem Knöpfe polizeilich verboten sind. Diese Wahnvorstellung führt zu der grausamen Konsequenz, daß er Fischerle eines

Knopf-Scherzes wegen – von Canetti mit sezierender Kälte beschrieben – den Buckel abschneidet, um sich gleich anschließend mit Fischerles »Pensionistin«, deren Zuhälter er war, im Bett, unter dem der Leichnam des Zwergs liegt, zu vergnügen. Das stellt die abstrusesten Ausgeburten Grass'scher Phantasie in den Schatten, ist aber weit mehr als ein den Schock suchendes und provozierendes Detail, ist als ins Verbrechen umschlagende Steigerung dieser Knopf–Wahnidee von erschreckender Konsequenz.

In der Tat macht Canetti in diesen Figuren so etwas wie die Logik des Wahnsystems, in dem sie leben, anschaulich. Man wird an Hermann Broch erinnert, an den dritten Band der »Schlafwandler«, wo Broch vor allem in der Titelfigur Huguenau die unerbittlich abspulende Sachlogik eines Teilwertsystems, des kaufmännischen Bereichs, darstellte, und auch hier hat der Mord seinen moralischen Schrecken verloren, ist innerhalb dieser Sachlogik gleichsam ein Mittel zum Zweck. Diese in Wirklichkeitszerstörung mündende Verabsolutierung der Teilwertsysteme, die Broch auf der theoretischen Ebene zugleich in den philosophischen Exkursen vom »Zerfall der Werte« analysierte, erscheint bei Canetti, mit vielen grotesken Untertönen, ins Wahnhafte gesteigert. Während sich bei Broch die Figuren überkommenen und nun isolierten Teilwertsystemen anvertrauen, erfinden sich Canettis Figuren gleichsam ihr Wahnsystem selbst, in dem sie leben und das ihr Leben regiert.

Auch Canetti hat versucht, das theoretisch zu begründen, hat von seiner Überzeugung gesprochen, »daß jeder Mensch einen Traum hat, der immer wiederkehrt, der am wichtigsten wird, von dem er getrieben ist, der einen von anderen Menschen unterscheidet – man könnte es einen Privatmythos nennen ... Und mir war es in der ›Blendung‹ sehr darum zu tun, Figuren zu schaffen, die gerade solche Privatmythen ganz klar ausdrücken, also vieles andere wegzulassen, was sonst zu einer Romanfigur gehört.«[9]

Freilich läßt sich hier nun eine thematische Analogie zu Broch postulieren, keinerlei literarhistorische Kausalität. Die »Schlafwandler« waren noch nicht geschrieben, als Canetti das groteske Panorama der »Blendung« entwarf, die er freilich erst nach dem Erscheinen der »Schlafwandler«, 1935, veröffentlichte. Beide Dichter befreundeten sich, und Broch hat für den Jüngeren zeitweise die Bedeutung eines geistigen Mentors gehabt und ihn so im Januar 1933 in der Volkshochschule Wien zu Beginn einer

Lesung aus der »Blendung« vorgestellt[10], die »beinahe abstrakte Seelenlandschaft« (119) seines Romans gerühmt, die »dämonische Lebenserfüllheit« (120) der Romanfiguren hervorgehoben, Canettis »scharfe Einstellung auf die innere Logik der Gestalten« (120). Eine bemerkenswerte geistige Gleichgestimmtheit der beiden Autoren, die nicht zuletzt darin zum Ausdruck kommt, daß Broch sich im Alter in den umfangreichen Entwürfen zu seiner Massenpsychologie einem Problemkreis zuwandte, mit dem sich Canetti bereits damals in seinen Entwürfen zu seinem großangelegten und noch immer nicht abgeschlossenen Essay »Masse und Macht« zu beschäftigen begann und wovon Broch ihm mit dem Hinweis auf das gigantische, nie auszuschöpfende Spektrum dieser Arbeit damals abriet.

Die Statisten der »Kopflosen Welt« repräsentieren im Kontrast zum Sinologen Kien gleichsam eine in beängstigende Bewegung geratene, triebhaft unreflektierte Wirklichkeit, von jeder Intellektualität, geistigen Durchdringung der Erscheinungen abgespalten, wie Marionetten, aus dem Mittelpunkt ihrer »fixen Idee« dirigiert.

Im dritten Teil nun, »Welt im Kopf«, wie angedeutet, im dialektischen Dreischritt die Aufhebung, die Züge der Utopie tragende Synthese, dargestellt am Beispiel jenes sich seine eigene Welt und seine eigene Sprache erschaffenden Tier-Verwandelten, über den es heißt: »Er bevölkerte zwei Zimmer mit einer ganzen Welt. Er schuf, was er brauchte, und fand sich nach seinen sechs Tagen am siebenten darin zurecht. Statt zu ruhen, schenkte er der Schöpfung eine Sprache.« (358) Eine Utopie, die in Georges Kien Züge der Realisierbarkeit annimmt, da er das, was als Möglichkeit im Gorilla-Verwandelten faktisch erscheint, auf die Ebene der Reflexion erhebt, in Erkenntnis umsetzt, die die beiden auseinandergebrochenen Realitätshälften, Intellektualität und Triebhaftigkeit, zu vereinen versucht, die mythische Wirklichkeitseinheit im Gorilla-Verwandelten akzeptiert, in sie eindringt, indem er sich seine Sprache aneignet, die Überlegenheit seiner jetzigen Existenz gegenüber seiner früheren ausdrücklich betont: »Er verzichtete auf einen Heilungsversuch. Die Fähigkeit, ihn von einem Gorilla in den betrogenen Bruder eines Bankiers zurückzuverwandeln, traute er sich, seit er sich seiner Sprache bemächtigt hatte, wohl zu. Doch hütete er sich vor einem Verbrechen...« (358) Die Zerstörung dieser mythischen Wirklichkeitsganzheit durch Rückverwandlung in die Normalität der konventionellen Wirklichkeit wäre das Verbrechen gewesen, die Zerstörung des quasi paradiesischen Glücks.

Man mag gegen die Verbildlichung dieser mythischen Wirklichkeitsganzheit Zweifel anmelden, mag sie als Vergötzung elementarer Naturkraft deuten, ähnlich wie Brechts Baal von der Rückverwandlung in einen tierischen Urzustand träumt, auch hier im Bild eines Affen verdeutlicht, der zwischen Baumwurzeln, gleichsam ein Teil der Natur, stirbt. Aber zentral bei Canetti ist – und das hebt den Vorwurf der Unreflektiertheit, der Idolisierung von geistloser Natur auf –, daß die Reflexion zu diesem mythischen Zustand gehört: sie erscheint verwandelt in der neuerschaffenen magischen Sprache. Im Unterschied zu der sich isolierenden, steril werdenden Intellektualität des Sinologen Kien ist dieser utopische Zustand hier nicht mit einer wehrlos machenden Verinselung der individuellen Existenz verbunden. Äußerst bewußt sind hier von Canetti die Akzente gesetzt. Die »Erblindung« Kiens für die Realität, deren Opfer er in Therese wird, ist mit eine Folge seiner Vereinsamung, seiner korrumpierten Fähigkeit zu mitmenschlicher Beziehung. Während Canetti in der Gemeinschaft zwischen Kien und Therese die Schreckensbilder ihrer Ehehölle, die sich immer neue Torturen ersinnt, »wie mit Scheinwerfern von außen her«[11] ableuchtet, erscheint in der naturhaften Liebesbeziehung zwischen dem Gorilla-Verwandelten und seiner ehemaligen Sekretärin das Gegenbild. Auch sie hat sich unter dem Eindruck des Mannes verwandelt, ein »neues Leben« begonnen: »Diese Sekretärin aber, von Haus aus ein gewöhnliches Weib, nicht anders als andere, ist unter dem mächtigen Willen des Gorillas zu einem eigenartigen Wesen geworden: stärker, erregter, hingebender« (357).

Dieses naturhafte Liebesidyll erscheint hier in Analogie zu Sternheim, der in seiner Erzählung »Ulrike«[12] die Verwirklichung der eigenen Existenz in einer naturhaften Liebesbeziehung ähnlich beschrieben hat. In der Beziehung zu Posinsky streift Ulrike von Bolz alle konventionellen Rücksichten ihrer adligen Familie ab, dringt in die Tiefenschicht der Realität ein. Es heißt über beide: »Fast nur ein starker behaarter Affe und die berauschte Äffin. Von Entwicklungen tropfte Ulrike sich frei, schabte Ursprüngliches, in Geschlechtern verschüttet, aus sich heraus, bis sie blank und ihr dichtestes Ich war. Jahrtausende hatte sie rückwärts eingeholt und wünschte das späte Paradies nicht herrlicher« (158).

Nicht Verherrlichung eines reflexionslosen Elementaren ist also bei Canetti beabsichtigt. Der Mensch *wird* nicht zum Tier, sondern er erscheint verwandelt in ein Tier, das ihm die Freiheit zum Selbstsein ermöglicht. Das Bild des Tieres gehört hier in einen für Canetti bedeutsamen Zusammenhang. Er hat in seinen »Aufzeichnungen« den Verlust der menschlichen Beziehung zum Tier beklagt[13] und in diesem Kontext Sätze geäußert, die unmittelbar auf den in der »Blendung« angesprochenen Sachverhalt zu verweisen scheinen: »... das allmähliche Verschwinden der Tiere halte ich für die vielleicht gefährlichste Verarmung des Menschen. Durch seine Begabung zur Verwandlung ist er ja erst zum Menschen geworden, und der Inhalt dieser Verwandlungen waren alle die Tiere, mit denen er je zu tun hatte. Der Mensch ist auch die Summe aller Tiere, in die er sich im Laufe seiner Geschichte verwandelt hat.«[14] Dieser Prozeß der Verwandlung, in dem die tierische Existenz an den Menschen gebunden ist und in dieser Beziehung die menschliche Existenz potenziert, wird in der »Blendung« in der Darstellung des Tier-Verwandelten zurückgewonnen, neu entdeckt. Der Topos der Tier-Verwandlung ist hier folgerichtig auf die Steigerung der menschlichen Existenz bezogen.

3. Canettis Verhältnis zur Sprache, von dem diese Überlegungen ausgingen, erweist sich also als Schlüssel zu zentralen Themen seines Romans. Ein Verhältnis zur Sprache, in dem Entfernung von ihr und intensive Annäherung an ihre verdeckten Tiefenschichten gleichermaßen enthalten sind. Distanz nämlich durch die von außen her geschärfte Empfänglichkeit für ihren Gebrauchscharakter, Sprache als sinnlos rotierendes Signalsystem und damit von vornherein Aufhebung jener naiven Unmittelbarkeit im Sprachgebrauch des in *einer* Muttersprache Aufgewachsenen. Äußerste Versenkung zugleich in die Sprache durch die Erfahrung ihrer klang-rhythmischen Wirklichkeit. Sprache also, die in gleicher Weise zur Tarnung der Realität dienen kann, wie sie die Realität aufzuschließen vermag. Der Durchbruch zur eigentlichen Realität, der sich in einer magischen Sprache vollzieht, ist am Beispiel der »Blendung« gezeigt worden und erscheint sehr viel später nochmals der Andeutung nach in jenen vollkommenen Prosastücken, einer Sammlung von Epiphanien im Joyceschen Sinne, in den 1954 geschriebenen und erst vor wenigen Jahren veröffentlichten »Stimmen von Marrakesch«[15].

Das zeigt sich etwa in jener Episode, die »Familie Dahan« überschrieben ist: Nach der lästig werdenden Aufdringlichkeit eines jungen Arabers, der den Reisenden um Protektion, englische Empfehlungsbriefe, bittet, lernt er den Vater des jungen Arabers kennen. Er kann sich nicht mit dem Alten verständigen, aber dennoch erfährt jener im Aussprechen seines Namens gleichsam dessen Ursprung: »›E-li-as Ca-ne-ti?‹ wiederholte der Vater fragend und schwebend... In seinem Munde wurde der Name gewichtiger und schöner. Er sah mich dabei nicht an, sondern blickte vor sich hin, als wäre der Name wirklicher als ich, und als wäre er es wert, daß man ihn erkunde... In seinem Singsang kam mir mein Name so vor, als gehöre er in eine besondere Sprache, die ich gar nicht kannte... Ich wußte, er würde Sinn und Schwere meines Namens finden; und als es so weit war, blickte er auf und lachte mir wieder in die Augen.« (76/7)

Es ist ein Vorstoß in eine verborgene Sinnschicht, die im Namen die Existenz des Trägers erkennt. Epiphanie der Sprache, die auch in der Episode »Erzähler und Schreiber« erscheint: der Reisende, der die Sprache der Erzähler nicht versteht, aber »das Leben zu Häupten der Hörer« (80) fühlt, für den sie »eine Enklave alten und unberührten Lebens« (80) darstellen. Epiphanie der Sprache auch in der Schlußepisode des Bandes im durchdringenden, schon nicht mehr Sprache zu nennenden Laut des blinden Bettlers, von dem es heißt: »...bis es auf dem ganzen weiten Platz der einzige Laut geworden war, der Laut, der alle anderen Laute überlebte« (106).

Man hat hier bei Canetti eine gewisse Tendenz zu »harmlosen Illusionen und Romantizismen«[16] kritisch angemerkt und konkret gefragt: »Womit unterhalten eigentlich jene Erzähler auf dem Marktplatz von Marrakesch ihre Hörer?« Aber dieser implizierte Vorwurf einer romantischen Simplifizierung der Sprache zu einem Geheimnisträger widerlegt die in der Entwicklung Canettis so differenziert hervortretende komplexe Beziehung zur Sprache, widerlegt schließlich auch der häufig übersehene andere Pol von Canettis Sprachbeziehung: die mit äußerster Präzision erfahrene konventionelle Abnutzung von Sprache und, noch darüber hinausgehend, die Erfahrung von Sprache nicht als Mittel der Kommunikation, sondern als Ausdruck eines monologisierenden verbalen Leerlaufs. Auch diese Linie, die dann in den eindrucksvollen sprachsatirischen Partien der »Blendung« gipfelt, ist in der geschilderten Sprachsituation des frühen Canetti bereits enthalten: die Erfahrung des deutschen Idioms als Sprache der gesellschaftlichen Konvention, in der spezifischen Situation Canettis zugleich als Mittel der Verhüllung, die außergewöhnliche Schärfung des Gehörs für Satzfiguren und Wortzusammenstellungen.

Der den Zeitgenossen im Gebrauch seiner Sprache entlarvende Satiriker[17] erscheint hier ebenso in Ansätzen wie der mit dem Wortmaterial präzis arbeitende Epiker, der die Plastik seiner Figuren von ihrem individuellen Sprachsystem her entwirft, häufig nicht mehr als ein Vokabular von 500 Worten umfassend, von dem, was Canetti – ein zentraler Punkt seiner Poetik – die »akustische Maske« des Menschen genannt hat. Freilich ist mit beidem, der satirischen Enthüllung durch die Sprache und dem Aufbau der Person von der »akustischen Maske« her, der wegweisende, ihn von 1924 an auf fünf Jahre in Bann schlagende Einfluß von Karl Kraus verbunden. In ihm erkannte Canetti Voraussetzungen, die in seiner eigenen Entwicklung vorbereitet lagen, zur Vollendung gebracht.

Canettis eigenes akustisches Sprachgedächtnis fand in Kraus eine vielleicht noch virtuosere Verkörperung. Er hat in seinem Aufsatz »Warum ich nicht wie Karl Kraus schreibe«[18] diesen überwältigenden Eindruck von Kraus auf ihn nicht eingeschränkt, aber differenziert, er spricht dort vom »akustischen Genie« bei Kraus. Ein unübertreffliches Gehör für die im Alltag praktizierte Phrase, für Lüge und Heuchelei verbindet sich bei Kraus mit einer ebenso virtuosen Reproduktion des »akustischen Zitats« (28), das den Zitierten zerstört, ihn mit seiner eigenen Sprache erledigt. Hinzu kommt bei Kraus eine von vielen bezeugte Gabe des Vortrags. Für Canetti ist er geradezu der virtuose »Sprecher« (29), der die Phrase als Phrase artikuliert, der es vermochte, sein Riesendrama »Die letzten Tage der Menschheit« in seiner fast unübersichtlichen Rollen-Vielfalt vorzusprechen, ein gigantisches Ein-Mann-Theater sozusagen. Eine Virtuosität, die übrigens auch für den Dramatiker Canetti gilt, der seine Dramen vorspricht, vorspielt und hier in Kraus sein Vorbild sieht.

Das Wörtlichnehmen dieser von Phrasen ausgelaugten Sprache, das, was Canetti bei Kraus »Wörtlichkeit« (28) nennt, wurde für ihn zum nachwirkenden Eindruck: Wörtlichnehmen im Sinne der vollkommenen sprecherischen Reproduktion, als Schärfung des Gehörs für gesprochene Nuancen, und Wörtlichnehmen im hintergründigen Aufdecken der Sinnlosigkeit, die sich in der zur Phrase verformten Alltagssprache verbirgt. Genauigkeit in der sprachlichen Deskription der Figuren und satirische Enthüllung in der Sprache decken sich, sind zwei Seiten derselben Sache. Beides fand Canetti bis zur höchsten Kunstfertigkeit in Kraus repräsentiert.

Sein poetologisches Konzept der »akustischen Maske«, das er im April 1937 in einem im Wiener »Sonntag« veröffentlichten Gespräch[19] zum ersten Mal definierte, ist sicherlich auch auf dem Hintergrund dieser Faszination entwickelt worden. Canetti bezeichnet mit diesem Begriff die Erkenntnis, daß jede Person »eine ganz eigentümliche Art des Sprechens an sich hat« (36). Die präzise Nachgestaltung dieser Sprechaura erzeugt die unverwechselbare Physiognomie von Canettis Figuren. Hier liegt der Grund, warum es Canetti in der »Blendung«, in seinen beiden ersten Dramen, die in der Schärfe des Blicks denen Horvaths nicht nachstehen, gelingt, in wenigen Sätzen eine sprachliche Momentaufnahme seiner Personen zu entwerfen, die das Profil der Figuren scharf wie in einem Schattenriß konturiert. »Diese sprachliche Gestalt eines Menschen, das Gleichbleibende seines Sprechens, diese Sprache, die mit ihm entstanden ist, die er für sich allein hat, die nur mit ihm vergehen wird, nenne ich seine akustische Maske.«(36)

In dieser Wirkung des großen Wiener Landsmanns, von dem Canetti, obwohl er sich nach einem halben Jahrzehnt von der zu moralischer Abstinenz verführenden Haltung und der zu dogmatischer Gefolgschaft und Intoleranz provozierenden Parteinahme distanzierte, auch heute noch eingesteht, »daß ich überhaupt niemandem so viel verdanke wie Karl Kraus«[20] – in dieser Wirkung auf ihn wurzeln schließlich auch die beklemmenden satirischen Höhepunkte der »Blendung«. Fried hat nicht zu Unrecht gemeint: »In die Reihe der großen Satiriker Wiens, die sich durch die Namen a Santa Clara, Johann Nestroy und Karl Kraus abstecken lassen, gehört als zeitlich letzter Elias Canetti« (8).

Man denke an jene Szene in der »Blendung«, als Therese den gerissenen Möbelverkäufer Grob aufsucht, der ihrer erotischen Eitelkeit schmeichelt, nur um ihr ein Schlafzimmer zu verkaufen. Sie aber, in ihrem Wahn befangen, glaubt, Grob begehre sie, und drängt sich bei einem erneuten Besuch im Geschäft ihm geradezu auf: »Sie war dicker als er und glaubte sich umarmt. Bei dieser

Gelegenheit fiel der Rock zu Boden. Therese merkte es und war noch glücklicher, weil alles von selber so kam.« (244) Als Therese hier selbst mit der Wirklichkeit kollidiert, Grobs Empörung und das Gelächter der andern Leute im Geschäft erntet, ändert sich diese Reaktion schlagartig, wie durch einen Zerrspiegel gesehen, als der Sohn des Chefs, der Therese als einziger erkennt, seine Mutter darauf hinweist: »›Aber sie hat doch bei uns gekauft‹, flüsterte er. ›Was?‹ fragte sie. ›Ein gutes Schlafzimmer.‹« (245) Die Szene verändert sich augenblicklich zu einem Bild, das George Grosz gezeichnet haben könnte: »Die Mutter ließ das Telephon fallen, wandte sich zum Personal und kündigte allen, ausnahmslos, auf der Stelle. ›Ich lasse meine Kunden nicht beleidigen.‹... ›Wo ist die Tasche der Dame?‹... Sämtliche Angestellte warfen sich zu Boden und krochen gehorsam umher... Das Personal sprang auf und formierte sich zur Ehrengasse.« (245) Diese hier aus Geschäftsrücksichten grotesk deformierte Wirklichkeit ist ein Pendant zu Thereses wahnhafter Verzerrung der Realität.

Noch eindrucksvoller sind jene satirischen Szenen, in denen die Entlarvung unmittelbar an der Sprache durchgeführt wird. Man hat gelegentlich geäußert, Canetti habe bereits Beckett vorweggenommen.[21] In der Tat, die monologische Rotation einer sinnentleerten Sprache, die sich endlos mit den gleichen Phrasen wiederholt, läßt sich bereits in diesen von sprachsatirischer Absicht durchdrungenen Partien der »Blendung« erkennen. Was Canetti am Beispiel von Kraus erfuhr, schlägt hier künstlerisch in seiner »Blendung« zu Buche: »Ich begriff, daß Menschen zwar zueinander sprechen, aber sich nicht verstehen; daß ihre Worte Stöße sind, die an den Worten der anderen abprallen; daß es keine größere Illusion gibt als die Meinung, Sprache sei ein Mittel der Kommunikation zwischen Menschen. Man spricht zum anderen, aber so, daß er einen nicht versteht... Wie Bälle springen die Ausrufe hin und her, erteilen ihre Stöße und fallen zu Boden. Selten dringt etwas in den anderen ein, und wenn es doch geschieht, dann etwas Verkehrtes.«[22]

Unter diesem Aspekt ist das sinnlose Aneinandervorbeireden der Irren im Irrenhaus realistische Spiegelung der Sprachverwendung in der sogenannten normalen Welt, so etwa im Gespräch von zwei Verrückten: ›Sobald ich den Prozeß gewinn, deck' ich mich mit Hemden für zirka fünfzehn Jahre ein!‹ ›Und warum gehen die Leute nackt?‹ entgegnete tiefsinnig sein bester Freund, sie verstanden sich ausgezeichnet.« (367)

Die überzeugendste Demonstration dieser zur Sinnlosigkeit entleerten Sprache scheint mir in jener langen Episode vorzuliegen, die sich an die Auseinandersetzung vor dem Pfandhaus zwischen Therese, dem Hausbesorger und auf der andern Seite Kien und Fischerle anschließt. Die polizeiliche Untersuchung, die die Wahrheit ermitteln soll, wird zu einer beklemmenden satirischen Enthüllung der Unmöglichkeit gerade solcher Absicht. Diese Szene ist Spiegel einer völlig durcheinander geratenen Welt, in der jeder, von seinem eigenen Wahnsystem beherrscht, das tatsächlich Vorgefallene in ein Gespinst subjektiver Mutmaßungen und Verdrehungen verwandelt. Beim Verhör auf der Wachstube ist Benedikt Pfaff, der ehemalige Polizist und jetzige Hausbesorger, ebenso bemüht, seine Unschuld zu verkünden – »Kollegen, ich bin unschuldig!« (264) –, wie Therese bestrebt ist, Kien, das eigentliche Opfer der drei, als den Schuldigen hinzustellen: »Bitte, er hat gestohlen!« (264) Fischerle, der sich nach der Rauferei als vermeintlicher Beschützer Kiens – »Er ist verrückt. Ich bin der Wärter...« (259) – aus der Affäre zog, ist, von allen unbemerkt, einfach verschwunden. Jede der Figuren in dieser Szene, einschließlich der Polizisten, erweist sich von einer Wahnidee, dem Mechanismus einer vorgefaßten Meinung, bestimmt und sieht an der Wahrheit des Geschehens vorbei. Kien selbst ist auch hier das Opfer, ist das »lange Nichts« (265), das, halb bewußtlos, alles mit sich geschehen läßt, erst am Ende zu sich kommt und seine Identität beteuert, ohne daß ihm freilich jemand glaubt.

Bei Therese ist es die Besessenheit von der »vollen Summe« auf Kiens Bankbuch, die sie ganz erhalten möchte, bei Benedikt Pfaff die mit der polizeilichen Untersuchung assoziierte Schuld am Tod seiner Frau und seiner Tochter, die er, ein brutaler Patriarch, versklavte und zu Tode prügelte. Das »Der gute Vater« ironisch überschriebene Kapitel weitet später das Porträt des Hausbesorgers zu dem eines exemplarischen Spießers aus, erschreckender und zugleich treffender als das, das Heinrich Mann in Professor Unrat oder Broch in seinem Studienrat Zacharias in den »Schuldlosen« als satirisches Spießer-Bild gezeichnet haben.

Kien wiederum ist nach seinem Erwachen von der »fixen Idee« beherrscht, die ihm der Hausbesorger, der inzwischen bei Therese die Rolle des Ehemanns spielt, eintrichterte, daß nämlich Therese tot sei. Folgerichtig will Kien nun der Polizei beweisen, daß Thereses Erscheinung nur eine Halluzination sei. Der Polizeikommandant auf der andern Seite hängt ununterbrochen seinen von Machtverlangen und Schwächegefühl gezeichneten Gedanken nach – »Für solche Fälle müßte es die Folter geben. Im Mittelalter war das Leben der Polizei schöner...« (267) –, in denen leitmotivisch seine dominierende Wahnvorstellung immer wieder auftaucht: »Heftig griff er sich an die sehr kleine Nase, seinen großen Kummer.« (275) Das wird zu immer neuen grotesken Effekten gesteigert. Als der Kommandant den vermeintlichen Übeltäter Kien in einer von autoritärer Dummheit erfüllten Rede überführt zu haben glaubt, vermag ihn nicht einmal die Konfrontation mit Kiens Ausweis von dessen Identität zu überzeugen. Er ist von seinem Erfolg durchdrungen: »Seit er den Verbrecher überführt hat, haßt er ihn weniger... Der Erfolg hat sein Leben verschoben. Er trägt eine normale Nase.« (280)

Die gleiche von einer Wahnidee bedingte Beschränktheit zeigt sich bei den anderen Polizisten, etwa dem »Wachmann, der für sein gutes Gedächtnis bekannt« (286) ist, der in der Jagd nach Fakten die Zusammenhänge verliert, oder dem Beamten, der aus Stolz über die guten Schulaufsätze seines Sohnes fortwährend papierene Phrasen drischt, die in keinerlei Zusammenhang mit dem Geschehen stehen, der so etwa auf einen Einwand der giftenden Therese, deren Sprachschatz, wie Kien meint, nur »aus fünfzig Worten« besteht, äußert: »Die Frau ist von Natur zum schwächeren Geschlecht bestimmt.« (286) Kein Wunder, daß schließlich der brutal brüllende Benedikt Pfaff das Verhör entscheidet, indem er Therese beschimpft und Kien als seinen unschuldigen Zögling mit nach Haus nimmt: »Sein Brüllen drang in jedermanns Hirn. Selbst der Vater verstand ihn. Es war seine Sprache, bei aller Bewunderung für den aufsätzigen Sohn. Auch im Kommandanten erwachte ein Rest von Interesse. Er gab jetzt zu, daß der Rote von der Polizei herstamme. So laut und unverschämt trat ein gewöhnlicher Mensch hier nicht auf.« (287)

Die Absicht der Wahrheitserkundung wird in dieser Szene ins groteske Gegenteil verkehrt. Es sind sinnlose, aneinander vorbeigeredete Monologe. Die Gegenrede ist nicht logische Erwiderung, sondern ist gleichsam nur der von einem Reizwort ausgelöste monologische Reflex, hinter dem die Wahnvorstellung der jeweiligen Person als richtunggebender Impuls sichtbar wird.

Die hier in der Verhörszene angelegte Sprachsatire tritt ebenso im Detail hervor, im einzelnen entlarvenden Satz. Solche punktuelle Sprachsatire liegt etwa in dem Satz vor, der die Haltung der

Menge charakterisiert, die Fischerle als vermeintlichen Mörder lynchen will: »Der Weg zum Höllenzwerg war mit guten Mitmenschen gepflastert.« (290) Oder wenn es nach den ein Resultat des Verhörs vortäuschenden Phrasen der Polizisten – »Die Sonne bringt es an den Tag…« (288) und »Jeder ist seines Glückes Schmied…« (289) – über die Bemerkung eines Polizisten zur Ehe von Kien und Therese – »Man soll nur bessere Menschen heiraten!« – heißt: »Er nimmt nur eine Frau mit Geld, drum hat er noch keine.« (289) Das sind mit dem Seziermesser aufgestochene Sprachbeulen, die die Person des Sprechenden erledigen. Besonders diese punktuelle Sprachsatire weist auf das Beispiel von Karl Kraus, wie ja überhaupt die Verwendung des Kalauers in diesem Zusammenhang auf Kraus zurückgeht.

Eine völlig andere sprachliche Qualität verwirklicht Canetti dort, wo er die satirische Absicht verläßt und sich gleichsam mit der Perspektive einer Einzelfigur identifiziert. Die Wirklichkeit erscheint im Zerrspiegel des Bewußtseins einer bestimmten Person. Etwa wenn Fischerle in Vorbereitung seiner erträumten Amerikareise Englisch lernt und die Wirklichkeit nun ständig durch diesen Sprachfilter in sein Bewußtsein dringt und deformiert wird: »Es war nine o'clock, die große Uhr vor dem Bahnhof ging Englisch.« (322) Oder jene lange Rede Peter Kiens am Ende des Romans, wenn er vor seinem Bruder seinen Haß auf Therese zu einer von vielen geistes- und philosophiegeschichtlichen Reminiszenzen gespickten Anklage auf den Unwert der Frau abstrahiert – »Die wirklich großen Denker sind vom Unwert der Frau überzeugt…« (385) – und wenn durch diese von Bildung vollgesogene Suada immer wieder unbewußt die abgrundtiefe Angst vor Therese durchbricht, und zwar in der Verwendung des Wortes Blau, hinter dem der personifizierte Schrecken, der blaue Rock Thereses, erscheint. So wird plötzlich in einem Exkurs über Buddha von der »blauen Krankheit« (387) gesprochen, da heißt es: »Ich werde dir das Blaue vom Himmel herunterholen…« oder »…Wahrheiten, bis es dir blau vor Augen wird, nicht schwarz, blau, blau, blau, denn blau ist die Farbe der Treue« (389). Der sprichwörtliche Gebrauch des Wortes, durch den Kien seine Besessenheit von dem Wort noch rational zu rechtfertigen versucht, bezeugt gerade das Gegenteil: Dieser wortreiche Bildungsaufwand entzieht sich seiner Kontrolle, gerät in den Sog seiner panischen Angst vor Therese, zeigt seine Intellektualität im Kampf mit dieser Angst und im Prozeß des Unterliegens.

Das verrät sich im immer häufigeren Auftauchen dieser Wortinseln in seiner Bildungssuada, die seine ansteigende Angst signalisieren. So versucht Kien etwa, bei der Vorstellung des Himmels die gehaßte Farbe Blau zu eliminieren. So heißt es, auch jetzt noch in seiner Fachsprache verkleidet: »Leichtsinnige Philologen entlarven sich als Monstren, die man, in blaue Gewänder gehüllt, auf Plätzen dem öffentlichen Spotte preisgeben sollte. Blau als die lächerlichste Farbe, die Farbe der Kritiklosen, Vertrauensseligen und Gläubigen.« (406) Und dann kurz vor dem Ausbruch des Feuers, als sich die Angst zu einer erneuten Halluzination der Figur Thereses steigert: »Die Leiche versuchte zu reden. Er hörte sie nicht an. Immer sagte sie bitte. Er verstopfte sich die Ohren. Sie klopfte auf den blauen Rock.« (411)

Ähnlich leitmotivisch werden die Wörter »Blut« und »Feuer«[23] variiert. Auch hier sind es sprachliche Symptome des auseinanderbrechenden intellektuell gesteuerten Bewußtseins. Es entsteht ein verbaler Sog, in dem Kiens Bewußtsein sich in der Angst zersetzt, zu letzter Konsequenz gesteigert in jenem apokalyptischen Feuer, das Kien mit seinen Büchern vernichtet, das ihn in der Zerstörung mit seinen Büchern auf immer vereint. Für Kien ist es sozusagen die Erlösung. Die Reaktion seines Lachens – es ist das einzige Mal im Roman, daß er lacht – hat Canetti bewußt an das Ende des Romans gesetzt: »Als ihn die Flammen endlich erreichen, lacht er so laut, wie er in seinem ganzen Leben nie gelacht hat.« (414) Von außen betrachtet, ist es das Lachen des Irrsinns, aber für Kien selbst endliche Erfüllung, Ausdruck einer wahnwitzigen Freude.

4. Wird Kiens Schicksal damit, wie man gemeint hat, zu einer mächtigen Metapher für den Untergang des zivilisierten Europa?[24] Zur dichterischen Analyse eines Rückfalls der Kultur in Atavismus und Zerstörung, der im Deutschland der dreißiger Jahre politische Wirklichkeit wurde? Mit solchen Verallgemeinerungen wird man vorsichtig sein müssen, wie auch Bieneks Charakteristik des Romans als Metapher »für die Bedrohung durch die Masse in uns selbst« (32) leicht mißverständlich ist. Bemerkenswert ist, daß Broch zum Beispiel in seiner erwähnten Einführung Canettis das Phänomen der Masse in der »Blendung« ganz anders, ja positiv gesehen hat. Er spricht von Canettis »Glauben an die überindividuelle Masse und an das Massenbewußtsein... Denn Canettis nahezu haßerfüllte Bevorzugung der

grotesken und abseitigen Menschengestalt entspringt der Überzeugung, daß das Individuelle von vornherein bloß Verzerrung sein kann, daß das Ewige erst in der Gemeinschaft der Individuen ruht, und daß die Aufspaltung der großen Einheit in Individuen immer nur das im wahren Sinne Abnormale ergeben muß... er will das Individuum zu jenem letzten Nichts reduzieren, von dem aus erst wieder die Umkehr möglich wird. Und diese Umkehr ist die Rückkehr ins Überindividuelle, ist die Gnade des Meers, in das der Tropfen zurückfällt.« (120/1)

Für Broch wird also Kiens Schicksal in der »Blendung« nicht zur Allegorie für den Intellektuellen, der dem Einbruch der Masse, verkörpert im Spießer Benedikt Pfaff, in der Primitivität Thereses und im Krüppel Fischerle, erliegt. Masse ist also dann auch nicht eindeutig negativ definiert wie in jener Szene des Romans, als die von Gerüchten aufgehetzte Menschenmenge Fischerles Freundin, die verkrüppelte Zeitungsverkäuferin, hysterisch lyncht. Das könnte man hier sozusagen als Zusammenfassung dessen ansehen, was Kien in verlangsamter Tortur allmählich selbst widerfährt.

Dieser im Schicksal des Sinologen verdeutlichten apokalyptischen Seite des Romans steht eine andere, eine utopische gegenüber, wie im Hinweis auf den Gorilla-Verwandelten und vor allem auf die Rolle Georges Kiens, des Psychiaters, bemerkt wurde, für den jenes Erlebnis zum Beginn eines »neuen Lebens« wird. Für Georges ist diese Wende mit dem Erlebnis von »Masse« verbunden, die keineswegs negativ definiert wird: »Auf *eine* Entdeckung tat sich Georges etwas zugute, auf eben diese: die Wirksamkeit der Masse in der Geschichte und im Leben des einzelnen; ihr Einfluß auf bestimmte Veränderungen des Geistes. Bei seinen Kranken war es ihm geglückt, sie nachzuweisen. Zahllose Menschen werden verrückt, weil die Masse in ihnen besonders stark ist und keine Befriedigung findet.« (365) Ist hier nicht die Analogie zur Psychoanalyse und ihrer Entdeckung des Unbewußten, dessen Verdrängungsmotorik zur neurotischen Erkrankung führt, geradezu impliziert? Masse wird für Georges zur »eigentlichsten Triebkraft der Geschichte«: »Sie brodelt, ein ungeheures, wildes, saftstrotzendes und heißes Tier in uns allen... Sie ist trotz ihres Alters das jüngste Tier, das wesentliche Geschöpf der Erde, ihr Ziel und ihre Zukunft.« (365)

So wie die Bildung »ein Festungsgürtel des Individuums gegen die Masse in uns selbst ist« und die »Ertötung der Masse in uns«

(365) immer weiter vorantreibt, erscheint die Voraussetzung für Kiens Untergang eben in dieser totalen Verleugnung der »Masse«, in seiner alles andere verneinenden Intellektualität. Verstand wird bei ihm zum Besitz veräußerlicht, zur vom Menschen losgelösten intellektuellen Funktion: »Wir sitzen auf unserem Verstand wie Habgeier auf ihrem Geld. Der Verstand, wie wir ihn verstehen, ist ein Mißverständnis.« (360) Es geht Georges Kien darum, den Verstand wieder zu jenen unterschwelligen Schichten des Menschen in Beziehung zu setzen, die zu seiner Existenz gehören, die auf rationale Plausibilität eingeschränkte, sterile Intellektualität zu überwinden: »Wir brauchen Visionen, Offenbarungen, Stimmen – blitzartige Nähen von Dingen und Menschen...« (360) Das deutet auf eine Erkenntnisform, die ebenso aus dem Geist wie aus dem, was er »Masse« nennt, erwächst.

Der Bruder Georges', der Sinologe Peter Kien, repräsentiert also auf diesem Hintergrund eine Verirrung des Geistes, da er die »Masse«, seine physische Existenz, das stammesgeschichtliche Gedächtnis seiner Gattung, seine soziale Verwurzelung in der Gemeinschaft der andern in sich völlig abgetötet hat und dann folgerichtig dem Ausbruch dieser zurückgestauten Masse, also sich selbst, psychologisch: seiner Angst, erliegt. Die Irren in der Anstalt sind für Georg eben deshalb so wichtig, weil die in ihnen zum Durchbruch gelangte Masse sie der Existenzform Peter Kiens überlegen macht. Georges Kien, der in der ersten Hälfte seines Lebens ein »Verwaltungsbeamter für Irre« (360) war, erkennt nun in den Irren eine zwar verzerrte, aber den gewöhnlichen Menschen weitgehend verlorengegangene Existenzform.

Es kann kein Zweifel bestehen, daß hinter dieser zentralen Erfahrung Georges Kiens Canettis eigene Erfahrung erscheint. In seiner Rede zur Verleihung des Großen Österreichischen Staatspreises[25] im Januar 1968 hat er diesen Moment blitzartiger Erkenntnis rekapituliert. Er wohnte von 1927 bis 1933 in Wien-Hacking, in der Nähe des Sportplatzes Rapid in Hütteldorf und gleichfalls in Sichtweite der Irrenanstalt Steinhof. Der vom Fußballfeld zu ihm herüberwogende Schrei der Masse und der Anblick der Irren sind für ihn von nie nachlassender Anziehungskraft gewesen, gehören mit zum Erlebniskeim der »Blendung«: »... mich faszinierte nicht weniger als der Schrei der Masse... die Stadt der Irren...« (66)

Mir scheint, daß dieses für Canetti so zentrale Thema sich einer spezifischen geistesgeschichtlichen Topographie zu Anfang des Jahrhunderts einordnet, die auch für seine großen Zeitgenossen, Broch und Musil, gilt. Canettis satirische Entlarvung des sich zur bloßen rationalen Funktion veräußerlichenden Geistes ist nur auf dem Hintergrund des Positivismus zu verstehen, der das philosophische Denken jener Zeit lähmte und der, vom naturwissenschaftlichen Einfluß vergewaltigt, in der Ausschaltung aller metaphysischen Fragestellungen, in der einseitigen Konzentration auf beweisbare rationale Plausibilität, auf Empirie sein Ziel sah. Wie von Broch und Musil wird hier auch von Canetti nicht einem flachen Irrationalismus das Wort geredet. So wie Broch in seiner Rationales und Irrationales verbindenden Gesamterkenntnis und Musils Synthese von ratioidem und nichtratioidem Verstehen auf die eine unaufgespaltene, einheitliche Wirklichkeit gerichtet sind, die es zu erkennen gilt, zielt auch Canetti auf die aus Geist und »Masse« gleichermaßen erwachsende umfassende Erkenntnis. Hier öffnet sich ein Feld, das bereits in Canettis große Abhandlung »Masse und Macht« hineinreicht und hier nicht abgeschritten werden kann.

Sichtbar ist geworden, wie sich bis zu diesem thematischen Zentrum hin Canettis Distanz und Schärfe der Sprache, sein in Gegenwart und Vergangenheit mit gleicher Berechtigung wurzelnder Geist in einer spezifischen sprachlichen Situation seine tragende Basis hat. Das mag auch erklären, warum Canetti trotz seiner Vertreibung aus Österreich, trotz seines – wörtlich genommen – bis in die Gegenwart andauernden Exils nie eigentlich die Beschränkung und geistige Atemnot dieses Zustands in dem Maße empfunden hat wie viele andere, die in ähnlicher Lage waren. Das Exil lag als Schicksal bereits in seinem sprachlichen Erbe beschlossen.

Diese spezifische Situation mag vielleicht auch die Formel für das hergeben, was sich als Besonderheit seiner dichterischen Existenz bezeichnen läßt und was Canetti selbst so formuliert hat: »Vielleicht bin ich die einzige literarische Person, in der die Sprachen der beiden großen Vertreibungen so eng beieinanderliegen. Eine so kuriose Konstellation soll man nicht stören. Es ist klüger und vielleicht ergiebiger, sie sich auswirken zu lassen. Manchmal komme ich mir vor wie ein spanischer Dichter in deutscher Sprache. Wenn ich die alten Spanier, etwa die Celestina oder die Sueños von Quevedo lese, glaube ich, ich spreche aus ihnen. Niemand weiß, wer er wirklich ist. Es gibt mir Kraft, dieses Wenige zu wissen.«[26]

Canetti zeigt in seinem Roman die geistige Topographie seiner Epoche mit aller Schärfe an. Das in eine sinnlos gewordene, deformierte Wirklichkeit entlassene Individuum vermag auf der einen Seite keinerlei Entsprechung mehr zu der abstrakten Idealität seiner Wünsche und Hoffnungen in der Realität zu erkennen und beschließt, in groteskem Mißverständnis, sich selbst absolutzusetzen und gleichsam aus Worten eine eigene Wirklichkeit, verbildlicht in Kiens Bibliothek, für sich zu erzeugen. In den »Aufzeichnungen 1942-1948« hat Canetti das, nicht von ungefähr mit dem Blick auf »Don Quixote«, Lukács' zentrales Beispiel für den Roman des abstrakten Idealismus, einmal so angedeutet: »Der wahre Don Quichotte, ein unübertrefflicher Narr, wäre einer, der durch Worte, durch *bloße* Worte den Kampf... führt.« (139) Kien verhält sich genau so, er erblindet für die noch vorhandene, von ihm einfach ignorierte Realität. Die Unvereinbarkeit von Ich und Welt hat sich zur Katastrophe verschärft, im Untergang Kiens in seiner brennenden Bibliothek nachdrücklich akzentuiert.

Auf der andern Seite lebt in dem Roman die Sehnsucht nach einer neuen Integration von Ich und Welt, nach einem Durchbruch durch die konventionellen Formationen, die die Gesellschaft für das Leben und die Psychologie für das Bewußtsein des einzelnen bereithalten, nach der Entdeckung eines urtümlichen Ichs, das sich in der Wirklichkeit neu sieht und damit auch die Wirklichkeit neu versteht. Daß es Canetti gelingt, beide Pole in der Gestaltung seines Romans sichtbar zu machen und das eine in einer notwendigen Zuordnung zum andern zu zeigen, unterstreicht den künstlerischen Rang seines Romans.

Anmerkungen

1 Der Roman wird im folgenden nach der leicht zugänglichen Ausgabe in der Fischer Bücherei, Frankfurt/M 1965 zitiert.

2 Vgl. zu den biographischen Details im einzelnen die Arbeit von A.-M. Bischoff: »Elias Canetti. Stationen zum Werk«, Bern–Frankfurt/M 1973.

3 Zitiert nach dem Gespräch mit Rudolf Hartung (= Hartung), 30, in: »Selbstanzeige. Schriftsteller im Gespräch«, hrsg. v. W. Koch, Frankfurt/M 1971, 27-38.

4 Zitiert nach Hartung, 28.
5 »Einleitung«, 8, zu der von Fried herausgegebenen Auswahl Canettis »Welt im Kopf« (= Fried), Wien 1962, 5-22.
6 Zitiert nach Hartung, 28.
7 Zitiert nach Horst Bienek: »Borges, Bulatović, Canetti. Drei Gespräche« (= Bienek), München 1965, 39.
7a Vgl. dazu die Studie des Verf. »Flake und Döblin. Ein Kapitel in der Geschichte des polyhistorischen Romans«, in: »Germanisch-Romanische Monatsschrift« XX/3 (1970), 286-305.
8 Vgl. dazu auch den Hinweis von Manfred Moser: »Indem sich der Erzähler kommentarlos im Hintergrund hält und Reales wie Irreales in gleicher Weise konkret auffaßt, macht er die Welt durchlässig für die Phantasmen und Schreckgespenster der wahnhaften Erfahrung.« (»Zu Canettis ›Blendung‹«, 599, in: »Literatur und Kritik« 50 [1970], 591-609.)
9 Zitiert nach Hartung, 33.
10 Jetzt abgedruckt in dem Band »Canetti lesen. Erfahrungen mit seinen Büchern«, hrsg. v. H. G. Göpfert, München 1975, 119-121.
11 Zitiert nach Bienek, 31.
12 In: »Prosa I« (»Gesammelte Werke 4«), Neuwied 1964, 141-159.
13 Vgl. u. a. »Aufzeichnungen 1942-1948«, München 1965, 29.
14 Zitiert nach Bienek, 35.
15 München 1968.
16 M. Reich-Ranicki: »Dies Marrakesch ist überall«, in: »Die Zeit« Nr. 45 (12. 4. 68), 11.
17 Inwieweit Canettis satirische Intention unter die Kategorie des Grotesken zu subsumieren ist, wie Mechthild Curtius in ihrer Dissertation »Kritik der Verdinglichung in Canettis Roman ›Die Blendung‹« (Bonn 1973) zu belegen versucht, ist sehr die Frage.
18 In: »Wort in der Zeit« H. 1 (1966), 41-48, wiederveröffentlicht unter dem Titel: »Karl Kraus, Schule des Widerstands«, in: E. C., »Macht und Überleben. Drei Essays«, Berlin 1972, 25-37; danach wird im folgenden zitiert.
19 In der Nr. v. 19. 4. 1937; zitiert hier nach dem vollständigen Wiederabdruck in der Arbeit von Bischoff, 35-36.
20 Zitiert nach Hartung, 31.
21 Vgl. u. a. Adornos Hinweis auf die Nähe von Canettis Dramenerstling »Hochzeit« zum absurden Theater, in: »Zeugnissammlung Staatstheater Braunschweig«, Braunschweig 1965, 1.
22 »Karl Kraus, Schule des Widerstands«, 32.
23 Vgl. dazu auch die Ausführungen bei D. Dissinger: »Der Roman ›Die Blendung‹«, in: »Text und Kritik« 28 (1970), 30-38.
24 Zur frühen Rezeption des Buches vgl. die Materialsammlung von D. Dissinger: »Erster Versuch einer Rezeptionsgeschichte Canettis am Beispiel seiner Werke ›Die Blendung‹ und ›Masse und Macht‹«, in:

»Canetti lesen«, 90-105.

25 Die Rede trägt den Titel »Unsichtbarer Kristall«, in: »Literatur und Kritik« 22 (1968), 65-67.

26 Zitiert nach Bienek, 41.

IV.A. Ich tendiere nur zu dem scheinbar Unpolitischen. Gespräch mit Heinrich Böll

1. Zur Funktion des Erzählers

D.: Herr Böll, lassen Sie mich mit einer Frage nach dem fiktiven Erzähler in Ihren beiden letzten Prosaarbeiten beginnen. Wenn ich recht sehe, dann ist zwar auch in Ihren vorangegangenen Arbeiten ein Erzähler vorhanden, aber sehr viel stärker im konventionellen Sinne, d. h. einmal als ein bestimmter Erzählgestus, der darin zum Ausdruck kommt, daß zwar objektiv erzählt wird, d. h. in der dritten Person, aber zugleich aus der Perspektive einer bestimmten Figur. Das wird besonders deutlich da, wo der Innere Monolog zum Erzählvehikel wird wie in »Billard um halb zehn«. Ganz deutlich ist auch dort die formale Identifikation des Erzählers mit einer Figur, wo der Ich-Erzähler im Vordergrund steht wie etwa im »Brot der frühen Jahre«.

B.: Eben nicht. Ich glaube, das ist ein großer Irrtum. Machen wir erst einmal ein paar grundsätzliche Vorbemerkungen. Gerade nach meiner Erfahrung – aber die können Sie bestreiten und widerlegen, das ist sogar Ihre legitime Aufgabe – ist der Ich-Erzähler, wenn die Ich-Form gewählt wird, auch nach meiner bewußten Annäherung an den Stoff, die objektivere Form. Indem Sie ein Ich wählen, irgendeines – das ist ja verschieden, »Brot der frühen Jahre«, »Ansichten eines Clowns« und in vielen Kurzgeschichten – schaffen Sie eigentlich eine Identifikationstäuschung, die ich für legitim halte bei einem Erzähler, und gerade das ermöglicht es einem, die Gefahr des Selbsteintritts zu vermeiden. Dieses Ich ist ja künstlich, und ich finde sogar autobiographische Prosa, die die Ich-Form wählt, künstlich. Aber da müßte man lange über stilistische Probleme reden, Probleme, die es mir unglaublich schwer machen, je tatsächlich autobiographisch zu schreiben.

D.: Vielleicht habe ich mich vorhin ungenau ausgedrückt. Ich meinte folgendes, nun am Beispiel von »Wo warst Du, Adam?« gesprochen: da ist ein identifizierbarer Erzähler im Roman, im Prosastück selbst nicht vorhanden, aber andererseits ist es doch so, daß der Erzählgestus sehr stark von der Perspektive von Feinhals bestimmt wird. Und was ich nun meine, ist, daß diese Annäherung zwischen der Perspektive einer bestimmten Figur im Roman und dem Erzähler noch stärker wird, wenn ein Ich-Erzähler tatsächlich auftritt. Das bedeutet nicht, daß ich den realen Erzähler Böll damit faktisch identifiziere –

B.: Sie meinen den Verfasser, den Autor?

D.: Ja, gemeint ist: bestimmte Wendungen, bestimmte Bilder werden alle funktional bezogen auf den Horizont dieses Erzählers und damit zugleich auch relativiert, d. h. sie müssen immer innerhalb der Bedingungen dieser bestimmten Figur verstanden werden und nicht als vom realen Autor formulierte Äußerungen.

B.: Gut.

D.: Nun ist es doch so, daß sich da offenbar in Ihren beiden letzten Büchern eine Wendung vollzogen hat, da Sie nun einen Erzähler im Roman eingeführt haben, der nicht Ich-Erzähler ist, sondern der auf andere Weise die Rolle eines Erzählers übernimmt, so der »Verf.« in »Gruppenbild mit Dame« und der sehr schwer zu definierende Erzähler in der »Katharina Blum«. Ein Erzähler, der recherchiert, den Erzählprozeß voranbringt, der im Erzählzusammenhang selbst auftritt, aber nicht der traditionelle Ich-Erzähler ist.

B.: Das wären drei Möglichkeiten: In »Wo warst Du, Adam?«, dann »Billard um halb zehn«, das versteckte Ich und das ausdrückliche Ich. Und jetzt dieses: der Verf.

D.: Warum diese Änderung in der Funktion des Erzählers, warum wird er hineingenommen in den Erzählprozeß, aber gleichzeitig in den konkreten sinnlichen Umrissen der Person relativ vage und schwer identifizierbar gelassen?

B.: Ich weiß das nicht, das müssen Sie herausfinden. Einer Ihrer Kollegen hat sozusagen mich als Person, nicht als Autor, auf eine sehr geschickte Weise im »Gruppenbild« identifiziert. Das sind im Grunde alles Listen, und zwar nicht bewußt angewandte Listen, die sich wieder ändern. Ich werde wahrscheinlich ein nächstes Buch wieder in Ich-Form schreiben, möglicherweise.

D.: Ich habe begonnen bei »Gruppenbild mit Dame«, aber in Ihrer jüngsten Arbeit hat sich, so scheint mir, diese Rolle des Erzählers noch zusätzlich problematisiert, weil er noch viel schemenhafter geworden ist.

B.: Ja.

D.: Der »Verf.« ist ja mit der Handlung im »Gruppenbild« zumindest zum Teil konkret verknüpft, durch die Liebesbeziehung, die zwischen ihm und Klementina besteht.

B.: Auch durch seine Aktionen.

D.: Ja, aber sein sozialer Ort, seine berufliche Position, sein soziologisches Hinterland bleiben völlig unbestimmt. Was ist er real und warum diese mühselige Odyssee des Zusammentragens von Informationen? Was ist seine Intention, die dahinter steht? In Ihrer jüngsten Arbeit sind die konkreten Umrisse des Erzählers völlig verwischt. Das verrät sich zum Teil ja auch in gewissen Formulierungen. Wenn von ihm gesprochen wird, dann heißt es etwa: »Man mag es gleichgültig finden«, »Man sollte hier nicht vergessen«, »verdankt man«, »sollte man erfahren« usw.

B.: Ja, das ist richtig.

D.: Ist die grammatische Funktion des »man« nicht eigentlich ein Klischee, das nur etwas verdeckt, eine Leerformel?

B.: Die verdeckt sehr viel.

D.: Aber warum? Arbeitet das nicht im Grunde gegen die Intention der »Katharina Blum«? Es scheint doch so, daß dieses Buch geschrieben wurde als Gegen-Bericht zu den manipulierten und verfälschenden Zeitungsberichten. Es geht also um objektive Wahrheitsfindung, und diese objektive Wahrheitsfindung wird vorgetragen aus der Perspektive einer bestimmten Person, eines im Erzähltext agierenden Erzählers. Aber die Person dieses Erzählers ist nur schwer zu bestimmen. Wird damit nicht eigentlich die Intention der Wahrheitserfassung von Ihnen selbst relativiert, gegen Ihre eigentliche Absicht möglicherweise?

B.: Das glaube ich gar nicht, im Gegenteil: Ich habe das gar nicht so bewußt gemacht –: daß die Intention des Pamphlets, das dieses Buch auch darstellt (es ist ja eine pamphletistische Erzählung, wenn Sie so wollen) gerade dadurch verstärkt wird, dadurch, daß dieser unauffindbare und nicht identifizierbare Berichterstatter sich nicht finden läßt. Ich fühle mich nicht verpflichtet, irgendeine klare Erzählerfunktion sichtbar zu machen. Manches ist eben auch reine Spielerei, möglicherweise mißglückt, aber auch Spielerei.

2. Die Parteilichkeit des Erzählers

D.: Um das noch etwas zu verdeutlichen: Wenn Sie also einen Ich-Erzähler haben oder Sie wählen die Form des Inneren Monologs und bestimmte Äußerungen fallen, dann können diese Äußerungen jemandem zugeordnet werden. Sie erhalten einen bestimmten fingierten Realitätsgehalt durch diese Funktion und können vom Leser nachvollzogen werden. Aber wenn nun folgendes eintritt: in Ihrer jüngsten Arbeit wird ausführlich aus dem Lebenslauf der Katharina und am Ende aus dem Tatbericht zitiert, den sie Blorna gibt, es fallen Formulierungen wie – über Götten – »der liebe Ludwig«, eine Formulierung, die sich aus Katharinas subjektiver Erfahrung ableiten läßt, die ja in der Erzählung dargestellt wird. Wenn nun aber der recherchierende und schemenhaft bleibende Erzähler plötzlich die Formulierung »der liebe Ludwig« – das geschieht ja – gebraucht, dann wird doch eine subjektive Wertung dieses Erzählers in die Formulierung hineinprojiziert, wobei jedoch diese subjektive Wertung nicht mehr nachvollziehbar ist, sie wird zu einem Postulat des Erzählers an den Leser. Der Leser kann sie von dem Material her, das diesen Erzähler in Ihrem Kurzroman versinnlicht, nicht mehr nachvollziehen.

B.: Ich weiß nicht, wer dieser Leser ist. Und ich kann Ihnen darüber keine Auskunft geben. Ich fühle mich auch nicht in einer bestimmten Richtung festgelegt, auf keine der drei Möglichkeiten. Diese letzte Erzählung ist eine Art – stilistisch gesehen – Komposition, die ganz klar anknüpft an die »Gruppenbild«-Technik, der Berichterstatter wird noch vager, dem ich erlauben muß zu zitieren, was Sie eben zitiert haben.

D.: Darf ich das Problem, das ich sehe, noch etwas verdeutlichen am Beispiel von »Ende einer Dienstfahrt«. Denn es ist doch auch in der grundsätzlichen Anlage der »Katharina Blum« so, daß Parallelen, Analogien vorhanden sind.

B.: Daran habe ich noch nicht gedacht.

D.: Wir haben die analytische Fabel: den Zeitungsbericht, der am Anfang steht und der schrittweise widerlegt wird vom Erzähler, der nun die ganzen Hintergründe beleuchtet und fragwürdig werden läßt, was als offizieller Bericht in der Zeitung stand. Ganz parallel beginnt ja Ihre jüngste Arbeit.

B.: Ja, das ist richtig, daran habe ich noch nicht gedacht.

D.: Der Bericht über den Mord an Tötges – und nun wird also im Rückblick die Geschichte aufgerollt und dargestellt, wie es sich wirklich verhalten hat. Nur scheint mir stilistisch ein großer Unterschied vorhanden zu sein zu »Ende einer Dienstfahrt«. Dort werden die Dinge ironisch ausbalanciert von einem Erzähler, der selbst nicht Position bezieht als Individuum im Erzählzusammenhang. Wir haben so etwas wie einen »objektiven Erzähler«. Aber »objektiv« ist hier einzuschränken, es ist hier nur ein formaler Begriff, da Satire einsetzt, die im Erzählten konkretisiert wird, ohne das persönliche Engagement eines in der Erzählung agierenden Verf. vorauszusetzen. Mir scheint, daß das in der Wirkung über-

zeugender ist als in Ihrer jüngsten Arbeit, wo plötzlich Subjektivität in den Erzählzusammenhang projiziert wird, wobei man sich fragt: Wird die Voraussetzung zu dieser Subjektivität mitgeteilt? Man könnte nämlich sagen, daß die unterschwellige Voraussetzung sonst eine gewisse Voreingenommenheit des Erzählers ist, eine gewisse Sympathiebezeugung für bestimmte Figuren und Antipathie für andere.

B.: Das trifft auf »Ende einer Dienstfahrt« in viel höherem Maße zu.

D.: Aber es wird vermittelt im Erzählzusammenhang, es wird dadurch nachvollziehbar.

B.: Für wen?

D.: Für den Leser!

B.: Wer ist der Leser?

D.: Zum Beispiel ich. Ich spreche ganz konkret von meiner Leseerfahrung.

3. Exkurs über den Leser

B.: Wenn ich ein Buch lese, versuche ich immer, ein Leser zu sein, wie Sie es auch sind in dem Fall. Aber ich glaube, daß wir beide als Leser künstliche Leserpositionen haben, weil ich selber schreibe und da Sie schreiben, haben wir natürlich einen ganz anderen Annäherungsstandpunkt als irgendein Leser, der einfach ein Buch lesen will, möglicherweise durch andere angeregt oder gereizt. Das weiß ich nicht. Ich glaube, daß wir beide vorsichtig über den Leser sprechen müssen, nicht in dem Sinne von Anbiederung, sondern weil wir ihn nicht kennen. Sie kennen ihn nicht, ich kenne ihn nicht. Verstehen Sie, das muß vorausgesetzt sein. Wir können uns als sogenannte Fachleute natürlich über viele Probleme unterhalten, aber wenn der Begriff Leser auftaucht, dann werde ich mißtrauisch bei einem Kollegen, bei einem Germanisten. Wir lesen anders. Ich versuche oft, irgendein Buch, das mir einfach gefällt, zu lesen und denke: Mein Gott, jetzt vergißt Du einfach diesen ganzen, sagen wir, intellektuellen Approach, den Du als Schriftsteller und als einer, der weiß, wie man's macht, hast; es gelingt mir fast nie. Das ist jetzt nur eine Meditation über den Leser. Sie können als Germanist argumentieren, aber als Leser nicht, das streite ich Ihnen ab. Ich halte das für eine sehr wichtige Einschränkung, weil man wirklich den Leser nicht kennt, selbst bei einem Buch nicht, das nur 200 Leser hat. Ich rede jetzt aus meiner Erfahrung als junger Mensch, der einfach nur lesen wollte, der sich interessierte für Chesterton und Bernanos, für Dostojewski und Dante, sehr, sehr unterschiedliche Geister – diesen Leser von damals wiederzufinden, gelingt mir nicht. Deshalb ist es für mich auch ganz unmöglich und immer nur mit Einschränkungen möglich zu sagen, von wem ich beeinflußt worden bin, weil ich das nicht rekonstruieren kann. Das hat gar nichts mit der Bekanntheit eines Autors zu tun. Das ist jetzt Lesen. Der Leser hat eine merkwürdige Qualität, die wir noch nicht kennen. Da wissen wir viel zu wenig drüber. Selbst bei einem Gedichtband, von dem 220 verkauft sind, kann die Wirkung auf den Leser und die Leser stärker sein als bei einem Super-Bestseller. Das ist mein Respekt und auch meine Einschränkung gegenüber dem Ausdruck Leser. Ich frage mich wirklich, ob wir Leser sind in diesem Sinne, ob wir nicht an einen uns bekannten oder auch unbekannten Autor herangehen, nicht mit Vorurteilen, aber mit bestimmten Vorstellungen, mit bestimmten Erwartungen, Vorstellungen von literarischen Entwicklungen, generellen, speziellen. Das ist mir sehr wichtig, daß wir nicht als Leser sprechen.

D.: Da haben Sie sicherlich recht, und ich will in diesem Sinne von meiner ganz subjektiven Leseerfahrung sprechen.

B.: Ihre Annäherung ist durchaus legitim.

D.: Darf ich nochmals auf den Vergleich zwischen »Ende einer Dienstfahrt« und der »Katharina Blum« zurückkommen? Ich wies darauf hin, daß subjektive Wertungen eines Erzählers in Ihre letzte Arbeit hineinkommen, die von mir als individuellem Leser nicht nachvollziehbar sind, weil mir die Gründe nicht klar sind, da ich sie nicht ableiten kann aus einer bestimmten konkret umschriebenen Position dieses Erzählers.

B.: Das ist Ihr spezieller Approach.

4. Die Subjektivität des Erzählers

D.: Ich könnte nun fortfahren: Warum zum Beispiel die mir als Leser von vornherein suggerierte Abwertung von Brettloh. Ich erfahre sonst nicht viel über ihn. Ich sehe ihn nur aus der Perspektive...

B.: Er wird zitiert.

D.: Ich lerne ihn nur aus der Perspektive von Katharina kennen. Der Erzähler, der anonym bleibt, übernimmt diese Perspektive und damit auch die Wertung. Das gleiche gilt, bezogen auf Alois Sträubleder, auch da wird die ganze soziale Vorgeschichte dieses Mannes, die ihn vielleicht negativ macht, ausgelassen.

B.: Es werden aber seine Aktionen dargestellt.

D.: Gewisse Aktionen werden geschildert, aber von vornherein ist die negative Wertung da, er ist eine negative Figur. Ähnlich ist es, als Katharina Tötges zum ersten Mal sieht. Da sagt sie dem Sinn nach: Ich hab sofort gefühlt, daß er ein Schwein ist. Und auf der andern Seite stellen Sie kritisch dar, daß der Dorfpfarrer bei Katharinas Vater sozusagen den Kommunisten gerochen habe. Aber ist das nicht im Grunde intentional etwas sehr Analoges, nur einmal positiv und einmal negativ. Es sind spontane, nicht weiter kontrollierbare Erkenntnisvorgänge, nur daß der Erzähler die Wertung des Dorfpfarrers nicht teilt, während er die auf Tötges bezogene Wertung übernimmt. Die nicht weiter geklärte Subjektivität des Erzählers bleibt die Basis.

B.: Ja, natürlich.

D.: Man kommt an diese Subjektivität nicht heran, sie wird nicht vermittelt im Erzählvorgang, sondern sie wird gleichsam vorausgesetzt. Vielleicht läßt sich das mit einem Hinweis auf Schillers Erzählung »Der Verbrecher aus verlorener Ehre« zusätzlich verdeutlichen, ein Text, der dem Ihren ja wohl nicht ganz fern steht?

B.: Vollkommen irrig.

D.: Ist der Titel Ihrer Arbeit nur eine aus dem Leser-Unterbewußtsein hineingekommene Parallele?

B.: Ich glaube, daß es ganz andere Parallelen gäbe, die werde ich gar nicht nennen, weil das irreführend ist. Aber wenn Sie z. B. »Entfernung von der Truppe« nehmen, die eine sehr subjektive Sache ist, fast autobiographisch – das finde ich peinlicher als die »Katharina Blum«. Ich glaube auch, daß Sie möglicherweise getäuscht werden durch die scheinbare Kritiklosigkeit des Erzählers, so undefiniert er sein mag Katharina gegenüber. Schauen Sie sich dieses Mädchen an! Sie ist eigentlich eine völlig kritiklos dem Wirtschaftswunder, dem materiellen Aufstieg ergebene junge Arbeiterin. Sie hat ja gar keine intellektuelle Dimension ihrem eigenen Leben gegenüber. Ich glaube, es besteht die Gefahr – für mich ist die Sache längst erledigt, ich weiß, wie viele Schwächen sie hat, viele, noch andere – für mich hat das Buch eine ganz andere, eine direkt pamphletistische Bedeutung, und das muß man auch legitim finden. Ich glaube, daß man die Katharina zu sehr in der ikonographischen Kategorie sieht. Sie ist keine Heilige. Ich weiß es nicht, der Erzähler weiß es nicht, Sie erfahren es nicht als Leser, warum sie wirklich sich von ihrem Mann getrennt hat – weil es ihr materiell nicht paßte, weil sie aufsteigen wollte. Sie macht eine vollkommen gesellschaftskonforme Karriere. Sogar noch im Gefängnis spekuliert sie auf ein zukünftiges Leben mit ihrem Ludwig in vollkommen konventionellen Kategorien. Sie rechnet sich aus, wie viel Zinsen ihr Geld einbringt in der Zeit, die sie im Gefängnis ist. Sie will ein Hotel aufmachen, eine Gaststätte. Wenn Sie das voraussetzen, dann können Sie vielleicht diesen wirklich verschwommenen Erzähler besser verstehen. Sie ist keine Heilige, und sie ist erst recht keine Heldin. Sie ist eine vollkommen konventionelle, konforme Person unserer, sagen wir, materialistischen Gesellschaft. Sie ist in dem Sinne auch eine Materialistin. Da ist für mich genug Kritisches drin, in ihr selber. Ich glaube, daß man hier noch zu sehr, indem man das Wort Schiller hat fallen lassen – ich bin kein Schillerianer, ich bin eher ein Kleistianer, ich weiß nicht, mit welchem Annäherungserfolg. Aber ich glaube, daß »Ende einer Dienstfahrt« schon ein bißchen davon hat. Ich stehe nicht in dieser idealistischen Tradition, wenn schon Kleist, dann eher »Michael Kohlhaas«, wobei ja bei Kleist der Kohlhaas durchaus kein reiner Mensch ist, sondern ein schrecklicher. Es mag sein, daß das Wort »verlorene Ehre« bei mir irgendwann einmal hängen geblieben ist, zitiert wird aus der Schillerschen Erzählung. Das ist aber gar nicht das Problem.

D.: Das ist richtig. Bei Schiller wird das Geschehen um Wolf ja völlig objektivierend dargestellt. Die ganze Situation wird abgeleitet aus bestimmten gesellschaftlichen Zusammenhängen. Der Erzähler tritt völlig zurück hinter den Gründen, die er dem Leser zum Verständnis der Situation mitteilt. Da wird eben die subjektive Voreingenommenheit, die Borniertheit der andern Gesellschaftsrepräsentanten widerlegt. Bei Ihnen ist es – wenn man einen solchen Vergleich überhaupt anstellen darf, unabhängig von entstehungsgeschichtlichen Bezügen – nicht so.

B.: Nein.

D.: Im Gegenteil: der Erzähler projiziert seine subjektiven Wertungen in das Erzählte und suggeriert somit mir, dem Leser, diese Wertung zu übernehmen.

B.: Ich setze beim Leser – nennen wir ihn so – genug Sensibilität voraus, sich kritisch dieser Katharina zu nähern. Schauen Sie sich doch an, was sie macht! Sie ist eine ziemlich prüde Person, sie hat fast anankastische Züge. Ihr Einstieg in dieses Verbrechen, das sie begeht, ist fast ausschließlich erotisch bedingt. Sie liebt nun einmal diesen Menschen, zugegeben, auf eine sehr romantische Weise. Aber ich finde sie gar nicht heldenhaft und heilig, wie viele Kritiker sie empfunden haben. Das hat mich überrascht. Und schauen Sie sich den Lebenslauf an, analysieren Sie ihn exakt! Das ist eine reine Karrierefrau, die auf konventionelle Wirtschaftswunderweise ihre Chance erkennt und wahrnimmt, die in ihrem Beruf liegt, sehr intelligent und wachsam einfach auf ihren materiellen Erfolg aus ist. Sie wird – jetzt argumentiere ich psychologisch – in eine solche Sache verstrickt, nicht ganz unschuldig übrigens, sie weiß ja genau, daß der Bruder ein bißchen auf dem Kerbholz hat – das ist für mich der Einstieg, und da ist auch in der so beschriebenen und im Lebenslauf so dargestellten Person die kritische Annäherung an die Katharina die Voraussetzung für das andere. So untadelig ist das Mädchen gar nicht. Das ist mein Einwand gegen die sehr komplizierte und in dem Fall fast unmöglich zu definierende Position des Erzählers, die nicht sehr stark ist, wie ich zugebe. Das hat aus verschiedenen Gründen ziemliche Schwächen, das weiß ich. Aber das ist mir egal, das ist vorbei, das ist aus, das ist ein Übergang, aus dem ich viel gelernt habe.

D.: Im Untertitel des Buches wird eine bestimmte Intention sehr plakativ geäußert: Es geht um die Widerlegung von journalistisch manipulierten Dingen.

B.: Natürlich. Aber es geht nicht nur darum.

D.: Nicht nur.

B.: Es geht um die Möglichkeit der Entstehung von Gewalt, zu erklären an diesem Fall. Und auch –

D.: Also doch um Nachvollziehbarkeit. Es soll ein Exempel vorgeführt werden, das eine repräsentative Geltung hat.

B.: Aber natürlich.

D.: Deshalb muß ich doch als Leser die Möglichkeit zur Übertragung erkennen. Um es übertragen zu können, muß ich doch die wesentlichen Kausalzusammenhänge einsehen können.

B.: Das glaube ich nicht, daß ich dazu verpflichtet bin.

D.: Aber sonst führt es doch beim Leser zu einer Art emotionaler Identifikation oder Abstoßung. Das wäre doch etwas Negatives.

B.: Warum?

D.: Wenn ich am Ende das Gefühl habe, so wie es gemacht wurde, war es richtig, und so müßte man es tun, aber ich kann das nicht artikulieren –

B.: Das sollen Sie gar nicht. Bei einem solchen Stoff und bei ei-

nem wie dort geschilderten Verbrechen wollte ich natürlich auf keinen Fall Identifikationen verursachen, verstehen Sie.

D.: Aber ich meine eben: Ihr Verfahren führt fast zwangsläufig zu diesem Ergebnis, daß subjektive, emotionale Identifikationen zustande kommen.

B.: Nein, ich glaube nicht, daß das eine Gefahr ist. Das Buch hat einige schwache Partien und Gefahren, aber nicht die. Nun, ich bin nicht der Leser des Buches, sondern der, der es geschrieben hat. Aber ich weiß gar nicht, warum Sie Emotionen so sehen? Das sind ja Realitäten.

D.: Ja, Emotionen sind auch Realitäten, aber sie müssen doch, wenn wir von Emotionen im Kontext einer Erzählung sprechen, in einer konkreten Situation verankert sein, einen bestimmten Stellenwert haben, lokalisierbar sein.

B.: Den haben sie. Die Entwicklung dieser jungen Frau wird, so glaube ich, glaubwürdig dargestellt. Über den Erzähler können wir streiten. Aber ihre Entwicklung wird glaubwürdig dargestellt; auch dieses Getriebenwerden in eine bestimmte Ecke, nicht überzeugend – das ist ein großes Wort –, aber glaubwürdig. Und das ist das Entscheidende dabei. Vielleicht war's einfach ein Irrtum von mir, überhaupt einen Erzähler einzubauen, also einen Berichterstatter, aber ich frage Sie: Wie kann man's machen?

D.: Liegt nicht eine gewisse Paradoxie darin, daß man beim »Verf.« des »Gruppenbilds« den Eindruck hat, das könnte ein Journalist sein, während der anonym bleibende Verf. in der »Katharina Blum« ausdrücklich die Journalisten – Tötges, Templer sind Beispiele – als Verfälscher der Wahrheit angreift, wobei er möglicherweise selbst Journalist ist?

B.: Nein, weil es ganz sicher nicht um den Journalismus als solchen geht. Das kann also durchaus ein Journalist sein, der einem andern anhand dieses Falles das Handwerk legt oder was weiß ich.

5. Ikonographie und Gegen-Ikonographie

B.: Das ist mir alles zu ikonographisch und auch zu realistisch. Ich sehe immer mehr im sozialistischen Realismus die Fortsetzung einer bestimmten Ikonographie. Das trifft nicht auf den, sagen wir, Fontaneschen Realismus zu, der auch seine ikonographischen Züge hat, aber ganz andere und lebendigere. Der sozialistische Realismus ist auch in seinen guten Werken – die gibt es, das ist ja gar nicht eine Frage der Qualität – eigentlich die Fortsetzung der

Ikonen-Tradition, in der Literatur und auch in der Malerei. Das können Sie fast auswechseln, wenn Sie statt des positiven Helden den Heiligen Basilius nehmen oder die Heilige Maria, dann haben Sie das Klischee zusammen.

D.: Die Funktion ist aber anders.

B.: Ja, die Funktion ist anders. Aber die Funktionen sind ja immer auswechselbar.

D.: Ich meine hier speziell: die Perspektive auf die Zukunft hin. Der positive Held, der die Zukunft antizipiert und mir, dem Lesenden, klarmacht, so wird die Entwicklung kommen, und so muß *sie kommen – könnte man nicht sagen, daß das eigentlich auch bei Katharina Blum auftaucht, obwohl Sie das gerade vorhin kritisiert haben? Sie bleibt ganz realistisch, indem sie sich sagt: Ich warte auf ihn, mein Geld wird sich verzinsen, wir machen ein Restaurant auf, wir werden sozusagen ein »bürgerliches Leben« führen, obwohl wir uns nicht völlig identifizieren mit dem, was hier in dieser Wirtschaftswundergesellschaft geschieht. Wird sie nicht tatsächlich eine positive Heldin?*

B.: Die Gefahr ist drin.

D.: Ich finde aber auch, daß sie in gewisser Weise akzeptabler wird als viele andere Protagonisten in Ihren Büchern, die ebenfalls in eine Konfliktsituation mit der Gesellschaft geraten. Ich erwähne Schrella in »Billard um halb zehn«, Heinrich Gruyten im »Gruppenbild«, der ganz bewußt, um seinen geschäftemachenden Vater zu strafen, sein Leben aufs Spiel setzt, sich mit dem Satz: »Ich scheiße auf Deutschland!« exekutieren läßt. Das ist hier eine leere, fast nur rhetorische Geste. Sie alle geraten aus der Wirklichkeit heraus, sie können nicht weitermachen.

B.: Sicher.

D.: Während bei Katharina doch eine Möglichkeit gezeigt wird, dadurch, daß sie pragmatisch bleibt, weitermachen will und die Konfrontation nicht bis zur Aporie treibt. Wird sie in dieser Hinsicht nicht auch »realistischer«?

B.: Realismus ist ein Begriff, über den man fast gar nicht sprechen sollte, das sollte man auch nicht.

D.: Sie haben vorhin unter anderem den Hinweis auf Fontane gebracht.

B.: Ja, die Erzählung steht natürlich auch in der realistischen Tradition, das gebe ich zu. Aber die Schwierigkeit ist die – das ist schon im »Gruppenbild« als Ganzes mißlungen –, daß ich im Grunde versuche, ikonographische Klischees zu zerstören, aber neue bilde dabei, verstehen Sie. Das ist mir beim »Gruppenbild« besonders klar geworden. Es sollte eigentlich eine antiikonographische Sache sein, während man das Ganze als eine Art Seligsprechung sehen kann. Merkwürdigerweise leuchtet mir das nachträglich ein, daß das eine Möglichkeit ist, das Buch so zu sehen. Ich will damit nur sagen: Ikonographie zu zerstören, ohne neue zu bilden, scheint unmöglich zu sein.

D.: Aber trotzdem gibt es einen Unterschied, so scheint mir: Ikonographie, die in der Realität angesiedelt werden kann, und Ikonographie, die eine Art Gegen-Ikonographie darstellt, die aus der Realität herausgerät und abstrakte utopische Züge trägt. Diese Tendenz scheint mir etwa im »Gruppenbild« angelegt zu sein, wenn die Liebesidylle auf dem Friedhof dargestellt wird. Der Friedhof ist wirklich der Gegen-Ort schlechthin zur Realität, die gleichzeitig in Stücke geht.

B.: Der Gegen-Ort ist doch wieder der Ort –

D.: Ja, aber da ist keine Kontinuität, das bleibt eine Episode in einer extremen, vorübergehenden Lage.

B.: Aber wenn Sie das interpretieren als Symbol wie als realistische oder reale Möglichkeit – etwas ist Untergrund –, haben Sie schon einen fortsetzbaren Einstieg, wobei Friedhof ein bißchen makaber und nicht immer realistisch fortsetzbar ist. Aber bestimmte underground-Kulturen könnte man da ansetzen. Verstehen Sie: da ist auch eine nicht direkt realistische, aber in eine Realität transportable Möglichkeit drin.

D.: Ja, das sehe ich.

B.: Ich rede gegen mich selbst, weil es nicht gelungen ist, es zum Exzeptionellen zu machen. Das können Sie sehr leicht symbolisieren, auf jeden Fall, aber man kann es auch auf Kellerkinder, underground, sowohl physikalischen wie psychischen, beziehen.

D.: Mir scheint, das wird ja metaphorisch aufgenommen in dem Bild der Müllhalde.

B.: Auch.

D.: Am Ende des Buches und auch auf der thematischen Ebene in der Vorstellung vom menschlichen Abfall, aus der offiziösen Perspektive der Gesellschaft, dessen sozusagen humane Qualität ganz neu entdeckt und gewertet wird. Trotzdem scheint mir die Tendenz ins Gegen-Ikonographische zu weisen. Das geht zwar über den – wie ich es einmal nennen will – Opfertod mancher Ihrer Protagonisten hinaus, und unter diesem Aspekt sehe ich eine größere Annäherung an realistische Möglichkeiten, aber es bleibt dennoch im abstrakten Bereich des Gegen-Ikonographischen, es hat den Kontakt zur Wirklichkeit verloren. Da finde ich – um es überspitzt zu sagen – das Restaurant, von dem Katharina Blum träumt, viel plausibler. Warum soll es nicht möglich sein, das auf Grund dieser Spontaneität, dieser ungebrochenen Emotionalität – das wird ja in der Erzählung deutlich gemacht – zu erreichen?

B.: Auch weil sowohl sie als auch ihr Liebhaber überhaupt keine politische Ideologie haben. Das ist auch mißverstanden worden. Der Ludwig ist kein politischer Verbrecher, ganz eindeutig nicht, er ist ein Deserteur und Defraudant, und seine Verbündeten sind in der Bundeswehr und nicht in einer politischen Untergrundsituation, auch seine Mittäter. Sie sind beide gar nicht politisch motiviert, wie man das heute nennt, sondern eigentlich ziemlich realistisch. Der Typ hat geklaut und ist abgehaun und wird gesucht. Auf Grund von Mißverständnissen wird das politisiert, eigentlich nur von der Polizei, die aber bald merkt, daß er's nicht ist. Das bezeichnet auch die Schwierigkeit des Erzählers, hinter Leuten herzurecherchieren, die weder religiös noch weltanschaulich noch politisch eine Konzeption haben, sondern eigentlich, sagen wir, auf ein gutes Leben in dieser Gesellschaft aus sind, was ich nicht verwerflich finde. Das ist auch schwierig. Im »Gruppenbild« waren sehr starke religiöse Motive drin. Da ist natürlich die Möglichkeit des Autors, sich in irgendeinem mystischen Typ zu verstecken, der das Ganze auffädelt, viel leichter.

D.: Ich wollte noch etwas sagen zu Katharinas Liebhaber Götten: die Kritik, die Sie gerade angedeutet haben in der Beschreibung Göttens als Typus, wird doch in der Erzählung wieder aufgehoben durch die erzählerische Präsentierung Göttens aus der Perspektive von Katharina. Er wird doch ebenfalls dargestellt mit einer gewissen emotionalen Natürlichkeit –

B.: Das sagen Sie als Leser.

D.: Ja, aber ich meine: die Perspektive, die mir, dem Leser, angeboten wird durch die Erzählstruktur des Ganzen, ist die Perspektive von Katharina, von der sich der anonyme Erzähler nicht distanziert.

B.: Ja, er referiert über ihre Empfindungen für diesen jungen Mann.

D.: Es wird auch in den Berichten der Polizei erwähnt, daß Ludwig mit großer Achtung von Katharina spricht, daß dieses Liebeserlebnis nicht irgendeine Episode ist. Ludwig wird damit auf einer eindeutig positiven Ebene angesiedelt.

B.: Ist er auch.

D.: Ja, aber sind das nicht zwei sehr disparate Dinge, die Sie gesagt haben: auf der einen Seite ist er ein Typ, der klaut, desertiert und irgendwelche dunklen Geschäfte macht, einen Porsche klaut und damit herumfährt; aber auf der andern Seite erscheint er aus der Perspektive des Mädchens als liebenswerte positive Figur? Er trifft dieses Mädchen ---

B.: Ich finde das nicht diskreditierend.

D.: – und hat eine Liebeserfahrung, die an Ihr »Brot der frühen Jahre« erinnert.

6. Die Darstellung der Liebe

B.: Sagen wir: er ist ein charmanter Typ, sie empfindet ihn so. Da es eine Liebesbeziehung ist, kann ich es ja nur auf die Frau beziehen, die diese Liebe für ihn empfindet. Ich sehe ihn fast gar nicht, diesen Götten. Er bleibt auch für mich als Autor dieses Buches sehr schemenhaft. Die Bindung Katharinas an diesen jungen Mann ist weder mit juristischen noch mit moralischen Kategorien zu erfassen. Und da fängt ihre Verstrickung an, fängt auch die Unerklärlichkeit an. Es gibt unerklärliche Dinge, es gibt Geheimnisse; dazu gehört auch ihr Wunsch, ihn zu decken, was ja kriminell ist. Liebe ist nicht gerecht und nicht moralisch. Diese, sagen wir, erotische und sexuelle Bindung ist nicht moralisierbar. Das ist nicht meine Schuld. Wenn ich einen alten Freund hätte, den ich wirklich gern habe, vielleicht sogar liebe, und er würde einen Mord begehen, blieb der natürlich mein Freund. Ich kann doch nicht als Person Urteile der Gesellschaft, die man objektiv richtig findet, übernehmen. Das ist das Problem des ganzen Buches. Die Gesellschaft, jetzt als Neutrum gesehen, die Polizei, die Staatsanwaltschaft, die Zeitungen, sind rasend darüber, daß diese junge Frau diesen jungen Mann nicht fallen läßt. Wenn das keine Verstrickung ist und auch keine Verschuldung im Sinne sogar der klassischen Tragödie – es ist ja ein mythischer Stoff, das ist doch reiner Mythos, das Ganze –, dann weiß ich gar nicht, was ein Schriftsteller noch schreiben soll. Es ist doch keiner verpflichtet, weder der Autor noch er gegenüber der Person, die er nun darzustellen versucht – nennen wir es so pathetisch –, irgendein Urteil der Welt, der Gesellschaft und welcher immer, ob sozialistisch, kapitalistisch und der Zwischenformen, zu übernehmen für seinen Helden und seine Heldin. Moral wird doch erst interessant, wenn es Konflikte gibt.

Sie kommt in einen Konflikt, sie löst ihn auf strafbare Weise. Das ist übrigens auch der einzige Einstieg in die Baader-Meinhof-Problematik, weil da das sogenannte Sympathisanten-Problem mitreinkommt. Wenn da überhaupt ein Einstieg ist, abgesehen von der Technik der Verfolgung und der Aufheizung in der Presse, dann ist es das sogenannte Sympathisanten-Problem. Die Gesellschaft kann doch nicht erwarten, also in Form der Exekutive und Legislative, daß die gesamte Bevölkerung exekutiv wird. Das ist ja das, was eigentlich unterstellt wird, brutale Exekutive durch die Bevölkerung, und da pariert sie nicht, da ist ihre, Katharinas Moral nicht identisch mit dem, was man von ihr verlangt.

D.: Darf ich nochmals zurückkommen auf das »Brot der frühen Jahre«? Die Liebeserfahrung wird dort ähnlich dargestellt in ihrer Wirkung.

B.: Ja.

D.: Aber wo die »Katharina Blum« aufhört, da fängt sozusagen »Das Brot der frühen Jahre« an. Auch da handelt es sich um eine Erschütterung in der Liebesbegegnung, aber das wird in Erkenntnis umgesetzt. Das löst einen Erkenntnisprozeß bei Fendrich aus: er verändert sich und seine Einstellung zur Welt. Es bleibt nicht irrational, unartikuliert, sondern wird nachvollziehbar.

B.: Für Sie.

D.: In der »Katharina Blum« hingegen bleibt alles auf die Innerlichkeit Katharinas beschränkt, wird zu einer Projektion von Katharina. Wir hören zwar auch, was sie für Götten empfindet und das wird auch positiv dargestellt, aber im großen ganzen bleibt es bei einer Projektion von Katharina. Sie sagen nun: Das ist halt so in der Liebe; wenn man liebt, dann macht man das. Aber dann würde ich gegen Sie argumentieren mit dem Beispiel »Das Brot der frühen Jahre«: da wird das als Bewußtseinsstruktur greifbar gemacht, da wird die Emotionalität transparent, und da wird das Ganze in eine Erzählstruktur umgesetzt, die die Dimension dieser Liebeserfahrung auslotet. Hier, in der »Katharina Blum« bleibt alles in der subjektiven Kapsel ihres Gefühls verschlossen.

B.: Das kann ich nicht einsehen. Sie wird genau wie der junge Mensch im »Brot der frühen Jahre« umgekrempelt, wenn Sie es wirklich rekonstruieren, die Begegnung mit Götten auf diesem komischen Ball. Das ändert ihr Leben vollkommen.

D.: Die gleiche Reaktion bei Fendrich, der auch völlig verändert wird.

B.: Sie war bisher ein vollkommen makellos, tadellos funktionie-

rendes Mitglied der Gesellschaft wie der junge Mensch im »Brot der frühen Jahre«, karrierebedingt, ähnlich; es ist wirklich vergleichbar, daran habe ich noch gar nicht gedacht. Und es krempelt sie vollkommen um. Es gibt einige Aktionen auch bei ihr, die Zerstörung ihrer Wohnung –

D.: Parallel der Zerstörung der Waschmaschine durch Fendrich –

B.: Sie zerstört ja eigentlich ihre mühsam errungene bürgerliche Etabliertheit sofort. Ich kann nicht einsehen, daß das weniger reflektiert und weniger psychologisch begründet ist als im »Brot der frühen Jahre«.

D.: Ganz konkret dadurch, daß in der »Katharina Blum« nie Erzählzusammenhänge, in denen beide Personen auftreten, gezeigt werden. Die Liebeserfahrung wird ja nur retrospektiv im Kommentar und nicht als Ereignis dargestellt wie im »Brot der frühen Jahre«. Die beiden sind eigentlich – ganz banal gesprochen – im Prozeß des Erzählens ständig voneinander getrennt. Sie sind wirklich die beiden Königskinder, die zusammen nicht kommen können, über die sich ein Mythos entwickeln läßt und auch aus der Perspektive von Katharina entwickelt wird.

B.: Das ist hier viel mythischer als »Das Brot der frühen Jahre«, vergleichbar zwar, aber Sie dürfen nicht vergessen, daß das hier eine Kriminalgeschichte ist, mit Zügen eines Kriminalromans, und daß diese romantische Getrenntheit – das mit den Königskindern ist sehr gut – durch diese Tatsache entsteht, durch die Verstrickung. Es gibt ja wirklich mythische Parallelen. Es ist eine Königskinder-Situation, ich kann nichts dran ändern. Ich wollte eine Kriminalgeschichte schreiben.

7. Die politische Dimension

D.: Ist nicht so ein Paradox entstanden? Sie haben sich auf der einen Seite auseinandergesetzt mit gewissen journalistischen Praktiken, die immer politisch sind, und haben die Widerlegung dieses eminent politischen Faktums an einem Erzählmodell vollzogen, das bewußt alle direkten politischen Analogien ablehnt?

B.: Ja, das könnte sein, daß das paradox ist. Das ist aber schon im »Gruppenbild« paradox, indem eine völlig unpolitische Person zum Katalysator für politische Vorgänge wird. Ich halte es für legitim, weil gerade ein unpolitischer Konflikt – nennen wir es so – bei Katharina Blum die politischen Manipulationen und Dimensionen zeigt. Gerade weil die beiden unpolitisch sind, finde ich das politisch.

D.: Das ist, so ließe sich sagen, aber eine negative Politisierung.

B.: Das ist noch stärker im »Gruppenbild«, wo diese mehr oder weniger politisch völlig naive Person – mindestens naiv – zum zentralen Austragungsvehikel für politische Entwicklungen wird, in jeder Beziehung.

D.: Aber könnte man nicht sagen, daß sich solche negativen Politisierungen sehr viel wirkungsvoller widerlegen lassen, wenn man auch im Erzählzusammenhang politische Fakten direkt aufgreift. Ketzerisch formuliert: haben Sie es sich möglicherweise etwas zu leicht gemacht, indem Sie etwas Unpolitisches, das negativ politisiert wird, jetzt aus dieser Manipulationsverklammerung herauslösen und uns zeigen, wie es eigentlich gemeint ist?

B.: Ja, das könnte durchaus sein. Aber ich finde es viel interessanter, einen unpolitischen Fall zu politisieren als einen direkt politischen Einstieg zu wählen.

D.: Ganz unpolitisch nun wiederum auch nicht, rein vom Faktischen her. Da sind diese Verbindungen zur Bundeswehr, Göttens Kontakte, die offenbar verhaftet werden. Da hat es also irgendeinen Schwindel gegeben, Schiebereien, etwas in dieser Art. Das schließt ein bißchen – stofflich – an »Ende einer Dienstfahrt« an.

B.: Ja, ja.

D.: Da gibt es gewisse satirische Spitzen gegen Militär, die Bundeswehr. Es handelt sich also nicht um eine, wie soll ich sagen, klinisch zu sehende Kriminalität, wie beispielsweise dann, wenn jemand kleptoman wäre, Autos klaut und sich dann glücklich fühlt.

B.: Nun ja, wenn er Bankangestellter wäre, dann hätte er die Bank beklaut in Verbindung mit Kollegen.

D.: Gut, aber wenn es im Sinne von Kleptomanie psychologisiert würde, wäre es völlig unpolitisch. Wenn aber hier z. B. die Bundeswehr als Institution geschädigt wird, wenn er desertiert, was ja ein Leitmotiv bei vielen Ihrer Romanprotagonisten ist –

B.: Natürlich, natürlich.

D.: Irgendwie hat er ein bißchen den Böllschen idealistischen Anstrich.

B.: Da haben Sie doch das Politische, das Sie suchen.

D.: Aber doch nicht in dem Sinne, daß die große Verschwörung in Analogie zu Baader-Meinhof gemeint ist, was Beizmenne annimmt. Nur gewisse politische Akzente sind bei der Figur Göttens vorhanden.

B.: Aber das kann ich doch nur darstellen an jemandem, der wirklich nicht politisch ist, sondern im weitesten Sinne. Ich finde einen Bankdefraudanten auch politisch. Ich tendiere nur zu dem scheinbar Unpolitischen. Katharina ist ja auch nicht unpolitisch. Die wird sogar politisch in ihren Repliken, in ihren Reaktionen wird sie fast politisch im weitesten Sinne, nicht ideologisch, aber politisch. Ich kann es nicht einsehen.

D.: Ich habe das nur hervorgehoben, weil Sie vorhin »Gruppenbild mit Dame« erwähnten, das eigentlich auch unpolitisch sei. Das stimmt natürlich bezogen auf Leni, aber nicht z. B. auf Lev.

B.: Auf viele nicht.

D.: Lev betreibt ja konkret Leistungsverweigerung und übernimmt fast die Rolle einer positiven Figur, die die Perspektive auf die Zukunft verkörpert. Mit andern Worten: so müßte man es tun, aus diesem »rat race« ausscheren und sein Leben so leben, wie man eigentlich will.

B.: Das ist ja auch kein unpolitischer Roman, nur die Hauptfigur ist politisch völlig naiv.

8. Spontane Aktionen

D.: Was nun die politischen Reaktionen oder sagen wir Handlungsmöglichkeiten Ihrer Romanfiguren betrifft, politisch zu werden oder sich einen Platz zu finden in der Realität, mit der sie nicht übereinstimmen, da scheint es mir an Ihrem jüngsten Text sehr interessant zu sein, daß Sie eine Reihe von spontanen Aktionen vorführen. Sie haben das vorhin schon kurz erwähnt am Beispiel der Katharina, die in einer bestimmten Situation in ihr Badezimmer geht und alle Parfümflaschen gegen die Wand wirft, die Ketchup-Flaschen usw. hinterherschmeißt. Das taucht interessanterweise analog auch bei Sträubleder auf, der in der Gesprächssituation mit Trude Blorna nach der Rückkehr der Blornas von ihrem abgebrochenen Urlaub ihr an die Kehle springen will. Ähnlich ist es bei Blorna selbst, der, als er aus der ZEITUNG erfährt, Katharina sei indirekt am Tod ihrer Mutter schuld, Molotowcocktails basteln und in die Zeitungsredaktion werfen will. Das gleiche gilt für die Woltersheim, die am Ende den Leuten auf den Partys die vollen Salatschüsseln an den Kopf werfen will.

B.: Das gilt auch für dieses Happening am Ende.

D.: Richtig, die Ohrfeige –

B.: Die Ohrfeige und die Aktion bei der Vernissage.

D.: Aber sind das ernstzunehmende Möglichkeiten von politischer Handlung, von aktivem Widerstand?

B.: Ja, ich glaube.

D.: Oder hat Trude Blorna recht, die in der Reaktion auf ihren Mann sagt, das sei romantisch-kleinbürgerlicher Anarchismus?

B.: Aber sie nimmt später selber an Aktionen ähnlicher Art teil, Frau Sträubleder gegenüber. Ich glaube immer mehr – das ist mir in dieser Erzählung gar nicht so bewußt gewesen –, daß unsere politischen Aktivitäten sich darauf beschränken. Und sagen wir jetzt wirklich im Klischee und in Anknüpfung an die Erzählung: daß es immer mehr darauf hinauslaufen wird, daß Linke, Rechte, wie immer man sie definieren mag, zu Handgreiflichkeiten gezwungen sein werden, weil die ideologische Verstellung, die massive Manipulation von Nachrichten über alles – ob sie über Bankkräche oder Baader-Meinhof-Gruppe oder Verstrickte und Kriminelle in diesem Zusammenhang reden – eine direkte politische Aktion, sagen wir, wie sie parlamentarisch noch möglich wäre, nicht mehr zulassen. Es wird darauf hinauslaufen, daß man ein paar Freunde haben wird – ich drücke das jetzt ganz vage aus –, zuverlässige Leute oder halbwegs verläßlich, mit denen man sich noch unterhalten kann, und ein paar Feinde, denen man, wenn man ihnen begegnet, möglicherweise in die Fresse haut. Es gibt gar keine andere Möglichkeit mehr. Ich gebe zu, daß das kleinbürgerlich-romantisch-anarchistisch ist, klingt, aber wir werden soweit kommen. Ich sehe das immer mehr, und insofern sehe ich in den möglicherweise strittigen Aktionen der Erzählung so etwas wie ein Zukunftsbild. Wie wollen Sie, da muß ich die Gegenfrage stellen, wie wollen Sie Politik machen oder politisch Einfluß nehmen in dieser Welt oder Gesellschaft, hier oder dort, außerhalb der Spontaneität? Diese Gegenfrage muß erlaubt sein.

D.: Sicherlich, aber diese Spontaneität ist doch in Ihrer Erzählung gestaffelt. Wenn Blorna tatsächlich einen Molotowcocktail geworfen hätte, wäre das eine Provokation gewesen, die seine bürgerliche Existenz massiv aufs Spiel gesetzt hätte – seine bürgerliche Existenz ist auch so aufs Spiel gesetzt, aber er hätte die Konfrontation bewußt angenommen. Daß er das nicht macht, sondern nur dem Sträubleder in die Fresse schlägt –

B.: Das ist unter Umständen –

D.: – das zeugt von einer gewissen Anpassung. Ich finde auch, daß in der Aktionsweise von Trude Blorna Anpassung vorliegt. Da sagt der Erzähler: Sie macht etwas anderes, was unter Umständen viel wirkungsvoller ist, sie ruft dort an und sagt dem Zeitungsredakteur: Sie sind ein elendes Schwein oder so ähnlich, anonym. Ich frage mich, ob das nicht eine Aktionsart ist, die ausgerichtet ist an der Frage: Wie weit kann ich noch gehen, ohne mich im juristischen Sinne – sie bleibt ja anonym bei ihrem Anruf – aufs Spiel zu setzen. Genauso sehe ich die Ohrfeige auf der Kunstausstellung.

B.: Eine Ohrfeige ist strafbar.

D.: Ja, eine Ohrfeige ist strafbar, aber eine Ohrfeige oder ein Molotowcocktail – da liegt doch ein gewaltiger Unterschied.

B.: Wenn Sie die Sache im Zusammenhang mit den Spielregeln unserer Gesellschaft sehen, ist, jemandem auf dieser Vernissage, auf die die Creme de la Creme kommt, eine zu landen, viel schlimmer als vielleicht einen Molotowcocktail irgendwo in einen Laden zu schmeißen, gesellschaftlich viel schlimmer. Die gesellschaftlichen Formen einer solchen Handlung sind schlimmer als die direkte spontane Aktion.

D.: Ja, aber wird das nicht relativiert dadurch, daß bereits ein gewisser Prozeß der, sagen wir, Karriereausgliederung bei Blorna stattgefunden hat? Er darf zwar in dieser Investment-Firma noch bestimmte lokale Sachen machen, aber nicht mehr die internationalen Geschäfte. Er ist bereits brüskiert, in ihm bauen sich Frustrationen auf. Als Sträubleder ihm in dieser Situation süffisant gegenübertritt, da reagiert er spontan –

B.: Ja, das ist schon richtig, aber das dürfen Sie nicht nur in Verbindung mit dem dort verwendeten Vokabularium sehen.

D.: Eine andere Relativierung ist die, daß der Maler das Blut mit dem Löschblatt auffängt, in ein Kunstwerk verwandelt und es Blorna gibt, damit er es verkaufen kann.

B.: Keine Relativierung, sondern ein eindeutiger Beweis –

D.: Der Erzähler kommentiert dann, das zeige, daß die Kunst noch soziale Geltung habe. Ist das nicht bloße Ironie?

B.: Ja, sicher, aber auch ein Hinweis auf den Snobismus des Kunstgeschäfts.

D.: Aber das sind doch zwei verschiedene Dinge. Bezogen auf Blorna und seine Aktivität –

B.: Ich meine, das kann man nicht mißverstehen. Das soll ausdrücken – ob's geglückt ist, ist eine andere Frage –, daß alles kommerzialisierbar ist, sogar eine Ohrfeige und die zwei oder drei Blutstropfen, die sie zur Folge hat. Das kann man noch verkaufen mit der Signatur des berühmten Mannes. Das ist der Hinweis.

D.: Dann landet Blorna mit seiner Aktivität tatsächlich in der Gummizelle, von der Sie am Beispiel der Happening-These in »Ende einer Dienstfahrt« einmal gesprochen haben. Die Provokation ist doch verpufft.

B.: Sie ist nicht verpufft. Man muß sich die gesellschaftliche Wirkung ausmalen, und ich muß eine gewisse Phantasie voraussetzen.

9. Zum Problem der Leistungsverweigerung

D.: Blorna scheint mir noch unter einem andern Aspekt sehr interessant. Am Ende von »Gruppenbild mit Dame« stellen Sie am Beispiel von Lev diese utopische Möglichkeit der Leistungsverweigerung da. Ich möchte das in Beziehung zu Blorna setzen. Er wird ja am Anfang ziemlich negativ dargestellt.

B.: Ja, ja.

D.: Der Industrie-Anwalt, der überall herumreist, der völlig karrierebewußt ist, wenn auch mit gewissen humanen Empfindungen, besonders Katharina gegenüber. Am Ende hat er doch die Möglichkeit, von all dem Abschied zu nehmen, zum ersten Mal er selbst zu sein. Aber wie wird das nun vom Erzähler dargestellt? Sieht das nicht wie eine Strafaktion aus, die Sträubleder an ihm vollzieht?

B.: Strafaktion nicht, aber natürlich: so geht das eben –

D.: Er wird doch – ich drücke es jetzt pathetisch aus – in seiner Substanz degradiert, und er empfindet das auch als Degradierung. Warum vollzieht sich hier nicht ein Umbruch? Warum wird die Möglichkeit, die am Beispiel von Lev beleuchtet wird, hier überhaupt nicht in Erwägung gezogen? Warum besteht keine Möglichkeit für ihn, ein anderer zu werden?

B.: Er ist ein anderer, er setzt ja alles aufs Spiel.

D.: Also nur in der möglichen Selbstaufhebung ein anderer? Aber ohne jede Möglichkeit das, was auf ihn zugekommen ist, konstruktiv zu verarbeiten, indem sich seine Einschätzung der Dinge ändert? Mir scheint, das ist im Grunde die Position, die Schrella am Ende von »Billard um halb zehn« einnimmt oder Fred Bogner am Ende von »Und sagte kein einziges Wort«, um nur zwei Beispiele zu erwähnen. Es ist die alte Böllsche Position: Man gerät aus der Gesellschaft heraus in ein Niemandsland. Bei Lev im »Gruppenbild« und selbst bei Katharina sind Sie einen Schritt weiter.

B.: Der Umbruch einer Person wie Blorna kann nicht so exakt dargestellt werden. Man kann nicht alle Personen zu einer be-

stimmten Erkenntnis führen, das kann man nicht. Das wäre zu perfekt.

D.: Aber gerade weil Sie die Position der Leistungsverweigerung am Ende von »Gruppenbild« so nachdrücklich akzentuiert haben, stimulieren Sie die Erwartung auf eine Fortführung dieser thematischen Linie: daß der politische Gehalt noch konkreter wird und daß eben nicht diese utopische Position außerhalb der Gesellschaft, die Opferhaltung der Protagonisten, die im Grunde aus der Wirklichkeit herausgeraten, ruiniert sind oder auch konkret exekutiert werden, das einzige bleibt.

B.: Das trifft nur auf Blorna zu.

D.: Aber Blorna ist doch eine sehr wichtige Figur.

B.: Die Frau ist schon ganz anders, und die beiden jungen Leute sind ganz anders. Einen Liberalen wie Blorna kann ich gar nicht so emanzipiert und bewußt sehen.

D.: Vorhin haben Sie doch eine Art Übertragung vorgenommen: Sie haben gesagt, welche Möglichkeiten bleiben einem, politisch zu handeln? Sind es nicht im Grunde u. a. die Ohrfeigen, die man austeilt? Blorna erhält doch auf diesem Hintergrund eine wichtige Funktion.

B.: Natürlich, aber er ist einer unter anderen. Das ist die Entwicklung eines Liberalen, der praktisch mit dem Kopf gegen die Wand rennt, wenn Sie so wollen. Der hat die Hintergründe bis zum Schluß des Buches noch nicht kapiert. Diese Erzählung ist ein Übergang wie alles, was ich so manchmal zwischen größeren Büchern schreibe. Ich finde gerade die Figur Blornas eindeutig. Das ist die Position des humanistischen Liberalen, der nichts durchschaut, der ist nur böse auf seinen Freund, auf die ganze »ungerechte Art«, die man der Katharina angetan hat. Er ist vollkommen unintellektuell, auch unideologisch. Ich sehe manchen Liberalen in Wirklichkeit so.

D.: Als ich die »Katharina Blum« las, habe ich beim erzählerischen Umriß von Blornas Figur an Hubert Gruyten in »Gruppenbild« denken müssen.

B.: Das dürfen Sie nicht.

D.: Bei ihm vollzieht sich ja diese Wendung –

B.: Ja, ja.

D.: – ganz radikal, auf Grund bestimmter äußerlicher Bedingungen.

B.: Sie dürfen nicht vergessen, wenn Sie von dem alten Gruyten sprechen, daß dessen Karriere, ich weiß nicht, 1945 zu Ende ist, sein Leben auch. Das hier ist eine Gegenwartsgeschichte. Da ist kein historisches Element drin, überhaupt keine Rückblende auf irgend etwas. Es spielt in diesem Jahr, in dieser Zeit, in dieser bundesrepublikanischen Gegenwart, bei der sehr vieles unentschieden ist. Das dürfen Sie nicht vergessen, wenn Sie den Vergleich mit dem »Gruppenbild« machen. Das ist ein Roman, der – ob geglückt oder nicht – sehr weit zurückgreift und Entwicklungen zu zeigen versucht, die sehr hintergründig, tiefgründig sind. Dies hier ist ein Pamphlet in Form einer Reportage, oder wie man's nennen soll, die einen ganz anderen Anspruch hat. Das ist doch eine legitime Ausdrucksform, die man mögen mag oder nicht, aber es ist doch ein politisches Pamphlet. Ich finde deshalb den Vergleich mit dem »Gruppenbild« nicht richtig. Man muß die Intention – die kann mißglückt sein – sehen, das muß die Voraussetzung sein, daß es ein plakatives Werk ist, eine Streitschrift.

D.: Ich bin bei dem Vergleich von gewissen Analogien zwischen beiden Büchern ausgegangen, Analogien struktureller Art: etwa Funktion des Erzählers.

B.: Ja, das ist Ihr Recht.

D.: Recherchiertes, zusammengesetztes Erzählganzes, weibliche Mittelpunktsfigur, ein gewisses Gesellschaftsspektrum, das dargestellt wird. »Gruppenbild« ist ein Gesellschafts-, ein Epochenroman, ein politisches Buch. Was wäre die »Katharina Blum« im Vergleich dazu? Sie sagen: ein Plakat, aber das ist ein metaphorischer Begriff. Sie erwähnen: Pamphlet. Aber das ist im Grunde eine theoretische, tagespolitische Streitschrift, politische Tagesjournalistik.

B.: Das Pamphlet in Form einer Erzählung ist vielleicht eine noch nicht so recht praktizierte Form.

10. Exkurs zur Wechselbeziehung der Künste

D.: Die Plakat-Analogie ist bestechend, nur ist es sehr schwierig zu sagen, was das literarische Korrelat dazu wäre.

B.: Ich rege nur an. Ich finde es sehr wichtig – wenn ich noch Zeit habe in meinem Leben dazu, möchte ich das gerne machen –, Erscheinungen, sagen wir, der Gegenwartsmusik, der Gegenwartsmalerei, der Literatur miteinander zu vergleichen. Ich glaube, daß das der wahre Einstieg wäre. Ich denke sehr oft an meinen verstorbenen Freund, den Komponisten Bernd-Alois Zimmermann. Wir haben sehr viel Ähnlichkeit in dem, was wir gemacht haben, in dem, was uns mißglückt ist. Deshalb komme ich mit dem Vergleich Bildende Kunst. Insofern bin ich erstaunt über die Wirkung der »Katharina Blum«. Das rechtfertigt fast sogar die Schwächen. Das ist mir alles egal, alles, was man schlecht daran findet, das mag stimmen, es ist mir gleichgültig in dem Fall, wo ich die direkte politische Wirkung sehe. Da habe ich auch das Politische wieder. Natürlich trifft mich Kritik, vor allem solche, die berechtigt ist, aber in dem Fall – das ist meine Ausnahme in meiner ganzen Karriere und auch in meiner Reaktion auf die Kritik – bin ich zufrieden – das ist ein dummes Wort –, sagen wir eher befriedigt von der Wirkung, die das Buch hat. Und auch mit der, sagen wir, gewissen Bewegung in der deutschen Presse, die jetzt doch eben auf bestimmte Phänomene gerade der »Bildzeitung« aufmerksam wird. Insofern sehe ich mich zum ersten Mal gerechtfertigt durch die Wirkung. Im übrigen: bei »Gruppenbild« und auch, sagen wir, rein literarischen Arbeiten ist es mir schmerzlicher. Ich glaube, das muß man wissen und eine Kategorie suchen. Mich interessiert das sehr. Ich interessiere mich eigentlich viel mehr für Malerei als für Literatur. Ich bin wahrscheinlich auch viel mehr durch Malerei beeinflußt worden als durch Literatur in meiner Jugend. Das kommt mir manchmal hoch, wenn ich so an Museumsbesuche denke, an architektonische Erlebnisse, hier in diesen schönen alten, grauen romanischen Kirchen. Das finden Sie alles wieder in den Büchern. Und den ersten Picasso, den ich bewußt gesehen habe, so als Sechzehnjähriger, als der noch nicht aus dem Museum raus war – das ist nicht literarisch legitim, aber geistesgeschichtlich legitim. Deshalb interessieren mich auch kompositorische Dinge so sehr.

D.: Das deckt sich ja eigentlich mit jenen Stellen in der »Katharina Blum«, wo der Erzähler Kompositionsfragen seines Textes direkt erörtert. Aber stehen diese diffizilen formalen Reflexionen nicht im Widerspruch zu der Absicht eines Plakates?

B.: Das ist wahrscheinlich falsch gewesen. Ich hätte das Ganze möglicherweise noch gröber halten sollen. Ich bin auch ein formalistischer Spieler, leider oder Gottseidank. Das glückt manchmal, manchmal geht's gut. Ich kann es nicht lassen. Das sind nur Anregungen der Phantasie, Versuche, die Phantasie anzuregen, die ich immer voraussetzen muß.

11. Geplante literarische Struktur

D.: Nun erinnere ich mich, daß sie oft geschrieben und gesagt haben, daß alle Ihre Bücher eine sehr diffizile und im einzelnen geplante Struktur haben, besonders auch bezogen auf »Gruppenbild mit Dame«. Wenn ich mir jetzt aber vergegenwärtige, was Sie vorhin über die »Katharina Blum« ausgeführt haben, dann könnte man den Eindruck haben, daß das auf diesen Text nicht zutrifft, daß er nicht genau geplant ist.

B.: Er ist sehr genau geplant.

D.: Aber was bedeutet das nun konkret?

B.: Er hat eine ganz andere Struktur als »Gruppenbild«, natürlich. Das kann man schon sehen, wenn Sie es quantitativ messen, nicht den Umfang des Buches, sondern der Kapitel, klein, kurz.

D.: Ich würde auch sagen: das Wirklichkeitsspektrum ist kleiner.

B.: Ja, ja, die Ähnlichkeit mit »Gruppenbild« liegt mehr in der Attitüde als in der Form.

D.: Aber zurück zur Genauigkeit der Planung.

B.: Weil es entwickelt ist wie eine mathematische Formel. Analysieren Sie mal den Anfang, dann die Fortsetzung, wie sich das weiterentwickelt, eine sehr einfache Form, die aber, wie ich finde, logisch entwickelt ist, ganz anders als im »Gruppenbild« in der literarischen Struktur, nicht in der, sagen wir, Stimmlage. Die Planlosigkeit ist eine große Täuschung.

D.: Aber vorhin haben Sie doch gesagt: die erzählerischen Reflexionen, die eingeschaltet sind, gehen auf ein gewisses Element von Spielerei zurück, sie sind kein Schlüssel zum Verständnis der formalen Struktur.

B.: Nein, nein.

D.: Das fällt also weg?

B.: Aber natürlich.

D.: Sie haben auch gesagt, das Buch sei mehr in der Art eines Plakates als, sagen wir, eines Ölgemäldes entworfen.

B.: Man kann auch das planen.

D.: Aber das sind doch zwei verschiedene Begriffe von Planung. Planung einmal verstanden im konventionellen Sinne als eine gewisse, im voraus überlegte generelle Struktur –

B.: Diese Zwischenbemerkungen – nennen wir das so – formalistischer oder formaler Art sind eigentlich nur Erholungspausen für den Autor. Ich habe das sehr genau registriert irgendwo, wie sich das entwickelt, diese kurzen Passagen, die Längen, ziemlich lang im Verhältnis zum Gesamtumfang. Nach meinen Rückanalysen hat es eine Sequenz, Titel, Untertitel, Motto, und da kommt für mich etwas sehr Musikalisches rein. Wenn Sie es so sehen, völlig losgelöst vom Inhalt: die verlorene Ehre der Katharina Blum, dann das Motto der »Bildzeitung«, dann kommt die Erzählung. Ich sehe da schon – das müßte ein Musiker beurteilen können, ich bin ja nur ein Hörer von Musik – einen musikalischen Aufbau. Das hat mich überrascht, daß das keiner gemerkt hat, gerade das, was ich Sequenz nenne. Das ist das Thema in drei Formen, in drei Ausdrücken variiert, und dann kommt die Ausführung des Themas, und dann kommen gewisse Zwischenspiele, die formalistischen Bemerkungen, die den Plan auch wieder zerstören, Gottseidank. Aber wenn Sie das jetzt analysieren: Wer die erste Stimme hat, wer die zweite Stimme hat, wer die dritte Stimme hat und daß hin und wieder dieser verschwommene Autor seine Spielchen anbringt, dann kann man nicht sagen, daß das Buch nicht strukturiert ist.

D.: Strukturiert ist es. Es geht um die mögliche Beschreibung dieser Struktur.

B.: Es hat nur mehr Oberfläche. In dem Sinne finde ich den Vergleich Plakat oder Graphik – Aquarell ist ungerecht, es gibt sehr hintergründige Aquarelle –, auch der Aktualität wegen, passend. Ich hab's irgendwo genau erfaßt, weil ich das auch graphisch erfasse.

D.: Sie haben das auch hier graphisch dargestellt wie beim »Gruppenbild«?

B.: Das war nicht nötig. Ich mache das meistens nur – aus Spielerei –, wenn ich den Überblick über die Personen verliere. Das ist hier nicht nötig. Der Unterschied zwischen einer Erzählung und einem Roman liegt für mich nur im Umfang des Personals. Wenn Sie fünfzig Personen haben, brauchen Sie mehr Zeit und Platz, als wenn Sie zehn haben. Und hier sind vielleicht acht, ich weiß nicht, ich habe sie nicht gezählt. Ich finde den Vergleich Plakat nicht schlecht, wenn man in andere Kunstgattungskategorien übergehen will.

IV.B. Die problematische Wiedereinsetzung des Erzählers. Heinrich Bölls Romane

1. In einem in den fünfziger Jahren geschriebenen Aufsatz über die »Entstehung und Krise des modernen Romans«, der, als Broschüre wiederveröffentlicht[1], in kurzer Zeit fünf Auflagen erlebte, hat Wolfgang Kayser die schon damals vielberedete Krise des modernen Romans mit einem Appell zum Festhalten an der konstruktiven Funktion des Erzählers im Roman zu entschärfen versucht. Der im Roman als organisierendes Formprinzip hervortretende fiktionale Erzähler wird ihm zum Garanten einer auch heute noch zu erreichenden epischen Geschlossenheit. Ohne diesen Erzähler sieht er den Roman in Formauflösung enden: »Wer aber um der durchgehaltenen Unsicherheit willen den Erzähler aus ihm gänzlich verdrängen will, der beraubt ihn seines Wesens. Der Tod des Erzählers ist der Tod des Romans« (34).

Betrachtet man die jüngsten epischen Arbeiten Heinrich Bölls, den Roman »Gruppenbild mit Dame« und die Erzählung »Die verlorene Ehre der Katharina Blum«, so hat es den Anschein, als zeige sich hier ein unerwartetes Echo jenes von Kayser formulierten Appells. Denn in beiden Büchern hat Böll mit allem Nachdruck die epische Institution des Erzählers hervortreten lassen: in einem fiktionalen Erzähler, der, mehr oder weniger scharf umrissen, im Erzählzusammenhang selbst Position bezieht und als die Quellen erforschender, recherchierender und die Informationen zu einem epischen Mosaik montierender Berichterstatter direkt in Erscheinung tritt. Es erhebt sich die Frage nach seiner Funktion, nach der Sinnfälligkeit, mit der er sich, durchaus neuartig auf dem Hintergrund von Bölls bisherigem epischen Werk, plötzlich in den beiden letzten Arbeiten zeigt.

Unterstreicht Böll unfreiwillig die Legitimation von Kaysers Appell, indem in einem aus disparatem epischem Material (Zitaten, Zeugenaussagen, dokumentarischen Relikten und episch Imaginiertem) zusammengesetzten Erzählganzen der auch konkret die einzelnen Materialschichten verknüpfende Erzähler eine anders nicht mehr zu erreichende epische Geschlossenheit der Form verwirklicht? Thematisiert Böll gewissermaßen die für ihn als realen Autor immer schwerer zu erreichende formale Einheit des Romans in den fiktionalen Berichterstattern seiner beiden letzten Bücher und verwirklicht er damit auf dialektische Weise nochmals das, was sich ihm im epischen Schaffensprozeß ständig mehr zu entziehen droht?

Denn deutlich ist, was er zu erreichen versucht: Die sich dem traditionellen Erzähler sinnvoll erschließende Wirklichkeit, die aus epischer Distanz nach der Devise des So-ist-es veranschaulicht wird, ist für ihn zur Illusion geworden. Mit der Preisgabe der traditionellen erzählerischen Einheitlichkeit gibt er die historische Reduktion seiner Erkenntnismöglichkeiten als Autor zu Protokoll, aber er hält zugleich an einer noch vom einzelnen zu leistenden Sinndurchdringung der Wirklichkeit fest, indem er sie, bezogen auf die Struktur des Romans, von der formalen Integrationskraft und, bezogen auf die Erkenntnis der Wirklichkeit, von der ethischen Überzeugungskraft eines im Roman agierenden und damit zugleich erzählten wie erzählenden Verfassers abhängig macht. Der fiktive Erzähler übernimmt gewissermaßen die formale und ethische Einheitsfunktion. Freilich ist mit diesem Versuch eine Voraussetzung verbunden, die Baumgart so formuliert hat: »Wenn so der Fluchtpunkt in *ein* erzählendes Ich verlegt wird, das selbst Figur spielt, erfunden wie alle Figuren, wird die Verbindlichkeit alles Gesagten nur noch verbürgt durch dieses Gewährs-Ich. Wer dieses Ich nicht glaubt, kann nichts mehr glauben –«[1a]

Die Erörterung dieser Frage setzt den Blick auf Bölls bisheriges Werk voraus. Einen im Romangeschehen direkt auftretenden fiktionalen Erzähler hat es bisher in der Weise bei ihm nicht gegeben. Denn die von Böll in vielen seiner Erzählungen und in zwei seiner wichtigsten Romantexte zugrundegelegte Darstellungsperspektive eines Ich-Erzählers – sieht man einmal von »Entfernung von der Truppe« ab – unterscheidet sich von dem in der Er-Form erzählenden Berichterstatter seiner beiden letzten Bücher. Die im »Brot der frühen Jahre« und in den »Ansichten eines Clowns« gewählte Ich-Perspektive[2], die keineswegs mit dem realen Erzähler im Sinne von autobiographischer Identifikation gleichzusetzen ist, erhebt das Erfahrungsspektrum der jeweiligen Mittelpunktsfigur, des jungen Fendrich und Hans Schniers, zur Darstellungsperspektive des Erzählganzen. Aus dem Horizont des Erzählers erwachsen die Dimensionen der Darstellung. Seine Reaktion auf die andern Personen und seine Reflexion des Geschehens bieten dem Leser eine bewußt subjektiv gehaltene Perspektive an, das Dargestellte zu überschauen.

Die vom traditionellen allwissenden Erzähler suggerierte Illusion, über die psychologisch motivierten Handlungsweisen seiner Romanpersonen und über den kausal verknüpften Handlungszusammenhang von vornherein umfassend informiert zu sein und wie ein quasi göttlicher Spielleiter die einzelnen Handlungszüge dirigieren zu können[3], ist aufgegeben. Nicht aufgegeben ist jedoch die formale Einheitlichkeit einer bestimmten Erzählperspektive, die sich jetzt, zwar subjektiv getönt, von dem allwissenden Erzähler unterscheidet, aber dennoch dem Erzählten als integrierendes Formprinzip Geschlossenheit verleiht.

Der gleiche strukturelle Tatbestand zeigt sich in jenen Romanen Bölls, wo zwar die formal einheitsstiftende Funktion eines Ich-Erzählers nicht direkt zu finden ist, wo jedoch die Identifikation mit der Erzählerperspektive einer bestimmten Figur soweit vorangetrieben wird, daß die monologische Reflexion der entsprechenden Figur über große Strecken den Erzählgang bestimmt. Das gilt für den frühen Roman »Und sagte kein einziges Wort«, wo alternierend aus den Blickwinkeln von Fred und Käte Bogner erzählt wird, häufig direkt aus der monologischen Innenperspektive. Das tendiert schon hier zur Form des Inneren Monologs, unterscheidet sich aber dennoch durch die sprachliche Formung (vollständige Satzformen, leitmotivisch eingesetztes Vokabular, überhöhte, wiederkehrende Bilder) von der angelsächsischen Stream-of-consciousness-Technik[4], die den Bewußtseinsstrom der jeweiligen Romanfigur möglichst direkt, unter Verwendung psychologisch realistischer, fragmentarischer und unsystematischer Sprachformen ins Bild zu bringen versucht. Das Moment der bewußten sprachlichen Gestaltung deutet bei Bölls monologischer Form noch deutlich auf die traditionelle erlebte Rede zurück.

Das gilt erst recht für den Roman »Billard um halb zehn«, der aus den Erinnerungsmonologen Heinrich Fähmels und seiner Frau Johanna, des Sohnes Robert, der Sekretärin Leonore, des Enkels Joseph oder des Portiers Jochen im Hotel Prinz Heinrich montiert ist[5]. Zwar wird auch hier die subjektive Perspektive der jeweiligen Figur zur Erzählperspektive erhoben, aber es geht um weit mehr als um eine monologische Innenschau: um die Reflexion jüngster Zeitgeschichte im Spiegel der Familiengeschichte der Fähmels, um eine heilsgeschichtliche Durchleuchtung der politischen Verwüstungen der Zeitgeschichte im bildlichen Zeichen einer Polarität zwischen der Gemeinschaft der Lämmer und der Büffel. Die durch diese Symbolisierungstendenzen entstehende metaphorische Überfrachtung der Sprachform in den einzelnen monologischen Schichten rückt auch hier den Monolog sprachlich weg von einer realistischen Innenschau und macht ihn zum Konstruktionsvehikel eines sich hinter den einzelnen Personen-Masken verbergenden Erzählers. Dennoch läßt sich auch hier in der Zusammenführung der verschiedenen Monologschichten im Zeitkontinuum des 6. September 1958, dem achtzigsten Geburtstag Heinrich Fähmels, in der harmonisierenden Wirkung dieser Feier und in dem Tableau einer spirituell erweiterten, heilsgeschichtlichen Familie[6] eine formale Einheitsfunktion erkennen, die in den vorher genannten Arbeiten durch die Integrationskraft des Ich-Erzählers zustandekam.

Selbst dort, wo das Romangeschehen aus der distanzierten Perspektive eines lediglich berichtenden und sprachlich hinter der Er-Form des Berichtenden verschwindenden Erzählers dargestellt wird wie beispielsweise in Bölls erstem Buch »Wo warst Du, Adam?«, besteht dennoch kein Zweifel daran, daß nichts weniger erfüllt wird als Spielhagens Appell nach umfassender Objektivität des Autors, daß nämlich »der Dichter völlig und ausnahmslos verschwindet, so daß er auch nicht die geringste Meinung für sich selbst äußern darf: weder über den Weltlauf noch darüber, wie er sein Werk im Ganzen, oder eine spezielle Situation aufgefaßt wünscht: am wenigsten über seine Personen, die ihren Charakter... exponieren müssen«[6a].

Auch ohne die eine moralische Perspektive der Darstellung nachdrücklich betonenden Motti des Romans, die von Theodor Haecker und Antoine de Saint-Exupéry stammen[7], läßt der Erzählduktus nicht daran zweifeln, daß das Kriegsgeschehen aus dem Blickwinkel eines Opfers beschrieben wird und erzählperspektivisch weitgehend mit dem Erfahrungshorizont des Soldaten Feinhals, der am Ende von einem sinnlosen Zufall vernichtet wird, identisch ist. Und so wie hier vielleicht am deutlichsten die autobiographische Erfahrungsperspektive des realen Autors Böll durchscheint (wie dann erneut und verstärkt in der Erzählung »Entfernung von der Truppe«), leuchtet es auch ein, daß Böll über diesen Roman gesagt hat: »Ja, das ist eins meiner Lieblingsbücher...«[8]

Dieser Blick auf Bölls episches Œuvre unterstreicht unter erzählstrukturellem Aspekt den Neuansatz, den er in seinen beiden letzten Büchern mit der Einführung eines im Erzählzusammenhang agierenden Verfassers gewählt hat. Allerdings ist dieser Neuansatz nicht völlig unvorbereitet zustandegekommen. Es lassen sich zumindet zwei seiner epischen Arbeiten nennen, die unter erzählstrukturellem Aspekt einen Übergang markieren. Gemeint sind »Ende einer Dienstfahrt« und »Entfernung von der Truppe«[9].

Ungeachtet aller parodistischen Nebenabsichten, die sich in ironischen Sticheleien des Ich-Erzählers gegen mögliche literarische Interpretationen seines Textes äußern, wird »Entfernung von der Truppe« von einer Textstruktur charakterisiert, die in der Tat äußerlich auf die beiden letzten Arbeiten Bölls vorausdeutet: Es werden Zitate, Belege, Materialien, zum Teil sogar als reine Faktenaneinanderreihung, präsentiert, so im VII. Kapitel, das »zeitgeschichtliches Material... roh, nackt« (98) vorführt, d. h. einzelne vom Erzähler nicht verbundene Faktenstenogramme aneinanderreiht und dem Leser überläßt, was er damit anfängt: »Mag jeder damit oder draus machen, was er will.« (98) Es werden vor allem gegen Ende Dokumente montagehaft eingeblendet, so die ausführliche »Reportage... über den Fortgang der Befestigungsarbeiten im Westen des Reiches« (101)[10] oder die Zeitungsnotiz über einen Besuch des englischen Premiers Chamberlain im September 1938 in Bad Godesberg[11].

Allerdings handelt es sich hier um einen Ich-Erzähler, der aus der Nonchalance seines improvisierten und künstlerische Ansprüche ständig ironisierenden Erzählansatzes kein Hehl macht. Seine Beziehung zum Erzählstoff ist grundsätzlich verschieden von der der Berichterstatter im »Gruppenbild« und in der »Katharina Blum«. Während dort die epische Montage die Schwierigkeiten der Wahrheitsermittlung veranschaulicht und die perspektivische Omnipotenz des traditionellen Erzählers reduziert (zumindest im »Gruppenbild«), präsentiert er sich hier gleichsam als allwissender Ich-Erzähler, der über alles umfassend informiert ist. Das gilt ja auch rein äußerlich, da er im wesentlichen über sein eigenes Leben berichtet, das von ständiger Anpassungsverweigerung, sowohl in der Armee des Dritten Reiches als auch in der bundesdeutschen Nachkriegszeit, bestimmt wird. Nur macht er sich keinerlei Mühe, diese epische Allwissenheit in eine funktionale Beziehung umzusetzen, d. h. sie in einer künstlerisch plausiblen Erzählstruktur seines Textes zu vermitteln. Seine Anpassungs- und Leistungsverweigerung schließt in gewisser Weise auch den künstlerischen Reflexionsprozeß mit ein. Das Bekenntnis: »Es geschieht – wie alles in diesem Erzählwerk – ohne Absicht.« (64) hat auf diesem Hintergrund durchaus programmatische Bedeutung.

Nicht nur seine parodistischen Hinweise auf eine »Interpretation«[12] am Ende seines Berichtes, sondern mehr noch die Verdeutlichung seines improvisierten Erzählens am Bild eines »Malbuches« (67), in das man wahllos Farben tupft und Skizzen stopft, die der Leser gleichsam vervollständigen soll, drücken diese Verweigerung einer verbindlichen künstlerischen Erzählform aus. Die ironische Wendung: »Wenn der Leser jetzt gar ›nicht mehr weiß, was er von ihr halten soll‹, so habe ich mein Ziel erreicht...« (67) überträgt das inhaltliche, ethische Programm der Verunsicherung, das am Ende im Appell zur ständigen »Entfernung von der Truppe« (138) nochmals ausdrücklich formuliert wird, in gewisser Weise auch auf die Form. Und die Schlußfrage: »Der Erzähler verbirgt etwas. Was?« (141) bedeutet denn auch nichts anderes als die Zurücknahme jeder Form zugunsten eines möglichst nackt hervortretenden ethischen Postulates. Das beabsichtigt aber im Grunde nichts weniger als die Selbstaufhebung des Erzählers, der seiner Darstellung eine Authentizität und einen Bekenntnischarakter wünscht, die den Leser unmittelbar erreichen sollen, ohne jegliche künstlerische Vermittlung. Die Dialektik von Form und Inhalt wird hier aufgehoben, zugegeben auf spielerische Weise, wobei der sich ständig seine Allwissenheit postulierende Erzählgestus dieses Erzähl-Ichs, das sich gleichsam ironisch aufbläst, in merkwürdigem Kontrast steht zum inhaltlichen Programm der Ich-Verweigerung, des Sichentziehens, der Bescheidenheit.

Dieses sich kokett-ironisch gerierende Ich des Erzählers Schmölder tauscht also die leichthin aufgegebene künstlerische Überzeugungsmöglichkeit seines Berichtes gegen eine Attitüde ein und konstruiert so, wenn auch eher unfreiwillig, einen ikonographischen Spiegel seiner Subjektivität. Man stelle sich nur vor, Böll hätte im »Gruppenbild« Leni Gruyten zur Ich-Erzählerin gemacht. Er wäre dann im »Gruppenbild« in die gleiche Richtung gedrängt worden wie in »Entfernung von der Truppe«, was er jedoch im »Gruppenbild« bewußt zu vermeiden suchte, nämlich ein Personen-Bild zu entwerfen, das, in subjektiver Innenschau zustandegekommen, monumentale Züge trägt. Die formale Sackgasse, die »Entfernung von der Truppe«, vom Erzähler her gesehen, charakterisiert, wird in »Ende einer Dienstfahrt«

durch einen andern Erzählansatz zu überwinden versucht.

Die im äußerlichen Handlungsgerüst als Prozeßbericht aufgebaute Erzählung »Ende einer Dienstfahrt«[13] scheint aus der distanzierten, über den Dingen stehenden Außenperspektive eines unpersönlichen Berichterstatters erzählt, der, wie dann auch der Berichterstatter in der »Verlorenen Ehre der Katharina Blum«, seine Darstellung bewußt von den offiziösen Zeitungsberichten unterscheidet. Dem vertrauten Schema der analytischen Fabel folgend, beginnt denn auch »Ende einer Dienstfahrt« mit der in drei Zeitungen des Kreises Birglar gleichlautend veröffentlichten Pressenotiz über den gerade abgeschlossenen Prozeß gegen Vater und Sohn Gruhl, der mit Unterstützung seines Vaters einen Bundeswehr-Jeep verbrannt hat. Die in der Presse heruntergespielte politische Provokation dieses Prozesses, was für den Erzähler zum Beispiel von Nachrichtenmanipulation wird, stimuliert seinen alle Hintergründe und Verwicklungen des Prozesses nun ins Bild bringenden Bericht, der damit zugleich als Gegenbericht zu der offiziösen Pressenotiz gemeint ist.

Allerdings delegiert Böll hier die Protesthaltung des Erzählers gegen die Nachrichtenverfälschung bzw. -unterdrückung nicht einem im Erzählvorgang selbst auftretenden Erzähler zu, obwohl diese Möglichkeit bereits hier angedeutet wird. Der liberale Verleger des »Duhrtalboten«, der dem Entschluß der Lokalredaktionen der »Rheinischen Rundschau« und des »Rheinischen Tagblattes«, den Gruhl-Prozeß nicht hochzuspielen, nicht folgen will, weil er »eine ›klerikal-sozialistische‹ Verschwörung« (8) wittert, beauftragt seinen Reporter Wolfgang Brehsel, einen abgesprungenen Theologiestudenten, ursprünglich mit einer Gerichtsreportage über den Fall Gruhl. Nach einem Abendessen mit einem Politiker zieht Hollweg jedoch seinen Auftrag wieder zurück, entschließt sich, ebenfalls die offiziöse Notiz zu bringen, und schickt seinen Reporter statt dessen zur Berichterstattung in einen gerade stattfindenden Mordprozeß in einer nahe gelegenen Großstadt.

Daß Brehsel tatsächlich seiner Intention nach der Erzählperspektive des nun von Böll vorgelegten Prozeßberichtes entsprechen könnte, zeigt seine Reaktion gegenüber Hollweg am Ende des Buches, als er jenem seinen Bericht über den Schewen-Prozeß in die Setzmaschine diktiert. Es entspinnt sich ein Streit über ein Wort, das Hollweg in Brehsels Bericht hineinredigieren will, nur weil es schon in andern Zeitungsberichten genannt wurde, während Brehsel es auf Grund seiner Prozeßerfahrung als absolut unzutreffend zurückweist. Dem Vorwurf Hollwegs, er gebe vor, die Wahrheit gepachtet zu haben, begegnet Brehsel mit einem Appell, der sich auch hinter dem Erzähler von »Ende einer Dienstfahrt« erkennen läßt: »er sei nicht der einzig Sehende, habe keinerlei Wahrheit gepachtet, übrigens sei die Wahrheit gar nicht zu pachten...« (250)

Daß Böll aber Brehsel nur eine Randfigur bleiben läßt, ihn trotz dieser Protesthaltung nicht auch tatsächlich zum Berichterstatter in seiner Erzählung macht, obwohl die Intention Brehsels der des Berichterstatters entgegenkommt, hat wohl auch damit zu tun, daß die Integration der verschiedenen Erzählschichten sich hier auch auf andere Art erreichen ließ. Äußerlich gesehen, entsprechen diese Erzählschichten ja wiederum in manchem den einzelnen Erzählelementen in »Gruppenbild mit Dame« und vor allem in der »Verlorenen Ehre der Katharina Blum«. Auch hier werden recherchierte Materialien, Quellen, Zeugenaussagen, indirekte Berichte, kurze wörtliche Zitate zu einem Erzählganzen miteinander verbunden. Die durchgehende Erzählperspektive, die sich in den andern Arbeiten Bölls erkennen läßt, fehlt hier. Vielmehr setzt ein aus so vielen Elementen zusammengesetzter Text eine Vielzahl von Erzählperspektiven voraus, je nach den eingearbeiteten Quellen, Belegen, Zitaten und ohne daß der montierende Berichterstatter seine Perspektive zu der allesbestimmenden erhebt. Er balanciert vielmehr diese Einzelperspektiven gegeneinander aus und polemisiert gerade gegen die manipulierte offiziöse Pressenotiz, mit der die Erzählung beginnt.

So wie der minuziös geschilderte Prozeß sich als ein höchst komplexer Vorgang, in den auch die Interessen der Beteiligten und der Repräsentanten des Rechts hineinspielen, und damit als Gegenteil eines gleichsam objektiv ablaufenden Vorgangs der Rechtsfindung herausstellt, erweist sich der Wahrheitsappell des Erzählers nicht als ein von außen hineinprojiziertes, subjektives Postulat (wie in »Entfernung von der Truppe«), sondern ergibt sich aus den geschilderten Zusammenhängen als Aufgabe für den Leser. Hier zeigt sich zugleich, daß Bölls distanzierter Erzähler keineswegs die über den Dingen stehende Position des traditionellen allwissenden Erzählers für sich beansprucht, der in der Tat vorgab, die »Wahrheit gepachtet zu haben« – von dem Ich-Erzähler in »Entfernung von der Truppe« ganz zu schweigen –, vielmehr wird das, was als Wahrheit zu charakterisieren wäre, im

Erzählprozeß selbst vermittelt. Die analytische Fabel, verbunden mit dem Prozeßbericht, der retrospektiv aufgerollt wird, hat Böll jedoch zugleich ein formales Gerüst in die Hand gegeben, das die vielfältigen Bestandteile seiner Erzählung zu einem Ganzen verbindet, ohne daß es der Integrationskraft eines in der Erzählung konkret agierenden Berichterstatters bedurfte.

»Ende einer Dienstfahrt« zeigt also unter strukturellem Aspekt einen aufschlußreichen paradoxen Tatbestand. Die vermeintliche Objektivität des distanzierten, in der Er-Form berichtenden Erzählers, die im traditionellen Roman die Prämisse des realen Autors, über die von ihm geschilderte Wirklichkeit buchstäblich im Bilde zu sein, in ein eindeutige Züge tragendes und damit gleichsam als objektiv zu bezeichnendes Bild der Wirklichkeit umsetzte, führt hier gerade zur Aufhebung einer solchen vorausgesetzten Objektivität. Indem die Situationen und Verwicklungen zwischen den Menschen in ihrer Komplexität vorgeführt werden[14], behauptet der Autor indirekt die vorausgesetzte Objektivität als ideologisch, macht er die Wahrheit aus einem übernommenen Erzählgestus zu einem ständig neu zu lösenden Problem. Während der allwissende Erzähler die Objektivität und damit die Wahrheit seiner Darstellung begrifflich verformelt und damit vergegenständlicht hat, der allwissende Ich-Erzähler in »Entfernung von der Truppe« sie lediglich abstrakt behauptet und gleichsam predigt, wird sie hier von Bölls Erzähler aus den Begriffshülsen wie auch aus dem subjektiven Pathos befreit und zu einer Funktion seiner Darstellung gemacht.

2. An dieser Stelle zeigt sich der Übergang zu »Gruppenbild mit Dame«[15] auf doppelte Weise: in der Übereinstimmung und im Kontrast. Denn gegen einen verdinglichenden Wahrheitsbegriff, der sich im Erzählprozeß in der epischen Plausibilität einer aus einer Perspektive dargestellten, abgerundeten Figur zeigen könnte, ist auch die Darstellung im »Gruppenbild« gerichtet. Wenn Böll nie müde wird zu betonen, daß es ihm beim Entwurf der Person der Leni Gruyten um einen Gegenentwurf zu den, wie er es nennt, ikonographischen Tendenzen[16] des Romans geht, so ist damit offenbar eine Figur gemeint, die, aus einer Perspektive dargestellt, für den Leser Züge der Eindeutigkeit annimmt, zum Bild, zum Idol wird und die tatsächliche Person dahinter verschwinden läßt. Die Wahrheit von Lenis Person läßt sich in diesem Sinne nicht eindeutig beschreiben, sondern liegt gleichsam

jenseits der Worte. Aus diesem Grund tritt an die Stelle eines von einer bestimmten Erzählperspektive bestimmten Berichtes ein aus vielfältigen Berichten, Zitaten, Quellen, recherchierten Fakten montiertes episches Mosaik, das immer nur Facetten zeigt und die Geschlossenheit eines bestimmten Bildes verweigert. Insofern stellt sich eine Übereinstimmung zwischen »Ende einer Dienstfahrt« und »Gruppenbild« heraus.

Der Unterschied zeigt sich in der Funktion des Erzählers. Die bereits im Stoff vorgegebene formale Klammer des Prozeßberichtes, der die manipulierte Zeitungsnotiz widerlegt, fehlt in »Gruppenbild«. Um dennoch eine formale Integration der vielfältigen epischen Bestandteile zu erreichen, versetzt Böll den Berichterstatter in den Roman. Vergleicht man diese Situation mit »Ende einer Dienstfahrt«, so zeigt sich strukturell eine Radikalisierung von Bölls Position. Auf der einen Seite entfernt er sich immer stärker von einem bestimmten Erzähler und einer bestimmten Erzählperspektive, die den Aufbau seiner vorangegangenen Arbeiten charakterisiert, auf der andern Seite zwingt die Zurücknahme einer eindeutigen Erzählperspektive zu einer immer größeren Annäherung an einen bestimmten Erzähler, den er in »Gruppenbild« selbst als Teil des Romanpersonals in die Darstellung übernimmt. Die Entwicklung, die in diesem Vorgang kulminiert, läßt sich unschwer erkennen.

Mit der Aufsplitterung einer bestimmten Erzählperspektive droht dem Roman eine formale Atomisierung und damit eine Selbstaufgabe (die spielerische Überlegenheit des Ich-Erzählers in »Entfernung von der Truppe« ist nur eine Scheinlösung), zumal ein im Stoff bereits angelegtes Formgerüst wie beim Prozeßbericht fehlt. Der in den Erzählprozeß versetzte »Verf.« übernimmt nun gleichsam die Aufgabe, die auseinanderstrebenden Bestandteile zusammenzubinden und als verkörperter Erzählimpetus die formale Integration zu gewährleisten.

Wenn – in diesem abstrakten Sinne – die formale Einheit des Romans zu einer Funktion des Erzählers werden soll, muß dieser Erzähler andererseits auch konkret eine Funktion im Erzählvorgang haben, er muß mehr sein als ein von außen in den Roman projiziertes Prinzip der formalen Verklammerung, er muß auch als Person im Roman konkret vermittelt werden, mit andern Worten: der Prozeß der Vermittlung muß nach beiden Seiten stattfinden. Hier scheinen die eigentlichen Probleme im »Gruppenbild« zu liegen. Wer ist dieser Erzähler eigentlich? Seine

Funktion in der Erzählstruktur läßt sich unschwer erkennen, aber wie steht es um seine konkrete Funktion im Handlungszusammenhang des Romans?

Ihn einfach in den realen Erzähler Böll aufzulösen, wäre als Antwort zu einfach. Der »Verf.« ist offenbar mehr als eine Personen-Maske des authentischen Erzählers, zumal das eine autobiographische Identifikation voraussetzen würde, der Böll beispielsweise durch eine andere Figur im Roman widerspricht, die deutlich autobiographische Züge trägt[17]. Gemeint ist der Antiquariatslehrling B. H. T., der die junge Rahel, Lenis spätere Lehrerin, liebt und dessen hier nur intentional vorhandene Liebesbeziehung am Ende des Buches allerdings deutlich in der Liebesbeziehung des »Verf.« zu der ehemaligen Nonne Klementina parallelisiert wird. Aber B. H. T. wird zugleich vom »Verf.« als Nebenfigur an die Peripherie der Erzählung gerückt: »Es wäre viel über diesen Burschen zu sagen, das erübrigt sich, da er unmittelbar fast nichts mit Leni zu tun hat, nur als Reflektor gewisse Dienste leisten kann« (165). Läßt sich diese Aussage nicht auch auf das Verhältnis zwischen dem realen Autor Böll und dem »Verf.« seines Buches beziehen? Mit andern Worten: auch der »Verf.« leistet möglicherweise nur gewisse Dienste als Reflektor und ist ohne epische Eigenkontur, also eine abstrakte Konstruktion, lediglich ein Erzählvehikel?

Das läßt sich nicht von vornherein sagen. Er wird ja durchaus als Person vorgestellt. Die formale Entfaltung des Romans läuft ja vielfach seiner Materialsuche und zum Teil mühseligen Quellenaufdeckung parallel. Es werden ja nicht nur die Resultate seines vielfältigen Recherchierens präsentiert, sondern zugleich der Weg zu diesen Resultaten episch veranschaulicht. Das bedeutet: der »Verf.« agiert auch auf der Handlungsebene des Romans und nicht nur abstrakt als die Romanteile zusammenbindendes Erzähler-Bewußtsein. Er sucht die verschiedenen Zeugen auf, beschreibt ihre Beziehungen zu Leni, filtert und kondensiert die Aussagen über Leni, die er von ihnen erhält.

Es ist dabei wohl nicht so, daß er im Sinne eines allwissenden Erzählers[18] auf der einen Seite bereits die Überschau über das Handlungsgefüge besitzt, auf der andern Seite jedoch als fiktionaler Vertreter der Romanhandlung gerade um eine solche Überschau bemüht ist und sie erst schrittweise verwirklicht. Gelegentliche Handlungsantizipationen[19], die die Erwartungshaltung des Lesers zu stimulieren scheinen, sind jeweils nur auf

Handlungsabschnitte bezogen und kaum auf die gesamte Struktur des Buches. Das gilt wohl auch für jene zu Anfang des Romans geäußerte Reflexion des Erzählers: »Wenige Minuten, nachdem es Leni erlaubt wird, unmittelbar in die Handlung einzutreten (das wird noch eine Weile dauern), wird sie zum ersten Mal das getan haben, was man einen Fehltritt nennen könnte: sie wird einen türkischen Arbeiter erhört haben...« (10)

Handelt es sich hier tatsächlich um einen Vorgriff auf eine erst später stattfindende Handlung und damit um einen Beweis für eine faktisch vorhandene »Allwissenheit« des »Verf.«? Was hier vom »Verf.« zu Anfang des Romans als Zukunft »vorweggenommen« wird, stellt ja eigentlich die Gegenwart der Erzählsituation dar, d. h. der »Verf.« kennt Leni ja, gerade diese Kenntnis Lenis motiviert ihn, ihre Geschichte zu rekonstruieren, um sie als Person in ihren Handlungen, die die bürgerlichen Konventionen offen brüskieren, besser zu verstehen. Diese persönliche Beziehung des »Verf.« zu Leni, sein Bekenntnis, daß er »selbst in Leni verliebt« (104) sei, wird zum psychologischen Impuls für seine mit quellenkundlichen Materialien gespickte Reise in Lenis Vergangenheit.

Diese Sympathie-Beziehung zur Hauptfigur baut also wenigstens zum Teil die Künstlichkeit ab, die darin liegt, daß er konkret im Handlungszusammenhang nie völlig hervortritt, daß nie richtig klar wird, wieso und in welchem Rahmen es dem »Verf.« möglich ist, sich mit dieser Intensität der sich nur sehr schwer und auf Umwegen erschließenden Vergangenheit Lenis zu widmen. Der Roman mündet ja auch am Ende wieder in die Gegenwart des Erzählers und Lenis ein, so daß die dazwischen liegende und im Erzählfortgang aufgearbeitete Geschichte der Hauptfigur wie eine großangelegte Rückblende zwischen diese beiden Zeitpole gebettet ist. Es scheint auf diesem Hintergrund auch durchaus plausibel, daß einerseits die Sympathie des »Verf.« für Leni immer größer wird und er andererseits immer stärker aus der Distanz des Rechercheurs heraustritt, immer aktiver wird, d. h. seine Reaktionen immer offener mitteilt bis hin zu der parodistischen Gesprächsszene[20] mit Werner und Kurt Hoyser, in deren Verlauf seine Jacke lädiert wird, und der konkreten Gegenüberstellung[21] mit Leni am Ende des Romans.

Die Intention des »Verf.«, »Wahrheitsfindung zu betreiben« (332), die Wahrheit der Person Lenis in ihrer sorgfältig eruierten Geschichte transparent zu machen, stellt also keine statische

Haltung dar, sondern führt im Prozeß des Erzählens zu einer immer stärkeren Annäherung an die Hauptfigur, sowohl stofflich, indem er immer mehr über sie erfährt, als auch emotional, indem sie ihm immer sympathischer wird. Auf dem Hintergrund leuchtet es auch durchaus ein, daß der »Verf.« selbst am Ende seine eigene Geschichte beginnt, also nicht nur Reflektor und Rechercheur bleibt, sondern in der Liebesbeziehung zu der ehemaligen Nonne Klementina auch unter diesem Aspekt Teil der Fiktion wird, d. h. auch teilhat an dem harmonischen Ende des Romans. Formal ist das nicht ohne Plausibilität. Freilich hat dieser Vorgang zwei Seiten.

Denn einmal könnte die Verringerung der Distanz zwischen »Verf.« und Hauptfigur als Erzählgestus, bezogen auf den Leser, so ausgelegt werden, daß der Leser gleichsam zur Identifikation mit dem »Verf.« ermuntert wird; zum andern läßt sich jedoch nicht übersehen, daß der »Verf.« dadurch, daß er immer stärker in die Fiktion eintritt, seine vorher etwas pedantisch formulierte Erkenntnisaufgabe, »im Dienst der Wahrheit permanent unterwegs« (342) zu sein, als abstrakten Appell immer stärker zurücknimmt und relativiert, indem er gleichsam in seiner Erzählung verschwindet und den Leser mit »seiner unermüdlichen Recherchierarbeit« (370) allein zurückläßt. So heißt es bezeichnenderweise schon im letzten Teil des Romans: »Eine Art Zusammenfassung erscheint hier angebracht, auch ein paar Fragen, die der Leser selbst beantworten muß« (206). Die Endgültigkeit eines bestimmten Bildes von Leni im Sinne von: ›So war sie und so ist sie‹ wird also vermieden, und er stellt damit die strukturelle Offenheit der Ausgangssituation wieder her.

Aber wenn das tatsächlich die Absicht Bölls gewesen wäre, erwiese es sich zumindest als widersprüchlich, daß die emotionale und reflektierende Konkretisierung des »Verf.« nicht durch eine soziale ergänzt wird. Gemeint ist, daß bis zuletzt unklar bleibt, was die konkreten gesellschaftlichen Bedingungen sind, die den Erzählstandort des »Verf.« definieren, vereinfacht formuliert: in welchem Berufsrahmen sich seine Recherchierarbeit vollzieht, zumal es nicht an einigen Hinweisen auf »Spesen« und »Geschäftsunkosten« (342) fehlt. Aber in wessen Auftrag ist er eigentlich unterwegs? Ist er ein Journalist, was ebenfalls ein Hinweis nahezulegen scheint[22], aber welchen Sinn hätte dann seine überbordend angelegte Materialmontage? Denn der formale Defekt schlägt ja in einen inhaltlichen um. Wo der »Verf.« als Figur nicht glaubwürdig ist, verliert auch die in ihn verlegte ethische Erkenntnisaufgabe, doch noch eine mögliche Einheit zwischen Ich und Wirklichkeit zu garantieren, ihre Glaubwürdigkeit.

Der Journalist Brehsel muß sich in »Ende einer Dienstfahrt« auf Grund seiner Abhängigkeit den ihm zweifelhaften Anordnungen seines Chefs fügen, und seine moralische Aufrichtigkeit als Journalist kam konkret nur noch in dem an sich lächerlichen Streit über ein einziges Wort zum Ausdruck. Verglichen damit wird die »soziale Omnipotenz« von Bölls »Verf.«, nämlich sich mit Ausschließlichkeit und unter größtem Zeitaufwand dieser Sache widmen zu können, zu einer abstrakten Bedingung, die nirgendwo geklärt wird. Im Auftrage welcher Zeitung oder welcher Zeitschrift unternimmt er seine Recherchen? Ist er ein Schriftsteller? Aber warum dann das eigentümliche Versteckspiel, bezogen auf seinen sozialen Standort?[23] Berücksichtigt man noch in diesem Zusammenhang das ironische Spiel des »Verf.« mit den fingierten und authentischen Dokumenten seiner Recherchierarbeit, die nicht immer widerspruchsfreie Bewertung der verschiedenen Quellen[24] und das Verwirrspiel, das er dergestalt mit dem Leser veranstaltet, ohne daß das unmittelbar auf die Gestaltungsabsicht des Romans bezogen wäre, so entsteht eine eigentümliche Gebrochenheit, die sich letztlich gegen den »Verf.« des Buches wendet. Zwar ist an der formalen Einheitsfunktion, die der »Verf.«, bezogen auf die Struktur des Romans, hat, nicht zu zweifeln. Unsicher bleibt jedoch die andere Seite der Gleichung: wie er sich selbst mit den ihn allein betreffenden Problemen, mit seinem moralischen Impetus, seiner geistigen Physiognomie und seinem sozialen Standort, in der Geschichte Lenis vermittelt, sieht man einmal von der sich ständig steigernden Sympathie-Beziehung ab.

Vollends abstrakt wird die Funktion des »Verf.«, wenn man ihn unter dem Aspekt erblickt, der nach Bölls eigenem Zeugnis[25] ebenfalls bei der Konzeption des Buches eine Rolle spielte: nämlich unter dem Aspekt einer Parodie auf den nonfiction-Roman, indem Böll fingierte Dokumente mit authentischen vermischt und im epischen Surrogat die ursprüngliche Zuordnung der Elemente nicht mehr erkennbar, ja austauschbar wird. Denn unter diesem Aspekt wird der »Verf.« ausschließlich zu einer Projektion des realen Autors, zu einem abstrakten Erzählvehikel par excellence, und die innere Beteiligung an der Geschichte der Hauptfigur, von Böll unter anderem Gesichtspunkt wiederum als wichtig betont, erweist sich hier als störend und widersprüchlich. Auch von der Ästhetik des nonfiction-Romans her, wie sie E. Plessen[26] zu skizzieren versuchte – »Die Roman-Figuren der non-fiction-novel... lassen sich nicht a priori auf Zwecke ausrichten. Ihre Autonomie kommt durch die Hereinnahme des bloß Faktischen, Unausgeführten, Ausschnitthaften in die non-fiction-novel zustande.« (116/7) – erweist sich die inhaltliche Steigerung des Romans auf ein gleichsam anti-ikonographisches Bild Lenis zu als störend. Das gleiche gilt für das Einmünden der Materialmontage in die die Gegenwart des »Verf.« miteinschließende Fiktion, zu deren Teil er wird.

So bleibt es, von der Erzählstruktur her gesehen, im ganzen zweifelhaft, ob sich Absicht und Resultat in Bölls Roman entsprechen. So sehr es einleuchtet, daß er die Monumentalität einer bestimmten Erzählperspektive durch prismatische Zerlegung in viele Einzelfacetten vermeidet, um ikonographische Tendenzen im Personen-Bild seiner Hauptfigur zu verhindern, so schwierig bleibt es, das Ergebnis einzuschätzen. Als Parodie auf den nonfiction-Roman leidet das Buch zu stark an immanenten Widersprüchen, als polyperspektivischer Roman, in dem sich der recherchierende und montierende »Verf.« überwiegend nur emotional engagiert, wird es nur äußerlich von der Funktion des »Verf.« zur Einheit zusammengefügt, als weiterverzweigte Form des polyhistorischen Romans, wie er von Brochs »Schlafwandlern« bis hin zu Höllerers »Elephantenuhr« durch eine Ausdehnung des Erkenntnisspektrums bis hin zum Rationalsten und Irrationalsten den Erkenntnishorizont des konventionellen Romans zu erweitern versucht, wird das Buch gerade vom Bewußtsein des fiktiven »Verf.« zu sehr eingeengt.

3. Die erzählstrukturellen Probleme, die mit der Rolle des im Erzählprozeß agierenden Berichterstatters verbunden sind, zeigen sich erneut in Bölls jüngster Arbeit, dem Kurzroman »Die verlorene Ehre der Katharina Blum«[27]. Die strukturellen Analogien zum »Gruppenbild«, aber auch zu »Ende einer Dienstfahrt« lassen sich schwerlich übersehen. Die Konfrontation zwischen manipulierter offiziöser Pressenotiz und dem die tatsächlichen Hintergründe enthüllenden Bericht des Erzählers in »Ende einer Dienstfahrt« hat sich in der »Katharina Blum« zur gezielten Auseinandersetzung mit Praktiken der Massenpresse gesteigert. (Die öffentliche Auseinandersetzung um die Baader-Meinhof-

Gruppe und die durch eine gewisse Presse erzeugte Hysterie scheinen hier deutlich als realistische zeitgeschichtliche Folien durch.)

Ähnlich wie die am Anfang der »Dienstfahrt« stehende Pressenotiz durch den Bericht des Erzählers schrittweise als falsch widerlegt wird und sich zugleich in diesem Aufbau das Handlungsschema der analytischen Fabel erkennen läßt, baut Böll auch seine Erzählung in der »Katharina Blum« auf: Die zu Anfang des 3. Erzählabschnittes berichteten »Tatsachen« (11), die das faktische Geschehen in einer Informationsformel zusammenfassen, werden im Verlauf der Erzählung in den tatsächlichen Prozeß, der sich abspielte, wieder aufgelöst und in ihren Hintergründen und Verwicklungen gezeigt. Diese Auseinandersetzung wird zudem unmittelbar in der Handlung thematisiert durch die Tat der Katharina Blum, die, von der ZEITUNG indirekt am Tod ihrer Mutter als schuldig dargestellt, den tatsächlich Verantwortlichen, den Journalisten Tötges, in einer Affekthandlung erschießt und damit die publizistisch angeheizte Gewalt konkret hervortreten läßt und sie zugleich gegen den wendet, der an ihrer Erzeugung ursächlich mitbeteiligt ist.

Auch auf »Gruppenbild mit Dame« weisen verschiedene Kontrast- und Verbindungslinien zurück. Auf den ersten Blick zeigt sich die Gemeinsamkeit vor allem in der weiblichen Mittelpunktsfigur. Diese Übereinstimmung täuscht jedoch nicht über grundsätzliche Unterschiede hinweg. Während Leni Gruyten sich der Wirklichkeit ständig verweigert und, gemessen an den Ansprüchen der Leistungsgesellschaft an den einzelnen, mehr durch ihre Passivität hervortritt, mit der sie gerade die Postulate der Gesellschaft ständig ignoriert und konkret durch die alle geschäftlichen Gewinnkalkulationen in den Wind schlagende Vermietung ihres ererbten Hauses das Geschäftsgebaren der jungen Hoysers brüskiert, wird Katharina Blum, die sich der miesen Kleinbürgerlichkeit ihrer Herkunft am Ende entzieht, von gerade dieser die Gesellschaft kennzeichnenden Anpassung und Leistungsideologie bestimmt. Sie steigt, gesellschaftlich gesehen, auf, wird von einer ungelernten Arbeiterin zu einer begehrten Wirtschafterin, die im Hause der Blornas Zutritt zu den sogenannten besseren Kreisen gewinnt, zu Geld kommt und mit Auto und Eigentumswohnung als Muster einer angepaßten und erfolgreichen jungen Bundesbürgerin dasteht.

Das anti-ikonographische Element bei Leni Gruyten zeigt sich darin, daß ihre Persönlichkeit aus Wesensschichten aufgebaut ist, die den von der Gesellschaft anerkannten Normen widersprechen, also etwa ihrer »genialen Sinnlichkeit« (36), ihrer »Seinsgewißheit« (51), ihrer spontanen Liebesfähigkeit, ihrer Naivität in politischen Dingen, ihrem nicht eigentlich reflektierten humanen Verhalten. Die anti-ikonographische Tendenz bei Katharina Blum liegt, negativ akzentuiert, in ihr als Beispiel einer angepaßten, die Leistungsmechanismen der Gesellschaft voll akzeptierenden bundesdeutschen Durchschnittsbürgerin.

Was beide Frauen wiederum verbindet, ist die spontane Liebesfähigkeit, die freilich in der Beziehung zwischen Leni und Boris im »Gruppenbild« breit entwickelt wird, während sie in der Beziehung zwischen Katharina und Ludwig Götten im erzählerischen Rückblick postuliert wird, da ihre Beziehung nie konkret im Erzählvorgang selbst vorgeführt wird. Das Gewicht, das diesen Liebesbeziehungen in beiden Büchern zukommt, ist ähnlich. Leni brüskiert durch ihre Beziehung zu dem russischen Kriegsgefangenen alle damals geltenden Normen und richtet sich nur nach ihrer inneren Moral. Ähnlich wird der Umbruch auch bei Katharina gezeigt, nur daß er auf dem Hintergrund ihres vorher angepaßten Lebens noch radikaler wirkt: Sie setzt gleichsam ihre ganze Existenz aufs Spiel und gerät durch ihre Fluchthilfe für Götten auch ins juristische Räderwerk der Gesellschaft.

Noch deutlicher treten die Analogien zu »Ende einer Dienstfahrt« und »Gruppenbild mit Dame« unter formalen Aspekten hervor. Erweist sich in der »Dienstfahrt« der Prozeßverlauf und -bericht als formaler roter Faden der Erzählung, so ist es hier das polizeiliche Verhör und der entsprechende Polizeibericht, der Zeugenaussagen, Ermittlungen, Indizien usw. zusammenfaßt. Böll gibt sich jedoch mit der bereits hier angelegten formalen Klammer nicht zufrieden, sondern führt wie im »Gruppenbild« einen Berichterstatter ein, der freilich noch schwerer zu identifizieren ist als der »Verf.« im »Gruppenbild«; dessen Einheitsfunktion wird damit noch problematischer.

Die Aufgabe des fiktiven Erzählers im »Gruppenbild« besteht darin, die Wahrheit der Person Lenis aufzudecken und verständlich zu machen anhand der Materialien, in denen ihr Leben zumindest äußerlich anschaulich wird. Diese gleichsam »unpolitische Absicht«, die von der Sympathie-Beziehung des »Verf.« für die Hauptfigur getragen wird, unterscheidet sich jedoch von der Absicht des Berichterstatters in der »Katharina Blum«.

Schon der an Schillers moralische Erzählung »Der Verbrecher aus verlorener Ehre« erinnernde Titel und mehr noch der Untertitel »Wie Gewalt entstehen und wohin sie führen kann« akzentuieren fast plakativ die politisch aufklärerische Absicht des Buches wie auch der Vorspruch, der ganz bewußt auf in der Realität vorhandene Presse-Praktiken hinweist: »...Ähnlichkeiten mit den Praktiken der ›Bild‹-Zeitung sind... weder beabsichtigt noch zufällig, sondern unvermeidlich.« (7) Da zudem Böll selbst im Mittelpunkt einer Presse-Kampagne stand, die sein »Spiegel«-Artikel »Will Ulrike Meinhof Gnade oder freies Geleit?«[28] ausgelöst hatte, und in der konkreten Konfrontation Erfahrungen mit der meinungsbildenden Macht der Presse sammelte, hätte es eigentlich nahegelegen, auf die Personen-Maske eines im Erzählprozeß agierenden Berichterstatters zu verzichten und den durch subjektives Engagement gekennzeichneten Pamphlet-Charakter durch eine direkte Autoren-Perspektive nachdrücklich zu unterstreichen.

Böll hat das nicht getan, sondern einen Erzähler gewählt, der sich im Kontrast zu dem offenbaren Pamphlet-Charakter des Textes viel stärker mit formalen Problemen der von ihm dargelegten Erzählung auseinandersetzt als etwa der »Verf.« im »Gruppenbild«. So werden zu Anfang und dann an bestimmten Nahtstellen der Handlung immer wieder Reflexionen des anonym bleibenden Erzählers eingeblendet, die überflüssige Arabesken wären, wenn sie nicht eine Funktion im Erzählprozeß hätten. Aber welche Funktion kommt ihnen zu?

Die den ersten Erzählabschnitt des Buches beginnende Überlegung präsentiert die Herkunft des Materials in einer an den »Verf.« des »Gruppenbildes« erinnernden Weise: »Für den folgenden Bericht gibt es einige Neben- und drei Hauptquellen, die hier am Anfang einmal genannt, dann aber nicht mehr erwähnt werden. Die Hauptquellen: Vernehmungsprotokolle der Polizeibehörde, Rechtsanwalt Dr. Hubert Blorna, sowie dessen Schul- und Studienfreund, der Staatsanwalt Peter Hach, der – vertraulich, versteht sich – gewisse Maßnahmen der Untersuchungsbehörde und Ergebnisse von Recherchen, soweit sie nicht im Protokoll auftauchten, ergänzte...« (9) Die Nebenquellen werden nicht näher identifiziert, sondern als sich aus dem jeweiligen Bericht ergebende zusätzliche Information offen gelassen. Von einem parodistischen Spiel mit dokumentarischen Elementen des nonfiction-Romans, wie es sich im »Gruppenbild« andeutete, kann hier kaum die Rede sein, da Böll im Vorspruch beispielsweise die Zeitungszitate selbst auf die »Bildzeitung« bezieht und die polemische Absicht hier ja keineswegs einer fiction und nonfiction vermischenden literarischen Form gilt, sondern der politisierenden Wirkung realer Zeitungstexte.

Tatsächlich fällt es hier auch schwer, die sich in Analogie zum »Gruppenbild« als epische Montage darbietende Erzählform des Buches zu rechtfertigen, die ein bestimmter Berichterstatter, der freilich nur reflektierend hervortritt, arrangiert. Wer ist dieser Erzähler? Offenbar ist er als Person in der Umgebung des Rechtsanwaltes Blorna und des Staatsanwaltes Hach zu suchen, die ihn ja mit den wesentlichsten Materialien versorgen. Möglicherweise ist er selbst Jurist oder ein juristisch gebildeter Journalist, was freilich die Paradoxie miteinschließen würde, daß er gerade den Journalismus, wenn auch nicht als Institution, so doch in einigen seiner Vertreter attackiert und damit zumindest eine sehr kritische Haltung gegenüber dem Journalismus dokumentiert. Auf der andern Seite deuten seine der Form der Erzählung geltenden Relexionen darauf hin, daß es ihm weniger um eine möglichst direkte und auf künstlerische Momente verzichtende Korrektur von Fakten geht als um eine auch erzählerisch effektvoll aufbereitete Darbietung des Stoffes.

Das zeigt sich etwa in seiner Reflexion über den Begriff der Komposition, nämlich angesichts der naheliegenden metaphorischen Begriffe wie Quelle und abgeleiteter Kanäle den Begriff der »Dränage oder Trockenlegung« (11) als passender für die Struktur seines Textes zu verwenden, oder etwa in der Reflexion eines notwendig werdenden zeitlichen Rückgriffs, den er zu Anfang des 24. Abschnittes so kommentiert: »Hier muß eine Art Rückstau vorgenommen werden, etwas, das man im Film und in der Literatur Rückblende nennt« (58), ein Rückstau, der dann zehn Abschnitte weiter im 34. für beendet erklärt wird. Diese erzähltheoretischen Reflexionen und Skrupel, die der Berichterstatter äußert, etwa wenn er seinen Text als zu »handlungsstark« (131) charakterisiert und darüber klagt – »Es passiert zuviel im Vordergrund, und wir wissen nichts von dem, was im Hintergrund passiert.« (137) – relativieren zwar auf der einen Seite den Wahrheitsanspruch seines Berichtes gegenüber den Manipulationen der ZEITUNG, indem er sich die Probleme seiner Artikulationsbemühungen ständig bewußt macht, auf der andern Seite beleuchten sie jedoch einen grundsätzlichen Unterschied zum

»Verf.« des »Gruppenbildes«.

Dort tritt der »Verf.« keineswegs mit dem Anspruch des allwissenden Erzählers auf, der über den Fortgang im einzelnen längst informiert ist und seine Fakten nur für den Leser arrangiert, sondern der Prozeß der Wahrheitssuche erweist sich großenteils konkret als Form des Romans. In der »Katharina Blum« scheinen jedoch diese Reflexionsexkurse tatsächlich Ausdruck eines allwissenden Erzählers zu sein, der bereits die Überschau besitzt und als auktorialer Erzähler seinem Leser nur schrittweise den Einblick gewährt, den er selbst längst hat. Darauf deuten auch zahlreiche andere Momente hin, etwa wenn es am Ende des 8. Abschnittes heißt: »Man mag es gleichgültig finden, ob Katharina mit ihrem Auto oder mit einer Straßenbahn zur Party fuhr, es muß hier erwähnt werden, weil es im Laufe der Ermittlungen von erheblicher Bedeutung war.« (22) Die Funktion gewisser Informationen ergibt sich also nicht unmittelbar aus dem Erzählzusammenhang, sondern wird vom Erzähler kraft seiner umfassenden Informiertheit abstrakt postuliert.

Das gleiche tritt hervor, wenn der Erzähler dem die Untersuchung und das Verhör Katharinas leitenden Beizmenne »einen entscheidenden psychologischen Fehler« (43) in der Behandlung Katharinas ankreidet, was sich wiederum nicht unmittelbar aus der Reaktion Katharinas erschließen läßt, sondern was der Erzähler aus seiner umfassenden Kenntnis Katharinas beisteuert. Dieser auktoriale Gestus des Erzählers wird ständig postuliert, so wenn es am Ende des 25. Abschnittes heißt: »Es wird gebeten, die vertraulichen Mitteilungen, die dieses Kapitel enthält, nicht nach Quellen abzuforschen...« (79), und erhält damit ständig größeres Gewicht, ohne daß der Erzähler mit seiner Person und der konkreten Rolle, die er im Erzählzusammenhang spielt, deutlicher hervorträte. Die Moralität des fingierten Erzählers wird zum reinen Abstraktum. In dem Maße, in dem er unglaubwürdig wird, erscheint auch seine formale und inhaltliche Integrationsfunktion als fragwürdig. Da er zudem noch die aus einzelnen Perspektiven akzentuierten Wertungen von Personen, etwa Brettlohs Abwertung[29] und Göttens Hochschätzung als »eines sehr lieben Menschen« (151) – beide Male in der Identifikation mit Katharinas Perspektive – übernimmt, wird er im gleichen Maße bestimmender, wie er konkret schemenhaft bleibt. Oder anders formuliert: er projiziert seine postulierte Subjektivität immer stärker in den Erzählvorgang, ohne sich zugleich als Person im Erzählten zu vermitteln. Er verflüchtigt sich, wird, viel stärker noch als der »Verf.« im »Gruppenbild«, zum abstrakten Konstruktionsvehikel, zu einer Personen-Maske des realen Erzählers, der sich dahinter verbirgt, aber dessen politisch-pamphletistische Absicht eigentlich dadurch in ihrer Wirkung reduziert wird. Seine Kapitulation vor den Fakten, die einer epischen Harmonisierung aufs äußerste widerstreben – »Es ist natürlich äußerst bedauerlich, daß hier zum Ende so wenig Harmonie mitgeteilt und nur sehr geringe Hoffnung auf solche gemacht werden kann.« (180) – steht zugleich im Widerspruch zu der auktorialen Überlegenheit, die er vorher in seinen eingeschobenen Reflexionen behauptet.

Der im zitierten Tatbericht Katharinas angedeutete Kalauer, der die im Wort »Bumsen« ausgedrückte Einladung Tötges' zum Beischlaf mit Katharina zum verbalen Keim von Katharinas Tat, nämlich »Bumsen« mit dem Revoler, werden läßt, bleibt als Resultat ebenso unbefriedigend wie die Haltung des Erzählers, der am Ende seines Berichtes gleichsam die Hände über dem Kopf zusammenschlägt und dem Leser zu verstehen gibt: So schlecht ist es um die Wirklichkeit bestellt! Es spricht alles dafür, daß die Ironisierung der Ohrfeige Sträubleders durch Blorna von dem findigen Maler Frederick Le Boche, der die Blutstropfen aus Sträubleders Nase mit einem Löschblatt auffängt, in ein »One minute piece of art« (179) und damit in kommerzialisierte Kunst verwandelt, auch für die Aktivität des Erzählers in Bölls Text gilt: »Man sollte an dieser letzterwähnten Tatsache... erkennen dürfen, daß die Kunst doch noch eine soziale Funktion hat.« (170) Aber das bedeutet im Klartext, daß letztlich alles kommerzialisiert und damit keimfrei gemacht wird. Ist das hier jedoch nicht zugleich ein Urteil über den Erzähler der »Katharina Blum«, der statt des politischen Pamphlets eine Erzählung schreibt und am Ende vor dem Ungenügen seiner Kunstanstrengung kapitulieren muß und damit auch die ästhetische Form dieses Kurzromans und seine Funktion in ihr zurücknimmt?

Anmerkungen

1 Stuttgart 1954; nach dieser Ausgabe wird im folgenden zitiert.

1a »Aussichten des Romans oder Hat die Literatur Zukunft?«, München 1970, 24.

2 Vgl. dazu im einzelnen die Ausführungen im Buch des Verf. »Der deutsche Roman der Gegenwart«, 2. Aufl., Stuttgart 1973, 49ff. u. 73ff.

3 Diese Position hat Gustave Flaubert in seinem auf »Madame Bovary« bezogenen Brief vom 18. 3. 1857 vielleicht am deutlichsten ausgedrückt: »Der Künstler muß in seinem Werk wie Gott in der Schöpfung sein, unsichtbar und allmächtig; man soll ihn überall spüren, ihn aber nirgends sehen... Es ist an der Zeit, ihr (der Kunst) durch eine unerbittliche Methode die Präzision der physikalischen Wissenschaften zu geben.« (»Briefe«, Stuttgart 1964, 366.)

4 Vgl. dazu u. a. R. Humphrey: »Stream of Consciousness in the Modern Novel«, Berkeley 1954.

5 Vgl. dazu u. a. die Ausführungen von Klaus Jeziorkowski in seiner Dissertation »Rhythmus und Figur. Zur Technik der epischen Konstruktion in Heinrich Bölls ›Der Wegwerfer‹ und ›Billard um halb zehn‹«, Bad Homburg 1968.

6 Vgl. dazu im einzelnen die Ausführungen des Verf. in dem schon genannten Buch »Der deutsche Roman der Gegenwart«, 61ff.

6a »Die epische Poesie und Goethe«, 5, in: »Goethe-Jahrbuch« XVI (1895), 3-29 (im Anhang).

7 »Wo warst du, Adam? und Erzählungen«, Köln 1967, 127.

8 »Selbstanzeige, Schriftsteller im Gespräch«, hrsg. v. W. Koch, Frankfurt/M 1971, 45.

9 2. Aufl. Köln 1964.

10 Vgl. 101-104.

11 Vgl. 112.

12 Vgl. 139f.

13 Köln-Berlin 1966.

14 Vgl. dazu die Ausführungen des Verf. in »Der deutsche Roman der Gegenwart«, 85ff.

15 Zitiert im folgenden nach der Erstausgabe, Köln 1971.

16 Vgl. dazu Bölls Äußerung: »Ich wollte kein Idealbild schaffen, vielmehr eine vollkommen bildlose Heldin, im Sinne einer antiikonographischen Lösung. Meine Heldin soll kein Image haben – Ikone und Image sind ja dasselbe Wort –, sie soll nur sie selbst sein.« (G. Courts: »Meine Heldin soll kein Image haben. Publik-Gespräch mit Heinrich Böll«, in: »Publik« v. 31. 7. 71.)

17 Ich beziehe mich hier auf einen Hinweis von Böll in einem Gespräch mit ihm v. 11. 11. 1971.

18 Vgl. etwa das Bekenntnis des »Verf.«: »Der Verf. hat keineswegs Einblick in Lenis gesamtes Leibes-, Seelen- und Liebesleben...« (9)

19 Vgl. etwa u. a. die Bemerkung des »Verf.«: »Es werden an entsprechender Stelle, mit der ihrer Wichtigkeit entsprechenden Ausführlichkeit noch vorgestellt werden:...« (16)

20 335 ff.

21 Vgl. 370.
22 Vgl. 331.
23 Das Verwirrspiel reicht von der soziologischen Definition bis hin zur literarischen Mythisierung des »Verf.«. So findet sich einmal der Hinweis auf des »Verf.« »extrem kleinbürgerliche Herkunft« (335) und gleichzeitig seine Deutung im Bilde von Kafkas Landarzt: »...der Verf., obwohl er sich bemüht, wie ein gewisser Arzt auf seinen verschlungenen Pfaden ›mit irdischem Wagen, unirdischen Pferden‹ zu fahren...« (363)
24 Vgl. dazu im einzelnen die Darlegungen des Verf. in »Der deutsche Roman der Gegenwart«, 100ff.
25 Vgl. dazu das Zeitungsinterview »Manche Sachbücher sind erfundener als mancher Roman. Ein Gespräch mit Heinrich Böll über seinen Roman und seine nächsten Projekte«, in: »Frankfurter Rundschau« v. 28. 7. 71.
26 »Fakten und Erfindungen. Zeitgenössische Epik im Grenzgebiet von fiction und nonfiction«, München 1971.
27 Köln 1974.
28 In: »Spiegel« Nr. 3/1972, wieder abgedruckt in: H. B., »Neue politische und literarische Schriften«, Köln 1973, 230-238.
29 Das erinnert hier sehr an die Haltung des Ich-Erzählers in »Entfernung von der Truppe« gegenüber dem protestantischen Geistlichen, über den er äußert: »...dieser Bemerkung wegen erkläre ich ihn hiermit zur unsympathischsten Person dieses Erzählwerks...« (80)

V.A. Ich empfinde mich einfach nur als Geschichtenerzähler. Gespräch mit Siegfried Lenz

1. Der Autor als Interpret

D.: Die Absicht des Autors für eine Deutung seiner Arbeiten fruchtbar zu machen – stellt das für Sie eine legitime Annäherung dar?

L.: Ich glaube, daß man den Autor nicht für den besten Interpreten seiner Sachen nehmen soll, ihn zumindest nicht dingfest machen sollte als den besten Interpreten, weil nicht nur die obligate Befangenheit bei der Selbstinterpretation zu bestimmten Ungerechtigkeiten führt, hier Bevorzugung, da Vernachlässigung, sondern weil er auch – das wäre ein perspektivisches Argument – nie weit genug vom Text zurücktreten kann, also auf die von Thomas Wolfe rühmend zitierte mittlere Distanz ausweichen kann, die zumindest zeitweilig eine Valuierung des Textes ermöglicht.

D.: Ich habe den Eindruck – und ich denke besonders an Ihre beiden letzten Romane –, daß bei Ihnen die Frage der Interpretation in gewisser Weise indirekt thematisiert wird. Das tritt in der »Deutschstunde« am Beispiel von Mackenroth hervor, der nun allerdings einen psychologischen Fall zu deuten versucht. Aber die gewissen Ressentiments, die vom Erzähler des Romans gegen wissenschaftliche Ausdeutung vorgetragen werden – es heißt etwa an einer Stelle »auf Nadeln der Wissenschaft aufspießen« –, lassen sich wohl auch auf Interpretation generell beziehen. Ähnliche Vorbehalte, was philologische Interpretation betrifft, finden sich ja auch im »Vorbild«. Auf diesem Hintergrund könnte man also annehmen, daß Ihre eigene Absicht doch eine große Rolle spielt und daß Sie die distanzierte Interpretationshaltung skeptisch sehen.

L.: Ich glaube, es ist vor allem ein Ausdruck der Skepsis. Denn natürlich hat zunächst einmal von allem Anfang an der Autor die Möglichkeit, Welt zu interpretieren, in seiner Weise schon zu interpretieren, indem er bestimmte Ausschnitte bevorzugt. Die Tatsache, daß ich mich beispielsweise dafür entscheide, einen Roman wie »Deutschstunde« zu schreiben, ist bereits neben allem anderen ein Interpretationsvorgang, weil ich mich für eine bestimmte Phase der Geschichte interessiere, für eine bestimmte Psychologie, für einen bestimmten Vorgang, ein Malverbot in Deutschland, sozusagen am Rande der Gesellschaft. Das enthält schon Interpretation.

Auf der andern Seite: ein Versuch wie der von Siggi Jepsen, in der »Deutschstunde« einen Wissenschaftler zu bemühen, gewissermaßen seinen Erzählprozeß oder das, was er in der Erzählung einzufangen versucht, noch einmal wissenschaftlich zu salvieren, ist insofern ein Ausdruck der Skepsis, als er der reinen erinnernden Fiktion mißtraut. Natürlich kommt er zu dem Resultat, daß durch diese doppelte Art der Buchführung in der Erinnerung auch nicht sehr viel mehr zum Vorschein kommt. Er sagt, wenn ich mich recht erinnere: das stimmt auch. Diese Beliebigkeit enthält oder deutet bereits ein Achselzucken an, ein resignierendes Achselzucken.

D.: Diese von Ihnen zitierte Stelle aus dem Roman scheint mir interessant zu sein, weil durch andere ähnlich gelagerte Stellen ein Kontext entsteht, der diese Skepsis gegenüber Interpretation verstärkt. Da wird etwa – ich paraphrasiere jetzt – von Augenblicken gesprochen, die man nicht ausdrücken kann, weil ein Satz dafür zu kurz wäre. An einer andern Stelle heißt es, es gebe Dinge, die man eigentlich nicht in der Sprache zum Vorschein bringen könne. Es wird auf Zwischentöne hingewiesen, es geht um so etwas – ich will jetzt ein verpöntes Wort gebrauchen – wie eine existentielle Dimension, die mit dem Erfahrungsbereich des Erzählers in der »Deutschstunde« zu tun hat. Wird hier nicht auf Dinge hingewiesen, die eigentlich jenseits der Sprache angesiedelt sind und damit auch jenseits der Kommunikation im Lesevorgang? Wird Sprache nicht selbst abgewertet? Und bedeutet das nicht letztlich, daß der Autor hier eine Art von Bedeutung für sich in Anspruch nimmt, die eigentlich nur er, in diesem Fall Siggi Jepsen, überschauen kann und die nicht mitteilbar ist? Würde das die Skepsis gegenüber philologischer Interpretation nicht noch steigern?

L.: Von Proust her wissen wir, wessen man habhaft werden kann, je intensiver, je dauerhafter, je umfangreicher man sich erinnert. Wir wissen auch, daß die Erinnerungsmasse schließlich aufgelöst wird und aufgelöst werden muß in Stimmungen, in Geräusche, in unwiederholbare Glanzmomente oder was sich immer anbietet. Mit andern Worten: wir werden mit der Sprache allein dem erinnernden Erzählprozeß nie Genüge tun können, weil entweder jedes Wort einen Keller hat, einen ziemlich tiefen Keller, oder aber nicht ausreicht, das zu treffen, was man in der unverpflichteten Imagination, also im Augenblick unangewendeten Träumens und Erfindens, vor Augen hat. Man bleibt in dem Augenblick, wo man – also rabiat gesagt – mit dem Wort zur Kasse gebeten wird, immer einen Handbreit unter dem imaginierten Ziel. Und das, finde ich, ist der

Autor gezwungen zuzugeben. Das habe ich versucht bzw. das hat stellvertretend Siggi, der ja erzählend für mich tatsächlich immer diese Art von Delegierter ist, versucht, auf seine Weise zu sagen, nämlich Unschlüssigkeit genauso bekannt zu geben wie sein Zögern in die Länge zu ziehen, da, wo er nicht das trifft, was ihm anscheinend parat zur Hand ist.

D.: Trotzdem würde ich meinen, daß eine Situation, wo die Sprache Sachen nicht mehr ausdrücken kann und nur der Erzähler in der Lage ist ganz zu begreifen, was eigentlich gemeint ist, weil der Erzähler das Ziel kennt, Kommunikation und Mitteilbarkeit generell in Frage stellt.

L.: Aber Kommunikation ist doch immer ein Risiko. Sie können natürlich niemals einen definitiven Entwurf an den Leser abgeben oder an den, von dem Sie hoffen, daß er mit Ihnen kommunizieren wird, sondern Sie geben einen unausgeführten, einen Hilfsentwurf an den Leser ab, der mit Ihnen hoffentlich kommuniziert, und zwar geben Sie diesen Entwurf, einen Roman oder ein Drama oder ein Gedicht, im Vertrauen darauf ab, daß er Ihnen im Reproduktionsprozeß auch nur wiederum annäherungsweise beikommt. Und annäherungsweise Resultate sind das, was wir uns allenfalls erhoffen können. Eine Trauer, die ich als Autor einbringe, oder eine Hoffnung, die ich als Autor zu beschreiben versuche, oder ein Augenblick der Freude, den ich darzustellen versuche, müssen erst einmal einen Leser finden, der bereit ist, Trauer zu empfinden in einer ganz anderen Stimmung oder Freude zu reproduzieren in einer entgegengesetzten Stimmung. Mit andern Worten: wir geben unsere geschriebenen Entwürfe doch ins Ungewisse ab, im Vertrauen darauf, daß sie halbwegs reproduziert werden. Es wird niemals zur völligen Übereinstimmung kommen, zur idealen Identifikation, das glaube ich nicht.

D.: Das ist eigentlich die diffizilste Art von Absicht und eigentlich auch die am schwersten zu beschreibende, aber ich meinte es viel direkter: daß z. B. eine bestimmte Romanstruktur, eine bestimmte Erzählform vom Publikum mißverstanden wird. Hier geht es um konstruktive Elemente, die mit der Komposition eines Romans zu tun haben, um den Plan des Autors und ähnliches. Es kann doch solche Divergenzen geben. Und auf einem solchen Hintergrund wäre es doch dann sehr wesentlich zu erfahren, was beispielsweise die Überlegungen eines Autors gewesen sind.

L.: Aus Ihrer Frage schließe ich, daß Sie den Autor gern zum Erfolg verurteilt sehen möchten, zum Erfolg gegenüber dem Leser.

Wenn er eine Konstruktion benutzt, die er sich ausgedacht hat, dann heißt das, daß er zumindest für einige Zeit sehr unsicher damit ist und sie natürlich im Prozeß des Schreibens unaufhörlich auf ihre Stimmigkeit befragt, auf das, was sie aushält. Und wenn eine Sache – und ich empfinde mich da einfach nur als Geschichtenerzähler – abgegeben wird an einen Leser, der Geschichten liest, dann wird der natürlich in seinem Leseaugenblick darüber zu befinden haben, ob sie das aushält, was als Konstruktion, was als Form angeboten wird. Auch die Konstruktion gehört ja schließlich zum epischen Beweis, d. h. zu dem, was Sie mit den Figuren, mit der ganzen Intention des Romans oder einer Erzählung vorhaben. Die Konstruktion gehört tatsächlich zur ganzen Beweiskette, wenn ich mich so ausdrücken darf.

2. Die funktionale Erzählweise in der »Deutschstunde«

D.: Aber es könnte ja sein, daß die Absicht, die dahinter steht, einfach auf Grund des Mißlingens völlig verloren geht oder mißverstanden wird. An solche Fälle habe ich eigentlich gedacht. Hier ist es dann doch sehr wesentlich, vielleicht vom Autor her die ursprüngliche Absicht rekonstruieren zu können. Ich denke an ein konkretes Beispiel in der »Deutschstunde«. Mir scheint, daß die Erzählperspektive dort sehr geschlossen durchgehalten wird, nämlich die Perspektive von Siggi Jepsen. Materialien, die eingeblendet werden, sind jeweils in diese Erzählperspektive integriert. Es kommt nicht vor, daß beispielsweise der Erzähler hinter dem fingierten Erzähler im Roman in Form von Rückblenden Expositionen nachliefert, sondern das geschieht jeweils funktional. Auf dem Hintergrund hat Mackenroth eine sehr wichtige Aufgabe, da er Biographisches über Nansen verfügbar macht, indem er dessen Entwicklung in seiner Arbeit rekapituliert; das gilt auch in bezug auf Siggi Jepsen, dessen Kindheit und Jugend Mackenroth in seiner Arbeit aufrollt. Ähnlich funktional wird auch die Entwicklung oder sagen wir die Biographie des Vaters kurz dargestellt, nämlich in der Beschreibung von Photographien. Das geht sogar bis hin zum Selbstporträt des fiktiven Erzählers, der sich im Spiegel sieht und beschreibt. Mir scheint aber, daß es eine Stelle gibt, wo die funktionale Geschlossenheit durchbrochen wird. Das ist, glaube ich, im achten Kapitel »Das Porträt«, wo Sie die Auseinandersetzung zwischen Nansen und Jens Ole Jepsen beschreiben, und zwar geht es darum, daß die Rouleaus nicht geschlossen sind, und Jepsen geht zu den Nansens, um darauf hinzuweisen, daß die Verdunkelungsvorschrift verletzt worden ist. Diese Situation hat Siggi nicht miterlebt als Augenzeuge. Oder täusche ich mich?

L.: Nein, Sie täuschen sich nicht. Er hat diese Situation nicht miterlebt.

D.: Das scheint mir das einzige Beispiel zu sein, wo plötzlich der Erzähler im Roman quasi die Position übernimmt, die der reale Erzähler hat: er imaginiert, er redet eine Figur auf dem Bild an. Ich muß Deine Geschichte erzählen. Und dann kommt dieser Vorfall.

L.: Was Siggi Jepsen, der Erzähler, in dem Roman die »Deutschstunde« vorführt, ist ja schulmäßig eine Art Rollenprosa, eine rollenhafte Erzählung. Ich selbst glaube nicht, daß ein Leser die Erfahrung hegt, daß man sich als Autor in der Rolle eines Leibeigenen gegenüber der Rolle zu verhalten hat. Mit andern Worten: zwischen Autor und Leser besteht – oder ich wünsche es mir jedenfalls, daß so etwas besteht – eine Art Als-Ob-Haltung. Natürlich wird niemand – oder ich stelle es mir so vor – auf den Gedanken kommen, daß Siggi Jepsen diesen Roman geschrieben hat. Ich habe die Verantwortung dafür zu tragen, ich bekomme, was weiß ich, die Schüsse in die Kniekehlen von der Kritik, die Schläge vor die Brust, und ich habe mich dafür zu verantworten. Das darf als ausgemacht gelten, daß diese Als-Ob-Haltung besteht. Also: wir verhalten uns jetzt so, als ob Siggi Jepsen der Erzähler des Romans ist, und ich selbst trete zurück, ich delegiere meine Verantwortung an ihn usw. Natürlich bin ich in jeder Weise haftbar dafür. Das Kapitel – das ist ein schönes Beispiel, das Sie erwähnt haben – diente mir dazu, aus dieser Rolle auszubrechen, aus dem einfachen Wunsch: Siggi Jepsen gibt hier freimütig zu, daß bei ihm Erinnerungslücken bestehen, daß bei ihm Augenblicke vorhanden sind, die er selbst nicht miterlebt hat, die aber in diesem ehrgeizigen Beweisverlangen für all das, was er seinem Vater und dem Maler verdankt bzw. beiden nicht verdankt, verläßlich dargestellt werden müssen. Das ist eine Szene, auf die er glaubt nicht verzichten zu können. Und ich kann mich nicht entsinnen, daß irgendwo ein Verdikt für einen Autor besteht, wonach er die Rolle, die er einer erzählenden Figur zugedacht hat, nie und zu keinem Preis durchbrechen darf. Er hat für sich einfach ein Recht in Anspruch genommen, aus einem blitzartig erkannten Mangel heraus: Da warst Du nicht dabei, gleichwohl mußt Du es einbringen, diese Szene! Das ist die Art seiner Schlußfolgerung. Also erzähl sie auf jedes Ri-

siko hin, selbst wenn Du nicht dabei warst, selbst wenn Du Dich jetzt dem Anschein aussetzt, als erfändest Du das frei hinzu.

D.: Selbstverständlich kann der Autor jederzeit ein bestimmtes gewähltes Formschema durchbrechen.

L.: Er kann auch Zweifel gegenüber seinem eigenen Entwurf anmelden, indem er die so lange durchgehaltene Perspektive verläßt und sich für eine andere entscheidet und fragt: Woraus bestehen wir? Wir bestehen doch nicht aus einem geschlossen funktionierenden Erinnerungsmechanismus, sondern in dem Augenblick, wo wir etwas produzieren mit der Möglichkeit oder in dem Wunsch, etwas episch schlüssig darzubieten, werden wir ja, so scheint es mir zumindest, darauf verwiesen, daß wir ein Bündel von Erinnerungsfetzen sind, authentisch Memoriertem, ein Bündel von Hörensagen – das kommt alles hinzu –, von Geglaubtem, Geträumtem, und erst dieses Amalgam zusammen bestätigt die Realität. Doch nicht allein das dokumentarisch Erfahrbare, das Gegenwärtige, sondern das, was uns je erreichte, über verschiedene Sinnesorgane, über verschiedene Umwege, verschieden gefiltert, das erst zusammen genommen ergibt für mich glaubfähige Realität.

D.: Das stimmt, aber dem müßte man entgegenhalten, daß ja – und das ist für mich durchaus ein positives Faktum – der Kunstgriff des Buches darin besteht, daß Sie Siggi Jepsen nicht monologisch assoziieren lassen und das Ganze beispielsweise als Bewußtseinsprotokoll, als Inneren Monolog bringen, sondern daß Sie ihn eine schriftliche Arbeit schreiben lassen, was ja auch im Rahmen der Handlung motiviert wird. Das Entscheidende scheint mir, daß er dadurch genötigt ist, die Dinge, die ihn bewegen, schriftlich zu artikulieren. Das heißt: das Element der sprachlichen Gestaltung wird so glaubhaft gemacht, die Form des Buches erfährt dadurch ihre Begründung. Und in gleicher Weise, glaube ich auch, wird die funktionale Integration aller anderen Materialien, die jenseits der Erfahrungsmöglichkeiten von Siggi Jepsen liegen, zur Legitimation der Glaubwürdigkeit dieses Erzählers. Er wird auch als Erzähler konkret glaubwürdig dadurch, er ist sozusagen die Achse des Buches. Die Struktur des Buches wird von dieser Figur her gerechtfertigt, episch plausibel gemacht.

L.: Ein Zeichen von Glaubwürdigkeit, so scheint mir, besteht doch wohl auch darin, daß man Schemata verläßt, daß man sich widerruft, daß man einen Umweg einschlägt, daß man sich perspektivisch widerspricht, daß man die Unwahrscheinlichkeit einbringt. Das erst macht einen wahrscheinlich. Glauben Sie nicht, daß Erfahrung und Irrtum in gleicher Weise dazu gehören?

D.: Ja, sicherlich, aber ich meine: Wenn das Buch von Anfang an so angelegt ist, daß alles, was sprachlich dargestellt wird, schriftlich artikuliert wird, dann ist das Element der rationalen Gestaltung sehr, sehr stark und das Assoziative wird zurückgedrängt. Es spielt höchstens eine Rolle als auslösendes Moment der Erinnerung.

L.: Am Anfang, bevor er schreibt, monologisiert er ja in der gleichen Stilhaltung.

D.: Das ist richtig, aber die Frage, die ich hatte – und Sie haben jetzt Ihre Absicht eigentlich schon bekannt – war eben die: Wird eine Romanstruktur, die bis in winzige Details hinein konsequent durchgehalten wird – das gilt etwa auch für die biographischen Informationen über Ditte Nansen, die nicht erzählerisch autonom eingeflochten, sondern funktional in der Grabrede des Pastors gebracht werden –, nicht plötzlich durch dieses achte Kapitel außer Kraft gesetzt? Ist das ein unfreiwilliges Überspielen der Romanstruktur und in gewisser Weise ein formaler Defekt des Buches angesichts dieser so konsequent durchgehaltenen rationalen Struktur?

L.: Es kann ein formaler Defekt sein, durchaus. Ich habe selbst noch nicht daran gedacht. Ich bin nicht darauf gekommen. Da ist mir sicher etwas mißglückt, wenn man schon die durchgehende formale Strenge zum absoluten kritischen Maßstab nimmt, wie Sie es offenbar tun. Da hat mir vermutlich in dem Augenblick etwas nicht ausgereicht, etwas nicht gelangt. Und aus dem Bedürfnis, etwas anderes zu tun, was ich für unerläßlich hielt, habe ich vermutlich diese Strenge verlassen und Siggi Jepsen etwas zugedacht und zugewünscht, was die Form vielleicht nicht sanktionieren konnte. Vielleicht ist es einfach danebengegangen. Das mag sein, daß da ein Bruch ist, durchaus.

D.: Denn es wäre ja möglich gewesen, ihn zum Miterlebenden dieser Szene zu machen, d. h. er hätte doch seinem Vater folgen können, er hätte das Ganze praktisch miterleben können.

L.: Ja, durchaus, das wäre möglich gewesen. Oder ich hätte etwas anderes erfinden können für diese Szene, so daß Siggis Augenzeugenschaft diesen Moment anders belegt und beglaubigt hätte. Aber vielleicht war das einfach der rabiate Wunsch, nun etwas einzubringen, das, wie ich glaube, eingebracht werden mußte, und ich setzte mich über das hinweg, was ich strikt eingehalten hatte. Das kann gut möglich sein.

3. Zur Erzählstruktur des »Vorbilds«

D.: Diese Frage nach der Romanstruktur nun nochmals gestellt in bezug auf Ihren letzten Roman »Das Vorbild«. Äußerlich gesehen, scheint es so, daß hier eine ähnlich montierte epische Form vorliegt. Aber was eigentlich fehlt – und das macht, glaube ich, den gravierendsten Unterschied aus – ist die integrierende Funktion des Erzählers; den gibt es nicht. Und meine Frage ist nun: Wie sehen Sie selbst die Erzählstruktur des »Vorbilds«, die Erzählperspektive, im Vergleich zu der »Deutschstunde«? Ist das eine Weiterentwicklung oder sind das Dinge, die sich Ihnen mehr – wie soll ich das sagen – kreativ-emotional aufgedrängt haben, oder ist hier wiederum ein Formprinzip am Werk, das nur schwer zu erkennen ist?

L.: Ich wollte etwas anderes versuchen in diesem Roman als in der »Deutschstunde«. Hoffentlich setze ich mich nicht dem Anschein aus, als wollte ich mich rechtfertigen. Vielleicht gibt es Möglichkeiten, diese beiden Bücher in die Nähe zu bringen oder sie zusammenzubringen, wie Sie es in Ihrer Frage taten. Ich sehe diese Nähe überhaupt nicht.

D.: Es ist doch so, daß am Ende der »Deutschstunde«, als Siggi über seine Schulzeit auf dem Gymnasium reflektiert, er einen Aufsatz über das Thema »Mein Vorbild« schreiben soll. Wird da nicht bereits die thematische Dimension, die dann im »Vorbild« in den Mittelpunkt rückt, angesprochen? Er bezieht dort die Frage nach dem Vorbild auf die Romanfiguren in der »Deutschstunde«. Auch das Ergebnis, das er andeutet – »Am besten, dachte ich, könnte man mit einem erfundenen Vorbild fertigwerden« –, antizipiert doch eigentlich bereits die Entscheidung, die Heller am Ende des »Vorbilds« fällt.

L.: Da ist aber kein unmittelbarer Kausalnexus.

D.: Aber thematisch, inhaltlich gesehen – wenn man das einmal isolieren will– scheint es doch so, daß eine bestimmte thematische Linie, die sich am Ende der »Deutschstunde« bereits andeutet, im »Vorbild« fortgesponnen wird.

L.: Zwar bewirtschafte ich meine Zeit, vor allem die Zeit, die ich mit Schreiben zubringe, einigermaßen haushälterisch, aber nicht so haushälterisch, daß ich über 1200 Seiten beispielsweise aufnehme, was ich vor 600 Seiten einmal beiläufig durch eine Figur gesagt habe. So haushälterisch bin ich wirklich nicht. Und das dürfen Sie mir auch nicht ankreiden.

D.: Vielleicht darf ich die Frage nach der Erzählstruktur im »Vorbild« nochmals von einem anderen Ansatz aus aufgreifen. Ich entsinne mich, auf die Frage, welche Bücher Sie mit auf eine Insel nehmen würden, haben Sie unter anderem geantwortet: den »Zauberberg«, aber auch den »Ulysses«. Und unter den in ihrer Wirkung unterschätzten und wichtigen Romanen der letzten Jahre haben Sie auch Hildesheimers »Tynset« genannt. Stellt man Joyce und Hildesheimer einmal zusammen, so deutet das bei Ihnen fast auf eine Vorliebe für – wenn man es so nennen darf – progressive Erzählstrukturen hin. Auf diesem Hintergrund nochmals meine Frage nach der Erzählstruktur Ihres »Vorbilds«: Läßt sich von gewissen Formalien her hier eine Traditionslinie erkennen, für die Namen wie Joyce und Hildesheimer – es geht ja hier nicht darum, irgendwelche Rangordnungen anzudeuten – beispielhaft sind, oder wäre das eine willkürliche Zuordnung?

L.: Ich sehe mich nicht in dieser Traditionsfolge, die Sie eben genannt haben, zumindest nicht, was meinen Roman »Das Vorbild« angeht. Was ich hier versucht habe, ist vielmehr dies: Ich wollte den Arbeitsprozeß von Pädagogen beschreiben bei einem ganz bestimmten Versuch, nämlich dem Versuch, ein möglichst akzeptables Vorbild in dieser Zeit für die Jugend zu finden. Und dazu mußte ich natürlich die angebotenen Materialien – denn ich ging davon aus, daß sehr viele vorbildhafte Situationen, viele Beispiele für vorbildliches Verhalten eingebracht werden – binden und zusammenfassen, in eine ganz bestimmte Erzählfolge zwingen. Darum brachte ich diese drei Pädagogen zusammen, die sich zunächst einmal – und das ist die eine Ebene – wechselweise bei einem natürlichen Arbeitsvorgang Angebote machen, Angebote für verschiedene Vorbild-Situationen; und auf der andern Seite – das hielt ich für unerläßlich – mußte ich in einem Akt der Gegenspiegelung diese drei Pädagogen auf epische Weise befragen, nämlich befragen auf ihre empfehlende Qualität hin. Was zeichnet sie so aus, daß sie, diese drei, die zufällig ein Auftrag ereilt hat, nach einem Vorbild zu fahnden, dies wirklich auch tun können. Das mußte ich ineinander verschränken, das mußte ich binden. So hat sich das einfach aus dem Nachdenken darüber, wie sich der Stoff – und ich bin sonderbarerweise immer noch ein Liebhaber des Stoffes als Geschichtenerzähler – in ein Lasso bringen lassen kann, entwikkelt. So hat sich also diese Form als Resultat des Nachdenkens er-

geben, nicht in bewußter Abhebung von einer wie immer verehrungswürdigen Tradition.

D.: Meine mit dem Hinweis auf Ihre Vorliebe für experimentelle epische Strukturen verbundene Frage zielte auch auf eine Diskrepanz, die sich bei der Rezeption Ihres letzten Romans herausgestellt hat. Denn überwiegend herrschte der Eindruck, es handle sich bei aller formalen Differenziertheit im Aufbau im Grunde um ein traditionell erzähltes Buch.

L.: Das ist richtig. Sie werden mich in einer bestimmten Verlegenheit finden, wenn Sie mich nach den Kriterien des zeitgemäßen Erzählens fragen, die ich Ihnen dann aufzählen soll. Oder wenn Sie mich danach fragen, was es denn unter Umständen bedeuten könnte, in Übereinstimmung mit diesem Tag und nicht mit gestern zu schreiben. Insofern lasse ich mir diesen Hut aufsetzen, ein traditioneller Erzähler zu sein, weil ich wirklich nicht weiß, welche problematischen Klimmzüge man machen muß, um auf der Höhe der Zeit zu schreiben.

D.: Dennoch: dieser Widerspruch zwischen Vorliebe des Autors und Rezeption, läßt sich dieser Widerspruch lösen?

L.: Wir wollen hier keine Kritikerschelte betreiben. Im Gegenteil, ich möchte mich vielleicht insofern selbst bezichtigen, als mir der Widerspruch zwischen, wie Sie es nannten, progressiver Struktur und traditioneller Erzählhaltung einfach nicht bewußt geworden ist. Das möchte ich ohne weiteres zugeben. Mir kam es aber darauf an, eine Geschichte zu erzählen. Und das habe ich zu tun versucht. Die Struktur dieses Buches hat sich ergeben als Resultat der Erforschung dieser Materie, die sich mir angeboten hat, und wird vielmehr durch die Episode – es werden ja viele Geschichten erzählt in dem Roman – bestimmt als, sagen wir, durch einen durchgängigen Erzählprozeß. Und weil ich der Ansicht bin, daß die Episode die Welt kennzeichnet, ich meine: den einzelnen sowohl wie eine ganze Gesellschaft, und daß episodenhaftes Verhalten, episodenhaftes Erkennen, das dann wieder verschwindet und ersetzt wird durch ein anderes, das einzige ist, was uns bleibt, habe ich das nur wiederzugeben versucht. In all diesen Ausschnitten, in all den Befragungen, was vorbildhaftes Verhalten sein kann. Nur um das nicht willkürlich und beliebig zu machen – denn ich bin ein Gegner der Beliebigkeit, ich halte nichts von Beliebigkeit im Ästhetischen – habe ich versucht, das gewissermaßen in eine Struktur zu bringen.

D.: Meine Frage zielte eben auf die Besonderheit dieser Struktur.

In der »Deutschstunde« wird die Struktur plausibel durch den Erzähler. Er stellt, bildlich gesprochen, die Achse der Erzählstruktur dar. Wie sieht diese »Achse« im »Vorbild« aus?

L.: Es gibt mehrere Achsen, und das ist vorstellbar. Zunächst einmal, vom Initial des Ganzen her gesehen, gibt es einen Autor, der in das Problem einführt, die Figuren beschreibt, in einer Weise, die Sie durchaus traditionell nennen können. Und dann delegiere ich ganz bestimmte Funktionen auf die drei Pädagogen, die ihrerseits einem erschrockenen oder erstaunten deutschen Lesepublikum, jungen Leuten nämlich, Schülern, Geschichten erfinden. Ihre Auswahl und ihr – wenn man das so sagen will – eigenes Angebot bezeichnet sie wiederum. So sind also hier, von mir aus gesehen, vier Achsen drin, einmal die drei Pädagogen, denn die Welt dreht sich ja um sie in gleicher Weise, und sie bestimmen den Ausschnitt, den sie den Schülern zudenken, wie um mich, den Anfangserzähler, der seinerseits die Pädagogen und natürlich das, was die Pädagogen aussuchen und liefern wollen, erfindet.

D.: Das läuft doch eigentlich darauf hinaus, daß eine ganze Reihe von Erzählern im »Vorbild« agiert.

L.: Ja, es sind mehrere Erzähler, in ähnlicher Als-Ob-Haltung wie in der »Deutschstunde«.

D.: Trotzdem scheint es mir so zu sein, daß bedeutsame Unterschiede hervortreten im Vergleich zur »Deutschstunde«, jetzt einmal völlig davon abgesehen, daß dort eine Anzahl von Erzählern agiert. Ich meine den Unterschied in der Erzählperspektive. In der »Deutschstunde« reflektiert Siggi Jepsen ja selbst, was er tut, er kontrolliert seine Imagination. Er gibt ja Einleitungen zu bestimmten Szenen, er sagt etwa: Die Szene muß vorbereitet werden, der Hintergrund muß aufgehellt werden; das wäre eine Geschichte, die sich ausführen ließe usw. Das heißt: dieses Reflexionselement stellt eine Distanz her zwischen dem Imaginierten und dem Erinnerungswert, den das Ganze hat, und diese Distanz wird für den Leser erkennbar und erzeugt eine ganz bestimmte Haltung in ihm. Es ist eben nicht eine traditionell erzählte Geschichte, die eine epische Welt imaginiert und als Als-Ob-Welt vor den Leser stellt, sondern es ist eine Welt, die als imaginierte gezeigt wird. Das scheint mir ein wichtiger Kunstgriff zu sein, der – als strukturelles Charakteristikum – im »Vorbild« nicht zu entdecken ist. Auch da gibt es Elemente der Reflexionsbrechung, aber diese Momente haben keine greifbare, konkrete Funktion im Erzählzusammenhang, sondern sind jeweils zurückzuführen auf eine bestimmte Haltung des realen

Autors Siegfried Lenz; das gilt etwa für die satirischen Episoden, die eingeblendet werden. Nehmen wir als Beispiel die Episode um Charly Gurk, also die Uwe Seeler-Satire. Das ist etwas, was Sie sozusagen aus Ihrer literarischen Schublade einflechten, was nicht unbedingt hier zu stehen brauchte. Wenn eine parallele satirische Episode in der »Deutschstunde« gebracht wird, etwa am Beispiel des Ausstellungspublikums bei der Nansen-Ausstellung gegen Schluß, dann aus der Perspektive von Siggi Jepsen: das ist seine Beurteilung der Situation, das ist also episch integriert, während es im »Vorbild« eine Zutat des realen Autors ist.

4. Erzählen als Rechtfertigung

L.: Nun kommen wir natürlich in eine erwünschte Situation, in eine Situation, in der ich zugeben muß, daß Erzählen für mich auch Rechtfertigen heißt: sich selbst rechtfertigen, seine Vergangenheit rechtfertigen und vielleicht auch seine Trauer und seine Träume rechtfertigen. Was in der »Deutschstunde« vor sich geht, ist die Selbstrechtfertigung eines einzigen Mannes, nämlich des Erzählers Siggi Jepsen. Es ist auch der Versuch seiner Selbstbestimmung. Das bezeichnet und qualifiziert automatisch seine Perspektive. Was im »Vorbild« vor sich geht, ist die Rechtfertigung von vier Personen, einmal eines Urhebers, eines Autors, der ich selbst bin, und gleichzeitig versuchen sich auch die drei Pädagogen, während sie an dem Thema arbeiten, erzählend zu rechtfertigen. Das heißt: es treten so viele Brechungen auf und so viele Zuordnungen von Wirklichkeit an jedem einzelnen, daß es natürlich sehr episodenhaft oder, wie Sie meinten, zu episodenhaft anmuten kann. Das gebe ich durchaus zu. Bei mir war vor allen Dingen aber der Wunsch vorhanden, daß diese drei, die sich natürlich in einer besonderen Konfliktlage befinden, von einem Auftrag getroffen werden, ein Vorbild zu suchen, und dann in Entsprechung zu ihrer Konfliktlage diesem Auftrag nachzukommen versuchen. Dadurch ergibt sich etwas sehr Divergierendes, etwas, was anscheinend nicht zusammenpaßt, etwas, was anscheinend nicht integriert ist, wie Sie es ausdrückten, und ich gebe durchaus zu, daß dieser Anschein entstehen muß. Von mir aus gesehen hat auch das, was auf dem Umweg liegt, eine Funktion, weil ich ein Anhänger meiner selbstgemachten Ästhetik bin, daß sich nämlich die Ablenkung von selbst empfiehlt in dem Augenblick, wo man ein Ziel vor Augen hat, ein Ziel, das man entweder bloßstellt oder bezichtigt oder freudvoll zur Kenntnis nimmt. Man braucht die Ablenkung, man braucht die Abweichung, die Deviation, weil nur auf diesem Wege, auf dem Umweg über die Ablenkung, über das Nichtintegrierte eine, wie ich glaube – vielleicht stimmt das nicht – Art von Glaubwürdigkeit erreicht werden kann. Darum diese Sache Charly Gurk, die keineswegs gleichzusetzen ist mit Uwe Seeler, und darum sicherlich verschiedene andere Einzelheiten, die diese Abweichfunktion oder Ablenkungsfunktion haben. Denn, wie ich es schon sagte, die Glaubwürdigkeit einer Sache erwächst für mich erst in dem Augenblick, wo sie nicht auf kürzestem Weg erreichbar ist.

5. Die epische Grundsituation im »Vorbild«

D.: Besteht der Unterschied zwischen der »Deutschstunde« und dem »Vorbild« nicht auch darin, daß die epische Grundsituation in der »Deutschstunde« sehr viel eher Züge der Notwendigkeit trägt?

L.: Die Notwendigkeit ist kein ästhetisches Argument, die Notwendigkeit, etwas zu schreiben. Es gab für beides allenfalls insofern eine Notwendigkeit, weil beide Themen von mir biographisch erfahren sind und ich mich einfach auch biographisch auf dem Umweg über das Epische damit auseinandersetzen wollte. Was zur Notwendigkeit führte, was die Notwendigkeit im »Vorbild« darstellt, ist einfach die spezielle Erfahrung, die ich auf Reisen, bei Vorlesungen, in Wahlkämpfen gemacht habe, daß es in diesem Land unter vielen jungen Leuten ein Vorbild-Denken gibt oder eine Fixierung auf exotische, auf geborgte Vorbilder, die man von weither bezieht, die man einbringt in seinen Tages-Haushalt des Denkens, und zwar Vorbilder, die die Konsum-Sphäre betreffen, die Ideologie und das politische Verhalten und, was weiß ich, den Haarschnitt und was auch immer, Vorbilder, die man zumindest in einer verhängnisvoll langen Imitationsphase über sich selbst herrschen läßt. Siggi Jepsen in der »Deutschstunde« versucht ja, zu einer Selbstbestimmung zu kommen, indem er sich erinnert, und diese drei Pädagogen versuchen hier, die jungen Menschen zu einer Selbstbestimmung zu bringen, indem sie Vorbilder anliefern, die man zeitweilig benutzt, um sie dann zu disqualifizieren. Anders kann man ja nicht zu einer Selbstbestimmung kommen. Insofern ist da schon von der Notwendigkeit her etwas zu sagen.

D.: Die thematische Valenz des Ganzen wird sicherlich niemand in Frage stellen. Ich meinte aber: im Vergleich zu der Strafarbeit-

Situation trägt die Situation dieser drei Pädagogen, die sich in dem Hamburger Hotel treffen und über Lesebuch-Beispiele diskutieren, gewisse Züge von Künstlichkeit, auch auf einem sachbezogenen Informationshintergrund, nämlich daß solche Dinge lange Stadien der Vorbereitung durchlaufen und letztlich von irgendwelchen kulturbürokratischen Instanzen entschieden werden.

L.: Diese drei arbeiten ja im Auftrag einer kulturbürokratischen Instanz, und der Arbeitsprozeß verläuft noch immer so, daß sich einige Leute zusammensetzen. Ich kenne die Hessischen Rahmenrichtlinien sehr genau, ich kannte sie, während ich an dem Buch schrieb, nur die Hessischen Rahmenrichtlinien sind für mich kein Gegenstand eines Romans, nicht dieses Romans. Sie könnten sehr wohl Gegenstand eines andern Romans sein. Was ich beabsichtigte, war etwas anderes: nämlich Pädagogen in diesem enervierenden, langwierigen, mühseligen und auch etwas zweifelhaften Prozeß vorzuführen, in ihrer Arbeitswelt, und diesen Eindruck gewissermaßen abzugeben an den Leser. Wenn Sie den Eindruck einer Künstlichkeit haben, einen Eindruck, den ich als Autor natürlich nicht zurückweisen kann, so möchte ich aber auch in diesem Fall wieder darauf verweisen, daß dies natürlich eine Als-Ob-Haltung ist, die mir die redlichste Haltung zwischen Autor und Leser zu sein scheint, also eine Einladung, die mit den Worten beginnt: Wir setzen uns zusammen und stellen uns vor, als ob jetzt drei Pädagogen den Auftrag bekämen, für die gesamte Schuljugend in diesem Land ein repräsentatives Vorbild zu erfinden. Was könnte dann geschehen? Aber bei dieser einmal aufgeworfenen Frage dann einfach aus Lust am Geschichtenerzählen weitergehen.

6. Zum Stoff des »Vorbilds«

D.: Nun ist es so, daß kürzlich eine Geschichte des Deutschunterrichts veröffentlicht wurde, wo auch die verschiedenen Funktionen, die Lesebücher im Laufe der Zeit gehabt haben, rekapituliert werden. Und demnach ist es so, daß Lesebücher, die moralische Musterbeispiele enthalten, eigentlich vor allem im 18. Jahrhundert zentral gewesen sind. Musterhaft Sprachliches zu präsentieren, allerdings eingebettet in eine literarisch etablierte Tradition, so läßt sich, auf eine Formel gebracht, die Funktion des Lesebuchs in der neueren Zeit beschreiben. Ist also das von Ihnen in den Mittelpunkt gerückte Lesebuch-Beispiel nicht eigentlich historisch überholt, ein Anachronismus? Läßt sich hier nicht wieder ein bestimmtes

Moment von Künstlichkeit entdecken, weil ein Aspekt, der historisch nicht entscheidend ist, plötzlich zum allein wichtigen gemacht wird?

L.: Ich habe dieses Buch im Jahre 1968 zu schreiben angefangen. Ich habe fünf Jahre daran gesessen. Ich habe ungefähr 20 Lesebücher sorgfältig studiert, bevor ich daran ging. Und ich habe mir insbesondere Materialien beschafft, aus denen hervorging, wie sehr man noch Anfang der sechziger Jahre die Lesebücher in diesem Land beklagte oder den Inhalt beklagte. Von dieser Erfahrung ging ich aus. Man muß ja irgendwann seine Erfahrung datieren oder mit der Erfahrung zugleich seine Absicht, seine Arbeit. Selbstverständlich ist es im Laufe der letzten Jahre anders geworden, das sehe ich ein. Aber auf dem Hintergrund meiner Erfahrungen in der damaligen Zeit hatte ich gar keine andere Möglichkeit, als die Wirklichkeit der Lesebücher so aufzufassen, wie sie damals war, nämlich dem Schüler unter Umständen ein Bild vermittelnd, daß er den Glauben haben mußte, im Teutoburger Wald leben noch Köhler oder im Harz oder woanders. Das war wirklich eine Welt der Rückständigkeit. Da wurde wirklich eine fatale heile Welt vorgeführt, die mit den kaputten Typen von heute, die an jeder Straßenecke stehen, natürlich nicht in Einklang zu bringen ist. Ich sehe da ein gewisses Mißverhältnis, aber auf der andern Seite habe ich nicht den Wunsch, in einer verkrampften Aktualität auf den Tag genau etwas zu erfüllen, sondern Stellung zu nehmen in Form von Geschichten zu einer Zeit, die zehn oder zwölf Jahre zurückliegt. Und diese Möglichkeit als Autor sollte man immer haben.

7. Zum Thema des »Vorbilds«

D.: Die Bedeutung Ihres Themas läßt sich andererseits nicht bestreiten.

L.: Es gibt eine Reihe von Kritikern, die festgestellt haben, die Frage nach dem Vorbild sei eine müßige Frage und betreffe uns nicht, sie bezeichne vor allem nicht die Realität der Jugend in diesem Land. Und da habe ich mir das Recht genommen, anderer Meinung zu sein, weil meine Erfahrung mich einfach darauf verweist, daß es anders ist. Wenn es nicht so gewesen wäre, dann würde ich allerdings selbst bereit sein, dieses Buch als Luftspiegelung anzusehen.

D.: Allerdings läßt sich sagen, daß die Erweiterung der Funktion des Themas Vorbild auf die Bedeutung, die Images haben (die von

Werbe-Agenturen, bestimmten Parteien, bestimmten Presseorganen hergestellt werden), die thematische Valenz hätte nachdrücklich unterstreichen können. Was eben eine gewisse Skepsis aufrechterhält, ist die Tatsache, daß Sie möglicherweise nicht die *Institution zur Konkretisierung dieses Themas gewählt haben, die heute real die größte Bedeutung hat, beispielsweise die Presse. Das taucht ja bei Ihnen der Andeutung nach auf, Charly Gurk ist ein Beispiel dafür, der Schlagersänger Mike ist ein anderes. Das sind Vorbilder im Sinne von Images, die künstlich hergestellt werden und eine gewisse reale Bedeutung auch für einen Großteil der Jugend haben.*

L.: Das ist natürlich eine hypothetische Frage. Aber selbst wenn wir das einbringen in unser Gespräch, möchte ich dies doch insofern für mich nicht gelten lassen, als ich der Pädagogik, als ich den Lehrern, die einem ja das Lesen beibringen, vom Initial her immer noch mehr zuspreche und mehr von ihnen verlange als von der dann später einsetzenden Manipulation durch die Massenmedien. Ich ging davon aus, daß es applizierte und freigewählte Vorbilder gibt. Und was mich in dem Buch interessierte, waren sehr viel mehr die mit kleinem Zwang, aber doch frei gewählten Vorbilder als die durch spektakuläre Überredung applizierten Vorbilder, die interessierten mich weniger. Dann hätte ich ein Buch über die geheimen Verführer schreiben müssen, über die Werbung, über all das, was uns täglich erreicht. Mir kam es darauf an, den Konflikt da vorzuverlegen, wo die erste Beeinflussung beginnt, außerhalb des Hauses, und das geschieht in der Schule. Damit wollte ich gerade die Bedeutung der Pädagogik für den einzelnen unterstreichen. Wir wissen ja alle aus der Schulzeit, wie das ist, daß wir uns über schnell wechselnde Imitationsphasen einmal den und einmal den erwählten und möglicherweise den Lehrer selbst und daß frühzeitig zum methodischen Zweifel angestiftet werden muß gegenüber allem, was sich bedrohlich und überlebensgroß als Vorbild empfiehlt – auch wieder ein Problem aus der eigenen Biographie –, das schwebte mir vor. Ich habe mir Pädagogen gewählt, nicht um zur Schule zu sprechen und zur Situation des Vorbilds in der Schule, sondern ich wollte fragen: Was bedeutet die Wahl von Che Guevara, der plötzlich vor dem Fabriktor der Mannesmann AG auf hohem Schild getragen wird? Sind die weither bezogenen Vorbilder, die vor den bolivianischen Zinngruben ihre ausdrückliche Legitimation haben, unkritisch oder auf so schnelle Weise übertragbar auf unsere gesellschaftliche Wirklichkeit und mit welchem Risiko? Das wollte ich vor allem fragen dabei und abgeben an den Leser. Nicht einfach in den Klassenraum hineinsprechen, sondern dies alles nur benutzen, um einfach weiterzufragen, über den Klassenraum hinaus. Was geschieht, wenn wir uns politischen Leitbildern, die uns appliziert werden, so bedingungslos verpflichtet fühlen, daß wir ihnen geradezu in einer Leibeigenschaft anhängen, die aber, bezogen auf die konkrete politische Situation, keine Geltung mehr besitzt?

8. Die politische Dimension

D.: Im »Vorbild« ist es so, daß politische Aktualität eindringt in die Romangestaltung, d. h. gewisse Aspekte der Außerparlamentarischen Opposition werden vorgeführt, etwa die Demonstration, bei der Heller auch von der Polizei vorübergehend festgenommen wird.

L.: Das hängt, wenn ich das in Klammer dazu sagen darf, mit dem Wunsch zusammen, die Perspektive zu öffnen, nach draußen zu öffnen, um das Vorbild tatsächlich nicht nur ein Problem der drei Pädagogen sein zu lassen, sondern es in Variationen überall zu erkennen zu geben, in der Demonstration, beim Fußball, wo es ja gleich disqualifiziert wird aus bestimmten Gründen, auf dem Theater und hier und da, so daß man schließlich den Eindruck erhält, wir seien geradezu umstellt von Vorbildern.

D.: Der politische Hintergrund spielt ja auch eine große Rolle in der Hauptgeschichte des »Vorbilds«, der Geschichte um Lucy Beerbaum, im Hinweis auf die politische Situation in Griechenland, die sich ja inzwischen schon wieder geändert hat. Alles das deutet an, daß sich hier eine bestimmte Übereinstimmung herstellt zwischen Ihrer politischen Haltung, die Sie etwa bei der letzten Bundestagswahl eingenommen haben, und dem politischen Aufriß in Ihrem letzten Buch. Nun ist es aber so, daß das Buch, mit dem Sie sich durchgesetzt haben, die »Deutschstunde«, merkwürdigerweise charakterisiert wird von einer übergroßen Abstinenz, was politische Inhalte, was politisches Zeitgeschehen betrifft. Wenn ich mich recht erinnere, dann wird eigentlich nur ein politisches Ereignis pointiert hineingebracht, und das ist die Kriegserklärung Italiens gegen Deutschland, 1944. Selbstverständlich wird am Ende die Kapitulation dargestellt, aber eher episodisch durch die beiden englischen Panzersoldaten, die in der Schule erscheinen und dem Lehrer zu verstehen geben: Der Krieg ist aus. Politisches Geschehen im extensiven Sinne wird in der »Deutschstunde« eigentlich völlig ausgespart. Könnte man von dorther nicht den Zweifel äußern, daß sich dadurch so etwas wie eine Tendenz zur Idyllisierung in der »Deutschstunde« breitmacht?

L.: Ich muß zugeben, daß Ihre Ansichten, was den politischen Inhalt der »Deutschstunde« angeht, mich überrascht haben insofern, als Sie in diesem Buche fast eine methodische Ausklammerung der Politik festgestellt haben wollen. Ich möchte Ihnen darauf folgendes antworten: Die Gesinnungsgegnerschaft, die mich gleich nach der Publikation dieses Buches erreicht hat, bestätigte mir, daß dieses Buch zumindest politisch verstanden werden kann. Zweitens wird jede Politik da, wo sie an höchster Stelle exekutiert wird, möglich gemacht durch Vorentscheidungen, die sozusagen im politischen Stimmungsraum fallen, da, wo gewissermaßen der Politik entgegengearbeitet wird, wo sie unterstützt wird, wo die Diktatoren eine Zuhörerschaft auf Taubenfüßen haben, die sie nicht lauthals unterstützt, sondern gewissermaßen jeden Tag durch eine Art – wie kann man es nennen – der unwillkürlichen Akklamation, die darin besteht, eine bestimmte Zigarrensorte zu rauchen. Das war meine Absicht beim Schreiben dieses Buches »Deutschstunde«. Politik zu zeigen da, wo sie am äußersten Rand der Gesellschaft nicht spektakulär wie im Zentrum exekutiert wird, sondern getragen, erlitten, manchmal mit kleinen Genugtuungen ausgekostet wird, wobei natürlich für mich selbst eine Frage zu beantworten war, die viele meiner Kollegen sich in gleicher Art gestellt haben: Wie hat das geschehen können, was geschehen ist in diesem Land? Und ich habe versucht, für mich selbst die Antwort zu finden in einer winzigen bäuerlichen Sozietät, wo ein Blitzschlag hineinschlägt und wo dann etwas erfolgt wie ein Malverbot und seine Überwachung. Ich bin nie auf die Idee gekommen, dies als etwas Unpolitisches anzusehen, sondern als eine Aufgabe, die für mich persönlich sehr viel zum Verständnis von Politik beigetragen hat.

9. Tendenz zur Idyllisierung?

D.: Ich muß die Begriffe »politisch«, »Politik« etwas differenzieren. Ich meine hiermit Zeitgeschichte, die ja – so kann man wohl sagen – damals apokalyptisches Ausmaß angenommen hat, Zeitgeschichte, die vielen Lesern noch konkret gegenwärtig ist aus eigenen Erfahrungen. Das heißt: die Situation, die Sie darstellen, betraf in jenen Jahren eine sehr schmale Schicht der Bevölkerung. Die meisten haben diese Situation in einem ganz anderen und viel schrecklicheren Kontext in Erinnerung.

L.: Ich kann mir nicht vorstellen, daß es für einen Maler etwas Schrecklicheres geben könnte als ein Malverbot. Über die Realität von Schrecklichkeit werden wir niemals zu Übereinkünften kommen.

D.: Das ist richtig, obwohl man jetzt von Ihrer Darstellung im Roman her sagen muß: Das Malverbot wurde eigentlich nie eingehalten. Der einzige, der es zu beaufsichtigen hatte, ist eben Jepsen gewesen, der nur über unvollkommene Mittel verfügte, wenn auch über einen monomanischen Eifer. Die konkrete Gefahrensituation war also reduziert.

L.: Nun ja, was in Berlin dann sichtbar war, wird ja hier bestätigt durch den kleinen unscheinbaren Beiträger, durch den Pflichterfüller, durch den unscheinbaren Mitläufer, durch den, auf dessen Aktionen man sich immer verlassen kann, sobald man ihn im Namen einer nationalen Größe oder im Namen eines Führers oder wem immer zur Ordnung ruft. Dann wird halt exekutiert, dann wird alles getan, was die angebliche Pflicht von einem verlangt. Ich halte das für eminent politisch. Es ist Zeitgeschichte nicht in dem Sinne wie im »Vorbild«, wo sich gewissermaßen das ereignet, was wir alle vor acht Jahren erlebt haben, sondern es ist ein abgeschlossenes Kapitel der Zeitgeschichte, die ich zum Teil als Junge in ähnlicher Situation wie Siggi Jepsen – das ist in gar keiner Weise meine Geschichte, das ist vielmehr eine Selbstversetzung in diese Zeit hinein – erfahren habe.

D.: Es würde mich interessieren, ob es Reaktionen von Lesern gegeben hat auf verhältnismäßig exotisch wirkende Szenen, die Zeitgeschichtliches hineinbringen, beispielsweise der Fliegerangriff beim Torfstechen und die Verwundung von Klaas. Das ist doch fast ein Fremdkörper. Man erschrickt einen Augenblick und wird herausgerissen aus der gewissen Idylle des Buches.

L.: Da haben Sie den Schrecken, den Sie vorhin vermißt haben.

D.: Sicherlich, der Schrecken ist da, aber er hat sozusagen eine exotische Qualität, er kommt ganz überraschend, er wirkt vielleicht ein bißchen aufgesetzt.

L.: Wissen Sie, exotisch kann einem alles erscheinen, was an der nächsten Straßenecke passiert. Exotisch ist für mich von vornherein nicht etwas, was mit minderer Qualität belastet ist, sondern mit Glaubwürdigkeit oder sagen wir: allein an der Glaubwürdigkeit hängt. Und was dort oben im äußersten Norden Deutschlands geschehen ist – ich bin oft genug da gewesen und habe mich genug umgesehen, um das sagen zu können – mutet Sie tatsächlich so an, als sei dies alles in einem ganz anderen Land geschehen. Und warum nicht, sage ich mir. Die Leute bestehen auf ihrer Eigenart, und sie haben ein Recht zu ihrer Eigenart. Wenn uns das anders oder, wie Sie sagen, exotisch anmutet, dann ist das eine Valuierung, die wir ihnen zumessen.

D.: Lassen Sie mich noch ein anderes Beispiel geben für eine mögliche Idyllisierungstendenz oder ein Abrücken ins Exotische: die Darstellung der Mobilmachung des Volkssturms, der Dauerskat, dann kommen ein paar Flieger. Ist das nicht eine richtige Idylle?

L.: Da werden Sie überrascht sein. Offenbar gehört der Krieg nicht zu Ihrer Generationserfahrung. Ich kann Ihnen dies wirklich authentisch belegen. Der Krieg hat unendlich viele Augenblicke einer prekären Idylle übrig für alle, die Minuten später sterben werden. Und wenn es anmutet, als sei dies hier eine Daueridylle, kann ich Ihnen anhand des Buches beweisen, daß das keinesfalls der Fall ist. Aber glauben Sie mir: Der Krieg hat eine verhängnisvolle Idylle übrig für alle, die in ihm drin stecken. Und was schließlich dieses Buch angeht und die Möglichkeit, es nicht politisch aufzufassen, so will ich – ich habe nicht vor, mich zu rechtfertigen – nur darauf verweisen, daß »Deutschstunde« mittlerweile in über 20 Sprachen erschienen ist und zumindest von der ausländischen Kritik, und zwar in der Sowjetunion genauso wie in Amerika und in Frankreich oder in Bulgarien, in einer eminent politischen Weise verstanden und interpretiert worden ist.

D.: Auf das von mir erwähnte Beispiel bezogen, könnte man dennoch sagen: in 99% aller Fälle war das eine grausame Komödie, die mit alten Leuten, die zur Schlachtbank geführt wurden, aufgeführt wurde.

L.: Eine schreckliche, eine dilettantische, aber – ich habe es selbst erlebt – eine idyllische Komödie oder eine Komödie, die verhängnisvoll viel Zeit für Idylle übrigließ.

D.: Nun ist die Herabminderung des Schrecklichen in Ihrer Darstellung zum Teil wieder durch die Perspektive Siggis motiviert. Bei dem Besuch in der Sperrzone findet sich zum Beispiel die charakteristische Reflexion, daß eben kein Stacheldraht zu finden war, wie er aus allen Lesebüchern vertraut ist. Das heißt: sollten hier zum Teil bestimmte Klischees, die sich einstellen könnten, unterlaufen werden?

L.: Nein, schauen Sie, wenn man sich einen solchen Konflikt zwi-

schen Macht und Kunst auswählt, dann wirkt das auf den ersten Blick, meiner Ansicht nach, ungeheuer formelhaft. Solch einen Konflikt muß man zunächst unterbringen, ihm einen Ort zuweisen, man muß ein glaubfähiges und tragfähiges Personal erfinden, das diesen Konflikt durchsteht. Ich hätte natürlich dies Malverbot in Berlin spielen lassen können oder in Hamburg oder vielleicht sogar in München. Jede Stadt böte sich dafür an, insbesondere bei den Expressionisten, die von den Nationalsozialisten in geradezu beklemmender Weise mit Haß bedacht wurden. Ich suchte mir aber extra den Rand des Krieges mit viel Vorbedacht. Ich wollte diesen Konflikt ausgetragen haben zwischen gewöhnlichen Menschen, wobei ich den Wunsch hatte, diese gewöhnlichen Menschen in einer extremen Situation zu überprüfen, nämlich in der Situation Gehorsam für die eine Seite oder für die andere, Pflicht für die eine oder andere Seite. Daran lag mir: den Krieg in seinen Ausläufern beschreiben da, wo keine Granaten mehr detonieren, wo kein Mündungsfeuer zu sehen ist, nur gelegentlich (was Ihnen wie Idylle vorgekommen ist), wo sein Schrecken und die Nähe des Todes gleichwohl noch immer anwesend sind. Darauf kam es mir an. Ich wollte Ruhe in den Konflikt bringen und ihn fast musterhaft in einer ereignislosen, vom Krieg verschonten Ecke darstellen. Darum habe ich mir den äußersten Norden Deutschlands gewählt.

D.: Dennoch könnte man sagen, daß das gleiche Thema, exemplifiziert an der Situation Barlachs, dem Buch sehr viel konkretere Züge verliehen hätte.

L.: Das wäre ein anderes Buch.

D.: Ein anderes Buch, sicherlich. Die politischen Dimensionen wären noch stärker zum Vorschein gekommen, wenn Sie einen Maler oder Schriftsteller – gewiß, das sind jetzt hypothetische Dinge – gewählt hätten, der gezwungen gewesen wäre, ins Exil zu gehen. Wenn Sie also auf dem Thema Macht und Kunst als politischem Zentrum des Buches beharren, dann könnte man sagen, daß solche Konkretisierungen die Zeitgeschichte sehr viel stärker ins Bild gebracht hätten.

10. Psychologisierung statt politischer Darstellung?

D.: Vielleicht läßt sich dasselbe Problem nochmals von einer anderen Seite angehen. Läßt sich Ole Jepsen tatsächlich als nationalsozialistischer Mitläufer auffassen oder ist es nicht viel mehr so, daß das, was zu seiner Charakteristik als Nationalsozialist gehören würde, verloren geht durch die Psychologisierung des Konfliktes, einmal in der Vater-Sohn-Beziehung und zum andern bei der Ersatz-Vater-Rolle, die Nansen für Siggi einnimmt?

L.: Sie wissen, wie viele Menschen in diesem Land bereit waren, den Krieg Hitlers zu unterstützen, sich in Uniformen zwängen zu lassen, ohne daß sie überzeugte Nationalsozialisten gewesen wären. Machthaber, Diktatoren sind natürlich im engeren Kreis auf Leute angewiesen, die ihnen in unbedingter Weise ergeben sind. Ich wollte aber die große schweigende Mehrheit, die große dienstbare Mehrheit kenntlich machen, die, ohne zu fragen, den Dienst, zu dem ein Diktator aufruft, als Pflichterfüllung versteht. Er ist natürlich ein Nationalsozialist, er hätte damals sonst gar nicht Polizist sein können. Nun frage ich mich – und natürlich über ihn viele –, was sie dazu gebracht haben könnte, ohne zu fragen zu handeln.

D.: Aber ist es nicht so, daß Sie psychologische Antworten dafür bereithalten. Da existiert eine gewisse Haßbeziehung zwischen Jens Ole Jepsen und dem Maler Nansen.

L.: Ich kann mir nicht vorstellen, daß die Psychologie die Politik verdunkelt.

D.: In Jepsens Beziehung zu dem Maler zeigt sich ein Unterlegenheitsgefühl, eine gewisse Inferiorität.

L.: Auf der einen Seite, auf der anderen Seite korrespondiert die Inferiorität mit einem angemaßten Rechtsgefühl. Insofern ist da ein Ausgleich vorhanden.

D.: Hinzu kommt noch das Biographische.

L.: Wenn es den Sachverhalt verdunkelt, dann spricht es gegen mich als Schreiber. Wenn es aber einen zusätzlichen Aufschluß über die Personen gibt, so habe ich keinen Grund, es nachträglich zu bedauern.

D.: Ich habe diese Frage gestellt auch auf dem Hintergrund der Charakteristik des gleichen Problems im Verhältnis zwischen Valentin Pundt und seinem Sohn Harald im »Vorbild«. Auch da ist es, daß die Vater-Sohn-Beziehung verkorkst ist.

L.: Das kommt vor.

D.: Sicherlich, aber bei Harald und Pundt ist es doch so, daß die psychologische Bedeutung zentraler ist. Die psychologische Einstellung Pundts seinen Schülern gegenüber – es heißt einmal, daß er ihren Widerstand brach – charakterisiert wohl auch sein Verhältnis zu Harald. Eine ähnliche Konstellation erscheint bei Jepsen. Die psychologische Beziehung zwischen Vater und Kindern stimmt bereits nicht, dann kommt Nansen in der Funktion eines

Ersatz-Vaters hinein, zu dem die Kinder instinktiv Zuneigung empfinden, da er sich viel besser mit ihnen versteht als ihr leiblicher Vater. Das steigert bei Jepsen noch dieses Bewußtsein der Inferiorität, hinzu kommt noch ein anderes Gefühl: ihm dankbar sein zu müssen, weil Nansen ihm einmal das Leben gerettet hat. Er sagt ja am Anfang, irgendwann müsse man mal quitt sein. Wird also die Überwachung des Malverbots nicht unterschwellig zum Versuch, sich gewissermaßen an Nansen für alles zu rächen? Das erklärt dann auch die monomanische Einhaltung des Malverbots nach 1945, als es real gar keine Bedeutung mehr hat. Wird das Ganze nicht zu einem psychologischen Tick, zu einer Obsession und läßt die unterlegte politische Bedeutung nebensächlich werden?

L.: Im Falle von Pundt und Harald dient die durch Psychologie erhellte Beziehung zwischen Vater und Sohn ausschließlich dazu, Pundt in einer bestimmten Rolle vorzuführen, in der Rolle des Mannes, der einer bestürzten deutschen Jugend ein Vorbild anbieten wird. Hier auf dem Lande, möchte ich einmal sagen, hat die Psychologie nur kennzeichnenden Wert, keinen Rollenwert. Es ist hier auf dem Lande etwas Vorgefundenes, nicht Wandelbares, das nicht in gleicher Weise weitreichende Konsequenzen hat wie im Falle von Pundt und seinem Sohn. Wenn das natürlich einen andern Eindruck hinterläßt, dann habe ich das nicht klar genug getrennt, das kann auch der Fall sein.

11. Der Handelnde als Opfer

D.: Man könnte, bezogen auf die »Deutschstunde«, auch sagen, daß Siggi Jepsen als der Beobachter dieser Haßbeziehung zwischen seinem Vater und Nansen eigentlich – zumal er die Dinge ja auch noch schreibend reflektiert – zu irgendeiner Art von politischem Ergebnis kommen müßte. Der Zusammenhang müßte ihm doch klar werden. Aber auch die Arbeit, die Mackenroth darüber schreibt und die ein Versuch ist, das Ganze auszudeuten, wird von ihm zurückgewiesen. Das ist nicht seine Geschichte.

L.: Nein, er sagt: sie stimmt auch. Das heißt: es ist eine Zusatz-Geschichte, er wird niemals in der Lage sein, seiner eigenen Erzählbemühung die letzte Autorität zuzugestehen, sondern vielmehr sich bereitfinden, in ganz bestimmten Augenblicken zuzugeben: Die Geschichte hat ihre Variationen, ich bin Partei von Anfang an, und er gibt sich als parteiisch zu erkennen. Wenn ein anderer da-

herkommt, selbst unter der Vorgabe der Wissenschaft, wird es sicher auch seine eigene Wahrheit haben, eine zusätzliche Wahrheit. Mit anderen Worten: was wir zu ermitteln wünschen im Hinblick auf das letzte Resultat, wird sich nie ermitteln lassen. Letzten Endes kann man nur Versionen anbieten.

D.: Ich meine aber, der Leser wird sich nicht mit dieser Pluralität von Versionen und Möglichkeiten zufriedengeben, sondern den Versuch machen, so etwas wie die endgültige Version des Ganzen zu verstehen. Und negativ akzentuiert, könnte diese Version eben so aussehen, daß man sagt: Das Politische wird heruntergespielt, beispielsweise auch darin, daß eben Siggi Jepsen als Ergebnis des ganzen Konfliktes dargestellt wird mit dieser Phobie, praktisch einer Lähmung seines rationalen Denkvermögens, einer Obsession, einem gewissen emotionalen Mechanismus. Das heißt: das ist doch eigentlich das Gegenteil dessen, was in einem politisch angelegten Buch – wenn ich das so vereinfachend sagen darf – von der repräsentativen Figur gezeigt werden müßte.

L.: Genau umgekehrt. Wenn man schon über die Wirksamkeit von Phobien spricht – und die Phobie des Siggi Jepsen scheint mir ungewöhnlich gravierend zu sein –, dann muß man sich eingestehen, daß eine Phobie wie die von Siggi Jepsen unmittelbar ein Resultat politischer Verhältnisse ist und nicht ernst genug genommen werden kann. Das ist eine Beschädigung durch den Zeitgeist, ein fortgesetztes, dauerhaftes Leiden durch den Zeitgeist, etwas, was sich nicht heilen lassen wird. Hier hat Politik zu einem Leiden geführt, das nie mehr heilbar sein wird. Das wollte ich an Siggi Jepsen zeigen, nämlich die fortgesetzte Angst, daß sich das wiederholen könnte.

D.: Müßte es nicht so sein, daß eigentlich die Voraussetzungen, die Gründe, die zu dieser Situation geführt haben, so klar werden, daß eben das Gegenteil der Haltung, die Siggi Jepsen im letzten Teil des Buches einnimmt, hervortritt?

L.: Wieso? Soll ich Politik vorführen und dann Politik freisprechen?

D.: Anders formuliert: ist es nicht so, daß Sie ihn eigentlich nur als ein Opfer der politischen Situation zeigen?

L.: Präzis.

D.: Seelisch verkrüppelt.

L.: Präzis.

D.: Ist das nicht ein resignatives Eingeständnis?

L.: Siggi ist ein Opfer, ganz entschieden. Ich glaube, das wird so-

gar in mehr oder weniger diskreter Art, wozu der Erzähler ja verpflichtet ist, auch am Schluß gesagt – das Buch liegt nun einige Jahre zurück –, wo er einfach bekennt, daß die Nabelschnur, mit der er sich verbunden fühlt, von keinem durchtrennt werden wird, daß er zeitlebens sich gekreuzigt fühlen wird auf diesen verdammten Ort, der ihn zwang, diese Erfahrung zu machen, der ihm dieses Leiden gebracht hat, diese Phobie, die jetzt in seinem Denk- und Reaktionshaushalt vorhanden ist, so daß er immer wieder versucht ist, panisch retten zu müssen, was er bedroht glaubt.

D.: Dennoch wird auf der andern Seite diese Funktion wieder reduziert, nämlich am Beispiel der Konfrontation mit den Freunden von Klaas nach der Nansen-Ausstellung. Hier ist er doch der Überlegene, der auf Grund seiner Erfahrungen das als Klischee zurückweist, was jetzt über Nansen den Wolkenmaler und das deutsche malerische Orakel verbreitet wird. Hier ist Siggi auch rational überlegen und eben nicht psychologisch verkrüppelt.

L.: Sie kennen die Wirksamkeit von Phobien, und Sie kennen vor allem das unterschiedliche Auftreten und die unterschiedliche Macht von Phobien. Was Siggi mit den jungen Leuten erlebt und was ihn dazu bringt, die jungen Freunde daran zu erinnern, wer der Maler war, ist eine, von ihm aus gesehen, geradezu besessene Reaktion, auf seinem Leiden zu bestehen, auf dem Leiden, das ihm durch die jüngste Geschichte beigebracht wurde. Und wenn ich mir heute ansehe, in welcher Weise junge Leute versuchen, sich nicht allein von der Geschichte zu distanzieren, sondern die Geschichte zu amputieren, sie aus ihrem Leben zu eliminieren, weil sie einfach nichts mehr darstellt als feudalen Rest, als bürgerliche Selbstbestätigung, die nichts bewirkt und bedeutet – dann sehe ich in Siggi nichts anderes – und jetzt im Sinne einer konkreten Selbstbesetzung von mir in ihm – als den Wunsch, auf seinem Leiden zu bestehen, unversöhnlich zu bleiben. Darum nimmt er den Maler in Schutz, den jungen Leuten gegenüber, die ihn als kosmischen Dekorateur denunzieren möchten.

D.: Möglich wäre auch zu sagen, daß diese Haltung, die er in der Auseinandersetzung mit den jungen Leuten einnimmt, sich dem psychologischen Kontext einfügt. Es ist nämlich die Verteidigung des heimlichen Vater-Bildes.

L.: Damit bin ich einverstanden. Natürlich überträgt er, da er von seinem eigenen Vater enttäuscht ist, im Sinne eines unwillkürlichen Wunschverlangens alle Qualitäten auf den Maler. Und ich bin ganz sicher, obwohl es niemals gesagt wird, fragt er sich hundert-

mal: wie schön wäre es, wenn er, Nansen, der Vater wäre. Das ist etwas ganz Selbstverständliches bei Kindern, die Auswechselbarkeit von Vater-Modellen und Vater-Figuren.

12. Zur Wirkung der Romane

D.: Lassen Sie mich noch zu der Rezeption Ihrer beiden letzten Romane kommen. Die »Deutschstunde« hat doch im großen ganzen eine recht positive Resonanz gehabt.

L.: Es ist halb und halb, 50% Verrisse, 50% Zustimmungen.

D.: Dennoch läßt sich heute, aus der Distanz einiger Jahre, bereits sagen, daß die »Deutschstunde« beginnt literarisch kanonisiert zu werden. Wie erklären Sie sich nun die Resonanz, die sich bei Ihrem letzten Buch herausgestellt hat? Ist das ein psychologisches Faktum des Literaturbetriebs?

L.: Die Reaktion auf die »Deutschstunde« war im Ausland anders als in der Bundesrepublik. Wie gesagt, in der Bundesrepublik war es halb und halb. Ich weiß nicht, wie sich das ausnimmt, wenn man im ganzen das Spektrum der Kritik auf das »Vorbild« beziehen will. Es gab viele negative, rabiate Stimmen dazu, es gab zustimmende Veröffentlichungen. Ich kann mir nicht erklären, warum es so ist. Selbstverständlich habe ich eine ganze Reihe von Kritiken gelesen. Man muß sie anerkennen so oder so.

D.: Mir fällt als Beispiel Grass' »örtlich betäubt« ein, ein Roman, der in Deutschland eigentlich eine vernichtende Rezeption gefunden hat, der aber dann nach der Veröffentlichung in den USA – beispielsweise von »Time« – als das wichtigste Buch von Grass angesehen wurde und auch sehr erfolgreich war. Das heißt: es stellt sich eigentlich die Frage nach den Kriterien der Kritik.

L.: Ganz freundschaftlich: Sie werden mich nicht dazu verleiten, Kritikerschelte über die Rezeption des »Vorbilds« zu äußern. Das können natürlich nur Mutmaßungen sein. Sie kennen die Tabuisierung des Verhältnisses – das möchte ich auf jeden Fall sagen – zwischen Kritikern und Autor in diesem Lande. Man ist darauf gekreuzigt, man nimmt es schweigend zur Kenntnis. Man antwortet nicht. Das hat sich als Gewohnheit herausgestellt. Wenn man's lange genug bedenkt, keine schlechte Gewohnheit. Und wenn man als Autor für so eklatante Mißverständnisse oder für so bemerkenswerte Erregungen oder auch für ein so schrilles Nein gesorgt hat, wie ich das offenbar getan habe, so hat man das zur Kenntnis zu nehmen. Mehr möchte ich dazu nicht sagen.

D.: Natürlich könnte man erwidern: das reduziert eigentlich die Literaturkritik auf eine sehr unwesentliche Rolle.

L.: Nein, durchaus nicht. Ich habe, wie ich Ihnen sagte, viele Kritiken gelesen. Ich habe herauszufinden versucht, was den Ton der Reizbarkeit bestimmt hat, was zu dieser außerordentlich bemerkbaren Aggression in der Tonart führte. Ich habe darüber Mutmaßungen, nicht mehr, keine konkreten Antworten. Allenfalls könnte ich mich selbst fragen: Ist es vielleicht die Tatsache der Fallhöhe oder ist es ein Problem des Widerstands, den man bietet, oder ist es ein Problem der Werbung oder der ungeheuren Auflage und dieses Verkaufserfolges, bei dem man sich natürlich fragt: Ist es gerecht, daß dieses Buch einen solchen Vorsprung in der Leserrezeption findet? Endgültige Antworten wird man hier nicht geben können. Ich möchte auf keinen Fall – da ich ja selbst auch Kritiken schreibe, zumeist und eben jetzt ausschließlich über ausländische Kollegen – auf gar keinen Fall den Eindruck entstehen lassen, als möchte ich die Kritik oder die Bedeutung der Kritik im Zusammenhang mit meinen Büchern reduzieren. Dies Buch wird in eine ganze Reihe von Sprachen übersetzt und wird jetzt im Herbst wahrscheinlich schon in den skandinavischen Ländern, in Amerika, in England usw. erscheinen. Und dann kommt natürlich die Korrektur in der kritischen Rezeption durch das Ausland. Wie das aussehen wird, weiß ich nicht. Im Fall der »Deutschstunde« war es eine ganz erhebliche Korrektur. Ich finde, ein Schriftsteller hat doch nur die Möglichkeit, sich als einen Mann zu sehen: als »writer in progress«. Man schreibt immer weiter. Wenn ich vielleicht in absehbarer Zeit auch zu der Ansicht gelangen sollte, dies Buch ist ein Mißverständnis – im Augenblick bin ich noch nicht so weit, aus natürlichen Gründen, aber dieser Fall kann eintreten –, selbst dann werde ich mir sagen: Du kannst Dich nicht zu lange Zeit damit aufhalten, Du hast so viele neue Ideen – und die hab ich –, gib denen nach, ohne Rücksicht darauf, was mit ihnen geschieht, ob es ein Mißerfolg war oder ein Erfolg war; darum kannst Du Dich nicht lange kümmern, Du mußt weitergehen. Eine andere Möglichkeit gibt es ja nicht. Irrtümer sind, wie der alte Faulkner sagte, ein großer Lehrmeister.

V.B. Zeitromane mit moralischen Kunstfiguren. Das Romanwerk von Siegfried Lenz

1. Was Ruhm und Wirkung betrifft, so zählt er mittlerweile zur ersten Garnitur der deutschen Gegenwartsliteratur. Wie im Falle von Grass und Böll sind seine Romane literarische Exportartikel, viel übersetzt und repräsentativ im Ausland für das, was als moralisches Bewußtsein der Menschen in der Bundesrepublik genommen wird. Ein literarischer Statthalter also von vieler Gnaden, ohne die aggressive Bedächtigkeit des zur öffentlichen moralischen Institution gewordenen Heinrich Böll, der, oft in Kampfstellung mit den Medien, kommentierend und meinungsäußernd zu den Dingen des Tages Stellung nimmt, von Baader-Meinhof bis hin zu Solschenyzin, auch ohne die Frustrationserfahrung eines Günter Grass, der als ein Anwalt der Politik der kleinen Schritte die in utopischen Siebenmeilenstiefeln davoneilende Anhängerschaft, zumal unter der jungen Linken, verlor, sich in sein melancholisches Schneckenhaus zurückgezogen hat und mit Signalen für die Öffentlichkeit, sieht man einmal vom »Tagebuch einer Schnecke« ab, sparsamer geworden ist.

Im Vergleich zu Böll und Grass erscheint Siegfried Lenz als literarisches Weltkind in der Mitten, auch was seine Position als engagierter Autor und politisch aktiver Demokrat betrifft. Mit Grass, dem rüstigen und auch zum Teil erfolgreichen Trommler im Wahltroß der Es-Pe-De, dem politischen Rhetor zumal, verbindet Lenz aktive Beteiligung an SPD-Wählerinitiativen und politische Zielvorstellungen wie die folgende: »Ich halte die gegenwärtige Gesellschaft für reformbedürftig, von der Mitbestimmung am Arbeitsplatz bis zu einer gerechteren Vermögensverteilung; vom Mieterschutz bis zur Chancengleichheit in Bildung und Ausbildung; von einer Steuerreform bis zu einer unaufschiebbaren Bodenrechtsreform; hier sind Änderungen nötig, Verbesserungen. Für diese Verbesserungen trete ich ein, indem ich am Wahlkampf teilnehme, redend, schreibend.«[1]

Andererseits scheint er sich der begrenzten Wirkungsmöglichkeiten einer solchen Aktivität voll bewußt zu sein, was ihn mit der skeptisch abwartenden Haltung Bölls verbindet, der bisher noch nie im Rahmen einer bestimmten Partei aktiv geworden und öffentlich aufgetreten ist. Denn Lenz hat ebenso mit dem Blick auf sich bekannt: »... der ordentliche Platz eines Autors – so ist es mir zumindest immer vorgekommen – ist der Platz zwischen den Stühlen. Freiwillig, von keinem eingeladen oder berufen, auf niemandes Schoß, eher dem Argwohn ausgesetzt als durch Vertrauen ausgezeichnet, sollte ein Autor mit dieser Unbequemlichkeit einverstanden sein. Er sollte ... keinem verpflichtet sein.«[2]

Er ist also engagiert und distanziert, er spricht sein politisches Wort und schränkt es zugleich ein. Er ruft zur Vermittlung auf und sieht sich selbst als Vermittler, der sich jedoch stets auf seine eigene Position zurückzieht, eine Position der Neutralität, deren Legitimation ästhetisch fundiert ist. Lenz spricht als Schriftsteller, als Autor. Handelt es sich hier um den archimedischen Punkt, von dem aus sich eine Welt bewegen läßt, oder lediglich um eine Insel, auf die sich jemand zurückzieht, ein Refugium, das letztlich auch die eigene Isolation sichtbar dokumentiert?

Denn auch das Profil des Literaten Lenz will sich keineswegs mit eindeutigen Konturen erschließen. Das gilt sowohl für eine Optik, die seine kunsttheoretischen Verlautbarungen ins Blickfeld bringt, wie für sein literarisches Werk. Sicherlich, die Verbindung zwischen seinem politischen Standort und seiner künstlerischen Verantwortung hat er oft gezogen, am nachdrücklichsten 1962 bei der Verleihung des Bremer Literaturpreises, als er bekannte: »Mein Anspruch an den Schriftsteller besteht nicht darin, daß er, verschont von der Welt, mit einer Schere schöne Dinge aus Silberpapier schneidet; vielmehr hoffe ich, daß er mit den Mitteln der Sprache den Augenblicken unserer Verzweiflung und den Augenblicken eines schwierigen Glücks Widerhall verschafft.«[3] In derselben Rede hat er jedoch auch gesagt: »Ich schätze nun einmal die Kunst, herauszufordern, nicht so hoch ein wie die Kunst, einen wirkungsvollen Pakt mit dem Leser herzustellen, um die bestehenden Übel zu verringern« (278).

Auf der einen Seite also der Appell gegen eine kalligraphische Darstellung der Wirklichkeit und für eine realistische Auslotung aller Höhen und Tiefen der Realität im literarischen Text, getragen jedoch auf der andern Seite von einer moralischen Verpflichtung dem Leser gegenüber, der nicht nur die Möglichkeit haben soll, dem Autor folgen zu können, sondern der auch von ihm lernen soll. Ein Schriftsteller also mit pädagogischem Verantwortungsbewußtsein, ein Autor, der den Blick auf den Leser (ketzerisch formuliert: auf seine Zielgruppe) nie preisgibt bei seinen künstlerischen Expeditionen, der sich, so liegt nahe anzunehmen, nicht spontan in literarisches Gelände wagen wird, das, von Erdspalten und Wüstenstrichen durchzogen, erst zu kartographieren wäre, bevor jemand seinen Spuren folgen kann. Ein Autor also der realistischen Bescheidung und, was die Traditionen des Erzählens betrifft, des realistischen Romans? Ein »Erzähler im klassischen Sinne«[4] also, wie einer seiner wohlmeinenden Kritiker gemeint hat?

Lenz hat nie daraus ein Hehl gemacht, daß er sich als Erzähler bewußt dieser realistischen Tradition einordnet, daß er sich als Geschichtenerzähler sieht, der an die mimetische Funktion des Erzählens glaubt und das Stück Wirklichkeit, das er sich darzustellen vorgenommen hat, als rundes Stück Wirklichkeit zu überschauen vermag, ohne seine epische Vorstellungskraft von vornherein in Zweifel zu ziehen, ja ohne dieses vorgegebene Stück Wirklichkeit selbst als porös, fragmentarisch, als fragwürdig zu empfinden. Charakteristisch ist die Äußerung, die, von einer Reflexion der Erzähltechnik Nabokovs ausgelöst, apologetische Züge trägt: »Was die Hochkommissare der Ästhetik heute vom Erzähler vor allem erwarten, ist der Nachweis, daß das Erzählen (von Geschichten) abgestanden, provokant, unmöglich ist, ein unlauteres Blindekuhspiel, eine organisierte Sinnestäuschung. Wenn heute dem Erzähler überhaupt noch etwas zugestanden wird, dann dies: er darf den Offenbarungseid leisten, die Unbrauchbarkeit des Universums proklamieren und sich danach im Garten erschießen. Der einzig glaubwürdige Erzähler scheint nur noch der tote Erzähler zu sein...«[5]

Aber was sind die Kriterien für die Glaubwürdigkeit des Erzählers Lenz? Gewiß, er hat stofflich in der literarischen Landschaft neue Provinzen erschlossen: in den von Humor und sprachlicher Einfühlungskraft zeugenden literarischen Genrebildern von »So zärtlich war Suleyken«, Masuren, die Kindheitserfahrung von Lenz, und jüngst in »Der Geist der Mirabelle«, ähnlich behaglich fabulierend, die norddeutsche Küstenlandschaft, eine Region, die dem Wahl-Hamburger Lenz inzwischen sehr vertraut ist und die schon vorher oft den Hintergrund für Romane und Erzählungen abgab. Aber bleibt das nicht sprachliche Genremalerei, in den Details zwar liebevoll ausgepinselt, aber gleichsam nur von exotischem Reiz, unter ein literarisches Vergrößerungsglas gelegt und als regionale Rarität festgehalten und präsentiert? Lenz hat, hier Böll vergleichbar, die literarische Fruchtbarkeit der Provinz nachdrücklich verteidigt und gemeint: »Weltliteratur ist dem überschaubaren Ort verpflichtet, setzt Nähe voraus, eine einsehbare Topographie... Das Große wird im Kleinen transparent... die Welt erweitert sich durch die beispielhafte Erforschung eines – vergleichsweise – winzigen Bezirks. Die Zentren liegen am Rande... die Provinz im weitesten Sinne ist eine entscheidende Bedingung der Weltliteratur.«[6]

Aber während sich Joyces Dublin, Faulkners Jefferson City und Yoknapatawha County, Bölls kölnisches Rheinland oder Johnsons Jerichow in Mecklenburg zu topographischen Brennpunkten der Welt wandeln und im epischen Gleichnis die Dimensionen der Welt hereinholen, verrät die Provinz von Lenz einen Hang zur Idylle. Die Vitalität des Geschichtenerzählens scheint ungebrochen, aber das Dargestellte erscheint mitunter als Vorwand für das Fabulieren, das sich solcherart zu verselbständigen droht.

Es wäre jedoch sicherlich ungerecht, den Erzähler Lenz auf den Fabulierer dieser zum Teil auch hintergründigen Humoresken einzuengen. Er geht darin nicht auf. Sein episches Spektrum ist breiter, wenn auch diffuser in seiner Leuchtkraft. Der außerordentliche Erfolg der »Deutschstunde«, durchaus nicht vorhersehbar und in diesem Sinne nicht kalkuliert, freilich auch nicht, was verstärkt für das ähnlich erfolgreiche »Vorbild« gilt, im Konsensus mit der literarischen Kritik zustande gekommen, läßt die – und nur von dem Romanwerk soll hier gesprochen werden – erprobten und verworfenen Möglichkeiten, die Sackgassen und Kreisbewegungen des vorangegangenen Romanwerks, das immerhin fünf Titel umfaßt, noch schärfer hervortreten. Das gilt nicht nur unter dem Aspekt des Erfolgs. Da wird ständig neu eingesetzt und verworfen, da fällt es schwer, so etwas wie eine durchgehende Linie zu erkennen, sieht man einmal von stofflichen und thematischen Bezügen ab, die mit einiger Konsequenz zur »Deutschstunde« und zum »Vorbild« führt. Der angestrebte Pakt mit dem Leser hat, so scheint es, zumindest in zwei Fällen die Gefahr einer fast kompromißlerischen Anpassung nicht vermeiden können. In den in den fünfziger Jahren erschienenen Romanen »Der Mann im Strom« und »Brot und Spiele« hat Lenz mit einer fast an naturalistische Romanvorhaben erinnernden Emsigkeit neue Stoffbereiche erarbeitet und gleichsam berufsspezifische Romane geschrieben[7], einmal am Beispiel eines alternden Tauchers, dessen weitere Berufsausübung zum Problem wird, und zum andern am Beispiel eines Langstreckenläufers, der den Leistungsdrill seines Sports über alles stellt, bei der Niederlage in seinem letzten 10000-Meter-Lauf jedoch auch seine Niederlage als Mensch erkennen muß. Aber Lenz geht es hier keineswegs um eine naturalistische Ausmessung neuer Stoffzonen der Realität, auch nicht, wie es das Programm des Bitterfelder Weges in der DDR so nachdrücklich verkündete, um eine Überwindung der traditionellen Schranke zwischen Literatur und Leben, indem Beispiele der Arbeitswelt konkret zum literarischen Gegenstand gemacht werden.[8] Der Hamburger Hafen und das Sportstadion als Handlungsorte der beiden Romane wandeln sich schon recht bald in eine Art existentielle Bühne, auf der dem einzelnen, zielbewußt von der Handlung in eine Entscheidungssituation hineingetrieben, ein schicksalhafter Entschluß abverlangt wird.

Der alternde Taucher Hinrichs, der sein Geburtsdatum fälschte, um weiter arbeiten zu können, muß lernen, auch mit sich selbst, mit dem Alter, fertigzuwerden. Über den scheiternden Langstreckenläufer Bucher heißt es analog: »Bert lief allen davon, nur sich selbst konnte er nicht entkommen. Er selbst war sein größter Gegner, und an diesem Gegner kam er nicht vorbei.«[9] Diese existentielle Zuspitzung der Konflikte deutet auf moralische Parabeln, die Exemplarisches verdeutlichen wollen.

In den andern Romanen scheint der Blick auf den Leser weniger deutlich, da die realistische Einbettung viel geringer ist und das parabelhafte Konstrukt nackter hervortritt. Das gilt für Lenz' Romanerstling »Es waren Habichte in der Luft«, wo am Beispiel des von der Revolutionsregierung gesuchten Dorfschullehrers Stenka die Konfrontation des einzelnen mit dem institutionalisierten Bösen, dem Machtapparat der Politik, ein moralisches Gleichnis akzentuiert wird.

Ähnlich gelagert, aber melodramatisch und in der Handlung gestellter, ist der Roman »Duell mit dem Schatten«. Der deutsche Oberst, der die ehemaligen Kampfstätten des Afrikakorps in Libyen wiederaufsucht, wird mit der Erinnerung an die Vergangenheit und mit der Frage nach seiner Schuld seinen ehemaligen Untergebenen gegenüber konfrontiert: ein alt gewordener Hemingwayscher Held, der alle Aktionsgläubigkeit verloren hat und von dem Duell mit der Vergangenheit in die Enge und in die Niederlage getrieben wird.

Ungeachtet der exotischen Geographie, der allzu konstruierten und mit melodramatischen Akzenten versehenen Handlung, die dazu beigetragen hat, daß der Roman »nicht zu Unrecht vergessen«[10] wurde, erscheint in der thematischen Zuspitzung ein zentrales Problem von Lenz, das auch in den folgenden Arbeiten abgehandelt wird. Die Frage der Schuld steht auch im Zentrum seines philosophischen Debattierstückes »Zeit der Schuldlosen«, sie wird erneut variiert in seinem fünften Roman »Stadtgespräch«, der wiederum auf eine Ausnahmesituation, eine Kriegssituation, zurückgreift und ihr, wiederum im Sinne parabelhafter Pointierung, eine katalytische Wirkung in bezug auf das Verhältnis der Menschen zu ihrem eigenen Ich, zu ihrem Schicksal, zuschreibt. Nach einem mißglückten Attentat versucht der deutsche Kommandant durch Gefangennahme und Erschießung von fünfundvierzig Geiseln in einer besetzten kleinen norwegischen Stadt die Selbstauslieferung des Führers der Untergrundbewegung zu erzwingen.

Von einem ideengeschichtlichen Standort aus mag man argumentieren, Lenz versuche, »dem moralischen, existentiellen und ontologischen Dilemma des modernen Menschen auf den Grund zu gehen.«[11] Mit dem Blick auf die literarische Exemplifizierung dieses Standorts in den zuletzt genannten Romanen ist jedoch nicht zu Unrecht gesagt worden: »Theatralisch geht es in seinen realistischen Romanen zu. Es wird geschrien und geschlagen, gestoßen und gestochen. Alle regen sich hier furchtbar auf. Nur nicht der Leser. Die Romane wirken kalt, schwerfällig und monoton. Den Mangel an Dynamik und vor allem an Psychologie versucht Lenz häufig mit hochdramatischen Begegnungen und effektvollen Zusammenstößen zu tarnen.«[12]

Die existentialistischen Komponenten weisen auf den entstehungsgeschichtlichen Kontext dieser Romane zurück. Geschichte, sofern sie realistisch in diese Romane hineinreicht, wird zu exzeptionellen Grenzsituationen umarrangiert, die den einzelnen einer moralischen Zerreißprobe unterwerfen, aus der er entweder mit dem Eingeständnis seiner Niederlage und damit auch Eingeständnis seiner Schuld oder mit einer neuen moralischen Widerstandskraft hervorgeht. In beiden Fällen spielt sich ein moralischer Reinigungsprozeß im einzelnen ab.

2. Die geschichtsphilosophische Zuordnung dieses Romanstandpunktes läßt sich unschwer erkennen. Eine in ihrer tradierten Ordnung in Frage gestellte Wirklichkeit, die auf den Sinnanspruch des einzelnen keine Antwort mehr zu geben weiß, wird gleichsam unter eine säkularisierte theologische Perspektive ge-

rückt, in der das Böse, personifiziert in Machtapparaten – das ergibt die modernistische Variante bei Lenz – hervortritt und das Gute in der verschütteten und wiederzuentdeckenden Gewissensinstanz des einzelnen angesprochen wird. Die Prämisse ist nicht zu übersehen: Mit dem Widerstand gegen das institutionalisierte Böse wächst auch die moralische Regenerationskraft des einzelnen, die damit potentiell einen neuen Sinn in die fragwürdig gewordene Wirklichkeit zu projizieren vermag. Die epische Integrationskraft, die die experimentierende neue Romanform als Korrelat einer zerstückelten und nicht mehr mit sich identischen Realität haben könnte, wird bei Lenz von seinen epischen Protagonisten übernommen, die er damit in gewisser Weise zu »moralischen Kunstfiguren«[13] macht, da sie die moralische Identität der Wirklichkeit vorwegnehmend verbürgen und auch die formale Einheit seiner Romane garantieren sollen.

Das hat zur Konsequenz, daß Lenz auf der einen Seite auf der Basis des tradierten realistischen Romans stehenbleiben kann, d. h. aus einer ihn mit dem Leser spontan verbindenden Realitätserfahrung noch episch schöpfen zu können glaubt. Aber da ja die Sinn-Projektion seiner Helden in der Realität, die durchaus als fragwürdig gezeigt wird, kaum mehr vorbereitet ist oder Anhaltspunkte findet, führt das andererseits dazu, daß er die realistischen Details künstlerisch umarrangieren muß, nämlich zu dramatischen Entscheidungstableaus, in denen die moralische Widerstandskraft seiner Helden getestet wird. Daraus rührt die Nähe zur Parabel, aber auch zum Melodram und gelegentlich selbst zur Kolportage. Lenz ist also alles andere als ein naiver Geschichtenerzähler. Das Dilemma seiner Position als Erzähler ist also auch mit einer ganzen Reihe von formalen Problemen verbunden.

Die tradierte Prämisse des realistischen Erzählers, das So-ist-es, beginnt auch für ihn ihre Wirkung einzubüßen. Ebenso kann von einer intendierten Identität zwischen Ich und Welt wie im tradierten Roman, »als wäre der Weltlauf wesentlich noch einer der Individuation«[14], der Situation des klassischen Entwicklungsromans, kaum mehr die Rede sein. Aber dennoch gilt in dieser abgewandelten Situation für den Erzähler Lenz noch die Voraussetzung, »als reichte das Individuum mit seinen Regungen und Gefühlen ans Verhängnis noch heran, als vermöchte unmittelbar das Innere des Einzelnen noch etwas«[15]. Es wird zwar nicht mehr eine prozeßhafte Individuation vorgetäuscht, die der Entwicklung der Gesellschaft synchron laufen soll. Die Gesellschaft ist fragwürdig geworden, ihrer Werte entblößt und nur noch in ihrer Veräußerlichung sichtbar. Doch in den sich blitzartig ereignenden Erkenntnisumschwüngen der Grenzsituationen wird noch ein Identitätserlebnis des Ichs fingiert und damit auch die Möglichkeit, die verlorene Einheit in der Wirklichkeit zurückzugewinnen. Damit werden Umrisse und auch Gefährdungen der romanästhetischen Position von Lenz bezeichnet.

3. Die Problematik dieser Position beleuchten auch »Deutschstunde« und »Das Vorbild«. Daß Lenz mit »Deutschstunde« ein solcher Durchbruch gelang, ist unter vielen Aspekten überraschend. Die für den Stoff des Romans gebrauchten Deutungsformeln, die seine politische Aktualität akzentuieren wollen, weisen eher auf ein sprödes Buch, das zudem dem literarischen Trend, der in ähnlich gelagerten Büchern zum Ausdruck kommt, um einige Jahre hinterherzuhinken schien. Da wird von der Bewältigung der Vergangenheit gesprochen, von der Aufarbeitung der Schuld, die während der NS-Zeit der gehorsame Mitläufer, der pflichterfüllte, die politische Autorität nie in Frage stellende Kleinbürger auf sich lud, exemplifiziert an der nationalsozialistischen Verleumdungskampagne gegen die expressionistische Malerei, die sogenannte »entartete Kunst«, und dargestellt im Buch an der Konfrontation zwischen der vom Malverbot betroffenen Nolde-Figur Nansen und dem auf strikte Einhaltung des Malverbots dringenden Polizeiposten Rugbüll Jens Ole Jepsen. Das Ganze zudem, fern von Massenaufmärschen und Konzentrationslagern, aber auch vom Massenelend in den bombardierten Großstädten in der Endphase des Krieges, verlegt in den Windschatten der damaligen Zeitgeschichte, in die menschenleere Landschaft der nördlichsten deutschen Provinz, wo das Leben seinen normalen Trott weiterzugehen schien und die Katastrophen der Zeit nur wie fernes Wetterleuchten am Horizont sichtbar wurden.

Hat Lenz nicht, so gesehen, das tatsächliche Ausmaß der im Nationalsozialismus begangenen Greueltaten für den von diesem Thema ja noch unmittelbar betroffenen Leser nicht auf ein erträgliches Maß reduziert, das Grauen also neutralisiert und damit auch die Schuldfrage akzeptabel gemacht? Ist ihm, mit andern Worten, nicht eigentlich vorzuwerfen, daß er »Geschichte wie ein Märchen erzählen läßt«[17]? Hat man ihm daher nicht mit guten

Gründen zum Vorwurf gemacht, daß hier »fast behaglich eine weitere Geschichte aus dunklen Tagen« erzählt wird, die »leichte Identifikationsmöglichkeiten, zu nichts verpflichtendes moralisches Parteiergreifen und also wenig Anlaß zum Nachdenken bietet«, daß sich »Lenz' Roman wie eine kindlich-naive Anekdote liest, die ästhetisch ungenügend und in den politischen Implikationen gar nicht durchdacht ist«[18]? Wird dieses Buch also indirekt durch den Leseerfolg zu einem »politischen Buch«, wie man gemeint hat: »Eine dergestalt scheinbare Bewältigung deutscher Geschichte muß geeignet sein, die reaktionären Strebungen in der westdeutschen Öffentlichkeit zu nähren, so wie diese Öffentlichkeit den Autor Lenz zum Erfolgsautor kürt und ihn nährt«[19]? Die »Deutschstunde« also als Zeugnis unterschwelliger Ideologie, als freundlicher Literaturspiegel, in dem die Generation der schuldhaft beteiligten Leser sich nur abstrakt angeklagt und damit zugleich indirekt rehabilitiert sieht?

Tatsächlich ist es so, daß Lenz hier nicht das große politische Lehrstück in Romanform geschrieben hat, kein in den Dimensionen großangelegtes politisches Epos, das das Thema der Konfrontation zwischen Kunst und Politik auch in seiner faktischen Schwere voll ins Zentrum rückt. Dann wäre beispielsweise Ernst Barlach das viel geeignetere Modell gewesen als der von seiner politischen Statur und auch von seinem Schicksal im Dritten Reich her einigermaßen farblose und auch noch relativ glimpflich behandelte Nolde. Aber es geht hier nicht unmittelbar um die Kunst-Politik des NS-Regimes. Es ist nicht in erster Linie der Roman des Malers Nansen. Die formale und auch moralische Plausibilität des Romans steht und fällt mit der Figur des im Roman agierenden Erzählers.

Das ist mit Nachdruck zu betonen, um nicht in den Fehler zu verfallen, den Roman in seinen Vorzügen und Schwächen an einem Modell zu messen, das den Wunschvorstellungen des Lesers, aber nicht der Struktur des Buches entspricht. Es ist der Roman Siggi Jepsens auf doppelte Weise: die in erster Linie ihn betreffende Geschichte und zugleich eine Geschichte, die er erzählt. Auf ihn, auf seine erzählstrukturelle Funktion und auf die Frage seiner glaubhaft oder nicht glaubhaft gemachten moralischen Integrität muß sich primär die Aufmerksamkeit richten.

Gegen Schluß des Romans im 15. Kapitel findet sich die folgende Stelle: »Heute, am 25. September 1954, bin ich einundzwanzig Jahre alt geworden... Ab heute muß ich mir also Volljährigkeit nachsagen... lassen... sie ließ mich fragen und überlegen...: Wer bist du? Wohin willst du? Was ist dein Ziel« (421/2)? Siggi Jepsen überschreitet die Schwelle zwischen Jugend und Erwachsenenalter, die Initiationsschwelle, so läßt sich sagen. Mit der Aufarbeitung seiner Vergangenheit in der Strafarbeit über »Die Freuden der Pflicht« ist seine Jugend abgeschlossen, und er steht vor der Notwendigkeit, sich in die Erwachsenenwelt zu integrieren, ohne daß er freilich die Möglichkeit zu einer sinnvollen Integration zu erkennen vermag. Da ist einmal der »Freiplatz auf einer höheren Schule« (451). Da ist zum andern die ihm von seinem Wärter Joswig nahegelegte Möglichkeit: »Siggi, überleg mal: du wärst Wärter hier« (558). Keine dieser Möglichkeiten überzeugt den Erzähler. Die Zukunft bleibt offen und unbestimmt und damit auch seine mögliche Integration in die Erwachsenenwelt. Der Reifungsprozeß, den er in der erzählerischen Aufarbeitung seiner Vergangenheit vollzogen hat, macht ihn der ihn umgebenden Wirklichkeit überlegen, zumindest sieht er keine Möglichkeit, das in die Wirklichkeit, die ihn umgibt, einzubringen. Ihm bleibt nur die Erkenntnis, »daß Zeit nichts, aber auch gar nichts heilt... Scheitern an Rugbüll? Vielleicht kann man es so nennen.« (559)

Nicht nur diese Initiationsproblematik, sondern auch die erzählstrukturellen Konsequenzen erinnern erstaunlich an Salingers Roman »The Catcher in the Rye«[20], wo es, hier freilich in einer zeitgenössischen amerikanischen Großstadtumwelt, aus der Perspektive des sechzehnjährigen Holden Caulfield um eine ähnliche Initiationsreise[21] geht: weg von den verbürgten Institutionen der Erwachsenenwelt, Schule, Elternhaus, in eine Zukunft, die sich verweigert und am Ende des Romans völlig offen bleibt. Der sich am Schluß des Romans in einem Sanatorium aufhaltende Caulfield erzählt seine Geschichte in ähnlicher Weise als Gewissenserkundung und Versuch, sich klar zu werden über sich selbst, wie Jepsen seine Strafarbeit schreibt. Und so wie Lenz seinem Erzähler den Psychologen Mackenroth an die Seite gestellt hat, der, Jepsens Bericht ergänzend und kontrastierend, ihm als Krankheitsfall zu helfen versucht, wird auch von Salinger »this one psychoanalyst« (216) erwähnt, der Caulfield beobachtet und ihm beizustehen bemüht ist.

Die völlige Offenheit des am Ende von Jepsen in seiner Erzählung beschrittenen Erkenntnisweges gilt auch für Caulfield, der auf die Schlußfrage: »...if I am going to apply myself...« (216)

keine Antwort geben kann. Aber wo Salinger sich nur mit den veräußerlichenden Mechanismen der amerikanischen Zivilisationswelt im Erfahrungshorizont von Caulfield auseinandersetzt und das Kindsein als utopische Existenzstufe zu verabsolutieren scheint, geht es Lenz im Spiegel von Jepsens Bewußtsein um eine spezifisch deutsche Generationserfahrung: die politische Fehlleistung der Vätergeneration und ihre Auswirkungen auf die Jugend. Die in der nach außen hin heil scheinenden und biederen Welt der norddeutschen Provinz sich indirekt dokumentierende Inhumanität wird unter der Oberfläche sichtbar gemacht und damit die psychische Erkrankung des Erzählers, seine Flammen-Phobie und sein kleptomanischer Drang, Kunstwerke in Sicherheit zu bringen, als soziale Krankheitsgeschichte in der ihn umgebenden Gesellschaft verankert.

Auch das Scheitern in der Gesellschaft, das den Initiationsweg Caulfields kennzeichnet, wird von Salinger als soziale Krankheitsgeschichte des zeitgenössischen Amerika anschaulich gemacht. Lenz läßt sich auch darin mit Salinger vergleichen, daß er darauf verzichtet, die Objektivität der dargestellten Gesellschaft erzählerisch zu behaupten. Indem er sie als Reflex einer individuellen Erzählerperspektive zeigt, macht er den Blickwinkel des Jungen zur Darstellungsperspektive der Gesellschaft. Was man Lenz in der Kritik zum Teil als Tendenz zur Verniedlichung und Verharmlosung ausgelegt hat und was sich formal im Zug zur Anekdote oder zum Märchen zeige, wird innerhalb dieser spezifischen Erzählperspektive ästhetisch plausibel gemacht, ist die Perspektive des Kindes, das die Wirklichkeit gleichsam von unten her anschaut und seine spezielle Optik in das dargestellte Bild der Wirklichkeit projiziert.

Die formalen Konsequenzen dieser perspektivischen Festlegung zeigen sich bei Salinger in einer spezifischen Sprache, die er bei Caulfield zum Erzählmedium werden läßt, einem oft beschriebenen Teenager-Idiom, das das vorgeführte Bild der Wirklichkeit damit bereits sprachlich einfärbt und als Bild einer spezifischen Sicht signalisiert. Während Salinger die Fiktion aufrechterhält, daß sich sein Erzähler gleichsam mit seinem Leser unterhält, was wiederum durch die Unterhaltungen mit dem Psychoanalytiker realistisch motiviert ist, und formal damit die Eigenheiten einer besonderen Sprech-Sprache zur Charakteristik von Caulfields Erzählperspektive macht, setzt Lenz anders an und kommt auch zu anderen formalen Konsequenzen. Die Strafarbeit, zu der Jepsen verdonnert wird, unterstreicht auf der einen Seite, daß sich gewisse Strukturen der Wirklichkeit – zur NS-Zeit und 1954 – nicht grundsätzlich geändert haben; es wird Druck auf ihn ausgeübt. Aber andererseits führt das dazu, daß der Reflexionsvorgang des Erzählers geschärft wird. Dadurch daß er nicht einfach assoziativ Bilder der Vergangenheit an seinem inneren Auge vorüberziehen läßt, sie etwa plaudernd seinem Wärter Joswig oder dem Psychologen Mackenroth mitteilt, sondern sie schriftlich artikuliert, wird von vornherein ein höherer Grad von Bewußtheit zur Voraussetzung des Erzählers gemacht. Diese höhere Bewußtheit korrespondiert mit der im Vergleich zu Salinger qualitativ viel komplexer dargestellten Erwachsenenwelt und den in ihr für Jepsen vorhandenen Problemen.

Das führt keineswegs dazu, daß das erzählstrukturelle Modell bei Lenz gradliniger wird und sich einfacher auf abstrakte Muster zurückführen läßt. Caulfields Initiationsreise durchläuft gewisse Stadien der amerikanischen Zivilisationswelt, vor allem der Großstadt, und die Zuordnung der einzelnen Stadien erscheint variabel. Bei Jepsen ist diese Initiationsreise von vornherein in die Geschichte des Konfliktes zwischen seinem zu Kadavergehorsam neigenden Vater und dem sich dem Malverbot widersetzenden Maler Nansen eingelagert und damit politisch verankert, wird zudem in ihrer Dynamik von der Entwicklung des Konfliktes zwischen gehaßtem leiblichen Vater und verehrtem geistigen Vater bestimmt.

Wie schwer dem Erzähler Siggi die Befragung seiner Erinnerung und die Strukturierung seines Erzählprozesses fällt, verdeutlicht seine Reflexion über die Schwierigkeiten beim Aufsatzschreiben im letzten Teil des Buches: »Kein Aufsatz ohne Gliederung. Einleitung, Aufbau, Hauptteil, Wertung: über diese Rolltreppe hatte das Ganze zu laufen, und wer sich nicht an diesem Schema entlanghangelte, der hatte das Thema verfehlt... Ich brachte es nicht fertig zu bestimmen, was Haupt-, was Nebenproblem sein sollte. Ich brachte es nicht übers Herz, einige Leute als Haupt-, andere als Nebenfiguren auftreten zu lassen... ich war nicht in der Lage zu werten...« (461/2) Das erweist sich als eine Art indirekter Bestimmung der ästhetischen Struktur des Romans, als ein Eingeständnis all der Schwierigkeiten, die den Erzähler erwarten.

Aber diese Schwierigkeiten werden nicht nur abstrakt geäußert, sondern auch in zahlreichen Hinweisen konkret dokumentiert.

Das Bild der Wirklichkeit, das der Erzähler vor den Leser hinstellt, wird nie als realistisch verbürgtes behauptet, sondern ständig als erzähltes signalisiert, indem der Erzähler selbst immer als Subjekt des Erzählens in Erscheinung tritt und damit jeden sich unter der Hand einstellenden Wahrheitsanspruch seiner epischen Bilder relativiert. So heißt es etwa: »Doch ich will diese Einzelheiten, aus denen durchaus eine Geschichte entstehen kann, nicht weiter ausspielen...« (79) Oder angesichts der versuchten Beschreibung einer Figur: »Darum kann ich Okko Brodersen nicht gleich beginnen lassen, ich muß, damit er sich selbst gleicht, abwarten, muß das Vorgespräch erwähnen...« (125) Oder es wird nach einer Beschreibung geäußert: »ich hoffe, damit ist man im Bilde« (143). Oder vor Beginn einer Szenenbeschreibung: »Doch die Szene im ›Wattblick‹ ist jetzt wohl ausreichend vorbereitet...« (164) Oder angesichts einer andern Szene: »Kühe und Schafe, das schreibt sich so hin, und dennoch muß ich sie im Hintergrund aufbauen... Ich erzähle keine beliebige Geschichte, denn was beliebig ist, verpflichtet zu nichts« (241).

Die Beispiele sind zahllos. Es handelt sich nicht um erzählerische Ornamente, entbehrliche Schnörkel, gestische Formeln höchstenfalls, die die Subjektivität des fiktiven Erzählers von Zeit zu Zeit sichtbar machen. Ihre eigentliche Funktion besteht darin, die erzählten Bilder der Wirklichkeit ständig von der pseudoobjektiven Aura traditionellen realistischen Erzählens zu befreien, sie zu relativieren und zugleich als Bilder einer bestimmten Perspektive zu charakterisieren. Daraus erklärt sich auch die mit erstaunlicher Konsequenz und bis auf wenige Ausnahmen durchgehaltene perspektivische Einheitlichkeit des Erzählens. Nur im achten Kapitel »Das Porträt« ist diese Einheitlichkeit durchbrochen. Das Erzählsubjekt Siggi Jepsen war hier als Erlebnissubjekt nicht gegenwärtig und imaginiert in gewisser Weise abstrakt: »Mann im roten Mantel, jetzt muß ich von dir erzählen.« (201)

Aber selbst noch die Joswig-Geschichte wird in diese erzählperspektivische Einheitlichkeit miteinbezogen, da es ausdrücklich über seine Erzählung heißt: »die er (Joswig) mir freistellte zu verarbeiten« (423). Auch der letzte Teil des Buches, der die Gegenwart des Jahres 1954 behandelt und damit vom Erzähler nicht im Rahmen der Strafarbeit erzählt wird, ist als Erlebte Rede, als Bewußtseinsprotokoll Teil dieser Erzählperspektive.

Selbst die Mackenroth-Passagen werden, wenn auch nicht erzählstrukturell, so doch perspektivisch mit dem Bewußtsein des Erzählers Siggi Jepsen verklammert, da ja nicht jeweils in freier Montage Abschnitte aus Mackenroths Abhandlung »Kunst und Kriminalität« (98) eingeblendet werden, sondern die von Siggi Jepsen in bestimmten Situationen gelesenen Teile dieser Arbeit. Er zitiert sie also in gewisser Weise. Freilich dienen die Mackenroth-Passagen nicht nur als ironischer Kontrast und indirekte Legitimation des Erzählens, indem eben der Irrweg einer pseudoobjektiven, nämlich wissenschaftlichen Annäherung an die soziale Krankheit Siggi Jepsens betont wird, sondern auch als Möglichkeit, Stoffbereiche funktional zu integrieren, die sich dem subjektiven Bewußtsein des Erzählers entziehen. Das gilt einmal für die Darstellung der Biographie und Entwicklung Nansens, dessen Vorgeschichte durch die Mackenroth-Zitate aufgerollt wird[22], und besonders für Siggis eigene Vorgeschichte, der zwar, sich im Spiegel betrachtend, sein eigenes Äußeres zu beschreiben vermag[23], aber nicht seine biographische Entwicklung bis hin zu den Ereignissen zwischen seinem Vater und Nansen zu analysieren imstande wäre. Auch das wird durch einen zitierten Abschnitt aus der Arbeit Mackenroths nachgeholt, wobei zugleich über eine stoffliche Vervollständigung von Siggis biographischer Situation hinaus die Bedingungen seiner augenblicklichen Erzählsituation schärfer bestimmt werden. Das gilt sowohl in bezug auf Siggis intellektuelles Vermögen – er war häufig »Klassenbester« (320), bewies »besondere Fähigkeiten in der Zeichen- und Deutschstunde« (321), hinterließ in mehreren Sendefolgen des Hamburger Kinderfunks »einen außergewöhnlichen Eindruck« (321) (ein Moment, das wiederum auf Salinger zurückdeutet[24]) – als auch seine soziale Rolle: sein »frühe(s) Außenseitertum« (322) als Folge seiner Begabung, die ihn zum »Muster und Ideal« (322) der andern Mitschüler werden ließ, ihm deren »Argwohn« und »Haß« (322) eintrug und ihn erst recht in seinem »Einzelgängertum« (323) bestärkte. Damit wird nicht nur die Obsession Siggis, die darin zum Ausdruck kommt, daß er sich die monströse Strafarbeit abzwingt, motiviert, sondern auch die Sensibilität, mit der er auf den autoritären Vater und den von ihm heimlich als Vater-Ersatz geliebten Maler reagiert.

Die Demonstrationsperson, die Siggi für den Psychologen nur unter dem Aspekt eines klinischen Falls wird, erhält so eine ganz andere Bedeutung: er repräsentiert eine ganze Generation, die am Nationalsozialismus nicht aktiv-schuldhaft beteiligt war, aber die Zersetzung der menschlichen Beziehungen durch die Ideologie dennoch deutlich spürte und auch in der Gegenwart indirekt noch davon gezeichnet ist. Hier liegt denn auch das eigentliche Kriterium für die Glaubwürdigkeit dieses Erzählers. Auf einer Karte, die nur die spektakulären politischen Ereignisse verzeichnet, sind Krieg und Nachkriegszeit deutlich voneinander getrennt, während Lenz sichtbar macht, daß sich bestimmte depravierte Haltungen nicht schlagartig ändern lassen.

Schon die Handlung setzt hier starke Akzente: Was Ole Jepsen vor 1945 als Pflichterfüllung ausgeben konnte, wird, in der Nachkriegszeit zur haßvollen Obsession geworden, von den veränderten Bedingungen der Gesellschaft her nun als Verbrechen gewertet. Die humane Hilfsaktion Siggis für den Maler, dessen Bilder er vor dem Vater verbirgt und aufbewahrt, wird, in der Nachkriegszeit ebenfalls zur Obsession geworden, zur psychischen Krankheit und vom Regelsystem der neuen Gesellschaft ebenfalls gebrandmarkt. Daß der eigentlich Unschuldige für den wirklich Schuldigen, der Sohn für den Vater, in die Anstalt geht, steigert nur in dieser paradoxen Verkehrung Siggis grundsätzlichen Zweifel an dem allgemeinen politischen Reinigungsprozeß. Die schuldhafte Verkettung ist weiterhin vorhanden. Der Vater, der den älteren Sohn Klaas verstößt und ebenfalls die Tochter Hilke, weil sie Nansen für einen Halbakt Modell stand, hat sich im Grunde nicht verändert. Wenn sich Änderungen vollzogen haben, dann sind sie so oberflächlich wie am Beispiel des ehemaligen NS-Kunstkritikers Maltzahn, der Nansens Bilder in seiner Zeitschrift »Volk und Kunst« seinerzeit verteufelte und sie nun in seinem »Das Bleibende« umgetauften Blatt loben will.[25].

Die für den Erzähler Siggi Jepsen individuell problematische Dimension der Zukunft wird hier zusätzlich begründet und auch als moralische Frage skeptisch an die neue politische Wirklichkeit gerichtet: »... warum Erfahrungen nichts oder fast nichts nützen? Für wen sind sie wohl bestimmt, die Erfahrungen...« (284)? Da wird keinerlei Lösung angeboten, keinerlei Utopie, die einzig mögliche liegt in der Erkenntnis dessen, was passiert ist, in der möglichen Lehre, die man aus der Erfahrung zieht.

Die Glaubwürdigkeit dieses Romans ist die Glaubwürdigkeit seines Erzählers, in dem sich eine vaterlose, skeptische Generation wiedererkennt, die an die überkommenen Normen der Gesellschaft nicht mehr zu glauben vermag, angesichts der jüngsten deutschen Zeitgeschichte. Was Böll in seinen beiden letzten Erzähltexten nur in Ansätzen gelang, den in den Text integrierten Verfasser nicht nur zur formalen, sondern auch moralischen Achse seines Erzählens zu machen, in der »Deutschstunde« ist Siegfried Lenz diesem Ziel erstaunlich nahegekommen.

4. »Das Vorbild«, so scheint es, versucht in vieler Beziehung, den Roman »Deutschstunde« fortzusetzen. Gegen Ende der »Deutschstunde« soll Siggi einen Aufsatz über das Thema »Mein Vorbild« schreiben und scheitert daran bzw. er wird unterbrochen: »... am besten, dachte ich, könnte man mit einem erfundenen Vorbild fertig werden, mit einem gebastelten, geflickten, jedenfalls nicht lebendigen Vorbild.« (462)[26] Diese Intention wird, freilich auf anderer Ebene, im Roman »Das Vorbild« aufgenommen.

Während die Repräsentanz von Siggi Jepsen gerade darin besteht, daß er in der Insistenz seines Fragens, in seiner Skepsis und seinem Zurückschrecken vor utopischen Zukunftslösungen exemplarisch und durch seine moralische Energie glaubwürdig wird, stellt Lenz sich im »Vorbild« sozusagen die Aufgabe, den Hohlraum, der, bezogen auf die Zukunft, in der »Deutschstunde« bleibt, auszufüllen. Was von Siggi Jepsen am Material seiner eigenen Erfahrung, Drittes Reich und Gegenwart der fünfziger Jahre verbindend, geklärt wird, das wird nun als abstrakte Frage gleichsam in die Zukunft projiziert: Wie müssen Vorbilder beschaffen sein, die für die heutige Jugend Geltung haben? Geklärt soll das werden am Beispiel einer philologisch-pädagogischen Editoren-Troika, die mit der Auswahl vorbildhafter Lesestücke für ein neues Lesebuch beschäftigt ist.

Äußerlich betrachtet, wird auch die Montage-Form der »Deutschstunde« fortgeführt, ja sogar in der Auffächerung der verschiedenen Erzählschichten noch weitergeführt. Aber solche stofflichen Fortschreibungen und formalen Analogien können nicht darüber hinwegtäuschen, daß Lenz, gemessen an dem, was er in der »Deutschstunde« erreicht hat, auf ganzer Linie gescheitert ist. Er hat selbst einmal gemeint: »Denn zum Bild eines Schriftstellers gehört nicht nur das, was er erreicht hat, sondern in gleicher Weise das, was ihm mißglückt ist.«[27] Unter diesem Aspekt ist auch »Das Vorbild« als exemplarisch anzusehen, exemplarisch in seinem Scheitern auch bezogen auf das, was die von Lenz konstruierte Romanform nicht mehr zu leisten vermag.

Einer der Kritiker hat über die zentralen Figuren des »Vorbilds« gemeint: »Sie suchen was fürs Lesebuch, aber sie selber sind nicht Suchende in dem Sinn, wie der frühe Lukács Romanhelden als Suchende gedeutet hat.«[28] Tatsächlich werden sie in ihrer Ausgangslage durchaus wie die Protagonisten des Desillusionsroman gezeichnet: sie werden konfrontiert mit einer persönlichen Vergangenheit, die alle Züge des Scheiterns trägt. Die ihrem Leben innewohnende Sinnlosigkeit motiviert ihre Suche nach einem Sinn. Diese Ausgangslage der Figuren, die an die Situation Siggi Jepsens erinnert, der zudem in Pundts Sohn Harald verwandelt wieder auftaucht, wie auch der den Willen seiner Schüler brechende Vater Valentin Pundt[29] auf Ole Jepsen zurückweist, wird an einer Stelle so formuliert: »Die wahren Krankheiten, das sind unsere offenen Erlebnisse, ... die unabgeschlossenen Erfahrungen, gegen die es nur eine Therapie zu geben scheint: sie durch Erzählen unschädlich zu machen.« (227)

In dem Sinne lassen sich die offenen Wunden im Leben dieser drei Personen erkennen: Pundt hat seinen Sohn in den Selbstmord getrieben, Hellers Leben ist in seiner Ehe gescheitert, Rita Süßfeldts Lebensproblem ist ihre schwankende, unentschlossene Beziehung zu dem in einem Unfall verkrüppelten Archäologen Heino Merkel. Aber diese Probleme werden den Figuren von einem im Hintergrund agierenden und montierenden »objektiven« Erzähler nur illustrativ nachgeschoben, sie werden nicht als die sie individuell betreffenden Existenzprobleme so in den Mittelpunkt ihres Bewußtseins gerückt wie am Beispiel von Siggi Jepsen in der »Deutschstunde«. Die Frage nach einem möglichen Sinn wird nicht aus der Mitte ihrer Existenz gestellt, sondern, zur Formel veräußerlicht, auf einer abstrakten, sie nur beruflich betreffenden Ebene gestellt: nämlich als Suche nach passenden Lesestücken für den »Lebensbilder-Vorbilder« (22) überschriebenen dritten Teil ihres in ministeriellem Auftrag für Norddeutschland zusammenzustellenden »repräsentativen Lesebuch(s) für Deutschland« (164). Ihr sie belastendes Leben und ihre Suche nach einem möglichen Sinn werden damit künstlich voneinander getrennt und von dem im Hintergrund operierenden »objektiven« Erzähler zum puren Kontrast verflacht: die selbst in ihrem Leben alles andere als Vorbildhaften suchen nach einem Vorbild.

Kein Wunder, daß einen die umständliche Suche dieser drei Herausgeber kalt läßt wie auch das Lesebuch, das sie sich zusammenzustellen bemühen. Wo sich künstlerische Valenz in der »Deutschstunde« gerade dadurch einstellte, daß in der subjektiven Erzählperspektive der Mittelpunkt-Figur die sie individuell betreffenden Probleme reflektiert und geklärt werden, hat Lenz hier ein episches Planspiel ausgezirkelt, in dem die Figuren von einem gesichtslosen Erzähler aus unerfindlichen Gründen wie Schachbrettfiguren hin und her geschoben werden, ohne daß die Plausibilität der einzelnen Bewegungszüge künstlerisch sichtbar würde.

Das Ausmaß an Abstraktheit, das sich so störend im »Vorbild« bemerkbar macht, zeigt sich auch in den drei Erzählbeispielen, die jeweils von einem der drei Herausgeber als mögliche Lesebuch-Texte vorgeschlagen werden. Heller schlägt O. H. Peters »Die Absage« vor, Pundt Kai Kösters »Die Falle« und Rita Süßfeldt Hartmut Königs »Das Zugeständnis«. Sieht man einmal von der gewissen Beziehung, die zwischen Pundt und seinem Textbeispiel besteht, ab, so wird hier in einer spannungslosen Rollenprosa, die ja jeweils der Erzähler Lenz arrangiert hat, die individuelle Problematik der Figuren von allgemeinen Exempeln zugeschüttet. Diese Abstraktheit wird noch um eine weitere Stufe vorangetrieben, als die Herausgeber, deren Beispiel jeweils ohne allgemeine Zustimmung bleibt, den Vorschlag Merkels aufgreifen und die Geschichte der Hamburger Biologin Lucy Beerbaum, die aus Protest gegen die Inhaftierung eines griechischen Freundes vom Obristenregime in Athen, im fernen Hamburg in den Hungerstreik tritt, sich als mögliches vorbildliches Lesebeispiel zusammen zu erarbeiten versuchen.

Schon der politische Kontext unterstreicht die Wirkungslosigkeit dieser abstrakten Opfergeste: Wie soll etwas, was in Hamburg passiert, in Griechenland zum Fanal werden? Zudem haben die in Griechenland inzwischen geänderten politischen Bedingungen die Abstraktheit dieser Konstruktion in der Zwischenzeit noch verschärft. Aber davon einmal abgesehen: was hat dieses Beispiel mit dem individuellen Leben der Hauptfiguren in Lenz' Roman zu tun? Nichts. Es ist nur mögliches Textbeispiel für eine Lesebuch-Lücke, aber nicht für die Lücke, für die Fragwürdigkeit in ihrer eigenen Existenz. Die Frage nach der Identität von Ich und Wirklichkeit, die zugleich eine Frage nach der moralischen Selbstbestimmung der Romanfiguren ist, wird im exemplarischen Lesebuchtext, in der Begriffsformel »Vorbild« von Lenz verdinglicht und auf das Niveau von Erbauungsliteratur heruntergedrückt.

Die Suche nach dem vorbildhaften Lesebuch-Text wird unfreiwillig zur Persiflage auf den sich selbst überlassenen Helden, der, aus allen tradierten Werten entlassen, im Zustand der transzendentalen Obdachlosigkeit die Sinnfrage neu und individuell stellen muß. Gerade das macht die moralische Integrität des Erzählers Siggi Jepsen in der »Deutschstunde« aus, der seine offene Wunde und damit zugleich die offene Wunde in der Vergangenheit Deutschlands zu schließen versucht, und das akzentuiert zugleich das Scheitern des gleichsam mit Tricks hinter einem Vorhang operierenden Erzählers im »Vorbild«, der eine Romanstruktur montiert hat, die jedoch nur eine abstrakte Synthese herstellt und im Grunde willkürlich ist.[30]

Das sind die entscheidenden Indizien für das Scheitern von Lenz in diesem Roman. Von diesen Zusammenhängen her sind auch die anderen Symptome des Scheiterns bedingt: daß etwa die drei Hauptfiguren selbst in die Nähe fataler Lesebuch-Klischees[31] geraten, der skurrile Schultyrann Rektor Valentin Pundt aus Lüneburg, der mit Dörrobst, Pflaumenschnaps und seinem unvollendeten Hauptwerk »Die Erfindung des Alphabets« (10) im Koffer durch die Gegend zieht und seinen Sohn und die Welt nicht mehr versteht, der progressive, mit einer Mitläufermentalität begabte liberale Studienrat Janpeter Heller, der sich krampfhaft bemüht, auf der Höhe der Zeit zu sein, der tantenhaft schusselige Blaustrumpf Rita Süßfeldt, die durch ihr Leben und durch die Welt stolpert.

Kein Wunder, daß auch das intellektuelle Profil der Figuren sich im anachronistischen Diskussionsstand[32] des Lesebuch-Themas verrät und eine negative Korrespondenz herstellt. Natürlich gibt es mitunter Ansätze, aus diesen sich als Fesseln erweisenden Mustern auszubrechen, so wenn der nach einer Demonstration festgenommene und im Polizeiauto abtransportierte Heller neue Möglichkeiten der erzählerischen Vergegenwärtigung von Umwelt erwägt: »Soll der Versuch gemacht werden, Hamburg durch eine Zeltplane erahnend zu beschreiben? Wäre das eine Gelegenheit, ein Muster für die Relativität der Wahrnehmungen zu liefern? Es stinkt nach Fischmehl: also bin ich in Eidelstedt – nach dieser Methode vielleicht?« (119) So wie hier die tradierte epische Mimesis in Frage gestellt wird, gibt es auch mitunter Augenblicke, wo die Überlebtheit des Themas artikuliert wird, so wenn Heller an einer Stelle reflektiert: »Man müßte mal die Sprache der Werbung untersuchen. Und die Gesinnung... Anstelle der backenbärtigen Vorbilder ... sollten wir dies Kapitel in unser Lesebuch aufnehmen; Sprache und Gesinnung der Werbung.« (110)

Die äußerlich progressiv scheinende Montage-Form des Buches täuscht nicht darüber hinweg, daß hier nochmals ein traditioneller Erzähler, ein Tausendsassa, bemüht wird, der auf seiner epischen Guckkastenbühne mühsam seine Kunststücke vorzuführen versucht. Aber seine Illusionstechnik ist ebenso fragwürdig geworden wie seine ihm unterschwellig noch zugesprochene erzählstrukturelle Allmächtigkeit.

Anmerkungen

1 In: »Protokoll zur Person«, 104, hrsg. v. E. Rudolph, München 1971, 95-105.
2 »Der Sitzplatz eines Autors«, 48, in: S. L., »Beziehungen. Ansichten und Bekenntnisse zur Literatur« (= Beziehungen), Hamburg 1970, 47-49.
3 »Der Künstler als Mitwisser«, 282, in: »Beziehungen«, 278-286.
4 Marcel Reich-Ranicki: »Siegfried Lenz. Der gelassene Mitwisser«, 176, in: M. R.-R., »Deutsche Literatur in West und Ost«, München 1963, 169-184.
5 »Gefängnis aus Spiegeln. Über Nabokovs Erzähltechnik«, 209, in: »Beziehungen«, 209-213.
6 »Enge als Vorzug. Zu einer Geschichte der dänischen Literatur«, 123, in: »Beziehungen«, 123-126.
7 Vgl. dazu die Ausführungen von K. G. Just: »Die Romane von Siegfried Lenz«, in: »Der Schriftsteller Siegfried Lenz. Urteile und Standpunkte«, hrsg. v. C. Russ (= Russ), Hamburg 1973, 29-44.
8 Vgl. dazu die Ausführungen des Verf. in »Der deutsche Roman der Gegenwart«, 2. Aufl. Stuttgart 1973, 270ff.
9 »Brot und Spiele«, Hamburg 1959, 205.
10 Reich-Ranicki, 178.
11 A. R. Schmitt: »Schuld im Werke von Siegfried Lenz«, 95, in: Russ, 95-106.
12 Reich-Ranicki, 180.
13 So Lenz' eigener Terminus in seiner Besprechung »Hervorragend mißglückt. Zu Hermann Melvilles ›Pierre‹«, 184, in: »Beziehungen«, 183-186.
14 Th. W. Adorno, »Standort des Erzählers im zeitgenössischen Roman«, 63, in; »Noten zur Literatur I«, Frankfurt/M 1958, 61-72.
15 Adorno, 63.
16 Zitiert in beiden Fällen nach den Erstausgaben Hamburg 1968 und Hamburg 1973.

17 P. W. Jansen: »Strafarbeit, zu spät abgeliefert«, in: »Frankfurter Allgemeine« v. 17. 9. 1968.
18 J. Drews: »Siegfried Lenz' Roman ›Deutschstunde‹«, 239-240, in: »Westdeutsche Literatur von 1945-1971« Bd 3, hrsg. v. H. L. Arnold, Frankfurt/M 1973, 237-241.
19 Wolfgang Beutin: »›Deutschstunde‹ von Siegfried Lenz. Eine Kritik«, Hamburg 1970, 22.
20 Zitiert hier nach der Ausgabe im Verlag Little, Brown, Boston 1951.
21 Dazu im einzelnen die Arbeit von P. Freese: »Die Initiationsreise. Studien zum jugendlichen Helden im modernen amerikanischen Roman«, Neumünster 1971.
22 Vgl. 198ff.
23 Vgl. 174.
24 Gemeint sind die in einer Radio-Quizshow sehr erfolgreichen Wunderkinder der Glass-Family in Salingers bisher nur in Auszügen veröffentlichtem letzten Roman, etwa Seymour in »Raise High the Roof Beam, Carpenters«.
25 Vgl. 405ff.
26 Ganz analog reflektiert Heller an einer Stelle: »Vielleicht ist das überhaupt unsere Rettung: wir erfinden uns ein Vorbild.« (364).
27 »Hervorragend mißglückt«, 186.
28 R. Hartung: »Im Schatten einer großen Tradition. Kritische Überlegungen zu dem neuen Roman von Siegfried Lenz ›Das Vorbild‹«, in: »Frankfurter Allgemeine« Nr. 235 v. 9. 10. 1973, 6L.
29 Vgl. 215.
30 So fällt es schwer, eine Funktion der satirischen Einlagen zu erkennen: die Satire auf die evangelische Akademie, auf den Fußball-Helden, das Fußball-Spiel und das Rock-Festival.
31 Dazu vor allem R. Michaelis: »Nachruf auf ›Das Vorbild‹. Literatur als Dörrobst«, in: »Zeit« Nr. 42 v. 12. 10. 1973, 9L.
32 Vgl. H. Mayer: »Nachsitzen nach der Deutschstunde«, in: »Der Spiegel« 21/34 (20. 8. 1973), 92-93.

VI.A. Vor deiner Haut beginnt die Fremde. Gespräch mit Hermann Lenz

1. Geschichtsverständnis

D.: Herr Lenz, bei allen Unterschieden, die zwischen Ihren einzelnen Romanen und Erzählungen vorhanden sind, fällt dennoch auf, daß eine Reihe von Themen und Motiven kontinuierlich wiederkehrt. Ich will nur einige Beispiele nennen. Da ist der ständige Hinweis auf Marc Aurel, der für die geistige Orientierung Ihrer Romanfiguren offenbar eine große Bedeutung besitzt. Da ist, verbunden mit Marc Aurel, die ständige Hervorhebung des Imperium Romanum, der römischen Geschichtsepoche als kultureller Begriff. Da ist, ein anderes Thema, die große Bedeutung, die die österreichische Monarchie für Ihr Werk besitzt: als geschichtliche Perspektive für verschiedene Romanfiguren, aber auch als bildliches Leitmotiv, etwa am Beispiel des Kaisers Franz Joseph, der so häufig auftaucht, als Bild und Vision und mitunter auch, wie in »Dame und Scharfrichter«, als in der Handlung entwickelte Figur. Ein weiteres Leitmotiv scheint mir die Koppelung zwischen der österreichischen und der römischen Geschichtsepoche zu sein. Immer wieder wird die römische Ruinenstadt vor den Toren Wiens, Carnuntum, erwähnt, wenn auch nur in so kryptischen Verweisen wie in »Der Kutscher und der Wappenmaler«, wenn es etwa heißt: er ging in die Carnuntumgasse. Solche Hinweise sind in allen Ihren Arbeiten zu finden. Sind das Dinge, die sich mehr oder minder unfreiwillig in Ihren Arbeiten ergeben haben, oder steckt da ein bestimmtes System von Anspielungen dahinter, ein bestimmtes Geschichtsverständnis, das Sie in Ihren Arbeiten zu verdeutlichen suchen?

L.: Ich glaube, es steht ein bestimmtes Geschichtsverständnis dahinter. Marc Aurel und der Kaiser Franz Joseph tauchen, wie Sie bemerkt haben, immer wieder in meinen Büchern auf. Man könnte vielleicht sagen, daß eben die Spätzeiten, die ich darstelle, sich entsprechen, die römische Spätzeit und die europäische, die sich in der k. u. k. Monarchie am differenziertesten ausgewirkt hat. Dadurch wird, abgesehen davon, daß die Lektüre Marc Aurels mich seit 1937 immer wieder begleitet hat, das Auftauchen dieser beiden Gestalten in meinen Büchern zu erklären sein. Mich hat auch immer die Spätzeit der Jahrhundertwende als Epoche interessiert, in der ich gerne gelebt hätte, in der ich Fähigkeiten und Empfindungen hätte besser zum Ausdruck bringen können als in der Zeit, in der ich geboren wurde; dann aber auch aus einem allgemeinen zeittypischen Interesse, das natürlich durch die Lektüre von Spengler auch gefestigt wurde, daß wir nämlich in einer Epoche leben, die kulturell zu Ende geht. Das Leben, das wissen wir natürlich alle, das geht noch lange weiter.

D.: Nun fällt auf, daß auf der einen Seite dieser Hinweis auf die Vergangenheit als eine bestimmte, noch intakte Kulturform sehr positiv zu verstehen ist. Das zeigt sich beispielsweise auch darin, daß Monarchie und Adel als gesellschaftliche Kräfte positiv dargestellt werden. Mir fällt ein, daß in einem Ihrer Romane gesagt wird: zu der Zeit, als die Führenden in der Regierung nicht mehr aus dem Adel stammten, sei alles gemeiner und direkter geworden, d. h. solange der Adel noch da war, wurden bestimmte Formen gewahrt. Das deutet darauf hin, daß hier eine bestimmte konservative Grundhaltung durchscheint. Aber auf der andern Seite ist das ein Eindruck, der sich nicht aufrechterhalten läßt. Denn auch der Adel – wenn ich dieses Beispiel einmal weiterverfolgen darf – wird sehr kritisch gesehen, etwa in »Die Augen eines Dieners« in der Konfrontation des von Engelsleben mit seinem Sohn Eduard, der ja aus der überkommenen gesellschaftlichen Form des Adels herauswächst, am Ende, nach dem Krieg, Tramschaffner ist, sich von seinem Vater losgesagt und eigentlich eine Kehrtwendung vollzogen hat. Es gibt noch andere Beispiele in Ihren Romanen, wo die tradierte gesellschaftliche Form abgelehnt wird und wo das, was von dieser konservativen Grundhaltung übrigbleibt, in einer sehr verinnerlichten und real eigentlich nicht mehr existierenden Weise beschrieben wird. Die Frage, die sich daran anschließt, ist: Verflüchtigt diese Verinnerlichung die Realität nicht so sehr, daß so etwas wie subjektive Willkür einfließen könnte? Oder anders formuliert: das, was kulturell für Sie an dieser traditionellen Kulturform wichtig ist, wird das nicht völlig ins Subjektive hineingenommen, und was ist dann noch eigentlich vorhanden, das diese kulturelle Lebensform für andere verbindlich machen könnte? Wird das Ganze nicht dann zu einer Haltung, die für den einzelnen, der das erlebt hat, wichtig ist, die er aber nicht mehr in der Lage ist weiterzuvermitteln?

L.: Das sehen Sie so, wie ich es auch sehe. Ich weiß, daß man daraus schließen kann, daß meine Arbeiten introvertierte Darstellungen einer Welt sind, die andere sehr schwer erkennen, akzeptieren können. Ich muß auch gestehen, daß ich in meinen Büchern nicht als einer auftreten möchte, der den anderen den Weg weist. Ich besitze dafür keine Legitimation. Ich meine aber, daß gewisse Formen der Verhaltensweisen den andern gegenüber durch gesellschaftliche Formen, die untergegangen sind, möglich sind und für mich wichtig sind, daß ich mir ohne sie mein Verhältnis zu andern Menschen nicht vorstellen kann. Wir wissen ja alle, daß die Ideale des Adels vom Bürgertum übernommen worden sind. Übrigens sind das ideale Vorstellungen, die ja merkwürdigerweise auch in den Staaten des Ostblocks immer noch lebendig sind und wahrscheinlich auch für immer gelten werden.

2. Zu »Spiegelhütte«

D.: Vielleicht darf ich die gleiche Frage noch einmal von einer andern Seite stellen und als Beispiel Ihre Darstellung der österreichischen Monarchie heranziehen. Im dritten Teil der »Spiegelhütte« taucht ja auch die Figur von Metternich auf. Das Ganze wird konkretisiert an einem auch in der realen Geschichte sehr wichtigen Handlungszug, nämlich der Metternichschen Zensur. Dieser von Ihnen beschriebene Kanzleikonzipist, der dort arbeitet, kann doch im Grunde in die reale Situation des österreichischen Vormärz zurückprojiziert werden, wo er, so könnte man sagen, eine bestimmte repressive Funktion politisch ausgeübt hat. Aber nimmt man Ihre Darstellung von Metternich, so erscheint er doch in einem positiven Licht. Er wird eigentlich fast in die Nähe dessen gerückt, was man einen weisen Mann nennen könnte. Ergibt sich jetzt nicht eine Art von Konfliktsituation zwischen dem, was in der historischen Wissenschaft über eine bestimmte Figur eruiert wurde und was den politischen Stellenwert dieser Figur bezeichnet, und Ihrer poetischen Umdeutung dieser Figur?

L.: Ja, dieser Widerspruch besteht. Obwohl mancher Historiker Metternich sehr kritisch gegenüberstand, ist das durch andere Forschungen widerlegt und ergänzt worden. Hier sind wohl zwei Bilder eines Menschen in den Vorstellungen unserer Zeit lebendig, zwei Bilder von Metternich. Vielleicht ist in dem Zusammenhang auch interessant, daß früher, als der Nachlaß von Grillparzer noch nicht publiziert war, immer gesagt wurde: Wir werden in Grillparzers Tagebüchern eine kritische Darstellung der Habsburger Monarchie finden. Was ist der Fall gewesen? Als die Tagebücher Grillparzers entdeckt wurden, ist in ihnen zu lesen gewesen, daß der Autor den Habsburgern sehr positiv gegenüberstand, gerade 1848. Wir wissen auch, daß Stifter durch die Revolution und ihre Praktiken abgestoßen wurde, daß Grillparzer sich angewidert von der Pressefreiheit abgewendet hat und nichts damit zu tun haben wollte, wie sich damals die Wirklichkeit gezeigt hat. Ja, wie soll man es sagen? Als weiser alter Mann wird wohl Metternich in »Spiegelhütte« erscheinen. Übrigens ist ja der Statthalter, der dort auftritt, eine Mischung aus – könnte man sagen – allen heutzutage verpönten Staatsführern wie Salazar, Metternich, de Gaulle. Wer könnte noch hineinspielen? Ich weiß, dieses Buch ist von der Kritik auch als böse Provokation aufgefaßt worden. Ich bekam sehr böse und bissige Kritiken, und ich gebe auch zu, daß es als etwas von mir geplant war, das Ärgernis erregen sollte. Ich glaube, soweit es mir so erscheint, daß die Klischeevorstellungen unserer Zeit auch für unsere Zeit nicht unbedingt maßgebend und verpflichtend sind.

D.: Sie haben vorhin Beispiele genannt für mögliche historische Ableitungen der Figur des Statthalters. Ist es nicht auch so, daß sich literarische Analogien einstellen können? Der Statthalter wird im ersten Teil des Buches als der mächtige Unbekannte eingeführt. Noch im zweiten Teil, als der junge Student Umgelter um die Audienz bei Dextrianus ersucht – und der Statthalter steht ja als Figur, die noch nicht klar definiert ist, dahinter –, bleibt er in den Umrissen undeutlich, und erst im dritten Teil tritt er handelnd als Person in Erscheinung. Es kommt zum Kontakt zwischen dem Erzähler und dem Statthalter. Stellt sich da nicht eine bestimmte literarische Analogie zu Kafka her? Ist das nur eine vage Assoziation, oder sind hier tatsächlich bewußt von Ihnen Dinge verarbeitet worden, die auf Kafka zurückweisen können? Ich denke an Kafkas oberste Behörde, an die Personifikation des Ganzen durch den mächtigen Unbekannten, der im Hintergrund bleibt, und ähnliches mehr.

L.: Ihre Assoziation bezeichnet das, was als Gerüst hinter diesen Geschichten steht. Ohne Kafka hätten sie nicht geschrieben werden können. Ich habe ja auch schon früher, 1949, einen Band mit drei Erzählungen veröffentlicht, »Das doppelte Gesicht«, die Gegenwärtiges und Vergangenes gleichzeitig nebeneinander sichtbar machen, so daß eine Art Bild entsteht, das alles andere ist als realistisch gefestigt. Es werden persönliche Erfahrungen aus dem Krieg dargestellt, die Vorstellungen, die mir aus der Lektüre gegenwärtig sind, die ich durch meine Sympathie zur österreichisch-ungarischen Monarchie zur Zeit des Vormärz, zur Jahrhundertwende usw. in mich aufgenommen habe. Mit Kafka bin ich schon vor dem

Kriege bekannt geworden. Später habe ich ihn natürlich ziemlich genau gelesen. Und als ich »Spiegelhütte« geschrieben habe, war ich mir darüber klar, daß ich diese Arbeit nicht ohne Kafka hätte machen können.

D.: Wenn wir bei »Spiegelhütte« noch einen Augenblick bleiben dürfen: mir scheint, daß es in vieler Hinsicht eines Ihrer interessantesten Bücher geblieben ist. Es ist einmal von der formalen Konzeption her eines der kühnsten Bücher, und zwar besonders unter dem Aspekt, den Sie vorhin erwähnt haben: die synchrone Verklammerung verschiedener Zeit- und Kulturschichten. Es ist Ihnen gelungen, das Ganze dennoch in einem Handlungsmodell anschaulich zu machen, das es einem ermöglicht, das zu verstehen. Auf der andern Seite ist es ein Buch, das weitergeht als Ihre – das ist jetzt ein Hilfsbegriff – mehr realistisch geschriebenen Bücher. Ich denke besonders an »Im inneren Bezirk«, wo ja auch Zeitgeschichte verarbeitet wird. »Spiegelhütte« geht weiter in dem Sinne, daß die Gegenposition zu der Vision von Wirklichkeit, die Ihre Romanfiguren haben, sehr viel schärfer und klarer ins Bild gebracht wird. Ich beziehe mich hier besonders auf das Beispiel des Babyloniertums und die einzelnen Figuren, die dieses Babyloniertum repräsentieren. Im letzten Romanteil schildern Sie ja nach dieser ominösen Revolution, nach diesem Umbruch, das Überhandnehmen des Babyloniertums. Ich erwähne nur den Sexualismus, der sich breitmacht – das kommt einem ja erstaunlich hellsichtig vor aus einer Distanz von mehr als einem Jahrzehnt. Das wirkt wie eine Verarbeitung von Dingen, die sich in den letzten Jahren erst so stark bemerkbar machten. »Spiegelhütte« verdeutlicht also diese Gegenposition des Babyloniertums sehr plastisch, während z. B. im Handlungsaufriß von »Im inneren Bezirk«, vor allem gegen Ende des Romans, die Gegenposition des Nationalsozialismus sehr verblaßt. Was hier zurückbleibt, ist die wiederhergestellte Harmonie zwischen von Sy und seiner Tochter. Er kommt aus dem Gefängnis zurück. Sie hat diese Empfindung von lauter Glücksmomenten. Was dem Leser zur Konkretisierung dieser Glücksmomente bleibt, ist die Beziehung zwischen diesen beiden Menschen. Das ist das einzige Kontinuum, das vorhanden ist. Da deutet sich nirgendwo eine neue, andere Wirklichkeit an, in die beide hinübergelangen könnten. Es bleibt nur die Wirklichkeit des Gefühls. In »Der Kutscher und der Wappenmaler« wird die Vision von einer Kutsche erwähnt, die uns in einen helleren Teil der Welt hinüberfahren könnte. Auch das wird nicht dargestellt, sondern, bildlich gesprochen, nur die Situation kurz vor dem möglichen Einsteigen in die Kutsche. Wohin soll die Fahrt gehen? Es wird nicht gesagt. Und da, scheint mir, ist »Spiegelhütte« genauer und geht weiter. In der Auseinandersetzung mit der Gegen-Welt, in der der Leser zum Teil seine eigene Welt wiedererkennt, wird sichtbar, wie diese andere Welt aussehen müßte. Das wird deutlicher als in den Büchern, wo Sie zwar die Erfahrung der anderen Welt im Empfinden Ihrer Figuren nachzeichnen, aber das Gegenteil aussparen.

L.: Ich bin erstaunt, daß Ihnen »Spiegelhütte« unter meinen Büchern so aufgefallen ist. Es freut mich sehr, denn es ist ja mißverstanden und überhaupt übersehen worden. Die Situation, in der ich es damals – ich glaube, es war 1961 – geschrieben habe, kann ich mir noch vergegenwärtigen. Ich habe damals hier an der Universität ein Semester gehört, mehrere Seminare besucht, weil ich mit einem Assistenten von Martini befreundet war. Ich kam dort mit den jungen Leuten zusammen und bin seitdem auch immer wieder mit ihnen zusammen gewesen. Ich habe da beobachtet, was sich in unserer Zeit angebahnt hat. Die ganze Studentenrevolte war in allem schon zu sehen. Das ist eine Entwicklung, die ich auch bei Älteren schon nach 46, 47 in Anzeichen bemerkt habe. Damals ging es mir darum, eine Veränderung des allgemeinen Bewußtseins darzustellen, die damals wahrscheinlich den Kritikern und denen, die das Buch gelesen haben, gar nicht bewußt geworden ist. 68 dachte ich, damals, also sieben Jahre vorher, hätte ich genau das vorausgesehen, was inzwischen gekommen war: das sexualisierte Lebensgefühl, das ja auch wieder zu einer Spätzeit gehört, und all diese Erscheinungen, Verfall der Autorität. Deshalb ist der Statthalter ja auch als autoritäre Vaterfigur dargestellt. Ich erinnere mich, daß ein Kritiker darüber geschrieben hat: Ist das vielleicht eine Mythisierung von Konrad Adenauer? Deswegen hat man sich wahrscheinlich sehr geärgert. Ich habe allerdings bemerkt – das habe ich auch nach meinem Buch »Das doppelte Gesicht«, das 49 erschienen ist, beobachtet –, daß diese Art der Darstellung literarisch und formal-ästhetisch nicht weiter zu verwenden ist. Sie dient mir dazu, immer wenn in dem Bezirk, den man Wirklichkeit nennt, sich eine Veränderung anzubahnen scheint, diese Veränderung mit diesen Mitteln darzustellen, weil die gegenwärtige Situation und eine kommende sich überschneiden. Heute, in unserer Gegenwart, hat sich seitdem eigentlich nichts verändert im allgemeinen Bewußtsein, so daß ich jetzt nicht ein ähnliches Buch schreiben könnte, weil ich es schon geschrieben habe.

D.: Ich habe eingangs von bestimmten thematischen Linien gesprochen, die alle Ihre Bücher durchziehen und auf eine innere Kontinuität von Themen und Motiven hindeuten. Ich möchte jetzt einen anderen Gesichtspunkt in den Vordergrund rücken, nämlich die Unterschiede, die zwischen Ihren Büchern vorhanden sind. Das klang bereits etwas an in dem Hinweis auf »Spiegelhütte«. Denn diese synchrone Verschränkung verschiedener Geschichtsebenen, verschiedener Handlungsebenen, die Ausschaltung von Psychologie, alles das unterscheidet »Spiegelhütte« von den Büchern, wo Sie Historisches verarbeiten, unter enger Heranrückung an die Zeitgeschichte. Das Gegen-Buch zu »Spiegelhütte« – wenn ich es so nennen darf – scheint mir »Im inneren Bezirk« zu sein. »Im inneren Bezirk« läßt sich vielleicht gerade als Darstellung eines bestimmten Geschichtsabschnitts, der dem Leser von heute noch gegenwärtig ist, mit den »Augen eines Dieners« und »Der Kutscher und der Wappenmaler« verbinden. Denn auch Wasik und Kandel durchleben einen bestimmten historischen Zeitabschnitt. Nur ist der Unterschied der, daß der Generalmajor von Sy gesellschaftlich ganz oben angesiedelt ist, während der Platz von Wasik und Kandel viel weiter unten ist. Aber als politische Zeitromane lassen sich vielleicht mit Einschränkungen alle drei Bücher ansehen. Ich erkenne hier eine gewisse Gegenposition zu »Spiegelhütte«. Etwas wiederum Neues deutet sich, so scheint mir, in »Dame und Scharfrichter« an. Das ist der Verzicht auf eine historische Darstellung von Zeitgeschichte. Sie kehren zum wichtigen Motiv der österreichischen Monarchie zurück, aber zugleich wird eine sehr viel kritischere Darstellung dieses Geschichtsbereiches versucht durch die beiden Figuren, die im Mittelpunkt stehen, Leonie von Seilern und den Henker. Aber auch da ist wieder das Gegengewicht, das positiv gezeichnet ist: die Einführung des Kaisers Franz Joseph als handelnde Figur, die Reflexion von Carnuntum, sein Nachdenken über Marc Aurel, mit dem er sich zumindest andeutungsweise identifiziert. Verändert hat sich hier jedoch zweierlei: auf eine realistische Verknüpfung wird verzichtet, und desgleichen wird die positive Darstellung des österreichischen Kultur- und Geschichtsraumes deutlich eingeschränkt. Es werden viel mehr Zwischentöne von Ihnen angebracht. Auch die Handlungsführung scheint mir das Buch wieder näher an »Spiegelhütte« heranzurücken als an die Romane in der Mitte. Ist das nun eine künst-

liche Perspektive, die ich hineinbringe, oder läßt sich eine solche Charakteristik, wie ich sie angedeutet habe, auch aus dem Blickwinkel des Autors, von seiner Absicht her, bestätigen?

L.: Ich bin sehr überrascht, daß Sie das so sehen, wie ich mir immer gewünscht habe, daß es gesehen werden könnte. Die kritische Darstellung der k.u.k. Monarchie in »Dame und Scharfrichter« ist vielleicht in dem Buch über Wasik, »Die Augen eines Dieners«, schon darin angedeutet, daß Engelsleben eine Figur ist, die allen Wandlungen ausgeliefert ist, während der Freund sich aus den Wandlungen heraushält. Da ist auch das Kritische angedeutet. Allerdings Wasik und die anderen, die in »Die Augen eines Dieners« dargestellt sind, geben schon eine verklärte Darstellung der Monarchie, zeigen sie ohne Realitätsbezug. Mehr Kritik entsteht ja dann dadurch, daß eine realistische Erkenntnis und eine realistische Art der Darstellung mit einer im Literarischen – ja, ich möchte sagen, mehr an Kafka erinnernden Ausstrahlungsweise in »Dame und Scharfrichter« zusammengeflossen sind. Leider bin ich einer, der über seine eigenen Bücher nur mühsam Auskunft geben kann. Daß Sie aber Wasik und Kandel nebeneinander sehen, freut mich deshalb, weil ich Wasik als Pendant zu Kandel darstellen wollte. Auch in »Dame und Scharfrichter« habe ich eine Art Grundschema darzustellen versucht, in dem sowohl die unterste Sphäre, in der das Dämonische lebendig ist, bis zur Entrücktheit des Alters, alle Schattierungen der menschlichen Möglichkeiten sichtbar werden sollen. Nach Ihren Worten ist mir das gelungen. Ich selber bin allerdings viel unsicherer.

4. Realistischer Zeitroman

D.: Der realistische Zeitroman, wie er am Beispiel von »Im inneren Bezirk« von Ihnen versucht worden ist, stößt allerdings in der Gestaltung an gewisse Grenzen. Das zeigt sich zum Teil bereits in der Konstruktion der Handlung. Auf der einen Seite greifen Sie doch sehr stark geschichtliche Fakten auf, also das, was sich im deutschen Widerstand getan hat, wobei man bemerken muß, daß die Detailkenntnisse beim Leser durch die Forschungen der letzten Jahrzehnte sehr zugenommen haben. Man fragt sich also, wie sich die Figur dieses Obersts von Sy, des Militärattachés in Jugoslawien, der realistischen Folie der Zeitgeschichte einfügt, da ja realistische Fakten offenbar sehr stark in der Gestaltung berücksichtigt *wurden. Ich erwähne nur Beispiele: die Bombe, die im Bürgerbräu-Keller explodierte, das Attentat auf Hitler durch Stauffenberg, das auch in den »Augen eines Dieners« direkt erwähnt wird. Da wird also offensichtlich vom Leser erwartet, daß er von seinem eigenen historischen Erleben und Verstehen her Beziehungen ergänzt und anreichert. Wenn aber der Autor den Leser dazu motiviert, dann motiviert er ihn auch gleichzeitig dazu, die Figur von Sys in diesen historischen Rahmen hineinzustellen. Da gibt es dann Probleme. Und zwar tauchen diese Probleme etwa in der Mitte des zweiten Teiles im Buche auf, als von Sy eine Entscheidung fällen muß, entweder politisch aktiv zu werden, ein Täter zu sein oder sich in sich selbst zurückzuziehen und alle konspirativen Verbindungen fallen zu lassen. Es läßt sich nicht mehr klar sehen, wie sich von Sy politisch real verhält. Da kommt diese Geschichte zwischen dem Gestapo-Regierungsrat Fiedler und Margot von Sy hinein, da wird sie inhaftiert, um ihren Vater unter Druck zu setzen; da wird im Zuge der Ereignisse des 20. Juli von Sy kurz inhaftiert, wieder befreit; da reflektiert er: Eine Bombe werfen, lohnt sich das überhaupt? Und da kommt es zu seiner Entscheidung, in die Armee zu emigrieren. Und merkwürdigerweise macht er dann militärisch sogar Karriere, er avanciert, wird zum Generalmajor, glaube ich. Sie zeigen ihn dann im Frankreich-Feldzug, aber immer in einer sehr subjektiven Beleuchtung, d. h. die faktischen politischen Probleme werden dabei – mit Ausnahme der Geisel-Episode, die auch real von Ihnen als Konfliktstoff präsentiert wird – weitgehend ausgeklammert. Sie zeigen ihn etwa bei dem Besuch von Margot in Frankreich stets aus einer subjektiven Perspektive. Ich möchte fast sagen, aus der Perspektive von Sys wird auch die Umwelt und die politische Zeitgeschichte fast poetisiert. Das heißt: die zeitgeschichtliche Realität, die Sie zu Anfang des Buches stark hineingebracht haben, wird immer vager, tritt immer mehr zurück, so daß am Ende nur noch die Beziehung zwischen Vater und Tochter als wesentliches bleibt. Das führt, so scheint mir, sogar dazu, daß die Handlung am Ende gar nicht mehr recht verständlich wird. Warum wird er eigentlich am Ende verhaftet? Verständlich wird es nur aus der Perspektive der Franzosen, die ihn auf Grund seiner Rolle in der Geisel-Episode als Kriegsverbrecher ansehen. Aber er wird ja dann sehr rasch befreit. Das Politische tritt völlig zurück. Es bleibt nur die subjektive Harmonie in der zwischenmenschlichen Beziehung zwischen Vater und Tochter. Ist das nicht als Antwort eines zeitgeschichtlichen Romans etwas wenig? Man hat das*

Gefühl, daß Ihnen der geschichtliche Stoff im Prozeß der Arbeit immer gleichgültiger geworden ist, daß mit Ausnahme der Vater-Tochter-Beziehung alles zur Kulisse wurde und entsprechend an den Rand gerückt wurde. Dieses harmonisierende Ende erinnert mich etwas an den Schluß von Bölls »Billard um halb zehn«, das Tableau der versöhnten Familie, obwohl Böll in der politischen Schärfe weiter vordringt.

L.: Das ist alles so gesehen, wie ich es jetzt, wenn ich mein Buch kritisch sehe, auch sehe. Die politische Schärfe ist bei Böll zweifellos deutlicher konturiert zum Ausdruck gebracht. Ich wollte sie allerdings in meinem Buch nicht wirksam werden lassen, weil ich die Unentschlossenheit, das Schwanken eines Mannes, der zum Großbürgertum gehört, darstellen wollte. Als eine Kritik in der »Süddeutschen Zeitung« erschien, rief mich eine Freundin meiner Frau an und sagte, ihr Vater habe das gelesen und das sei sicherlich eine böswillige Darstellung von Erfahrungen, die ihn selbst beträfen. Ich solle doch das Buch schicken. Ich habe ihm das Buch geschickt, und er hat mir eine sehr freundliche Karte geschrieben: es sei natürlich alles ganz anders, die Menschen seien anders, und es hätte mit seinen Erfahrungen nur am Rande zu tun. Mich stört an dem Buch die mir als künstlich hineingebracht erscheinende Beziehung zwischen dem Gestapo-Mann und der Margot von Sy. Das ist ein kolportagehafter Zug des Buches, der mir, wenn ich es heute ansehe, ziemlich unangenehm ist. Ich dachte aber, es müßte, um verschiedener Kenntnisse willen, die ich mir auch durch Lektüre angeeignet hatte, auf diese Weise dargestellt werden. Es ist aber, wie ich meine, meinen Möglichkeiten nicht gerecht geworden. Ich hab das einfach nicht gekonnt. Eine solche Konstellation liegt einfach nicht in meiner die inneren Erfahrungen darstellenden Schreibweise, die sich auf solche doch sehr handfesten Effekte nicht übertragen läßt. Daß Sie sagen, daß das Buch schließlich in der Beziehung Vater–Tochter versandet, das ist zweifellos richtig. Allerdings muß ich zugeben: bei dieser Geschichte hat mich nur das Verhältnis zwischen Vater und Tochter interessiert.

D.: Ich finde es interessant, daß Sie nun im Rückblick auch die Person von Fiedler kritisieren. Tatsächlich zeigen sich viele schematische Züge bei ihm, etwa die Hinweise auf seinen Schrebergarten, d. h. eine kleinbürgerliche Seelenhaltung auf der einen Seite und auf der andern Seite seine Intriganz. Das ist natürlich eine Figur, die in einem bestimmten Abschnitt der deutschen Nachkriegsliteratur häufig anzutreffen ist. Dennoch möchte ich sagen: andere

Figuren, die Repräsentanten nationalsozialistischen Mitläufertums gewesen sind, werden sehr scharf von Ihnen gezeichnet. Ich denke etwa an den Herrn von Süßkindt in »Der Kutscher und der Wappenmaler«, der sich später zum Stahlhelm-Bund bekennt, Nationalsozialist wird. Ein anderes Beispiel ist ja die Figur des Wenzel von Engelsleben, der sich auch zum Nationalsozialisten wandelt. Die gesellschaftlichen Hypotheken, die diese Figuren mitbringen und die sie gleichsam prädestinieren, diesen Schritt zu tun, werden überzeugend herausgearbeitet. Mir scheint, das sind Figuren, die keineswegs klischeehaft sind, sondern durchaus als Verdichtung von negativer politischer Erfahrung in dieser Zeit angesehen werden können.

5. Innere Emigration

D.: Ich möchte nochmals auf »Im inneren Bezirk« zurückkommen: es ist doch so, daß hier ein Zeitabschnitt von Ihnen behandelt wird, in dem Sie als junger Autor in Deutschland gelebt haben. Es taucht ja an einer Stelle der Hinweis auf die Emigration auf. Ich meine das Rendezvous zwischen Fiedler und Margot von Sy, die sich zuerst weigert, in der Wohnung eines berühmten emigrierten Autors in München. Dieser thematische Hinweis oder auch Handlungsverweis führt mich zu der Frage: Was sind Ihre Erfahrungen gewesen in diesem historischen Zeitabschnitt, den Sie darstellen? Wie steht es um Möglichkeiten, Ihre Deutung dieses Zeitabschnittes anzunähern an das, was man nach 1945 mit der Haltung der sogenannten Inneren Emigration bezeichnet hat? Diese Haltung der Inneren Emigration, um es formelhaft zu sagen, wird ja charakterisiert von einer starken Verinnerlichungstendenz, von einer Einkapselung, von einer – könnte man fast sagen – Einigelung der individuellen Position und – damit verbunden – durch ein Abrükken von allem, was politisch zu Entscheidung herausfordern konnte. Denkt man nun an die Charakteristik dieses Generalmajors von Sy und vergleicht sie mit dieser formelhaft bezeichneten Haltung der Inneren Emigration, könnte man dann nicht tatsächlich sagen, das sei aus der Perspektive der Inneren Emigration dargestellt? Hinzu käme noch, daß Sie als junger Autor in dieser Epoche in Deutschland gelebt haben und auch in diesem Sinne der Inneren Emigration zuzurechnen wären. Oder sind das Dinge, die ich jetzt ganz von außen her an Sie herangerückt habe?

L.: Doch, doch, es stimmt. Nur natürlich, die Innere Emigration, *das hat ja einen Geschmack und Geruch, den ich schon damals, als das Wort aufgekommen ist, gar nicht gemocht habe. Und was meine persönlichen Erfahrungen betrifft: ich bin, wie Sie vielleicht wissen, Obergefreiter gewesen im Krieg, habe den Krieg als Infanterist mitgemacht und habe auch im Sinn, eine Darstellung meiner Kriegserfahrungen und der Zeit kurz vor dem Krieg als Fortsetzung meiner Bücher »Verlassene Zimmer« und »Andere Tage« zu veröffentlichen. Das ist ein Roman, der sich aus Erinnerungen zusammensetzt, ein autobiographischer Roman, wie die beiden andern ja auch autobiographische Romane sind. Hier wird man natürlich meiner Haltung und meiner Verhaltensweise im Dritten Reich zweifellos das Etikett Innere Emigration aufkleben können. Da ist gar kein Zweifel. Ich glaube, daß es nicht anders möglich ist, eine Diktatur zu überstehen, falls man sich nicht wie die bewundernswerten Studenten der Geschwister Scholl eben opfert. Ich bin einmal in eine Situation gekommen, da habe ich Hitler dicht vor mir gesehen, morgens um 7 Uhr am Siegestor in München. Ich wollte über die Straße gehen, Hitlers Auto fuhr langsam dicht an mir, einen Meter an mir, vorbei, und er sah mir, von unten aufblikkend, unter seiner Schirmmütze böse ins Gesicht. Ich habe damals gedacht, wenn seine Umgebung, die dabei war, diese Bewacher mich fragen würden, wer das sei, ob ich nicht wüßte, wer da sitzt, ich eben geantwortet hätte: »Je ne comprends rien, Monsieur!« Aber damals – es war das einzige Mal, daß mir Hitler ganz nah begegnet ist – habe ich gedacht, warum hast du nicht immer eine Pistole dabei. Nun ja, man will weiterleben. Und deshalb bildet sich in den empfindsamsten Jahren, die man in einer korrupten Zeit verbringen muß, diese Verigelung aus, dieses Eingekapselte, dieses Introvertierte, das alle meine Bücher bestimmt, das weiß ich ganz genau. Deshalb sind sie schwer zu verstehen von vielen Menschen, besonders heutzutage, wo natürlich andere Tendenzen wirksam sind. Aber ich kann mich nicht ändern und mache wie jeder andere Autor nichts anderes, als daß ich eben in meinen Büchern meine Erfahrungen darstelle, auf verschiedene Weise. Ich beneide jeden, der anders ist als ich.*

D.: Wie stand es – rein vom Biographischen her – um Ihre literarischen Anfänge zu jener Zeit? Wann haben Sie angefangen als junger Autor zu veröffentlichen, wie sah die Situation für einen jungen Autor aus, der kontrovers dem gegenüberstand, was sich politisch tat, aber gleichzeitig literarisch arbeitete? Gab es auch bei Ihnen in dieser Situation so etwas wie eine Emigration in die Ar-

mee, obwohl es sich andererseits um eine Notsituation handelte, der man sich zu fügen hatte?

L.: Also, in die Armee bin ich nicht emigriert. Ich wurde in sie hineingezwungen wie jeder andere auch, ob er nun geschrieben hat oder nicht. Vor dem Krieg habe ich Georg von der Vring kennengelernt, der mich fragte: Sie schreiben doch auch? Zeigen Sie mir doch mal was! Da habe ich ihm Gedichte gezeigt, und er hat sie dann zu Ellermann gebracht, wo 36 zehn Gedichte von mir in der Reihe »Die Jungen« erschienen sind. 38, als ich für zehn Wochen nach München zum Infanteriedienst eingerückt war, habe ich die Nachricht bekommen, daß die »Neue Rundschau« eine Geschichte von mir drucken wird. Der Redakteur, der mir's mitteilte, hieß Karl Korn. Es war eine Darstellung von Jugenderlebnissen, die ich in die Jahrhundertwende transponiert habe, etwa in die Zeit von 1880/90. Ja, das ist wahrscheinlich ganz typisch für die damalige Situation, daß es einem gegraut hat davor, daß man jung gewesen ist, und jeden beneidete, der alt war und 1914 steinalt und steinreich gestorben ist. Geschrieben habe ich immer, auch im Krieg in den Unterständen, im Bunker, wann und wo es nur ging. 44 bin ich dann zum Divisionsstab gekommen, aber da habe ich nicht mehr viel geschrieben, merkwürdigerweise. In den Divisionskanzleien kam ich nicht zum Schreiben. Aber sonst vorn an der Front, da habe ich immer nachts, wenn die andern auf Wache gegangen sind, zwei Stunden zusätzlich Wache gemacht und geschrieben. Da haben die andern immer gesagt: Jetzt kommt dem Lenz seine Stunde. Ich möchte nur wissen, was der da immer schreibt. Bei uns passiert doch nichts, und wenn was passiert, dann nur Widerliches. – Was ich im Krieg und in der Gefangenschaft geschrieben habe, das hatte mit dem Krieg überhaupt nichts zu tun gehabt. Ich habe kein einziges Tagebuch im ganzen Krieg geführt. Wenn ich den Krieg darstellen will, so wie er mir erschienen ist, so muß ich das alles aus der Erinnerung herausholen. Allerdings, ob ich zur Inneren Emigration zu rechnen bin, das muß ich den Außenstehenden zu entscheiden überlassen. Es wird schon so sein. Aber daß ich mir in dieser Zeit gewünscht hätte, daß das, was ich geschrieben habe, auch sofort publiziert wird, das könnte ich nicht sagen. Ich habe genau die Situation abschätzen können: daß das, was ich mache, nichts ist, was diese Zeit interessiert und worauf es in dieser Zeit ankommt. Ich glaube auch, daß ich mich nicht bemitleidet habe. Wenn einer meiner Generation als Sichselbstbemitleidender auftritt, so ist mir das sehr unangenehm, muß ich sagen.

6. Aufenthalt in Amerika

D.: Sie haben vorhin noch einen anderen biographischen Hinweis gegeben, nämlich daß Sie in amerikanischer Kriegsgefangenschaft in den USA gewesen sind. Haben sich da möglicherweise Kontakte zu dem, was man später die junge deutsche Literatur nach 1945 genannt hat, hergestellt, die ja zum Teil ihren Ausgang in solchen amerikanischen Kriegsgefangenenlagern – ich denke an Namen wie Andersch, Richter u. a. – genommen hat? Es fällt ja generell auf, daß Sie sich stark aus dem heraushalten, was man den Literaturbetrieb in der Bundesrepublik nennen könnte.

L.: Ich bin 45 als Kriegsgefangener nach Amerika gekommen und war ein Jahr in amerikanischer Gefangenschaft. Ich habe nicht ein einziges Mal jemanden kennengelernt, der geschrieben hat, kam weder mit Kolbenhoff, noch mit Andersch oder Hans Werner Richter in Berührung. Ich habe gar keine Gelegenheit gehabt, etwas zu publizieren. Einmal in Tennessee hat ein deutscher Ward-Helfer zu mir gesagt, ich solle etwas für die deutsche Kriegsgefangenenzeitschrift schreiben. Ich habe einen Aufsatz über Thomas Mann geschrieben, der meines Wissens nicht publiziert wurde. Denn es ist mir nachher gesagt worden, die Deutschen in der Redaktion hätten das abgelehnt; es komme nicht in Frage, daß etwas über Thomas Mann geschrieben würde, während der jüdische Offizier ihnen befohlen hätte, das aufzunehmen in die Kriegsgefangenenzeitung, was ich geschrieben hatte. Aber in der Gefangenschaft kam ich sonst mit niemandem in Berührung. Ich war zuerst in Arizona, dann in Montana als Zuckerrübenpflanzer, wo ich Gelenkrheumatismus bekam, und dann bin ich nach Kalifornien in ein Lazarett gekommen. Ich habe in diesem Lazarett in Amerika eigentlich eine bewundernswerte Sorgfalt und Pflege erfahren. Ich erinnere mich, als ich im Rollstuhl vor dem Sprechstundenzimmer des Arztes gewartet habe, erschien ein amerikanischer Offizier, ein Oberst. Der Oberst hat gewartet und hat mich zuerst zum Herz-Arzt hineingelassen, weil ich vielleicht eine halbe Minute vorher dort eingetroffen war. Ich habe mich dann immer gefragt, wie sich ein deutscher Oberst in einem deutschen Lazarett verhalten hätte. Ich muß sagen, die Behandlung in Amerika, als ich als Kranker dort war, war so, wie man sie sich großartiger nicht vorstellen kann. Als Arbeiter, Zuckerrübenpflanzen hackend, hatten wir eine harte Zeit hinter uns zu bringen. Es wunderte mich aber nicht, denn die Amerikaner haben ja damals unsere Konzentrationslager kennen-

gelernt, und wenn ich zum Arzt gefahren worden bin, haben wandgroße, vergrößerte Photographien aus den Konzentrationslagern mich empfangen. Daß es mir dort schlecht ging als Deutscher, das hat mich gar nicht gewundert. In dem Augenblick, als ich krank war, bin ich behandelt worden wie ein amerikanischer Soldat. Und ich hätte in Deutschland diese Krankheit, Gelenkrheumatismus, niemals überwinden können.

D.: Nun ist es überraschend, daß in Ihren Arbeiten fast gar kein Echo dieser amerikanischen Erfahrungen zu finden ist, sieht man einmal von »Verlassene Zimmer« ab, wo bestimmte amerikanische Dinge erwähnt werden, also etwa auch die Verwandten von Julius Krumm; da wird ein Deutschamerikaner erwähnt, der aus Philadelphia zu Besuch kommt.

L.: Es hat künstlerisch schon etwas für mich gebracht. Das weiß man ja meistens noch nicht so genau. Ich habe immer die Empfindung gehabt, daß ich als Kriegsgefangener Amerika immer nur durch den Stacheldraht gesehen habe und daß ich aus dieser Sicht kein Bild für eine größere Arbeit entwickeln kann.

D.: Gab es irgendwelche Kontakte mit amerikanischer Literatur, weiterwirkende Berührungen? Die Hinweise, die sich in Ihren Büchern finden, deuten ja immer auf deutsche, auf österreichische Literatur. So wird häufig Hofmannsthal erwähnt, in »Die Augen eines Dieners« heißt es einmal, Eduard von Engelsleben habe Hofmannsthals »Turm« gesehen. Mörike taucht immer wieder auf, Stefan George, so in einem Zitat in »Spiegelhütte«.

L.: Das haben Sie gefunden? Keiner hat das bisher gefunden. Ein Gedicht, das George dann verworfen hat.

D.: Amerikanische Autoren fehlen in dieser literarischen Orientierung völlig?

L.: Ich muß ehrlich sagen, daß es die eigentlich für mich nicht gibt. Hemingway habe ich schon 38 in einem Band kennengelernt, der 32 bei Rowohlt erschienen ist. Er hat mir großen Eindruck gemacht, aber für mich ist das immer eine Sache gewesen, die eben für Amerika bewundernswert ist. Ich kenne Hemingways Bücher natürlich, ich schätze seine Kurzgeschichten. Außerdem hat mich Hemingways Art der Darstellung immer an Hamsun erinnert, ohne den er meiner Meinung nach gar nicht seine Sprache hätte finden können. Aber natürlich bin ich einer, der, allen Entwicklungen der Nachkriegszeit zuwiderlaufend, bei dem geblieben ist, was er vorher sehr geschätzt hat, wenigstens was meine Arbeit betrifft.

7. Literarische Einflüsse.

L.: Ich bin als Autor an den deutschen Bezirk gebunden. Für mich ist »Der arme Spielmann«, Grillparzers Novelle, sehr wichtig, ebenso Thomas Mann, Hofmannsthal, das 19. Jahrhundert, Raabe, Stifter, auch Hermann Bang, Schnitzler, Schnitzler sehr viel. Von denen habe ich eben gelernt, bei denen bin ich in die Schule gegangen. Ich bin keiner gewesen – und da habe ich immer das Gefühl gehabt, wahrscheinlich wird dir das fehlen – von denen, die sich gegen die Väter empört und aufgelehnt haben. Kafka ist 1883 geboren, also dieselbe Generation wie mein Vater. Ich hätte mich ja eigentlich, wenn die Psychoanalyse stimmt, gegen diese Generation empören müssen, wie das ja auch geschehen ist bei Autoren meiner Generation, die sich eben der nächsten Generation zugewandt haben. Das ist bei mir nicht der Fall. Ich habe es nicht so realisiert. Für mich ist eben diese Welt – vielleicht ist das aus meiner bürgerlichen Herkunft her zu erklären –, diese Bildungswelt, wenn Sie so wollen, diese Welt der Tradition und alles, was so abwertend von den Kritikern immer wieder erwähnt wird, etwas, auf das ich mich verlassen habe, was meine eigene Arbeit betrifft. Für mich ist Horaz ein bewunderter Autor, genauso wie Fernando Pessoa. Ich glaube, daß in der Lyrik Fernando Pessoa der von der modernen Generation ist, der für später eine große Bedeutung haben wird. 31 habe ich zum ersten Mal ein Gedicht von George gelesen, ich war von George fasziniert, obwohl es merkwürdigerweise auf die Art Lyrik, die ich damals geschrieben habe, gar keinen Einfluß gehabt hat. Das, was ich damals als Lyrik gemacht habe, würde ich, wenn ich Literarhistoriker wäre, vielleicht einordnen unter Neue Sachlichkeit oder unter Magischen Realismus, ich weiß es nicht. Natürlich haben Georg von der Vring und die naturmagische Schule mich beeinflußt. Georg von der Vring hat mir die Gedichte von Peter Huchel gezeigt. Das war ein Autor, der mich sehr fasziniert hat, heute noch. Dann Theodor Kramer: da hat mir Vring eine Anthologie gegeben, die damals bei Wolfgang Jess erschienen ist, und da stand ein Gedicht von Theodor Kramer drin: »Dies ist von allen Stunden die stillste im Hotel, / Die Schuhe sind verschwunden, es ist noch wenig hell…« Das hat mich damals fasziniert, das war 34, als ich das zum ersten Mal kennengelernt habe. 34 habe ich auch Georg von der Vring kennengelernt. Ja, so ist das.

D.: Sie haben vorhin die Psychoanalyse erwähnt und sich kritisch davon distanziert, wenn ich Sie richtig verstanden habe. Nun könnte man aber den Eindruck haben, daß Ihre Arbeit »Dame und Scharfrichter« doch auch bestimmte Erkenntnisse der Psychoanalyse einbringt, diese Verknüpfung von Lust- und Todestrieb etwa. Oder sind das Dinge, die aus Ihrer eigenen literarischen Erfahrung geschöpft sind?

L.: Ich muß ehrlich sagen, daß ich kein einziges psychoanalytisches Buch gelesen habe, obwohl meine Frau im Klett Verlag die psychoanalytischen, psychologischen Bücher betreut. Ich fürchte mich vor dieser Literatur ein wenig, habe immer noch eine Nummer der »Psyche« dahinten liegen, in der über Doderer und über Hölderlin zwei Aufsätze sind. Vielleicht fürchte ich mich davor, weil das zu gefährlich für mich ist, weil mich das sehr anziehen würde. Ich halte mich da immer heraus. Diese Beziehung von Todestrieb und Sexualität in »Dame und Scharfrichter«: ja, das kann man auch herausfinden, wenn man hinschaut, wie es die Menschen treibt und weiterzwingt. Vielleicht ist es aber so – wenn Sie schon wissen, daß meine Frau Lektorin ist, und wir sprechen natürlich über die Manuskripte –, daß sich bei mir so viel angesammelt hat, ohne daß ich solche Bücher durchgearbeitet habe.

D.: Die Frage habe ich auch deshalb gestellt, weil man sagen könnte, daß dieser Begriff von österreichischer Kultur und Geschichte ein Segment ausläßt, für das Freud mit seiner analytischen und – in dem Sinne positiv gemeint – zerstörerischen Leistung – nämlich Zerstörung von oberflächlicher Harmonie – ein Beispiel ist wie jene Denker und Autoren, die das andere Bild von österreichischer Kultur in ihren Arbeiten verkörpern. Karl Kraus, Hermann Broch und heute Elias Canetti wären Beispiele für Autoren, die ein sehr scharfes, negatives Bild dieser österreichischen Kulturharmonie vor uns hingestellt haben. Nun sind das Dinge, die Ihnen alle bekannt und vertraut sind. Entsteht daraus nicht eine Art Irritation für Ihre eigene poetische Deutung dieses Kulturbereiches, nämlich zu wissen, daß es diese ganz andere negative Perspektive gibt?

L.: Ja, eine Irritation kommt schon dadurch zustande, daß ich weiß, daß dieses negative Österreich-Bild in der Literatur existiert. Für mich, den schwerfälligen Schwaben, der schwer aus sich her-

ausgeht, hat eben das Österreich-Bild, das in meinen Büchern lebendig ist, etwas Auflockerndes, Konziliantes, Förderndes, das ich eigentlich bewundere. Das hat vielleicht mit dem wirklichen Bild Österreichs gar nichts zu tun. Das kann sehr gut sein. Ich sehe das ganz genau, wenn ich durch Wien gehe, und an jedem dritten Haus steht das Wort Rechtsanwalt. Mir hat einer einmal gesagt: Ja, weißt du, das goldne Wiener Herz, das ist mit Scheiße gefüllt! Wird alles stimmen. Qualtinger darf man nur sehen. Aber für mich ist Karl Kraus nicht in seiner Polemik interessant, sondern als Autor von »Die letzten Tage der Menschheit«. Seine literarischen Streitigkeiten und die Mentalität, die sich darin zeigt, die sind mir fremd; das gebe ich ehrlich zu. Ich halte mich da lieber – und das werden Sie ja an meinen Büchern merken – an Joseph Roth, wobei ich den »Radetzkymarsch« erst 1968 gelesen habe. Ich kann das genau sagen, weil ich das Buch da gekauft habe. Es hat mich immer sehr angezogen, ich habe Teile daraus gekannt. Fast ist es ein Buch, das ich immer wieder lese. Dabei habe ich aber festgestellt, daß zum Beispiel mein Bild des Kaisers Franz Joseph, das mit dem von Joseph Roth ja wahrscheinlich fast übereinstimmt oder ihm ähnlich ist, weil der Kaiser privat gesehen wird, nicht von Joseph Roth, sondern aus den Briefen von Franz Joseph stammt, die in drei dikken Bänden erschienen sind. Ein Band mit Briefen und Akten von Franz Joseph ist schon 24 oder 23 erschienen, so daß ich also annehme, daß Joseph Roth diesen Briefband vielleicht gekannt hat. Daraus geht hervor, daß Franz Joseph eben solch ein Mensch war, wie Roth ihn dargestellt hat und wie auch ich ihn dargestellt habe. Die Briefzitate, die da drin sind, die sind alle aus dem Band übernommen, der dann später erschienen ist, vor noch nicht langer Zeit. 66, glaube ich, sind zwei dicke Bände erschienen, die für einen Historiker der k. u. k. Monarchie eine Fundgrube sind, ein Bergwerk sozusagen, wo man über Jahre hinweg den Lebenslauf des Kaisers und seine Beschäftigung feststellen kann, von morgens 5 Uhr, wenn er aufgestanden ist, bis abends um 10 Uhr, wenn er ins Bett gegangen ist. Die Beziehungen zu den Theaterleuten, Bemerkungen über Theaterstücke, über Schauspieler, die andern Adligen, das ist alles in dem Band, so daß ich mir aus dem mein Franz Joseph-Bild gemacht habe, auch aus den Photographien, die im Molden Verlag erschienen sind; schon vorher habe ich einige wenige Photographien gehabt. Ich kann nicht erklären, weshalb diese Sympathie zum Österreichischen bei mir da ist. Vielleicht kommt es aus der Schwerfälligkeit des Schwaben, der sich durch den

Österreicher aufgelockerter fühlt. Im Krieg bin ich ja auch mit Österreichern zusammen gewesen. Das war eine bayrisch-österreichische Division.

D.: Nun sind ja in »Dame und Scharfrichter«, wie schon früher von mir bemerkt, beide Elemente des Österreich-Bildes vorhanden. Anders ist es noch in »Der Kutscher und der Wappenmaler«, wenn es etwa aus der Perspektive von Lili heißt: Man müßte in Wien sein, in Wien läßt es sich leichter leben! Hier bleibt es ein Utopieverweis, der nicht entfaltet wird, während sich eine solche Entfaltung in »Dame und Scharfrichter« erkennen läßt. Sie setzen hier ja auch kritische Akzente. In dem Sinne handelt es sich um ein reflektiertes Österreich-Bild.

9. Beziehung zur jungen deutschen Literatur

D.: Ich erwähnte vorhin schon einmal Ihre Distanz, bezogen auf den aktuellen deutschen Literaturbetrieb. Täusche ich mich oder gibt es seit einiger Zeit Hinweise auf eine Umorientierung? Ich denke dabei auch an die Reaktion eines jungen deutschen Autors Ihrem Werk gegenüber, an Handke. Wie sieht das, aus Ihrer Erfahrung beurteilt, aus? Sehen Sie eine Kausalität darin, daß so etwas zustande gekommen ist? Gibt es da bestimmte literarische Affinitäten? Liegt das an einem bestimmten poetischen Beschreibungsverfahren? An der Prägnanz beschriebener Details, die nicht dazu da sind, etwas zu verdeutlichen, sondern die als Element der Wirklichkeit da sind, die aber in ihrer poetischen Eindrucksganzheit verständlich werden und in denen die Wirklichkeit, die sie beschreiben, aufleuchtet? Ich versuche jetzt, etwas abstrakt zu beschreiben, was sich besser am Beispiel von Zitaten erläutern läßt.

L.: Es ist schwer, das zu charakterisieren. Für mich scheint es so zu sein, daß Peter Handke, dessen Bücher ich natürlich auch schon lange vorher kennengelernt habe, bevor wir uns persönlich begegnet sind, über eine verwandte Mentalität verfügt, die ihm zugewachsen ist, die zu ihm gehört, und das ist der Hintergrund für eine Sympathie. In seinen Büchern finde ich eine empfindsame und verletzbare Art die Welt zu sehen, die der meinen so überraschend entspricht. Als ich den »Tormann« gelesen habe, hat mich das damals schon sehr fasziniert. Als wir uns kennengelernt haben – er hat mich ja hier besucht –, ist dieser Eindruck bestätigt worden.

Was die literarische Form betrifft, ist es ganz richtig, was Sie sagen: daß uns eine bestimmte Art der Beschreibungsliteratur verbindet, eine Art des Sehens, die sich in genauen Details niederschlägt. Für mich kommt es immer darauf an, ganz präzise Beobachtungen in meine Bücher einzubringen. Ich kann und will auch nicht eine Zeile schreiben, wenn ich nicht vorher alles genau gesehen habe. Und all das, das präzise Studium der eigenen Erfahrungen, ist das, was mich mit Handke verbindet, übrigens auch mit dem anderen Österreicher, Hans Carl Artmann, der mich auch sehr interessiert hat. Das geht hier ins Spielerische, Artistische über. In Handkes Erzählung »Wunschloses Unglück« ist eine ganz neue Art der biographischen Erzählung geschaffen worden, die ich mit meinen Büchern deshalb nicht erreichen kann, weil ich einer anderen Generation angehöre. Das ist für mich ja auch das Interessante. Handke hat in allen seinen Büchern Details der Wirklichkeit beschrieben, die ich zwar sehe, aber niemals auf diese Weise beschreiben könnte. Diese Art des Sehens ist mir durch meine Generation versperrt, unmöglich. Ich erinnere mich z.B. an seine Beschreibungen von Spielautomaten und welche Rolle diese Spielautomaten für seine Empfindungswelt haben, wie sich das, was für ihn schwierig auszudrücken ist, plötzlich in einem Song, den er aus dem Spielautomaten hört, klärt. Das kann allein schon deshalb für mich nicht vorhanden sein, weil ich zu den Songs, die aus den Spielautomaten kommen, gar keine Beziehung habe, weil ich die nicht kenne, weil das eine ganz andere Art der Wirklichkeitsdarstellung ist. Das ist sehr schwierig zu sagen. Scio nescio. Früher habe ich immer gedacht, Descartes ist ein großer Angeber, so viel hat er gewußt und hat gesagt: Scio nescio. Heut ist mir's nimmer so.

10. Künftige literarische Arbeiten

D.: Sie haben vorhin erwähnt, daß Sie ganz zu Anfang auch Lyrik geschrieben haben. Ist das eine Form des literarischen Ausdrucks, die auch heute noch wichtig für Sie ist? Es fällt ja auf, daß Sie heute eigentlich in erster Linie als Erzähler gegenwärtig sind. Gibt es Dramen, die Sie geschrieben haben?

L.: Nein, ich habe kein einziges Drama geschrieben, auch nicht als Siebzehnjähriger. Gedichte mach' ich natürlich nebenher. Die »Stuttgarter Zeitung« hat welche gebracht. Auch jetzt mache ich manchmal noch ein Gedicht. Ich habe immer das Gefühl, als könnte ich mich in der Lyrik doch nicht so ausdrücken, wie es in einer Erzählung möglich ist, obwohl man natürlich immer denkt, es wäre vielleicht ganz schön, einmal ein Bändchen Lyrik zu machen. Dann denk' ich auch wieder: es genügen deine zehn bei Ellermann. Der Victor Otto Stomps, der hat auch mal Lyrik von mir angefordert, und da habe ich ihm für eine Anthologie welche geschickt; die hat er dann auch veröffentlicht.

D.: Ich habe vorhin einmal zu charakterisieren versucht, daß sich bei Ihnen drei Formen des Epischen unterscheiden lassen. Ich habe »Spiegelhütte« als Beispiel genannt, die zeitgeschichtlichen Romane in der mittleren Phase und dann »Dame und Scharfrichter«. Wie steht es um ein solches abstraktes Schema, bezogen nun auf Ihre künftigen Arbeiten? Zeichnet sich da eine Weiterentwicklung ab, eine Neuorientierung?

L.: Ich habe es ja schon angedeutet. Es soll ein Roman fertig werden, »Neue Zeit«, der den Krieg darstellt. Das ist ein Roman aus Erinnerungen, ein biographisches Buch, in dem ich als Figur unter anderm Namen, Rapp, erscheine. Aber diese Art der Darstellung wird sich natürlich nicht in eine autobiographische Endlosigkeit fortsetzen, was mir auch, ehrlich gesagt, zuwider wäre. Denn immer wieder muß ich feststellen, wenn ich diese Art der Darstellung, den autobiographischen Roman, wähle, daß ich mir dabei enorm zuwider werde. Was ich sonst noch vorhabe? Ich möchte einmal eine Geschichte unter Studenten der Gegenwart schreiben. Ob mir das gelingt, glaub' ich eigentlich kaum. Es werden wahrscheinlich immer, wenn ich Studenten darstelle, in der Mentalität Studenten der dreißiger Jahre sein und keine Studenten von heute. Ich möchte auch mal – was ich immer schon wollte – eine biographische Darstellung der Jahre von 1848 bis etwa 1890 in Österreich schreiben, ausgehend von Württemberg, das sich über diese Jahre in Österreich hinzieht, wo die gesellschaftliche Situation, sagen wir's ruhig, so dargestellt wird, wie sie mir erscheint für die damalige Zeit. Es gibt ja Berthold Auerbachs Berichte über die Revolution 48 in Wien, die sehr interessant sind und in der »Breslauer Zeitung« und dann 1849 als Buch erschienen sind. Davon möchte ich ausgehen und zeigen, wie sich die Zeit damals entwickelt hat, wie Franz Joseph sich nur auf die Armee stützt, die 48er Revolution auf grausame Weise unterdrückt hat und ihre Folgen. Das ist ja alles bekannt. Es gibt eine Biographie über Franz Joseph, die das alles genau herauspräpariert hat. Das alles würde mich interessieren: der glücklose Franz Joseph, der jeden Krieg verliert, den er an-

fängt, der zum Schluß dann schon 1915 gesagt hat: Der Krieg ist verloren, es hat keinen Wert. Der hat das schon immer gewußt, merkwürdigerweise. Das alles würde mich sehr anziehen. Aber das liegt alles in weiter Ferne.

VI.B. Epische Refugien des Ichs. Das Erzählwerk von Hermann Lenz

1. Schon die Titel seiner Bücher lesen sich wie ein Programm: »Das stille Haus«, »Verlassene Zimmer«, »Andere Tage«, »Im inneren Bezirk«. Es sind Signale der Verweigerung, der bewußten Aussparung von Aktualität, die mit den Slogans »revolutionäre Veränderung« und »politische Relevanz« ihre strategische Marschroute bestimmt und Literatur nur als Zeugnisse politischer Bewußtseinsveränderung und -erweiterung gelten lassen will. Damit hat Hermann Lenz offenbar nichts im Sinn. Aber ob damit zugleich an dem Sinn seines mit einer staunenswerten Unbeirrtheit entstandenen umfangreichen epischen Werks zu zweifeln ist, läßt sich von dieser Ausklammerung politischer Extrovertiertheit her nicht einfach behaupten.

Es ist vielmehr zu fragen, ob die in den Titeln seiner Bücher enthaltenen Hinweise auf eine Wirklichkeit am Rande der politisch bewegten, auf einen Standort an der Peripherie, auf eine Fluchtzone im Schatten der spektakulären Ereignisse nur als eskapistisches Muster zu deuten sind: ein Autor der Introversion, der sich den Forderungen des Tages entzieht und in rückgewandten Idyllen epische Refugien des Humanen entwirft, die vor dem brutalen Anspruch der zeitgeschichtlichen Realität versagen müssen?

Zugegeben, eine solche Sicht scheint ein erster Blick nahezulegen, zumal er zugleich im psychologischen Sinne das rationalisiert, was die Stellung von Hermann Lenz im derzeitigen literarischen Leben der Republik betrifft. Daß man ihn in den zurückliegenden Jahren mit dieser Beharrlichkeit verschwiegen hat – auch die Reaktion auf sein einmaliges Auftreten bei einer Tagung der Gruppe 47 macht da keine Ausnahme[1] –, daß die Leser seinen Büchern so wenig Interesse und Anteilnahme entgegenbrachten, daß die Kritik[2] seine neuen Arbeiten freundlich abhakte oder einfach übersah, läßt sich nicht geradewegs als wirkungsgeschichtliche Kausalität deuten, die der Position seiner epischen Introversion und »heilen« Wirklichkeitsdarstellung im Detonationsecho der Zeitgeschichte entspricht.

Lägen die Dinge tatsächlich so einfach, wäre das literarische Schicksal von Hermann Lenz besiegelt. Gewiß, aus der Außenperspektive mag sich seine literarische und auch biographische Situation mitunter so darbieten. Lenz hat die griffigen Formeln für seine Isolation im Literaturbetrieb mit einem Stoizismus, der den Erfolg längst als Luftspiegelung abgeschrieben hat, ironisiert. Das gilt nicht nur für das scharfe Wort, das sich an einer Stelle in seinem Roman »Im inneren Bezirk«[3] findet: »Hitler spricht aus, was viele denken, wie ein Schriftsteller, der berühmt ist.« (60)

In seinem fiktiven Nachruf[4] beschreibt er sich so: »Mit randloser Brille, deren Bügel golden blitzte, und im dunkelblauen Anzug sah er unterm grauen Haar wie einer von der Prominenz aus, aber er gehörte nicht dazu.« (85) Einen Hang zur Prominenz, einen Instinkt für den literarischen Markt hat er nie gehabt. Höchst charakteristisch scheint mir die Episode, die sich Anfang 1973 abspielte, als der Schriftsteller Peter Handke[5], mehr als eine Generation jünger und ein den Erfolg meisternder Meister des Erfolgs, Hermann Lenz in Stuttgart besuchte und ihn beim Abendbrot am Tisch fragte, wie das bei ihm gewesen sei als junger Mensch, ob er damals davon überzeugt gewesen sei, als Schriftsteller berühmt zu werden. Lenz verneinte: Nein, niemals. Handke jedoch, mit einem Aufblitzen in den Augen: Er schon, er habe das immer gewußt und immer daran geglaubt.

Was sich also als Gesetzmäßigkeit des literarischen Marktes lesen ließe und, die Kategorie des Erfolgs zum einzigen Maßstab erhebend, eine Kausalität zwischen epischer Introspektion und ausbleibendem literarischen Erfolg konstruiert, unterschlägt offensichtlich tiefer angelegte Voraussetzungen, die zur literarischen und biographischen Konstitution des Autors und Menschen Hermann Lenz gehören und die er in seinem fiktiven Nachruf so angedeutet hat: »... als ob er zu denen gehöre, die sich abschirmen müssen und eine großräumige Landschaft mit weiten Ausblicken brauchen, wo nur der Wald und das Bachwasser in geklärter Nachsommerluft rauschen« (86). Sich selbst von außen beschreibend, setzt er noch einen anderen Akzent, der den in die Kleinheit der Dinge verliebten Blick des Idyllikers – Stifter ist nicht von ungefähr eines seiner Vorbilder – zum Visionären hin erweitert: »›Wie ein Traumwandler‹, sagten manche und fügten hinzu, der sei wirklichkeitsblind; man merke dies auch allem an, was er geschrieben habe.« (86)

Die Position an der Peripherie der Wirklichkeit gibt nicht nur den Blick auf die Randzonen frei, sondern schafft zugleich die Distanz, die das Massiv der Realität auch da in den Blick bringt, wo sonst der Horizont des Aktuellen dem in der Mitte der Wirklichkeit Stehenden den Blick begrenzt. Die Außenseiterposition von Hermann Lenz bedeutet also nicht nur Einkapselung und Intensivierung des Blicks zu mikroskopischer Genauigkeit, sondern zugleich Ausweitung des Blickfeldes über die normierten Grenzen der Wirklichkeit hinaus. Auf diese beiden perspektivischen Momente, die zum künstlerischen Standort von Hermann Lenz gehören und die sich in seinem Werk erkennen lassen, wird noch einzugehen sein.

Diese in der Position von Lenz angelegte Kontinuität geht bis ins biographisch Äußerliche: »Immer noch hatte er dieselbe Dachstube wie als Schüler und Student, schrieb an demselben Schreibtisch, an dem er auch seine Schulaufgaben gemacht hatte, und eine Wand der engen Stube war mit kleinen Stichen, Zeichnungen und Gemälden dicht behängt oder bepflastert.« (87) Das ist nicht die leere Konvention einer Spitzweg-Idylle, die Dachstube als ins Kleinbürgerliche verwandelter Elfenbeinturm, über der Realität angesiedelt und mit dem Mansardenblick auf die Wolken, sondern ist als Form des Behaustseins die äußerliche Hülle seiner Existenz, ein Schutzschirm für seine Verletzbarkeit, Ausdruck einer sich dem Zugriff der Zeit widersetzenden Haltung, ein Aussichtsturm zugleich, in den er die Realität hereinholt und sei es in Form jener alten Photographien, die er in allen Details mit einer Lupe studiert und dann episch verlebendigt mit einer Beharrlichkeit und Präzision, die nichts von biedermeierlicher Behäbigkeit an sich haben.

Was jeder äußerlich bleibenden biedermeierlichen Attitüde, der Verliebtheit in die Kleinheit der eigenen Welt, bei ihm widerspricht, ist das Fehlen von Selbstgenügsamkeit. Es gehört mit zu den Paradoxien des Autors Hermann Lenz, daß sich so viel Ichversponnenheit, so viel solipsistische Enthaltsamkeit, so viel Öffentlichkeitsscheu mit so viel geduldiger Analyse des eigenen Ichs und seiner biographischen Geschichte vereinen, daß sich fast von einem biographischen Exhibitionismus sprechen ließe. Kein Exhibitionismus spektakulärer Dimensionen, was Ereignisse, Menschen, Erfahrungen, sondern was den Gestus betrifft: er macht sich ohne Selbstverliebtheit, ohne falsche Rücksichtnahme selbst zum Thema der epischen Wahrheitssuche, unterwirft seine individualistische Position einem epischen Test, der über Sinnfälligkeit oder Sinnlosigkeit seiner Existenz entscheiden soll. Selbstsichere Antworten hat er nicht parat. Indem er zweifelt, spricht er vom Zweifel an sich selbst.

Lenz nimmt damit als Epiker eine Position ein, die, sich der Inadäquatheit von Seele und Wirklichkeit bewußt, den Ausschnitt von Wirklichkeit, der ihm noch zugänglich ist, in eine Seelenlandschaft verwandelt, in Material, das nur noch im Spiegel seines befragten Ichs und seiner Erfahrungen Sinnmöglichkeiten aufzuschließen vermag. Es ist eine »Unangemessenheit, die daraus entsteht, daß die Seele breiter und weiter angelegt ist als die Schicksale, die ihr das Leben zu bieten vermag.«[6] Die Konsequenzen dieser Entwicklung, die Lukács abstrakt beschrieben hat, löst Lenz auf weiten Strecken in seinem Romanwerk ein: »...eine in sich mehr oder weniger vollendete, inhaltlich erfüllte, rein innerliche Wirklichkeit, die mit der äußeren in Wettbewerb tritt, ein eigenes, reiches und bewegtes Leben hat, das sich in spontaner Sebstsicherheit für die einzig wahre Realität hält...« (114)

Die zwar selten aus der Perspektive eines Ich-Erzählers, aber immer aus der individuellen Perspektive einer Figur erzählten Romane von Lenz sind Beispiele dieser vom Subjekt durchtränkten Wirklichkeitsdarstellung, die zumeist vom Rhythmus eines sich biographisch entfaltenden Lebens bestimmt wird. Es sind Erkundungsreisen ins eigene Ich allemal, und die Romane sind die Logbücher dieser Reisen. Es ist durchaus konsequent, daß in diese Romane die Sehnsucht nach einer Einbettung des Ichs in ein sinnvoll gewordenes Wirklichkeitsganzes hineinleuchtet, damit die im individualistischen Material ansetzende Sinn-Suche bestätigt wird von einem Realitätsganzen, das sich sinnvoll erschließt. Eine rückgewandte Sehnsucht zumeist, die Lenz im Bild der österreichischen Monarchie immer wieder evoziert[7], aber in den glücklichsten Augenblicken seines Erzählens, in »Spiegelhütte« z. B., zu einer visionären, in die Zukunft gerichteten Utopie erweitert.

2. So gehört denn der autobiographische Strang, dem sich die Bücher »Verlassene Zimmer«[8], das seine frühe Kindheit behandelt, »Andere Tage«[9], das seine ins Dritte Reich hineinreichende Studienzeit darstellt, und der kürzlich erschienene dritte Band »Neue Zeit« zuordnen, ins Zentrum seines epischen Werks.

Lenz setzt mit seiner poetisch verfremdeten autobiographischen Selbsterkundung nicht beim Jahr seiner Geburt, also unmittelbar vor Ausbruch des Ersten Weltkrieges, ein, sondern am Beispiel der Geschichte seiner Mutter und von deren Eltern in den Jahrzehnten davor, in der Zeit vor der Jahrhundertwende. Fin de siècle bedeutet für ihn mehr als eine chronologische oder historische Zeitmarke, er ist Ausdruck eines kulturellen Zeitgefühls, das all seine epischen Arbeiten durchzieht und im historischen Bild der noch intakten österreichischen Monarchie immer wieder beschworen wird. Der habsburgische Mythos[10], wie man dieses Geschichts- und Kulturverständnis beschrieben hat, als Inbegriff einer herbstlichen Geschichts- und Kulturganzheit, steht unverkennbar als utopischer Orientierungspunkt über der Deutung der eigenen Geschichte. Diese kleinbürgerliche Züge tragende schwäbische Sozietät verrät in jenen Emblemen und Elementen, in denen sie sich ihrer Intaktheit versichert, einen Abglanz dieser rückgewandten Wirklichkeitsganzheit, die in »Verlassene Zimmer« das »Bild des österreichischen Kaisers« (12) veranschaulicht, wie denn auch »diese wunderbare kaiserliche und königliche Monarchie« (77) in den Reflexionen und Gesprächen häufig hervorgehoben wird. Der »Stock mit der Silberkrücke« (9) des Großvaters Julius Krumm, der breitkrempige Hut, mit dem er dem Aussehen des württembergischen Königs nacheifert, seine berufliche Zuordnung als »königlicher Büchsenmacher außer Dienst und Wirt zum Goldenen Hasen« (10) verbinden sich zur Vorstellungseinheit von intakter Vergangenheit.

Freilich verraten sich die Erschütterungen der Zeit auch in »Verlassene Zimmer«. So ist Krumm zusammen mit zwei Brüdern in Amerika gewesen, hat versucht, sich in Philadelphia eine neue Existenz als Feinmechaniker aufzubauen, ist aber schließlich nach Württemberg zurückgekehrt und restauriert jetzt gewissermaßen in seinem bewußt vorgeführten Lebensstil die alte Ordnung. Erschüttert wird diese Ordnung auch durch die kleinen Katastrophen im familiären Umkreis, etwa durch das uneheliche Kind seiner Schwester Agathe, die sich als Hemdennäherin durchschlagen muß. Ähnliche Bedeutung hat später die Auflösung der Verlobung seiner Tochter Irene durch deren Bräutigam, der sie fallen läßt, worauf sie sich überraschend mit dem Leutnant der Reserve und späteren Zeichenlehrer Hermann Rapp verlobt, hinter dem das Bild des Vaters von Hermann Lenz erscheint.

In dem 1913 geborenen Sohn Eugen beschreibt Lenz sich selbst. Wenn es einmal nach einem Gespräch zwischen Irene und Hermann Rapp heißt, daß sie »in einen neuen Bezirk« (117) eintrat und diese utopische Bewegung im Österreich-Bild des Romans und im Traum von der »Wendeltreppe« (106), über die man in eine höhere Wirklichkeit gelangt, zusätzlich verdeutlicht wird, so verbinden sich all diese Bezugspunkte in der Wirklichkeitserfahrung des Kindes Eugen, das an der Wirklichkeit leidet (konkret: an dem Sadismus eines prügelnden Lehrers), das sich gern in eine »Türmerwohnung« (204) zurückziehen möchte und von dem es heißt: »er sei einer, der sich fürchtet« (168). Lenz beschreibt Eugen als einen Menschen, »der sich zurückzog in seine Vorstellungen, wie es letzthin jeder machte, weil er ohne Vorstellungen, ohne Wünsche oder Träume niemals hätte existieren können« (221). Eugen lebt konkret »in einem anderen Bezirk« (225), nach dem die anderen suchen, ohne ihn ganz zu erreichen, er »drängte den Froschlaich der Zeit zurück, dieses quallige und gallertartige Schieben, Fließen, das zwar nirgends zu bemerken war, aber trotzdem überall eindrang« (227).

Freilich könnte man fragen, ob hier nicht der Wirklichkeitsrahmen der schwäbischen Sozietät gewaltsam überfordert wird, ob Lenz nicht seine Wirklichkeitserfahrung um den Preis dessen erkauft, was an einer Stelle so formuliert wird: »Das sah nun also alles friedlich aus, und wenn's so blieb, konnte man froh sein, trotz der Geldentwertung.« (193) Indem er seinen subjektiven Zustand verallgemeinert, harmonisiert er Gegensätze, nimmt er das eine um des andern willen hin und akzeptiert sein Leben als eine schicksalgegebene Situation, mit der man sich abzufinden habe. Der rückwärtsgerichteten Tendenz seiner Haltung ist er sich freilich bewußt. Über sein Verhältnis zur Zukunft heißt es: »Denn ihm graute vor später, das sah man ihm schon lange an.« (223)

Das Gleichnishafte, aber zugleich auch die Ambivalenz von Lenz' biographischer Situation wird auch in der Fortsetzung des biographischen Berichtes in dem Roman »Andere Tage« noch verdichtet, und zwar angesichts einer politischen Wirklichkeit, die nach 1918 von den wirtschaftlichen Nöten der Nachkriegszeit gezeichnet ist und schon bald noch sehr viel stärker von den politischen des sich formierenden Nationalsozialismus in Deutschland. Wenn der die Gedichte Mörikes wie ein tägliches Brevier mit sich herumtragende Student der Theologie Eugen Rapp und heimliche Dichter von dem Schriftsteller Stefan Bitter (hinter dem sich der Lyriker Georg von der Vring verbirgt) aufgefordert wird, »Freiheitslieder (zu) schreiben« (150), so deutet er damit die Möglichkeit eines Engagements an, das Eugen versagt ist. Während Hermann Rapp in die Partei eintritt, Eugen dazu bewegt, sich einer Studentenverbindung anzuschließen, die Eugen wieder verläßt, als ihm der Eintritt in die SA nahegelegt wird, artikuliert Eugen seinen Widerstand in einer Fluchthaltung und in Gesten des Kontrastes. Er erscheint als »ein Abgekapselter« (203), als einer, der sich aus der Gegenwart zurückzieht, der sich »abdichten« will, »eine Mauer bauen« (147), der in die Poesie Mörikes, Hofmannsthals und Georges (dessen »Jahr der Seele« genannt wird) emigriert, der, um den Gegensatz zum militärischen Drill der NS-Gruppen zu betonen, sich in seiner Münchener Studentenzeit mit der bewußten Eleganz seiner Kleidung zum Protest-Dandy stilisiert, der, obwohl er weiß, daß die Zeit der Walzer vorbei ist, dennoch »in Gedanken immer in Wien« (192) lebt und nach dem Scheitern seiner Sprachprüfungen (in Griechisch und Hebräisch) vom Theologiestudium zur Kunstgeschichte überwechselt, »eingesponnen ins Wien der Jahrhundertwende und der Biedermeierzeit« (262), ein Leben als »Museumsbeamter« (204) vor sich sehend.

Die Utopievorstellung, die Lenz in seinem Roman »Der Kutscher und der Wappenmaler« im Bild des Wappenmalers veranschaulicht, der das mondäne, das freie, das andere Leben erreicht hat, wird hier immer wieder im Topos Wiens beschworen. Eugen wünscht sich, »allein in Wien zu leben« (286), ein Traumziel, das dem Studenten auf Grund bestimmter Devisenregelungen, die ein auswärtiges Studium damals äußerst erschwerten, unerreichbar war. Gewiß, die Lösung seiner Probleme, die Eugen imaginiert, nämlich im »Weinbergturm zwischen Hagnau und Meersburg« (272) zu leben und eine zu finden, »die gegen den Hitler und fürs alte Wien ist« (272), scheint mitunter allzu einfach und an der konkreten Bedrohung jener Zeit vorbeizugehen. Die aus Poesie, Träumen und schwäbischer Enge gemischte Welt des Eugen Rapp erscheint, auf die historische Folie jener Jahrzehnte zurückprojiziert, seltsam phantasmagorisch und in ihrem leisen Pathos verdächtig.

Der dokumentarische Wert dieses autobiographischen Berichtes tritt jedoch nicht nur in bezug auf den Autor selbst hervor, der mit geduldiger Genauigkeit sein Leben ausbreitet, sondern auch in seinem Stellenwert in bezug auf das, was das Schlagwort Innere Emigration unvollkommen bezeichnet. Jenseits jeglicher Schwarzweißmalerei, die nur die Alternative politisch bewußten Widerstand oder opportunistisches Mitläufertum gelten läßt, beschreibt Lenz an seinem eigenen Leben in jenen Jahren eine Existenzform, die ihre Unscheinbarkeit und Entsagung, also ihre Schwäche als Stärke benutzt und unter dieser Tarnung überdauerte, ohne sich der politischen Doktrin preiszugeben.

Daß hiermit zumindest die Haltung einer bestimmten Schicht des Bürgertums mitbezeichnet wird, ist keine Frage. Aber ebenso offenkundig ist, daß damit die Verhältnisse als gegeben akzeptiert wurden. Und Eugens Bekenntnis seiner Schwester gegenüber: »Wichtig ist bloß, daß ich denken kann, was zu mir paßt.« (111), bleibt eine höchst problematische Feststellung. Denn die Auswahl dessen, was zu ihm paßte, wurde von dem politischen Regime ständig reduziert. Bezeichnenderweise wandelt sich auch das Wien seiner Sehnsucht 1938 in eine von nationalsozialistischem Jubel erschütterte Stadt. Der Tod der Großmutter, der am Ende des Buches steht, akzentuiert den Abschied von einer Epoche, die auf immer vergangen ist, und nur noch als abstrakte Hoffnung in die Gegenwart hineinreicht.

Die Unvereinbarkeit dieser Hoffnung mit der politischen Wirklichkeit der dreißiger und vierziger Jahre und damit die Diskrepanz zwischen Ich und Umwelt wird bis zum schmerzhaften Extrem im dritten Teil, »Neue Zeit«[11], dieser autobiographischen Trilogie vorangetrieben. Der zum Soldaten gewordene, erst den Frankreich-Feldzug, »der fast nichts anderes gewesen war als ein Manöver« (241) mitmachende und dann an die Rußland-Front geschickte Eugen Rapp sieht sich im Laufe des Krieges mehr und mehr zum Objekt geworden, und stolpert, traumwandlerisch wach, durch eine monströs fremdgewordene Wirklichkeit, eine Mondlandschaft der Geschichte, übersät von Bombenkratern und zerfetzten Leichnamen, die sich zu Bildern von alptraumartiger Schreckensintensität verbinden.

Es ist der Roman einer lawinenartig anwachsenden Reduktion, die das Ich Eugen Rapps mehr und mehr aushöhlt und zum passiven Opfer werden läßt, ihn aller Ausfluchtmöglichkeiten beraubt und die ununterbrochenen Gedanken an Wien als letzte Notsignale des in die Enge Getriebenen erscheinen läßt: »Du ertrügest nicht die neue Zeit ohne Erinnerung an eine alte...« (177) Ebenso stark ist das Bewußtsein der Ausweglosigkeit und Isolation, der Loslösung aus allen Bindungen, auch der menschlichen: »Und wen hast du hier außer deinem Leib? Verlaß dich auf dich selber, mit dir selber kannst du rechnen.« (183) Der kurze Zeitraum während der nächtlichen Wache, der ihm zum Schreiben bleibt, die Weigerung, Offizier zu werden (während der Vater

Karriere macht), weil er nicht andere in den Tod schicken will, bleiben letzte Möglichkeiten der Selbstäußerung des Ichs, wie auch jener mehrmals zitierte Anzengruber-Satz: »'s kann dir nix g'schehn!«[12], ein schon fast fatalistischer Hilfeschrei eines Eingekreisten. Je weiter die Entwicklung fortschreitet, bis zur Endphase des Krieges, zur amerikanischen Kriegsgefangenschaft und schließlich zur Rückkehr in »dieses nach Leichen riechende Europa« (392), desto stärker widerfahren die Dinge Eugen Rapp. Er ist wie zum Gegenstand geworden, seine Innerlichkeit ist gleichsam ausgehöhlt: die Geschichte ein Leichenfeld der Sinnlosigkeit. Die Wahrhaftigkeit dieser in Beschreibung umgesetzten subjektiven Erfahrung läßt dieses Buch sogenannter Kriegsliteratur weit überlegen scheinen, es zeigt zugleich den Krieg, dem Schlagzeilen-Stakkato der Frontberichte, Helden-Nekrologe und zynischer Dokumentationen entrückt, in seiner den einzelnen einschnürenden Lähmungsgewalt, auch da, wo er nach außen hin wie ein Manöver abrollte und der Takt der Siegesmärsche seine Bewegung skandierte. Gerade indem Lenz darauf verzichtet, das Ganze in eine Fabel, in konsumierbare Handlung, umzusetzen, und sich nur vom autobiographischen Strang seiner Erinnerung durch dieses Labyrinth leiten läßt, gelingt es ihm episch glaubwürdig zu sein.

3. Hätte Lenz nur diese in Romanform vorgetragenen autobiographischen Bestandsaufnahmen geschrieben, so wäre die Begründung für seine Unzeitgemäßheit leicht. Das sich hier andeutende Urteil würde auch nicht widerlegt von einem Roman, der am Gegenpol dieser autobiographischen Berichte angesiedelt ist, dem, äußerlich betrachtet, politischsten Buch, das Lenz je geschrieben hat, dem Roman »Im inneren Bezirk«. Der Protagonist des Buches, der Militärattaché Franz von Sy, der Kontakte zum deutschen Widerstand besitzt, wirkt wie ein in die Diplomatie und hohe Politik verschlagener Eugen Rapp. Auch er sucht nach seinem »eigenen Bezirk« (19) und errichtet ihn durch die Lektüre von Mörike-Gedichten und Marc Aurel (eines anderen Schlüssel-Autors von Hermann Lenz), baut eine Mauer zwischen sich und der Wirklichkeit, versucht, »abgerückt zu leben und außerhalb der Zeit« (229), träumt die rückgewandte kakanische Utopie mit Wien als Wunschstadt, von dem Gedanken getragen: »Wenn die Habsburger geblieben wären...« (224)

Obwohl Lenz das zum Teil in von Sys Biographie integriert, da er ihn in seiner Jugend zur Suite des letzten württembergischen Königs gehören läßt und ihn zum Augenzeugen eines Besuches des österreichischen Kaisers bei König Wilhelm in Stuttgart macht, bleiben die Motive für von Sys politisches Engagement ebenso schemenhaft unklar wie die politischen Umrisse der Widerstandsbewegung oder das historische Gewicht der politischen Situation. Die Kritik an typisierten Figuren wie Bachschmid, dem vom Förstersohn zum Kommerzienrat aufgestiegenen Finanzier, oder dem dämonisierten Gestapo-Söldner Fiedler, einem Nazi-Regierungsrat mit einem Schrebergärtchen daheim, wiegt nicht so schwer wie die an der Hauptfigur des Romans. Von Sys Sehnsüchte nach der Vergangenheit nach einem »Bezirk..., der vielleicht sauber war« (250/1), sind als Erfahrungen Eugen Rapps, aus der Enge seiner schwäbischen Welt gesogen, nachvollziehbar, im politischen Erfahrungsspektrum dieses Mannes gespiegelt, wirken sie jedoch wie eine künstliche Projektion.

Es hat den Anschein, als habe Lenz gewaltsam versucht, die für ihn charakteristische Haltung in Beziehung zur politischen Realität zu setzen und ihre politische Valenz zu beweisen. Ein Unternehmen, das gescheitert ist, und zwar einmal durch die Verundeutlichung der politischen Handlung zur konspirativen Kolportage und zum andern dadurch, daß von Sys Beziehung zu seiner Tochter Margot im Verlauf des Romans immer wichtiger wird, so daß das menschliche Engagement gewissermaßen das politische überlagert und er sich bezeichnenderweise in einer momentanen Situation von Glücksempfindung in einem alten »Biedermeierhaus« (229) mit einem Garten fragt: »– Wozu eigentlich eine Bombe werfen wollen, wenn der Perpendikel sowieso unerschütterlich weiterschwang – und wie seltsam und neu, ja wie erfreulich war dieses Gefühl, daß er sich einmal zu Hause fühlte.« (229).

Als er bei Kriegsende in französische Gefangenschaft gerät, schließlich freigelassen und von seiner Tochter abgeholt wird, ist alles Politische weit weggerückt, und es überwiegt nur ein Zustand der momentanen privaten Glückserfüllung: »lauter Glücksmomente« (363). Das Politische wird zur Staffage, was bleibt, ist die humane Vater-Tochter-Beziehung. Das ist angesichts der ursprünglichen politischen Intention des Buches ein indirektes Eingeständnis des Versagens und zugleich eine Kritik an der individualistischen Verpuppung von Eugen Rapps Existenz zur Zeit des Dritten Reiches.

4. Das Gewicht des Romanciers Hermann Lenz, so läßt sich sagen, wird durch andere Bücher bezeichnet, Romane, die nicht den Blick aus der Gegenwart auf die Vergangenheit als ausschließliche utopische Fixierung brauchen, sondern die vielmehr diese Vergangenheit selbst gestalten und sie im Zustand des Übergangs in die Gegenwart zeigen: nicht mehr als in einer Wunschvorstellung erstarrte, aus der Geschichte herausgelöste utopische Konfiguration, sondern als einen Prozeß, der auch den österreichischen Doppeladler, die kakanische Utopie, in den Zweifel miteinbezieht. Lenz hat diesen Umkreis vor allem in drei Büchern ausgemessen: »Die Augen eines Dieners«, »Der Kutscher und der Wappenmaler« und »Dame und Scharfrichter«.

Am weitesten in die Vergangenheit zurück geht Lenz in seiner Erzählung »Dame und Scharfrichter«[13], die die Endphase des kakanischen Reiches, kurz vor seiner politischen Auflösung durch den Ersten Weltkrieg, bereits vorher im Zustand der inneren Aushöhlung zeigt. Die Gräfin Leonie von Seilern, von der es heißt: »Sie liebte das Verfallene, halb Eingesunkene und Ruinöse...« (25), fühlt sich von dem Scharfrichter unerklärlich angezogen, da er ihr beides verheißt, sexuelle Erfüllung und Tod, beides im Moment der Strangulierung vereint. Die nach dem Beischlaf wie in Trance von ihr gewünschte und vollzogene Exekution durch den Henker wird zu einem Gleichnis für die aus den Fugen geratene Welt, für eine aus dem Gleichgewicht gestürzte Ordnung, die den Obertribunalpräsidenten von Seilern mit seinem Dienstmädchen im Volkstheater zeigt, die der alte Kaiser, von dem es heißt: »der hing in der Luft und war weitab, als ob er nicht mehr hiesig wäre« (113), nur noch als Konvention repräsentiert und die in der Haltung des Scharfrichters zum bloßen Ritual korrumpiert ist: »...es mußte seine Ordnung haben, weil Ungeregeltes ihm widerwärtig war. Doch wenn er seine Arbeit wie der Kaiser tat, der sich im Schloß morgens um fünf Uhr an den Schreibtisch setzte, hatte jeder seinen Platz und jeder wußte, von wem ihm derselbe zugewiesen worden war. ›Von Gottes Gnaden‹.« (17)

Das Bild des Kaisers, das, in den andern Büchern von Lenz häufig zum utopischen Emblem erstarrt, eine »heile« Vergangenheit evozieren soll, ist hier in die Negation miteinbezogen. Auch für ihn ist diese Wirklichkeit zweifelhaft geworden, er sucht – wie viele Protagonisten bei Lenz – Trost in der Lektüre Marc Aurels, wie auch das Bild dieser österreichischen Realität gespenstisch austauschbar wird gegen das Ruinenbild Carnuntums, der vor den Toren Wiens gelegenen römischen Trümmerstadt. Es ist in diesem Kontext höchst eindrucksvoll, daß sich der Kaiser selbst für seine Untergebenen in »einen Beamten des kunsthistorischen Museums (archäologische Abteilung), für den sie ihn gehalten hatten« (160), verwandelt. Denn museale Züge trägt bereits diese Wirklichkeit.

Diese Arbeit von Lenz ist in vieler Hinsicht eine seiner gelungensten: sie liest sich als Kritik an jenem abstrakten Habsburger-Mythos, den Eugen Rapp und mit ihm viele andere Protagonisten in den anderen Romanen idolisieren. Die Flucht in jenes Seelen-Österreich, das als Utopie dem inneren Bezirk entsprechen soll, nach dem die Romanfiguren von Lenz, oft vergeblich, suchen, scheint danach nicht mehr möglich.

Diese Kritik wird freilich schon in den beiden anderen genannten Büchern vorbereitet. Weniger noch in dem Roman »Der Kutscher und der Wappenmaler«[14], der im historischen Aufriß dem Roman »Die Augen eines Dieners«[15] parallel zugeordnet ist. In beiden Fällen geht es um den Übergang der letzten zwei, drei Jahrzehnte des 19. Jahrhunderts in das 20., und in beiden Fällen wird die Zeit des Nationalsozialismus als katalytische Phase präsentiert, die den moralischen Kern der Menschen einem Wahrheitstest unterwirft. Nicht die die alte Ordnung im adligen Namen und Gesellschaftsstand Repräsentierenden wie der Herr von Süßkindt in »Der Kutscher und der Wappenmaler« oder der Herr von Engelsleben in »Die Augen eines Dieners« bestehen diesen Test (der eine bringt es zum Stahlhelm-Führer und der andere zum hohen NS-Administrator während der Juden-Deportationen), sondern der »beinahe... letzte Kutscher« (113) der Stadt Stuttgart, Kandel, und der unehelich geborene, im Waisenhaus aufgezogene, aber in der inneren Haltung den Geist Kakaniens viel eher als sein Herr von Engelsleben vorlebende Herrschaftsdiener Wasik.

Beide, der eine, Kandel, an der Peripherie des österreichischen Reiches in Stuttgart und der andere, Wasik, in Wien, akzeptieren ihre sozial untergeordnete Stellung und verlangen zugleich nach einer anderen Wirklichkeit, die Kandel in der Person des Wappenmalers Fuchsberger (der auch in »Dame und Scharfrichter« erwähnt wird) veranschaulicht sieht, da er es geschafft hat, »in ein Schloß hineinzukommen... Und der Wappenmaler war ein Lebensmeister.« (19) Dahinter steht in einer tieferen Schicht die Liebe des jungen Kandel zu der Gräfin Franziska von Leutrum, die sich nach Wien verheiratete und um derentwillen er ein halbes Jahr in Wien zubrachte, in der vergeblichen Hoffnung, sie wiederzusehen. Der Traum des Sterbenden am Ende sieht ihn in einer Kutsche den Wappenmaler fahren und in einer Verdoppelung seiner selbst zugleich einer anderen von ihm gefahrenen Kutsche begegnen, in der er seine Jugendliebe, Franziska von Leutrum, wiedererkennt.

Sicherlich, die Utopiefunktion des Wappenmalers wird von Lenz auch kritisch gezeigt, so am Beispiel von Kandels Nichte Lili Kienzle, die zu Anfang mit dem Herrn von Süßkindt liiert ist und am Ende, nachdem Süßkindt sie hat fallen lassen, den braven Hilfsgeometer Zaininger heiratet. Für Lili wird der Wappenmaler zur personifizierten Lebenslüge, zum Ausdruck der Unzufriedenheit mit ihrem Dasein, und es ist nur konsequent, daß sie den späteren Nazi von Süßkindt »in der Ferne als hellen Mann stehen« (127) sieht, nämlich als Wappenmaler.

Was Kandel noch möglich war, in seinem Leben ins Gleichgewicht zu bringen, nämlich das Akzeptieren seiner vorgefundenen Stellung und seine Utopiehoffnung, wird der nächsten Generation bereits zum unlösbaren Problem. Ja, diese Problematik wird bei Kandel und Wasik selbst angedeutet. Denn sie gehören mit ihren Berufen einer Vergangenheit an und finden eigentlich keinen Platz mehr in der neuen Wirklichkeit. Aus ähnlichen Gründen flieht Erich, Lilis Sohn, der in vielem die Züge Eugen Rapps trägt, in die Vergangenheit, vergräbt sich in seiner Mörike-Lektüre, weicht dem Anspruch seines Vaters aus, in die SA einzutreten, träumt sich in »das im Nichts verschwundene Wien... in dem er sich verkriechen wollte« (175) und will Antiquar werden. Auch ihm bleibt nur die Tarnung durch Unscheinbarkeit, die Verinnerlichung: »Weil wir uns ducken müssen, holen wir uns die Freiheit aus dem Traum...« (184)

In dem Roman »Die Augen eines Dieners«, der die Auflösung der Restbestände der alten habsburgischen Ordnung in der nationalsozialistischen Zerreißprobe am Schicksal der Familie von Engelsleben zeigt, findet sich in Eduard von Engelsleben, im Sohne Fannys, die Wasik ähnlich liebt wie Kandel Franziska, ein Verwandter Erich Zainingers und Eugen Rapps. Aus Protest gegen die politische Anpassung seines Vaters verleugnet er die väterliche Tradition, wird nach dem Krieg Tramschaffner und beschreitet, von der Lektüre Marc Aurels geleitet, den Weg nach innen. Schlüsselbedeutung hat in diesem Zusammenhang das wiederholt zitierte Marc Aurel-Wort: »Sieh nach innen« (178).

Wasik und Eduard richten sich beide danach: »Vor deiner Haut beginnt die Fremde. Du hast nur ein Haus in dir selbst: alles andere verändert sich« (183). Wasik, der in seiner Jugend das »Lied vom roten Eber« (91/2) sang und dem Gedanken des Umbruchs, der Revolution, des Beginns einer neuen Zeit und eines neuen Weges für ihn selbst nicht fern stand, hat dieses Lied längst vergessen und resigniert: »Jeder soll sein, wie er von innen heraus sein muß. Seine Natur ist doch das Wichtigste.« (211) Durch das kleine Vermögen, das ihm Fanny von Engelsleben verschafft hat, wirtschaftlich sichergestellt, flüchtet er sich in ein Leben der Ordnung hinein, das Isolation miteinschließt: »Wissen Sie, wenn in meinem Leben nicht alles streng geordnet sein kann, bleibe ich lieber allein.« (118)

Das Modell dieser Ordnung, das Habsburger-Reich, existiert bereits nicht mehr. Die Vision des Sterbenden, die eine Erinnerung an den österreichischen Kaiser wiederverlebendigt, läßt diese rückgewandte Perspektive ganz deutlich werden. Sicherlich, wenn man diese Bücher von Hermann Lenz auf ihren ideellen Kontur befragt, dann bieten sich der Kritik viele Angriffsflächen, die in den Verinnerlichungstendenzen, in der Wirklichkeitsflucht seiner Romanfiguren, ihrer Isolation und Resignation angesichts einer Wirklichkeit zum Ausdruck kommen, der sie mit rückgewandten Träumen und Bildern hilflos ausgeliefert gegenüberstehen. Aber was sich hier leicht als unterschwellige Ideologie einer solipsistischen Isolation und Ausweglosigkeit deuten ließe, unterschlägt die eigentliche künstlerische Beweisführung bei Hermann Lenz: die Sensibilität und Genauigkeit, mit der er die Welt seiner Figuren auslotet und sie subjektiv wahr werden läßt, die sprachliche Eindringlichkeit einer Wirklichkeitserfahrung, die, in ihrer Konkretheit wahrgenommen, ein Gewicht erhält, das sich nur in der generalisierenden Distanz als problematisch zu erkennen gibt.

Kein Zweifel, was sich von der Oberfläche her als Attitüde der Inneren Emigration bei Lenz denunzieren ließe, wird als geduldig in Sprache überführte Anschauung seiner individuellen Erfahrung jenseits jeglicher ideologiekritischen Auf- und Abrechnung gewichtig, so wenn es am Ende von »Der Kutscher und der Wappenmaler« in dem Traumgespräch des Sterbenden mit seiner Jugendliebe heißt: »Sie sprachen über die Maurener Geruhstatt, und Kandel erzählte vom Schlehenbusch, unter dem er früher oft gelegen war. Goldammern flogen aus den Zweigen, der Abendhimmel dehnte sich, und falls er jetzt von ihr etwas gegen's Fremdheitsgefühl bekommen hätte, das er zeitlebens gespürt hatte, wenn er mit jemand sprach, dann wäre er froh gewesen.« (211)

5. Der eigentliche Beitrag von Hermann Lenz zur deutschsprachigen Epik der letzten Jahrzehnte besteht in einem andern Buch, das in der Literatur der sechziger Jahre durchaus einzigartig ist und in der perspektivischen Anlage der Gestaltung und in der Intention seine anderen Bücher übersteigt. Der geduldige mikroskopische Blick fürs Detail und der visionäre Ausblick auf eine Wirklichkeit, deren faktische Grenzen überschritten werden, verbindet sich in dem 1962 erschienenen Band »Spiegelhütte«[16] zu einer eindrucksvollen Einheit, die Formeln wie surrealistischer oder allegorischer Roman nur unvollkommen beschreiben.

Lenz hat hier in gewisser Weise die Wirklichkeitsauffassung seiner Protagonisten, nämlich hinter der realen stets eine andere hellere Wirklichkeit zu suchen, die im Bilde Österreichs, Wiens, des Kaisers Franz Joseph oder des Wappenmalers beschrieben wird, bis ins Extrem vorangetrieben, indem er nun die Simultaneitätserfahrung ihres Bewußtseins, Vergangenheit und Gegenwart ineins zu sehen und das Gegenwärtige stets mit den Augen der Vergangenheit zu betrachten, konkret als *eine* Realität beschreibt, in der das Nacheinander der Zeit und die psychologische Kausalität, die das Verhalten der Menschen bestimmt, ausgelöscht sind. Er hat das Bewußtsein seiner Protagonisten, ihr Innerstes, gewissermaßen nach außen gewendet und gestaltet in Drommersheim, dem Wirklichkeitsort der »Spiegelhütte«, diese Überwirklichkeit nun mit der gleichen geduldigen Präzision wie die von seinen Romanfiguren erlebte historische Wirklichkeit in den andern Romanen.

Lenz hat diese Darstellungsweise schon in seinem 1949 erschienenen Band »Das doppelte Gesicht«[17] erprobt, der wie »Spiegelhütte« in drei Teile untergliedert ist. Das Wien der Nachkriegszeit, in das »der berühmte Bauchredner und Illusionist« (7) Alexander Valtamare im ersten Teil, »Das nächtliche Aquarium«, nach siebenjähriger Abwesenheit aus der englischen Emigration zurückkehrt, um nach seinem verschollenen Bruder Daniel zu suchen, trägt phantasmagorische Züge. Die Unterschiede zwischen Lebenden und Toten sind aufgehoben, in einer Weise, wie es im dritten Teil an einer Stelle beschrieben wird, daß nämlich »Lebendige und Tote eine Kette bildeten...« (223) Die Suche nach dem Bruder erweist sich als Suche nach dem eigenen Ich, das ihm spiegelbildlich gegenübertritt, und als Reise in die eigene Vergangenheit, deren schuldhafte Verstrickung ihm nun bewußt wird: in der Begegnung mit der seinerzeit von ihm verlassenen Geliebten Melusina, die eine Tochter von ihm hat, um die er sich nie kümmerte; in der Beziehung zu der jungen Schauspielerin Liane Zumsteeg, die er in den Selbstmord trieb, in der Erkenntnis seines damaligen dandyhaften Lebens, als er, wie er nun im Rückblick einsieht, »ein egoistischer, grausamer Mensch« (54) war, der alle anderen seiner Karriere opferte. Der Kontakt mit der Gemeinschaft der Toten, der »Museumsgesellschaft«, deren Signum »in Gestalt eines großen Wappens mit dem Doppeladler, dem Zeichen der vergangenen österreichischen Monarchie« (74) hervortritt, führt ihn nun zu moralischer Einkehr, zur Erkenntnis seiner Schuld, seiner Schuld auch am Schicksal seines Bruders, den er, um sich selbst besorgt, hinter sich gelassen hatte und der »schon vor langer Zeit in einem großen östlichen Deportiertenlager umgekommen« (106) war.

Diese Reise in die Vergangenheit wird auch im dritten Teil, »Die unsichtbare Loge«, am Beispiel des Mädchens Naemi Goldstein variiert, das in Auschwitz umgekommen ist und in einem traumhaft verfremdeten Nachkriegs-München den Erzähler in ein Totenreich führt, das, wie von der »Museumsgesellschaft« im ersten Teil, hier nun von der Loge »Zum geheimen Einverständnis« repräsentiert wird, von der es heißt: »... wir sind tief mit den Toten, überhaupt mit allem Entschwundenen verbunden...« (224)

Der Eindruck, »als wäre alles mit Vergangenem und Gegenwärtigem seltsam gemischt« (198), gilt auch für den zweiten Teil, »Der fliegende Engel«, der das Wien des Jahres 1938 in Erinnerung ruft und am Schicksal des Dichters Eduard, der an der Zeit zerbricht, eine behutsame Selbstdeutung vorführt: »Aber da sah man's wieder, daß eben jegliche Neigung zum Idyllischen nur aus einer hohen Gespanntheit der Empfindung entsprang, daß auch der Dichter Eduard im Grunde eigentlich am Leben zerbrochen war und sich in seiner Dichtung eine eigene reine Welt hatte bauen müssen, eine Himmelswelt gewissermaßen, um in der irdischen bestehen zu können...« (159) Am Beispiel Albertines, die ihre jüdischen Freunde durch ihre Unachtsamkeit in Lebensgefahr gebracht hat und, dem vergoldeten fliegenden Engel auf der Brüstung des Opernhauses folgend, mit ihrem Freitod ihre Schuld sühnt, wird auch das Thema der beiden andern Erzählungen, das Thema der indirekten Schuld, der schuldhaften Schuldlosigkeit, erneut vertieft.

Gewiß, in der Konstruktion der allegorisierten Handlungszusammenhänge tauchen gelegentlich manieristische Momente auf. Aber wie es Lenz gelingt, das Thema des moralischen Versagens im Dritten Reich ohne jegliche plakative Moralisierungstendenz in diesem zum Gleichnishaften erweiterten und verfremdeten Bild Wiens in der Nachkriegszeit zu spiegeln, zeugt bereits von einer sprachlichen Eindruckskraft, die im Kontext der damals entstehenden Literatur und auch aus der Distanz von mehr als fünfundzwanzig Jahren ihre Besonderheit behalten hat.

In »Spiegelhütte« nun hat Lenz in gewisser Weise alle seine Themen und Motive zusammengefaßt. Es ist auch unter diesem Aspekt der Höhepunkt in seinem bisherigen epischen Werk. Drommersheim liegt ebenfalls in Kakanien, es ist ein Zwischenreich, in dem die vertrauten Dimensionen der Zeit ihre unterscheidende Bedeutung eingebüßt haben, und es ist zugleich mehr als das: eine Antizipation und in epische Anschauung umgesetzte Darstellung der latenten Möglichkeiten und Gefahren, die in der faktischen Wirklichkeit angelegt sind. In »Spiegelhütte« ist es Lenz geglückt – sieht man einmal von den Arbeiten ab, die Abschnitte der Vergangenheit in retrospektiver Abgeschlossenheit behandeln –, so etwas wie einen allegorischen Zeitroman zu schreiben, der den Dualismus von resignativer solipsistischer Versponnenheit und abstrakter utopischer Hoffnung überwindet und von den Voraussetzungen seines Geschichtsverständnisses her seine Deutung der Wirklichkeit vorträgt und episch begründet.

Denn Drommersheim ist keineswegs nur die in eine traumhafte Realität überführte Vision des »inneren Bezirks«, nach dem die Protagonisten seiner anderen Romane streben, sondern die Vorstellung einer Überwirklichkeit, in die auch Züge der im faktischen Sinne realen Welt eingegangen sind. Der Dualismus, der bei Lenz so häufig die Welt in einen verinnerlichten eigentlichen Bezirk, einen Seelen-Bezirk gewissermaßen, und in den brutalen

Mechanismus der äußeren Ereignisse aufspaltet, scheint hier überwunden, da in Drommersheim beides vorhanden ist.

Der junge Erzähler Franz Gravenreuther, der, aus der Strafanstalt Drommersheim entlassen, dem Appell des Drommersheimer Wappen-Spruches – mit dem Einhorn als Wappentier – »Einhorn geh nach Drommersheim« (19) folgen muß, trifft in der Wirtschaft »Spiegelhütte« das ihm von seiner Münchener Studienzeit her bekannte Mädchen Senta Sonnensperger wieder, das seine Führerin in diesem seltsamen Reich wird, in dem die römische Verfallszeit des Marc Aurel und die Zeit des Erzählers simultan ineinander geschoben sind und in dem der »praeses provinciae«, also ein römischer Statthalter, an der Spitze steht: »Bei uns gelten noch die römischen Titel, weil wir Heiden sind.« (28) Das erinnert von fern an das Traumreich in Kubins Roman »Die andere Seite«[18], jene »Freistätte für die mit der modernen Kultur Unzufriedenen« (9), das »Claus Patera, absoluter Herrscher des Traumreichs« (10), errichtet hat, den der Erzähler am Ende bezeichnenderweise auch im Bild eines antiken Gottes beschreibt: »mamorn, kalt, gleich einem Götterbildnis der antiken Welt. Der Körper war von einer unbeschreiblichen Schönheit.« (186) Auch hier ist es keine ins Idyllische verzeichnete Utopie, sondern eine trancehafte Wirklichkeit, in der Züge des Grauens und Verfalls am Ende überwiegen.

Lenz' Erzähler erfährt, daß der Kodex der Moral in Drommersheim keine Geltung mehr hat: »Alle Lehrbücher der Ethik hat man weggeworfen.« (21) Der Glaube an eine von der Vernunft geleitete Progression der Geschichte ist aufgegeben worden: »Die Geschichte ist sinnlos und wird vom Zufall bestimmt. Neben der Vergänglichkeit glauben wir also an den Zufall und ans Unvorhergesehene. Das Unwahrscheinliche und das Absurde sind unsere Gottheiten...« (28) Jene von Robert Boehringer mitgeteilten, von George verworfenen Verse seines Gedichtes »Teuflische Stanze«[19], die zitiert werden – »Kein Heiliger, der's nicht aus dem Sünder wurde, / Und ewige Wahrheit bleibt nur das Absurde« (69) – drücken die Gefährdung dieser Wirklichkeit aus.

Was der Erzähler anfänglich als ihn nicht betreffend erfährt – »Nicht genug, daß ich sieben Jahre in der Strafanstalt hatte verbringen müssen, jetzt hielten sie mich auch noch in dem veralteten Drommersheim fest.« (84) –, erweist sich, je länger die Reise dauert, um so stärker als Konfrontation mit seinem eigenen Leben, mit seiner Haltlosigkeit, seinem Scheitern, seiner Schuld bis hin zu dem Augenblick, wo seine menschliche Erinnerung wiederkehrt und er in Senta die einstige Freundin erkennt, die er fallenließ und die dann von ihrem späteren Mann in einem arrangierten Verkehrsunfall getötet wurde: »Er hat mich umgebracht, aber einen Unfall vorgetäuscht. Wenn du mich damals geheiratet hättest, wie es dein Vater gewollt hat, wären wir beide heute nicht in Drommersheim. Beide zusammen hätten wir das Leben auf unsere Seite gezwungen, das kannst du mir glauben.« (83)

Das Schuldgeständnis, das der Erzähler zu Anfang fast routinemäßig absolvierte, erhält erst gegen Ende, nach dem Besuch des Cabarets »Spiegelhütte«, das die Vergangenheit nochmals vorüberziehen läßt, seinen Sinn und deutet im Widerstand gegen die Babylonier, die das Alte verachten, die Richtung auf jene Utopie an, die am Ende in der Frage des Erzählers an Senta anklingt: »...glaubst du, daß für den Statthalter die reine und ewige Zeit beginnt, die im Geschichtsbuch WELTFRIEDE heißt« (95)? Auch wenn der Erzähler Drommersheim am Ende wieder verlassen muß, so doch in dem Bewußtsein, daß Sinnlosigkeit, Absurdität nicht das letzte Wort sind. Die Vergänglichkeitsmauer ist eingestürzt, die zu Museen erstarrten Kirchen läuten wieder ihre Glocken, und der Statthalter, der sich allen entzog und über dessen Existenz man rätselte, fährt in Begleitung von Sentas Vater in einer offenen Kutsche vorüber.

Auch der zweite Teil des Buches, »Calvaria oder eine Audienz in S.«, erweist sich als ein dichtes Gleichnis, in dem Lenz seine Sicht der Wirklichkeit ausdeutet. So wie die in eine schwarze Lederjacke gehüllte Motorradfahrerin Senta Sonnensperger in einer Figur des autobiographischen Romans »Andere Tage« ihr Vorbild hat, lassen sich auch hinter den Erfahrungen des achtzehnjährigen Studenten Carl Umgelter, der als »ein naiver junger Mensch« (100) beschrieben wird, im Bewußtsein Eugen Rapps gespiegelte Erlebnisse wiedererkennen.

Aber das, was für Rapp in die mitläuferische Mentalität seiner Studentenverbindung und seine intakte Innerlichkeit, seine Träume und Hoffnungen, zerfällt, wird hier wiederum in Anschauung überführt und am Beispiel von Drommersheim so dargestellt, daß real erfahrene und das heißt von der NS-Zeit gezeichnete Wirklichkeit und erträumte Wirklichkeit, die Wirklichkeit des Imperium Romanum und des Habsburgerreiches, simultan dargestellt werden, eben im Bilde von Drommersheim, wo »der Staatskanzler Clemens Wenzel Fürst Metternich… wie Marc Aurel oder Karl der Fünfte lebte« (132). So besteht denn auch der größte Wunsch Carl Umgelters darin, »zu Dextrianus, dem Commandeur der dritten italischen Legion, vorgelassen zu werden und ihn zu bitten, ihm eine Audienz bei Kaiser Marcus Aurelius zu vermitteln, wenn er im Lande weilte. Denn dieser Teil der Provinz Noricum, in dem Drommersheim lag, war eine wichtige Bastion des Imperium Romanum…« (100) Umgelter möchte »den Kaiser auf seinen Inspektionsreisen bis Vindobona und Carnuntum… begleiten« (100).

Die Utopieverweise aus den andern Büchern von Hermann Lenz lassen sich hier alle wiedererkennen: Marc Aurel, das Imperium Romanum, das Habsburgerreich, Wien und Carnuntum, wie auch im Bild des Statthalters von Drommersheim das Bild des österreichischen Kaisers gespiegelt wird. Aber alles das wird nicht als Moment der Verinnerlichung und subjektiven Fluchtgebärde vorgeführt, sondern in epische Anschauung umgesetzt, deren sinnliche Überzeugungskraft weit über einen subjektiven Appell hinausreicht. Nirgendwo hat Lenz seine geschichtsphilosophische Position überzeugender dargestellt als hier, und nirgendwo ist er glaubhafter als hier am Beispiel Carl Umgelters, der hinter Drommersheim zugleich das antike Sendliacum und das Orplid Mörikes erkennt und dessen Bekenntnis auch das Bekenntnis des Schriftstellers Hermann Lenz ist: »Ja. Sendliacum ist ewig. Immer wird der Kaiser die Grenzbefestigungen abreiten, und ich werde ihm mit der Schreibtafel folgen, auch wenn dies alles niemals sein wird, ist und war.« (176) Und auch jenem andern Bekenntnis, das dazu gehört und das den zweiten Teil von »Spiegelhütte« beschließt, vermag man sich schwer zu entziehen: »Wenn du alles besitzt und keine Sehnsucht hast, bist du tot.« (176)

Der Erzähler des dritten Teils, »Geheime Ziffernkanzlei«, der »Zifferconcipist Franz Laub« (188), der zugleich im Auftrage Metternichs und des Statthalters von Drommersheim Ferdinand Wasik in der geheimen Ziffernkanzlei angestellt ist, einer Art Zensurbehörde, die das Geschehen in Drommersheim überwacht und den Statthalter über die Stimmung in Drommersheim informieren soll, ähnelt als »ein dem Imperium Romanum verpflichteter Mensch« (181) Carl Umgelter, der äußert: »Überhaupt bin ich für die Wiederaufrichtung des Imperium Romanum.« (163) Stärker noch als in den beiden andern Teilen wird Drommersheim im Zustand der Gefährdung gezeigt. Die Ideologie der Babylonier untergräbt die vierte Wirklichkeitsdimension, die des Traums, der Hoffnung und der Sehnsucht, die zu Drommersheim gehören, und propagiert eine »ominöse Revolution« (230), die den Statthalter stürzen will und im Zeichen einer befreiten Triebhaftigkeit eine bessere Ordnung verspricht. Aber der Umsturz, den Laub mit verhindert, indem er den Statthalter warnt, trägt groteske Züge, die der Erzähler karikaturistisch enthüllt: »Dann begegneten mir zwei junge Leute, beide nackt und im Gehen eng umschlungen; das Mädchen trug ein Halsband aus rotem Samt, in dem die Worte ›Coito, ergo sum‹ eingewoben waren... An einem Kiosk waren illustrierte Journale ausgehängt, deren Photographien seitengroße Geschlechtsteile zeigten... Der Feuilletonbeitrag eines bekannten Schriftstellers lautete, ›Beschreibung meines Penis.«‹ (214)

Was da als »der geile Lebensstil von heute« (198) analysiert wird, wirkt, obwohl in den späten fünfziger Jahren geschrieben, merkwürdig aktuell und scheint mittlerweile von der Zeit eingeholt. Und auch Laubs Aufdeckung der Motive, die hinter allem stehen, hat an Überzeugungskraft inzwischen nur noch gewonnen: »Ich glaube, es ist Todesangst, was die Menschen heute so lebendig zappeln läßt, daß es scheint, als wüßten sie vor Kraft weder aus noch ein.« (198) Die Verleugnung der Vergangenheit und damit des Todes im Zeichen einer hektischen Triebhaftigkeit und Modernität unterschlägt gerade das, was in Drommersheim die Realität erträglich werden läßt: »Der Statthalter jedoch hat uns mit dem Tod befreundet, indem er das Vergangene neu machte. In der Altstadt Drommersheim wird das Alte mehr geachtet als das Neue, allein schon deshalb, weil das Neue nur kurz lebt. Das Alte aber bleibt bestehen, es ist unveränderbar, weil es tot ist und trotzdem lebt.« (198/9)

Diese zum Irrealen aufgestoßene Wirklichkeit wird jedoch nicht nur behauptet, Lenz stellt sie zugleich dar und begründet in Bild und Gleichnis, was der Statthalter im Gespräch mit Laub ausführt: »Wie Ihnen bekannt sein dürfte, ist Drommersheim im greifbaren Sinn einer handfesten Wirklichkeit nicht existent, und was wir erleben, geschieht im Traum... Die Kämpfe finden in uns selber statt, und was wir außen sehen, ist ein Spiegelbild der in uns minierenden Sorgen.« (199)

Die poetische Darstellungsweise in »Spiegelhütte« wird hier gleichsam auf den Begriff gebracht und zugleich im konkreten

Anschauungsgleichnis dargestellt. Das tritt zum Beispiel in der deutlichen Steigerung der in den drei Teilen dargestellten menschlichen Kommunikation hervor. Das schuldhafte Scheitern der Beziehung zwischen Senta Sonnensperger und Franz Anton Gravenreuther im ersten Teil, die im Zufälligen sinnlicher Anziehung verbleibende Beziehung zwischen Carl Umgelter und Lena Herzfelde im zweiten Teil erweitert sich in der Beziehung Franz Laubs zu Else Glück zu wirklicher Kommunikation. Der Wappen-Spruch des Einhorns im ersten Teil – »Einhorn geh nach Drommersheim« – wandelt sich denn auch folgerichtig am Schluß des dritten Teils im Traum des Erzählers zu der den Partner einschließenden Forderung: »Geh mit mir nach Drommersheim.« (236) Während Else den Erzähler küßt, heißt es: »Befreit von Schleiern, war das Alte aufgerichtet. Vor uns stand eine Kaiserbüste auf einer Säule, beide erst vor kurzem ausgegraben und hier aufgestellt; die Erde hatte sie bewahrt wie sie auch Drommersheim bewahren würde, später, tief im unteren Bereich, der mächtiger war als alles, was sich prall gebärdete. Drommersheim war Luft und Licht und seine Gestalt ein Sinnbild, das mit uns verschwinden würde.« (238)

Ließe sich vielleicht über die autobiographische Prosa von Hermann Lenz jener Satz sagen, den er dem Journalisten im Gespräch mit Carl Umgelter im zweiten Teil von »Spiegelhütte« ironisch in den Mund legt – »Also sind Sie ein solipsistischer Escapist provinzieller Provenienz.« (163) –, so erweist der poetische Entwurf dieses Buches diesen Vorwurf als gegenstandslos. Lenz geht hier über Verinnerlichungstendenz und Fluchtgebärde weit hinaus. Das sich selbst und seiner Innerlichkeit überlassene Ich und eine ihm fremd gegenüberstehende Wirklichkeit werden nochmals zueinander in Beziehung gesetzt und in einem gesteigerten poetischen Bild miteinander verbunden.

Lenz hat die Tendenzen seiner historischen Situation hier auf- und vorweggenommen und ihnen eine Antwort zu geben versucht, die das Schlagwort vom rückgewandten Utopismus Lügen straft. Er war und ist in diesem Buch seiner Zeit auf doppelte Weise voraus. Es will scheinen, als habe Lenz in »Spiegelhütte« jene vorausweisenden Sätze Thomas Manns eingelöst, die jener nach der Lektüre des »Doppelten Gesichtes« 1953 an Hans Reisiger, der ihm das Buch geschickt hatte, schrieb[20]: »...das Buch von Hermann Lenz... hat mich sehr beschäftigt... Das ist ein originelles, träumerisch-kühnes und merkwürdiges Talent, ganz selbständig neben Kafka, an den die Geschichten in ihrer genauen, wohlartikulierten Un- und Überwirklichkeit noch am meisten erinnern... Ich nehme das Buch mit und will entschieden noch besser in diese zweifellos alle Aufmerksamkeit verdienende Erscheinung eindringen. Sie wird von sich reden machen.«

Anmerkungen

1 Lenz las 1951 während der 9. Tagung der Gruppe 47 in Laufenmühle bei Ulm. Zum Echo vgl. den Hinweis bei Arnim Eichholz: »Welzheimer Marginalien«: »Es kann passieren, daß ein Romanauszug von Hermann Lenz von toleranten Zuhörern aus den gleichen Gründen scharf abgelehnt wird, die einen so scharfen Kritiker wie Walter Maria Guggenheimer bewegen, das Ganze für großartig zu halten.« (Zitiert nach »Die Gruppe 47. Bericht, Kritik, Polemik«, hrsg. v. R. Lettau, Neuwied 1967, 70)

2 Rühmliche Ausnahmen sind Hans Bender, der Lenz immer wieder veröffentlicht hat, und auch Dieter Hoffmann mit seinem frühen Porträt: »Hermann Lenz«, in: »Schriftsteller der Gegenwart«, hrsg. v. K. Nonnenmann, Olten 1963, 209-214.

3 Köln 1970.

4 »Wie ich ihn sehe«, in: »Vorletzte Worte. Schriftsteller schreiben ihren eigenen Nachruf«, hrsg. v. K. H. Kramberg, 2. Aufl., Berlin 1974, 85-92.

5 Handkes Bericht über diesen Besuch und sein Verhältnis zu Hermann Lenz ist jetzt auch erschienen in »Als das Wünschen noch geholfen hat«, Frankfurt/M 1974, 81-100.

6 Lukács: »Theorie des Romans«, Neuwied 1965, 114.

7 Vgl. dazu auch Hoffmann: »Österreich ist sein Stimulans, fast möchte man sagen seine Droge.« (214)

8 Köln 1966.

9 Köln 1968.

10 Dazu im einzelnen das Buch von Claudio Magris: »Der habsburgische Mythos in der österreichischen Literatur«, Salzburg 1966.

11 Frankfurt/M 1975.

12 Vgl. 178, ebenso 303.

13 Köln 1973.

14 Köln 1972.

15 Köln 1964.

16 Köln 1962.

17 Stuttgart 1949.

18 Zitiert hier nach der von H. Bienek besorgten Neuausgabe in der dtv-Reihe, München 1962.

19 Vgl. Robert Boehringer: »Mein Bild von Stefan George«, 2. Aufl., Düsseldorf 1967, 113.
20 Brief vom 19. April 1953, in: Th. M., »Briefe 1948-1955 und Nachlese«, Frankfurt/M 1965, 292-293.

VII.A. Ich kann über nichts anderes schreiben als über ein potentielles Ich. Gespräch mit Wolfgang Hildesheimer

1. Biographischer Ausgangspunkt: Exil?

D.: Herr Hildesheimer, Sie haben einmal erwähnt, daß Sie nur ein Drittel Ihres Lebens in Deutschland zugebracht haben.

H.: Ja, es stimmt nicht ganz. Es kommt wohl auf zwei Fünftel, mehr aber nicht.

D.: Könnten Sie vielleicht kurz charakterisieren, was die einzelnen Stationen und Länder sind, in denen Sie gelebt haben, und vielleicht auch etwas darüber sagen, was jeweils die Motive dafür waren, daß Sie sich in dem bestimmten Land aufhielten?

H.: Mein Vater war eben Unilever-Direktor, bei einer internationalen Firma also, und ging, als wir noch Kinder waren, nach Nimwegen. Da haben wir ein paar Jahre gewohnt, ich weiß nicht mehr, wie lange. Dann kam Mannheim, Odenwaldschule. Das war Deutschland. Ende 1932 ging ich nach England in die Schule, bis Ende 1933, dann kam Palästina bis 1947. Natürlich war ich zwischendurch in Europa, in England von 1937-39 an der Kunstakademie, dazwischen in der Sommerakademie in Salzburg, aber jedenfalls niemals in Deutschland, von 1933 bis 1947 nicht mehr in Deutschland. Von 1949 bis 1957 dann wieder Deutschland, und seit 1957 wohnen wir in der Südschweiz, wohlgemerkt, nicht im Tessin. Diesem Odium möchte ich mich nicht aussetzen.

D.: Standen 1932 hinter Ihrem Entschluß, nach England zu gehen, auch irgendwelche politischen Gründe?

H.: Ja, mein Vater war ein alter Zionist und wollte eigentlich schon 1929 auswandern, hat aber dann doch noch bis 33 gewartet. 32 bin ich in eine englische Austauschschule der Odenwaldschule gegangen, um endlich Englisch zu lernen.

D.: In gewisser Weise könnte man das vielleicht mit der Anfangsphase bei Peter Weiss vergleichen. Weiss hat selbst später den Versuch gemacht, seine Genesis als Schriftsteller aus dieser Exilsituation herzuleiten. Ich denke an den Aufsatz »Laokoon oder Die Grenzen der Sprache«. Könnte man sagen, daß auch auf Sie diese Exil-Problematik, obwohl Sie damals noch sehr jung waren, andeutungsweise zutrifft? Oder haben Sie sich nie Gedanken darüber gemacht?

H.: Das ist etwas völlig anderes und wird immer wieder mißverstanden. Peter Weiss war tatsächlich im Exil. Bei vielen Kritiken meiner Bücher wird das auch immer wieder erwähnt. Ich habe in England nie das Gefühl gehabt, ein Emigrant zu sein. Ich habe Deutschland vor den Nazis verlassen und bin persönlich niemals in Kontakt mit den Nazis gekommen. Meine Eltern wollten sowieso schon weg. Das Exilbewußtsein oder Exilgefühl habe ich niemals verspürt. Das ist also etwas völlig anderes. Meine diversen Psychosen haben bestimmt nichts mit einer Entwurzelungspsychose zu tun.

D.: Es wird bei Weiss eigentlich herangezogen als ein Erklärungsversuch für sein Verhältnis zur Sprache. In seiner Beziehung zur Muttersprache ist so von Anfang an ein Element der Distanz, der Verfremdung vorhanden gewesen, und deshalb hat es ihn sehr viel mehr Anstrengungen gekostet, sich diese Sprache anzueignen. Das heißt: er hat also sehr bewußt mit dem Material der Sprache gearbeitet. Das ist eigentlich bei Weiss der Ansatz der Exilproblematik. Gibt es da möglicherweise eine Parallele bei Ihnen?

H.: Ja, da ist allerdings eine sehr starke Parallele. Ich habe niemals gewußt, daß Peter Weiss das irgendwo niedergelegt oder gesagt hat. Das ist bei mir auch der Fall: das verfremdete Verhältnis zur deutschen Sprache. Aber es wurde niemals von mir als Problem empfunden, merkwürdigerweise. Ich habe das immer als ein interessantes Spannungsverhältnis empfunden: Was kann ich auf Deutsch sagen? Und es war für mich praktisch Wiederentdeckung. Das ist das Merkwürdige. Es gibt auch heute Worte, die mir zuerst auf Englisch einfallen, die ich auch, wenn ich deutsch schreibe, im englischen Wörterbuch nachschaue: Wie sind sie im Englischen, wie kann man es am besten auf Deutsch sagen? Dieses Spannungsverhältnis zum Deutschen habe ich auch. Für mich ist das eher wohltuend. Für mich ist keinerlei Anstrengung damit verbunden.

2. Literarische Anfänge

D.: Um diesen Faden noch einen Augenblick fortzuspinnen: Bei Weiss hat es eine Phase gegeben, wo er versucht hat, in Schweden als schwedischer Autor Fuß zu fassen, also schwedisch schreibend. Es gibt ja die Parallele bei Ihnen und Weiss in bezug auf die Bildenden Künste. Gab es auch bei Ihnen Versuche, sich als englischer Autor zu profilieren?

H.: Nein, ich habe ja damals nie an eine Schriftstellerlaufbahn ge-

dacht. Ich habe erst sehr spät angefangen, eigentlich erst 1949 mit kleinen Geschichten, damals in der »Neuen Zeitung«. Ich habe wohl als britischer Informationsoffizier in Palästina – ich war eigentlich verantwortlich für eine Propagandazeitschrift – und als Redakteur der englischen Ausgabe dieser Zeitung manchmal Kunstkritiken geschrieben und ein paar Gedichte auf Englisch veröffentlicht. Aber damals hatte ich noch nicht die Absicht, Schriftsteller zu werden, und hätte niemals daran gedacht. Ich habe damals in einer englischen Anthologie, als ich noch nicht über Rechte Bescheid wußte, eine Übersetzung der Erzählung »Elf Söhne« von Kafka veröffentlicht. Sonst hatte ich keine Ambitionen als Schriftsteller.

D.: Entfällt damit auch die Möglichkeit, daß Sie während Ihrer Jahre in Israel in Beziehung zu dem gestanden haben, was sich an literarischer deutschsprachiger Emigration zu jener Zeit in Israel aufhielt?

H.: Ich habe Else Lasker-Schüler noch gekannt, hatte jedoch keine Ahnung von ihrer wirklichen Bedeutung. Sie war eine komische Alte, die damals durch die Straßen von Jerusalem ging, und Kinder zogen hinter ihr her. Ich war wohl mitunter bei Veranstaltungen von Emigranten, die dann plötzlich so einen Mörike-Abend machten. Dann war ich befreundet mit Max Brod, dessen Situation auch nicht unbedingt Emigration war. Verhältnis zu den Emigranten: ich sah wohl diese Zeitschriften, die damals in Amsterdam erschienen, im Querido Verlag, aber das interessierte mich absolut nicht. Ich habe mich eigentlich niemals aktiv für Literatur interessiert, nur eben für Bücher. Mit Joyce habe ich mich damals auseinandergesetzt.

D.: Sie sind eigentlich relativ früh, wenn ich das so nennen darf, in die Literaturgeschichte eingegangen, und zwar als Dramatiker und als Vertreter einer Spielart des Theaters, des absurden Theaters, die heute bereits wieder historisch gesehen wird. Aber Sie haben sich dann, so glaube ich, durchgesetzt und profiliert als Autor besonders durch Ihre Prosaarbeiten, vor allem natürlich durch Ihre beiden letzten Romantexte. Vorangegangen ist aber bereits ein anderer Roman, der 1953 veröffentlicht wurde, »Paradies der falschen Vögel«. Er heißt im Untertitel »ein heiterer Roman«. Wenn man Ihre beiden letzten großen Prosaarbeiten kennt und man stößt nun auf diesen Titel, dann gibt es einen Moment der Irritation. Man wundert sich. Wie steht es um diesen ersten Roman?

H.: Das Buch figurierte nur in der Goldmann-Taschenbuchreihe unter dem Titel »ein heiterer Roman«; in der ersten und zweiten Ausgabe bei Desch hieß er nicht »ein heiterer Roman«. Ich habe ein bestimmtes Verhältnis zu diesem Buch und finde es immer noch wirklich ganz komisch. Es wird auch jetzt wieder neu aufgelegt. Leider hat Goldmann immer noch die Rechte. Es wird in absehbarer Zeit, spätestens in einer Werkausgabe meiner ganzen Arbeiten, bei Suhrkamp erscheinen, und ich finde, wenn es eine kritische Ausgabe wird, gehört es auch hinein. Ich habe vor kurzer Zeit wieder darin gelesen und fand es ganz komisch. Ich muß sagen, daß ich mehr Verhältnis dazu habe als zu den meisten, nicht allen, meiner dramatischen Arbeiten.

3. Sprach-Krise?

D.: Es handelt sich bei Ihrem ersten Roman um ein traditionell geschriebenes Buch, d. h. mit einem traditionellen Personal, mit einer Fabel, mit einer bestimmten komisch-humorigen Präsentation von Handlung. Nun könnte man eigentlich annehmen, daß Sie sich auf dem Hintergrund von »Tynset« und »Masante« davon distanzieren. Es gibt diese Stelle am Ende der »Vergeblichen Aufzeichnungen«, die immer wieder zitiert wird, wo Sie sagen: »Mir fällt nichts mehr ein. Kein Stoff mehr, keine Fabel, keine Form, noch nicht einmal die vordergründigste Metapher.«

Man hat das als Beleg für so etwas wie ein Chandos-Erlebnis bei Ihnen gewertet und gemeint, daß sich hier so etwas wie eine wichtige Wende bei Ihnen abzeichnet.

H.: Das stimmt wohl. Denn das war der Anfang der »Tynset«-»Masante«-Phase. Ich könnte also jetzt die einzelnen Strukturen nicht mehr festlegen, aber das war für mich das Ende des »straight forward«-Erzählens, denk ich mir. Trotzdem – man muß das natürlich auch historisch sehen – gehört es mehr in die Periode der »Lieblosen Legenden«, zu denen ich auch heute noch ein sehr starkes Verhältnis habe, die ich allerdings völlig historisch sehe. Ich lese sie manchmal auch noch öffentlich, sage dann allerdings: das ist vor 25 Jahren geschrieben worden. Ich würde mich hüten, heute etwas Derartiges zu schreiben oder schreiben zu wollen. Ich könnte es auch gar nicht mehr. Das war eine unbeschwerte Zeit damals, nicht nur in der Literatur, sondern überhaupt. Da konnte man das schreiben. In jener Zeit, finde ich, hatte das Buch seine Berechtigung. Natürlich ist es mit »Tynset« oder »Masante« nicht zu vergleichen.

4. Beschäftigung mit Barnes und Joyce

D.: Wenn man sich Ihre Entwicklung als Autor anschaut – und nicht an der These des Chandos-Erlebnisses bei Ihnen festhält –, dann könnte man den Eindruck haben, daß es eine andere Umbruchsituation bei Ihnen gegeben hat, die mit Ihrer Übersetzungsarbeit verbunden ist, und zwar in erster Linie, so glaube ich, mit Ihrer 1959 vorgelegten Übersetzung von Barnes' »Nightwood«. Auch die Beschäftigung mit Joyce, »Finnegans Wake«, gehört dazu. Die »Anna Livia Plurabelle«-Episode haben Sie übersetzt und kommentiert. Sowohl bei Joyce als auch bei Barnes ist es so, daß sich in ihren Büchern ein neues Strukturprinzip durchsetzt. Man könnte es vereinfacht als Prinzip des Monologischen bezeichnen. Läßt es sich nun sagen, daß die strukturelle Anlage von »Tynset« und »Masante« von der Beschäftigung mit diesen beiden Autoren herkommt?

H.: Also: in der Struktur würde ich nicht sagen, wohl aber in der Thematik. Ich glaube heute sagen zu können, daß eine Figur wie Maxine in »Masante« vielleicht ohne den Doktor in »Nightwood« nicht denkbar wäre. Das hat mich sehr stark beeinflußt, völlig unbewußt. Mit Joyce ist es etwas anderes. Die Beschäftigung mit Joyce liegt schon sehr weit zurück, das war schon während der Kriegsjahre. Ich glaube nicht, daß das Monologische in »Masante« und vor allem in »Tynset« irgend etwas mit dem Monologischen bei Joyce zu tun hat, was ja im »Ulysses« eigentlich nur im letzten Kapitel, in Molly's Soliloquy, vorkommt. Bei dieser Riesenpartitur von »Ulysses« kann man ja auch nicht sagen, daß das monologisch ist. Ich glaube, die Beeinflussung durch Joyce – soweit ich das selbst feststellen kann – ist nicht stark. Ein großes Leseerlebnis und eine Erweiterung des Horizontes, eine Bewußtmachung – aber ich glaube nicht, daß »Tynset« und »Masante« irgendwie Einflüsse aufweisen, auch nicht in der Struktur.

D.: Sie haben einmal im Zusammenhang eines Gespräches über Ihre Übersetzungsarbeit gesagt, es bleibe etwas davon haften in Ihnen, so sei es bei Barnes' »Nightwood« gewesen: »Vielleicht wird es auch so bei der ›Anna Livia Plurabelle‹ sein, ich weiß es nicht, ob ich noch Entfaltungsmöglichkeiten habe.«

H.: Da war »Masante« schon fertig, das ist eine andere Sache. Also, ich meine, die Beeinflussung durch Joyce muß über so viele Ecken und durch so viele unbewußte Stationen gegangen sein, daß ich selbst eine Beeinflussung meines Schreibens nicht feststellen kann. Daß ich ans Ende meiner Thematik, wohlgemerkt, meiner Thematik als Erzähler – nicht als Essayist oder als Schöpfer irgendwelcher offenen Formen – gelangt bin, als Erzähler ans Ende gelangt bin, daran ist kein Zweifel. Nach »Masante« ist kein erzählendes Werk bei mir mehr möglich.

5. Zur Form des Inneren Monologs

D.: Man könnte vielleicht auch sagen, daß Sie hinter den künstlerischen Möglichkeiten des Inneren Monologs, wie er von Joyce entwickelt worden ist, zurückbleiben, und zwar weil bestimmte Schichten des Unterbewußten, die von Joyce zur Sprache gebracht werden – Sie geben ja selbst in Ihrer Interpretation der Episode aus »Finnegans Wake« ein Beispiel: die verschiedenen Stimmen, die zum Durchbruch gelangen, die miteinander verbunden werden – bei Ihnen fehlen. Die Form der realistischen, deskriptiven Reportage des Unbewußten – das ist jetzt eine vage Formulierung für das, was Joyce versucht hat – findet man eigentlich nicht in »Tynset« und »Masante«. Dort ist der Monolog eigentlich artifiziell, arrangiert. Das macht den Monolog, das macht die Romane – unter diesem besonderen Aspekt – als Lektüre konsumierbarer. Aber ist das nicht auch eine künstlerische Einschränkung, die Sie sich auferlegen?

H.: Künstlerische Einschränkung will ich nicht sagen. Die Absicht war eine andere, und naturgemäß war das Resultat ein anderes. Aber auch das Vorhaben war ein anderes. Wenn ich an »Finnegans Wake« denke, das wurde auch zu einer andern Zeit geschrieben. Joyce war völlig in sich versenkt. Als der Krieg ausbrach, sagte er: Das interessiert mich nicht, mich interessiert Stil. Das konnte man damals noch sagen, auch mit Einschränkungen. Das kann man heute nicht mehr sagen. Es ist doch, vor allem bei »Masante«, sehr viel an die Zeit Gebundenes eingeflossen. Es war die Absicht, das in – wie ich es immer genannt habe – Transposition zum Ausdruck zu bringen. Das heißt: es war gar nicht so sehr die Absicht, sondern ich mußte mich darauf verlassen, daß es automatisch zum Ausdruck kam und auch meiner Meinung nach zum Ausdruck gekommen ist. Das ist doch bei Joyce, mit dem ich mich natürlich nicht messen kann, etwas ganz anderes. Das kosmische Element in »Finnegans Wake«, dieses ungeheuerliche Vorhaben, das konnte einmal realisiert werden und bezeichnenderweise nicht mehr danach. Auf diese Ansprüche mußte ich natürlich notwendigerweise sowieso verzichten. Es war allerdings auch nicht meine Absicht.

D.: Mir ist eigentlich nur eine einzige Stelle aufgefallen, wo Sie so etwas wie einen deskriptiven Monolog bringen, eine Assoziationskette, so präsentiert, wie sie sich im Bewußtsein blitzschnell abwickelt. Das ist gegen Ende von »Tynset«. Da heißt es: »Ich wollte schlafen…« Und dann kommen die verschiedenen Gedankenblitze, die dem Erzähler durch den Kopf gehen. Sie werden auch sprachlich verkürzt präsentiert, als Ellipsen: »der Park damals unter dem Gewitter, die Rufe und das Echo in den labyrinthischen Gärten – eins – der Hund der Gonzagas, und das wilde Gekreisch der Möwen, sechs – jetzt hinauf die Straße… Windfetzen – nein – die Nebellichter fließen« usw. Hier, scheint mir, ist eigentlich die Form der Bewußtseinsreportage, die der Innere Monolog auch leisten kann, von Ihnen eingesetzt worden. Aber in der Regel ist es so, daß eigentlich das Erzähl-Ich, das der Mittelpunkt des Monologischen ist, vorgezeigt wird von einem andern Erzähler, der sich dahinter verbirgt.

H.: Ich würde sagen, darin ist die Magie enthalten. Es ist immer überall ein bewußt in Erinnerung gerufenes Erlebnis oder eine Kette von Erlebnissen, die bewußt zum Zwecke des Festhaltens – nicht unbedingt des literarischen Festhaltens, nicht der Niederschrift wegen – , aber als bewußtes In-Erinnerung-Rufen gezeigt werden, so daß die automatischen Gedankengänge eines Inneren Monologes gar nicht beabsichtigt sind. Der Ich-Erzähler zwingt sich ja in beiden Büchern, einer gewissen Linie zu folgen. In beiden Büchern ist er ja immer auf der Suche entweder nach einer Geschichte oder nach einer Ablenkung von furchtbaren Gedanken, also so wie man versucht, wenn man nicht schlafen kann, sich Geschichten zu erzählen, an dieses oder jenes zu denken. Niemals gleitet es in eine tiefere Stufe des Unbewußten ab, so wie es bei Joyce nachvollzogen ist, und auch noch nicht einmal hier: er ist ja hier, er zählt auf, dieses, jenes, das nächste. So arbeitet das Unterbewußtsein ja nicht.

D.: Mir scheint doch, daß es sich ein bißchen auf dieser Linie bewegt. Das zeigt sich auch an der Sprachform, die innovativ, die fragmentarisch ist. Es sind Satzellipsen, es sind keine ausformulierten Sätze mehr. Denn könnte man nicht sagen, daß der künstlerische Fortschritt, der sich bei Joyce zeigt und der sich danach auch in der Literatur durchgesetzt hat, darin besteht, daß die Form der

Erlebten Rede, wo ein Erzähler die Gedanken, die ein Ich in der Erzählung empfindet, arrangiert, ersetzt wird und daß eine direktere künstlerische Gestaltung des ganzen Komplexes Bewußtsein in der Sprache gelingt? Und dazu gehören eben auch die Bereiche, die sich der im voraus bereits bestimmten Kalkulation entziehen. Das ist, würde ich meinen, eigentlich ein Bereich, der in »Tynset« und »Masante« großenteils fehlt. Gemeint ist: daß also die Sprache sich auf einer Ebene entfaltet, die sich der Kontrolle eines Erzählers, der arrangiert, entzieht. Ich könnte als Beispiel bei Joyce auf das hinweisen, was Sie selbst in bezug auf »Finnegans Wake« erwähnen: der ganze Bereich des Obszönen, des Sexuellen, der mit einfließt in diese Episode, die Doppeldeutigkeit der Sprache, die dazu führt, daß Wörter verzerrt werden, daß also bestimmte Witzaspekte hineinkommen. Die Fortführung wäre vielleicht die Theorie der Etyme bei Arno Schmidt, also der Bereich des Unterbewußten in der Sprache. Wird nicht diese hier in der Sprache hereingeholte neue Dimension bei Ihnen ausgeklammert?

H.: Es war, wie gesagt, eine andere Absicht. Man muß ja bedenken, daß in der einsystemigen Partitur von »Finnegans Wake« mehrere Erzählströme enthalten sind, d. h. es sind eigentlich mehrere Partitur-Systeme in ein System gebracht. Das war ja bei mir nicht die Absicht. Hier erzählt der Ich-Erzähler, er rekapituliert sich selbst. Das ist ja bei Joyce nicht der Fall. Das Anna-Livia-Kapitel umfaßt mehrere Zeit-Zyklen, die alle wieder zusammengefaßt und auseinandergefächert werden und ganz bewußt in Worten, die vier Systeme in ein System unterbringen. Das ist bei mir nicht der Fall. Es ist immer nur ein System, eine Linie. Mir kam es darauf an, diese eine Linie völlig klar zu machen. Deshalb auch die an sich konventionelle Sprache, von der viele bösere Kritiker gesagt haben, sie sei zu schön. Das ist meiner Meinung nach ein absoluter Fehler: sie ist richtig. Sie hat – meistens jedenfalls – Subjekt, Objekt, Prädikat, weil es mir darauf ankam, möglichst das genaue sprachliche Äquivalent zu den Gedanken des Ich-Erzählers zu finden. Ich erinnere mich an Stellen, wo ich sehr lange überlegt habe – in den »Lieblosen Legenden« schon, in der letzten –, wie kann man es ausdrücken? Ein Finger, der auf dem glatt lackierten Holz einer Gitarre absinkt, weil die Spielerin einschläft; er rutscht nicht ab, er springt so ein bißchen. Mir ist das Wort dafür nicht eingefallen. Auf diese Dinge kommt es mir an. Deshalb hat es auch immer wieder neue Versionen gegeben, deshalb habe ich so lange daran gearbeitet. Dann hat es für mich die maximale Form gefun-

den. Aber es dauerte nicht deshalb so lang, weil ich mehrere Systeme darin einfangen wollte oder mehrere Zeit-Zyklen oder irgend etwas, was außerhalb des Erfahrungsbereiches des Ich-Erzählers liegt. Wer erzählt eigentlich in »Finnegans Wake«? Es erzählt eigentlich immer ein anderer, typisch dafür ist dieses Anna-Livia-Kapitel, wo man nie genau weiß, wer ist es jetzt? Die eine Waschfrau, welches ist die andere? Bei mir weiß man immer: es ist der Ich-Erzähler. Die subjektiven, oft allzu subjektiven Erlebnisse, Wiedergaben, Erzählungen des Ich-Erzählers sind ganz bewußt so konzipiert, irgendein anderes Ich ins Spiel zu bringen.

D.: Ich akzeptiere durchaus, daß Ihre Absicht grundsätzlich anders war. Nur habe ich meine Frage gestellt von den Entfaltungsmöglichkeiten künstlerischer Mittel her. Es ist ja so, daß eine Adaption der Joyceschen Form des Inneren Monologes – ich brauche dafür jetzt nur eine Art Verkürzungsformel – schon vorher stattgefunden hat in der deutschsprachigen Literatur, bei Döblin, bei Broch beispielsweise. Im »Tod des Vergil« wird z. B. auch der Versuch gemacht, durch eine Ausweitung der sprachlichen Möglichkeiten auch diese anderen Bereiche, die unterhalb der Schwelle des sich selbst kontrollierenden Bewußtseins liegen, in Sprache umzusetzen. Es ist eine andere Frage, ob Broch das tatsächlich gelungen ist. Aber auf diesem Hintergrund könnte man fragen: Wo liegt der Punkt, dem »Tynset« und »Masante« zugeordnet sind? Gehen beide Arbeiten künstlerisch über das hinaus, was in der bisherigen Adaption schon geleistet worden ist, oder beschränken Sie sich bewußt auf einen Platz, der, sagen wir, zwischen Joyce und Broch liegt und also eigentlich hinter Broch zurückgeht?

H.: Das kann ich überhaupt nicht beantworten. Ich habe mich noch nicht damit auseinandergesetzt. Ich weiß es nicht. Ich persönlich hatte große Schwierigkeiten mit dem »Tod des Vergil«, einfach weil mir die Sprache zu wuchernd ist. Und gerade »Masante« beruht ja ganz ausschließlich auf den Assoziationen des Ich-Erzählers, also manchmal die Gebiete der Literatur, der Musik, der Bildenden Kunst berührend – es sind ja Zitate, oft nur rhythmische Zitate, darin –, die ausgesprochen zum Erfahrungsbereich des einen Ich-Erzählers gehören. Das war zwar die Absicht, aber oft sind sie gar nicht bewußt niedergeschrieben, sondern in dieser Form fiel es mir ein. Es gibt eine Stelle in »Masante«, wo es heißt, daß beim Falten des Staubtuches Webekante auf Webekante zu liegen kommt, wie Bein zu Bein in den Merseburger Zaubersprüchen. Das war eine Stelle, an der Walter Jens z. B. großen Anstoß ge-

nommen hat. Er sagte: Das ist so ganz dumm, das braucht man doch nicht. Und ich sagte: Ja, Du mußt bedenken, ich habe ja nicht überlegt, wie ich's erklären kann, daß Webekante auf Webekante zu liegen kommt; das fiel mir so ein, und mir schien es gut. Und mit Assoziationen dieser Art, zu Literatur, zu Bildender Kunst und auch zum Leben, zu Natur, davon ist das Buch voll. Sachen, die vielleicht kein Mensch jemals merkt, aber Sachen, die für mich doch wichtig waren und dann natürlich auch in einen euphonisch-rhythmischen Zusammenhang gebracht wurden, der zum Teil ganz artifiziell ist, wie ja auch die Bett-Fuge in »Tynset« eine ganz artifizielle Einblendung ist. Die Komposition einer Fuge, womit sich der schlaflose Ich-Erzähler beschäftigt: er erfindet eine Geschichte, aufgehängt an einem wahren Objekt, The great Bed of Ware – das stimmt, das gab es ja –, aufgehängt an einer wahren Geschichte, werden dann die Versionen, die oft ins Surrealistische gesteigerten Versionen, dieses Ich-Erzählers erzählt. Das war die Absicht.

6. Die Erzähl-Vehikel des Monologischen

D.: Dieses von Ihnen erwähnte Beispiel, die Bett-Fuge, erreicht in dieser von Ihnen ja auch ausdrücklich benannten Form eine durchaus überzeugende strukturelle Differenziertheit und damit auch künstlerische Spannweite. Aber könnte man nicht sagen, daß dieser arrangierte Monolog des Ich-Erzählers mitunter auch zu gewissen formalen Ersatzlösungen geführt hat? Um Assoziationen zu bündeln, greift er, so scheint es, auf Hilfskonstruktionen zurück, das Kursbuch und Telefonbuch in »Tynset«, in »Masante« die Visitenkarten und den katholischen Kalender. Sind das nicht wirklich von außen hereingebrachte Hilfsbrücken, die gebraucht werden, um einfach nur verbinden zu können?

H.: So mögen sie aussehen, aber sie sind es natürlich nicht. »Tynset« baute sich tatsächlich auf dem norwegischen Kursbuch auf, und »Masante« fing tatsächlich mit diesem Heiligenkalender an (inzwischen habe ich einen anderen, einen viel besseren). Der Unterschied zwischen dem fiktiven Ich-Erzähler und mir selbst ist nie so stark wie gerade in diesen Aufhängern. Später fächern das Ich und das Ich der Fiktion das auseinander, da wo ich auf das Potentielle, auf die Möglichkeiten zu sprechen komme. Gerade da geht es zusammen. Das waren tatsächlich die Aufhänger. Da ist der Zettelkasten, und den Zettelkasten-Ursprung verleugne ich in

»Masante« ja gar nicht.

D.: Das ist als Zettelkasten-Prinzip – wie soll ich sagen – ohne künstlerische Spannung. Wenn Sie zum Beispiel das Prinzip der Fuge einsetzen und zeigen, wie das im einzelnen funktioniert und die verschiedenen Schichten das auch sprachlich zum Ausdruck bringen, erscheint ein formales Prinzip, das in der Anwendung gewisse Dimensionen sichtbar macht. Macht nicht dieser Dimensionsreichtum auch die künstlerische Qualität aus? Wenn man hingegen die Verwendung dieses Prinzips der Verknüpfung durch das Blättern im Kalender einmal begriffen hat, wird es eigentlich zu einem sehr einfachen formalen Hilfsgerüst, das künstlerisch spannungslos wird.

H.: Das ist natürlich möglich. Das kann der Kritiker beurteilen, nicht ich.

D.: Ich meine: es wirkt auch artifiziell auf dem Hintergrund, wie sich Assoziationen in der Vorstellung eines Schlaflosen entwickeln. Das heißt: man gelangt vom Hundertsten ins Tausendste. Jeder Zufall kann einen neuen Assoziationsstrom auslösen. Wenn Sie nun dieses Telefonbuch, das Kursbuch oder den Heiligenkalender hereinbringen, dann schaffen Sie eine artifizielle Klammer für diese Assoziationen. Sie verbinden das alles, aber es hat dann eigentlich nur noch sekundär etwas mit dem monologisch Reflektierenden zu tun.

H.: Möglich, ja. Nun ist ja das Kursbuch am Anfang nur der Ausgangspunkt in »Tynset«. Der Begriff Tynset, der Name Tynset und der imaginierte Ort Tynset wachsen im Laufe des Buches eigentlich über das Kursbuch hinaus, das ja dann auch gar nicht mehr erwähnt wird. Das Kursbuch, das Telefonbuch – das immerhin auch ein Thema hergibt –, bleibt ja eigentlich nur der Ausgangspunkt. Nachher wachsen die Namen über das Telefon- und das Kursbuch hinaus. An denen wuchert natürlich die Phantasie. Im übrigen kann ich natürlich gar nichts dazu sagen, wie das aussieht. Ich sage nur: das sind tatsächlich meine Anhaltspunkte, Namen, wie es ja auch oft heißt, ich glaube, in »Tynset«. Es ist tatsächlich so: ein Wort. Wie ich auch gestern sagte: Windspiel, plötzlich überlegt man sich das Wort Windspiel. Da könnte man natürlich beliebig weiterschreiben. Nur war es in diesem Kontext eben nicht gegeben. Ich kann wenig darüber sagen, wie das von außen aussieht. Vielleicht ist das auch kein gutes künstlerisches Prinzip gewesen. Das kann ich natürlich nicht beurteilen. So sind die Bücher nun geworden.

D.: Das führt mich zu der Frage: wie die Kompositionsweise Ihrer Romane im einzelnen aussieht, jetzt unter rein entstehungsgeschichtlichem Aspekt? Sie haben gestern erwähnt, daß die im Druck vorgelegte Fassung von »Masante« in Zusammenarbeit mit mehreren Leuten, die beratend zur Seite standen, hergestellt wurde, daß Sie also wesentlich mehr Materialien hatten, als dann tatsächlich in den Roman aufgenommen und als Buch vorgelegt wurden.

H.: Ganz so ist es natürlich nicht. Es war so, daß ich geschrieben habe und riesige Konvolute – zweimal, zuletzt 1970 – dalagen und ich eigentlich gar nicht weiterschreiben wollte. Rodewald kam dann, sichtete das Material, legte einiges beiseite. Ihm habe ich zu verdanken, daß ich aus den wirklich autobiographischen Teilen ein ganz anderes Buch gemacht habe, nämlich »Zeiten in Cornwall«, ein Buch, das ich sehr schätze und das von Anfang bis Ende wahr ist. Das ist das Seltsame an diesem Buch. Dann aber hat er nicht mehr mitgeschrieben. Dann habe ich also das Buch geordnet, es nochmals ganz geschrieben. Ich habe allerdings nachher noch drei Lektoren gehabt, die es durchgegangen sind. Rodewald war damals natürlich schon zu befangen. Dann hat es noch der Peter Horst Neumann in Fribourg durchgesehen und eben Walter Jens. Walter Jens hatte ich noch eine entscheidende Anregung zu verdanken, denn – damals war Maxine fast zu stark – er meinte, der Ich-Erzähler müßte doch Teile von Maxines Erzählung übernehmen, da sie wieder für ihn einen Anlaß zum Weiterspinnen der Geschichte geben würde. Ich habe es noch mal geändert, und ich habe noch drei Monate daran gearbeitet, und dann erschien es. Aber es ist nicht so, daß irgendjemand daran mitgeschrieben hätte. Nur die Unsicherheit mit dem Material hat mich dazu gezwungen, einen Lektor einzuspannen. Ich war diesem Konvolut einfach nicht mehr gewachsen. Rodewald hat es eben nur geordnet, vor allem eben seltsamerweise – das ist doch sehr bezeichnend – jene Sachen weggelegt, die ich, ohne es zu wissen, tatsächlich zweimal geschrieben hatte. Ich hatte mich nicht an den ersten Akt des Niederschreibens erinnert, ich habe es nochmals geschrieben, was eigentlich bedeuten müßte, daß mich die jeweilige Thematik doch sehr beschäftigt hat.

8. Zum Stellenwert einzelner Erzähl-Episoden

D.: An gewissen Stellen Ihrer beiden letzten Bücher hat man den Eindruck, daß es schwer einzusehen ist, warum bestimmte Episoden auseinandergerissen werden und sich erst über mehrere Seiten hinweg ein Zusammenhang herstellt. Um nur ein Beispiel zu geben, das aus »Tynset« stammt: Der Ich-Erzähler erinnert sich, daß er einen Sommer zusammen mit einem Mädchen in Somerset verbrachte. Man liest fünf Seiten weiter und stößt auf eine Erinnerung, die offenbar an die vorher erwähnte wieder anknüpft: Und ihr Name war Vanessa. Warum wird diese Erinnerung in Teile zerlegt, zersprengt und dann zerstückelt in einen Kontext gebracht, der, so scheint es mir, nicht viel damit zu tun hat?

H.: Weil es doch wohl immer – ich hab's jetzt nicht parat – einen bestimmten Punkt gibt, wo notgedrungen die Erinnerung auf dieses Mädchen zurückführt, denke ich mir. Es ist ja keine Geschichte, es sind tatsächlich nur Erinnerungsfetzen, und als Fetzen sind sie auch verwertet. Es ist ja nicht die Geschichte des Mädchens Vanessa, sondern sie taucht immer wieder auf. Zum Schluß weiß er also ihren Namen. Das ist eine Erinnerung, die zwar in Wirklichkeit bei mir persönlich nicht so stattgefunden hat, aber hätte stattfinden können. Im übrigen finde ich das – wenn Sie das kritisieren – weniger bezeichnend als andere Dinge, die in »Masante« auseinandergerissen sind, wie z. B. das Häscher-Thema. Aber die Themen konnten ja nicht eines nach dem andern abgehandelt werden, sondern irgend etwas, ein Kalender-Name z. B., bringt mich auf einen der Häscher. Und so setzt sich im Laufe des Buches zusammen, wer sie sind. Die Namen fallen mir immer wieder so ein, wie es tatsächlich bei mir ist: Namen fallen mir tatsächlich ein, und plötzlich beginnt bei diesen Namen irgendeine Geschichte, die mir dann wieder entfällt und die bei irgendeiner andern plötzlichen Erinnerung wieder aufblitzt, und dann wird sie weitergeschrieben.

D.: Das Variationsprinzip, das Sie beim Häscher-Motiv anwenden, führt ja dazu, daß das Thema, das sich dahinter verbirgt, angereichert wird, an Bedeutung gewinnt. Die Dimensionen des Themas werden ja so entfaltet. Das sehe ich als künstlerisch geglückt an. Ich habe gerade dieses winzige Beispiel, die Episode in Somerset gewählt, weil es wirklich wie ein Fremdkörper eingesprengt ist und dann nicht mehr auftaucht. Man könnte sich fragen, wie es um die künstlerische Funktion dieser Episode im Erzählkontext steht. Ist es nur autobiographisch verankert, hat es also diese Erinnerung beim realen Autor tatsächlich gegeben, daß irgendwie die Assoziation Somerset auftaucht und sich in einer neuen Assoziation der Name des Mädchens Vanessa daran knüpft? Mir scheint, daß es fremd im Kontext des Buches wirkt und man vielleicht meinen könnte – ich formulierte es jetzt hypothetisch –, es ließe sich auch herausnehmen, ohne Verlust.

H.: Vielleicht könnte aus »Tynset« einiges herausgenommen werden und auch einiges dazu gesetzt werden. Das ist natürlich möglich. Darüber weiß ich jetzt nichts mehr zu sagen. Da kommt dieser Blake-Satz: »Segne, verdamme Bindungen, segne Trennungen« oder so irgend etwas, das schon ziemlich wichtig ist. Einer, der fällt, soll nicht noch jemand andern mitziehn – das ist schon ziemlich wichtig, wenn ich mich jetzt richtig erinnere. Und daß dieses Thema anhand irgendeiner Begleiterin zum Vorschein kommt und eigentlich auch in »Tynset« zum Vorschein kommen muß, das finde ich schon wichtig. Es ist wohl auch dieselbe, mit der ich in diesem Labyrinth bin. Ja, sehen Sie, das sind natürlich alles – diese Labyrinth-Geschichte – erlebte Dinge: natürlich war ich dort nicht mit einem Mädchen namens Vanessa, es muß aber jemand da sein, dem ich meinen unmittelbaren Eindruck über ein solches Labyrinth – oder was immer es sein mag – mitteile. Es ist nicht wegen des Mädchens Vanessa, es ist wegen eines solchen Erlebnisses im Labyrinth, wegen einer solchen Überfahrt, die stürmisch ist, wo man Sonnenbrillen trägt, wo das Wasser gegen die Sonnenbrillen schlägt und sich als Salz festsetzt. Da muß ich mit jemand sein, und es ist eben diese Begleiterin. So sehe ich es jetzt. Es war vielleicht ganz anders. Ich sage das jetzt, um Vanessa zu verteidigen, vielleicht stimmt es nicht.

9. Kompositionsform der Romane

D.: Hinter meinen Fragen nach der Kompositionsform Ihrer Romane steht auch eine bestimmte Erfahrung: Vielleicht ist es unzutreffend dieses Beispiel heranzuziehen, aber bei Bölls Roman »Gruppenbild mit Dame« hatte man den Eindruck, daß es sich um ein wildwucherndes episches Gebilde handelte. Die Rezeption des Buches wies überwiegend in diese Richtung. Nun hat Böll jedoch mit einer Farbskizze die Entstehung des Buches belegt, wo alle Personen und Themen festgehalten sind, so daß offenbar ein sorgfältig durchgeplantes Buch vorliegt, dessen Konstruktion allerdings so diffizil scheint, daß sie sich nicht ohne weiteres erschließt.

Handelt es sich bei Ihren Büchern um eine ähnlich komplizierte Struktur oder sind Zufallselemente in dieser Struktur vorhanden?

H.: Nein, ich habe es ja jetzt gesagt: es ist eine ausgesprochene Rondo-Form. Immer da, wo es an den Schrecken führt, wird es abgestoßen, und es beginnt wie bei den »Hähnen von Attika« ein völlig neues Thema, was dann immer wieder auf den Schrecken führt und wieder abgestoßen wird. Diese Form ist in »Tynset« noch verhältnismäßig streng, wuchernder und willkürlicher ist die Form in »Masante«. In »Masante« ist natürlich die Stärke für mich nicht die Form, obwohl natürlich alle Themen zum Schluß zusammengefaßt werden in einer Engführung (außer denen, die abgetan werden). Die »Häscher« werden abgetan, sie verschwinden wie ein Bild, von dem man sich entfernt. Ebenso verschwinden die, welche die Häscher gesehen haben, Gerber, Felber, Bloch; sie verschwinden, sie werden abgetan; ich brauch' sie nicht mehr. Plötzlich entlarvt der Ich-Erzähler sich selbst und entlarvt sich als Geschichtenerzähler, Geschichten, die er erzählt hat, um die Schrecken darzustellen. Was er nicht tut, ist natürlich: das Gift, das Verhältnis zum Tode; eines Nachts öffnet man sich zum letzten Mal die Schnürsenkel. Das sind alles erlebte Dinge, die aber zu der inneren Konstitution des Ich-Erzählers gehören.

10. Zufallsverknüpfungen im Erzählzusammenhang?

D.: Was aber für ein Zufallsprinzip sprechen könnte und den Leser vielleicht auf die falsche Fährte lockt, ist diese Stelle in »Tynset«, wo Sie sagen: »Wann wurde der Regenschirm erfunden? Ich sollte mir diese Frage notieren. Das ist wirklich eine Frage, die beantwortbar ist, beantwortbar sein sollte.« Nun kommt die Antwort in »Masante«: die Geschichte von der Erfindung des Regenschirms. Man hat hier den Eindruck, daß ein bestimmtes Material, das episch noch nicht entfaltet war, aus »Tynset« herausgenommen wurde und nun im nachhinein in den nächsten Roman hineingebracht wird. Es ergibt sich der Eindruck, als spinne »Masante« sozusagen den Faden von »Tynset« fort.

H.: Nur in solchen kleinen Dingen. Natürlich, daß der Ich-Erzähler potentiell derselbe ist, wird offen gelassen, wird manchmal sogar nahegelegt durch die Erwähnung von »Tynset«. Natürlich habe ich die Regenschirm-Geschichte übernommen, die eigentlich schon existierte, als ich »Tynset« schrieb, die ich aber aus kompositorischen Gründen ausgelassen habe. Der Regenschirm in der

Wüste, mit dem Leute sich vor einem leichten Sandsturm schützen – das habe ich selbst gesehen, nicht in dieser Kneipe, sondern in einer anderen. Da stehen also Regenschirme in dieser Kneipe – von der tatsächlich viel mehr existiert, als man glauben würde; die Katzen, nicht so viele natürlich, die Kissen, die Wirtin, sie existieren alle, die Regenschirme auch – und dann dieses lächerliche Element des Regenschirmes in dem Moment, als der Ich-Erzähler sich selbst lächerlich macht. Da paßt natürlich die Geschichte vom Regenschirm hinein, da erzählt er sich wieder eine Geschichte, die völlig falsch, völliger Unsinn ist, die aber nun auch wieder hineinpaßt in diese Geschichten aus der Zeit des Absolutismus, mit der ich mich auch anhand von Mozart beschäftigt habe. Eine kleine Geschichte also, der Mann, der dem Fürsten Christian Wilhelm von Ansbach einen Regenschirm macht, wie die wahre Geschichte von dem Schornsteinfeger, der vom Dach geschossen wird. Das schien mir hier reinzupassen. Gewiß, es ist ein artifizielles Moment dabei, es sind viele artifizielle Momente dabei.

D.: Man könnte auch sagen, daß das Thema der Schlaflosigkeit, die bestimmte Assoziationsströme in Bewegung setzt, ebenfalls in beiden Büchern vorhanden ist und eine Klammer ergibt.

H.: Ja, letzten Endes kann ich über nichts anderes schreiben als über ein potentielles Ich, also über mich selbst, wenn man es kraß sagen will. Am Ende von »Tynset« hatte ich diesen Ich-Erzähler noch. Am Ende von »Masante« ist er wahrscheinlich in der Wüste verloren gegangen. Jetzt habe ich niemand mehr. Ich kann nicht einen Roman spinnen mit fiktiven Figuren, mit einer Konstruktion, wie andere es machen: der liebt die usw. Ich kann mir nicht Skizzen machen, im dritten Kapitel muß der wieder auftauchen, das kann ich nicht.

11. Elemente des konventionellen Romans in »Masante«

D.: Sie haben vorhin erwähnt, daß »Tynset« in der künstlerischen Durchführung eigentlich strenger sei. Ich möchte Ihnen zustimmen. Die monologische Situation ist reiner, d. h. es ist sehr viel weniger Hintergrund um den Erzähler aufgebaut. Könnte man nicht sagen, daß Sie jetzt in der Bewegung von »Tynset« zu »Masante« einen Schritt in Richtung auf den konventionellen Roman vollzogen haben, weil Sie sehr viel mehr – wenn auch nur in Fragmenten – auf eine Fabel Hindeutendes hineingebracht haben, also Stoffliches? Der Ich-Erzähler hat jetzt im Personal ein Gegenüber, Ma-

xine. Es gibt jetzt diese breit entwickelte Bar-Szene und ähnliches. Der Ich-Erzähler in seiner monologischen Situation, schlaflos im Bett liegend wie in »Tynset«, reflektierend und nachdenkend, dominiert nicht mehr, sondern es deuten sich auch Elemente von Handlung an.

H.: Das könnte man sagen. Andererseits hatte sich in diesen neun Jahren auch der Erfahrungsbereich geändert und sich zum Teil erweitert. Beschäftigung anhand von Papst Johannes, über den ich einmal einen Essay schreiben wollte, mit Theologie und mit Theologen, mit dem Katholizismus, das ist alles eingeflossen. So wie ich es sehe, ist es eine Bereicherung, etwa eine Figur, die vielleicht nicht genügend durchgeführt ist, wie der Wirt Alain, der plötzlich in seiner zerschlissenen Franziskanerkutte erscheint – diese eine Szene, ich finde, darum hat es sich dann doch gelohnt. Und Maxine, die Sünderin, in der eigentlich ein Celestina-Element steckt, das nur mehr durchgeführt ist, und den endgültigen Zusammenbruch dieser Säuferin finde ich als Kontrapunkt zu den Reflexionen des Ich-Erzählers persönlich geglückt und richtig. Sie wird ja auch zum Schluß abgetan oder vielmehr: sie bricht zusammen. Das war Absicht. Daß natürlich durch eine direktere Handlung ein romanhaftes Element entstanden ist, das mußte ich in Kauf nehmen. Es stört mich nicht, aber ich mußte es in Kauf nehmen.

D.: Es wäre eigentlich denkbar, daß sie von »Tynset« aus eine andere Entwicklung genommen hätten als die, die in »Masante« zum Durchbruch kommt. In »Masante« findet, wenn man es formelhaft vereinfachend sagen darf, eine gewisse angedeutete Rückkehr zur Form des konventionellen Romans durch die Integration von Fabelelementen statt, die sicherlich die Lektüre des Buches erleichtern. Das heißt: vom Erinnerungsmechanismus des Lesers her gesehen bleiben sehr viel mehr Fakten, sehr viel mehr Informationen im Gedächtnis.

H.: Das mag so erscheinen, die Absicht war es nicht. Ich wollte keineswegs zurück zum Roman.

D.: Aber warum dann die Gattungsbezeichnung »Roman«, die in »Tynset« fehlt?

H.: Richtig, aber nicht ich habe das Buch Roman genannt. Ich weiß nicht mehr, wie es war, ob der Verlag gefragt hat, ob sie es nun Roman nennen sollen und ob ich gesagt habe: Sie können es, wenn Sie wollen. Es ist ohne Zweifel mehr Roman geworden, als »Tynset« es gewesen ist. Das ist so. Darüber kann ich eigentlich nichts sagen. Es ist halt so.

D.: Um meinen Gedanken fortzuführen: Denkbar wäre doch in »Masante« auch eine Radikalisierung der monologischen Situation gewesen, nämlich durch Einschränkung, ja Aussparung des erzählerisch arrangierten Ichs. Ich meine damit einen Weg, den in etwa Canetti in seinen Aufzeichnungen beschritten hat. Und es scheint mir aufschlußreich, daß Sie Canetti sehr schätzen. Bei Canetti ist es ja so, daß ein erzählerisch vorgezeigtes Ich, das reflektiert, gar nicht mehr vorhanden ist. Es wird völlig ausgespart, und statt dessen werden die Reflexionen, Erinnerungen, Gedankenstöße gewissermaßen nackt präsentiert, und das Ich, das sich dabei profiliert, ist eigentlich das authentische Ich des Autors.

H.: Nun schätze ich Canetti sehr – er ist großartig –, kenne aber längst nicht alles, was er geschrieben hat. Ich kenne sogar sehr wenig: ich kenne die »Blendung«, die »Aufzeichnungen«, den ersten Band der »Aufzeichnungen«, den »Anderen Prozeß«. Ich werde Canetti jetzt lesen, weil ich ihn in der Tat sehr bewundere von diesen Werken her. Nun ist es aber etwas ganz anderes: er ist ein Denker, das bin ich nicht; ich bin ein Maler. Meine Requisiten sind tatsächlich, wie ich auch in »Masante« sage, die sichtbaren und greifbaren Dinge, an denen meine Phantasie einhakt, die Dimension des Potentiellen an Objekten, die ich vorfinde, an Leuten, an Namen, an Sätzen, an musikalischen Themen, Bildern usw. Ich habe vor, einmal über Bilder zu schreiben, Interpretationen von Bildern. All das mußte, wenn ich meine persönliche Erlebnisskala wiedergeben wollte, einfließen. Das war für mich eines der wesentlichen Dinge. So etwa die Beschreibung eines Bildes der Simonetta Vespucci, ein Bild, das ich bezeichnenderweise erst später im Original gesehen habe, wie ich auch Tynset, den Ort, erst später gesehen habe. All das ist für mich sehr wesentlich. Von diesen Dingen geht die Sache aus und ist viel mehr, als man denken würde, lokalisierbar, topographisch und atmosphärisch lokalisierbar. Orte, die es alle gibt, und nur in meiner am Surrealismus geschulten Phantasie nehmen diese Orte, diese Leute und diese Namen ganz andere Dimensionen an. Das Element des Surrealismus – vielleicht sollte man des Absurden sagen – ist ja doch in beiden Büchern sehr stark. Von daher ist es auch eine Parallele zu meiner Entwicklung als Maler, damals, bevor ich zu schreiben anfing.

D.: Sie würden es also auf einen andern Ausgangspunkt, auf eine andere Ausgangssituation zurückführen. Nun muß man allerdings in bezug auf Canetti sagen, daß es ja in den Aufzeichnungen nicht Aphorismen in der philosophischen Tradition des Aphorismus sind, sondern Erinnerungen, Reflexionen, Gedankenblitze, zum Teil winzige authentische Episoden, die sich in der Sprache kristallisieren. Es ist also, was die Dimensionen des Materials betrifft, vielleicht doch vergleichbar. Nur wird eben darauf verzichtet, das in einem epischen Rahmen unterzubringen, indem ein bestimmtes monologisches Ich vorgezeigt wird. Es wäre doch denkbar, daß ein Großteil des Materials, das in »Masante« eingeflossen ist, ohne den Ich-Erzähler, der im Kalender blättert, präsentiert worden wäre?

H.: Nein, unmöglich, unmöglich! Das Ich muß immer drin sein. Denn nur so ist diese manchmal krasse Subjektivität erklärbar und zum Teil entschuldbar. Das Ich muß immer drin sein, das potentielle Ich, das gewöhnliche fiktive des Ich-Erzählers und auch das persönliche. Denn niemals würde ich irgend etwas, was hier steht, inklusive Angriffe auf den Klerikalismus, objektivieren wollen. Es ist kein objektives Buch, es ist tatsächlich ein ganz subjektives Buch. Ich würde niemals auch nur vorgeben wollen, daß ein Gedanke, der geäußert wird, allgemeingültig wäre. Auch nicht zu dem Satz des Anaximander, obwohl der – Ordnung seiner Zeit – ein ganz subjektiver aphoristischer Gedanke ist, der mir zu dem Satz des Anaximander einfiel, dem ich aber keineswegs allgemeine Gültigkeit zusprechen würde.

13. Zur thematischen Linie beider Bücher

D.: Wenn man bestimmte Stellen aus Ihren beiden Büchern herauslöst, bekommt man den Eindruck, daß Sie sehr satirisch Zugespitztes äußern, etwa Antiklerikales. Sie erscheinen als ein Gegner der Monarchie, der Aristokratie usw. Aber mit der eigentlichen Intention des Buches – und das hat wohl mit diesem monologischen Erzähl-Ich zu tun – hat das wenig zu tun. Die eigentliche thematische Linie kommt darin wohl nicht zum Vorschein. Der Versuch, durch die Orientierung an einem räumlichen Fixpunkt auszubrechen aus dem, was Sie in »Tynset« an einer Stelle »einen Käfig, ohne Möglichkeiten« nennen, die Wirklichkeit aufzuschließen durch Vorstellungen und Möglichkeiten, die imaginiert werden, das darf man doch als den thematischen Ansatzpunkt in beiden Büchern sehen?

H.: Nun vertritt ja auch »Masante«, vielleicht noch stärker als

»Tynset«, einen gewissen – wenn man so will – Kulturpessimismus, und, wie ich meine, gehört der Kalender, der Antiklerikalismus, nicht nur zur persönlichen Konstitution des fiktiven Ich-Erzählers, sondern meiner selbst. Für mich sind diese Dinge wahr. Zum Beispiel bei dem Thema Aristokratie ist für mich tatsächlich in nuce etwas gesagt, was allgemeingültig und wahr ist. Natürlich ist es überspitzt gesagt, aber man muß es überspitzt sagen, um es dem Publikum klar zu machen, um überhaupt jemand zu veranlassen, daß er darüber nachdenkt. Vielleicht ist das mißlungen; das weiß ich nicht. Es ist ja schon immer – schon von den »Lieblosen Legenden«, vor allem von den »Vergeblichen Aufzeichnungen« an – mein Prinzip gewesen, die Wirklichkeit so darzustellen, als sei sie absurd, obwohl ja gerade das Absurde das Wirkliche ist. Absurde Parallelsituationen, die nun wirklich erfunden sind, die aber ebensogut wahr sein könnten. Man weiß, es verwirrt den Leser. Man weiß nicht: Ist das wahr oder ist das falsch? So wenn ich den Vatikan bei den bolivianischen Zinnminen – er hat nicht nur einen Minderheitsanteil, er hat tatsächlich den Mehrheitsanteil – erwähne. Wenn ich das schreibe, dann klingt das unwirklich. Aber wenn ich auf diesem Punkt beharre und ihn so darstelle, dann muß meiner Meinung nach der Leser das Gefühl haben: Da stimmt irgend etwas nicht. Oder: Wie ist das eigentlich wirklich? Diese Informationslust, wenn man so will, anzuregen, ist nicht zuletzt eine Intention des Buches.

D.: Aber kommt nicht unabhängig von solchen Ausschnitten von Wirklichkeit, die satirisch und kritisch präsentiert werden, die eigentliche Dimension des Buches in dem zum Vorschein, was man das existentielle Problem des Ich-Erzählers nennen könnte?

H.: Das ist richtig. Die Qualitäten des Buches liegen in diesem Fall nicht in den Geschichten, in den Einblendungen, sondern eben in den Reflexionen des Ich-Erzählers: eines Nachts öffnet man sich zum letzten Mal die Schnürsenkel usw. Solche Kapitel oder »Im Bette liegend, den Gürtel enger schnallend« usw. – das sind die wirklichen Elemente, die das Buch thematisch vorwärtstreiben. Die Geschichten überspitzen das immer nur, oder die Geschichten sind eben wieder jene Elemente, die den Ich-Erzähler von seinen eigenen existentiellen Problemen abbringen und abbringen sollen. Das ist wieder der Vorwand des Geschichtenerzählers, sich selbst Geschichten vorzuerzählen. Aber die wichtigen Elemente in »Masante« sind die existentiellen.

D.: Es gibt eine Stelle in »Masante«, die, so scheint mir, programmatisch ausgedeutet werden könnte, bezogen jetzt auf die durch Imagination erweiterte Wirklichkeit. Es ist die Stelle, wo es heißt, das überzeugendste Alpenglühen, das Sie als Erzähler jemals gesehen hätten, sei das von einem Deutschen in Port Said gemalte Bild gewesen. Es sei aus der Sehnsucht heraus gemalt worden und dadurch sei es so wahr.

H.: Ein Deutscher ist es nicht.

D.: Ist das eine programmatische Aussage, die sich auch auf den Ich-Erzähler beziehen läßt?

H.: Das stimmt, das ist programmatisch. In diesem Gemälde in dem Café wird das Element der Sehnsucht dargestellt. Die Wirklichkeit des alten Südens ist also zum Kitsch geworden. Das ist natürlich auch Kitsch. Merkwürdig, daß Sie sich an diese Stelle erinnern, die schien mir nämlich auch wichtig.

D.: Sie haben an einer andern Stelle einmal gesagt: Die Frage des Engagements als Künstler erledige sich von selbst, wenn das Formale in einer künstlerischen Arbeit stimme; das Engagement ergebe sich dann sozusagen automatisch.

H.: Das, glaube ich, habe ich nicht so gesagt. Ich habe wohl gesagt: es müsse sich automatisch offenbaren. Wer in seinem eigenen inneren Mikrokosmos nicht bereits sein Programm, sein ideologisches oder sein existentielles Programm, in sich trägt, der wird es nicht weit bringen. Das Schreiben selbst ist ein bewußter Vorgang, bei dem man auf das Kompositorische, das Stilistische achten muß und nicht auf irgendwelche persönlichen Dinge. Man muß sich darauf verlassen können, daß das eigene Ich, das ideologische Ich, das existentielle Ich, automatisch beim Schreiben zum Vorschein kommt. Man darf es nicht bewußt hervorzerren. Ich kann nicht Mißstände anprangern, indem ich sie tatsächlich erwähne, ich darf nicht die wahren Mißstände erwähnen. Ich muß Parallelen ziehen, und ich muß mich darauf verlassen können, daß sie tatsächlich so wirken, wie sie gemeint sind: als ein Element meiner inneren Konstitution.

D.: Wurde das nicht ursprünglich von Ihnen gegen den Vorwurf des Formalismus gesagt? Ist es nicht auch als Rechtfertigung gemeint? Wenn also die Konzentration auf die Form einer künstlerischen Arbeit gültig ist, dann erledigt sich sozusagen die politische Aussage mit der Form? So habe ich Sie verstanden.

H.: Die Form nicht, auch nicht mit der formalen Bewältigung. Formale Bewältigung ist das Vehikel, auf dem das automatisch ins Werk fließende Bewußtsein des Ich-Erzählers sich bewegt.

D.: Nun könnte man sagen im Vergleich Ihrer beiden großen Prosa-Bücher: in »Tynset« sind eigentlich nur wenige politische Realien vorhanden, etwa die Beschreibung eines Bildes von Franz Joseph Strauß und eines Kardinals –

H.: Ja, das Bild gibt es.

D.: Das ist sehr versteckt, sehr indirekt. Wenn man dagegen »Masante« hält, dann entsteht der Eindruck – schon allein durch das Motiv der »Häscher«, das breit entwickelt wird –, daß die politische Dimension, wenn man es so nennen kann, viel stärker dominiert, schon allein dadurch, daß bestimmte Elemente, die auf politische Zusammenhänge bezogen sind, direkter zum Vorschein kommen. Also etwa: die Ausrottung der Indios in Brasilien, die katholische Kirche mit den Zinnaktien, der afrikanische Präsident an der – wie Sie sagen – Diamantenküste, der den Attentäter lachend erschießt. Und dann natürlich der ganze Komplex, der im »Häscher«-Motiv zusammengebunden ist: die Judenverfolgung im Dritten Reich. Man hat also den Eindruck, daß die politische Dimension hier viel stärker zum Tragen kommt. Wie steht es auf diesem Hintergrund mit Ihrer Aussage, daß nur die Konzentration auf die Form und das Absehen von inhaltlichen Bezügen zum Engagement führe?

H.: Genau das stimmt überein. Denn die thematischen Elemente, die Sie erwähnen – die Häscher, der Präsident der Diamantenküste usw., auch der Mörder, einer, der den silbernen Löffel bekommen hat – all diese Dinge habe ich mir ja nicht ausgedacht, um einen Mißstand darzustellen, sondern sie haben sich automatisch zusammengesetzt. So fiel mir ein neuer Häscher bei einem Bild von Stoltenberg ein: ich habe also Motschmann konstruiert. Bilder geben für mich eben sehr viel her. Das war nicht ein thematisches Konzept, das ich hatte. Sie sind tatsächlich so entstanden und nachher in einen Zusammenhang gebracht worden, der dann wieder mit der Position zu tun hat und mit dem Stil, nicht aber als Programm. Wie gesagt: die Bewußtseinsebene des Ich-Erzählers hat sich geändert, meiner Meinung nach erweitert, und nun sind diese Elemente vorhanden, die in »Tynset« ja auch schon angedeutet sind: als Element der Angst. In »Masante« kommen sie auch als ein Element der Angst hinein, sie wachsen, werden aber später – und dann ist das Wesentliche abgetan – abgeschoben. Die Angst ist vorbei. Der Ich-Erzähler geht seinem Ende entgegen, und sie werden aus dem Bild gedrängt. Ich kann nur sagen: hier ist tatsächlich der automatische Akt vollzogen, die Häscher sind mir eben so eingefallen, sie waren auch schon in den Telefonaten in »Tynset« angedeutet. Nun ja, sie sind im Laufe der acht Jahre gewachsen und jetzt abgetan. Ich habe sie mir vom Leibe geschrieben. Natürlich ist es unschwer festzustellen, daß Motschmann vielleicht der Gauleiter von Sachsen Mutschmann gewesen ist, Globotschnik gab es tatsächlich. Er hieß in Wirklichkeit mit dem Vornamen Odilo und war ein hoher SS-Führer. Das sind alles noch Überbleibsel von Erfahrungen aus meiner Tätigkeit als Dolmetscher bei den Nürnberger Prozessen. Sie brauchten diese lange Strecke – über die »Lieblosen Legenden« und über »Tynset« –, um dann schließlich in völlig transponierter Form wieder zum Ausdruck zu kommen. Wenn Motschmann lächelt, wird in der ersten Reihe ein Goldzahn sichtbar, an dem sich der Blick des Opfers festklammert – das sind alles imaginierte Schreckenssituationen, die wohl auch ein paar Jahre brauchten, um dann klar und stilistisch richtig zum Ausdruck gebracht zu werden. Vielleicht war es dann zu spät.

D.: Wenn man den Roman »Masante« jetzt als politischen Roman lesen würde, dann widerspräche das nicht unbedingt Ihrer eigenen Absicht? Wobei ich Absicht hier auf das beziehe, was Sie künstlerisch machen wollten, und nicht auf eine bestimmte inhaltliche Botschaft.

H.: Jetzt nicht mehr. »Masante« ist jetzt für mich auch wieder historisch geworden. Das ist auch jetzt für mich schon wieder vorbei. Natürlich habe ich sehr lange daran geschrieben, und einige Elemente der Angst sind – vom Rezeptiven her gesehen – nicht mehr so akut wie zu der Zeit, als sie niedergeschrieben wurden. Gut, aber ich meine, daß ein Buch historisch wird – wenn es das Glück hat, historisch zu werden –, das spricht für mich nicht unbedingt dagegen. Die »Lieblosen Legenden« sind auch historisch und werden dauernd gelesen als etwas, was eben mit unserer Zeit nichts mehr zu tun hat.

D.: Unter den vorhin erwähnten Aspekten stellt sich für mich ein Zusammenhang her zwischen »Masante« und Bölls »Billard um halb zehn« und gewissen Teilen der »Lebensläufe« von Alexander Kluge. Wenn man beispielsweise die Geschichte dieses Dr. Giselher Schmidt-Lindach liest, dann sind doch in der Darstellung der Entwicklung dieses Mannes – die Dissertation über »Völkische

Erneuerung im Schrifttum unserer Zeit« und ähnliches – Elemente vorhanden, die auch übertragen werden könnten?

H.: Das ist möglich.

D.: Handelt es sich übrigens bei Schmidt-Lindach um eine historische Figur?

H.: Nein, nein. Das ist ein ganz bestimmtes Bild von einem Mann, den ich in irgendeiner Weise kannte, vielleicht ist es auch eine Kombination. »Billard um halb zehn« habe ich nie gelesen, jedenfalls nur angelesen. »Lebensläufe« von Alexander Kluge habe ich vor zehn oder zwölf Jahren gelesen. Das hat mich sehr beeindruckt. Möglicherweise sind da gewisse Ähnlichkeiten, aber jedenfalls nicht bewußt. Aber der Schmitt-Lindach, der stimmt; für mich stimmen die alle.

D.: Es sind ja eigentlich sehr realistisch und scharf gezeichnete Figuren, auf dem Hintergrund der Historie vielleicht sogar identifizierbar. Deshalb auch meine Frage bei dieser bestimmten Figur, weil ich leicht zwei, drei historische Vorbilder dafür nennen könnte.

H.: Wahrscheinlich nur optisch von Bildern und erfahrungsgemäß von Dingen beeinflußt, die ich damals in Nürnberg erfahren habe. Wenn man so durch bestimmte Gegenden reist, dann sieht man Leute, an denen man eine Geschichte aufhängen könnte. Diethelm Fricke, Unfall mit Fahrerflucht, Karl Knispel, Immobilienhändler in West-Celle usw. – das sind alles Elemente, die gut zusammenpassen, die ich aber nicht zu konstruieren brauche. Natürlich entstammen sie einem Zettelkasten. Ich verleugne es auch nicht. Das ist für mich die Realität, wie sie nur in der Fiktion dargestellt werden kann, was eine polemische Publizistik nicht erfüllen kann; die hat andere Aufgaben, die sehr wichtig sind, aber das ist eben etwas anderes.

15. Einstellung zum Literaturbetrieb

D.: Sie sind Mitglied der Gruppe 47 gewesen, Sie haben intensiv am Literaturleben in Deutschland teilgenommen. Wie sieht es um Ihre Beziehung zu dem aus, was sich momentan im deutschen Literaturleben tut? Interessiert Sie, was da vor sich geht?

H.: Es hat mich auch zur Zeit meiner Mitgliedschaft in der Gruppe 47 nicht interessiert. In der Gruppe 47 war ich, weil ich dort viele Freunde gewonnen hatte, die ich gerne wiedersah, mit denen ich gerne trank und bei denen ich gerne zuhörte, wenn sie etwas Neues hatten. Natürlich wollte ich Kritik hören über etwas, an dem ich gerade schrieb. Das war das Wesen der Gruppe 47. Später bekam sie zuviel Publizität. Als dann Kritiker und Rundfunkleute kamen, da las natürlich jeder nur das beste, was er gerade hatte, um nicht durchzufallen. Die Gruppe ist dann langsam degeneriert. Ich bin tatsächlich an Literatur nicht sehr interessiert und am literarischen Betrieb schon ganz und gar nicht, was nicht bedeutet, daß ich nicht viele Schriftsteller zu meinen Freunden zähle, aber auch viele Maler und Musiker. Ich bin mit Böll befreundet, mit Frisch, aber wir sprechen niemals über Literatur.

D.: Aber Sie rezensieren gelegentlich Bücher und nehmen unter diesem Aspekt am literarischen Dialog, am Literaturleben teil.

H.: Dabei handelt es sich um Bücher. Mein Interesse orientiert sich natürlich an einzelnen Büchern, nicht aber an Richtungen. Und ich meine, diese drei Vorlesungen in Frankfurt waren wirklich das einzige Mal, daß ich versucht habe, mich theoretisch mit Literatur zu beschäftigen, um mich wirklich einmal selbst disziplinarisch dazu zu zwingen. Aber sonst interessiert es mich eigentlich sehr wenig.

D.: Man könnte meinen, daß Ihr augenblicklicher Wohnort mit einer gewissen Isolation verbunden ist. Ist es nicht so, daß das Leben in dem Sprachbereich, in dem man schreibt, eine gewisse Reizatmosphäre schafft, die produktiv ist?

H.: Ich empfinde das allerdings nicht so sehr stark, da wir doch sehr viel Besuch bekommen von Deutschen. Also, es ist nicht so, daß wir nun ausschließlich italienisch sprechen. Aber der sprachliche Abstand existiert natürlich und wächst im Verhältnis zu der Bewältigung der andern Sprache, in diesem Fall Italienisch, früher war es Englisch.

D.: Das ist keine – wie soll ich sagen – postulierte Emigration. Es gibt Autoren – Erich Fried, Arno Reinfrank – die sagen, sie könnten nicht in Deutschland leben.

H.: Nein, das ist absolut bei mir nicht der Fall. Früher hätte ich das vielleicht gesagt, ich hätte nicht in Deutschland leben wollen. Jetzt will ich es nicht mehr, weil wir entwöhnt sind. Wir wohnen da schon so lange und sind da zu Hause. Wir haben noch nie an einem Ort so lange gelebt wie in Poschiavo. Es ist also in meinem Fall durchaus nicht programmatisch zu verstehen.

VII.B. Die Exekution des Erzählers. Wolfgang Hildesheimers »Tynset« und »Masante«

1. Schon im Romanerstling »Paradies der falschen Vögel« und vor allem in den »Lieblosen Legenden«, von seinen dramatischen Etüden ganz zu schweigen, erscheint Hildesheimer als »ein Kaiser der Träume und Herr der Geschichte, ein Ballettmeister der Reminiszenzen«[1], als ein zur kauzigen Causerie neigender Erzähler, der mit Augenzwinkern und übermütiger Vorstellungskraft sein episches Kaleidoskop schüttelt und immer neue überraschende Bildmuster vor seine Leser hinstellt. Im »Paradies der falschen Vögel«[2] ist das am Beispiel der Geschichte des meisterlichen Bilderfälschers Robert Guiscard in eine Fabel gebracht, die der Erzähler, zwar ein Opfer des Fälschers, aber zugleich voll Bewunderung für ihn, abspult: zum Vergnügen des Lesers.

Doch darin liegt zugleich die Gefährdung dieses Romans. Er ist nur ein episches Gerüst, an dem der reale Autor Hildesheimer seine erzählerischen Kunststücke vorführen kann, ein – auf doppelte Weise – epischer Artist, der Kapriolen schlägt, ein Tausendsassa der erzählerischen Verrenkung, der eigentlich das Gerüst, an dem er turnt – die konventionelle Fabel eines »heiteren Romans« mit allen vertrauten Formalien – gar nicht nötig hat oder sich zumindest so verhalten möchte wie der Erzähler in einer der »Lieblosen Legenden«[3], der beschließt, sich in eine Nachtigall zu verwandeln: »Im September vorigen Jahres begab ich mich in mein Schlafzimmer, öffnete die Fenster weit, verzauberte mich und flog davon. Ich habe es nicht bereut.« (81)

Stellt also, bildlich gesprochen, das Formmodell des vertrauten Romans, das im »Paradies der falschen Vögel« gewählt wird, nicht einen äußerlichen Käfig dar, aus dem die Vorstellungskraft des Erzählers, nicht von ungefähr im Bild eines Vogels veranschaulicht, zu fliehen versucht? Denn die Gefahr, die sich hier zeigt, der »goldene Käfig« sozusagen, der den Erzähler Hildesheimer bei einer Fortführung dieser epischen Entwicklungslinie erwartet hätte, läßt sich als der gehobene Unterhaltungsroman, als virtuos präsentiertes episches Vergnügen für literarische Feinschmecker ansehen, das mit der historischen Situation und den Problemen des modernen Romans nur noch äußerlich etwas zu tun hat. Und auch die »Lieblosen Legenden«, in denen sich die Imaginationskraft des Erzählers von epischer Miniatur zu epischer Miniatur frei bewegt, sehen bei aller Anerkennung der ziselierten Details und der gleichsam geflüsterten Ironie als Entwicklungsmöglichkeit nur eine Kreisbewegung vor sich. Das ließ sich nur stofflich und im stilistischen Raffinement erweitern, aber das Prinzip dieser epischen Zauberkunststücke wäre das gleiche geblieben.

Kein Zweifel, Hildesheimer hätte so das Repertoire seiner Darbietungen beliebig erweitern können. Es spricht für ihn, daß er es nicht tat, sondern in seinem 1965 erschienenen Buch »Tynset«, das noch ohne Gattungsbestimmung ist, etwas Neues versuchte. Gewiß, die Verknüpfung mit den »Lieblosen Legenden« ist thematisch und motivlich deutlich genug. Die endzeitliche Attitüde, das Thema von der Überlebtheit der europäisch-abendländischen Kultur und von dem isoliert zurückgebliebenen einzelnen, der, im Boot auf offener See, das endlose Nichts als Zukunft vor sich sieht, erscheint, ironisch verklausuliert, schon in der Legende »Das Ende einer Welt«, einer Weltuntergangsallegorie.

Der während eines Konzertes in seinen Fundamenten zerberstende falsche venezianische Palast einer falschen italienischen Marchesa, die »eine geborene Waterman aus Little Gidding, Ohio« (7) ist, steht für die aus falschen Gesten, Gefühlen und Dekorationen zusammengestückelten Kultur-Arrangements, in denen man sich mit falscher Würde bewegt. Der Erzähler, der an die Marchesa, die »Waschutensilien des achtzehnten Jahrhunderts« (7) sammelt, die Badewanne (in der Marat erstochen wurde) verkauft, ist der einzige, der die »Taktlosigkeit« besitzt, vor dem Ende des Konzertes aufzubrechen, um sich selbst in Sicherheit zu bringen, während die andern Gäste gewissermaßen bei Ende des Konzertes zugleich ihren eigenen Untergang beklatschen.

In der Legende »Schläferung« erscheint bereits die epische Grundsituation der Ich-Erzähler in »Tynset« und »Masante«: die schweifende Phantasie und Vorstellung des schlaflos im Bett Daliegenden, der sich hier vorstellt, in einer Gitarre oder in einem Cello schlafen zu wollen. Aber wenn das Cello als Schlafplatz deshalb ausfällt, weil bereits Pablo Casals darin ruht, in der Nachbarschaft Albert Schweitzers, der hinter dem Cello schläft, den Kopf mit einem Tropenhelm verdeckt, oder wenn der schlaflose Erzähler drei »nächtliche Helferinnen« (163) seines Schlafs imaginiert, und zwar Mona Lisa, die Nonne Antonia und Maria

Stuart und nun, von ihren Namen ausgehend, ihre Geschichten erfindet, so erscheint hier bereits in nuce das epische Verfahren, das Hildesheimer auch in »Tynset« und »Masante« angewandt hat: ein von einzelnen Assoziationsreizen, sehr häufig Namen, ausgelöstes Erzählen, zufällig im Erzählzusammenhang und nur vorangetrieben von dem ruhelosen Bewußtsein des sich erinnernden Erzählers, das sich in assoziativen Sprüngen bewegt und jegliche Konsistenz, Chronologie und Psychologie als entbehrliche Requisiten einer andern Welt erscheinen läßt.

Ist es tatsächlich ein autonom gewordenes Erzähl-Ich, das frei und in diesem Sinne willkürlich imaginiert, die Inkarnation des »Geists der Erzählung«, wie Thomas Mann einleitend im »Erwählten«[4] diesen Erzähler analysiert hat, eine Definition, die Heißenbüttel[5], durchaus positiv gemeint, auch auf den Erzähler in Hildesheimers »Tynset« beziehen will, die aber viel eher auf den Erzähler der »Lieblosen Legenden« zuträfe? Nun ist das bei Thomas Mann eine metaphorische Umschreibung für die Allmächtigkeit eines Erzählers, dessen Demiurgen-Attitüde zwar aus der erzählerischen Tradition vertraut, aber als auf ihn selbst bezogene Erzähler-Rolle ihm bereits suspekt geworden ist. Die metaphorische Umschreibung verschleiert gleichsam sein Unbehagen an etwas, von dem er zu Recht zu meinen scheint, daß es ihm historisch gar nicht mehr zusteht.

Denn diese Allmächtigkeit stellt auch für den Erzähler der »Lieblosen Legenden« ein reines Abstraktum dar: es ist der erzählerische Schwebezustand eines Autors, der längst den Boden der Wirklichkeit unter den Füßen verloren hat und, in einem Vakuum agierend, meint, er könne mit der Wirklichkeit alles anstellen. Eine solcherart verabsolutierte Imagination endet in der reinen Subjektivität, in einer Willkür, die sich jeder Reflexionskontrolle entzieht. Es bleibt nur der punktuelle Effekt, ein Zusammenhang stellt sich als objektivierbarer Realitätskontext nicht mehr her, sondern die unzähligen Details erhalten nur noch eine gewisse quantitative Zuordnung durch die Subjektivität des Erzählers, der sie entstammen. Mit andern Worten: die erzählten Details verkommen, im Extremfall, zum Gag, sie sind beliebig austauschbar. So könnte unter dem Tropenhelm hinter dem im Cello schlafenden Casals auch jeder andere als Albert Schweitzer zum Vorschein kommen, und auch die drei Wärterinnen des Schlaflosen ließen sich durch irgendein anderes historisches Personal beliebig ersetzen.

Die Frage ist nun, ob für den Erzähler Hildesheimer mit »Tynset« tatsächlich etwas Neues beginnt oder ob er hier nur das episch monumentalisiert, was sich im Prinzip schon in den einzelnen Miniaturen der »Lieblosen Legenden« erkennen läßt, von der Sackgasse des adaptierten konventionellen Romans im »Paradies der falschen Vögel« einmal ganz abgesehen? Scheint also unter geschichtsphilosophischem Aspekt das Spannungsverhältnis zwischen Ich und Welt dadurch eliminiert, daß der Erzähler eigenmächtig Konsequenzen aus der Kluft zwischen beiden zieht und deklariert, die Welt nicht mehr nötig zu haben? Epische Clownerien als Abschiedsvorstellung des zum effektvollen Amüsement degenerierten Romans mit einem sich als Alleinunterhalter gerierenden Ich-Erzähler?

Die abstrakte Subjektivität des Erzählers, die, im Verzicht auf alle selbsterzeugten Ideale, sich in effektvolle Formgesten flüchtet und nicht einmal mehr den Versuch macht, die eigene Isolation im Material der subjektiven Erfahrung als Entwicklung greifbar zu machen – das wäre in der Tat ein Endpunkt, der nicht weiter voranzutreiben wäre. Keinerlei existentielle Dimension des Ichs mehr, kein momentaner Aufschwung, keine in die Vergangenheit gerichtete utopische Hoffnung, sondern die abstrakte Subjektivität des Ichs als seine letzte *epische* Schwundstufe.

2. Daß Hildesheimer diese Problematik durchaus bewußt ist und daß er versucht, in »Tynset« und »Masante« einen neuen Zugang dazu zu gewinnen, tritt in »Tynset« an mehreren Stellen hervor, die eine programmatische Bedeutung annehmen. Es gibt immer wieder Augenblicke, an denen der Ich-Erzähler seinen eigenen Erinnerungsprozeß in Zweifel zieht und so beispielsweise die ihm zu einem Namen plötzlich einfallende Telefonnummer so kommentiert: »Sinnlose Erinnerung!« (36) Läßt sich dieses hier angedeutete Verdikt generell auf die Assoziationssprünge des sich erinnernden Erzählers beziehen, der sich damit selbst in Frage stellt?

In der Geschichte über den amerikanischen Prediger »der evangelistischen Erweckungsbewegung, Mr. Wesley B. Prosniczer« (54), an dessen Erfrierungstod hinter dem Steuer seines Autos im Winter sich der Erzähler zu Anfang von »Tynset« erinnert und dessen Geschichte er gegen Ende nochmals aufgreift und entwickelt, heißt es über den Akteur: »eine Figur des Zufalls und damit unentbehrlicher Akteur in dem Spiel, das hier gespielt wird. Ein dankbares Fach. Die Rolle, die er in meinem Leben übernommen hat, die des Teufels ex machina, des Verschreckers...« (175) Deutet das in der Reflexion des Erzählers nicht darauf hin, daß der Zufall das Bewegungsprinzip seines Erinnerungsspiels ist und gerade ihr zufälliges Auftauchen die Unentbehrlichkeit der einzelnen Rollenspieler in diesem Spiel legitimiert? Wird, im konkreten Fall der Prosniczer-Geschichte, dadurch nicht alles auf einen ironischen Effekt eingeebnet: der Prediger, der nicht als deus, sondern als Teufel ex machina erscheint, der die Gäste auf der Party des Erzählers brüskiert und anschließend einen sinnlosen Tod im Schnee findet, eine, selbst aus der Perspektive des Ich-Erzählers, sinnlose Bestrafung?

Aber dieser intentional so dargestellte Zusammenhang ist nur *eine* mögliche Antwort und schärft das Bewußtsein des Erzählers für das, was er zu leisten versucht und was er zu Anfang von »Tynset« in einem eindringlichen Bild festhält: »Es gilt sorgfältig zu sichten, was Geheimnis ist, und was Nebel. Ich sollte versuchen, eine Nebelgrenze zu setzen, endgültig.« (17) Das ist die Erkenntnisintention des Romans, gleichsam auf eine Formel gebracht: der Versuch, zwischen dem zu unterscheiden, was als Attitüde das Ich zu verführen droht, und dem, was aus der Erfahrung dieses Ichs heraus sich allmählich als sein existentieller Kern klärt, ohne daß sich dieser Klärungsprozeß auf einen leicht eingängigen Begriff bringen ließe.

Fast gegen Ende von »Tynset« wird dieses Erkenntnisproblem, das zugleich die Form der hier von Hildesheimer versuchten Prosa betrifft, nochmals thematisiert, und zwar in einer Reflexion über eine Londoner »Hamlet«-Aufführung, die die Figuren nicht in historischen Kostümen, sondern in moderner Kleidung agieren ließ: »Es war sehr wirkungsvoll, diese Wirklichkeitsnähe, die selbst der Witterung Rechnung trug... Zu Ophelias Leichenbegängnis trugen alle... aufgespannte Schirme... An irgendeiner Stelle mußte Hamlet niesen, und eine Welle von Rätselraten zog sich durch das Dunkel des Zuschauerraumes: hatte der Darsteller oder hatte Hamlet sich erkältet. Mißgeschick des Schauspielers oder Konzept des Regisseurs? Als Hamlet jedoch später noch einmal nieste,... da wußte man denn: Einfall des Regisseurs, um uns den Menschen Hamlet in seiner ganzen körperlichen Anfälligkeit näher zu bringen... Es gab Applaus bei offener Bühne. Dies aber verwirrte den Darsteller, der nun nicht sicher war, ob er das Niesen wiederholen solle, denn seine Nachahmung war prächtig... Aber er wiederholte es nicht, er spielte weiter. Und er hatte wohl recht; er hätte diese wohlgesetzte, dem Kenner zu erlesenem Genuß zugedachte Andeutung leichtfertig wieder weggewischt.« (266/7)[6]

Die Reflexion über ein gestisches Detail, das Niesen, als Zufallselement, als Malheur, das dem Schauspieler gegen seinen Willen passiert, oder als ins Inhaltliche umschlagender formaler Akzent einer von Regisseur und Schauspieler erarbeiteten ästhetischen Struktur erweist sich als eine Transposition[7] dessen, was auch in der Form von Hildesheimers Buch zum Problem wird: Wird das Karussell der Erinnerungen, das der schlaflose Ich-Erzähler in Bewegung setzt, tatsächlich von assoziativer Willkür vorangetrieben, die alles mit allem in Verbindung setzt und die Geschichten und Episoden wahllos ineinander verschränkt, oder ist alles Teil einer geplanten ästhetischen Struktur, funktional, aber in einer Weise, die auch den Hamlet-Darsteller charakterisiert: eine ästhetische Struktur der Nuancierungen und Andeutungen, kein sich aufdrängendes und in allen Details plakativ verratendes System? Die Struktur des eigenen Buches wird hier programmatisch bestimmt, es ist eine in Andeutungen versteckte Absichtserklärung des Autors Hildesheimer, der damit eben das zurückweist, was den Erzähler der »Lieblosen Legenden« noch charakterisiert und was er in einigen Reflexionen von »Tynset« als Gefahrenmoment für den Erzähler hervorhebt: die Willkür von Assoziationen und Erinnerungen, die zufälligen Masken, hinter denen sich die abstrakte und damit entleerte Subjektivität des Ich-Erzählers verbirgt.

In »Tynset« ist zumindest der Versuch gemacht, diese Gefahr zu unterlaufen, und das zeigt sich vor allem im Bemühen, das reflektierende Ich des Erzählers auch inhaltlich anzureichern, es als mehr gelten zu lassen als ein abstraktes Prisma, das den Erinnerungsstrom in Reflexionen, Episoden und Geschichten zerlegt. Diese Konkretisierung des Ich-Erzählers zeigt sich unmittelbar in der Erinnerung an diese Hamlet-Aufführung, denn das Hamlet-Motiv[8] selbst ist eine Transpositionsform für das Ich des Erzählers und reicht über »Tynset« hinaus bis zum Ende von »Masante«[9], wo der am Grab Ophelias unter einem Regenschirm stehende Hamlet in dem in der Wüste allein gelassenen Erzähler, der sich unter dem Regenschirm vor dem Sandsturm schützen will, verwandelt wieder auftaucht, wobei die Wüste vermutlich zu seinem Grab wird[10]. Nicht von ungefähr wird die Hamlet-Szene in »Tynset« von der Frage ausgelöst: »Wann wurde der Regenschirm erfunden?« (266), eine Frage, die erst in »Masante« in Form einer Geschichte[11] beantwortet wird und dann zu der absurden Konstellation am Ende des Buches überleitet: der Ich-Erzähler mit einem Regenschirm allein in der Wüste. Daß Hamlet in »Tynset« eine personale Transposition des Ich-Erzählers und seiner Problematik darstellt, beleuchtet ein System von Erwähnungen und Verweisen, das sich im Erzählgeflecht des Buches findet.

Das im norwegischen Kursbuch von dem Ich-Erzähler zufällig gefundene Tynset, das er nicht kennt, das aber zum topographischen Fixpunkt seiner Träume und Sehnsüchte, zur räumlichen Konkretisierung der Zukunft, zur Möglichkeit eines neuen Lebens wird und damit zum utopischen Fluchtpunkt par excellence, wird ja ausdrücklich in Beziehung zu Hamlet gesetzt: »Tynset – klingt das nicht wie Hamlet? Ja, es klingt wie Hamlet, seltsam, daß mir dies erst jetzt einfällt.« (155) Und noch verstärkt an anderer Stelle: »Zu Tynset jedoch – das wird mir zunehmend klar – fällt mir nichts ein, nichts und niemand, außer Hamlet, aber er fällt mir oft ein, fiel mir schon ein, bevor ich Tynset fand, und es ist möglich, daß ohne ihn Tynset nicht so stark in mir haften geblieben wäre wie es ist.« (244)

Es ist nicht allein die klangliche Ähnlichkeit zwischen den beiden Namen, die die Verbindung herstellt, oder der skandinavische Hintergrund, der zu beiden Namen gehört; assoziative Verbindungen, die mit dem Ich des Erzählers wenig zu tun hätten, und auch die biographische Information, daß Hildesheimer sich vorher mit Entwürfen zu einem Hamlet-Roman beschäftigte, schüfe nur eine willkürliche Verbindung. Die eigentliche Verbindung hat mit der individuellen Geschichte des Erzählers, mit seinem Schicksal zu tun, das, wenn auch nur in Andeutungen signalisiert, ganz konkret ist.

Der Ich-Erzähler selbst ist Hamlet und transponiert seine Geschichte in die des Dänen-Prinzen: »...ich bin Hamlet, ich sehe meinen Onkel Claudius... im Versuch, sein Verbrechen betend abzuwälzen, aber ich töte ihn nicht, ich verzichte, ich handle nicht...« (107) Auch der leitmotivisch wiederkehrende Hinweis auf Situationen, »wo ich... Hamlets Vater begegne –« (20), dem ruhelosen Geist von Hamlets Vater, gehören in diesen Zusammenhang. Der Ich-Erzähler ist Hamlet auf der Flucht vor der moralischen Verpflichtung, das durch sein Handeln sühnen zu müssen, was seinem Vater widerfahren ist. Es ist der vom Mörder-König, dem eigenen Onkel, Vater-Mörder und nun Stiefvater Hamlets, nach England ins Exil geschickte Hamlet – die Überfahrt nach England taucht ebenfalls an einer Stelle leitmotivisch auf[12] – mit den Häschern Rosenkranz und Güldenstern im Gefolge; in der Geschichte des Ich-Erzählers tragen sie den Namen Kabasta. Er ist nach Huncke, Malkusch und Obwasser derjenige, der sich von dem inszenierten Telefonspiel des Ich-Erzählers, das dem von Hamlet für seine verbrecherischen Eltern arrangierten Theaterspiel der Schauspieltruppe gleicht, nicht Angst einjagen läßt, sondern, zum Gegenschlag ausholend, den Ich-Erzähler in Schrecken versetzt und in die Flucht schlägt: Er verläßt Deutschland, er emigriert – ein Hamlet im Exil, von seinem Gewissen in schlaflosen Nächten heimgesucht.

Daß hier das Verhältnis des Juden Hildesheimer zu Deutschland gespiegelt erscheint, daß hier Erfahrungen verdichtet sind, die er als Simultan-Dolmetscher während der Nürnberger Prozesse gesammelt hat, gibt dieser Spiegelung des Ich-Erzählers in Hamlets Geschichte zusätzlich Gewicht, aber die Verknüpfungen sind auch so unübersehbar im Verweisungszusammenhang dieses Textes zu erkennen, so wenn das Bild des unter einem Regenschirm stehenden Hamlet assoziativ ein anderes auslöst, das sich am Wort Schirm entzündet, aber die Schuldproblematik des Ich-Erzählers unmittelbar betrifft. Gemeint sind jene Stellen, wo es heißt: »und wo war es, daß ich Lampenschirme sah, aus heller menschlicher Haut, verfertigt in Deutschland von einem deutschen Bastler, der heute als Pensionär in Schleswig-Holstein lebt?‹ (139) Ein Bild, das modifiziert am Ende von »Tynset« nochmals aufgenommen wird und sich zur politischen Anklage gegen die Gegenwart steigert: »ein Mörder, aber keiner von den Ordnungswahrern, kein Spreizer einer großen roten blonden Hand, keiner von den Hautabziehern und Pensionären in Schleswig-Holstein, den knochenbrennenden Familienvätern aus Wien, den Aufknüpfern, Menschenschützen...« (269)

Vor ihnen ist der Ich-Erzähler auf der Flucht: schlaflos im Bett liegend, wird seine schweifende Vorstellungskraft zur Therapie gegen die Angst vor den Verfolgern und gegen den inneren Zweifel an seiner Untätigkeit, an der moralischen Schwäche seiner Flucht in das utopische schöne Nirgendwo, nach Tynset, wo ihn aber immer wieder erneut das Bild Hamlets trifft und damit auch die Erinnerung an seine eigene Geschichte. Und auch die

Geschichten, die er sich ausdenkt, sind nur selten erfolgreiche Kompensationen der Angst wie etwa in der Anfangsgeschichte von den Hähnen Attikas[13], mit deren von ihm ausgelösten Konzert er die »Angst vor der Stille der Nächte« (39) zu übertönen versucht; zumeist zeigen sie ihn dem Hamlet im Gespräch mit den beiden Totengräbern ähnlich: ein Memento mori, mit dem Totenschädel in der Hand, Erzählungen, die im Tod enden wie am Beispiel der souverän durchgespielten Bett-Fuge, die die Schlafenden im »Great Bed of Ware« dem Pesttod zuführt, oder am Beispiel der Geschichte des eigenen Bettes, in dem die Fürstin Gesualdo mit ihrem Geliebten einst von ihrem eifersüchtigen Mann ermordet wurde; »ein rätselhafter einzigartiger Mörder« (269), zu dem seine Gedanken ganz am Schluß zurückkehren: die Gegenfigur zu Hamlet, eher ein Kabasta, »ein Mörder (der) vielleicht sich duckt und zum Sprung auf mein Fensterbrett ansetzt...« (248)

Entstanden ist so ein dichtes Textgewebe, in dem, das Gegenteil von assoziativer Willkür offenbarend, alles auf die innere Erfahrung des Ich-Erzählers zugeordnet ist und sein Bewußtsein auslotet, aus dem er freilich ständig auszubrechen versucht in der Sehnsucht nach dem ganz anderen, dem abstrakten Nirgendwo-Ort Tynset, »auf der Suche nach etwas, das er nicht kennt, etwas, das man erst erkennt, wenn man es gefunden hat...« (215), nach jenem Ort, in dem sein Ich sich verwandeln könnte, nach einer Wirklichkeit, die seinem potentiellen Ich entspricht.

Aber der Versuch auszubrechen aus der Vergangenheit, aus dem Schuldzusammenhang, dem »Käfig, ohne Möglichkeiten« (95), mißlingt, der Ich-Erzähler schiebt die Reise nach Tynset auf; als der Schnee fällt, gibt er sie ganz auf. Sein programmatischer Gestus – »Hier stehe ich und bohre mich tief ins ewig Unvorstellbare.« (178) – erlahmt, er beginnt zu begreifen, »daß hier nicht und nirgends das ersehnte, das erträumte Nichts ist...« (184) Tynset und die Sehnsucht nach dem neuen Ich und nach dem neuen Leben verblassen als abstrakte Hoffnung. Was sich andeutet, ist die Stufe der letzten Reduktion, die Flucht in die Wüste: »eine Stadt aus Wüste, an deren Peripherie ich stand, Sand atmend, in dieser sengenden Mittagshitze...« (77) Eine Endspiel-Kulisse, die Wüstenstadt Meona in »Masante« vorwegnehmend, der resignative Gegenpol zu Masante, dem Haus, in dem sich der Ich-Erzähler des »Tynset«-Romans offenbar noch aufhält und das er in »Masante« dann verlassen hat, in der Fortsetzung seiner Flucht.

3. Die thematischen Linien in »Masante« erscheinen denn auch als Fortführung dessen, was sich bereits in »Tynset« andeutet. Die existentielle Außenseiter-Stellung des Ich-Erzählers hat sich noch radikalisiert. Seine Furcht vor den Häschern und seine Angstreaktion, die Flucht, haben sich noch gesteigert. Er hat seine Position im Windschatten der politischen Geschichte, im toskanischen Idyll seines Bauernhauses Masante in der Nähe von Urbino, verlassen und sich ganz an die Peripherie der Wirklichkeit begeben, in die Wüstenstadt Meona, wo er sich in der Kneipe mit dem allegorischen Namen »la dernière chance« aufhält, im monologischen Duett mit der Wirtin Maxine, in der Züge Celestinas, der Haushälterin des »Tynset«-Erzählers, wieder erscheinen, im gelegentlichen Gespräch mit dem Wirt Alain, ihrem Mann, um dann am Ende in der Wüste zu verschwinden.

Meona ist der räumliche Gegenpol zu Masante, aber auch zu Tynset. Während die vorgestellte Flucht nach Tynset den Ich-Erzähler veranlaßte, seine Geschichte in die Hamlets zu transponieren und sich damit der mit seiner Vergangenheit verknüpften Schuldfrage zu stellen, führt ihn die Flucht an den Rand der Wüste allmählich aus der Zeit und aus der Geschichte heraus. Die zu Anfang von »Masante« mit dem Blick auf Vico hervorgehobene Zeiterfahrung, »die dauernde Wiederkehr der Zeit« (8) als Auslöschung aller progressiv voranschreitenden Geschichte, wird am Ende in dem Bild der Wüste intensiviert: »Eine Entdekkung: Sand ist das fünfte Element.« (376) Es ist das Element, das bleibt, wenn alles andere sich aufgelöst hat, es ist Verbildlichung der Auflösung selbst, Erosionsschutt der Geschichte und zugleich Einebnung alles Geschichtlichgewordenen, Inbegriff für das Gleichmaß einer sich nie verändernden Zeit. In dem Sinne ist die Wüste, wie es einmal heißt, »neutral« (118), der Nicht-Ort schlechthin, die sich in ihrer Abstraktheit gleichsam selbst eliminierende Utopie, Vorgeschmack des großen Nichts, nach dem der Ich-Erzähler schon in »Tynset« sucht.

Unter dem Aspekt leuchtet es ein, daß der Ich-Erzähler nun über die für »Tynset« so zentrale Hamlet-Transposition ausführt: »Hamlet, der kam immer wieder, lange hat er mich nicht losgelassen. Den lege ich hiermit endgültig ab, ich schicke ihn in die Wüste.« (219) Auch der in der »Das Ende einer Welt« betitelten

»Lieblosen Legende« im grotesken Gleichnis akzentuierte Untergang einer zu geschmäcklerischem Ausstellungspomp verkommenen abendländischen Kultur wird in der Mitte des Buches in einer Variation nochmals vorgeführt, am Beispiel des Maskenfestes, das ein texanischer Milliardär in seinem venezianischen Palazzo in Szene setzt, wobei auch hier der Palast zusammenbricht und mit der Parvenü-Gesellschaft im Schlamm versinkt.[14] Das ist zugleich das Verdikt des Erzählers über die Geschichte. Er reflektiert seine Passivität und sein Zögern nun nicht mehr im Bilde Hamlets, sondern vertritt als einzig mögliche Haltung im Angesicht einer sinnlosen Geschichte: »Ich war ›zu nichts bestimmt‹, zum Kämpfer schon gar nicht. Gern wäre ich einer von denen gewesen, die fahnenschwingend über Barrikaden springen, ein Befreier unter Befreiern. Aber wer sind sie, wer waren sie? Ein Mythos, ein schönes Märchen. Ein großes Ziel verkünden, – ja, doch wo hätte es seine Verbreiter überlebt?... Die falschen Ordnungen sind eingesessen, eingesenkt; wer sagt, daß sie ausrottbar seien, der irrt. Der kennt sie nicht, die Häscher...« (333)

Diese Einstellung zur Geschichte charakterisiert auch den Autor Hildesheimer, für den Historie ein absurdes Kostümfest ist, der bekannt hat: »Was ich für absurd halte, ist, irgendeine Lehre aus der Geschichte ziehen zu wollen.«[15] Das ist der thematische Angelpunkt des Romans und zugleich eine Radikalisierung der Einstellung, die noch für den Ich-Erzähler von »Tynset« gilt. Dort war noch die Hoffnung auf eine abstrakte Zukunft vorhanden, verdeutlicht im vorgestellten Ort Tynset, dem Zukunftsort eines potentiellen neuen Ichs. In »Masante« ist die Perspektive der Zukunft ausgelöscht, im Wüstensand verschüttet, der gleichmacherisch alles einebnet und zudeckt, bis alles zur Wüste geworden ist. Die Wüste ist als topographisches Ziel die Negation jeder utopischen Konstellation, die Aufhebung jedes Ortes, die anonyme Gleichförmigkeit des Nichts.

Die zwischen Ich und Wirklichkeit aufgebrochene Kluft ist gleichsam in einem Endzustand erstarrt, der jede Möglichkeit einer neuen Beziehung zwischen beiden als sinnlose Hoffnung widerlegt. Die vorangegangene Geschichte erweist sich als die Bibliothek, die in einer Episode von »Masante« erwähnt wird: die dort gesammelten Bücher enthalten alle nur zusammengebundenes leeres weißes Papier[16]. Der nur mit einem Regenschirm gegen den Sandsturm bewaffnete und in der Wüste verschwindende

Erzähler, der verlorengeht, der Andeutung nach Selbstmord begeht, akzentuiert auf diesem Hintergrund in dem Schlußbild eine resignative Konsequenz: der einzelne ist der Wüste hoffnungslos ausgeliefert, der Regenschirm die Verdeutlichung seiner Hilflosigkeit. Auf diesem Hintergrund erwiese sich der Erzähltext des Romans selbst als ein epischer Zersetzungsprozeß, als eine Auflösung alles dessen, was als Formelement einmal zum Roman gehörte. So wie sich der Ich-Erzähler in seinem Buch aufgibt, gibt Hildesheimer den Roman auf.

Wird hier nicht der geschichtliche Prozeß, der die Entzweiung von Ich und Wirklichkeit bis ins Extrem vorangetrieben hat, vorschnell auf eine resignative dogmatische Formel gebracht, in der der momentane Zustand als ewig deklariert wird und der Ich-Erzähler seine Hoffnungslosigkeit und Isolation monumentalisiert? Läßt sich nicht ein Vorwurf, den man dem »Tynset«-Text gemacht hat, auf diesem Hintergrund unterstreichen, nämlich: »Weltschmerz hätte das früher geheißen, heute tauft es sich gern auf den strengen Namen ›Entfremdung‹. Diese Klagerede möchte offenbar radikal sein durch Allgemeinheit, gerät aber durch ihre Allgemeinheit nur unverbindlich, zu Weltschmerz-Rhetorik... Vom Ende des Erzählens erzählt ein Autor unendlich, fast beschwingt.«[17]

In der Tat deutet sich hier ein möglicher Widerspruch zwischen der zum ideologischen Dogma tendierenden agnostizistischen Position des Ich-Erzählers und der Reflexionsbemühung seines Textes an. Denn keineswegs ist es so, daß sich die Gleichung zwischen der Endzeit-Kulisse der Wüste und einem Formzerfall seines Romantextes aufrechterhalten läßt. Zum einen bleibt es nicht bei einem abstrakten Ekel vor der Wirklichkeit, sondern die intensivierte Angst des Erzählers, die zur Flucht von Masante in die Wüste führt, wird auch konkretisiert durch eine viel breiter ins Bild gebrachte Vergangenheit des Erzählers. Zum andern wird »Masante« im Unterschied zu »Tynset« nicht von ungefähr im Untertitel »Roman« genannt: die romanhaften Elemente, auch im Sinne einer angedeuteten Fabel, die über die monologische Situation des schlaflosen Erzählers in »Tynset« hinausgeht, vor allem durch die Hereinnahme Maxines als handelnde und reflektierende Person, sind hier viel deutlicher ausgeprägt als in »Tynset«.

Der abstrakt klingende Appell des Ich-Erzählers entstammt also nicht einer Weltschmerz-Attitüde, sondern seiner im Erzählen genau ausgemessenen Erinnerung, einer sich am konkreten Material schärfenden Reflexion, wodurch zugleich auch der Reflexionsort, die Wüste, eine neue dialektisch umschlagende Qualität annimmt: sie ist eben nicht nur Endzeit-Kulisse, sondern auch Möglichkeit der Distanz, die erst zur Erkenntnis befähigt. So hat den Ich-Erzähler sein »Suchen nach bestimmten Dimensionen der Distanz« (110) in die Wüste geführt. Erst die Position am Rande der Wüste ermöglicht es ihm, die Dinge klar zu sehen: »es ist eine neue Dimension in mein Bewußtsein getreten, eine gefährliche Wachheit. Sie erlaubt mir, das Neue hier bis in seine kleinste Einzelheit aufzunehmen. Mehr sogar: Vergangenes im Licht einer neuen Sicht zu betrachten.« (244/5) An einer andern Stelle wird diese Erkenntnismöglichkeit, mit dem Blick auf Erfahrung und Geschichte des Ich-Erzählers, noch genauer bestimmt: »wer hier ist, der rechnet ab mit anderen Orten der Erde, jeder mit seinem, ich mit vielen.« (59)

So wird auch die Wüsten-Position für den Ich-Erzähler erst zur Voraussetzung für das, was er zu Anfang formuliert: »Vielleicht also gelingt mir hier, was mir auch in Masante nicht mehr gelingen will? Einen Gedanken, oder auch nur den Seitenzweig eines Gedankens bis zur Reife zu denken und ihn in ein Bild zu fassen, das in allem bis ins letzte stimmt.« (24) Die Wüste ist nicht nur letztes Rudiment der Realität, sondern zugleich Position der Überschau. Das Herausgeratensein aus der Wirklichkeit schlägt um in Erkenntnisnähe.

Auf diesem Hintergrund leuchtet es ein, daß die Transposition des Häscher-Motivs in die Hamlet-Geschichte wie in »Tynset« jetzt nicht mehr nötig ist, sondern viel direkter im historischen Material verankert hervortritt. Die von den Namen auf einem katholischen Heiligenkalender, den der Erzähler liest, ausgelösten Geschichten sind Beispiele dieses historischen Materials, Lebensläufe von Häschern, von Mördern, von Verfolgern und Verfolgten, die immer wieder im Text auftauchen: die Geschichten von Otto Lüdig, Helmut Fischer, »Gerber oder auch Felber« (81), dem Polizisten Diethelm Fricke, von Motschmann, Konrad Lüning, dem Spengler Karl Adolph Starck, Kranzmeier, Götz Dietrich Stollfuß, Dr. Giselher Schmitt-Lindach, Dr. Ewald Winführ-Morelli, Klaus Hinrich Buttjes, Fötterle, Globotschnik – sie alle Bundesgenossen und Kumpanen jenes anderen Häschers Kabasta, der schon von »Tynset« her vertraut ist und auch hier wiederholt auftaucht[18], eine Galerie von Kreaturen und

Schemen der Vergangenheit, die den Ich-Erzähler nicht losläßt, aber keineswegs mit der Vergangenheit, etwa der ausgedehnten Erinnerung an die Blutgasse in Wien[19] abzutun, sondern überall anzutreffen ist: bei dem afrikanischen Präsidenten Oberst Ethos Mbagumbwe, der seinen gescheiterten Attentäter lachend erschießt[20], oder bei dem südamerikanischen »Indianer-Ausrotter… General Porfirio Figueras« (310).

Nicht nur die Erinnerung des Ich-Erzählers an die Häscher läßt sie allgegenwärtig erscheinen, sie sind es im Blick des Erzählers auf die Geschichte, die ihn in Vergangenheit und Gegenwart umgibt. Erst das erklärt, warum keine Fluchtstation ausreichend scheint, warum er vor allem mit dem Blick auf das Deutschland der Gegenwart an eine utopische Wendung der Geschichte nicht zu glauben vermag: »Wie aber, wenn diese Witwe Praesent, im Gegenteil, auf das Ableben ihres tyrannischen Gemahls gewartet hätte, um der unterdrückten Belegschaft Rechte einzuräumen, die eine gewaltige Reform einleiten sollen: Beginn einer Herrschaft der Gerechtigkeit? Wie, wenn ich mich irrte, wenn Karl Adolph Starck den Szygmund Weiszbrodt nicht getötet, sondern vor Kabastas Griff gerettet hätte?« (298/9)

An diesen »Beginn einer Herrschaft der Gerechtigkeit« vermag der Ich-Erzähler nicht zu glauben. Für ihn bleiben die Häscher auch die Herrscher der Welt. Und hatte er seine Situation in »Tynset« in die Geschichte Hamlets transponiert, so ist es hier am Ende von »Masante« eine Transposition in die Geschichte Josef K.s in Kafkas »Prozeß«[21], der am Ende von seinen beiden Häschern eingeholt und, ohne daß er wüßte warum, exekutiert wird. Denn auch die letzten Anläufe einer versuchten menschlichen Kommunikation im Gespräch des Ich-Erzählers mit dem Kneipenwirt Alain und der Geschichten erfindenden phantasievollen, aus der Wirklichkeit in den Suff fliehenden Maxine lassen keinen Zweifel daran, was den Ich-Erzähler am Ende erwartet: er verschwindet in der Wüste, löst sich auf, eliminiert sich.

Wurde der Ich-Erzähler in »Tynset« noch von seiner Passivität beunruhigt, da er sie bei so viel nach Sühne verlangender Schuld als Schuldigwerden ansah, und besaß also die Kategorie der moralischen Verantwortung noch Geltung für ihn, so hat sich Hamlet hier am Ende in sein Schicksal ergeben: angesichts einer als sinnlos erkannten Wirklichkeit entsagt er jeder Aktivität. So mündet denn der Erkenntnisweg des Erzählers am Ende von »Masante« in keinerlei Tat, ja nicht einmal eine neue Fluchtposition scheint über Meona hinaus denkbar. Der Erzähler exekutiert sich gewissermaßen selbst. In einer als gleichförmig und immer als gleichbleibend erkannten Zeit versinkt die Dimension der Zukunft wie seine Spur im Sand. Das ist die fatale, ja fatalistische Wendung, die Hildesheimer seinen Ich-Erzähler in »Masante« nehmen läßt. Die Idylle des toskanischen Bauernhauses Masante ist im Höchstfall eine rückgewandte Utopie, ein Refugium, in das sich der Erzähler nur auf Zeit zurückziehen konnte. Sein Kredit für die Zukunft ist endgültig verbraucht. Und der Eingang ins Nichts, von dem er schon in »Tynset« träumt, scheint in »Masante« erreicht zu sein, aber es ist kein Aufschwung mehr, sondern ein melancholisches Verdämmern.

In dieser postulierten Endgültigkeit, die bei Hildesheimer sicherlich subjektiv ehrlich gemeint ist – nach »Masante« scheint in der Tat kein Roman mehr für ihn möglich – liegt die Irritation des Buches. Die konkrete Erfahrungsdimension des Ich-Erzählers wird erweitert zu einer agnostizistischen Haltung der Geschichte gegenüber und als resignative Erkenntnis propagiert. Das, was Hildesheimer am Beispiel jener Hamlet-Inszenierung in »Tynset« als System von Andeutungen beschrieb und was sich als indirekte Charakteristik der ästhetischen Struktur seiner eigenen Texte lesen ließ, wird hier eindeutig gemacht, ja intentional zur dogmatischen Formel veräußerlicht, die eine weltanschauliche Position des Dramatikers des absurden Theaters wiederaufgreift. Er verliert damit zugleich die subjektiven Voraussetzungen, die auf der einen Seite zur Konkretheit der Position seines Ich-Erzählers gehören und andererseits seine Erkenntnis von diesen Voraussetzungen her relativieren, aus dem Blick. Der Ich-Erzähler spricht zwar mitunter von der »Scham über mein gegenwärtiges Leben« (135) und zieht die Bedeutung seines reflektierenden Ichs in Zweifel, aber verallgemeinert am Ende dann doch die Erfahrungen seines Ichs.

In der Tat ließe sich fragen, ob die intendierte paradigmatische Bedeutung dieses Ichs nicht eigenmächtig postuliert wird, ob sie nicht, auf einen sozialen, politischen Hintergrund projiziert, schrumpft, unwesentlich wird, auch unter dem Aspekt, daß hier offenbar eine Projektion des realen Autors vorliegt, dessen Reisen, Auslandswohnsitze, ökonomische Unabhängigkeit, kulturgeschichtliches und literarisches Bildungsreservoir die Quelle all jener Bewußtseinsreflexe sind, die die Innenwelt des Ich-Erzählers verdeutlichen. Gibt sich hier möglicherweise der Autor mit der aufgebrochenen Trennung von Ich und Realität zu leicht zufrieden, indem er als Reaktion auf diese Trennung nur noch seine aus Bildungsgut und, überspitzt formuliert, aus seiner privilegierten gesellschaftlichen Lebenserfahrung gesogenen Affekte literarisiert, ohne einen Versuch zu machen, die zerbrochene Identität von Ich und Welt in einer neuen Beziehung wiederzuentdekken? An die Stelle der dem Autor entglittenen Wirklichkeit treten gleichsam nur noch seine schriftstellerischen Reflexe, literarische Exerzitien, mit denen er seine Wirklichkeitsarmut wortreich beklagt? Ist also dieser Ich-Erzähler, der, ein welterfahrener Gourmet, gelegentlich Kräuter züchtet, nicht gar ein verhinderter Schriftsteller, der als Darstellungsgegenstand nur noch mit seiner eigenen Sensibilität aufzuwarten hat?

Hildesheimer hat denn auch offen eingestanden: »Die Umstände des Erzählers sind den meinen ähnlich. Die Frage kam ja auch schon bei ›Tynset‹ auf: Was tut der Ich-Erzähler tagsüber? Viel wird er nicht tun, vielleicht schreibt er; irgendwann heißt es auch, daß er Kräuter züchtet. Das ist nicht etwa im Rousseauschen Sinn zu verstehen, es ist tatsächlich ein Rückzug aus dem Leben. Auch darin liegt eine gewisse Identifikation mit mir. Den Vorwurf des Parasitären muß ich auf mir sitzen lassen.«[22]. Da, wo die Angstzustände des Erzählers im historischen Material seiner Erfahrung im Dritten Reich durch den Motiv-Strang der Häscher in beiden Büchern konkret werden, treten die Erkenntnisse des Erzählers auch über das Bewußtsein der Figur hinaus: wird im Besonderen das Allgemeine sichtbar. Wenn jedoch das Netz der historischen und literarischen Anspielungen immer feiner und dichter gesponnen wird und die Masken, die sich der Ich-Erzähler reflektierend vorhält, immer schneller wechseln, wird zugleich sein eigenes Gesicht dahinter immer undeutlicher und verliert gerade durch die so intendierte Repräsentanz die Qualität der Überzeugungskraft. Was der Ich-Erzähler an einer Stelle über die Erzählerin Maxine sagt, gilt nur noch streckenweise für ihn selbst: »...ihre Berichte sind getränkt von jener Wirklichkeit, die das Mögliche in sich einschließt und mit dem Geschehen vermischt. Alles wird ihr wahr.« (188) Das Mögliche veräußerlicht sich jedoch mitunter zur Attitüde der Allgemeinheit, in der sich das Wirkliche zugleich phantasmagorisch verflüchtigt. So ist paradoxerweise die schriftstellerische Bravour des Ich-Erzählers das stärkste Argument gegen seine Überzeugungskraft.

Daß »Masante« für den Erzähler Hildesheimer auch im übertragenen Sinn in die Wüste führte, hat er selbst wiederholt bekannt. Eine Sackgasse, was die Entwicklungsmöglichkeiten des Erzählens betrifft, scheint es auch unter anderem Aspekt. Sollte der Ich-Erzähler nicht in der Wüste verdurstet sein, so wären nur noch Variationen des melancholischen Endzeitgefühles denkbar. Ihm bliebe, metaphorisch gesprochen, nur noch übrig, orientierungslos in der Wüste zurückgelassen, im Kreise zu gehen. Die Situation, die sich nach den »Lieblosen Legenden« zeigte, ist also auf einer neuen Ebene wiedergekehrt. Sah sich Hildesheimer dort vor die Alternative gestellt, entweder mit ständig neuem und verfeinertem stilistischen Raffinement neue Etüden der Skurrilität zu imaginieren oder – was er tat – auszubrechen, so bleibt ihm auch jetzt nur noch ein äußerlicher Fortschritt: die Sensibilität seines Ich-Erzählers nur quantitativ, durch andere neue Erinnerungsschübe, durch einen noch exakter ins Bild gebrachten und begründeten Wirklichkeitsekel zu variieren, sieht man einmal von dem Seitenweg in »Zeiten in Cornwall«[23], dem »Versuch der exakten Beschreibung«[24] mit einem Realität verarbeitenden und nicht subjektiv erlebenden Ich ab, zumal dieser Text ursprünglich auch als »Reisebeschreibung für den Rundfunk«[25] geplant war. Es spricht für den Autor Hildesheimer, daß das Ende von »Masante« auch für ihn als Romancier gilt: »... mein Material ist erschöpft.«[26]

Anmerkungen

1 W. Jens: »Die Anmut des Entsetzens«, in: »Die Zeit« Nr. 43 v. 25. 10. 1966.
2 München 1953.
3 Neuausgabe Frankfurt/M 1968.
4 Vgl. Frankfurt/M 1951, 8.
5 »Nur Erfindung, nur Täuschung?«, vgl. 120, in: »Über Wolfgang Hildesheimer«, hrsg. v. D. Rodewald (= Rodewald), Frankfurt/M 1971, 118-121.
6 Zitiert nach der Ausgabe in der »Bibliothek Suhrkamp«, Frankfurt/M 1973.
7 Zum Begriff der Transposition als wichtiger kunsttheoretischer Kategorie Hildesheimers vgl. auch die Ausführungen von B. Scheffler: »Transposition und sprachlich erzeugte Situation. Zur dichterischen Verfahrensweise Wolfgang Hildesheimers«, in: Rodewald, 17-31.
8 Wie zentral diese Hamlet-Transposition ist, läßt sich an zahlreichen

Beispielen belegen. In seiner Rede über Georg Büchner (in: W. H., Interpretationen. James Joyce, Georg Büchner. Zwei Frankfurter Vorlesungen«, Frankfurt/M 1969, 33-51) stellt Hildesheimer eine wichtige Verbindung zwischen dem Melancholiker Hamlet und dem Melancholiker Leonce in Büchners »Leonce und Lena« her und betont vor allem das Selbstmord-Motiv: »Wie Hamlet also denkt Leonce-Büchner an Selbstmord, kommt ihm auch näher als Hamlet.« (46) Hildesheimer hat darüber hinaus bekannt, »daß er ja mal ein Hamlet-Buch habe schreiben wollen…« (»Wolfgang Hildesheimer im Gespräch mit D. Rodewald«, 156, in: Rodewald, 141-161) Rodewald hat mit Recht darauf hingewiesen: »Hamlets Selbstmordmonolog steht im Hintergrund der ›Tynset‹-Konstruktion und auch hinter ihrem Aufbau.« (»Wolfgang Hildesheimer«, 286, in: »Deutsche Dichter der Gegenwart«, hrsg. v. B. v. Wiese, Berlin 1973, 227-291)

9 Zitiert nach der Erstausgabe, Frankfurt/M 1973.

10 Vgl.: »Den Schirm gegen den Wind und hinein, durch den Sand.« (371)

11 Vgl. 203ff.

12 Vgl. 252.

13 Vgl. 39ff.

14 Vgl. 158-162.

15 W. Hildesheimer/D. E. Zimmer: »Rückzug aus dem Leben« (Zeit-Gespräch), in: »Die Zeit« Nr. 16 v. 13. 4. 1973, Lit. 1-2.

16 Vgl. 60.

17 R. Baumgart: »Vor der Klagemauer«, 116/7, in: Rodewald, 115 bis 118.

18 Vgl. 119.

19 Vgl. 124f.

20 Vgl. 242

21 Vgl. 346.

22 Zeit-Gespräch, Lit. 2.

23 Vgl. auch den Hinweis von Hildesheimer im Gespräch mit Rodewald: »…›Cornwall‹ (ist) einzigartig unter meinen Texten: er greift etwas auf, was ich sonst nie aufgegriffen habe und was ich wahrscheinlich auch nicht mehr aufgreifen werde: ich habe nicht die Absicht, eine Autobiographie zu schreiben.« (Rodewald, 146)

24 Rodewald, 144.

25 Rodewald, 141.

26 Zeit-Gespräch, Lit. 2.

VIII.A. Für mich ist Literatur auch eine Lebenshaltung. Gespräch mit Peter Handke

1. Initiation als Autor

D.: Herr Handke, ein Charakteristkum Ihrer außerordentlichen Wirkung liegt, so scheint mir, auch darin, daß Sie als Person und Autor mit dieser Wirkung identisch sind, daß man bei Ihrem Erfolg nicht in erster Linie an bestimmte Bücher denkt, sondern an eine bestimmte Aura, die mit Ihrer Position im Literaturbetrieb – ob gewollt oder ungewollt – stärker verbunden ist als mit bestimmten Texten, die Sie geschrieben haben. Zu diesem Wust von Wirkung gehören auch die verschiedenen Erklärungsversuche, die zumeist bei Ihrem Auftritt während der Princetoner Tagung der Gruppe 47 ansetzen und Ihre Aktivität dort als einen wohl kalkulierten Reklame-Feldzug deuten, dessen Kalkül auch in der Folgezeit nie zu übersehen gewesen sei: Sie hätten Ihre Wirkung ständig bewußt kanalisiert, und zwar durch Ihr bereits erstaunlich vielfältiges und reichhaltiges Œuvre, das in bestimmten Zeitabständen immer erweitert werde. Ist das eine Unterstellung, ein Mißverständnis? Wie stehen Sie zu dem Ausgangspunkt dieser Hypothesen, Ihrer Initiation als Autor in Princeton?

H.: Ich bin einfach zu sehr darin verwickelt, um das objektiv klären zu können. Ich weiß nur, daß es nirgendwo genügt hätte oder auch nur einen Anreiz gegeben hätte, einen Schriftsteller zu lancieren, wenn er nur auf der Gruppe 47 diese Beschimpfung von sich gegeben hätte, wie es kolportiert worden ist. So kann sich ein Schriftsteller nie machen. Das hätte nicht länger als ein, zwei Monate gedauert. Das seh ich nicht als eine Art Entstehung von mir als Schriftsteller. Natürlich hat's eine gewisse Publizität gehabt, die mir noch immer um die Ohren gehauen wird, und ich kann immer nur sagen: Das war spontan. Und immer wieder wird mir gesagt: Das war geplant. Ich kann auch nicht beweisen, daß es spontan war. Es war ein Gerücht, daß es geplant war, und das ist nicht aus der Welt zu schaffen. Aber andererseits denke ich immer, wenn ich das lese, was ich da gesagt haben soll – Beschreibungsimpotenz, alles schlecht usw. –: es waren doch versierte Schriftsteller und Journalisten, die hätten das doch nicht ernst genommen, wenn da nur irgendein junger Mensch so etwas sagt. Es muß doch mehr ge-

wesen sein, es muß ein allgemeines Gefühl gewesen sein, das da zum Ausdruck gekommen ist, sonst wäre ja auch die ganze Sache nicht so spontan akklamiert worden.

D.: Sie meinen, Sie waren das Sprachrohr einer gewissen Mißstimmung, eines gewissen Unbefriedigtseins?

H.: Über das sich niemand klar geworden ist, das aber eigentlich viele, die Mehrzahl sicherlich, empfunden haben. Das wurde dann plötzlich so formuliert, und das war eine Erleichterung. Es wurde in einem bestimmten Moment dieser dreitägigen Tagung formuliert, wo es, glaub ich, richtig war. Ich hätte es ja nicht planen können, ich hätte nicht wissen können, daß so ein Moment kommt. Natürlich, eine Stunde vorher hat sich das schon aufgestaut. Und man hat gedacht: Nun muß man was sagen. Aber das Reden allein hätte nicht genügt. Außerdem war es doch auch viel genauer und schlagender, als es wiedergegeben wurde. Es gibt wahrscheinlich kein Tonband davon. Ich bin neugierig, was da wirklich gesagt worden ist. Und es war dann wirklich eine unheimliche Erleichterung. Das war nur so, daß jemand als Stellvertreter für andere dann plötzlich eine Befreiung bewirkt hat. Aber das hätte ja nie genügt, daraus einen Schriftsteller zu machen.

D.: Das leuchtet sicherlich ein.

H.: Für mich ist das eher die »Publikumsbeschimpfung«, die dann natürlich eine ähnliche Geste durch die Medien gekriegt hat wie das, was in Princeton passiert ist, weil es in beiden Fällen eine Beschimpfung war. Also: vermittelt hat das ähnlich ausgesehen und hat dann natürlich schon mich produziert, glaub ich.

D.: Die Leute, die mit der Princeton-Affäre argumentieren, weisen natürlich darauf hin, daß die »Hornissen« nach relativ großen Schwierigkeiten bereits erschienen waren und nun von Ihnen auf diesem Forum ins Gespräch gebracht wurden, um eine Resonanz zu erzielen, die die Veröffentlichung allein noch nicht erreicht hatte.

H.: Das kann man sagen.

D.: Denn sicherlich haben Sie über die Dinge, die Sie dann in Princeton geäußert haben, schon vorher nachgedacht. Die Prosa von Piwitt und ähnliches, was Sie angriffen, kannten Sie ja schon vorher.

H.: Das kriegt eine ganz andere Qualität, wenn man das physisch vorgetragen hört, wenn man eine gewisse Tendenz hört, auch in den Antworten der Kritiker auf diese Texte, wenn man da eine normative Anschauung von Literatur heraushört. Das wird dann na-

türlich alles viel aggressiver, als wenn man es fernweg als Konsument von Literaturblättern wie im Sportteil verfolgt. Das wird existentieller, und es wurde halt existentieller. Was das Erscheinen der »Hornissen« betrifft, das Buch kam ja drei Wochen vorher raus. Da kann man ja nicht sagen, daß es nicht beachtet wurde. Bevor die komische Rede in Princeton geschah, gab es eine große Rezension in Deutschland, das war die Rezension von Helmut Scheffel in der FAZ. Es war eine eingehende und wirklich beschreibende, einen Autor vorstellende Rezension, die auch – das darf man jetzt nicht auslassen, ohne daß ich mich damit brüsten will – auf der ersten Seite der Literaturbeilage erschien. Das wäre also nicht das Problem gewesen.

D.: Aber ist das nicht eine maßlose Überschätzung der Möglichkeiten, die eine Rezension hat, selbst in einer angesehenen Zeitung? Kann das die Initiation eines jungen Autors bewirken?

H.: Das war damals schon eigentlich mein Ideal, daß das Buch da so steht, das war schon die Erfüllung, damals zumindest. Ich hab ja nichts anderes erwartet.

D.: Aber in der Regel waren doch die Rezensionen eher spärlich?

H.: Sicher.

D.: Und das Echo ist doch im ganzen sehr kritisch gewesen?

H.: Das ist richtig. Aber es war eben so: diese Rezensionen sind dann überhaupt erst nach Princeton geschrieben worden. Nur bei der Rezension in der FAZ war nur das Buch da und der Autor noch nicht. Bei allen andern Rezensionen dieses ersten Buches wurde die Geschichte von Princeton ausführlich dagegen gehalten, ausgespielt.

D.: Ja, die Leute haben das zum Teil benutzt, um eine bestimmte Aversion gegen Sie loszuwerden.

H.: Sicher, zum Teil ja, in den kleineren Blättern.

D.: Die Leute, die so argumentieren, daß Ihr Auftritt in Princeton so entscheidend gewesen ist, erwähnen dann natürlich auch die Schwierigkeiten, die bestanden haben, die »Publikumsbeschimpfung« an einem deutschen Theater zu plazieren.

H.: Da haben überhaupt keine Schwierigkeiten bestanden.

D.: Das alles hat sich zu dem Klischee verfestigt, Sie seien in erster Linie berühmt geworden durch Ihre permanente und außergewöhnliche intensive Selbstpräsentation.

H.: Das kann man mir überhaupt außer Princeton – wenn man das, was ich als Stellvertreter für die andern tat, einmal als Präsentation von mir selbst nimmt – nicht vorwerfen. Ich habe eigentlich seitdem nur noch geschrieben.

D.: Sie haben danach – ich weiß nicht mehr, in welchem Jahr – an einer Bambi-Preisverleihung teilgenommen. Sie haben sich in Zeitungen zu zahlreichen Themen geäußert. Mir fällt ein langer Aufsatz in der «Zeit» zu juristischen Dingen ein. Ist da nicht eine bestimmte Interessenwelle entstanden, die Sie ausgenutzt haben, indem Sie bei den verschiedensten Gelegenheiten aufgetreten sind, Lesungen gemacht und sich zu allem Möglichen geäußert haben?

H.: Dabei habe ich nicht mehr Lesungen gemacht als die meisten Autoren. Es ist halt dadurch eben viel mehr aufgefallen. Was ich in der »Zeit« geschrieben habe zu den Studentenprozessen 1969, das ist ein fundierter Aufsatz. Ich glaube – bild ich mir ein –, das machen doch alle Autoren, wenn sie Aufsätze schreiben. Ich hab ja Jura studiert.

D.: Ja, aber ein paar Semester Jura sind noch keine Legitimation, etwas Tiefschürfendes zu schreiben.

H.: Nichts Tiefschürfendes, es war eine Analyse der Sprache der Richter in der Urteilsbegründung bei den Studentenprozessen. Das kann doch ein Schriftsteller tun.

D.: Natürlich, aber anders formuliert: Wenn das vorher Erwähnte nicht vorgefallen wäre, hätten Sie dann die Möglichkeit gehabt, sich in solchen Blättern über solche Themen zu äußern?

H.: Das ist völlig richtig, weil ich nicht ein Autor geworden wäre, der über eine literarische Öffentlichkeit hinausgekommen wäre. Ich hätte dann wahrscheinlich nicht darüber schreiben können. Aber das ist doch eigentlich das richtige, daß man in die Lage kommt, so etwas schreiben zu können, oder als jemand aufzutreten, der nicht ein Produkt liefert, über das man gleich hinweggeht, ein Aufsatz oder so. Außerdem habe ich damals viele Aufsätze von mir ausgeschrieben. Ich habe mich praktisch gezwungen dazu. Ich bin eigentlich überhaupt recht hermetisch und habe mich selber gezwungen, über meine Grenzen hinauszugehen und etwas zu schreiben, was nicht gerade Poesie ist, etwas, wo ich mich zwingen muß, andere Haltungen einzunehmen als üblicherweise am Schreibtisch, indem ich zu Gerichten gehe, indem ich Archive lese usw. Das, vermute ich jetzt, werde ich nicht mehr tun, da ich so eine Apathie gegen alles habe, was nicht unmittelbar mit dem zu tun hat, was ich mir für die nächsten Jahre vorgenommen habe, da alles andere mich unheimlich stört. Wenn man von mir verlangt, doch einen kleinen Aufsatz über den oder den Schriftsteller, der soundso alt ist, zu schreiben, dann tu ich das schon, weil ich den Schriftstel-

ler kenne, aber ich zwinge mich ganz wahnsinnig. Auch wenn das nur 50 Zeilen sind, lenkt mich das einen ganzen Monat ab, an etwas anderes zu denken. Und ich kann auch nix anderes schreiben. Früher war da so – ich weiß, man soll nicht so von früher reden, in diesem Fall kann man das – eine Aufmerksamkeit, so eine Lust sich aktuell auszudrücken, die hat ganz aufgehört, und irgendwie vermiß ich das an mir. Das waren ja nicht alles flüchtige Aufsätze, es waren ein paar darunter, die mir existentiell Spaß gemacht haben, die insofern auch autobiographisch und literarisch sind.

D.: Natürlich läßt sich das jetzt auch so darstellen, daß Sie im Anfangsstadium Ihre Wirkung ganz bewußt gestreut haben, durch die verschiedenartigsten Verlautbarungen, u. a. in diesen Aufsätzen, und daß Sie jetzt eine bestimmte Breitenwirkung erreicht haben. Negativ formuliert: Ihr Image ist etabliert, und Sie beginnen jetzt ganz im Sinne der Image-Wirkung sparsamer zu sein mit Ihren Äußerungen, was im Grunde eine potenzierende Wirkung hat.

H.: Das ist schon richtig, ja. Wissen Sie: auf einer gewissen Ebene ist das sicher richtig, aber auf einer, glaub ich, ziemlich flachen Ebene. Ich kann nicht umhin, einen Satz von Pascal zu zitieren: Jeder ist das, was er ist, ob er jetzt Schreiner ist oder ein König oder ein Hausierer. Nur dann ist er es nicht mehr, wenn er im Zimmer mit sich allein ist. Dann hört das alles auf, und die meiste Zeit des Lebens verbringt man halt im Zimmer mit sich allein. Von einem gewissen journalistischen, bloß medienritualisierten Kritikverhalten her ist das alles richtig. Aber es ist auch einfach psychisch anders, dadurch daß ich hier wohne, sicherlich auch dadurch, daß ich es mir leisten kann, nur das zu machen, was ich will, solang es noch geht, daß man die Pläne, die man hat, über Jahre hindurch konkret werden lassen kann und nicht sofort formuliert, um zu sehen, was rauskommt. Das ist ein relativer Idealzustand, ohne daß ich jetzt selber über mich etwas aussagen will. Solang das geht, möchte ich das beibehalten. Dadurch daß ich auch das Geld hab und ökonomisch im Moment relativ gesichert bin, entsteht natürlich eine gewisse Freiheit von Ideen.

2. Arbeitsweise

D.: Nun haben Sie vorhin gesagt, daß Sie sich jetzt die Zeit freihalten wollen für das, was Sie wirklich interessiert, für Pläne – ich nehme an literarische Pläne –, die Sie ausführen wollen. Am Anfang unseres Gespräches haben Sie immer darauf hingewiesen, daß viele Dinge spontan bei Ihnen passiert sind, nicht kalkuliert, nicht geplant waren. Ist das ein Widerspruch?

H.: Sie müssen da unterscheiden zwischen spontanem sprachlichen Verhalten und spontanem literarischen Verhalten. Spontan literarisch arbeiten konnte ich nie. Es hat sehr lange gedauert, bis das ganze Material erst schreibfähig war. Man hat so ein Modell, wie etwas ablaufen könnte, aber die Sache nun über das Modell hinausheben, die konkreten Beweise, die ergeben sich erst mit dem fortschreitenden Lebensvorgang. Es gibt nichts, höchstens zwei, drei Gedichte, die ich spontan niedergeschrieben habe, aber auch bei vielen von denen war erst nur der Plan da. Und mit diesem Modell – praktisch mit Doppelpunkt – hab ich dann eine Zeitlang gelebt und alles ausgesucht, was da reinpaßt, oder meine Aufmerksamkeit nach dem Modell gerichtet. Ich bin als eine Art Versuchsperson für das Modell herumgegangen. Das war bei dem »Kurzen Brief zum langen Abschied« so, den ich 1971 geschrieben habe – der Plan war ganz exakt im Jahr 1964 da: da saß ich im Hörsaal, da hab ich gedacht, ich schreib mal einen Bildungsroman. Und in der »Begrüßung des Aufsichtsrats«, den eigentlich ersten Prosatexten von mir, die ich damals in Graz geschrieben habe, kommt auch ein Entwurf zu einem Bildungsroman vor. Da habe ich immer die Jahre über dran gedacht. Das kann ich bei allen meinen Arbeiten sagen. Es ist nicht so, daß ich nur einen Plan in mir habe und alles auf den ausgerichtet ist, verschiedene Blickformen und Erlebnismöglichkeiten kommen hinzu, die werden praktisch aufgespeichert.

D.: Und wie sieht das konkret aus? Haben Sie eine Art Arbeitsbuch in dem Sie Entwürfe, Ideen aufzeichnen?

H.: Ja, das mach' ich dann immer, d. h. die ganze Aufmerksamkeit ist dann faktisch gelenkt. Alles, was ich wahrnehme, ist schon von dem Plan irgendwie bestimmt, und dann kommen natürlich Sachen hinzu, die nicht von dem Plan bestimmt sind, die ihm widersprechen und die nehm ich auch auf. Das versuche ich dann alles reinzubringen, es innerhalb des Plans passieren zu lassen.

D.: Aber wie sieht das nun zum Konkreten hin, vielleicht näher erklärt, im einzelnen aus? Gibt es verschiedene Werkstadien, gibt es so etwas wie eine Grundfassung, die dann überarbeitet wird, wo bestimmte Materialien neu hereingebracht werden, wo bestimmte Sachen ausgeschieden oder integriert werden? Ist dann die fertige Fassung eine Art Synthese all dieser Schichten?

H.: Das ist es schon, ja. So zu abstrahieren, ist eigentlich immer falsch. Wenn man von dem Theaterstück spricht, das ich gerade geschrieben habe, ist das vielleicht konkreter.

D.: Wie heißt das Stück?

H.: Die Unvernünftigen sterben aus. Man hat die Idee, so wie früher in den Shakespeareschen Dramen die Tragödien aus der Verzweiflung der Helden über Verrat, aus gekränkter Liebe und aus Entmachtung usw. entstanden sind, könnte man das auch auf die Wirtschaft übertragen, wo eine Absprache gebrochen wird wie früher in diesen Dramen, wenn ein Verrat geschehen ist. Also: alle Emotionen sind auf diese Sachfragen übertragen worden, die früher auf diese rein emotionalen Vorgänge beschränkt waren. Das war die Idee, die ich einmal vor zwei Jahren gehabt habe. Auf Grund dieser Idee interessiert man sich natürlich jetzt für Wirtschaft, für alles, was da vor sich geht, liest Bilanzen und Konklusionen aus Bilanzen und liest Wirtschaftsteile. Und da kommen auch sehr viele Gefühle zum Ausdruck: die Verzweiflung, wenn dann irgendein Unternehmer sich verkrachte oder ein Kartell aufgeflogen ist und wer das verraten haben mag usw. Das hat mich schon sehr beeindruckt. Dazu kommt zweitens dann ein subjektiver Strang, daß man sich nämlich selber sehr beobachtet. Es würde mich nicht interessieren, etwas rein in der Außenwelt Beobachtetes in Poesie zu bringen, sondern irgendwie müssen meine eigenen Geschichten und Verschlingungen hinzukommen, sonst wäre es etwas Plakatives. Ich versuche jeweils, das ganze Unterbewußte und alle Träume reinzubringen. Also, was ich in irgendeiner Form träume, das kommt dann mit rein, auch wenn das ganz plakativ klingt wie bei einem solchen Stück über Unternehmer.

3. Träume im »Kurzen Brief«

D.: Können Sie ein paar Beispiele geben für Träume, zum Beispiel im »Kurzen Brief?«

H.: Da wird ja eigentlich dauernd von Träumen erzählt. Da träumt er einmal, daß er im Theater sitzt, und auf der Bühne ist eine riesige Schüssel von Tomaten, und jemand springt da in die Schüssel hinein, und die Tomaten gehen über ihn drüber, und er kommt nicht mehr raus; und er träumt davon, daß er wartet, bis er wieder auftaucht. Ich meine, das sind einfach konkrete Träume von mir, die ich ganz ungeniert in solch eine Geschichte reinbringe. So was kommt öfter vor. Das sind nicht nur Träume, sondern das sind auch Entgleisungen, die man plötzlich am Tag hat. Abweichungen und plötzliche Erinnerungen, die mitten in der Arbeit passieren. Und das muß dann alles in dem Stück vorkommen. Wenn man schon alle Notizen hat, dann gibt es ein Notizbuch, das aus Sätzen, aus Szenenvorstellungen und aus Gängen usw. – vor allem beim »Ritt über den Bodensee« hab ich nur Gesten notiert – besteht; aber mitten im Schreiben kommt irgendwann so eine ganz irre Vorstellung, daß man sich erinnert, wie man in der Kindheit irgendwann einmal nach Hause kam, und da hat jemand Holz gehackt – und das muß dann, denk ich mir, gerecht sein, wenn das in der Arbeit vorkommt. Sonst ist es ja eine entfremdete Arbeitsweise, man verleugnet sich.

D.: Um beim Beispiel der Träume zu bleiben: Sie verhalten sich dann doch selektiv? Wenn ich psychologisch an dieses Traummaterial herantreten würde, dann enthalten diese Träume doch eine gewisse Aussage, bezogen auf Ihre Person. Aber wenn Sie nun spontan, sagen wir, in einen Erzähltext Träume hineinbringen und sich gar keine Gedanken darüber machen, in welchem Verhältnis dieser Traum zu der Person steht, die nun fiktiv in Ihrer Erzählung diesen Traum träumt, wird dann nicht jede künstlerische Planung hinfällig?

H.: Das sind doch nicht fremde Personen, das sind doch immer Personen, die eigentlich Spiel-Personen von mir sind.

D.: Aber doch nicht reine psychische Emanationen, Ausflüsse Ihres psychischen Sichbefindens, sondern mit intendierten Bedeutungen versehene Repräsentanten, als Reflexion und Verdeutlichung auf Sie bezogen. Man kann doch dann nicht so verfahren, daß man diese Träume spontan irgendeiner Figur zudiktiert, auch wenn man diese Figur selbst geschaffen hat?

H.: Das ist nicht irgendeine Figur. Es ist schon sehr wichtig, an welcher Stelle das jetzt im Zusammenhang erscheint. Es ist nicht so: wenn's einem einfällt, in dem Moment schreibt man's auch in den Text rein, sondern man überlegt: wo wär das jetzt glaubhaft oder wo würde das etwas verdeutlichen, bei welcher Person, und welche würde dadurch irgendwie ein bißchen dimensionierter werden. Das überleg ich mir schon, bei solch einem Stück vor allem, da ist es ja besonders schwierig. Mein Gott, jedes Schreiben ist erst einmal ein tötender Vorgang, wenn man irgendwelche Personen benennt, dann sind sie eigentlich schon tot. Man muß sie erst wiederbeleben, nicht beleben, sondern wiederbeleben, und da suche ich nach ein paar Indizien: Wie kann man sie möglich machen? Natürlich, man darf da nicht nur nach den realistischen Prinzipien gehen und sagen: Dieser Mensch war doch so gezeichnet, und plötzlich hat er das!

D.: Aber tun Sie das nicht selbst, etwa im »Wunschlosen Unglück«, wenn Sie bei der Erzählung über Ihre Mutter darauf hinweisen: Das sei im Grunde ein Schicksal des 19. Jahrhunderts, das auch mit den literarischen Mitteln des 19. Jahrhunderts gestaltet werden müsse. Das heißt: ist da nicht plötzlich bei Ihnen Reflexion vorhanden, bezogen auf bestimmte literarische Formen, die Sie verwenden?

H.: Das ist kein Schicksal aus dem 19. Jahrhundert. Daß ich das reflektiere, was ich schreibe in jedem Satz, das können Sie mir schon abnehmen. Dessen bin ich mir völlig bewußt: Bei jedem Satz, den Sie mir vorhalten, könnte ich genau sagen, warum ich den geschrieben habe, warum der an dieser Stelle steht, welche Beziehung er zu den andern Sätzen im Buch hat. Das ist für mich schriftstellerische Moral, ohne die überhaupt kein Schriftsteller existieren kann und was die meisten Schriftsteller eigentlich nicht haben. Daß ich das nicht reflektiere, das ist nicht der Fall. Ich versuche halt, die Reflexion, wenn's nicht unbedingt sein muß, in der Montage erkennen zu lassen und nicht direkt als Reflexion. Bei der letzten Erzählung hab ich empfunden, daß es wichtig war, das jetzt direkt zu machen. Beim »Kurzen Brief zum langen Abschied«, da kommt eigentlich nur ironisch zum Vorschein, was reflektiert ist.

4. Selbstkritik

D.: Allerdings ist da eine gewisse Irritation vorhanden, die von Ihren Texten ausgeht, genauer: von bestimmten Reflexionen im »Kurzen Brief«, die eine indirekte Selbstkritik andeuten, bezogen jetzt auf Ihre früheren Arbeiten.

H.: Ja, da wo es um das Modell geht.

D.: Ich denke an die Stelle, wo der Erzähler reflektiert, daß er lange Zeit nur einen verschrobenen Sinn für die Umwelt gehabt habe. Wenn er etwas beschreiben wollte, habe er nie gewußt, wie es aussah, sondern sich nur an Absonderlichkeiten erinnert, und wenn es keine gegeben habe, dann habe er sie eben erfunden. Oder eine andere Stelle, wo er darüber nachdenkt, wie er früher jemanden beschrieben habe: daß er zwanghaft keine Einzeltätigkeit, aus der sich die Gesamttätigkeit zusammengesetzt habe, auslassen konnte, daß ihn – so wörtlich – »der Mangel an Kenntnissen und Erlebnissen« gezwungen habe, sich darüber hinwegzutäuschen, daß er durch einen Aufwand an Beschreibung den Mangel an großen Erlebnissen habe wettmachen wollen. Ließe sich das nicht auch als vehemente Selbstkritik des realen Autors verstehen? Ich vergleiche damit nun Ihre vorhin gemachte Aussage von der Notwendigkeit jedes Wortes, jedes Satzes im Kontext Ihrer Arbeiten.

H.: Das ist was anderes. Ich würde das gern nochmals modifizieren. Es kann sein, daß man früher vielleicht ein anderes literarisches System hatte, eine andere Beobachtungsform. Aber innerhalb dieses Systems, mein ich, da ist alles vertretbar, da könnte ich alles erklären. Das ganze System, die Beschreibungsart, die Mikroskopierung von Vorgängen usw., das ist kritisierbar, aber nicht die Einzelheit innerhalb des Systems. Es gibt ja viele literarische Arbeiten, wo es ein System gibt, aber die Einzelheiten völlig unbewußt und wahllos ohne das System dann niedergeschrieben werden, und das würde ich kritisieren. Das ist, was ich gemeint habe an dieser Stelle, daß ich also das System, die Beobachtungsform kritisiert habe, obwohl ich inzwischen gar nicht mehr so daran glaube. Und die beiden Stellen, die Sie erwähnt haben, würde ich gern modifizieren. Ich habe mal einen kleinen Aufsatz geschrieben: Warum ich in frühen Arbeiten so viele Sachen beschreibe, die auf dem Boden liegen, woher das kommt. Und da ist mir langsam klar geworden, daß das aus einem Angstgefühl kommt: etwas, das vor einem war, hat man nicht gern angeschaut, weil es unangenehm war, ob das Architektur war oder ob das Menschen waren. Ich finde es also als Dokument ziemlich berechtigt und erklärbar, daß ich früher so und so geschrieben habe: daß das alles so klein war, daß man so einen Schneckenschleim auf der Straße beschrieben hat oder die Cellophanumhüllung einer Zigarettenschachtel oder einen angebissenen Apfel oder ein Kanalgitter. Insofern war das also ein Dokument einer gewissen Bewußtseinssituation, und zwar ein recht genaues, eine Wiedergabe einer psychischen Situation und nicht einfach eine modische Haltung. Ich bin inzwischen ganz sicher, daß das erstere der Fall ist. Das ist da relativ oberflächlich und leichthin gesagt im »Kurzen Brief«, daß ich das so abgetan habe, während es viel verschlungener ist.

D.: Das ist jetzt, paradox gesagt, eine Art negative Selbstkritik: Sie nehmen Ihre Selbstkritik wieder zurück.

H.: Nein, ich modifiziere.

D.: Sie modifizieren nur? Was Sie als Mangel an Erkenntnissen und Erlebnissen im »Kurzen Brief« analysieren, wird doch nun ins Gegenteil verkehrt?

H.: Ich will sagen, daß genau diese Erlebnisse, die man als Heranwachsender hat, die oft rein magischen Erlebnisse von Angst, damals wichtig waren, daß mir Gegenstände da als Anlässe für eine Existenzangst dienten. Die Gegenstände waren natürlich klein und rustikal, aber das psychische Abbild, das war mir wichtig, daß sie eigentlich Zeichen waren für psychische Situationen, sonst wäre ich zum Beispiel nie fasziniert gewesen von Robbe-Grillet. Auf irgendeiner Bewußtseinsschicht hat das einen Erkenntnisvorgang bewirkt, ein Bezugssystem hergestellt, besser gesagt: plötzlich war so durch Sprache ein Bezug zur Welt hergestellt; das war möglich, ja, so erleb ich's auch. Das ist doch kein Widerruf. Das meiste von dem, was man schreibt, bezieht sich auf das, was man früher einmal geschrieben hat; man kommentiert sich immer wieder und variiert das, auch durch die Erinnerung und durch die Geschichte, die man dazu erlebt hat. Vielleicht habe ich damals sogar viel mehr gewußt, denk ich mir oft. Wie vieles hab ich in den letzten sieben Jahren vergessen, seit ich eine offizielle Figur geworden bin. Das Vergessen durch die Öffentlichkeit durch diese relative Fremdheit – wenn noch diese Momente da waren, als man in der Öffentlichkeit war – ist noch beschleunigt worden, so daß diese Aufmerksamkeit, die ich damals hatte, jetzt oft weg ist. Ich treffe ja immer mehr Leute, die ich nicht kenne im Vergleich zu früher. Ich bin so unaufmerksam geworden, so zerstreut. Wenn jemand eine Minute weggeht aufs Klo und er kommt dann wieder, den würde ich vielleicht nicht wiedererkennen, was mir früher nie passiert wäre. Ich muß mich richtig durch Willensakte zur Aufmerksamkeit zwingen in Gesellschaft von Leuten.

5. Widerstände beim Schreiben

H.: Natürlich kommt es vor, daß man manchmal beim Schreiben nicht weiterkommt. Dann weicht man aus in Beschreibung. Dann wird beschrieben, wie der Himmel aussieht. Das ist eine Art Verlegenheitskonstruktion, die ich damals wohl nicht als einziger gehabt habe. Das kann man sicher – bei Kafka nicht – auch bei Dostojewski nachweisen. Bei den »Hornissen« kann ich mir schon vorstellen, daß ich an manchen Stellen einfach nicht weitergewußt habe und dann beschrieben habe, wie der Regen auf einen Holzscheit fällt und wie das dann aussieht. Das ist natürlich auch ein Arbeitsvorgang, eine richtige Überbrückung.

D.: Sie haben vorhin einige Male das Adjektiv »existentiell« ge-

braucht, um die Bedeutung zu charakterisieren, die solche Dinge für Sie haben. Mir scheint, daß man dieses Adjektiv auch bei der im »Kurzen Brief« enthaltenen Selbstkritik heranziehen könnte. Sie haben diese Selbstkritik ja auch in biographischen Äußerungen angedeutet. Da gibt es eine Stelle, wo Sie von der Hilflosigkeit während der Arbeit am »Kaspar« sprechen: »Dann versucht man, mechanisch weiterzuschreiben, Sätze aneinanderzuhängen... Beim ›Kaspar‹ kam mir das oft so vor, da wußte ich überhaupt nicht mehr weiter und habe irgendwie bloß weitergeschrieben und irgendwann kam irgendwie das Gefühl für das Ganze wieder.« Ist nicht bereits die dreifache rhetorische Steigerung des »irgend« ein bißchen suspekt?

H.: Nun, das ist im Gespräch. Es wäre schlecht, wenn jemand dauernd so formuliert, daß es druckreif ist.

D.: Mir scheint, daß das Stilistische möglicherweise schon ein Hinweis darauf ist, daß die Sache diese existentielle Bedeutung für Sie hat.

H.: Ich meine das auch an dieser Stelle ganz konkret, daß dieses Stück »Kaspar« eben so lief, daß Momente kamen, wo ich nicht weiterwußte. Da habe ich mich einfach ans Material gewendet, das ich notiert habe. Ich hab nicht irgendwie weitergeschrieben, das »irgendwie« bezieht sich darauf, daß ich nachgeschlagen habe in den Notizen. Ich konkretisiere es, ich erklär's Ihnen. Nun gut, Sie können sich schon daran stoßen. Ich glaube, es ist bei vielen Schriftstellern so, daß sie dann einfach weiterschreiben mit den gewissen Hilfsmitteln, die sie sich durch Routine geschaffen haben. Hauptsache, daß man wieder das Gefühl kriegt durch ein gewisses Verbohrtsein, so daß eben die einzige Möglichkeit ist, Routine anzuwenden beim Schreiben. Durch dieses Sichverbohren, diese Sturheit kann man sich weiterhelfen. Ich streich das später halt weg, dann merk ich ja, daß das gefühllos und bewußtlos geschrieben ist, aber es hat mir geholfen, das wiederzufinden.

D.: Könnten Sie sich beim »Kaspar« vorstellen, die Energie aufzubringen, das Stück sozusagen nochmals zu schreiben?

H.: Das könnte ich nie. Die Sachen haben mich so viel an Hermetik und Sicheinschließen, an Überlegung – das können Sie mir glauben oder nicht – jedes einzelnen Satzes gekostet, daß ich es mir überhaupt nicht mehr anders vorstellen kann. Jede andere Vorstellung wird ausgelöscht von dieser Figur; zum Beispiel bei »Kaspar« würde ich höchstens streichen, da genügend Fleisch drin ist. Es kommen so modische Flitter vor in dem Stück, so Wiederholun-

gen, ein paar Anklänge an konkrete Poesie, das würde ich durch Streichungen anders machen, indem man nur den reinen Vorgang stehen läßt und die atmosphärischen und geräusch-kulissenhaften Momente dann reduziert auf den Vorgang. Das könnte ich bei allem machen, aber ich könnte nichts verändern.

6. Zur Rezeption des »Kurzen Briefes« und des »Wunschlosen Unglücks«

H.: Viele Leute waren über diese Bemerkungen aus dem »Kurzen Brief«, die Sie vorhin erwähnt haben, schadenfroh. Sie nahmen es als Bestätigung für das, was sie früher geschrieben haben: sie hatten also recht gehabt. Ich habe ganz etwas anderes damit sagen wollen, ich hab's existentiell gemeint: das ist nicht auf den Schriftsteller bezogen gewesen, das war als Existenzform gemeint. Es war ja nicht so, daß ich mich verachtet hätte, sondern ich wollte einfach beschreiben, wie ich damals ungefähr gelebt habe.

D.: Damit war ja auch eine literarische Umwertung Ihrer Arbeiten zum Positiven hin verbunden. Und wenn Sie im »Kurzen Brief« rückblickend von Mangel an Erfahrungen und Kenntnissen sprechen, dann kommt auch in der neuen Situation wieder der Aspekt des Existentiellen hinein, bestimmte biographische Ereignisse, die eine Erweiterung der Definition ihres Ichs bewirkt haben. Sie erwähnen biographische Momente, die mit der Kommunikation mit andern Menschen zu tun haben: der Tod Ihrer Mutter, die Geburt Ihres Kindes, die Trennung von Ihrer Frau. Sie haben einmal gesagt: »Das waren schon Sachen, die alles umstülpten.« Erhält nicht auch auf diesem Hintergrund die Formel vom Mangel an Erfahrung einen bestimmten Sinn?

H.: Aber das ist nicht so zu schematisieren, wie Sie es jetzt hinstellen.

D.: Aber wie steht's dann mit diesen Äußerungen?

H.: Das beschäftigt mich einfach nicht, das darf mich nicht beschäftigen. Und auf meine frühere Bemerkung zurückzukommen über Pascal: Viele Einzelheiten, die in den »Hornissen« vorkommen – um nochmals in dieses komische Buch einzusteigen, das ja ein bißchen als Symbol für meine Anfänge gelten kann –, waren einfach meine Erlebnisse. Das war, ich sagte es schon, diese magische Welt, die hat bestanden. Das war einfach für das Bewußtsein, für das Leben sehr wichtig, daß man irgendwann einer Pferdebremse einen Halm hinten reingesteckt hat, bis es nicht mehr wei-

terging, und sie dann lossurren ließ, was über lange Seiten beschrieben wird in den »Hornissen«. Daß die Fliegen auf den Augen der Pferde sitzen und all das: ins Schilf fahren und das Schilf schneiden und die Kartoffeln, die für die Schweine gekocht wurden – das war die Welt meiner Kindheit. Das ist eigentlich authentisch. Nur, die literarische Floskelhaftigkeit würd ich jetzt verbessern. Wenn ich's lese, stört mich das jetzt fürchterlich. Dann denk' ich, wie unfrei ich in manchem war. Trotzdem schimmert noch immer an manchen Stellen – das Buch wird eh kein Schwein mehr lesen – auch sprachlich, ganz klar und ohne Verkrampfung durch, wie die Existenz war. Deswegen finde ich es so ärgerlich, diese zwei Phasen eines Schriftstellers zu konstruieren. Ich hab mich immer genau erinnert, was ich früher geschrieben hab und hab das auch immer wieder auftauchen lassen. Ich habe mich früher mal so gewundert, weil bei William Faulkner so oft ein Vergleich vorkommt, in fast allen seinen Büchern: ein Geräusch von zerreißender Seide, wenn ein Lastwagen auf der Straße bremst oder so. Das hat mich damals irgendwie gestört, aber inzwischen weiß ich das auch von mir, Vergleiche und Bilder aus den »Hornissen« kommen immer wieder in den späteren Prosaarbeiten, »Die Angst des Tormanns beim Elfmeter«.

7. Literarkritische Methode

H.: Für mich ist die erste Voraussetzung bei einer Beschäftigung mit einem Autor – darauf würde ich jetzt bestehen wollen –, daß man diese Bezüge sieht, daß man nicht, konzentriert auf die Rezeption, also einerseits kritisiert, daß der Autor nur aus dem Image besteht, daß man aber in der Kritik dann andererseits wieder das Image fortproduziert. Das ist für mich – ich will nicht sagen ärgerlich –, aber langweilig. Und es kann für mich nicht mehr darum gehen, mich damit zu beschäftigen.

D.: Ist nicht auch die Bedeutung wichtig, die sich aus dem Dialog zwischen dem Autor, den Büchern, die er schreibt, und dem Publikum ergibt? Möglicherweise führt das dazu, daß Bedeutungen freigesetzt werden, die mit der ursprünglichen Absicht des Autors nichts zu tun haben. Aber das ist ein Tatbestand.

H.: Ich bin ein unheimlicher Anhänger von Einzelheiten. Ich finde es nicht gut, wenn sich das Interesse, was sicherlich auch wichtig ist, nur auf die Rezeption richtet. Ich denke mir, diese Leute können kein Bedürfnis haben für Literatur, was Literatur sein könnte. Das ist jetzt wieder sehr vage gesagt. Aber um mal die Teilung vorzunehmen. Das ist vielleicht schon interessant für eine gewisse Zeit, einen Rezeptionsvorgang zu beschreiben und eine Scheinanalyse vorzunehmen mit einem bestimmten Begriffsmaterial. Aber das würde mich überhaupt nicht bei einem Schriftsteller interessieren. Ich würde es auch als unwahr empfinden, jetzt faktisch nur dauernd den Staub zu analysieren, den der Mann aufgewirbelt hat. Da besteht für mich ein Defekt der Leute, das ist ein sterilisierter Zustand in bezug auf Literatur. Wenn ich dann höre: Ja, der gesellschaftliche Aspekt usw. – das ist für mich ganz etwas anderes. Es ist viel schwieriger, ein Buch zu beschreiben, ohne Rituale und ohne Begriffssystem, das jedem zum Halse heraushängt, der weiß, wie die zustandekommen. Es ist halt viel einfacher, die Geschichte zu rekapitulieren: wie der Autor es gemacht hat, was er sich geleistet hat, wie er den und den beschimpft hat und dann von der Polizei – Ich finde das nicht beträchtlich.

8. Durchbruch beim Publikum

H.: Im Vergleich zum Anfang hat sich die Situation inzwischen doch ziemlich geändert. Ich bin da ganz sicher.

D.: Was hat sich geändert?

H.: Das Verhältnis zu den letzten Büchern ist ein bißchen anders geworden, beim »Tormann« angefangen. Ich glaube, daß diese Bücher viel mehr gelesen worden sind als das meiste, was in den letzten Jahren in der deutschen Literatur geschrieben worden ist. Ich bin ganz sicher.

D.: In gewisser Weise ist das doch eine paradoxe Situation, d. h. auf der einen Seite ist Ihr Erfolg, als Faktum festgestellt, sehr groß, auf der andern Seite ist die Rezeption, wenn man sie genauer untersucht, so, daß Sie sich davon distanzieren.

H.: Ja, distanzieren – Ich war doch immer sehr froh, wenn das verkauft worden ist. Außer den Stücken, die einfach durch die Inszenierungen in die Schulen geschleudert wurden, war das erst seit diesem Gedichtband, »Die Innenwelt der Außenwelt der Innenwelt«, der Fall. Von den »Hornissen« sind vielleicht bis jetzt 2800 Stück verkauft worden, als Taschenbuch dann freilich mehr. Und der »Hausierer« hatte als Erstauflage vielleicht auch 5000 Stück. Das war eigentlich überhaupt nix im Verhältnis zu dem, was dann drumherum, wie Sie andeuteten, ich drumherum gemacht habe. Der Verkaufserfolg hat erst mit der »Innenwelt der Außenwelt der

Innenwelt« begonnen, das ganz schnell verkauft worden ist. Da muß ich schon sagen, es hat mir sportlichen Spaß gemacht, daß das so schnell verkauft worden ist. Ich bezweifle allerdings wirklich, ob das dann gelesen worden ist, aber vielleicht hat dieser Verkauf dann bewirkt, daß eine gewisse Gelöstheit eingesetzt hat, eine Unbekümmertheit in bezug auf Schreiben, so daß man jetzt »Die Angst des Tormanns beim Elfmeter« anfangen konnte. Das ist jetzt sehr ungenau, was ich sage.

D.: Das Paradox Ihrer Wirkung, großer Leseerfolg beim Publikum, aber widersprüchliche Rezeption in der Kritik, hat inzwischen noch eine andere Qualität erhalten, da Sie den Büchner-Preis erhalten haben. Das ist, soweit das in der Gegenwart schon möglich ist, der erste Schritt zu Ihrer literarischen Kanonisierung. Ist das ein Zustand, der Sie eigentlich wenig berührt, dem Sie gleichgültig gegenüberstehen, oder hat das eine bestimmte Bedeutung für Sie?

H.: Ja, man würde gern sagen, daß man da gleichgültig wäre, obwohl der Kopf einem natürlich schon vorspielt, daß es so ist und daß einem, wie's da beim Anzengruber steht, nix mehr passiern kann. Es stört einen schon sehr. Diese Außenwelt drängt das Bewußtsein dann doch ziemlich auf eine Stelle zusammen. So frei diesem Phänomen gegenüber, wie ich geglaubt hab, bin ich sicher nicht. Ich bin wahrscheinlich doch sehr bestimmt davon. Sie haben vorhin schon mal gefragt, ob ich von Rezensionen oder irgendwelchen Analysen beeinflußt werde. Ich glaub das schon. In der letzten Zeit hab ich mir vorgenommen: wenn jetzt wirklich was Geduldiges erscheint, dann will ich das genau lesen, weil ich selber auch ziemlich ratlos bin – nicht ratlos, weil ich langsam sehe, wenn man jetzt zehn Jahre schreibt, dann denkt man: Ja, das ist so ein Paradies, so ein Ewigkeitsvorgang, von dem man geglaubt hat, daß man bis zum Lebensende durchhalten könnte. Man wird dann doch, eben auch durch die gesellschaftlichen Geschichten, die passiert sind, sehr bestimmt davon. Deswegen les ich doch ziemlich genau, was da geschrieben steht und überprüf es mit meinen eigenen manchmal relativ vagen Befürchtungen und Unsicherheiten. Und wenn etwas scharf und bedenklich ist, dann tut's mir eigentlich ganz wohl: das spornt mich dann an, das gibt mir dann aus einer gewissen Apathie heraus, die sich sicherlich einstellt durch eine, wie Sie sagen, Kanonisierung, wieder ein Gefühl von Lebendigkeit, innerhalb des Sich-als-Schriftsteller-Fühlens. Man denkt doch immer mehr: ja, ich bin Schriftsteller, das ist schon richtig verinner-

licht. Früher habe ich das oft noch vergessen. Jetzt vergesse ich es immer seltener, daß ich der und der bin. Sogar im Traum kommt es vor, daß ich schreibe oder so.

9. Reaktion auf negative Kritik

D.: Wenn ich mich recht erinnere, gibt es Beispiele in der Vergangenheit, wo Sie auf negative Kritik ziemlich böse reagiert haben. Deutet das darauf hin, daß Sie eine dünne Haut haben?

H.: Dünne Haut hab ich – eigentlich nicht so wie die meisten Autoren.

D.: Einerseits sehen Sie mit großer Skepsis auf Ihre Rezeption, andererseits reagieren Sie doch. Ist das spontanes Verletztsein?

H.: Sie sprechen in der Gegenwart, aber das ist alles schon drei, vier Jahre her. Ich würde das nicht mehr machen. Ich hab nicht die geringste Achtung vor solchen Menschen, die sich überhaupt nicht mit der Arbeit beschäftigen, sondern immer Anlässe für ihre Aggressionen und Ansichten suchen: als Vergleich dagegen oder als Beispiel für ihre Ansichten oder als Antibeispiel für ihre Ansichten. Alles das ist für mich eine verächtliche Arbeit.

D.: Deutet das nicht auf eine gewisse Intoleranz hin?

H.: Ja, ja, mag schon sein. Für mich ist Literatur auch eine Lebenshaltung. Was diese Leute machen, ist mir halt so fremd und auch so falsch als Moral.

D.: Aber das sind doch keine moralischen Verdikte, wenn jemand eine negative Meinung über ein Buch von Ihnen formuliert und seine Meinung mit Gründen darlegt. Das geht doch nicht ins Moralische, das ist doch nicht menschlich verwerflich.

H.: Für mich ist das einfach eine Frage der Moral: diese Lebenshaltungen, die zum Beispiel aus den Rezensionen sprechen. Das sind Menschen, mit denen ich nie ein Wort sprechen könnte, mit denen ich nichts Gemeinsames, keine Erinnerung austauschen könnte. Nicht moralisch, das ist existentiell. Bei dem Beispiel, an das Sie denken, hab ich ja auch nur richtig gestellt. Es waren einfach falsche Angaben. Sie hat ein Bild gesehen, wo ich Tischfußball gespielt hab, und dann schreibt sie: der Bloch vertreibt sich die Zeit mit Tischfußball, was aber im Buch nicht vorkommt. Das hat mich so geärgert. Auch jetzt würd ich noch völlig dazu stehn. Das ist einfach eine unheimliche Unverschämtheit. Bloch spielt das nie in der Erzählung, aber da ich's auf dem Bild mach, kommt's also in eine Rezension. Das ist für mich eine Schwindelhaftigkeit. Ich könnte nie mit diesen Menschen verkehren, ich könnte kein einziges menschliches Wort mit ihnen wechseln, auch mit R.-R. nicht. Das sind halt fremde Menschen.

D.: Ich finde, daß Sie hier maßlos überbewerten.

H.: Ich weiß, aber jemand, der schlecht schreibt, ist für mich einfach ein schlechter Mensch. Ich habe mich lange genug gequält mit Kommunikation. Sicher müßte ich mich jetzt bemühen. Vielleicht liegt es an mir. Für mich ist die poetische Daseinsform die einzig beste, wenn es eine beste gibt, weil sie am freiesten und am wenigsten geschlossen ist.

D.: Sie haben vorhin Anzengruber zitiert: Mir kann jetzt nix mehr passiern! Warum dann überhaupt reagieren auf irgendwelchen – Ihrer Meinung nach – Unsinn? Es gibt doch Schriftsteller, die überhaupt keine Rezensionen lesen.

H.: Ich les die schon, das muß ich zugeben. Ich glaub das auch gar nicht: die lesen das alle. Ja, ja, sie sagen, sie schmeißen es weg, oder ihre Sekretärin wirft's in den Papierkorb. Das werden sie nicht tun.

D.: Ich würde Ihre Einstellung verstehen können, wenn sie sich auf Dinge bezöge, die aus bestimmten Affekten heraus gegen Sie geschrieben worden sind. Aber wenn in einer Kritik die Kriterien ersichtlich sind, nach denen das Urteil zustande gekommen ist, dann ist das doch etwas anderes. Das hat doch dann nichts mit moralischem Versagen, mit Schwindelhaftigkeit zu tun.

H.: Doch, doch, man kann das ja konkret an dem belegen, was geschrieben worden ist. Es gibt ja nichts, wie der Horvath sagt, was so ein Gefühl der Unendlichkeit hat wie die Dummheit; das ist was äußerst Bösartiges. Das ist natürlich jetzt künstlich in der Abendstunde, daß Aggressionen da sind. Sie dürfen nicht vergessen: wenn man schreibt, ist das anders, Schreiben ist eine Instanz. Wenn ich schreiben würde, könnte ich nie einfach so herumschimpfen, wie ich's jetzt tue. Das ist eine Art von Gerechtigkeitsvorgang beim Schreiben, glaub' ich. Zumindest könnte ich nie polemisch schreiben.

D.: Sie haben sehr polemisch in einem Ihrer Aufsätze über Brecht geschrieben.

H.: Jetzt nicht mehr.

D.: Sie waren's zumindest. Wenn Sie eine Position bei sich selbst revidieren, warum wollen Sie nicht einem Kritiker die gleiche Möglichkeit zugestehen?

H.: Ich ärgere mich eigentlich nur, daß es überall so hingestellt wird, als hätte ich mich endlich eines Besseren belehren lassen, als hätten diese Menschen bewirkt, daß mir die Augen aufgegangen sind. Irgendwann einmal muß dieser Handke jetzt einen Schlag auf den Kopf gekriegt haben! Das stimmt doch nicht. Davon habe ich eigentlich die ganze Zeit zu reden versucht, daß da – um das Wort Kontinuität zu gebrauchen – eine ganz klare Kontinuität in meinen Arbeiten herrscht. Ich will ja auch gar nicht sagen, daß das etwas Großes ist. Aber das ist da. Ich bin kein anderer geworden, es gibt keine Stationen und Geschichten.

D.: Mir fällt dazu eine andere Äußerung von Ihnen ein, die schon etwas zurückliegt. Sie sprechen da von Ihrer Sehnsucht nach einem Bezugssystem für die Tätigkeiten und das eigene Bewußtsein, daß Sie bisher vermißt hätten und worunter Sie gelitten hätten. Das heißt: diese Sehnsucht nach einem Bezugssystem ist doch vorher in Ihren Arbeiten eigentlich immer negativ vorhanden gewesen, Sie haben bestimmte Systeme gezeigt, die Verhalten – wenn ich's so nennen darf – deformiert haben, etwa bei Bloch im »Tormann«-Text.

H.: Das stimmt.

D.: Und Sie haben selbst dieses Beispiel des Schizophrenen herangezogen, um das zu erklären. Es waren doch eigentlich immer Angstzustände damit verbunden. Ist es nicht so, daß dieses Bezugssystem, nach dem Sie sich sehnen, eine völlig neue, eine positive Geltung hat?

H.: Die Proportionen sind verändert.

D.: Im »Kurzen Brief« gehört die Erfahrung der »anderen Zeit« dazu, überhaupt dieses Erlebnis einer historisierten Natur.

H.: Für mich war – das kann man schon erzählen – der Frühling 1971 wichtig. Da war so ein Wohlgefühl. Das war einfach ein rein biographisches Element: eben diese Phase 1971, als über eine längere Zeit zum ersten Mal ein Existenzgefühl geherrscht hat, das nicht mit Unbehaglichkeit – um das Wort Angst zu vermeiden – oder Unbehagen erfüllt war. Das war eben dieser Prozeß, den ich im »Kurzen Brief zum langen Abschied« beschreiben wollte, der aber trotzdem von der Angst ausgegangen ist, die noch im »Tormann« geherrscht hat, so daß das schon eine Fortsetzung war. Das hat aber nix damit zu tun, daß man ein anderer geworden ist. Es gibt dann wieder richtige Rückschläge, wo man denkt, eine Ände-

rung ist überhaupt nicht möglich. Ich kann diese Phasen, diese Läuterungsphasen – wie man das auch nennen mag –, nicht sehen bei mir. Im Moment und seit Monaten fühl ich mich überhaupt mehr mit der Situation des »Tormanns« verbunden als zum Beispiel der des »Kurzen Briefs«.

11. Epiphanien

D.: Ich wollte Sie noch zu den literarischen Parallelen fragen, die sich einstellen zu Ihrer Darstellung dieses Erlebnisses von historisierter Natur im Amerika-Bild des »Kurzen Briefs«. Gibt es nicht zu dieser von Ihnen geschilderten Erfahrungsweise, dem Erlebnis der »anderen Zeit«, literarische Vergleiche, die auf der Hand liegen, etwa die Erfahrung des anderen Zustandes bei Musil? Paralleles findet sich bei Broch im Ekstase-Erlebnis, bei der Identifikation, von der Hofmannsthal spricht, und – am wichtigsten – bei Joyce in den Epiphanien. Bei Ihren vorangegangenen Arbeiten war es häufig so, daß Sie literarische Klischees aufgebrochen haben. Ist es nicht so, daß sich hier möglicherweise unter der Hand ein literarisches Klischee eingestellt hat? Oder ist das bewußt von Ihnen hineingenommen worden? Sind Ihnen zum Beispiel diese von mir genannten Parallelen bewußt?

H.: Mit diesen Epiphanien haben sich wohl auch die anderen Arbeiten ziemlich beschäftigt, und vieles, was Sie jetzt unter Klischee subsumiert haben, war, glaub ich, eine Epiphanie von Dingwelt, die sich nicht auf die Dingwelt bezog, sondern auf die Sprachwelt. Da gibt es halt so Überraschungsmomente. Solche Fremdheitsmomente sind beim »Tormann« ganz stark, und auch im »Hausierer« sind das eigentlich nur Fremdheitsmomente, nicht so sehr Entlarvung von Klischees. Die haben sich ein bißchen gewandelt im »Kurzen Brief zum langen Abschied«. Es ist zwar Fremdheit, aber diese Fremdheit wird zum ersten Mal als ein wirklicher Glückszustand erfahren. Es ist immer noch – wie sollen wir's jetzt nennen? – der gleiche Sprung, der einsetzt, aber ich geb dem Sprung jetzt eine andere Bedeutung, ich hab bei dem ein anderes Gefühl, um es nicht so abstrakt auszudrücken. Sie sagen, daß das ein literarisches Klischee sei. Das ist aber meine Existenz.

D.: Auf dem Hintergrund bestimmter Vergleiche könnte es ein Klischee sein. Canetti hat solche Epiphanie-Momente in seinen »Marrakesch«-Skizzen beschrieben.

H.: Das gibt's bei jedem Schriftsteller.

D.: Ich glaube nicht, daß es das bei jedem Schriftsteller gibt.

H.: Jeder hat irgendwann einmal das Gefühl –

D.: Ich glaube, daß das erst in der Epik der letzten 80 Jahre aufgetreten ist und vor allem von Joyce begrifflich gefaßt wurde. Soweit es bei andern Autoren auftaucht, lassen sich Verbindungslinien aufweisen, die zum Teil zu Joyce zurückführen. Ihnen müßte doch sicherlich gegenwärtig gewesen sein, daß die von Ihnen dargestellte Erfahrung der anderen Zeit mit dem andern Zustand bei Musil verglichen werden würde?

H.: Sie mögen schon recht haben im Begriff, aber für mich gibt's in der Literatur halt nur Konkretisierungen: wie ist das beschrieben, mit welchen Sätzen, mit welchen Materialien. Aber mir ist jetzt etwas anderes eingefallen. Das ist für mich ein Grunderlebnis in diesen Geschichten; die würd ich nie schreiben, wenn ich das nicht hätte. Für mich gehört das halt zum Schriftsteller. Wer das nicht kennt, der ist bestenfalls ein Illustrator von Begriffen. Das Phänomen beim Kind, das Ichgefühl, was das für ein erschreckendes Gefühl ist, daß ein Ich da ist, das kommt in der Philosophie überall vor, aber das wirkt für mich immer noch, das ist einfach für mich ein Antrieb zum Schreiben; das ist auch ein Antrieb zum Erkennen, zum Schauen, ein Antrieb, etwas in Distanz zu bringen, in Beziehungen. Oder ein Gefühl, das ich hatte, daß das noch gar nicht alles ist – was ich auch im »Kurzen Brief« versucht habe zu beschreiben –, daß es noch ein anderes Wesen gibt, daß die Umwelt platzen würde. Das Gefühl hatte ich als Kind immer, daß man draußen auf der Straße spielt und plötzlich stellt sich heraus: das stimmt alles gar nicht, es war bis jetzt alles falsch, irgendjemand anderes kommt. Das sind für mich Erinnerungen, die natürlich dann, wenn einige Leute sie ähnlich gehabt haben, als Klischee wirken können. Man merkt das einfach beim Schreiben, ob das einer selbst erlebt hat oder ob er's übernommen hat, ob das eine Existenzform ist von dem, der da schreibt. Man merkt das einfach an der Intensität, an der Genauigkeit und an der Widersprüchlichkeit, die im Text drin steht. Ich könnte Ihnen sofort sagen, wo ich das für unecht halte.

D.: Mir fällt ein Beispiel ein: dieses Baum-Erlebnis im »Kurzen Brief«, das Einschwingen in die Bewegung des Baumes und damit verbunden die Erfahrung einer anderen Zeit.

H.: Diese Zypresse, die da steht.

D.: Genau, es gibt ein paralleles Beispiel bei Broch, textlich sehr ähnlich.

H.: Ich hab' von Broch an sich nur den »Tod des Vergil« gelesen, und das Buch mocht ich überhaupt nicht, so hab ich dann bis jetzt nichts mehr gelesen. Ich mag den Musil auch nicht.

D.: Aber man kann doch solche Analogien nicht einfach vom Tisch wischen. Sie sind da, und es lassen sich strukturelle Ähnlichkeiten herausarbeiten, die möglicherweise darauf hindeuten, daß sich bei Ihnen ein Klischee unterschwellig eingeschlichen hat, auch wenn Sie postulieren, daß sei eine wirkliche Erfahrung.

H.: Sicher, das kann man leicht sagen, daß das wirklich ist. Aber dann kommt die Instanz der Konkretheit, wenn Sie die Texte vergleichen würden. Dann könnte man darüber sprechen. Klischee würde ich nie etwas nennen, wenn ähnliche Bewußtseinslagen vorkommen. Es kommt immer auf die Einzelheiten an. Klischee ist es für mich nur, wenn die sprachliche Dekonzentration so arg ist, daß man's nicht mehr glaubt. Es kann ja gut sein, daß jemand das erlebt, aber wenn er's nicht sprachlich formulieren kann, dann glaubt man auch nicht, daß er's erlebt hat.

12. Amerika als historisierte Natur

D.: Eine andere literarische Vergleichsmöglichkeit, die sich beim »Kurzen Brief« einfach vom Material her ergibt, ist, daß die Darstellung Amerikas als historisierte Natur übereinstimmt mit den Amerika-Darstellungen im Roman des mittleren 19. Jahrhunderts. Ich denke an Willkomms 1838 erschienenen Roman »Die Europamüden«: da wird die Metapher Amerikas als historisierte Natur utopisch beschworen. Das geht dann bis zu Ferdinand Kürnberger, der den Gegen-Roman geschrieben hat –

H.: Den Amerika-Müden –

D.: – wo am Anfang dieses Bild von New York auftaucht, nicht als Großstadt, als Natur-Idylle.

H.: Ich hab den »Amerika-Müden« parallel zum »Kurzen Brief zum langen Abschied« gelesen.

D.: Während Sie das Buch geschrieben haben?

H.: Ja.

D.: Aber das erwähnen Sie nicht im Roman.

H.: Nein, das Buch hat mir auch nicht gefallen.

H.: Ich habe auch den Sealsfield und den Gerstäcker nebenbei gelesen.

D.: Tatsächlich?

H.: Ja.

D.: Ist es dann nicht verstärkt so, daß sich von diesem Topos der historisierten Natur her, der für Amerika in der literarischen Tradition steht, Beziehungen andeuten, die auch auf den »Kurzen Brief« ausgedehnt werden könnten?

H.: Es kommt nur darauf an, wie das jetzt vor sich geht. Man kann ja auch beim »Tormann« sagen: Das ist die Wiederaufnahme eines Existenzgefühls, das schon vor dreißig Jahren einmal formuliert worden ist, sagen wir, bei Camus oder so. Aber da ist andererseits die Frage: wie weit hat sich das geändert? Jetzt sind die Existenzgefühle doch halt anders geworden, ich mein das nicht literarhistorisch. Einige haben mir beim »Tormann« vorgeworfen, das sei wie Camus. Aber ich find das eben deswegen nicht, weil der »Tormann« das nicht übernimmt, sondern konkret entwickelt. Vielleicht ist es ähnlich, aber ich glaube nicht, daß es ähnlich ist, weil die Sätze nämlich ganz anders sind. Es ist auch was anderes. Bei Camus ist das alles ein philosophisches System, diese Sinnlosigkeit; das ist alles noch so richtig abendländisch, Endpunkt einer Geschichte anstelle von Sinn. Beim »Tormann« ist es eigentlich schon praktisch geworden. Die Geschichte dieser dreißig Jahre ist es auch im Bewußtsein der Massen. Ich find das schon wichtig, daß man das, was in der Geschichte an Literatur passiert ist, mitdenkt und mitweiß, es entspricht ja auch gleichzeitig – vielleicht ist es eine Existenz aus zweiter Hand, die ich führe – dieser Existenz. Trotzdem ist es noch da, es ist eine Existenz. Wer führt denn eine aus erster Hand? Das sind doch Angeber. Sind das die Großwildjäger, die auf Safari gehen, die Manager? Ich weiß nicht, wer die dann führt. Das Naturgefühl im »Kurzen Brief«, das hatte ich bis 1971 überhaupt nicht, das war so eine Zweiheit von Subjekt und Naturdasein, auch nur ein Unbehagen anfangs, was ich eigentlich viel zu plakativ im »Kurzen Brief« beschrieben habe; die Ursachen sind eigentlich viel zu plakativ wiedergegeben. Da hab ich gesagt: als Kind hätte ich da nicht sein dürfen; das wäre das Eigentum anderer gewesen, die Natur hätte viel mehr Unbehagen hervorgerufen. Das wird vielleicht viel zu sehr von diesem Ursachen-Fetischismus bestimmt, wenn man jetzt sagt: ja, die Ursachen müssen gezeigt werden. Ich finde das nämlich gar nicht. Wenn etwas ganz konkret und genau beschrieben wird, dann sind mit dieser Beschreibung eigentlich schon die Ursachen im Idealfall von Literatur mit drin. Ich habe diesem Ursachen-Rummel, glaub ich, viel zu sehr nachgegeben. Das war 1971 zum ersten und letzten Mal so. Ich weiß nicht, das kann man dann eben nur mit Literatur ganz genau wiedergeben, indem man die ganze Vorgeschichte miterzählt. Das war so ein richtiges Gefühl, so ein menschliches Gefühl, daß die Natur anthropomorph wurde, was Robbe-Grillet abgelehnt hat. Der Winter ist richtig menschlich geworden. Das kann man sagen: daß das lieblich geworden ist, wenn irgendein Dorf sich ins Tal geschmiegt hat. Der Robbe-Grillet hat gesagt: Das ist Blödsinn. Aber das stimmt, das gibt es, und das hab' ich erlebt, und der »Kurze Brief« ist eben auch die langsame Beschreibung dieses Vorgangs. – Dieses Buch, das Sie genannt haben, »Die Europamüden«, das kenne ich nicht. Dann müssen Sie noch bedenken: in diesem »Kurzen Brief« ist ja nichts Europamüdes drin.

D.: Nein, nein, aber es zeigt sich doch ein deutlicher Unterschied etwa zu den »Jahrestagen« von Johnson.

H.: Mit Absicht, mit Absicht.

D.: Bei Johnson wird sozusagen im Amerika-Bild die Zukunft vorweggenommen, das heißt eine moderne Megastadt mit allen Problemen antizipiert, was Europa erwartet – ganz formelhaft gesagt. Bei Ihnen ist das eigentlich rückwärts gerichtet, ein Blick in die Vergangenheit, was die Darstellung Amerikas als historisierte Natur betrifft.

H.: Das find ich eben überhaupt nicht. Man darf ja nicht denken: Amerika ist so. Sicher ist Amerika nicht so. Man macht immer den Fehler, das auf das Nixon-Amerika zu beziehen. Für mich ist es halt ein Bewußtseins-Land gewesen, wo ich mir vorstelle, leben zu können. Das war ein eigener Entwurf. Ich wollte nicht etwas nachvollziehen, was es schon gibt, sondern aus mir selber heraus, als Gedenkspiel, konkret Satz für Satz etwas aufbauen, wo ich mir vorstellen könnte zu leben. Außerdem kommt das blutige Amerika, ganz klein und verkürzt, doch ein bißchen vor, aber nur als Zeichen, der Soldat zum Beispiel, der alte Farmer, dann diese Parade – das habe ich leider sehr verkürzt –, die Parade in Tucson, Arizona, wo die Veteranen marschieren, und unter diesen Veteranen – das habe ich leider wirklich zu sehr versteckt – geht noch ein einziger Indianer, der als einziger übriggeblieben ist, weil die Indianer damals bei der Invasion als Vortrupps verwendet worden sind, 1944. Ich wollte dies in ein paar Zeichen so zeigen, wie das ist, nicht plakativ, sondern immer noch vorkommen lassen. Das ist trotzdem nicht so in die Luft geschrieben. Ich könnte auch nicht das, was ist, nochmals beschreiben. Für mich hat das nichts mit Literatur zu tun.

D.: Also auch die biographischen Bezüge sind alle verwandelt und verändert?

H.: Sicher, ja, sicher.

D.: Das bezieht sich auch auf die konkrete Reise, die Sie dort gemacht haben?

H.: Ja, die ersten Punkte der Reise kenne ich ungefähr in der Reihenfolge. Ich kenne das Providence, ich war dort. Ich kenne New York, ich kenne Philadelphia. Aber dann hab ich gemerkt, ich kann nicht das beschreiben, wo ich schon war. Dann fahren sie nach diesem Ort in Pennsylvania, wo sie übernachten – da war ich noch nie, auch nicht in Indianapolis, wo diese Zypresse steht. Da war ich auch noch nie.

D.: Und in Oregon?

H.: In St. Louis war ich.

D.: Die Begegnung mit dem Bruder in Oregon?

H.: In Oregon war ich nie in meinem Leben, und ich war nie in Los Angeles. Ich bin extra abgewichen von dem, was ich kenne, in eine Vorstellungswelt, um da freier sein zu können, um nicht das, was ist, nochmals zu beschreiben. Man ist ja dann so gezwungen: Ha, an was erinnere ich mich dort, in Philadelphia? Und man beschreibt das dann. Ich habe dann extra alles erfunden.

13. Das Verfolgungsschema im »Kurzen Brief«

D.: In der Kritik zum »Kurzen Brief« klang gelegentlich an, daß die Darstellung der Verfolgung ein kriminalistischer Zusatz sei, ein Spannungsstimulanz, aber eigentlich überflüssig. Ist das eine völlige Mißdeutung?

H.: Ich wollte das schon so ein bißchen wie Raymond Chandler – wo das alles vorkommt, auch die Aktion – schreiben, einfach weil mir's Spaß macht. Einige haben gesagt, daß das die Ruhe des Buches stört. Das mag sogar stimmen. Aber andererseits ist das eigentlich ein Erlebnis von mir, daß mich jemand umbringen will. Das ist ein Grundzustand, und insofern ist das nicht aufgesetzt. Das werden Sie auch oft in den Geschichten finden. Die Verfolgung, das war eigentlich das, wovon ich ausgegangen bin. Wenn die Geschichte so gegangen wär, daß man das hätte wegtun können am Schluß, dann wär's vielleicht gut gewesen. Die Idee dieser Verfolgung ist dann eigentlich ein bißchen überflüssig geworden. Aber aufgesetzt ist sie nicht, das war der Ausgangspunkt. Das ist auch meine Situation immer noch.

D.: In der Handlung ist es eigentlich das Movens der Reise, warum Sie reisen.

H.: Ein bißchen, aber das verschwindet immer mehr.

D.: Man hat bemerkt: daß der Erzähler mit 3000 Dollar eintrifft, die er ausgeben will, das hätte als Movens der Reise auch gereicht.

H.: Am Anfang denkt er: er hat 3000 Dollar, die er möglichst unbeschwert ausgeben will, dazu kommt dann das Bewußtsein, daß die Frau ihn verfolgt – also diese beiden Geschichten überschneiden sich –, dazu kommt, daß er ziellos wegfährt, mal bleibt – ich glaube, das ist nicht so auf das Motiv der Verfolgung zu bringen. Das wäre wirklich albern, das wäre so ein 1950er Roman, Andersch, die Flucht oder so. Das Beruhigende an meinem Gefühl an dem Buch ist, daß der Rhythmus stimmt, daß es nicht aufgesetzt ist, daß es sich so richtig ergibt, so wirklich – um ein Klischee zu gebrauchen – wie das Leben. Daß es so hin- und hergeht, daß es kein Arrangement ist – das ist halt immer die Gefahr bei mir. Ich sprech' jetzt von mir: daß man aus Hilflosigkeit nichts Konkretes mehr weiß und dann ein Arrangement sucht. Das wird dann im schlechten Sinne Literatur. Das kann man bei allen Literaten nachweisen.

D.: Arno Schmidt wäre der Prototyp des literarischen Arrangeurs und Austüftlers. Hat er irgendeine Geltung für Sie?

H.: Eigentlich weniger, obwohl ich ihn achte, aber das ist nicht mein Fall. Ich spreche jetzt nur mal von der Idealvorstellung des Arbeitens an einem Buch: Ich habe über einen langen Zeitraum Beobachtungen gemacht, hab keine Einfälle – das ist das Schlimmste –, es ist einem bloß aufgefallen, was man vergessen hat; die Erinnerung hat gearbeitet, und man hat jetzt unheimlich viele Einzelheiten, und eines Tages setzt man sich hin und schreibt. Man weiß nur, was man hat, diese riesige Menge von dem, was man früher Zettelkasten genannt hat. Und man schreibt völlig ohne Plan, man läßt sich lenken von den Einzelheiten, und man kriegt nie Angst, daß es nicht weitergeht, es ist eine richtige Reise. Das war im »Kurzen Brief« eigentlich der Idealfall, daß da beides zusammengetroffen ist: ich bin mit den Notizen so richtig auf die Reise gegangen, ich hab mich so richtig lenken lassen, so daß es ganz organisch geht. Und trotzdem wird's vernünftig, so ganz intuitiv, und vernünftig geht alles und hört irgendwann einmal auf. Das ist für mich der Idealfall, daß nie ein Moment kommt, wo man denkt: ja, was könnte denn noch passieren, sondern daß man immer von der Beobachtung ausgeht. Daß jetzt jemand sagen könnte: ja, der Erzähler, das ist das Modell des Orpheus oder so, die Eurydike geht hinter ihm her, und irgendwann blickt er sich um oder so –, daß man also ein mythisches System anwenden könnte, das wäre mir unheimlich peinlich, im Gegensatz zu früher. Im »Hausierer« zum Beispiel hab ich alles richtig so geplant, also diesen Orpheus-Mythos, nicht so in diesem parfümierten Sinn, sondern der Orpheus kommt dann doch zurück, und er singt nicht mehr, er dichtet nicht mehr, und dann wird er zerrissen. Dieses System des Kriminalromans, daß jemand nicht erzählen will, was er gesehen hat, und daß ihm das dann die Anfeindung der Gesellschaft bringt, war mir damals noch richtig wichtig. Das ist auch der Unterschied zu heute, daß ich damals noch an so einem System festhielt. »Kaspar« ist auch nach einem Modell gearbeitet, was mich heute unheimlich stört. Aber ab dem »Tormann« und dem »Ritt über den Bodensee« hab ich mich nur noch mit den Einzelheiten, die ich da gehabt habe, so auf eine Fahrt begeben. Wenn das wirklich klappt, hab ich auch immer ein gutes Gefühl. Ich bin einfach ein unheimlicher Stilist, glaub ich. Wenn ich einen Satz lese, wo alles so überflüssig und unsachlich ist, dann merk ich: der hat überhaupt kein Gespür für das, was er schreibt. Solche Sätze sehe ich bei vielen Schriftstellern. Für mich ist das wichtigste noch immer der Stil. Das ist auch eine Frage der Redlichkeit. Man merkt halt, wie einer über einen Satz weggeht, nur eine Impression, ein Erlebnis wiedergibt und wie weit er sich mit einem Satz beschäftigt hat. Man hört so oft, die Schriftsteller sitzen tagelang an der Schreibmaschine und streichen und lassen weg. Das kann ich nie verstehen, wenn ich das dann lese. Ich denke immer: die hätten doch alles wegschmeißen müssen, was die so tüftelnd an Wort umsetzen. Man merkt, die haben nicht über Sätze nachgedacht.

14. Literaturbetrieb

H.: Wenn man da mitspielt, ist man ein feiger Idiot. Man kommt sich vor, als wäre man ein Objekt, jemand, der nur noch aus dem besteht, was über ihn gesagt wird. Wenn man mitspielt, besteht man eigentlich praktisch aus den Mutmaßungen der Gesellschaft. Man verliert völlig die Substanz. Alles verglüht, was man ist, und man ist dann nur noch diese Pirandello-Figur, das, was die andern über einen sagen, ein trauriger Zustand. In diesem Milieu hören plötzlich die normalen Funktionen auf, und es wird alles so kümmerlich, die Existenz ist so ausgelöscht, wie eine Leuchtreklame. Wenn man mitten drin steht, mag das gehn, aber wenn man sich zurückzieht, kommt man sich blöd vor. Das ist so theatralisch. Die Exi-

stenz wird so theatralisiert. Man sagt sich: das kann nicht weitergehen so. Trotzdem gibt es immer noch Ausgänge. Aber das wird dann völlig aufgesaugt, wenn man sich zu viel damit abgibt. Ich kann es mir – es wird sicher auch den Grund haben – jetzt leisten, das alles abzusagen. Aber andererseits ist es mir inzwischen wirklich auch nicht mehr anders möglich geworden. Ich war früher unbefangen. Vielleicht habe ich deshalb diesen Ausfall in Princeton gemacht. Ich hab mir ja wirklich überhaupt nichts dabei gedacht. Ich hab mich aus einem gewissen Geltungsdrang in dem Moment zu Wort gemeldet, also klar, wie ein Junge, der, wenn's einem wichtig wird, auch mal was sagen möchte. Das ist jetzt alles anders. Wenn mir eine Evangelische Akademie einen Brief schreibt, dazu Stellung zu nehmen, so schmeiß ich das einfach alles weg. Nur persönliche Briefe schau ich mir an. Das ist nämlich die totale eisige Entfremdung – schon, wenn man zu einer Lesung fährt, Leute, die man nicht kennt, und wenn man diskutieren muß. Man weiß, das wird einfach nix werden, wenn man durch dieses blöde Ritual katapultiert wird. Schon ein solcher Satz, der in einem Gespräch fällt: Ist das Ihr letztes Wort? Was soll man da sagen?

D.: Sicher, aber ist das nicht ein gewisser Formelvorrat, der einfach nötig ist, um bestimmte Kommunikation zu verkürzen? Jeder weiß, daß das Formeln sind. Es ist das Öl, das man ins Getriebe bringt, damit die Sache läuft.

H.: Sicher, das ist schon richtig. Aber gerade in dem Moment, da ist mir aufgegangen: als wenn das eine Puppe ist in dem Dialog.

D.: Aber kann man wirklich so konsequent sein, wie Sie sein wollen? Mir fällt Salinger ein, der nach dem ungeheuren Erfolg des »Catcher in the Rye«, ein großartiges Buch, wie Sie vielleicht zugestehen –

H.: Ja.

D.: – den literarischen Markt brüskierte, indem er sich völlig abschloß. Er lebt nun seit Jahren hermetisch abgeriegelt vom Literaturbetrieb, der ihn nun prompt als Sonderling abgeschrieben hat. Er gilt nun als Ein-Roman-Mann, als jemand, der sich ausgeschrieben hat. Das hat, soweit sich das beurteilen läßt, auch zu einer gewissen Verbitterung bei Salinger geführt, zu einer Arbeitshemmung. Ist das nicht die Kehrseite? Die Flucht aus der Entfremdung in ein Vakuum, das auch zu einer Verarmung der Motivation zu schreiben führen kann?

H.: Ja, sicher, aber man darf das Lied vom Dilemma dann nie so geil singen. Wenn's dann klargestellt ist, sagen sie: Das ist halt das Dilemma und sind eigentlich sehr fröhlich dabei. – Das muß ich Ihnen gestehen: da kommt ein Mann vom »Stern«, der will mit mir sprechen und eine Geschichte machen. Zuerst habe ich zugesagt, ich weiß nicht warum; es ist richtig Eitelkeit gewesen. Da ist doch diese Sucht, außer der Literatur auch noch was über Literatur Hinausgehendes zu machen. Sollte ein Schriftsteller nicht auch mal was in einer Illustrierten sagen? Das ist so eine kindische Sucht, nicht nach Mondänität, sondern nach einem mondänen Anschein. Das hab ich schon, wobei ich selber so übrigbleiben möchte. Daß es so einen Anschein gibt, ein Star möchte ich nicht sein, aber so eine Figur, die gewisse mystische Intentionen hat – das würde ich gern mal sein. Wenn man mit der Romy Schneider oder mit so einem komischen Mädchen zusammenkäme, daß die schon wüßte, was gespielt wird. Also nicht so die Rolle eines Dichters spielen, sondern daß das in der Aura noch mehr wäre, nicht so in dem sakralen Sinn wie bei George, sondern einfach so, wie die profanen Illustrierten sind. Das ist alles sehr schwierig zu sagen. Daß man die Klatschspalten gar nicht gelesen haben muß und daß trotzdem ein gewisses Geheimnis von dem Ganzen ausgeht. So ein bißchen wie der – wie heißt er, der amerikanische Milliardär?

D.: Howard Hughes?

H.: Ja, so ein Phantom. Wenn man dann irgendwo auftaucht, dann ist es –

D.: Bei Hughes sind da wohl ganz bestimmte Phobien mit im Spiel.

H.: Ja, das wird schon stimmen. Auf einer ganz anderen jämmerlicheren unerlösteren Stufe – ob das bei mir nicht auch der Fall sein könnte? Es gibt ja viele Dichter, die immer den Besuch mit dem Stecken wegjagen, aber die freuen sich wahrscheinlich, daß sie sie überhaupt wegjagen können.

15. Sich erinnern lernen

D.: Sie haben einmal überlegt, eine Analyse zu machen, haben es jedoch dann abgelehnt. Warum?

H.: Nach allem, was mir Freunde erzählt haben, denke ich, daß es etwas Voreiliges ist. Man redet so, man rutscht immer aus beim Reden, und man sagt etwas, und es stimmt alles gar nicht. Es wäre viel wichtiger, sich selber zu erinnern. Ich verbringe jetzt die ganze letzte Zeit damit zu lernen, wie man sich nur noch erinnern könnte. Ich habe so wahnsinnig viel vergessen. Natürlich ist das jetzt ein

Klischee. Ich merk auch immer wieder, daß all die Haltungen, die ja schon längst in der Literatur fixiert sind und die ich immer nur als Deklamation aufgefaßt habe und wodurch sie mir eingegangen sind, daß ich die langsam erlebe, daß ich darauf gestoßen werde. Trotzdem hindert mich das nicht daran, darüber zu schreiben. Das liegt an der Erinnerung, die mir wichtig ist. Es gibt Momente, wo man gar nicht weiß, warum und aus welchem Anlaß diese plötzlichen Erinnerungen kommen, Momente dieser blitzartigen Erinnerung. Diese geheimnisvollen Erinnerungen, das beschäftigt mich schon seit Jahren. Im »Ritt über den Bodensee« gibt's eine Figur, die redet, und plötzlich mitten im Reden kommt so das Bild von einer Wiesenlandschaft, wo Wolkenschatten drüber sind, und plötzlich erinnert sie sich, und sie denkt und spricht es auch aus: Warum erinnere ich mich plötzlich daran? Nichts, sie spricht weiter. Solche Erinnerungen kommen ganz plötzlich ohne logische Verknüpfung. Ich weiß gar nicht: warum kommt in diesem Moment dieses Bild aus der Erinnerung, ein ganz isoliertes, ganz kurzes schnelles Bild. Das beschäftigt mich. Und dann, wenn ich mich an etwas erinnere von früher: dann ist da so ein Verbundenheitsgefühl, ein Gefühl von Existenz, Geborgenheit, so ein Lebensgefühl, daß ich überhaupt nichts Böses tun könnte in dem Moment. Das ist eine richtige – so darf man wirklich sagen – moralische Kraft. Und deswegen versuch' ich halt, wieder zu lernen, mich an alles zu erinnern, weil ich vor allem in den letzten Jahren so wahnsinnig viel vergessen habe. Darüber möcht' ich schon einmal richtig was schreiben: was für eine wichtige Tugend die Erinnerung ist.

VIII.B. Epische Existenzprotokolle. Die Prosaarbeiten von Peter Handke

1. Zu Beginn einer Buch-Besprechung[1], in der unter Vermeidung des üblichen Rezensionsrituals versucht wird, die von dem Buch ausgelösten »Erfahrungen zu beschreiben« (199), zitiert Handke zustimmend den Satz eines Kritikers: »...sehr gute Filme könne man nur beschreiben.« (199) Möglich, daß das auch der Idealfall der Annäherung an Literatur ist: alle Rituale und Begriffssysteme fallen zu lassen und nur jene Bedeutungsdimension gelten zu lassen, die es als Anregung zur Selbsterfahrung des Lesers hat, und die Lektüre als eine Reise zu beschreiben, die den Leser ein Stück sich selbst näherbringt. Begriffe werden durch Beobachtungen ersetzt, konkrete Einzelheiten treten an die Stelle von verbindenden Gedankenlinien. Die Lektüre wird gleichsam zu einem existentiellen Erkundungsakt. »Ich erwarte von einem literarischen Werk eine Neuigkeit für mich, etwas, das mich, wenn auch geringfügig, ändert, etwas, das mir eine noch nicht gedachte, noch nicht bewußte Möglichkeit der Wirklichkeit bewußt macht, eine neue Möglichkeit zu sehen, zu sprechen, zu denken, zu existieren.« (20)[2]

Die Grenze zwischen Wirklichkeit und Literatur wird hier aufgehoben, indem das, was man dem genormten Verständigungskode entsprechend Wirklichkeit nennt, als nicht lösbar von dem angesehen wird, was uns Wirklichkeit vermittelt: also Sprache. Realität sofern sie uns erreicht, ist bereits Sprache, also intentional schon Literatur. Daraus erklärt sich Handkes Appell, »daß die Welt nicht nur aus den Gegenständen besteht, sondern auch aus der Sprache für diese Gegenstände.« (30) Die Konsequenz ist für ihn, »daß die Sprache eine Realität für sich ist und ihre Realität nicht geprüft werden kann an den Dingen, die sie beschreibt, sondern an den Dingen, die sie bewirkt.« (34)

Das führt freilich schon ins Zentrum der Handkeschen Kunsttheorie. Es soll hier nicht im einzelnen analysiert werden, inwieweit sich bei Handke eine Fortführung von Positionen der Wiener Gruppe zeigt – Oswald Wieners »Die Verbesserung von Mitteleuropa« wird nicht von ungefähr von ihm als das Buch hervorgehoben, »das von allen Büchern der letzten Jahre vielleicht am meisten in Bewegung setzen wird...«[3] –, inwieweit er sich hier mit einer bereits bei Heißenbüttel theoretisch abgesteckten Position berührt oder inwieweit sich seine theoretischen Appelle als Mißverständnisse einer oberflächlichen Wittgenstein-Aneignung entziffern lassen[4], – an der subjektiven Valenz dieser Position für Handke würden solche historischen Ableitungen nichts ändern. Sie würden ihn nur in einen Zusammenhang rücken, der seine Postulate als weniger originell erweist, als sie gemeint sind.

Obwohl jede historische Einordnung für Handke a priori etwas Denunziatorisches hat, weil sie den Anspruch seiner Subjektivität nicht voll einbringt, ergibt der Entwicklungspunkt, der sich bei ihm abzeichnet, doch einen gewissen Sinn, auf jenes geschichtsphilosophische Modell übertragen, das die Reflexion der Romanentwicklung leitet. Seinen kunsttheoretischen Reflexionen und vor allem seinen Prosaarbeiten kommt unter einer solchen Perspektive ein bestimmter historischer Stellenwert zu, der auch auf dem Hintergrund der andern charakterisierten Positionen hervorsticht.

Das reflektierende Ich bei Hermann Lenz, bei Hildesheimer, bei Böll, bei Siegfried Lenz, das vielfach als fiktiver Erzähler in die Romane intergriert ist, befindet sich zwar auf einem Rückzug, was die Möglichkeit betrifft, die immer disparater werdende und sich in Einzelheiten auflösende Wirklichkeit erzählerisch zu gestalten. Aber die Anstrengung ist nach wie vor da, diese Kluft zwischen einzelnem und Realität aufzuheben durch Versuche der Sinn-Projektion, durch eine – vor allem in der Aufarbeitung der moralischen Schuldgeschichte des Dritten Reiches – ansatzweise wiederhergestellte Identität von Ich und Wirklichkeit, auch wenn das retrospektiv geschieht. Böll, Hermann und Siegfried Lenz, Hildesheimer, Johnson, Nossack sind beispielhaft dafür. Das ist als Intention festzuhalten, auch wenn die Durchführung vielfach unter skeptischen Vorzeichen vor sich geht, was vor allem die Perspektive auf die Gegenwart betrifft, die Möglichkeit, das als weiterwirkende Utopie manifest werden zu lassen, was retrospektiv im historischen Material der Geschichte des Dritten Reiches und seiner menschlichen Verschuldungen geklärt wird. Die moralische Identität verkümmert häufig zu einem Abstraktum: es ist entweder im Erzählkontext der Romane die Moralität der Opfer, eine appellative Humanität, die, losgelöst von aller Verwirklichungsmöglichkeit, programmatisch an den Horizont der Gegenwart geworfen wird, oder sogar eine sich ihrer Vergeblichkeit selbst bewußte Moralität, die sich aus aller Wirklichkeit zurücknimmt, am radikalsten bei Hildesheimer akzentuiert in seinem in der Wüste verschwindenden Ich-Erzähler.

Bei Handke zeigt sich etwas Neues, zum Teil sicherlich auch bestimmt von einer neuen Generationserfahrung. Denn während die meisten der hier genannten Autoren ihre individuelle Erfahrung einer sich als sinnlos demaskierenden Wirklichkeit, von Hermann Lenz ironisch die »neue Zeit« genannt, im Gleichnis der Geschichte des Dritten Reiches bestimmen, fällt bei Handke diese Dimension fast völlig[5] fort. Auch für ihn sind Ichbewußtsein und Wirklichkeit alles andere als harmonisch aufeinander abgestimmt, sie sind auseinandergerissen, nicht in einem Identitätserlebnis vermittelt, sondern als Kollision in einem Schockerlebnis. Der zu Anfang des »Kurzen Briefes zum langen Abschied«[6] stehende Satz – »So weit ich mich zurückerinnern kann, bin ich wie geboren für Entsetzen und Erschrecken gewesen.« (9) – hat ebenso stellvertretendes Gewicht wie das Bekenntnis: »Ohne die Literatur hatte mich dieses Selbstbewußtsein gleichsam befallen, es war etwas Schreckliches, Beschämendes, Obszönes gewesen; der natürliche Vorgang erschien mir als geistige Verwirrung, als eine Schande, als Grund zur Scham, weil ich damit allein schien.«[7]

Das Ich-Erlebnis und das Erlebnis der Welt sind mit Schrecken verbunden, eine einzige Zumutung, da keinerlei Abwehrmöglichkeit mehr vorhanden scheint, diesen Schrecken abzumildern. Das Ich selbst, als moralisches Selbstbewußtsein, wenn auch isoliert und abstrakt, bei den meisten andern Autoren noch intakt, ist hier gleichfalls in den Destruktionssog geraten, der die Wirklichkeit aus einem Ensemble wohlgeordneter Dinge in ein chaotisches Konglomerat von sinnlosen Einzelheiten verwandelt. Ein abgeschirmter »innerer Bezirk«, sei es nun in einer utopischen Vergangenheitskonstellation, einer abstrakten Zukunftshoffnung oder einer moralischen Resignation, scheint diesem Ich nicht mehr als Ausweg gegeben, denn seine Innenwelt ist gleichsam nach außen gewendet, so wie seine innere Verstörung mit der äußeren Zerstörung austauschbar, ja identisch wird. Eine gleichsam in der Negation vollzogene Identität, mit keiner Totalitätserfahrung verbunden, die Ich und Welt als harmonisch aufeinander zugeordnet erfährt, sondern mit einer die Züge von Entfremdung fast plakativ signalisierenden Auslöschung und Vertauschbarkeit: die Erfahrung eines Sprungs, der alle vertrauten Systeme der Orientierung außer Kraft setzt, eines explosiven Rucks, mit dem man herausgerissen wird, um sich selbst und die Wirklichkeit als buchstäblich unvergleichlich, als erschreckend anders zu empfinden.

Die an Bloch im »Tormann«[8] beschriebene Erfahrung stellt diese paradigmatische existentielle Ausgangssituation dar: »Es war ein Ruck gewesen, und mit einem Ruck war er unnatürlich geworden, war er aus dem Zusammenhang gerissen worden. Er lag da, unmöglich, so wirklich; kein Vergleich mehr.« (78) Diese Schreckerfahrung wird in fast allen Büchern Handkes mit einem Handlungsmotiv gekoppelt, das die Bedrohung und Gefährdung auch konkret verdeutlicht: dem von Bloch reflexhaft ausgeführten Mord an der Kinokassiererin im »Tormann«, der Mordandrohung Judiths gegen den Ich-Erzähler und ihren Mordanschlägen im »Kurzen Brief«, dem Selbstmord der Mutter im »Wunschlosen Unglück« und dem im Traum ausgeführten Mord Gregor Keuschnigs in der »Stunde der wahren Empfindung«.

Der Sprung der Realität ist auch ein Sprung des eigenen Ichs, das, aus allen Tarnungen der Begriffe und Konventionen herausgelöst, in der Gegenüberstellung mit dem, was in der Wirklichkeit ist und geschieht, genauso schmerzhaft konfrontiert wird wie mit sich selbst. Was Handke formelhaft als die »Innenwelt der Außenwelt der Innenwelt«[9] bezeichnet hat und was diesen Vorgang der wechselseitigen Durchdringung und Auflösung von Ich und Wirklichkeitserfahrung auf einen Begriff bringt, ist freilich zugleich die Voraussetzung für das, was er einmal so formuliert hat: »Ich erwarte von der Literatur ein Zerbrechen aller endgültig scheinenden Weltbilder.«[10] Denn es ist ja nicht nur so, daß er in die Erfahrung des Realitätszerfalls nun auch das Ich miteinbezieht und damit die geschichtsphilosophische Zerreißprobe noch radikalisiert, sondern hier liegt zugleich die Voraussetzung für ihn, Ich und Wirklichkeit jenseits aller begrifflichen Verformelung neu zu erfahren, ja daraus erwächst der Anspruch des Ichs, sich neu zu definieren, indem es sich dem Schrecken stellt.

Handke hat hier eine Position, nun in einer zugespitzten Situation, wiederaufgenommen, die vor allem Kafka, auf den sich Handke wiederholt berufen hat, schon vorher ausgemessen hat. Der Realitätsschwund, das Erschrecken über eine sich phantasmagorisch aufhebende Wirklichkeit werden bereits bei Kafka veranschaulicht, so wenn es in der »Beschreibung eines Kampfes« heißt: »Und ich hoffe von Ihnen zu erfahren, wie es sich mit den Dingen eigentlich verhält, die um mich wie ein Schneefall versinken, während vor anderen schon ein kleines Schnapsglas auf dem Tisch wie ein Denkmal steht.«[11] Und im Tagebuch von 1910 wird diese Überantwortung des Ichs an die Dinge folgendermaßen beschrieben.»...die giftige Welt wird mir in den Mund fließen wie das Wasser in den Ertrinkenden.«[12]

Selbst in Rilkes »Aufzeichnungen des Malte Laurids Brigge«, eines Schlüsseltextes für die Geschichte des Romans in unserm Jahrhundert, wird diese schreckhafte Austauschbarkeit von Ich und Welt nicht nur ähnlich beschrieben, sondern auch als Möglichkeit der Verwandlung im positiven Kontext eines Neubeginns: »Ich wußte, daß das Entsetzen ihn gelähmt hatte, Entsetzen über etwas, was in ihm geschah. Vielleicht brach ein Gefäß in ihm, vielleicht trat ein Gift, das er lange gefürchtet hatte, gerade jetzt in seine Herzkammern ein, vielleicht ging ein großes Geschwür auf in seinem Gehirn wie eine Sonne, die ihm die Welt verwandelt.«[13]

Und auch hier, bei Rilke und vor allem Kafka, ist damit die Abkehr von allen vertrauten Systemen der Wirklichkeitsorientierung verbunden, die Absage an die Psychologie, soweit sie die Deutung des Ichs versucht, der Verzicht auf ideologische und politische Systeme, die eine Plausibilität der Wirklichkeit retten wollen. Wenn man diesen Prozeß so beschrieben hat: »Das Subjekt wird zum Objekt, zum entfremdeten Gegenstand selbst. Aber auch umgekehrt wird das Objekt zum Subjekt, zur rätselhaften Chiffre der sich selbst entfremdeten Subjektivität, da das Objekt selbst nichts anderes ist als ein vom Menschen erzeugtes künstliches Gebilde.«[14], so steht Handkes Formel von der »Innenwelt der Außenwelt der Innenwelt« für den gleichen Sachverhalt.

Der auf die Spitze getriebene Desillusionsroman ist gleichsam dialektisch umgeschlagen. Wird er in seiner Entwicklung davon charakterisiert, daß das Ich sich immer stärker von der Wirklichkeit trennt und mit dem Verzicht auf tradierte Fabel, Psychologie des Personals und gesellschaftlich repräsentative Helden-Figuren seine eigene Vorstellungswelt als eigentlichstes seiner Innerlichkeit gegen die Außenwelt ausspielt, seine Träume, Visionen, Phantasien, Erinnerungen wichtiger nimmt als das, was sich auf sogenannte verbürgte Realität bezieht, so schlägt die im Schreckzustand erfahrene wechselseitige Fremdheit von Ich und Welt hier in eine neue Nähe zwischen beiden um, die als wechselseitige Durchdringung empfunden wird: die Außenwelt ist nur noch Zeichen, seelische Topographie der Innenwelt, die das Erzähler-Ich, gleichsam die ersten Schritte in einem neuen Gelände tuend, tastend und stammelnd beschreibt. Die unternommenen Entdeckungsreisen in der Innenwelt erreichen das Ziel eines sich selbst innewerdenden Bewußtseins in der erzählerischen Bewältigung der Außenwelt.

Wenn man so will, zeigt sich bei Handke verschärft die Situation eines Ich-Erzählers, der der Wirklichkeit mit keiner Sinn-Projektion mehr gegenüberzutreten vermag, der sich aber nicht selbst resignativ aufhebt, sich, mit dem Blick auf Hildesheimers Ich-Erzähler, in der Wüste selbst exekutiert, sondern der tabula rasa macht und, im Moment dieser schreckhaften Konfrontation mit seinem Ich, mit der Sinnsuche bei sich selbst beginnt und mit der Hoffnung auf ein potentielles neues Ich zugleich die Hoffnung auf die Wirklichkeit wiederzugewinnen versucht.

2. Richtet man freilich den Blick auf die ersten größeren, zusammenhängenden Prosatexte Handkes, die Romane »Die Hornissen« und »Der Hausierer«, so zeigt sich, daß die von ihm eingeschlagenen Wege[15] durchaus problematisch sind. Die literarische Instrumentalisierung seiner Erkenntnisvoraussetzungen vollzieht sich im Anfangsstadium auf dem Wege der Negation. So hat er, die in Elias Canettis »Die Blendung« eingearbeitete Kritik am konventionellen Roman variierend, im Verzicht auf die traditionellen Formalien des Romans, nämlich Fiktion (Fabel, Geschichte), »Methode des inneren Monologs... des Filmschnitts«[16], programmatisch erklärt: »Wenn aber durch eine Geschichte eine Neuigkeit gesagt werden soll, dann erscheint mir eben die Methode, dazu eine Geschichte zu erfinden, unbrauchbar geworden zu sein. Die Methode hat sich überlebt. Die Fiktion, die Erfindung eines Geschehens als Vehikel zu meiner Information über die Welt ist nicht mehr nötig, sie hindert nur. Überhaupt scheint mir der Fortschritt der Literatur in einem allmählichen Entfernen von unnötigen Fiktionen zu bestehen... Ich möchte gar nicht erst in die Geschichte ›hineinkommen‹ müssen, ich brauche keine Verkleidung der Sätze mehr, es kommt mir auf jeden einzelnen Satz an.«[17]

Die Entwicklung des Romans schrumpft unter diesem Aspekt zu einem Repertoire von Erzähl-Methoden zusammen, die, beim ersten Einsetzen legitimes Mittel der literarischen Ich- und Wirklichkeitsaufschließung, einem notwendigen historischen Sündenfall unterworfen sind: sie werden standardisiert, als »natürlich«

empfunden und sinken damit zu Schablonen herab, die nichts mehr aussagen, sondern nur noch sich selbst bewußtlos dokumentieren. Handke hat in seinen beiden ersten Romantexten zwei Möglichkeiten als Gegenmittel erprobt. Die eine Möglichkeit besteht darin, neue erzählerische Methoden zu erfinden, die das Erzählte auch erzählperspektivisch in einem völlig neuen, unverstellten Zugriff präsentieren. Das zeigt sich in seinem Roman »Die Hornissen« am Beispiel des blinden Erzählers, der, auf der Suche nach dem im Fluß ertrunkenen Bruder von einem Bombenangriff gegen Ende des Krieges in einem österreichischen Bergdorf überrascht, sein Augenlicht verliert und nun, ohne den naiven, nämlich visuellen Wirklichkeitskontakt, sich an die Geschehnisse erinnert, wobei Erlebtes, Gelesenes und Vorgestelltes ineinander übergehen und untrennbar werden.

Die zweite Möglichkeit hat Handke so beschrieben: »So wählte ich die Methode, auf unbewußte literarische Schemata aufmerksam zu machen, damit die Schemata wieder unliterarisch und bewußt würden.«[18] Das geschieht im Kurzroman »Der Hausierer«, dem das Schema des Kriminalromans zugrunde liegt, am Beispiel eines Kriminalfalls, der dem Schema entsprechend skelettiert wird, aber im Ergebnis in mikroskopische Satzpartikel auseinanderfällt, die gerade nicht das erreichen, was als Intention angestrebt wird: »mit Hilfe der reflektierten Schemata den wirklichen Schrecken, den wirklichen Schmerz (zu) zeigen.« (28)

Dieser zweifache erzählmethodische Ansatzpunkt, den Handke in seinen beiden ersten Romanen gewählt hat, läßt sich auch in den folgenden Arbeiten noch deutlich erkennen. Aber etwas Wichtiges, von allen Methoden Unabhängiges tritt neu hinzu, das Handke 1970 in einer Gesprächsäußerung so formuliert hat: »... ich komme immer mehr dazu, spontan zu arbeiten, ohne vorher Thesen aufzustellen.«[19] Dieses Element der Spontaneität, das sich in den ausgezirkelten Prosa-Modellen seiner beiden ersten Romane nur sehr bruchstückhaft entdecken läßt, führt bereits in »Die Angst des Tormanns beim Elfmeter« dazu, daß beispielsweise seine Absage an die Geschichte als Fiktion konkret zurückgenommen wird. Dann der mit sich und seiner Umwelt zerfallene Monteur Josef Bloch, ein ehemaliger Fußballtorwart, der plötzlich aus der geregelten Ordnung seines Berufslebens (nachdem sein Privatleben durch die Scheidung von seiner Frau schon vorher zerstört wurde) herausgerät, sich ziellos umhertreiben läßt, viele Stunden im Kino zubringt, die Nacht mit einer Zufallsbekanntschaft, einer Kinokassiererin verbringt, sie am Morgen in einer Reflexbewegung erwürgt, sich aus der Umgebung Wiens absetzt, um bei einer früheren Bekannten, einer Gastwirtin, unterzutauchen – er agiert nicht nur in einem Handlungsschema, das wieder konkrete Züge einer Fabel aufweist, sondern sein willkürliches, antikausales Verhalten läßt in der Gestik seiner Fluchtsituation auch eine bestimmte perspektivische Verzerrung erkennen, die der Titel des Romans gleichsam in einer Formel präsentiert. »Die Angst des Tormanns beim Elfmeter« – das ist Blochs existentielle Situation.

Seine ziellosen Fluchtgebärden, seine Neigung, in allen Dingen eine Anspielung auf sich zu erkennen, und sein Ausweichen und sein Ekel vor den Dingen werden am Schluß des Romans im Gespräch auf dem Fußballplatz zwischen Bloch und einem Vertreter geklärt: »›Es ist sehr schwierig, von den Stürmern und dem Ball wegzuschauen und dem Tormann zuzuschauen‹, sagte Bloch. ›Man muß sich vom Ball losreißen, es ist etwas ganz und gar Unnatürliches.‹ Man sehe statt des Balls den Tormann, wie er, die Hände auf den Schenkeln, vorlaufe, zurücklaufe, sich nach links und rechts vorbeuge und die Verteidiger anschreie... ›Es ist ein komischer Anblick, den Tormann so ohne Ball, aber in Erwartung des Balles, hin und her rennen zu sehen...‹« (123/4)

Der zum Mörder gewordene Bloch ist der Torwart, der in Erwartung der Aufdeckung seiner Tat lebt, der in seiner Umgebung lauter Anspielungen auf sich entdeckt, angefangen bei der Suche nach dem vermeintlichen Mörder des vermißten Schülers, der schließlich, durch einen Unfall ertrunken, von ihm im Wasser gefunden wird, über seine Täterbeschreibung in der Zeitung bis hin zu den unscheinbarsten Details, die sich als Bedrohung vor ihm aufbauen, kulminierend in jenem im Bild vollzogenen Ende, als der zum Elfmeter auf dem Fußballfeld ansetzende Schütze dem Tormann den Ball in die Hände schießt. Handkes Erzählmodell, die besondere Perspektive des Torwarts, ist hier viel souveräner eingesetzt[20] als beispielsweise die Perspektive des Blinden in den »Hornissen«, und zugleich gelingt es ihm in dieser gleichsam gegen den Strich geschriebenen Kriminalgeschichte um Bloch das sichtbar zu machen, was für ihn der Ausgangspunkt alles Schreibens ist: der Erkenntnisschock, der aus der Kollision zwischen dem eigenen Ich und der Wirklichkeit entsteht, der Ekel vor beiden, die Flucht aus allen Orientierung und Beruhigung versprechenden Normen.

Das Herausgeraten Blochs aus der Wirklichkeit, aus dem System seines Privat-, seines Berufsleben, eine Trennung, die nach dem Mord unabänderlich wird, und die gestische Choreographie seines Fluchtverhaltens verdichten sich zu einer eindringlichen poetischen Konkretisierung jenes Ich- und Wirklichkeitsverlustes, der als Handkes Ausgangsposition umschrieben wurde. Bloch, dem sich die Umwelt und die Dinge am Ende zu isolierten bildlichen Zeichen auflösen, für den alle Begriffe ihre Verbindlichkeit verlieren, dem mitten im Satz das Reden zuwider wird, verdeutlicht jenen Zustand des Aufgesogenwerdens von der Außenwelt, den Existenzschwund und damit jenen existentiellen Angstzustand, der als poetisches Initial fungiert.

Doch mehr als ein Gleichnis seiner existentiellen Isolation vermag Handke hier nicht zu geben. Der dialektische Umschlag in eine Wiederentdeckung seines Ichs deutete sich noch nirgendwo an. Was ihm, allerdings mit großer Eindringlichkeit, manifest zu machen gelingt, ist diese letzte Stufe der Reduktion, die Auslöschung des Ichs: die Innenwelt der Außenwelt der Innenwelt wird noch als Bedrohung und Gefahr empfunden. Es ist ein negatives Ichgefühl, die eigentliche Wiederentdeckung seines Ichs hat noch nicht begonnen.

Gipfelte die Entwicklung des Romans einmal darin, Spiegel historischer Sozietät zu sein und den einzelnen mit seinen Problemen in dieser Sozietät vermittelt darzustellen und läßt selbst der Desillusionsromans noch in der aufgebrochenen Kluft zwischen beiden die Intention auf eine solche Totalität der Wirklichkeit erkennen, so gehen die Dimensionen bei Handke notwendig verloren. Seine großen Prosaarbeiten sind epische Existenzprotokolle, die ganz und gar an der Entwicklungsgeschichte seines Ichs ausgerichtet sind und die Wirklichkeit nur, sofern sie als Material der Ich-Verschüttung und -Umsetzung wichtig wird, gelten lassen. »Wirklichkeit« dringt nur in Ausschnitten in seine Darstellung ein.

3. Die Gefahr, die sich in den frühen Arbeiten Handkes zeigt, die Tendenz zum »Literatur-Ritual, in dem ein individuelles Leben nur noch als Anlaß funktioniert«[21], der Verlust von Spontaneität im Vorzeigen der Modelle, wird schon im »Tormann« überwunden. In den beiden 1972 erschienenen Prosaarbeiten Handkes wird eine neue Konkretisierung erreicht. Die Verflüchtigung der Wirklichkeit durch die Abstraktionsanstren-

gung seiner Erzählmodelle wird nun dadurch aufgehoben, daß er sich selbst als Erzähler sehr viel stärker zu diesen Modellen in Beziehung setzt und ihre inhaltliche Bedeutung aus seiner Erfahrung destilliert. Diese epische Reise ins Innere seiner Person, bisher nur negativ als Reduktion im »Tormann« oder formal, nämlich im Protest gegen literarische Konventionen, verwirklicht, versucht nun, eine Beziehung herzustellen zwischen seiner modellhaft skelettierten Wirklichkeitssicht und der Frage nach dem möglichen Kommunikationswert dieser Modelle. Das schließt aber zugleich die Frage nach der Genesis dieser Erzählmodelle mit ein. So wie Handke bisher die in der literarischen Konvention vorhandenen Formalisierungen reflektiert hat, beginnt er jetzt seine eigenen Formalisierungen zu untersuchen, indem er sie auf seinen subjektiven Erfahrungshintergrund bezieht und nicht von vornherein als methodische Innovation zur abstrakten Erzählmethode neutralisiert.

Welche existentiellen Momente auf diese neue Situation eingewirkt haben, hat er angedeutet: »– und nun gab's durch diese Ereignisse eine Erweiterung der Definition von mir selber... Das hing schließlich auch mit der Kommunikation mit anderen Leuten zusammen, auch mit dem Blick auf andere Menschen... da waren... der Tod meiner Mutter und die Geburt des Kindes und die langwierige Trennung von einem Menschen, mit dem ich mein Leben so automatisch weiterführen zu können glaubte. Das waren schon Sachen, die alles umstülpten...»[22] Der im Kontext stehende Satz: »Die psychischen Grundkonstellationen sind autobiographisch...« bezieht sich nicht nur auf den »Kurzen Brief«, sondern gleichfalls auf »Wunschloses Unglück« und benennt deutlich die reale Wirklichkeitserschütterung, die Handke zur Erweiterung seines bisherigen Erzählverfahrens veranlaßte.

Die Trennung von seiner Frau und der Selbstmord seiner Mutter sind nicht im banal biographischen Sinne die Erlebnisanlässe, die den »Kurzen Brief« und »Wunschloses Unglück« ausgelöst haben und von deren emotionaler Belastung sich der Autor »freischrieb«, sondern sie sind biographische Chiffren für problematisch gewordene menschliche Kommunikation, die die Person des Autors selbst in Zweifel zieht. Die Frage des Verstehens oder Nichtverstehens läßt sich hier nicht mehr auf das gleichsam technische Problem einer unverfälschten Sicht der Dinge reduzieren, sondern sie wird zur moralischen Frage, die den Autor als Person unmittelbar betrifft. Wahrheit war für

Handke bisher vor allem eine formale Kategorie und verstand sich als Widerlegung verformelter Wirklichkeitssicht, sie ist jetzt zu einer moralischen Kategorie geworden und zielt auf eine umfassendere Stellung des Autors zu dieser Wirklichkeit und zu anderen Menschen. Wo er bisher entweder in die Addition von illustrierenden Beispielen eines bestimmten Erzählmodells floh oder sich in rudimentärer Fiktion verbarg, tritt nun die Authentizität von Wirklichkeitserfahrung in die Darstellung ein, mit andern Worten: die Dimension des Autobiographischen.

Er berichtet von einer realen Amerikareise, von einem realen Entfremdungsprozeß, der sich zwischen ihm und seiner Frau abspielte, er schreibt über den realen Selbstmord der Mutter. Der am Schluß des »Kurzen Briefes« stehende Satz: »...das ist alles passiert« (195) versucht nicht, einzelnen fingierten Details[23] des Buches rückblickend dokumentarische Geltung zu verleihen, sondern zielt auf die moralische Wahrheit der Darstellung. Diese moralische Wahrheit hat nichts mit der faktischen Wahrheit von dokumentarischen Indizien und Requisiten zu tun, vielmehr geht es um Reflexionsanstrengungen des Autors, die nicht mehr von vornherein zu abstrakten Sichtweisen neutralisiert werden, sondern im Medium seiner dargestellten Subjektivität nach der Wirklichkeit fragen und nach seiner möglichen Einstellung zu ihr.

Die von Handke beschriebene »Sehnsucht nach einem Bezugssystem für die eigenen Tätigkeiten und das eigene Bewußtsein, das man ja bis dahin vermißt und worunter man gelitten hatte.«[24] beschreibt die aus subjektiven Anlässen entstandene Erschütterung seiner Wirklichkeitssicht und die Suche nach einer Antwort auf diese Erschütterung in einem neu zu definierenden Verhältnis seines Ichs zur Realität. Folgerichtig ist damit nun auch eine gewisse Abrückung von seinen früheren literarischen Versuchen verbunden. So werden im »Kurzen Brief« an zwei Stellen Momente einer Neuorientierung sichtbar: »Ich fühlte mich wie früher, als ich eine Zeitlang, wenn ich jemandem beschrieb, was ich gerade getan hatte, zwanghaft keine Einzeltätigkeit, aus der sich die Gesamttätigkeit zusammensetzte, auslassen konnte... Wie hier... trieb mich auch damals der Mangel an Kenntnissen und Erlebnissen dazu, mich darüber hinwegzutäuschen, indem ich die wenigen Tätigkeiten, die mir möglich waren, im Beschreiben so zerlegte, als ob sie von großen Erfahrungen erzählten.« (34)

Was also ursprünglich von ihm als neuer literarischer Zugang zu unverbrauchter Wirklichkeit intendiert war, wird jetzt als formalisierende Verschleierung von nicht vorhandener Wirklichkeitserfahrung dargestellt. Diese negative Akzent ist auch in der folgenden Reflexion deutlich zu erkennen: »Mir fiel wieder ein, daß auch ich lange Zeit nur einen verschrobenen Sinn für die Umwelt gehabt hatte, wenn ich etwas beschreiben sollte, wußte ich nie, wie es aussah, erinnerte mich höchstens an Absonderlichkeiten, und wenn es keine gab, erfand ich sie.« (65)

Die Verfremdung in der erzählerischen Darstellung wird also nicht mehr von vornherein als sichtbar gemachter Aspekt unverstellter Wirklichkeit deklariert, sondern als subjektiver Affekt des Autors, der zwanghaft nach Absonderlichkeiten sucht, gedeutet. Was Handke also noch in dem »Tormann«-Kurzroman konkret in die Sichtweite Josef Blochs verwandelt hat und was er theoretisch durch die Analogie zur Wirklichkeitsauffassung eines Schizophrenen[25] begründete, wird nun gänzlich auf die Subjektivität des Autors zurückgeführt, auf »eine Art Urschock«: »Manchmal meine ich, es waren diese fürchterlichen Angstzustände als Kind, wenn die Eltern nicht zu Hause waren und dann zurückkamen und sich schreiend im Zimmer prügelten und ich mich unter der Decke versteckte.«[26]

Handke hat diesen Sachverhalt nicht nur im »Wunschlosen Unglück« erzählerisch umgesetzt[27], sondern auch die reale Reise durch Amerika und die Erinnerungsreise in sein Ich, die damit parallel läuft – nach außen hin konstrastiert von der Flucht vor seiner Frau als einer Flucht vor Kommunikation und seiner Vergangenheit –, setzt bei diesem Angstzustand in seiner Kindheit ein: »So weit ich mich zurückerinnern kann, bin ich wie geboren für Entsetzen und Erschrecken gewesen.« (9)

Handke hat einmal erwähnt, daß er die Möglichkeit erwog, sich einer Psychoanalyse zu unterziehen, aber dann Abstand davon nahm[28]; die Erinnerungsreise in seine Vergangenheit, die er im »Kurzen Brief« beginnt, läßt sich in gewisser Weise als eine solche (literarische) Analyse seines Selbsts ansehen. Und so wie in den Fortschritt seiner Reise und in seine Hoffnung auf Veränderung ständig Erinnerungen an seine Kindheit eingeblendet werden und die gewünschte Zukunft aus der reflektierten Vergangenheit destilliert wird, setzt er auch im »Wunschlosen Unglück« diese Reise ins Innere seiner Person fort, hier allerdings konkret im gesellschaftlichen Kontext des Lebens dargestellt, das seine Mutter definiert und deformiert hat und dessen Reflexion zugleich Kindheit und Jugend des Sohns mit einschließt.

Beide Texte sind also nicht nur im äußerlichen Sinne autobiographisch, daß sie in der Darstellung von wichtigen Personen im Leben des Autors extensiv ein Kapitel seiner Lebensgeschichte aufrollen, sondern sie sind bezogen auf ihn im Sinne einer inneren Biographie, da es ihm um den Versuch einer Selbstbestimmung seines Ichs von den Voraussetzungen seiner Vergangenheit her geht. Man hat daher nicht zu Unrecht den »Kurzen Brief« als »illusionistischen Entwicklungsroman«[29] bezeichnet und auch über »Wunschloses Unglück« ausgeführt, man könne in dem Text »die Umrisse eines... Entwicklungsromans à rebours wahrnehmen.«[30] Dabei ist Entwicklungsroman in erster Linie wörtlich und nicht gattungsgeschichtlich zu verstehen, nämlich als Versuch einer epischen Reflexion der Erfahrungsvoraussetzungen, die in der Kindheit des Autors liegen, mit der Hoffnung auf Veränderung und Zukunft.

Handke spielt freilich im »Kurzen Brief« auch auf die andere Bedeutung des Entwicklungsromans an, nämlich auf die literarhistorische, die gattungsgeschichtlich orientiert ist. Darauf deuten nicht nur die beiden Motto-Zitate aus Karl Philipp Moritz' »Anton Reiser«[31] hin, die den beiden Teilen des Buches vorangestellt sind, sondern mehr noch die leitmotivischen Einblendungen aus der Reiselektüre des Ich-Erzählers: Er liest Gottfried Kellers »Grünen Heinrich«. Nicht von ungefähr wird auch wiederholt auf das Alter des Erzählers aufmerksam gemacht, der während der Reise seinen dreißigsten Geburtstag erlebt, das heißt in ein Alter eintritt, in dem der Held des klassischen Bildungsromans sich in die Gesellschaft integriert und von seiner Jugend Abschied nimmt.[32] Um ein neues Verhältnis zur Realität, um Selbstbestimmung geht es ja auch dem Ich-Erzähler. Es hat also den Anschein, als fungiere der Entwicklungsroman hier ähnlich als literarische Traditionsfolie wie das, was Handke im »Wunschlosen Unglück« als »den allgemeinen Formelvorrat für die Biographie eines Frauenlebens« (42) bezeichnet. In beiden Fällen ginge es also wie bisher in seinen literarischen Arbeiten um die Durchbrechung von verformelten Klischees. Aber diese Bedeutung ist hier eher beiläufig.

Wenn Handke sich vor allem im »Wunschloses Unglück« ständig durch den Rekurs auf sich unterschwellig einstellende literarische Modellvorlagen abzusichern sucht, so handelt es sich hier um Rückstände seiner früheren Erzählhaltung. Das »bloße Nacherzählen« und »das schmerzlose Verschwinden einer Person in poetischen Sätzen« (42), also unzulässige Ästhetisierung, werden so wiederholt als Gefahren erwähnt, wie er sich auch an anderer Stelle von der »Methode der Aufzählung« (60) distanziert oder die »Schilderungsform« (54) der ehelichen Auseinandersetzungen seiner Eltern als »abgeschrieben, übernommen aus anderen Schilderungen... kurz: 19. Jahrhundert« (54/5) kennzeichnet, aber durch den Hinweis auf die überlebten gesellschaftlichen Verhältnisse gerechtfertigt sieht. Solche noch vorhandenen Auseinandersetzungen mit tradierten literarischen Apperzeptionen deuten eher die Unsicherheit des Autors an, der in dieser Konzentration auf seine eigene Geschichte, wie sie im Verhältnis zu seiner Frau und zu seiner Mutter gespiegelt wird, seine emotionale Beteiligung neutralisiert.

Was in Form von literarischen Verweisen in den »Kurzen Brief« hineingearbeitet wurde – neben Gottfried Kellers »Grünem Heinrich« F. Scott Fitzgeralds »Der große Gatsby«[33], die biblische Geschichte von Judith und Holofernes[34], John Fords Film »Young Mr. Lincoln«[35], Schillers »Don Carlos«[36] –, ist Teil der Innenwelt der Außenwelt der Innenwelt, hat die Funktion von Reflexionsfiltern, in denen sich die Subjektivität des Erzählers klärt. Literatur nimmt hier eine Bedeutung an, die der Erzähler in bezug auf seine Mutter im »Wunschlosen Unglück« beschreibt: »Sie las jedes Buch als Beschreibung des eigenen Lebens, lebte dabei auf; rückte mit dem Lesen zum ersten Mal mit sich selber heraus; lernte, von *sich* reden; mit jedem Buch fiel ihr mehr dazu ein.« (63) Eine ähnliche Funktion hat die Lektüre des »Grünen Heinrich« etwa im »Kurzen Brief«. So wie die Mutter den Erzähler schon hier in seinen aufblitzenden Kindheitserinnerungen ständig begleitet, er sie beispielsweise während der Reise einmal anzurufen versucht[37], ja das Schicksal seiner Mutter bereits an einer Stelle erinnernd vorweggenommen wird[38], erweist sich die Lektüre des »Grünen Heinrich« als Einstieg in sein eigenes Leben.

Kellers Darstellung, wie Heinrich Lee allmählich ein freieres Verhältnis zur Natur gewinnt, führt den Erzähler zur Reflexion der Bedrückung, die die Natur auf ihn in seiner Kindheit ausgeübt hat[39]; das Lesen über die Zeichenversuche Lees, der »die Natur übertrumpfen« (64) wollte, bringt den Erzähler dazu, seinen früheren »verschrobenen Sinn für die Umwelt« (65) zu erkennen; die Lektüre der ersten, in Fremdheit versinkenden Liebeserfahrung Lees[40] präludiert die Reflexion des Erzählers über das gestörte Verhältnis zu seiner Frau. An einer Stelle wird diese Bedeutung der Lektüre direkt zusammengefaßt: »so empfinde auch ich bei seiner Geschichte das Vergnügen an den Vorstellungen einer anderen Zeit, in der man noch glaubte, daß aus einem nach und nach ein andrer werden müsse und daß jedem einzelnen die Welt offenstehe.« (142)

Der gleiche Vorgang wird an der Rezeption von John Fords Film »Young Mr. Lincoln« beschrieben: »In diesen Bildern aus der Vergangenheit, aus den Jugendjahren Abraham Lincolns, träumte ich von meiner Zukunft...« (135) Hier wird zugleich der Punkt hervorgehoben, der den Erzähler des »Kurzen Briefes« von der Mutter im »Wunschlosen Unglück« unterscheidet. Denn für sie gilt: »Freilich las sie die Bücher nur als Geschichten aus der Vergangenheit, niemals als Zukunftsträume.« (63/4)

Die eingestreuten literarischen und filmischen Verweise sind also nur Stationen auf dieser Entdeckungsreise des Erzählers in sein eigenes verschüttetes Ich. Der »Grüne Heinrich«, »Young Mr. Lincoln« und überhaupt die Filme John Fords, die gleichsam eine mythologische filmische Erinnerung an Amerikas Vergangenheit für den Erzähler enthalten, stellen dabei freilich nur eine Beziehungsebene dar. Eine weitere tritt in den autobiographischen Erinnerungsschüben des Erzählers hervor, die allmählich seine Kindheit aufhellen. Auch hier läßt sich ein kompliziertes Netz von Beziehungen aufdecken. Das mit frühkindlicher Angst assoziierte Bild des Unterholzes, das der Erzähler beispielsweise zu Anfang[41] ganz kurz erwähnt, wird dann wesentlich später in einem genaueren Erinnerungskontext gleichsam von innen her aufgerollt[42]. Ein weiteres Beziehungsnetz ist an der Figur von Claires Kind orientiert, das in seinem von Angst motivierten Verhalten, das in allem »ein geheimes Muster« (88) erkennen will und sonst mit Schrecken reagiert, die Kindheitserfahrungen des Erzählers wiederholt und sie ihm zugleich bewußt macht. Erinnerung und Vorwegnahme der Zukunft erscheinen auch im Verhalten des Erzählers gegenüber der naturhaften Claire, die ebenso als Kontrast zu seiner Frau Judith wirkt, wie auf die Versöhnung mit Judith am Ende des Buches im Gespräch mit John Ford vorausweist. Auch die Darstellung des Liebespaares, bei dem Claire und der Erzähler in St. Louis wohnen und dem alles in seiner Umgebung zum Zeichen seiner Geschichte wird, steht innerhalb dieses Verweisungssystems.

Solche Zusammenhänge sind wichtiger als die äußerlichen

Handlungssignale, die sich nach dem Eintreffen von Judiths kurzem Brief in Providence aus der Verfolgung des Erzählers durch seine Frau ergeben, die ihm nach dem Leben trachtet. Diese Fluchtsituation des Erzählers weist auf Bloch im »Tormann« zurück, wie sie auch in der Situation Gregors in der »Stunde der wahren Empfindung« erneut variiert wird. Es ist in allen Fällen Konkretisierung jener für Handke charakteristischen Ausgangssituation seines Schreibens: des Angstinitials, mit dem er sich selbst und die Wirklichkeit erfährt. Was sich in fast kolportagehafter Zuspitzung auf das Ende des »Kurzen Briefes« zu steigert, wiederholt in zeichenhafter Verkürzung jenes »Duell der Tätigkeiten« (128), als das der Erzähler ihre Ehe definiert. Die Choreographie des Hasses[43], die ihr einander entfremdetes Zusammenleben bestimmte, wird gewissermaßen im Muster der Verfolgung repetiert und zusammengefaßt. Indem Judith am Ende ihrer beider Geschichte Ford erzählt, das heißt sie ebenfalls reflektiert[44], und beide bereit sind, »friedlich auseinanderzugehen« (195), wird freilich suggeriert, es habe sich wirklich etwas verändert und die Zukunft, in die sich der Erzähler vorher träumte, sei mit der bewältigten Vergangenheit zur Gegenwart geworden.

Doch diese im Würfel-Erlebnis erstmals vergegenwärtigte Vision »EINER ANDEREN ZEIT« (25), die Vorstellung eines »paradiesischen Zustand(s)... in dem einem das Sehen schon Erkennen war« (36), die Sicht New Yorks »als ein sanftes Naturschauspiel« (47), das Zypressen-Erlebnis, wo der Erzähler erinnerungslos in die »Bewegung der Zypresse« (95) einschwingt, das Empfinden: »ein allgemeines paradiesisches Lebensgefühl, ohne Verkrampfung und Angst, in dem ich selber, wie in dem Spiel der Zypresse, gar nicht mehr vorkam...« (101), schließlich die friedliche Begegnung der beiden im Garten von John Ford, gewissermaßen dem Garten eines »zweiten Paradieses« – all diese Episoden scheinen das zu entfalten, was in dem Amerika-Motiv verborgen ist: »Du bist hierhergekommen wie mit einer Zeitmaschine, nicht um den Ort zu wechseln, sondern um in die Zukunft zu fahren.« (80)

Diese Epiphanie der Realität, dieses blitzartige Innewerden einer Wirklichkeitsganzheit, die das Ich umschließt, ließe sich leicht als eine neue Realitätssicht[45] auslegen. Sie hat jedoch ihre literarischen Muster und deutet im deutschen Sprachraum auf Hofmannsthal, Musil, auf Broch und Canetti[46] zurück. Musils »anderer Zustand« und Handkes »andere Zeit« sind offensichtlich durch einen Kontext verbunden. Handke, der diese Reise ins Innere seines Ichs mit einer präzisen Aufhellung seiner frühkindlichen Erinnerungsrückstände begann und seine korrumpierte Fähigkeit zu Kommunikation von dorther zu verstehen suchte, landet hier plötzlich bei der Beschreibung einer Wirklichkeitserfahrung, die die Sehnsucht nach einem neuen Ich und nach einem neuen Leben evoziert. Ist der Erzähler ein anderer geworden oder zeigt Handke ihn unfreiwillig auf der Flucht in eine schon literarisch verformelte »neue« Innerlichkeit[47]?

Daß dieser Absprung in die Mystik einer neuen Realitätserfahrung in der Tat problematisch ist, da der Erzähler den uneingeschränkten Anspruch auf eine Durchdringung seiner Subjektivität wieder preisgibt, verdeutlicht »Wunschloses Unglück«, wo nun in der Beschreibung der gesellschaftlichen Umstände, die das Leben seiner Mutter geprägt und zerstört haben, die realen Komponenten bestimmt werden, die Handkes Kindheit mit beeinflußten. Was an realer Information vom sich erinnernden Erzähler im »Kurzen Brief« ausgespart wird und was dazu führt, daß sich sein Bild Amerikas in das beruhigende Muster einer historisierten zweiten Natur verwandeln kann, die er schauend genießt, wird hier sozusagen nachgeholt.

Der Autor ist alles andere als eine versachlichte »Erinnerungs- und Formuliermaschine« (10), die das Scheitern eines Menschen, der in diesem besonderen Fall die Mutter des Erzählers ist, »zu einem Fall machen möchte« (10). Die Absicht des Erzählers – »aber nur die von meiner Mutter als einer möglicherweise einmaligen Hauptperson in einer vielleicht einzigartigen Geschichte ausdrücklich absehenden Verallgemeinerungen können jemanden außer mich selbst betreffen –« (41) versucht zwar, durch eine paradoxe Konzentration auf den individuellen Vorgang eine Bedeutung sichtbar zu machen, die die subjektive Person des Erzählers übersteigt, aber vermittelt damit zugleich den Erzähler selbst in seinem historisch-gesellschaftlichen Bezugsfeld. Das hartnäckige Insistieren auf Subjektivität macht also erst eigentlich die objektive Dimension begreifbar: die Verhinderung eines Menschen, Person zu werden, eine Verhinderung, deren einzelne Stationen minuziös dargestellt werden: von der proletarisch-ländlichen Umgebung, in der das Ethos der Sparsamkeit die Seele ersetzt, über die Befreiung, die der Nationalsozialismus als Fiktion eines »großen Zusammenhangs« (22) in diese Welt bringt, das Hineinstolpern in ein Verhältnis mit einer »Sparkassenexistenz« (27) in militärischer Verkleidung (Handkes Vater), den zufälligen Sprung in die Ehe mit einem deutschen Unteroffizier, damit das Kind des andern nicht unehelich geboren wird, bis hin zum sich entwickelnden Ritual einer Ehe, in der die betrunkene Gewalttätigkeit des Mannes und die stumme Verachtung der Frau die Form des Zusammenlebens ersetzen, verbunden mit einem allmählichen Absterben der Widerstandskraft, der psychischen Erkrankung, deren Diagnose die vorangegangene Entwicklung ist – bis hin zum Selbstmord.

Daß Handke damit, weit radikaler als im »Kurzen Brief«, seine eigene Kindheit analysiert, jenen Satz zu Anfang des »Kurzen Briefes«: »So weit ich mich zurückerinnern kann, bin ich wie geboren für Entsetzen und Erschrecken gewesen« (9) nun erst eigentlich einholt und begreifbar macht, ohne sich vorschnell in die Zukunftsvision eines paradiesischen Lebensgefühls zu katapultieren, unterstreicht zugleich die gesellschaftliche Wahrheit dieser erzählerischen Analyse. Diese Rituale der Ich-Zerstörung treffen gesellschaftliche Sachverhalte: »Das persönliche Schicksal, wenn es sich überhaupt jemals als etwas Eigenes entwickelt hatte, wurde bis auf Traumreste entpersönlicht und aufgezehrt in den Riten...« (48) Der Erzähler, der unterwegs ist zu seinem eigenen Ich, das sich am Ende des »Kurzen Briefes« eskapistisch verflüchtigt, analysiert hier in dem »Naturschauspiel mit einem menschlichen Requisit, das dabei systematisch entmenscht wurde« (58/9) jenseits eines abstrakten, weil grundsätzlichen Ekels vor der Wirklichkeit zugleich die Bedingungen seiner eigenen Geschichte. Das, was ihn als Angstzustand, der frühkindliche Wurzeln hat, beherrscht, wird hier anschaulich gemacht. Wenn es an einer Stelle absichernd heißt: »Was sie wirklich betraf, war nicht politisch. Natürlich war da ein Denkfehler – aber wo? Und welcher Politiker erklärte ihr den? Und mit welchen Worten?« (67), so bedeutet das keineswegs eine Verneinung des politischen Stellenwertes, den dieses analysierte permanente »soziale Sterben« seiner Mutter annimmt, sondern eine Ablehnung jeder von außen aufgepfropften emanzipatorischen Hoffnung, die von dem einzelnen, gleichgültig, wie wenig er wirklich er selbst ist, abstrakte revolutionäre Gestik als Ausdruck eines aktiven politischen Bewußtseins verlangt.[48]

Auch für den Erzähler selbst steht nicht mehr die Epiphanie einer anderen Zeit, einer eingeholten Zukunft am Ende des

»Wunschlosen Unglücks«: »Natürlich ist das Beschreiben ein bloßer Erinnerungsvorgang; aber es bannt andrerseits auch nichts für das nächste Mal, gewinnt nur aus den Angstzuständen durch den Versuch einer Annäherung mit möglichst entsprechenden Formulierungen eine kleine Lust, produziert aus der Schreckens- und Erinnerungsseligkeit.« (93)

»Wunschloses Unglück« stellt in vieler Beziehung einen paradoxen Glücksfall dar. Das, was sich als Geschichte in diesem Prosatext zu erkennen gibt, ist nicht arrangierte Fiktion, sondern authentisch und hat als Teil der eigenen Geschichte des Autors zugleich jenes existentielle Gewicht, das für alle Prosaarbeiten Handkes gilt, aber sich noch nie so konkretisiert hat. Die Tendenz zum monomanischen Narzißmus scheint hier gebannt; indem Handke sich selbst in seiner Beziehung zur Person und zum Leben seiner Mutter reflektiert, scheint ein Moment von künstlerischer Distanz verwirklicht, die es ihm auch zum ersten Mal möglich macht, Wirklichkeit nicht nur als Reflex der Innerlichkeit des Autors, sondern in bestimmten historischen Bezügen einzubringen: als identifizierbar gestaltete Realität einer bestimmten historischen Situation. Im »Tormann« und selbst noch im »Kurzen Brief« hat sich, abgesehen von einzelnen Orientierungssignalen, die im ersten Text auf Wien und Umgebung verweisen, und im zweiten am Beispiel der einzelnen Reisestationen und kurzer Realitätsstenogramme Amerika evozieren, die Wirklichkeit atomisiert, ist, das Erzähler-Ich aufsaugend und vom Erzähler-Ich aufgesogen, zu einer Seelenlandschaft geworden, die kaum mehr lokalisierbar ist. Die Beziehungen des Erzählers zu einzelnen Menschen, zu Dingen, Situationen, sind jeweils punktuell. Das, was man im traditionellen Sinn als Wirklichkeitsgehalt des Erzählten bezeichnen würde, mit dem Blick auf bestimmte Dimensionen des Gesellschaftlichen, die eben nicht nur als Bewußtseinskontext, sondern auch als vermittelter sozialer Kontext konkret dargestellt werden, ist großenteils amputiert. Erst im »Wunschlosen Unglück« ist es vorhanden.

4. In der »Stunde der wahren Empfindung«[49] ist alles wieder auseinandergebrochen. Das, was sich als Handlungsgerüst einer Geschichte erkennen läßt, scheint eher oberflächlich biographische Daten der jüngsten Entwicklung Handkes erzählerisch umzusetzen, daß er nämlich seit einiger Zeit zusammen mit seiner kleinen Tochter in Paris lebt. Aber für den psychischen Zustand Gregor

Keuschnigs, der als Pressereferent der österreichischen Botschaft in Paris arbeitet, ist der Beruf ebenso belanglos wie das französische Milieu, in dem er lebt.[50] Wenn es gegen Ende des Buches an einer Stelle heißt: »Auf einmal erlebte er sich wie die Figur einer längst zu Ende erzählten Geschichte.« (116), so erhält dieser Satz, aus dem Kontext gelöst, einen neuen Sinn.

In der Tat, ist Keuschnigs Geschichte nicht bereits zu Ende erzählt in der Geschichte des durch einen Mord aus dem Gleichgewicht gestürzten Bloch, dem die vertrauten Orientierungssysteme der Realität zerfallen wie Keuschnig, auch wenn jener nur geträumt hat, »ein Mörder geworden zu sein« (7), in der Geschichte der zerstörten Kommunikation in der Ehe Judiths mit dem Ich-Erzähler im »Kurzen Brief«, hier von Keuschnig in seiner Beziehung zu Stefanie im Zerstörungsritual sogar noch gesteigert, wie auch die naturhafte Claire in der Freundin Keuschnigs, Beatrice, verwandelt wiederauftaucht? Obwohl auch Amerika immer wieder in Erinnerungen Keuschnigs aufblitzt[51], scheint jedoch diese Expansionsmöglichkeit und Entdeckungsreise des Ich-Erzählers im »Kurzen Brief« nun unmöglich geworden. Auch Keuschnig bekennt zwar: »Ich verändere mich gerade!« (162), aber die Konkretisierung des gleichen Satzes im »Kurzen Brief« wird nun zurückgewiesen: »Aber dann machte er sich klar, daß eine Reise vielleicht früher etwas geändert hätte – jetzt nicht mehr... es gab keine Fluchtmöglichkeit.« (42)

Was vorgeführt wird, sind Rituale der Reduktion, ein Sichbewußtwerden des Ichs als eines Ferments der Zersetzung: im Gespräch mit dem österreichischen Schriftsteller, der ihn besucht und mit dem sich Keuschnig am Ende schlägt, und vor allem in den zahlreichen sexuellen Beziehungen, mit seiner Frau Stefanie, mit der Geliebten Beatrice, mit dem unbekannten Mädchen, das gegenüber der Botschaft wohnt, mit der französischen Bekannten des österreichischen Schriftstellers. Das gipfelt in einer schon pathologische Züge tragenden Szene, als Keuschnig sich während der Besucherkonversation plötzlich auszieht und Françoise anspringt.

Sexualität erscheint als Aggression, als Zerstörung, als korrumpierte Kommunikation[52], die durch die Traumsyntax des Buches eine merkwürdige Bedeutung erhält. Der Traum-Ruck, der ihn aus der gewohnten Wirklichkeit herausgerissen hat und den er sich so klarmacht, »daß der Mord an der alten Frau im Traum ein Lustmord gewesen war« (45), ist im psychologischen Kontext mit jenem andern Traum verbunden, von dem Keuschnig erzählt: »Der nächste Traum handelte von seiner Mutter, die in seinen Träumen immer lebendiger wurde. Er tanzte mit ihr, ziemlich eng, scheute sich aber, sie Körper an Körper zu berühren...« (111)

So gerät denn auch das schockartige Erschrecken vor dem eigenen Ich, auch bei den Protagonisten der anderen Texte immer der Erkenntnisschub, der sie sich ihrer Fremdheit bewußt werden läßt, hier fast in die Nähe eines schmerzhaften traumatischen Ereignisses: »In diesem Moment erlebte Keuschnig bei vollem Bewußtsein etwas, was er sonst nur manchmal träumte: sich selber als etwas zum SCHREIEN Fremdes... eine... sich UNSTERBLICH BLAMIERENDE Kreatur, mitten im Ausbrüten aus dem Zusammenhang geschwemmt und nun unabsehbar ein monströser, nicht zu Ende gebrüteter Hautsack, eine Verirrung der Natur, ein ZWISCHENDING, auf das alle Welt mit dem Finger zeigen konnte –« (99/100)

Der Zustand des Ichverlustes, den Handke bereits in der »Angst des Tormanns beim Elfmeter« beschrieben hat, scheint hier bis ins Unerträgliche gesteigert, ja zur Absonderlichkeit eines klinischen Falls erstarrt. Und wenn Handke bei der Erklärung der Intention des »Tormann«-Textes beispielhaft auf die Realitätsauffassung[53] eines Schizophrenen[54] aufmerksam machte, so erhebt sich hier die Frage, ob das nicht viel eher auf die Situation Keuschnigs zutrifft: »Er wollte sofort wahnsinnig werden, als sei das die letzte Rettung.« (147) Die Tendenz zur Paranoia drängt sich nicht nur auf, sie wird auch ausgesprochen: »Dann hatte er eine andere Zwangsvorstellung...« (118)

Um so unvermittelter und unglaubwürdiger wirkt die Aufhebung dieses Zustandes in jenen Momenten eines euphorischen Aufschwungs, die Handke schon im »Kurzen Brief« beschrieben hat, die aber dort von der Entwicklungsgeschichte des Ich-Erzählers während seiner Reise eher getragen werden. Es klingt wie ein Echo des »Kurzen Briefes«, wenn es zum Beispiel heißt: »Der Wind legte sich. Als er sich wieder hob und die Bäume aufrauschten, spürte Keuschnig ein fremdes ruhiges Lebensgefühl. Das Gras stand aufrecht und zitterte. Die Autos fuhren ohne Unterlaß hinter den Bäumen auf den Champs Elysées... Er war weggedacht und schon da.« (81) Dieses blitzartige Gefühl einer Identität von Ich und Wirklichkeit, das schon in den Epiphanien des »Kurzen Briefes« anklingt, wirkt im Kontext der »Stunde der wahren Empfindung« wie von außen hineinprojiziert. Für den im Park am Kinderspielplatz nach seiner kleinen Tocher suchenden Keuschnig ereignet sich jene blitzartige Verwandlung unscheinbarer Dinge, die ihm ein neues Geborgenheitsgefühl verleiht: »Im Sand zu seinen Füßen erblickte er drei Dinge: ein Kastanienblatt; ein Stück von einem Taschenspiegel; eine Kinderzopfspange. Sie hatten schon die ganze Zeit so dagelegen, doch auf einmal rückten diese Gegenstände zusammen zu Wunderdingen. – ›Wer sagt denn, daß die Welt schon entdeckt ist?‹« (81) Aber das ist als positiver Erkenntnissprung im Höchstfall postuliert, es wird im Kontext des Buches wieder zurückgenommen.

So ist denn »Die Stunde der wahren Empfindung« ein Dokument der Verwirrung, der Verstörung, des Widerrufs auf jene Entwicklung, die sich in den beiden vorangegangenen Prosaarbeiten Handkes anzudeuten schien. Gerade in der Aufnahme und Variation so vieler bereits in den andern Büchern behandelter Motive und Themen bleibt es eine äußerliche Zusammenfassung und dokumentiert im Grunde nur, wie unverbunden und isoliert alles nebeneinander steht. In der Tat, hier läßt sich nichts definieren. Die Hoffnung, die Keuschnig gegen Ende formuliert, ist appellativ: »Er wollte kein System für sein Leben, dachte nur, daß es in Zukunft, wenn keine neuen Gegenstände und neuen Menschen geben würde, so doch eine beständigere Sehnsucht.« (161) Die Antizipation der Zukunft als einer neuen noch ungeschriebenen Geschichte im erwarteten Rendezvous mit jener fremden Frau, deren Telefonnummer er zufällig in einer Metro-Station fand, bleibt so leer wie sein neues Existenzgefühl: »...erlebte er sich plötzlich als der Held einer unbekannten Geschichte...« (166) Die postulierte Änderung – »Ja, ich werde ein neues Leben anfangen!« (59) – wird nirgendwo vollzogen. Realitätsschwund und Ichverlust sind das einzige, was dem Ich in der Außenwelt als sein inneres Abbild begegnet: »Es wäre das Ende einer Möglichkeit,... wenn auch dieser allgemein erscheinende Zustand draußen wieder nur mein höchsteigener wäre.« (48)

Es läßt sich nicht von der Hand weisen, daß Handke bewußt gewesen ist, daß sein Text, freilich von andern historischen Bedingungen aus, in eine bestimmte Konstellation zu Rilkes »Malte«[55] eintritt, für den die Paris-Erfahrung zu einem analogen Erkenntnisschub wird, der auch, von dem Verlust des Ichs an die Dinge – »Elektrische Bahnen rasen läutend durch meine Stube. Automobile gehen über mich hin« (110) – bedroht, sich zu ändern beschließt und in mühsamer Erinnerungsarbeit sein Existenzbewußtsein gleichsam aufbaut. Welche Radikalisierung bei Handke und welcher trostlose Absturz zugleich!

Anmerkungen

1 »Zu G. F. Jonke, »Geometrischer Heimatroman‹«, in: ›Ich bin ein Bewohner des Elfenbeinturms« (= Elfenbeinturm), Frankfurt/M 1972, 199-202.
2 Zitate entstammen hier und im folgenden dem Aufsatz »Ich bin ein Bewohner des Elfenbeinturms«, in: »Elfenbeinturm«, 19-34.
3 »Elfenbeinturm«, 202.
4 Vgl. dazu auch die Ausführungen des Verf. »Reflexion der Methoden: Materialien zu einer Poetik« in »Der deutsche Roman der Gegenwart«, 2. Aufl., Stuttgart 1973, 333-343. Zur problematischen Wittgenstein-Beziehung Handkes im einzelnen Jörg Zeller: »Handkes Stellung zur Sprache«, in: »Über Peter Handke«, hrsg. v. M. Scharang (= Scharang), Frankfurt/M 1972, 223-240.
5 Nur in die »Hornissen« dringt der Krieg als Außengeschehen ein: im Bombenangriff, der zur Erblindung des Erzählers führt.
6 Im folgenden nach der Erstausgabe zitiert, Frankfurt/M 1972.
7 »Elfenbeinturm«, 19.
8 Zitiert nach der Erstausgabe, Frankfurt/M 1970.
9 Vgl. das Titel-Gedicht in dem gleichnamigen Band, Frankfurt/M 1969, 127-132.
10 »Elfenbeinturm«, 20.
11 »Beschreibung eines Kampfes. Die zwei Fassungen«, Frankfurt/M 1969, 91.
12 »Tagebücher 1910-1923«, Frankfurt/M 1962, 16.
13 Zitiert nach »Werke in drei Bänden«, Bd. III, Frankfurt/M 1966, 154.
14 W. Emrich. »Die Literaturrevolution und die moderne Gesellschaft«, 139, in: »Protest und Verheißung«, Frankfurt/M 1960, 135-147.
15 Vgl. zu diesen ersten Arbeiten u. a. die Ausführungen des Verf. in »Der deutsche Roman der Gegenwart«, 343-359.
16 »Elfenbeinturm«, 21.
17 »Elfenbeinturm«, 23/4.
18 »Elfenbeinturm«, 28.
19 R. Litten: »Theater der Verstörung. Ein Gespräch mit Peter Handke«, 159, in: Scharang, 156-159.
20 Dazu im einzelnen die Belege in den Ausführungen des Verf. in »Der deutsche Roman der Gegenwart«, 356-357.
21 »Wunschloses Unglück«, Salzburg 1972, 42.

22 Ch. Linder: »Die Ausbeutung des Bewußtseins. Gespräch mit Peter Handke« (= Linder), in: »Frankfurter Allgemeine« Nr. 11 v. 13. 1. 1973.
23 So hat Handke im Gespräch mit H. Karasek über den »Kurzen Brief« (»Ohne zu verallgemeinern. Ein Gespräch mit Peter Handke«, in: Scharang, 85-90) beispielsweise bekannt, daß das Zusammentreffen mit John Ford am Ende des Buches fingiert sei (vgl. 86).
24 Zitiert nach Linder.
25 Vgl. dazu Handkes Ausführungen zu einem Teil-Vorabdruck in »Text und Kritik« 24 (1969), 3-4.
26 Zitiert nach Linder.
27 Vgl. 53-54.
28 »Eine Analyse zu machen, wie mir schon einige geraten haben – das kommt mir auch lächerlich vor, denn ich habe das Gefühl, diese Deutungssysteme sind banal...« (zitiert nach Linder)
29 Karasek: »Ohne zu verallgemeinern«, 88.
30 M. Reich-Ranicki: »Die Angst des Peter Handke beim Erzählen«, in: »Zeit« Nr. 37 v. 15. 9. 72.
31 Vgl. 5 u. 107.
32 Vgl. dazu die Ausführungen von Th. Ziolkowski: »The Novel of the Thirty-Year-Old«, in: »Dimensions of the Modern Novel«, Princeton 1969, 258-288.
33 Vgl. u. a. 16.
34 Vgl. 26.
35 Vgl. u.a. 135.
36 Vgl. 148.
37 Vgl. 31.
38 »Auf einem hohen Felsenkegel hatte ich einmal gegen Abend nach meiner Mutter gesucht. Sie wurde ab und zu schwermütig, und ich glaubte, sie hätte sich, wenn nicht hinuntergestürzt, so doch einfach hinabfallen lassen.« (13)
39 Vgl. 50.
40 Vgl. 82.
41 Vgl. 20.
42 Vgl. 51.
43 Vgl. 128.
44 Vgl. dazu auch den Hinweis von K. Hoffer: »Das märchenhafte Moment des Entwicklungsprozesses und seines Abschlusses... ist aufgehoben in der Fiktion der erzählten Erinnerung. Judiths Wiedergabe der Verfolgungsjagd bei John Ford führt die Fiktion noch aus: der Held wird zum Objekt seiner Erzählung. Er verschwindet in der Geschichte.« (»Allgemeine Betrachtungen zu Handkes ›Kurzem Brief‹«, 222, in: Scharang, 212-222)
45 Verbunden ist damit zugleich die Distanz von einer rational aufgliedernden Wirklichkeitssicht: »Ein heftiger... Ekel vor allen Begriffen,

Definitionen und Abstraktionen...« (22)

46 Auf das Identifikationsphänomen in Hofmannsthals »Augenblicken in Griechenland« wäre zu verweisen, auf die Erfahrung des »anderen Zustands« bei Musil im »Törleß« und im »Mann ohne Eigenschaften«, auf die Ekstase, die Broch im Phänomen des Lyrischen begreift, auf die Epiphanien in Canettis »Stimmen von Marrakesch«. Vgl. dazu auch die Ausführungen des Verf. in »Hermann Broch. Der Dichter und seine Zeit«, Stuttgart 1968.

47 Vgl. dazu auch die Ausführungen von P. Hamm: »es verbirgt sich dahinter ›falsche Unmittelbarkeit‹, eine Art Traum vom ›einfachen Leben‹, das allerdings so gänzlich unvermittelt, ursprünglich und ordentlich sich überhaupt erst (...) nach Abschaffung der Sprache durchsetzen ließe.« (»Der neueste Fall von deutscher Innerlichkeit: Peter Handke«, 310, in: Scharang, 304-314)

48 Vgl. dazu auch den Hinweis von R. Baumgart: »Womit Handke wieder, zum zweiten Mal in einem Jahr, unbeirrbar konzentriert auf seine Subjektivität, aus dieser unendlich mehr an verläßlich Objektivem, auch an gesellschaftlichen Einsichten herausgeschrieben hat als viele andere, die so beflissen und pathetisch absehen möchten von sich selbst, deren steil ins politisch Allgemeine zielendes Engagement aber so oft nur Reflex einer trüben, unaufgeklärten Subjektivität bleibt.« (»Ein Lebenslauf, ein Todessturz«, in: »Süddeutsche Zeitung« v. 27. 9. 1972)

49 Frankfurt/M 1975.

50 Es trifft genau das zu, was am Beispiel der Schnitzler-Verfilmungen im französischen Fernsehen kritisiert wird: »Ein geschichtsloses Niemandsland...« (49)

51 Bezeichnenderweise auch noch als positive Möglichkeit, so gegen Ende: »und er hatte gleichzeitig die abenteuerliche Vorstellung in diesem Moment für sich und nur für sich, einen Ort weitab, tief in Neu-England zu entdecken.« (128)

52 So bekennt Keuschnig: »...ich liebe niemanden mehr.« (112)

53 Auch der leitmotivische Hinweis auf Hitchcocks Film »Vertigo« (vgl. u. a. 104), wo eine ähnliche, freilich manipulierte Auflösung des Bewußtseins dargestellt wird, deutet in diese Richtung.

54 Ganz deutlich in dem Erinnerungsbild: »In einem ruckartigen Erinnerungsbild zuckte in einer Ackerfurche... ein zweigeteilter Engerling.« (122)

55 Merkwürdig ist in diesem Zusammenhang der abfällige Hinweis auf den Dänen in Paris, vgl. 37/8.

IX.A. Die intensivste Form des Lebens ist für mich ein Buch zu schreiben. Gespräch mit Hans Erich Nossack

1. Die biographische Umbruchsituation

D.: Herr Nossack, auf die große Bedeutung, die Ihr 1943 entstandener Text »Der Untergang« hat, ist schon häufig hingewiesen worden: Bedeutung im biographischen Sinne, da nämlich all Ihre Manuskripte damals verloren gegangen sind, verbrannten, Bedeutung auch im literarischen Sinne, da Sie sozusagen als Schriftsteller nochmals von vorn angefangen haben. Wenn man nun den »Untergang« liest, stößt man auf den Satz: »Ich brach meinen Schreibtisch auf und fand zu meiner Freude einige Manuskripte.« Es ist also offenbar nicht alles zerstört worden. Erhalten blieben Gedichte und die beiden Dramen »Die Rotte Kain« und »Die Hauptprobe«. Das ist bekannt. Aber blieben noch andere Texte erhalten?

N.: Das sind die einzigen Texte, also gerade die »Rotte Kain«, die ich einen expressionistischen Nachklang nennen würde, 1925 geschrieben, und »Die Hauptprobe«, ebenfalls ein Stück. Ja, auch die Gedichte, die sind 41 entstanden.

D.: Dann ist also dieser Satz im »Untergang« durchaus als biographische Information zu nehmen?

N.: Ja, biographisch stimmt das genau. Das andere ist nicht mehr ganz genau zu beurteilen. Denn ich vermute, daß sich meine Prosa verändert hat.

D.: Nun gibt es andererseits in der Kritik Informationen über literarische Texte, die zerstört worden sind. Deutet das darauf hin, daß Sie später den Versuch gemacht haben, einiges zu rekonstruieren oder festzuhalten? Oder bezieht sich das nur auf Äußerungen in Ihrem Tagebuch über damals zerstörte Arbeiten? So werden zum Beispiel noch andere Dramen erwähnt.

N.: Die sind aber zerstört worden, im Feuer verkohlt. Es ist mir nicht gelungen sie zu retten. Das Papier war völlig verkohlt. Sie befanden sich in einem Geldschrank, und der Geldschrank hat lange in der Glut gelegen. Dabei ist das Papier geröstet, und die Schrift war negativ, also weiß geworden, das Papier braun. Wenn man das aufnahm, dann zerfiel es gleich in tausend kleine Stücke. Außerdem verlor ich die Lust und schrieb lieber andere Sachen.

D.: Der Stellenwert, den »Der Untergang« in Ihrem Werk hat, besteht also dann zu Recht? Sie würden darin nicht Ansätze zu einer gewissen literarischen Legendenbildung sehen?

N.: Nein, das Gefühl habe ich selber, daß etwas Neues begann in dieser Form des Berichtes, wie ich es damals nannte. Es ist ein vollkommener Wandel der Persönlichkeit. Ich habe mich, wie ich das in dem Buch, der Erzählung, erwähne, zu der verlorenen Vergangenheit bekannt, also zum Neuanfang.

D.: Man hat schon früh – wenn man es so bezeichnen kann – von der Janushaftigkeit Ihrer literarischen Arbeiten gesprochen. Es werden immer zwei Pole herausgestellt. Da ist auf der einen Seite das Märchen, der Mythos, auf der andern Seite die Chronik und der nüchtern sachliche Bericht. Ein realistischer Erzählansatz gekoppelt mit einem visionären Aufschwung, der sich in Ihrer Prosa vollzieht. Diese Doppelpoligkeit, ist das eine Charakteristik, die Sie gelten lassen?

N.: Ja, Reich-Ranicki, glaub ich, hat über mich gesagt: »ein nüchterner Visionär«. Ich hab das abgelehnt und gesagt: ein Visionär, da braucht man nicht visionär zu sein. Nüchtern, ja, das akzeptier ich. Aber ich kann das vielleicht vervollständigen. Ich bin von Kindheit an bis heute von Märchen genährt worden, und zwar »Märchen aller Völker« in der Sammlung Diederichs, wobei mir am liebsten die irischen und die südamerikanischen Märchen sind. Warum? Das kann ich Ihnen nicht erklären. Aber sie faszinieren mich bis heute. Von zu Hause aus waren sie gar nicht besonders für Märchen. Ich halte die Märchen höchstens für eine Metaphorik, aber diese Metaphern – das hat mal ein Theologe, Eugen Biser, herausgefunden – sind die Wahrheit, nicht das andere, was da geschrieben ist. Biser spricht von den Metaphern der Psalmen usw. Das ist mir direkt aus der Seele gesprochen. Also nennen wir es mal Metaphern. Das, wenn ich das noch hinzufügen darf, war ja dieses Erlebnis der Zerstörung Hamburgs mit dem Persönlichen dazu: das war ja gar nicht mehr normal und nüchtern zu erleben, sondern mußte schon fast ins Mythische oder Märchenhafte gerückt werden, daß von heute auf morgen eine Zweimillionenstadt kaputt gemacht werden kann.

2. Die Alogizität des Märchens

D.: Sie haben irische, südamerikanische Märchen als Ihre Lieblingsmärchen erwähnt und auch die Textgrundlage genannt, die Sammlung Diederichs. Es handelt sich also um Übersetzungen. Ich betone das deshalb, weil der Anreiz offenbar nicht primär von Formal-Sprachlichem ausging, sondern von bestimmten inhaltlichen Dingen.

N.: Nein, nicht nur von Inhaltlichem. Also bei den irischen, bei den keltischen Märchen hat mich immer dieser dünne christianische Firnis interessiert, aber der ist so dünn, da kommt gleich etwas anderes durch: die Todesvorstellungen sind zum Beispiel total anders. Es ist den guten Missionaren nicht gelungen, das auszurotten. Das hat mich immer sehr interessiert.

D.: Nun liegen in diesem Vergleich gewisser Teile Ihrer Arbeiten mit dem Märchen – es scheint ja so, daß Sie diesen Vergleich nicht von vornherein ablehnen – gewisse semantische Mißverständnisse verborgen. Das Märchen wird ja eigentlich in erster Linie inhaltlich verstanden, und zwar mit dem Blick auf gewisse harmonisierende Funktionen, die in der Realität nicht denkbar sind. Daher das Adjektiv »märchenhaft«. Bei Ihnen ist es jedoch offenbar so, daß diese Bedeutung gar keine Rolle spielt. Ist es nicht die Alogizität des Märchens, was Sie interessiert und fasziniert, daß also Rationalität aussetzt?

N.: Ja, das ist ein gutes Wort. Ich würde auch von Traumlogik sprechen, die hier eine andere Logik ist als unsere sogenannte kausale Logik, und auch von Kafkascher Logik, obwohl ich nicht von Kafka beeinflußt bin. Das ist ein Irrtum von vielen Leuten, obwohl es noch heute manchmal auf den Klappentexten steht. Das ist dummes Zeug. Denn ich habe Kafka zuerst 1949 gelesen; da war ich schon fertig. Damals wurde groß geschrien: Das ist der genuine Kafka-Nachfolger. Das steht auf den Klappentexten. Ich könnte nie so schreiben wie Kafka. Ich bewundere es aufs höchste, aber ich könnte es nicht. Für einen Dritten ist das vielleicht die Ähnlichkeit der Einstellung, das, was Sie eben das Alogische nennen.

D.: Das Alogische, ja, die Brüche, die stattfinden, die irrationalen Schübe, die verhindern, daß eine Geschichte deduktiv geklärt wird, daß das, was wir an kausaler Plausibilität erwarten, aussetzt.

N.: Ja, ich sehe sogar die Welt, die sogenannte Wirklichkeit so.

D.: Aber könnte man, von hier ausgehend, nicht einen gewissen Vorwurf formulieren, den der Geschichtslosigkeit, der auch gestützt werden könnte durch das, was die Märchenforschung herausgearbeitet hat? Ich meine das mit dem Blick auf Forschungsansätze, die sich von C. G. Jung herleiten und in bestimmten Märchenmotiven archetypische Muster herausarbeiten, die sich ungeachtet der jeweiligen historischen Epoche, ungeachtet der je-

weiligen Nationalität als Kerne fortgepflanzt haben. Und wenn man bestimmte Variationsschemata abrechnet, dann sind die Kerne unverändert geblieben.

N.: Das ist es eben, was mich interessiert, daß es in Neu-Guinea dieselben Märchen gibt wie hier. Ich meine: es ist nicht Reinecke Fuchs, aber es ist ebenso ein schlaues kleines Tier, das den Starken betrügt. Das ist natürlich eine Befriedigung für die Leute zu hören, daß der Kleine, der klüger ist, den Machthaber hereinlegen kann. Ich erwähne nur das. Es gibt genau die gleichen Märchen im Südamerikanischen: es gibt das Leonorenmotiv, das Bürgersche Motiv also. Die Erklärung über einen Schädel, der hinter einem herrollt, das sei der Mond, das sagt mir gar nichts.

D.: Auf der andern Seite gibt es psychologische Erklärungen.

N.: Jung? Nein, Jung sagt mir auch nichts.

D.: Man muß Ihnen jedoch die Frage stellen können, aus welchem Grund diese Einstellung, die Sie gegenüber dem Märchen haben, für Sie wichtig ist: daß Sie Geschichte möglicherweise aus einer bestimmten agnostizistischen Haltung heraus sehr niedrig einstufen oder daß Sie – das wäre der Weg, den Jung gewiesen hat – glauben, daß bestimmte Vorstellungsschemata dem Menschen angeboren sind?

N.: Lassen wir Jung beiseite. Sie haben da den Kernpunkt berührt. Holen wir andere Leute hervor, die zornig über mich werden; das sind die historischen Materialisten, die alles erklären wollen. Die werden sofort zornig, wenn ich denen zum Beispiel erkläre, es interessiert mich gar nicht, daß vor zweitausend Jahren die Leute Toga trugen und daß es Sklaven gab. Warum kann ich ein Buch oder ein Gedicht, das vor zweitausend Jahren geschrieben wurde, lesen, als ob es heute zu mir gesagt würde? Warum? Weil der Mensch nicht von seiner Gesellschaft, wie die Brüder alles erklären wollen, geformt wird, sondern weil er sich gegen die Gesellschaft und trotz der Gesellschaft erhalten hat. Man könnte sagen, das sei ein anthropologisch-ideologischer Standpunkt, den ich da habe. Das stimmt in gewissen Fällen, weil mich das interessiert, was sich nicht verändert. Die Marxisten, wie gesagt, ärgern sich sehr darüber. Das ist mir schon ein paarmal passiert auf Kongressen. Trotzdem sage ich das, ich will gar nicht polemisch sein, aber die Leute sind furchtbar zornig.

3. Wirklichkeit und Meta-Wirklichkeit

D.: Mir scheint, daß man noch einen anderen Ansatz versuchen könnte, der ebenfalls zu dem Ergebnis führt, daß die Wirklichkeitsdarstellung, die Sie in Ihren Prosaarbeiten intendieren, sich grundsätzlich unterscheidet von dem, was – nun sehr vereinfacht gesagt – heute als Norm angesehen wird. Mir scheint, daß sich unter diesem Aspekt bestimmte Traditionslinien bei Ihnen aufweisen lassen, die zu Romanen zurückführen, wie sie Ende der dreißiger Jahre in Deutschland geschrieben wurden. Ich denke an einen Autor wie Hermann Broch, der ja auch im Titel eines Ihrer Essays, »Warum ich nicht so wie Hermann Broch schreibe«, auftaucht. In der »Unmöglichen Beweisaufnahme« findet sich eine Formulierung, die die Besonderheit Ihres literarischen Standortes in etwa zusammenfaßt. Da heißt es: »Alle Mißverständnisse, die hier aufgetaucht wären, kämen davon, daß sein Mandant Metaphysisches mit physischen Vokabeln zu erklären trachte.« Mir scheint das – vielleicht irre ich mich – eine Schlüssel-Stelle zu sein: Metaphysisches mit physischen Vokabeln ausdrücken. Gemeint ist doch eine Wirklichkeit, die über eine realistisch abphotographierbare hinausgeht, eine Wirklichkeit, die nur in ihren Elementen realistisch aufzuschlüsseln ist, aber nicht in ihrem Zusammenhang. Es reichen andere Dimensionen hinein. In eine ähnliche Richtung weist – nun ins Thematische verlagert – das Motiv des Aufbruchs ins Nichtversicherbare. Ein anderes Beispiel dafür findet sich im »Untergang«, übrigens eine Stelle, die fast von Hermann Broch stammen könnte. Da schreiben Sie: »Das kalte geizig trennende Fensterglas war zersprungen und durch die weiten Öffnungen wehte ungehemmt die Unendlichkeit hinter den Menschen ins Unendliche vor ihm und heiligte sein Antlitz zum Durchgang für Ewiges.« Das ist ein Satz, wie er im »Tod des Vergil« stehen könnte.

N.: Das steht im »Untergang«?

D.: Ja, und die Aufforderung, die Sie als Autor daraus ableiten: »Laßt uns dieses Antlitz, ehe alles zur gesichtslosen Masse wird, als Sternbild an den Himmel werfen zur Erinnerung an unsere letzte Möglichkeit.«

N.: Das ist schon besser. Das erste war mir zu pathetisch. Das habe ich 43 geschrieben.

D.: Deutet das nicht alles auf eine Wirklichkeit hin, die mehr Dimensionen als die hat, die man rational und kausal erklären kann?

N.: Ja, das stimmt: ja. Ich würde sagen – um ein anderes Wort hineinzubringen – das Aktuelle reicht mir nicht aus. Das Aktuelle. Man fragt sich: warum? Ich würde es sofort fragen. Aber hier ist noch etwas anderes, was ich, glaube ich, auch oft genug erwähne: das ist das Außerhalbsein. Also: hier ist der geschlossene Kreis – nennen wir ihn Gesellschaft oder was, historische Gesellschaftszeit – und hier das Außerhalbstehen. Das ist für mich ein wichtiger Standpunkt.

D.: Ich würde annehmen, daß das eine Folge der vorher charakterisierten Position ist.

N.: Ja, das mag sein.

D.: Daß die Exterritorialität eine Folge ist.

N.: Ja, das ist wichtig.

D.: Darf ich noch einen Augenblick auf die Traditionslinie zurückkommen, in der ich auch Broch erwähnte. Ist das literarhistorisch willkürlich zusammengerückt?

N.: Ja, das ist reiner Zufall. Ich hatte nie etwas von Broch gelesen, niemals, komischerweise. Sie erwähnten den Essay. Der Uwe Schultz stellte mir damals diese Frage. Aber ich habe nie etwas gelesen. Er liegt mir auch heut nicht, während ich andere entdeckt habe und mich ohrfeigen könnte, daß ich sie damals nicht gelesen habe wie z. B. Josef Roth, auch Horváth. Die standen damals im Schatten der Bestseller, von 27 bis 33, ich habe sie leider nicht gelesen. Heute weiß ich, was für großartige Leute das waren. Die hätten mir viel näher gestanden. Sie erzählen mir auch über die Zeit, durch die wir damals alle getorkelt sind, politisch getorkelt sind. Sie erzählen mir sehr viel mehr als etwa Thomas Mann, sie schildern das viel genauer. Aber ich habe sie erst 30 oder 40 Jahre später entdeckt. Also: Einflüsse, die Einflüsse?

D.: Ich meine es nicht in dem Sinne.

N.: Ja, warum nicht? Warum nicht Einflüsse? Ohne Lehrer und Meister kommt kein Mensch aus. Aber ich habe ja immer ziemlich deutlich gesagt, daß ich an sich von Strindberg herkomme. Strindberg hat mich, als ich noch sehr jung war, geradezu vergewaltigt.

D.: Mein Ansatzpunkt war, einen bestimmten Erzählduktus zu charakterisieren, den ich in Ihrem Werk verkörpert finde, daher die historische Konstruktion eines Kontextes, in dem ich Broch erwähnte. Sie haben ja auch vorhin bestätigt, daß das, was Broch Überrationalität oder Überrealität nennt, ein Gestaltungsziel ist, das auch für Ihre Arbeiten gilt. Es finden sich tatsächlich auch rein stilistisch Formulierungen, die sehr analog lauten.

N.: Das mit der Glasscheibe ist kein schlechtes Bild, das geb ich auch heute zu.

D.: Die Hinweise auf ein Überspielen der Zeit, auf Momente der

Zeitlosigkeit, auf Grenzsituationen, was Sie ja nicht nur im »Untergang« darstellen, sondern auch in der »Unmöglichen Beweisaufnahme«, fügen sich diesem Kontext ein.

4. Ein existentialistischer Autor?

D.: Die Entwicklung, die sich in Ihren frühen Arbeiten andeutet, wird häufig mit einem bestimmten Akzent versehen: es heißt, Sie seien ein existentialistischer Autor. Der Begriff der Grenzsituation, wie Jaspers sie deduziert hat und wie sie sich transponiert auch in manchen Ihrer Texte entdecken läßt, könnte das zum Beispiel unterstreichen. Ist das eine Klassifizierung, die Sie annehmen würden?

N.: Das ist, historisch gesehen, ganz einfach, weil Sartre den »Untergang« schon 47 in die »Temps Modernes« übernahm. Als die Leute das hörten, sagten sie: Aha, ein Existentialist. Da hatten sie einen Aufhänger. Ich wußte noch nicht einmal, was das ist: Existentialismus. Das ist genau die historische Entwicklung, dadurch daß Sartre das gemacht hat. Ich meine, vielleicht bin ich in seinem Sinne Existentialist, aber ich selbst weiß das nicht genau. Und wenn Leute mich fragen: Was ist das eigentlich, Existentialismus? Dann sage ich: Ja, ich weiß das auch nicht genau. Das können Sie mir glauben: so ist das gekommen.

D.: Entstehungsgeschichtlich mag das alles richtig sein, aber ist es nicht auf der andern Seite so, daß bestimmte Begriffe sich in einer Zeitsituation entwickeln und an verschiedenen Stellen aktualisiert werden?

N.: Ja, insofern bin ich natürlich auch ein Kind meiner Zeit.

D.: Vor allem auch Ihre Texte wären dann Kinder der Zeit.

N.: Außerhalbstehen, ahistorisch usw. – das ist vielleicht schon Existentialismus in dem Sinne. Ich kann das nicht genau sagen, ich bin zu unphilosophisch. Vielleicht ist das so.

D.: Besonders der Begriff der Grenzsituation scheint mir ein fruchtbarer Ansatzpunkt. Sie haben vorhin erwähnt, daß in diesem Zusammenhang, mit dem Blick auf ihre biographische Rolle als Autor, die Außenseiterrolle, die Partisanenrolle, die Tarnung, die Dimension der Exterritorialität entscheidend seien. Alles das läßt sich ja durchaus in Übereinstimmung bringen mit dieser Meta-Wirklichkeit, dieser Überrealität. Das heißt: wenn es um die Gestaltung von Dimensionen der Wirklichkeit geht, die hinausreichen über die Realität, wie sie in den politischen und gesellschaftlichen

Prozessen zum Vorschein kommt, dann ist es folgerichtig, daß ein Autor sich außerhalb all dieser vertrauten Zusammenhänge stellt. Aber ergibt sich hier nicht ein Dilemma, das Dilemma der Isolation und Wirkungslosigkeit? Wird nicht die eigene Position faktisch ästhetisiert? Wodurch reicht der Schreibvorgang dann noch über die individuelle Lage des Autors hinaus? Wird die Wirkungslosigkeit dann nicht ein Programmpunkt der Position als Autor?

N.: Keineswegs. Ich würde lieber große Wirkung haben. Aber ich denke nicht an Wirkung, wenn ich schreibe. Nein, ich würde auch nicht von Ästhetisierung reden, nicht mal das. Die einzige oder sagen wir: nicht die einzige, sondern die intensivste Form des Lebens ist für mich eben, ein Buch zu schreiben.

D.: Das ist die individuelle Legitimation. Das sehe ich völlig ein.

N.: Nun, Sie können sagen: schön, das ist zunächst eine Privatangelegenheit. Warum veröffentlicht der Bursche es dann? Das habe ich ja selbst einmal angezweifelt. Der Verrat liegt im Veröffentlichen. Irgendwo habe ich das vor vielen Jahren einmal geschrieben. Aber es ist die intensivste Form des Lebens für mich.

5. Die Kategorie des Monologischen

D.: Nun sind Sie als biographisches Subjekt nicht völlig von geschichtlichen und gesellschaftlichen Situationen abstrahierbar. Mir scheint, daß zeigt sich auch an gewissen Entwicklungstendenzen Ihrer Prosa. Das, was man das Monologische in Ihren Arbeiten genannt hat, stellt ja in gewisser Weise auch eine bestimmte Verneinung des Epischen dar, des Epischen im Sinne von mimetischer Wirklichkeitswiedergabe. Das Monologische tendiert ja sehr viel stärker zur Position des Lyrikers. Auch hier sehe ich wieder eine starke Parallele zu Broch, der etwa im »Tod des Vergil« versucht hat, den Roman zum Lyrischen auszuweiten, und einen epischen Monolog geschrieben hat. Diese Strukturbezeichnung scheint mir auf die Arbeiten, die Sie in den letzten Jahren geschrieben haben, nicht mehr so zuzutreffen. Aber vielleicht stellt eine solche historische Abfolge eine Vereinfachung dar. Vielleicht ist es so, daß von Anfang an zwei Möglichkeiten in Ihren Arbeiten vorhanden sind: nämlich auf der einen Seite die Möglichkeit des monologischen Berichtes, wo Wirklichkeit in größeren epischen Zusammenhängen kaum vorgeführt wird, sondern wo gezeigt wird, wie jemand auf Wirklichkeit reagiert; aber auf der andern Seite durchaus auch die Möglichkeit eines realistischen Romans, der größere Realitäts-

zusammenhänge verarbeitet; »Spätestens im November« wäre ein Beispiel, »Der jüngere Bruder«. Diese Polarität zeigt sich auch in Ihren späten Arbeiten. In »Bereitschaftsdienst« gibt es z. B. den monologisierenden Erzähler, der eigentlich ohne Faden schreibt, der für sich schreibt, der reflektiert und fertigzuwerden versucht mit etwas, was ihm persönlich widerfahren ist.

N.: Das ist Therapie.

D.: In »Dem unbekannten Sieger« wiederum ein Roman, der vielleicht am stärksten – im Vergleich zu Ihren andern Arbeiten – geschichtliche Realität aufgenommen hat und zu verarbeiten sucht, sich freilich in der Darstellung zugleich davon distanziert. Ist das eine Entwicklungslinie, die sich möglicherweise auch als Reaktion auf die Wirkungslosigkeit der frühen monologischen Arbeiten ergeben hat? Steht eine bestimmte Kursänderung dahinter?

N.: Bleiben wir mal beim »Unbekannten Sieger«. Da haben alle Leute geschrien: Oh, er hat ja Humor! Das ist dummes Zeug, denn den Humor hatte ich immer, auch wenn es schwarzer Humor war. Ich erwähne immer eine kleine Erzählung, »Die Kostenrechnung«, die mit dem Satz beginnt: »Erst nachdem sie mich gehenkt hatten, fiel mir ein, daß sie meiner Frau dafür die Rechnung schikken würden...« Das ist Humor, wenn auch schwarzer.

D.: Das könnte ein Satz von Ambrose Bierce sein.

N.: Aus irgendwelchen Gründen hat es mir plötzlich Spaß gemacht, so etwas Historisches – weil ich das als junger Bengel von siebzehn Jahren mitgemacht hatte, diesen Sturm auf das Hamburger Rathaus und diesen Kram – zu erzählen. Die Engländer sind natürlich begeistert davon, da sie das Historische so sehr lieben. Bei »Bereitschaftsdienst« nun hatte ich mir tatsächlich vorgenommen – und auch das ist wieder typisch für mich – ein Pseudosachbuch zu schreiben. Sachbücher gehen ja besser als Romane. Warum Pseudosachbuch? Da muß man immer den Unterschied machen zwischen dem, was auf dem Standesamt steht und was nachzuweisen ist, und dem andern, was man sonst wird, was nicht aktenmäßig festliegt. Da haben Sie wieder dieselbe Einstellung, das Mißtrauen gegen die sogenannte Wirklichkeit oder Aktualität. Ja, nehmen wir doch als Beispiel den »Untergang«, weil es das erste ist, was ich nach 43 schrieb. Da hatte ich mir doch von vornherein vorgenommen, keinen Tatsachenbericht zu liefern. Das können die Statistiken besser: wieviel Tote es gab, wie viele Häuser zerstört wurden usw. Ich wollte einen Erlebnisbericht. Das konnte nur auf diese Weise gemacht werden. Ich habe ja das Monologische angezwei-

felt. Ich habe deshalb mal die Frage nach dem Gegenüber gestellt, weil ich sagte: Monolog, nein, das ist unfruchtbar. Das war auch schwer zu beantworten.

D.: Nun läßt sich ja diese Frage bei beiden Romanen, die Sie jetzt gerade erwähnten, von der Erzählsituation her beantworten. Ein Gegenüber ist ja vorhanden im »Unbekannten Sieger«, auch wenn dieses Gegenüber ein Schemen ist, d. h. es wird nicht konkretisiert im Roman. Wir erfahren nur ganz zufällig etwas über die biographische Geschichte dieses Gegenübers. Da wird vom Erzähler die Frage gestellt: Ist Ihr Vater auch schon Notar gewesen? Das läßt den Schluß zu, daß es ein Rechtsanwalt, ein Notar ist, vielleicht ein Studienfreund. Und die »realistische« Fiktion ist ja, daß sich die beiden in einer Gaststätte treffen und daß der Erzähler dem Gesprächspartner nun berichtet. Das sieht also doch so aus, als wenn Informationen bewußt weitergegeben werden bzw. reflektiert werden, gerichtet an einen bestimmten Adressaten. Aber ist es ein wirklicher Adressat? Warum ist er überhaupt von Ihnen in den Roman hineingebracht worden? Er agiert doch nie konkret. Es werden nie Zwischenfragen gestellt, es werden nie vergleichende Erfahrungen, die die Erfahrungen des Erzählers zusätzlich stützen oder auch verunsichern könnten, herangezogen. Das Gegenüber ist fast – ich will ein Bild gebrauchen – eine Art Hörmuschel für den Erzähler und auch für den Leser. Wird er nicht eigentlich entbehrlich, da er als Person nicht konkretisiert wird? Könnte man nicht sagen: auch das ist im Grunde ein monologisches Buch?

N.: Ja, wahrscheinlich. Ich weiß nicht, warum ich das gemacht habe. Da haben Sie wahrscheinlich recht, das ist nicht wichtig. Denn wenn ich wirklich eine Erzählung zwischen zwei Leuten hätte, dann müßte ich den Zuhörer auch mitschaffen. Das kann ich nicht so genau erklären, warum ich das so gemacht habe.

6. Entstehung der Arbeiten

D.: Vielleicht darf ich das zu einer Frage nach der Entstehungsweise Ihrer Arbeiten erweitern. Sie haben einmal erwähnt, daß Sie Vorfassungen Ihrer Bücher als nicht wichtig ansehen, sie nach Möglichkeit vernichten, zumindest keinen Blick mehr darauf werfen. Aber andererseits haben Sie auch in einem Brief an Ihren Verleger, bezogen auf Ihren Roman »Die gestohlene Melodie«, gesagt, daß sie verschiedene Fassungen, vier im ganzen, glaube ich, geschrieben haben. Das deutet darauf hin, daß die endgültige Fas-

sung auf eine sehr komplizierte Entstehung zurückblickt. Zwei Aussagen also, die sich auf den ersten Blick zu widersprechen scheinen. Wie läßt sich dieser Widerspruch vom Autor her klären?

N.: Ich schreibe die erste Fassung nach Möglichkeit sehr schnell, aber das sagt gar nichts. Dann schreibe ich eine zweite, eine dritte, oft eine vierte, das ist meistens die Reinschrift. Dabei wird natürlich viel geändert, sortiert und weggelassen, aber ich werfe die ersten Fassungen dann mit Begeisterung weg.

D.: Wenn die erste Fassung abgeschlossen ist, nach welchen Aspekten wird dann geändert, gekürzt oder erweitert? Ergibt sich das ganz spontan von der Lektüre dieser Erstfassung her oder sind das emotionale Vorgänge, die nicht begrifflich geklärt werden?

N.: Ja, begrifflich kann ich das wirklich nicht klären. Ist die erste Fassung fertig, lese ich das Manuskript auch nicht durch, sondern schreib's ab und ändere es dabei: lasse Sachen weg oder bring' noch etwas Neues hinein. Ich würde diese Art der Arbeit keinem empfehlen. Ich mache nie einen Plan. Das bedeutet: daß man tausende Seiten umsonst schreiben kann, wenn man sich manchmal festläuft oder wenn sich eine Figur, die eigentlich eine Nebenfigur sein sollte, plötzlich wichtig und breit macht und plötzlich das ganze Buch umschmeißt. Das ist mir schon passiert. Aber wenn ich einen genauen Plan niederlegen würde, dann würde ich das Buch nie zu Ende schreiben. Es würde mich langweilen. Ich muß dabei sein, muß den Figuren die Möglichkeit lassen, sich aus der Situation heraus zu entwickeln. Aber ich würde es nie einem Jüngeren raten, so zu arbeiten. Das ist zu gefährlich.

D.: Schließt das nicht eigentlich auch die Möglichkeit der epischen Organisierung von großen Stoffmassen aus?

N.: Ja. Ja.

D.: Ist also die monologische Erzählhaltung und der begrenzte epische Ausschnitt nicht zum Teil auch eine Folge dieser Arbeitssituation?

N.: Das könnte durchaus sein. Das können Sie als Außenstehender besser beurteilen als ich. Ich kann Ihnen eben nur sagen, daß es mich langweilen würde, wenn ich einen genauen Plan hätte. Dann brauchte ich das Buch nicht mehr zu schreiben. Trotzdem steht natürlich ein ungefähres Bild wahrscheinlich irgendwo in meinem Kopf, ist vorhanden. Aber das ist nicht das, so wie Doderer zum Beispiel schrieb, der hatte sogar ein Reißbrett mit Kurven, Farben usw. – das habe ich bestaunt.

D.: Böll macht es zum Teil ähnlich.

N.: Das würde ich nie fertigbringen. Ich habe das bei Doderer zutiefst bestaunt, als ich das in Wien sah. Aber das mußte er natürlich bei so großen Romanen. Hier kommen wir immer wieder darauf zurück, daß das – wie wir's auch nennen – Epische oder das Historische für mich nicht das Wichtigste ist.

D.: Ich habe die Frage nun auch mit dem Blick auf das Gegenüber des Erzählers im »Unbekannten Sieger« gestellt. Wie war es beispielsweise hier bei der ersten Fassung? Ist das Gegenüber von Anfang an da gewesen? Hat es sich aufgedrängt?

N.: Das Buch habe ich ganz schnell geschrieben. Es hat nur, glaub ich, die erste Fassung und die Reinschrift gegeben.

D.: Erstfassung und Reinschrift?

N.: Ja, daran ist nichts zu ändern. Es ist ja auch kein dickes Buch. Es ist mir so schnell herausgerutscht.

7. Generationserfahrung

N.: Ich bin natürlich ein Kind meiner Zeit. Das ist mir neulich wieder bei Manés Sperber aufgefallen, als er hier den Hansischen Goethe-Preis bekam. Dieselbe Generation, er stammt nur aus dem galizischen Getto, ich stamme aus dem Hamburgischen Bürgerhaus. Vittorini war sizilianischer Eisenbahnersohn. Vielleicht könnte man noch Tibor Dery dazu nehmen; er kommt, glaube ich, auch aus bürgerlichen Kreisen. Genau dieselbe Entwicklung, auch politisch, geformt durch den Oktober 1917. Mit Begeisterung, da wird unsere Sache verfolgt, da wird um unsere Sache gekämpft, da in St. Petersburg. Wir verstanden darunter: gegen das bürgerliche Jahrhundert, das 19., und in gewissem Sinne hatten wir recht. Und dann waren wir aktiv tätig, nicht Salon-Kommunisten, sondern aktiv tätig in der KPD bis zu einem gewissen Punkt, bis wir sahen, was als imperialistischer Bürokratismus daraus wurde, aus unsern Idealen; nennen wir's mal so in Rußland. Dann sagten wir: Schluß! Ich meine, das größte Dokument ist immer noch der offene Brief von Vittorini an Togliatti, den Brief könnte jeder von uns geschrieben haben. Wo er sagt: Nee, Kultur, redet uns gefälligst nicht hinein, das machen wir! Also: genau dieselbe Entwicklung, die Herkunft völlig gleichgültig. Wir sind insofern ein Kind der Zeit. Wenn sich Leute manchmal wundern: Ja, wie kommt ihr denn dazu, euch für die KPD und Lenin zu interessieren? – dann erinnere ich sie an zwei Primaner namens Hegel und Hölderlin, die sich 1789 für die Menschenrecht begeisterten, und mit Recht taten die Jungens das. Wie? Mit Recht! Das war ihre Sache, ganz gleich, was aus den Menschenrechten geworden ist. Dies nur als Beispiel. Diese Siebzehnjährigen – oder wie alt wir damals waren – hatten den Instinkt: das Neue, das ist unsere Sache. Ja, und historisch gesehen, war das gar nicht so falsch. Das war das Neue. Ich begreife durchaus, daß ich Kind meiner Zeit bin.

D.: Wenn aber diese Schlußfolgerung auch für Ihre literarische Position gilt, dann müßte das bedeuten, daß Ihre literarische Arbeit nicht etwas Geschichtsloses intendiert, sondern auf jene Situationen bezogen bleibt, die Ihnen die Geschichte zugespielt hat und auf die Sie reagiert haben.

N.: Ja, erst einmal literaturgeschichtlich gesehen. Sehen wir mal von Strindberg ab, der ist 1912 gestorben. Wir entdeckten ihn als Fünfzehn-, Sechzehnjährige für uns, aber es blieb ferner der Einfluß der Expressionisten. Wir sind sozusagen Kinder der Expressionisten. Sie sind ungefähr alle um 85 herum geboren, und wir übernahmen die Georg Heym-Gedichte und die Morgue-Gedichte von Benn fix und fertig und dachten als Jungs: Ja, so muß man dichten! Also: dieser Einfluß ist nicht ganz von der Hand zu weisen. Das war so.

D.: In dieser frühen Phase schon?

N.: Ja, aber nicht die berühmten. Ich stelle immer wieder zu meinem eigenen Erstaunen fest, daß ich die Bücher, die damals im Kurs, die Bestseller waren, überhaupt nicht gelesen habe oder daß sie mich gelangweilt haben. Man denkt zum Beispiel an Rilke, Thomas Mann – nichts dergleichen.

D.: Aber ich denke jetzt auch an Ihre aktuelle literarische Situation. Aus der Außenperspektive betrachtet, ist es doch so, daß man Sie inzwischen mit dem Etikett »der großen Außenseiter« der deutschen Gegenwartsliteratur – ja, wie soll man sagen? – vergoldet, aber zugleich auch zugedeckt hat.

N.: Ja, da wird drum herum geredet.

D.: Aber zeigt nicht diese Charakteristik andererseits, daß man Ihr Postulat der Exterritorialität auf paradoxe Weise angenommen und in ein literarisches Etikett umgemünzt hat, das weiteres Nachdenken erspart? Das ist doch eigentlich ein Vorgang, der Sie zum Widerspruch reizen müßte. Werden Sie nicht in gewisser Weise dadurch mit dem, was Sie schreiben und sagen – man könnte fast überspitzt sagen –, unschädlich gemacht?

N.: Das ist natürlich ein Ärgernis. Was kann ich dagegen machen? Diese Ausreden, diese Aufhänger, hinter denen es sich die

Kritiker so bequem machen? Was kann ich dagegen machen? Spielt nicht auch eine große Rolle, daß ich in meinen besten Jahren, von 33 bis 45, Veröffentlichungsverbot hatte? Und daß ich trotzdem weiterschrieb? Hat das nicht das Monologische, um bei dem Wort zu bleiben, geradezu hochgezüchtet? Selbst den »Untergang« mußte ich doch verstecken, denn der durfte nicht veröffentlicht werden.

D.: Aber wäre das nicht eine Situation, die für viele exilierte – ob nun in der Inneren oder Äußeren Emigration – ganz parallel gegolten hat? Und viele von denen haben literarische Wege eingeschlagen, die nicht in die Exterritorialität geführt haben. Vielleicht leuchtet der Kausalbezug nicht unmittelbar ein.

N.: Ja, ja, es bleibt da natürlich die persönliche Anlage: daß ich so darauf reagiert habe. Ich meine: ich versuche es nur zu erklären, weil Sie danach fragen. Das ist doch sehr schwer für mich zu beantworten. Warum schreibt man überhaupt? Kaum habe ich ein Buch fertig, sag ich mir – das ist natürlich ein bißchen überspitzt – : nun habe ich doch wieder nicht geschrieben, was ich wollte, und ich muß mich sofort wieder hinsetzen und ein neues Buch anfangen. Ja, warum? Es gibt keine Antwort darauf.

8. Reaktion auf Zeitgeschichte

D.: Mir scheint, daß besonders in Ihren jüngeren Arbeiten, angefangen bei »Der Fall d'Arthez« bis hin zum »Unbekannten Sieger«, sehr deutlich wird, daß Sie auf die Zeitgeschichte direkter reagieren, sie auch stofflich verarbeiten. So läßt sich doch beim »Unbekannten Sieger« sagen, daß hier die Revolution auch auf dem zeitgeschichtlichen Hintergrund der Außerparlamentarischen Oppositionsbewegung der letzten Jahre behandelt wird?

N.: Ja, was man damals Spartakus-Aufstände nannte.

D.: Bei Härtling im »Familienfest«, bei Grass in »Örtlich betäubt« zeigt sich ja ein ähnlicher Hintergrund. Die aktuelle Entwicklung in Deutschland hat, so scheint es, den Autoren bestimmte Themen zugespielt, und sie werden aufgegriffen. Das Überraschende ist nun, daß unter diesen Autoren auch Hans Erich Nossack ist, ein Autor, der als nicht interessiert an der Geschichte, ja als Verneiner der Geschichte gilt, ein Außenseiter obendrein. Auch er greift hier ein historisches Thema auf und spielt es durch und offenbar doch auch mit einer politischen Absicht?

N.: Das bestimmt. Gerade auch in »Bereitschaftsdienst« gehe ich doch nur einen kleinen Schritt über Rauschgift, Dope und solche Dinge hinaus, indem ich eine Selbstmordepidemie annehme, was durchaus möglich wäre. Und ich habe damit sogar eine Tendenz.

D.: Ja, das klingt jetzt ganz ironisch. Ich bin mir nicht im klaren darüber, ob das eine Abwehr ist?

N.: Nein, damit will ich sogar ein bißchen über die Zeitsituation belehren, über die Haltlosigkeit. Als die Gammler und Hippies herumlagen, hat mich wieder ein Theologe darauf aufmerksam gemacht – und ich hab's sofort gefressen –: Ja, was wundern wir uns? Im Mittelalter waren es die Pilger. Vor einer Wallfahrt ließen sie sich überall durchfüttern. Das war natürlich interessanter als im Dorf ein Handwerk ausüben. Das tritt ein – um weiterzugehen –, wenn ein Weltbild zerbricht, wie damals das scholastische, als alles schön geordnet war; oben saß der liebe Gott, und es war alles wunderbar. Dann entstehen diese Massenneurosen oder Massenhysterien. Das habe ich sofort akzeptiert, als er mir das erklärte. Das ist genau unser Standpunkt. Deshalb habe ich ja auch diesen »Lucius Eurinus« geschrieben. Da nehme ich das Jahr 200 als Wende an, obwohl ein Herr aus Tübingen gleich scharf schoß und meinte, um 200 hätte es solche Leute schon nicht mehr gegeben; die üblichen Historismen, das sollen die Herren mit sich ausmachen.

D.: Übrigens ist auch das, wenn ich das einflechten darf, eine erstaunliche Parallele zu Broch, der den gleichen Aspekt, also diese Umbruchsituation in der Antike und dann im Mittelalter, herausgegriffen hat. In der Art, wie Sie das formuliert haben – ähnlich taucht es ja auch an einer Stelle in »Bereitschaftsdienst« auf –, könnte es fast aus den werttheoretischen Exkursen Brochs »Zerfall der Werte« in den »Schlafwandlern« stammen.

N.: Da muß ich mich jetzt doch etwas mehr mit Broch beschäftigen.

D.: Aber darf ich nochmals auf den »Unbekannten Sieger« zurückkommen und den Aspekt der Beeinflussung durch die Zeitsituation zu präzisieren versuchen? Ich habe den Eindruck, daß sich Ihr literarisches Konzept, das ich zu Anfang mit Ihrem Zitat »Metaphysisches durch physische Vokabeln ausdrücken« umschrieb, gewandelt hat. Geht es nicht jetzt um einen neuen Begriff von Wirklichkeit? Dargestellt wird der Kontrast zwischen der wissenschaftlich deduzierenden Arbeit des Sohnes über diesen Revolutionsabschnitt und der Erfahrungswirklichkeit des Vaters. Sie formulieren doch durch die Aufdeckung des Widerspruchs zwischen beiden Haltungen eine Kritik an bestimmten revolutionsrhetori-

schen Theoremen, daß nämlich mit revolutionären Programmen, mit bestimmten Plänen, die man hat, überhaupt nichts erreicht wird, vielmehr legen Sie den Hauptakzent auf Spontaneität des Handelns. Dieser Begriff der Spontaneität meint doch etwas Neues. Er läßt sich doch nicht mehr in Übereinstimmung bringen mit der Dimension des Metaphysischen?

N.: Ich würde das Wort »metaphysisch«, das ich wohl in der »Unmöglichen Beweisaufnahme« angewandt habe, nicht gebrauchen. Und ich möchte bemerken, daß es auch da ironisch gemeint ist. Ich will den Rechtsanwalt, den Verteidiger, ein bißchen verspotten. Denn der das erzählt und der der Angeklagte ist, der kennt diese Ausdrücke gar nicht. Er redet dann eher vom Unversicherbaren.

D.: Aber »metaphysisch« nicht im religiösen Sinne gebraucht, sondern im ursprünglichen Wortsinn als jenseits der Realität.

N.: Ja, Transzendenz, Unmöglichkeit, ja.

D.: Etwas, was alogisch scheint und trotzdem vorhanden ist.

N.: »Die unmögliche Beweisaufnahme« ist eines der wenigen Bücher, die ich schätze, weil ich mir denke, da habe ich etwas erreicht, was ich wollte: und zwar Spannung durch Monotonie, nur durch Vierteltöne-Veränderung. Es ist auch berechtigt, daß es Fragment ist, das einzige Mal, daß es ganz berechtigt ist. Denn es hätte noch ein paar hundert Seiten weitergeschrieben werden können. Aber das ist nicht nötig, es muß mal Schluß sein.

D.: Spannung durch Monotonie – auch das wäre eine Formulierung, die dem »Unbekannten Sieger« keineswegs entspricht. Dort ist es ja gar nicht so. Man könnte durchaus sagen, daß Sie da zum Teil auch episch orchestrieren. Es ist ja so, daß wir zwei Gespräche haben, das Gespräch mit dem schweigsamen Partner, dem Rechtsanwalt in der Gaststätte, und das Gespräch des Vaters mit seinem Sohn, wobei die Mutter in der Mitte steht. Das Kernstück des Romans ist wiederum die Erzählung des Vaters, die Als-ob-Erzählung, wie es gewesen sein könnte, und was ironischerweise zugleich der wirkliche Bericht ist.

N.: Wichtig ist das Motiv, daß der Anzug aufgehoben worden ist. Darauf haben komischerweise die Engländer solchen Wert gelegt. Sogar auf dem Klappentext haben sie in der englischen Ausgabe den Anzug erwähnt. Interessant, wie ein anderes Land das sieht. Der Anzug ist das einzige Historische, das übriggeblieben ist. Da gibt es einen Satz, auf den ich stolz bin, der ist mir von den Studenten, von denen, die gleich »faschistoid« sagen, sehr übelgenom-

men worden. Da kommt der Satz drin vor: »Denk mal, Mutter, ob Revolution oder nicht, das Mädchen wackelt mit seinem Popo.« Das bin ich. Da haben Sie mich: Ablehnung des Historischen. Das Biologisch-Anthropologische, das Popo-Wackeln, ist doch wichtiger, nicht wahr? Das ist mir sehr übelgenommen worden. Die Jungens dachten wohl, ich mache mich über Revolution lustig. Keineswegs. Ich bin zwar älter geworden. Ich weiß, daß es nicht mehr so einfach ist, auf die Barrikaden zu gehen, falls das nicht überhaupt überlebt ist. Aber ich werde mich doch nicht selbst verleugnen.

9. Literarische Kursänderung

D.: Vielleicht darf ich die Frage nach einer Änderung Ihrer literarischen Einstellung nochmals unter einem anderen Aspekt stellen. Ich will es an zwei Bildern zu verdeutlichen versuchen. Das eine Bild taucht auf in der »Unmöglichen Beweisaufnahme«. Da wird diese Grenzsituation vor dem Aufbruch in den Schneesturm geschildert. Da berichtet der Angeklagte von diesem Moment der Zeitlosigkeit, von der Lücke in der Zeit, die ihm bildlich begreifbar wird durch die offene Küchentür. Auch im »Unbekannten Sieger« sprechen Sie von einer Lücke, es ist – auf einer anderen Ebene – die Zeit-Lücke nach dem Sturm auf die Kaserne, wo der Sohn nicht in der Lage war, irgendwelche Dokumente ausfindig zu machen, und wo der Vater ihm nun vorhält: Nun, in dieser Zeit haben sie halt gegessen, irgend etwas getan, was nicht aktenkundig geworden ist. In der verschiedenen Ausfüllung der Lücken sehe ich einen großen Unterschied, der möglicherweise eine Änderung Ihrer Position akzentuiert. In der »Unmöglichen Beweisaufnahme« dringt doch etwas Metaphysisches ein – auch wenn das Metaphysische hier ein Hilfsbegriff ist –, etwas Existentielles.

N.: Es ist etwas Positives: die Lücke.

D.: In der »Unmöglichen Beweisaufnahme« scheint mir eine Grenzsituation damit gemeint zu sein: das Bewußtwerden der Leere in dieser Ehe und die Möglichkeit des Ausbruchs. Die Lücke, die die wissenschaftliche Arbeit des Sohnes aufweist, ließe sich hingegen ausfüllen, wenn bestimmte Fakten eruiert werden könnten, die als Dokumente nicht erhalten sind. Es geht also – so scheint mir – im Grunde darum, Wirklichkeit mit sprachlichen Mitteln begreifbar zu machen über uns bekannte Möglichkeiten hinaus. Das ist eine durchaus empirisch-realistisch zu sehende In-

tention, während man bei der »Unmöglichen Beweisaufnahme« fast von einer religiösen Intention sprechen könnte. Sehe ich diese Umorientierung richtig?

N.: Ja, es ist doch durchaus möglich, daß ich mich entwickle im Laufe von zwanzig Jahren. Ich kann das schwer beurteilen. Aber so, wie Sie das erwähnen, sehe ich das ein. Warum soll ich mich nicht auch entwickeln?

D.: Sicherlich. Ich versuche ja nur, gewisse Indizien ausfindig zu machen, die eine solche Entwicklung belegen könnten. Die genannten Beispiele weisen in eine solche Richtung. Das heißt also: nicht mehr der Begriff einer fehlenden metaphysischen Dimension der Wirklichkeit ist jetzt entscheidend, sondern der Begriff einer noch unbekannten formalen Ausdrucksmöglichkeit von geschichtlicher Realität. Hätte der Vater – ein hypothetischer Fall – im Anschluß an die damaligen Vorgänge alles schriftlich fixiert und dem Sohn das Quellenmaterial zugespielt, gäbe es möglicherweise keine Lücke.

N.: Ja, aber er macht sich doch lustig über seinen Historiker-Sohn, weil er sagt: So ist das nicht gewesen, mein Junge. Du hast das zwar alles sehr schön beschrieben, aber – Und dann erfindet er das. Aber dann frag ich Sie – ich mache nämlich ganz nebensächlich immer meine Fußangeln –: Warum weint der Alte, als er auf seinem Sterbebett liegt, so daß die Schwester sogar kommt und ihn fragt, ob ihm was wehtut? Das sind so ganz kleine Details. Ich sag' gar nichts weiter darüber. Aber: Warum weint er? Darüber sollen die Leute nachdenken, die es lesen. Denkt er darüber nach: Ach, es wäre doch schön gewesen, ich hätte damals, statt hier mein Geschäft in Uelzen aufzubauen, mitgemacht? Und weiter: Wie schön war's, Revolution zu machen. Warum, warum?

D.: Das ist eine Art Leerstelle, die Sie eingebaut haben.

N.: Ja, das liebe ich, solche Fußangeln liebe ich. Ich habe einmal – ich glaub', das ist im »Jüngeren Bruder« – geschrieben: »Er stand auf des Messers Schneide.« Das ist an sich eine bekannte Metapher. Bei mir wird aber das Messer plötzlich ganz konkret. Darauf hat mich mal jemand aufmerksam gemacht, daß das wirklich so gemeint ist. Beinahe hätte er mit dem Messer zugestoßen. Das habe ich beim Schreiben gar nicht gewußt. Plötzlich wird, was als Metapher, als Sprichwort gebraucht wird, bei mir ganz konkret: eine Möglichkeit des Mordes oder was weiß ich.

D.: Um noch auf das Beispiel des Weinens beim Vater im »Unbekannten Sieger« zurückzukommen: es ist ja so, daß er auf die Ar-

gumentationsweise seines Sohnes eingeht, aber dadurch widerlegt er ihn zugleich, indem er immer neue Lücken ausfindig macht, immer mehr Leerstellen, die auszufüllen sind. Und er selbst als Person wird ja in gewisser Weise auch nicht »ausgefüllt« vom realen Erzähler Nossack, d. h. warum er tatsächlich nicht weitermitgemacht hat an der Revolution, ob es wirklich nur das Angeödetsein von dem Geschwätz nach dem Sturm auf die Kaserne war, ob er plötzlich eine Erleuchtung bekam und sich einfach zurückzog – das wird ja nur als Möglichkeit angedeutet, nicht eigentlich präzisiert.

N.: Aber die Möglichkeit wird sehr schön angedeutet: wie er auf die Herrentoilette geht, und nun in einem blinden Spiegel sieht er sich da und sagt sich: Was habe ich hier eigentlich verloren?

D.: Ja, das ist ein Moment der Reflexion, auch im Bild konkrete Reflexion, aber das reicht doch nicht aus, um das spätere Leben, das er geführt hat, das Leben eines honorigen Biedermanns – was gar nicht abfällig gemeint ist – zu erklären. Warum dieser Bruch? Warum diese Biographie, die auseinanderbricht?

N.: Deshalb – das ist bei mir geheim, ich sag das nicht in dem Buch – vielleicht die Tränen. Ihm hat sich damals eine Möglichkeit geboten, und er hat sie in einem gewissen Sinne aus Versehen quasi ausgenutzt und ist dann abgegangen, weil seine Frau in anderen Umständen war usw.

D.: Aber es gibt ja auch eine Art von Rechtfertigung am Ende des Buches, nämlich in der moralischen Ohrfeige, die er seinem Sohn erteilt: Hättest Du so gern der Sohn eines Ministers sein wollen? Der Sohn sagt ja auch: Der Genosse Hein hätte der Bürgermeister von Hamburg werden können. Er hätte also eine politische Karriere vor sich gehabt. Alles das hat er verneint, er ist in die Tarnung gegangen, in die Exterritorialität – in gewisser Weise.

N.: Er weint tatsächlich, weil er auf eine Möglichkeit verzichtet hat – wie wir auch immer darüber denken – als Revolutionär. Nein, nein, das ist schon richtig. Das ist das Tragische, das Tragikomische an der Situation.

D.: In dem Sinne würde also das Thematische nicht völlig abgelehnt, daß nämlich Revolutionen per se als geplante politische Aktionen falsch sind, weil das Element der Spontaneität ausgeklammert wird. Denn das wäre ja eine These, die man – vielleicht fälschlich – von Ihrer Darstellung abstrahieren könnte: daß eben Revolutionen sich nicht spontan entwickeln können, daß sie nicht regulierbar sind, daß die vielfältigsten Zufälle darauf einwirken und die Richtung des Ganzen bestimmen und daß die politische Legende von der großen geplanten Aktion erst im Rückblick entsteht, wenn Historiker – in diesem Falle der Sohn – den politischen Mythos konstruieren.

10. Politische Aktivität

N.: Ja, das wird alles plötzlich klar bei einem, der mitgemacht hat. Und ich, der ich als siebzehnjähriger oder achtzehnjähriger Bengel das mitmachte, weiß: Mein Gott, ist das gefährlich! Was kann man nicht mit siebzehn-, achtzehnjährigen Bengeln machen, wenn man ihnen etwas sagt. Ich bin zufällig ein vernünftiger Mann, der sich ein bißchen in Zaum hält. Aber ich weiß: wir wollten Oldesloe in Brand stecken, weil die behaupteten, sie ließen uns nicht durchmarschieren. Wir hätten die lächerliche Stadt Oldesloe in Brand gesteckt, hätte jemand gesagt: Los! Wir hätten es getan. Ich meine nur: das sind die unpolitischen Dinge, das Gefährliche, was man mit jungen Menschen anstellen kann, die diese Ideologie – oder wie wir's nennen wollen – gefressen haben und nun durchsetzen wollen. Das sehe ich immer wieder. Ich habe vielfach diese Erfahrungen gemacht. Ich habe in den Jahren 68, also zur Zeit des Sorbonne-Aufstandes und von Cohn-Bendit und all jenen mit diesen Jungs zu diskutieren versucht, was aber nicht möglich war. Die kamen mit ihrer politischen Romantik, sogar mit dem Lenin-Wort: Schluß mit den revolutionären Kinderkrankheiten usw. Ich erklärte ihnen zum Beispiel: Ja, das erste, man trete bitte in konventioneller Kleidung auf! Das ist das erste Gesetz der Illegalität, denn dann wird das Establishment, das hier bekämpft wird, erschrekken. Denn sonst sagen sie nur: Das sind diese Gammler usw. Das ist ein altes Erfahrungsgesetz für uns, auch aus der Nazi-Zeit: nicht auffallen, immer so tun als ob. Da kommen wir wieder auf die Tarnung, aber hier eine reale politische Tarnung. Ich sage das nur als alter Mann, weil ich meine Erfahrungen schon damals gesammelt habe. Und umgekehrt weiß ich: wie erschreckend gefährlich es ist, wenn junge Menschen dann losgehen.

D.: Zielt das nicht darauf hinaus, politische Aktivität generell zu verdammen?

N.: Nein, das kann man gar nicht verdammen.

D.: Exterritorialität ist doch nur eine Metapher.

N.: Alle diese Aufstände, auch die Studenten-Aufstände und so weiter, die haben ja ihre Berechtigung gehabt. Es mußte ja etwas geändert werden, an den Universitäten und so weiter. Ich würde die Grundidee der Hippies ganz besonders unterschreiben: sich von dem Konsumzwang frei zu machen. Das läßt sich nur nicht durchführen. Es wurde eine Mode daraus. Ich habe das Hippie-Land in San Franzisko gesehen. Aber das Grundprinzip, sich frei machen vom Konsumzwang, ist doch großartig. Das läßt sich wahrscheinlich nur kollektiv durchführen. Das wäre heute die Form der Revolution. Jetzt kommen wir auf das Unversicherbare. Die Tragödie der Jugend ist doch, daß alles, alles schon vorgeordnet ist, schon – wie ich es mit einem neuen Wort, das ich erfunden habe, nenne – computerisiert; das beginnt schon beim Kind im Mutterleibe.

D.: Computerized – das ist ein Anglizismus.

N.: Gibt es das? Ich hab's eingeführt. Ich hab's ein paar Mal gebraucht, jetzt haben es schon andere übernommen: die Computerisierung der Menschheit. Diese These ist einer meiner Ticks: dagegen aufzustehen, sich nicht computerisieren zu lassen. Das ist die Tragödie der Jugend: dieses Leben ist ja so langweilig.

D.: Aber wie sieht das konkret beim Genossen Hein im »Unbekannten Sieger« aus? Er hätte vielleicht eine politische Karriere vor sich gehabt, er macht nicht mit, er taucht unter im Leben eines Biedermannes. Aber da stößt er ja auch auf Zwänge. Es wird geschildert, wie er die wirtschaftliche Entwicklung im Einzelhandel antizipiert und die Umwandlung seines Geschäfts in einen Selbstbedienungsladen plant, angetrieben von einer ökonomischen Logik. Das sind doch Zwänge, auf die er reagiert. Sein Intellekt, den er vielleicht bei der Chance, die er verpaßte, hätte produktiver einsetzen können, wird nun durch eine von Zwang bezeichnete Situation bestimmt. Kann man da noch von Tarnung sprechen?

N.: Das ist keine Tarnung in der Nossackschen Form der sonstigen Tarnung, die etwa empfohlen wird im »Fall d'Arthez« oder was weiß ich. Mir ist – wenn ich das mal zwischendurch erwähnen darf – langsam klar geworden, warum marxistische Länder, also Polen, ČSSR, Ungarn, Jugoslawien, Rumänien, so besonders gern den »Fall d'Arthez« übersetzen. Das Prinzip der Tarnung, wie es in dem Buch dargestellt ist, muß für diese Länder ein besonderes Problem sein. Also so ausgedrückt: Tue alles, was ihr wollt, das berührt ja mein sonstiges Inneres nicht. Das muß ein Prinzip in diesen Ländern sein. So kann ich mir nur erklären, daß sie den »Fall d'Arthez« so besonders gern übersetzen.

D.: Das leuchtet ein. In westlichen Gesellschaften, wo eine Plura-

lität von Lebensformen möglich ist und wo nur der Konsum und der ökonomische Leistungsdruck die Klammer abgeben, sind mehr Ausweichmöglichkeiten vorhanden. Da, wo ein monolithisches Weltbild herrscht, ist der Druck viel stärker, und die Tarnung wird lebensnotwendig.

N.: Ich habe den Klappentext des »Fall d'Arthez« in solchen Ausgaben gelesen. Da steht natürlich, wie sozialistisch das alles ist – na, das ist in Ordnung, damit die Zensur ruhig ist.

D.: Darf ich von diesem Punkt aus eine Brücke schlagen zu »Bereitschaftsdienst«? Mir scheint, besonders auf dem Hintergrund dessen, was Sie gerade gesagt haben, müßte es doch so sein, daß die Selbstmordepidemie sich nicht in östlichen Systemen ausgebreitet hätte. Denn im Grunde existiert doch hier eine parallele Situation wie in den Gefängnissen, worüber Sie an einer Stelle sagen –

N.: Allerdings.

D.: – daß die Häftlinge die einzigen sind, die ausgenommen sind von dieser Epidemie, weil sie nämlich noch eine Hoffnung haben, weil für sie Utopie noch etwas Reales meint, nämlich Veränderung des augenblicklichen Zustandes, Freiheit. Das müßte doch eigentlich auch gelten für diese östlichen Staatssysteme.

N.: Interessanter Einwand, den Sie da machen. Ich habe extra erwähnt, daß das in Prag oder Warschau anfing und daß die Presse dann nicht mehr darüber redete. Ja, interessanter Einwand, den Sie machen, gerade weil ich das mit den Gefängnissen erwähne. Da kommen wir auf das andere, das ich oft erwähnt habe: Zur Freiheit gehört so viel Disziplin, daß man sie normalen Menschen nicht zumuten darf.

11. Funktion des Erzählers

D.: Darf ich, gerade im Vergleich von »Bereitschaftsdienst« mit »Unbekanntem Sieger«, nochmals auf die Funktion des Erzählers zurückkommen? Wir haben zu Anfang erwähnt, welche Funktion der Erzähler und sein Gegenüber hat, wobei die Aufgabe des Gegenübers eigentlich ungeklärt blieb. Mir scheint, daß man doch eine Funktion dieses Erzähl-Gegenübers, das stumm bleibt, feststellen könnte: in der Sprachhöhe, in der Diktion, die dem Erzähler gewissermaßen von diesem Gegenüber zugespielt werden. Er ist ja der einem Gespräch ganz nahestehende Erzählduktus gewählt worden, der sich stark von dem monologisch reflektierenden Erzählduktus in »Bereitschaftsdienst« unterscheidet. Das im Gast-

stätten-Gespräch zuhörende Gegenüber bedingt also eine bestimmte Stilhöhe, so wie der Adressat Glatschke im »Fall d'Arthez« zumindest am Anfang den Bericht des Berichterstatters strukturiert. Ich sehe darin – im »Unbekannten Sieger« – eine Übereinstimmung zu der zweiten Gesprächssituation, nämlich dem Bericht oder der Erzählung des Vaters im Kreis der zuhörenden Familie. Das führt im Ergebnis zu einer gewissen stilistischen Homogenität des Buches, die sich, oberflächlich betrachtet, als epischer Plauderton zu erkennen gibt, ein Plauderton, der eben funktional aus dieser Erzählsituation erwächst. Hat also nicht das zufällig gewählte Gesprächs-Gegenüber unter dem Aspekt doch eine strukturelle Funktion?

N.: Das ist schwer für mich zu sagen, weil ich da fast einen überflüssigen Zuhörer – Anwalt ist er wohl? – gewählt habe, wahrscheinlich, um noch ein bißchen mehr Distanz zu bekommen. Das möchte ich fast annehmen.

D.: Mehr Distanz? Aber wird der Erzähler nicht gleichzeitig nähergerückt, an den Leser herangerückt?

N.: Ja, wenn seine Sprache sich tatsächlich nach dem Zuhörer richtet, dann wird der Zuhörer, wenn er auch sonst nicht bildlich geschildert wird, ja doch mitgeschaffen.

D.: Es ist eine Art Rolle, die Sie für Ihre Leser bereithalten. Der Leser wird gewissermaßen zum Gegenüber und eben nicht in einen Monolog hineingezogen, wo er wirklich zur Stummheit verdammt wäre, während das Gegenüber hier gestisch beteiligt ist. Es handelt sich also um eine dialogische Situation.

N.: Ja, Sie sehen, daß ich mir das gar nicht so genau überlege, vorher oder nachher. Erst jetzt, hinterher, zerbreche ich mir den Kopf darüber, warum das so ist.

12. Entstehung von »Spätestens im November«

N.: Ich weiß nur bei einer Geschichte, »Spätestens im November«, warum das so geschrieben worden ist. Das ist historisch. Um 1950 sagte mir hier der Intendant vom Schauspielhaus – Helmer war das damals, der alte Helmer –: Könnt Ihr Deutschen eigentlich keine Theaterstücke schreiben? Und das verdroß mich. Und ich las genau bei Miller, Tennessee Williams usw. alle die Erfolgsstücke damals nach. Bewundernswert die Theatralik – jetzt nicht thematisch, sondern die Theatralik –, alles genau ausprobiert. Sie probieren es ja auch in der Provinz aus, bevor es an den Broadway geht. Be-

wundernswert: da ein Tupfer Sentimentalität, da eine Sentenz, genau an der richtigen Stelle, es kann kein Auge trocken bleiben. Ja, dachte ich, das ist erlernbar und schrieb ein Stück, genauso wie ich mir einbildete, es bei diesen amerikanischen Kollegen gelernt zu haben: ein Sechs-Personen-Stück, »Spätestens im November«. Ich hatte lange daran gearbeitet, vielleicht ist es ein gutes Theaterstück, ein wirksames, wollen wir einmal sagen, aber das reicht doch nicht aus für einen Europäer. Selten, daß ich solche chauvinistischen Bemerkungen vor mir selber mache. Es war sehr traurig. Eines Abends beim Ausziehen fiel mir ein: Erzähl doch die Geschichte mit einer schrägen Perspektive, und zwar von der gestorbenen Frau aus, laß die erzählen. So ist der Roman dann entstanden. Deshalb sind die Figuren auch so plastisch, weil ich mir die ja monatelang auf der Bühne hab vorspielen lassen. Die Folge davon war: Kaum war der Roman veröffentlicht und hatte einigen Erfolg, sagte man mir: Warum machst Du nicht ein Theaterstück, warum machst Du nicht einen Film daraus? Trotzdem habe ich dann auf Verlangen eines Regisseurs, eines Fernsehmannes einmal ein Filmskript daraus gemacht. Da hat komischerweise nie einer angebissen. Man kann natürlich einiges verbessern, weniger Dialoge usw., aber die Hauptidee war richtig. Nur: im Buch kann ich zum Schluß sagen: das ist eine gestorbene Frau. Aber im Kino? Wie sag ich's meinem Kinde? Das muß von Anfang an angelegt sein. Da mußte ich also einen Trick finden. Ich habe auch einen guten Trick gefunden. Da haben Sie mal eine Geschichte, wie ein Roman entstanden ist.

D.: Das ist aufschlußreich, weil es die Anreicherung mit Wirklichkeit im Buch erklärt.

N.: Sie können noch Theater-Reste im Roman entdecken, so die Treppe, die auf der Bühne war; das ist immer sehr wirksam auf der Bühne und ist typisch bühnenmäßig gedacht – die Treppe und die Balustrade, wo man von oben heruntergucken kann. All solche kleinen Sachen. Ich habe noch Fehler in der Romanfassung gemacht: Ja, woher weiß der Mann das, was sie da sagen? Im Theater brauch' ich's nicht zu sagen, weil jeder Zuschauer das weiß, im Roman ist das anders. Da hab ich sogar noch Fehler im Roman gemacht, die leicht zu ändern wären. Ich habe da eine Sache erfunden, die noch gar nicht ausgenutzt ist: die Vorblende. Die Frau stellt sich vor: wie wird das sein, wenn ich nach Hause komme. Das läßt sich spielen. Das ist doch großartig, wie? Eine Vorblende! Nachher sieht jeder Zuschauer, wenn sie dann wirklich nach Hause kommt, daß alles anders ist.

D.: Ja, das müßte sich sehr gut technisch verwirklichen lassen. Es ist eigentlich überraschend, daß das Buch noch nicht verfilmt worden ist.

N.: Mir liegt nicht so furchtbar viel daran, außer: es bringt Geld. Das Geld ist natürlich interessant. Aber sonst liegt mir nicht so viel daran, obwohl ich komischerweise von Anfang an ein begeisterter Kinoläufer war. Als Kiepenheuer mein »Lenin«-Stück 1925 in Vertrieb nahm, sagte er im Kontrakt: Nicht zu verfilmen. Warum? Das habe ich schon als junger Bengel von 25 Jahren als entwürdigend empfunden. Wo es doch plötzlich so begeisternde Filme gab wie »Panzerkreuzer Potemkin« und andere.

D.: Diese von Ihnen geschilderte Entstehungsgeschichte des Buches ergibt auch ganz andere Möglichkeiten für eine Beurteilung.

N.: Ja, es ist verhältnismäßig einheitlich gebaut, denn es waren drei Akte mit sechs Personen.

13. Das Nichtversicherbare in »Bereitschaftsdienst«

D.: Vielleicht darf ich nochmals auf »Bereitschaftsdienst« zurückkommen. Die monologische Linie kommt dort wieder sehr zum Tragen, einmal in der Funktion des Berichterstatters, der diesen Bericht eigentlich für sich selbst schreibt, aus einem privaten Anlaß heraus, im Unterschied beispielsweise zum Berichterstatter in »Der Fall d'Arthez«. Dieser private Anlaß läßt sich nun wieder in Beziehung setzen zu diesem Wirklichkeitsbegriff, der den rational deduzierbaren übersteigt. Denn seine These lautet ja, daß gerade das sogenannte Private, das in den Statistiken – es heißt wörtlich: »in den historischen Zusammenstellungen und Statistiken« – nicht enthalten ist, am ehesten erklären könnte, was passiert ist. Und das Private meint in seinem eigenen Fall seine eigene Reaktion auf diese Epidemie, die Erfahrung, die er sammelt im »Bereitschaftsdienst«, aber dann vor allem auch das Schicksal seiner Frau. Ich habe den Eindruck, daß Sie hier ganz stark Thematisches aus der »Unmöglichen Beweisaufnahme« wieder aufgreifen. Denn es geht doch auch hier um die Kommunikation in der Ehe, um den rätselhaften Vorgang des Selbstmords der Frau, um das Thema des Selbstmords schlechthin. Sie haben ja Ihre Faszination – wenn man das Wort hier gebrauchen kann – von diesem Thema immer wieder bekannt. Ist diese von mir angedeutete Verbindung mit der »Unmöglichen Beweisaufnahme« willkürlich?

N.: Nein, das ist mir neu, aber das stimmt. Das scheint eine Art

Grundthema bei mir zu sein.

D.: Dieses Ausbrechen in den Schnee und Verlorengehen ist ja auch in der »Unmöglichen Beweisaufnahme« eine Art Selbstmord.

N.: Ja, ja. Hier handelt es sich mehr um das Verschwinden der Frau. Es geht dem jungen Mann in »Bereitschaftsdienst« eine Realität verloren. Er kommt ins Taumeln. Wie gesagt, ein Mann, der ein Schicksal hat, das zu schwer für ihn war. Das ist wieder ein Grundthema bei mir.

D.: Das taucht ja auch wörtlich auf: daß er sich plötzlich außerhalb des Zusammenhangs befindet.

N.: Ja, ein Grundthema. Aber hier könnte man natürlich auch etwas anderes erwägen: nämlich die Rolle der Frau. Warum erwähne ich das zweimal? Mit dem Verschwinden der Frau fängt sozusagen das Nichtversicherbare an.

N.: Ja, aber das Nichtversicherbare in der »Unmöglichen Beweisaufnahme« ist doch auch eine negative Ausdrucksmöglichkeit für die verlorengegangene Kommunikation, ein Versuch, das irgendwie wieder rückgängig zu machen.

N.: Ja, doch das ist es auch bei diesem jungen Chemiker, der so ordentlich, etwas spießig lebte. Auch da muß etwas gefehlt haben. Ich meine, der junge Mann ist sich noch nicht ganz klar darüber, und er verdrängt auch vieles dabei, aber er fragt sich ja auch: Habe ich Schuld, weil ich sie nachts allein ließ? Das ist ja eine Antwort, nicht wahr. Da haben Sie das Wort Kommunikation.

D.: Aber das wäre eine zu einfache Antwort, zudem eine Antwort, mit der er sich nicht zufrieden gibt. Er rekonstruiert ja die Umstände – beispielsweise daß der Frühstückstisch schon gedeckt war – und versucht herauszubekommen: warum die plötzliche Änderung erfolgte.

N.: Ja, da wird der Rundfunk angeschuldigt, der in dem Moment vielleicht irgend etwas gebracht hat.

D.: Und hier kommt doch auch die Erfahrung –

N.: Ja, aber das sind doch typisch Nossacksche Sachen. Darf ich das denn nicht erwähnen? Das berührt das völlig ordentliche Leben. Ja, nehmen wir an: sie hat wirklich einen Satz im Rundfunk gehört, einen unschuldigen Satz, der sie aber umgeworfen hat. Das ist doch typisch Nossacksch. So kann das einbrechen. Ich erwähne das doch, daß das Nichts nur einen Millimeter daneben ist. Das will ich doch immer wieder darstellen.

D.: Das leuchtet mir ein, aber auf der anderen Seite ist es auch der Ausgangspunkt des Berichterstatters, hier des jungen Chemi-

kers, daß er eben erfährt, daß in der offiziellen Berichterstattung die Gründe völlig verschwiegen werden. Sein Versuch zielt eben darauf, Möglichkeiten der Aufklärung zu erschließen, d. h. er reflektiert ganz bewußt.

N.: Er versucht es, als unphilosophischer Kopf versucht er es. Und das Verschweigen der Gründe? Das ist doch eine tägliche Angelegenheit in der Zeitung. Was sollen uns denn die dicken Schlagzeilen verschweigen? Die informieren uns über das, was »passiert« ist, das andere bleibt weg. Schon die Akzentsetzung ist entscheidend. Ich meine: ich muß eine Zeitung wie die »Welt« immer gegen den Strich lesen. Die Informationen sind richtig, aber die Akzentsetzung –

D.: Ja, aber ich meine mit meinen Fragen jetzt auch den Stellenwert, den dieser Selbstmord der Frau im Roman hat. Denn die Wirkung auf den Berichterstatter zeigt sich ja erst einmal darin, daß er aus seinem normalen, konventionellen Leben herausgerissen wird. Er gelangt jetzt in eine Position nachzudenken. Aber gleichzeitig will er doch auch den Versuch machen, über den individuellen Fall hinaus Material zu einer Erklärung der Gründe für die Epidemie zu sammeln.

N.: Ja, er möchte es gern, aber er ist doch gar nicht fähig dazu. Das habe ich nun absichtlich so gewählt. Er möchte durch wissenschaftliche Neutralisierung seines Schicksals gerne fertigwerden mit dem Problem. Deshalb kommen diese kleinen Gespräche hinein, auch mit dem Geistlichen, der immerhin eine Antwort gibt, der sagt: Alles andere wäre Blasphemie, nur die Routine des Daseins aufrechterhalten, alles andere wäre Blasphemie. Das ist eine Kernantwort.

D.: Eine Antwort wird ja auch gegeben in der Erinnerung an den Roman von Strindberg, wo ja die verlorengegangene Kommunikation deutlich thematisiert und ersetzt wird durch den Haß. Der Haß, der sozusagen die verlorengegangene Liebe ersetzt und jedenfalls eine Art von Klammer für das Zusammenleben abgibt und dadurch die Ehe äußerlich aufrechterhält. Wenn er sich an dieses Beispiel erinnert und darüber nachdenkt, dann zeigt das doch, daß er Versuche macht, sich wirklich klar zu werden.

N.: Ja, er versucht es innigst.

D.: An einer anderen Stelle lassen Sie diesen Assessor einen Erklärungsversuch abgeben. Er sagt: »Erlösen Sie doch die Kinder von der Freiheit, dann haben sie es geschafft. Denn die Freiheit ist langweilig.« Sie haben das auch schon vorhin erwähnt: daß zur

Freiheit mehr Disziplin gehört, als man einem Menschen zumuten darf. Hier wird doch eine philosophische Verallgemeinerung dieses Einzelfalls versucht. Der Zustand der Freiheit – meint das nicht eigentlich den Zustand der völligen Haltlosigkeit?

N.: Haltlosigkeit ist vielleicht ein falscher Ausdruck. Der Zustand keines durchfunktionalisierten Rahmens.

D.: Der leere Rahmen, wie Sie an einer Stelle sagen. Freiheit also als leerer Rahmen, aus dem man sozusagen herausfällt. Und das ist doch eine Erfahrung, die er offensichtlich bereits in dieser konventionell ablaufenden Ehe gegeben sieht.

N.: Da haben wir es, und wir können das auf unsere Zeit übertragen, wo immer wir das Wort Kommunikation nehmen, ob in der Ehe oder anderswo. Das ist doch heute alles nicht mehr echt, sondern verfälscht: Massen-Leben. Bis ins Vokabular geht das hinein. Das ist schon nicht mehr echte Kommunikation.

D.: Das ist richtig, aber man kann dann jeweils nur ex negativo argumentieren, d. h. die Gegen-Situation, das Gegen-Bild, das Gegen-Leben sind selbst nicht darstellbar, sie können höchstens signalisiert werden.

N.: Nein, das kann ich nicht, aber warnen vor dem, was passieren kann, das ist möglich. Und die angenommene Selbstmordepidemie soll eine Warnung sein.

D.: Aber die Legitimation einer Warnung liegt doch eigentlich darin, daß man denjenigen, der gewarnt werden soll, von den negativen Voraussetzungen und Auswirkungen eines Vorgangs überzeugt. Wenn das aber nur als Fatum, als schicksalhaft Unerklärliches vorgeführt wird, dann wird der Angesprochene doch nur auf so etwas wie seine kreatürliche Angst reduziert?

N.: Ja und? Kreatürliche Angst! Der Begriff der Religion muß doch neu gefaßt werden, und zwar nicht christlich, sondern grundsätzlich. Warum überhaupt Religion? Natürlich, ich kann's nicht schreiben, aber ich ermahne Theologen, es zu machen. Gadamer habe ich neulich ermahnt, und er hat auch prompt gesagt, was auch meiner Anschauung entspricht: Man muß vom Tod ausgehen, vom Wissen um den Tod, den wir als einzige Kreaturen haben. Das ist die einzigartige Mitgift, die uns die Natur gegeben hat. Also: von daher müßte das neu aufgezäumt werden. Denn ich wundere mich immer, ich geh von der negativen Seite aus: Warum entsteht Religionsersatz sofort in den Ländern, wo Religion verboten ist? Das müßten doch die Leute einmal erklären, warum das ein anthropologisches Bedürfnis ist. Es muß vom Tod ausgegangen werden, dieser einzigartigen Mitgift, vom Wissen um den Tod.

D.: Merkwürdig, das ist fast wieder eine Formulierung von Broch. Sie sehen, ich komme immer wieder auf ihn zurück in unserem Gespräch. Das irdische Absolute, der Tod, das war auch für ihn der Ansatzpunkt der Reflexion, wie übrigens auch für Canetti. Eine überraschende Parallelität.

N.: Wann ist Broch geboren? Er ist älter als ich.

D.: 1886.

N.: Dann gehört er zu der Generation der sogenannten Expressionisten, die alle um 85 herum geboren sind.

14. Einstellung zur Politik

N.: Ich behaupte immer wieder, daß man gar nicht unpolitisch handeln kann. Ich habe das neulich in meiner Dankesrede für den Zinn-Preis wieder unterstrichen. Selbst eine Liebesgeschichte, falls so etwas überhaupt noch geschrieben werden kann – es ist sehr schwer –, ist ja ein hohes Politikum. Denn da erlauben sich zwei junge Menschen glücklich zu sein, ohne erst die Partei um Rat zu fragen. Das ist ein umgekehrtes Politikum. Wir haben vorhin über Märchen geredet. Dazu möchte ich noch etwas erwähnen. Wenn ich die Geschichte lese – nehmen wir mal ancien régime –, lese ich doch auch die Leute, die die Klatsch- und Bettgeschichten leben. Da versteh' ich: so haben die gelebt – besser als wenn ich dicke Wälzer über Geschichte lese. Dieses Anekdotische interessiert mich kolossal. Und noch heute sammle ich Anekdoten bei mir im Kopf und denke: ja, das ist typisch für ihn. Die berühmte Anekdote, die bei der Erfindung des Minirocks herauskam, die interessiert mich noch brennend. Westliche Dekadenz hieß es gleich! Aber das konnten sie im Ostblock nur ein paar Wochen machen. Denn die russischen Mädchen dachten: Unsere marxistischen Beine sind auch nicht häßlicher als die kapitalistischer Mädchen. Um das Gesicht zu wahren, haben sie dann vorgeschrieben – also das ist authentisch – nur 7 cm überm Knie. Hier interessiert mich, wie die ganze Überbau-Ideologie zum Teufel geht, weil hier die Mädchen biologisch-erotisch – wie Sie's nennen wollen – doch die größere Macht haben. Solche Sachen interessieren mich. Die Unwichtigkeit des großartigen ideologischen Überbaus ist entscheidend.

D.: Die Frage des Politischen nochmals konkretisiert am »Bereitschaftsdienst«: Ist es nicht eigentlich so, daß Sie dem Leser eine zynische Lösung anbieten? Sie sagen doch, daß die Freiheit als Positivum erst gänzlich begreifbar wird in einer Situation der aktuellen Unfreiheit, bei den Häftlingen beispielsweise, deren Privatleben ausgelöscht ist, die völlig determiniert sind, die aber sozusagen auf metaphysische Weise gerettet werden, da sie noch eine Hoffnung haben.

N.: Warum zynisch? Muß diese Lösung nicht beinahe religiös genannt werden? Hoffnung, das ist doch religiös. Hoffnung, wie sie früher war, also: auf ein anderes Leben, das Paradies oder weiß der Himmel, Hoffnung als solche, auch nicht wie Bloch im »Prinzip Hoffnung« – das meine ich nicht, aber die andere.

D.: Aber ist das nicht eine abstrakte Utopie? Es ist – um ein Bild zu gebrauchen – wie bei dem Gefesselten in Platons Höhle, der nur die Schatten auf der Rückwand sieht und über die Welt der Ideen träumen kann, der aber nie hinausgelangt. Ein statischer Zustand, dualistisch konzipiert. Steckt nicht auch Resignation darin?

N.: Das ist aber eigentlich nicht so von mir gemeint. Dann könnte man doch höchstens sagen: Gefangen sind wir alle, aber was machen wir daraus? Hoffnung, ja, ich kann's auch nicht klar sagen.

D.: Ich denke jetzt auch an Ihre Konkretisierung in »Bereitschaftsdienst«. Am Ende sagt doch der Jurist zu dem Chemiker, der Zahlen und Belege sammelt: »Zahlen? Menschenskind, glauben Sie noch an Zahlen? Als ob dies für unsereinen je vorbei sein wird.« Das heißt: die Situation wird sich nicht ändern. Die nächste Epidemie steht sozusagen schon vor der Tür. Das einzige ist, daß man eine bestimmte Widerstandskraft entwickelt. Der Jurist ist ein Beispiel dafür, einer der wenigen, die einen Absprung geschafft haben. Aber wie er's geschafft hat, wird nicht gesagt. Er selbst ist skeptisch, resignativ eingestellt. Ist das nicht ein sehr tiefgehender Pessimismus, der hier zum Vorschein kommt?

N.: Das könnte man so nennen. Das ist aber eigentlich nicht so gemeint. Mir ist es von Herzen zuwider, eine klare, quasi dogmatische Lebensanweisung zu geben. Ich möchte, daß der Leser sich selber diese Frage stellt. Ich weiß genau: praktisch ist das zu viel verlangt. Der Leser möchte eine klare Lebensanweisung haben. Ich weiß das aus Leserbriefen. Ich kann immer nur antworten: Mein Gott, geht zum Geistlichen oder zum Psychiater, aber ich bin das doch nicht. Aber da sehe ich doch die Wirkung. Ich möchte, daß er selber denkt: so geht es nicht weiter, diese Computerisierung, das Inhumanste, was es gibt. Insofern ist es immer politisch.

D.: Politisch, aber auf eine sehr generelle, abstrakte Weise. Es läßt sich nicht ummünzen in konkrete politische Haltungen.

N.: Das muß ich auch ablehnen. Ich will es auf das Humane zurückbringen. All diese Worte sind leider so abgedroschen, man kann sie kaum mehr benutzen. Aber das ist das Wichtigere. Also: ob dieser junge Mann nun die Kommunikation mit seiner Frau verfehlt hat – wahrscheinlich hat er's –, das erkläre ich nicht, das muß jeder herausfinden, warum das wohl so ist.

D.: Dann wäre die Irritation die Wirkung, die Sie anstreben?

N.: Ja, ich möchte den Menschen zum Nachdenken über seine eigene Situation bringen, zu der Erkenntnis, daß ein Millimeter daneben das Nichts ist, wie immer wir das auch nennen wollen. Deshalb wähle ich immer solche Fälle, wo ein angenehmer, vielleicht sympathischer Durchschnittsmensch ein Schicksal erlebt, das zu schwer für ihn ist. Vielleicht geht alles zurück auf den Juli 43, wo die Vergangenheit verloren ging, um auf Nossack zurückzukommen. Ja, vielleicht ist das die Ausgangssituation, von der ich nicht loskommen kann.

IX.B. Epische Rechenschaftsberichte. Das Erzählwerk von Hans Erich Nossack

1. Ein weitverzweigtes episches Œuvre, das sich über herkömmliche Gattungseinteilungen hinwegsetzt und in seinen spröden Prosaschüben häufig fragmentarisch wirkt. Ohne auf den ersten Blick die Geschlossenheit abgerundeter literarischer Arbeiten aufzuweisen, intendiert es dennoch offenbar eine höhere Geschlossenheit, die in der Integrationsfunktion einiger zentraler Themen aufscheint, die immer wieder aufgenommen werden, und darüber hinaus bestimmter zentraler Figuren, die den Horizont einzelner Werke überschreiten und in verschiedenartigen Kontexten auftauchen.[1] Nossack hat denn auch selbst von sich bekannt, »daß ich mich selber nicht für einen Romanschriftsteller halte, sondern für einen Mann, der neben andern Sachen auch Bücher schreibt, die dann ›Roman‹ genannt werden«[2]. Die Begründung, die er für die Fragwürdigkeit der Gattungsbezeichnung Roman[3] angibt, läßt bei aller Generalisierung erkennen, daß ihm der geschichtsphilosophische Prozeß, der dahinter zum Vorschein kommt, bewußt ist: »Der Begriff ›Roman‹ ist heute unklarer geworden denn je... Die Frage ist nämlich, ob es Romane ohne eine feste Gesellschaftsordnung geben kann.« (82)

Das impliziert nicht mehr und nicht weniger als die Feststellung, daß eine in der Form verwirklichte Geschlossenheit einer im Gesellschaftlichen hervortretenden Homogenität kongruent ist. Mit dem Brüchigwerden des einen wird auch das andere hinfällig. Auch Nossacks Reaktion darauf, die in seinen Vorlieben für bestimmte erzählerische Werke zum Vorschein kommt, weist in die Richtung dieses geschichtsphilosophisch akzentuierten Entwicklungsprozesses. So bemerkt er zu den Büchern der von ihm sehr geschätzten Pascal, Strindberg, Dostojewski, Pavese: »Es fällt sofort auf, daß die Bücher der genannten Autoren nicht ausgesprochen das sind, was man für Romane hält, und auch dann, wenn sie als Romane gelten, einen eindeutig autobiographischen Charakter tragen... Die Werke sind darüber hinaus extrem monologisch.« (85/6)

Damit werden zugleich zwei Momente genannt, die Nossack für das Schreiben in seiner historischen Situation als höchst bezeichnend ansieht, ja die seine eigenen Arbeiten auf weiten Strecken charakterisieren. Was hier als formale Charakteristik noch isoliert nebeneinander steht, hat er zugleich vom Inhaltlichen her in einen bestimmten historischen Zusammenhang gerückt, der nicht nur die Thematik seines Schreibens akzentuiert, sondern auch die konkrete Ausformung dieser Thematik in seinen Büchern unter formalem Aspekt zu fassen versucht. So heißt es programmatisch: »Dies große monologische Bekenntnis zu sich selbst und damit zum Menschen muß unbedingt fortgesetzt werden, wenn wir mehr als ein gutfunktionierender und lenkbarer Ameisenhaufen sein wollen... Daß ein solches Buch auch in unserer Epoche geschrieben wird, halte ich für unbedingt notwendig... so wäre es allerdings mein höchster Ehrgeiz, einen solchen Kampfbericht hinterlassen zu dürfen.« (86/7)

Bedeutet das den Rekurs auf ein abstraktes Humanum im Angesicht einer durchbürokratisierten und technologisch und ideologisch vermarkteten Realität, deren oberste Kategorie Funktionalität ist und die die moralische Dimension des einzelnen durch seine Anpassungstüchtigkeit ersetzt hat? Verteidigt Nossack, der mit der Charakteristik »Bekenntnis« und »Kampfbericht« zugleich die Form seiner Arbeiten definiert, einen konservativ-individualistischen Brückenkopf in einem längst verlorenen Gelände, und läßt sich sein Werk, das sich in verschiedene Versionen eines solchen Kampfberichtes aufgliedert, Phasen der Berichterstattung über die verschiedenen Stationen dieses Prozesses der Auseinandersetzung dokumentiert, nur als resignativer Abgesang eines isolierten Außenseiters und im negativen Sinne als monologisch deuten?

Es leuchtet ein, wie sehr Nossacks Position im Ansatz der von Hermann Lenz, von Hildesheimer, ja selbst von Handke ähnelt und mit dieser Affinität den Entwicklungsgang der historischen Stunde nachdrücklich akzentuiert. Denn was diese geschlagen hat, wird in seinen Büchern immer wieder nachdrücklich betont und zum Ausgangspunkt seiner Berichte gemacht: Berichte eines einzelnen, eines Überlebenden in einem geschichtlichen Katastrophengebiet, der mit unbeirrbarer Hartnäckigkeit auf seiner Subjektivität beharrt und sich weigert, sich selbst aufzugeben. Daß die in Kurstabellen, Bilanzen, ökonomischen und politischen Statistiken zugängliche Realität dem einzelnen fremd geworden gegenübertritt, daß Ich und Wirklichkeit auseinander klaffen, wird im »Fall d'Arthez« zum Beispiel in dieser Frage ausgedrückt: »Und wie schließlich kann der einzelne seine Identität erhalten, wenn die ganze Zeit ihre Identität verloren hat?«

(253) Das ist die fundamentale Frage, die von zahlreichen Autoren immer wieder neu gestellt wird und die beispielsweise Uwe Johnson in den »Jahrestagen«[4] in der Reflexion seiner Protagonistin Gesine Cresspahl in die Worte kleidet: »Wo ist die moralische Schweiz, in die wir emigrieren könnten?« (I, 382)

Die moralische Integrität des einzelnen scheint durch eine Wirklichkeit gefährdet, in der politische und technologische Manipulationsstrategien und die Gesetze des Warenkonsums moralische Orientierungen ersetzt haben. Die Wirklichkeit im Zustand der äußersten Sinn-Fremdheit konfrontiert den einzelnen mit einem Sog der Leere, bei dem es all seiner Widerstandskraft bedarf, um sich nicht selbst aufzugeben, um auf sich selbst zu beharren. Wo die meisten der hier behandelten Autoren die moralische Verwüstung des Menschlichen und damit gleichsam den säkularisierten Sündenfall der gesellschaftlichen Realität aus ihrer spezifischen historischen Erfahrung heraus – und das betrifft selbst noch Johnson – in der politischen Höllenfahrt des Dritten Reiches wurzeln sehen, wo Handke die gleiche Diagnose im Material von sozusagen noch vorsprachlichen kreatürlichen Angstzuständen konkretisiert, setzt Nossack seine spezifische Erfahrung als Ausgangspunkt ein. Wie er das tut und zu welchen Schlußfolgerungen er dabei in seinen Arbeiten kommt, das unterscheidet ihn von den andern Autoren.

2. Es scheint auf einem solchen Hintergrund konsequent, daß die Romane genannten Bücher Nossacks in vielperspektivisch montierte Blöcke zerfallen, die wie im »Roman einer schlaflosen Nacht«, »Spirale«[5], so viel Selbständigkeit besitzen können, daß man fast von einer Sammlung einzelner Erzählstücke sprechen könnte, die nur thematisch zusammengebunden werden, oder die als Zusammenstellung von Zeugenaussagen, protokollierten Verhören, Briefen, Aufzeichnungen, Auszügen aus fiktiven literarischen Nachlässen – »Der Fall d'Arthez« oder »Der jüngere Bruder« sind Beispiele für diese Form – nur noch von der äußerlichen Editionsfunktion eines Herausgebers oder Berichterstatters verbunden werden. Bezeichnend ist es auch, daß Nossack diese Aufgabe der formalen Verklammerung Erzählern – er nennt sie mit Vorliebe Berichterstatter – zudelegiert, die selber keinerlei Übersicht besitzen, sondern sich mit ihren Recherchen häufig irritiert und ratlos an Menschen, an Geschehen heranzutasten versuchen, deren Wirkung sie zwar spüren, aber beim Ver-

such der Dokumentation und Aufklärung gleichsam in einem Netz von Leerstellen ständig verlieren. Eine Formstruktur, die sich auch in den letzten Arbeiten von Böll oder Siegfried Lenz entdeckt läßt, wird hier, zum Teil in zeitlicher Priorität, aus einer ganz spezifischen thematischen Konstellation heraus von Nossack entwickelt.

Diese thematische Konstellation tritt am reinsten in zwei Prosaarbeiten Nossacks hervor, in denen sich sein Schreiben sowohl in der Form als auch in der inhaltlichen Zuspitzung am unverstelltesten dokumentiert. Es handelt sich um zwei Berichte, die zugleich den traditionellen Begriff von Literatur als Fiktionserzeugung hinfällig werden lassen und die Dimension des Autobiographischen direkt in die Literatur einbringen. Nirgendwo tritt der Bekenntnischarakter von Nossacks Arbeiten klarer hervor, und nirgendwo gibt sich die Struktur des Berichtes so deutlich als das zu erkennen, als was sie immer intendiert ist: nicht nur Kampfberichte, nicht nur Berichte eines Überlebenden zu geben, sondern zugleich Rechenschaftsberichte eines Menschen, der die Diskrepanz zwischen Wirklichkeit und Ich als Herausforderung auf sich selbst bezieht und im Namen einer zunehmend korrumpierten und verdrängten Menschlichkeit darauf antwortet. Die beiden Prosaarbeiten tragen die Titel »Der Untergang«[6] und »Jahrgang 1901«[7].

Die existentielle Zäsur, die »Der Untergang« im Leben und Werk Nossacks – beides ist hier ähnlich eine Einheit und nicht zu trennen wie in Handkes »Wunschlosem Unglück« – markiert, ist häufig hervorgehoben worden[8]. »Jahrgang 1901« ist durchaus ein Text von vergleichbarem literarischen Rang und von einer analogen über das bloß Private hinausgehenden Gültigkeit. Wenn sich die schon genannte Gefährdung Nossacks in seinen literarischen Arbeiten, nämlich im Zeichen eines abstrakten Humanums eine leere Utopie zu setzen, die sich faktisch als sozialromantisches Elitedenken erweist[9], präzisieren und überprüfen läßt, dann an diesen Texten, in denen die existentielle Dimension nicht von vornherein in literarischer Umsetzung erscheint, sondern unmittelbar thematisiert wird. Es handelt sich dennoch nicht bloß um autobiographische Dokumente, was beide Texte auch sind, sondern um die gelebte Evidenz eines Schriftstellerlebens, das als konkrete Erfahrung in die Waagschale geworfen wird. Das macht die Besonderheit dieser Texte aus, in denen konkret bewiesen und zugleich modellhaft präfiguriert ist, was im Zentrum von fast allen literarischen Arbeiten Nossacks steht.

Das, was in seinen Mittel der literarischen Fiktion aufgreifenden Texten im Moment des rätselhaften Sprungs, der Lücke akzentuiert und in der psychologischen Darstellung zugleich ausgespart wird, der Moment, an dem Marianne Helldegen in »Spätestens im November« Industriellenmilieu, honoriges geordnetes Leben, Reichtum verläßt, um mit dem Schritt an die Seite des Schriftstellers Berthold Möncken zugleich den Schritt in eine neue Existenz zu tun, die Lücke jener nie aufgeklärten drei Monate, als sich der Industriellensohn Nasemann im »Fall d'Arthez« während der Flucht aus dem KZ und seinem Auftauchen in Berlin im Jahre 1945 endgültig in den Pantomimen und oppositionellen Intellektuellen d'Arthez verwandelt, die nie konkret in Erscheinung tretende Engel-Gestalt des »jüngeren Bruders« Carlos Heller im »Jüngeren Bruder«, dessen Wirkung dennoch von allen gespürt wird, der vom Gericht nie geklärte Moment, als die Frau des Angeklagten ihren Mann in der »Unmöglichen Beweisaufnahme« verließ, der rätselhafte Moment, der dem Selbstmord der jungen Frau des Berichterstatters in »Bereitschaftsdienst« vorausging und den er sich vergeblich zu erklären versucht – all diese Leerstellen, die in Situationen und Ereignissen gleichsam in der Negation konkretisiert oder in bestimmten nie direkt in Erscheinung tretenden Menschen personifiziert werden, Menschen und Situationen, die jene Schwellenüberschreitung in eine andere Existenz, in ein neues Leben, in eine Existenzform jenseits jeder Ideologie und damit jenseits jeder rationalen Beschreibbarkeit verdeutlichen, lassen sich nur auf dem Hintergrund der existentiellen Konkretisierung verstehen, die Nossack in seine Literatur einbrachte und die er am direktesten in den beiden genannten Texten dokumentiert.

»Der Untergang« ist der Augenzeugenbericht Nossacks von der Zerstörung Hamburgs, drei Monate nach dem Inferno geschrieben, das im Juli 1943 Hamburg heimsuchte und das er durch Zufall in »Horst bei Maschen, einem Heidedorf mit Wochenendsiedlungen« (201) überlebte. Nossack hat später bekannt: »...Ernst Toller, dessen ›Wandlung‹ mich tief beeindruckt hatte...«[10] »Der Untergang« ist das Dokument seiner Wandlung, ist der Bericht eines Überlebenden, der jene Schwellenüberschreitung festhält, die ihn ein für allemal außerhalb der genormten Grenzen der Wirklichkeit stieß. Es handelt sich um den ersten der später veröffentlichten Texte Nossacks, der an einer konkreten Situation und in konkreten Bildern den Auszug aus der zivilisatorischen Realität in eine den Menschen ganz in ihren Bann zwingende Grenzsituation darstellt. Diese mythische Reduktion, die zur Freilegung verschütteter Existenzschichten im Menschen führt, deutet sich bereits vor dem Eintreten der Katastrophe an. Das Verlassen der Stadt und der Rückzug in die Heide ist ein Schritt aus der normalen Welt heraus in eine neue Zeiterfahrung: »Wir lieben die Heide, wir gehören irgendwie dorthin. Andere fühlen sich dort krank und werden schwermütig; denn die Heide ist ohne Zeit. Sie wollen nicht wissen, daß wir einem Märchen entstammen und wieder ein Märchen werden.« (204)

Andere Momente fügen sich dieser mythischen Reduktion ein: der Hinweis auf die »völlig verwahrloste Kate« (203) in der Nachbarschaft, Behausung einer Familie, die durch Kriminalität und asoziales Verhalten ebenfalls den Schritt aus der genormten Menschengemeinschaft getan hat und in mythischen Bildern beschrieben wird, etwa am Beispiel der Tochter: »Man hörte sie wie ein Tier in der Heide singen, wenn sie einen Mann witterte.« (203) Ein anderes Bild unterstreicht diesen Zusammenhang: »Einmal trat auch ein Bock in Erscheinung von erschreckend vorweltlicher Größe.« (203)

Hier wird bereits eine Umsetzung der Wirklichkeit ins Heidnische, Panische, in die Zeitlosigkeit eines Märchens antizipiert, in dem Nossack später die Wirkung der Zerstörung beschreibt: »Ob es wohl besser verstanden würde, wenn man es im Zwielicht als Märchen erzählte? Es war einmal ein Mensch, den hatte keine Mutter geboren. Eine Faust stieß ihn nackt in die Welt hinein, und eine Stimme rief: Sieh zu, wie du weiterkommst. Da öffnete er die Augen und wußte nichts anzufangen mit dem, was ihn umgab. Und er wagte nicht, hinter sich zu blicken, denn hinter ihm war nichts als Feuer.« (219) Die Einsicht: »Wir haben keine Vergangenheit mehr« (219), meint ja nicht nur den Verlust aller wohlgeordneten Erinnerung, den Verlust irdischen Besitzes und in seinem Fall fast aller literarischen Manuskripte und damit die Reduktion aufs nackte kreatürliche Leben, sie meint vor allem den Erkenntniszustand: »Es begann eine maskenlose Zeit; die gewohnten Verkleidungen fielen von selber ab...« (216)

Die Zerstörung der Wirklichkeit im Inferno des Bombenangriffs als »Wüten der Welt gegen sich selbst« (212) umfaßt auch alle Systeme der Wirklichkeitsorientierung, die dem Menschen von der Konvention her vertraut sind. Denn der Untergang der Stadt wird nicht nur im mythischen Bild einer Katastrophe dargestellt – »Und plötzlich war alles in das milchige Licht der Unterwelt getaucht.« (209) –, sondern zugleich als Gerichtstag, als Weltgericht: »Gegen halb zwei war das Gericht zu Ende.« (211) Mit der Zerstörung der Welt sind auch die Normen des menschlichen Umgangs aufgehoben: »Gier und Angst zeigten sich in schamloser Nacktheit und verdrängten jedes zartere Gefühl... Der Begriff Verwandtschaft versagte völlig.« (216) Es ist ein Erkenntnisumbruch, der in dem Satz formuliert wird: »Wir... haben... erkennen müssen, daß die Gewichte, mit denen wir bisher gewogen hatten, nicht mehr stimmen.« (216)

Aber diese Reduktion aufs kreatürliche Dasein, dieser Verlust der Vergangenheit, diese Demaskierung aller überkommenen menschlichen Begriffssysteme werden zugleich als Voraussetzung zu einem neuen Leben erfahren. Bei der Rückkehr aus der Heide in die tote Stadt wird diese utopische Wendung so veranschaulicht: »Da überkam mich, ich weiß nicht woher, ein so echtes und zwingendes Glücksgefühl, daß es mich Mühe kostete, nicht jubelnd auszurufen: Nun beginnt endlich das wirkliche Leben. Als ob eine Gefängnismauer vor mir aufgesprungen wäre und die klare Luft der längstgeahnten Freiheit schlüge mir entgegen. Es war wie eine Erfüllung.« (230/1)

Es ist ein Epiphanie-Erlebnis von einem paradoxen Ausmaß: kein Identitätserlebnis von Ich und Welt, das sich im blitzartigen Eindringen in eine verschüttete Wirklichkeitsganzheit harmonisch ereignet, sondern ein Innewerden der wahren Bestimmung des Menschen im Augenblick der umfassenden Wirklichkeitszerstörung, des Verlusts aller Konventionen und Begriffe, die Ahnung dessen, wie das menschliche Leben eigentlich sein müßte in einer neuen Wirklichkeit. Was Nossack im Bild der aufbrechenden Gefängnismauer verdeutlicht hat, wird an einer anderen Stelle in einem analogen Bild veranschaulicht: »Das kalte, geizig trennende Fensterglas war zersprungen, und durch die weiten Öffnungen wehte ungehemmt die Unendlichkeit hinter dem Menschen ins Unendliche vor ihm und heiligte sein Antlitz zum Durchgang für Ewiges. Laßt uns dieses Antlitz, ehe alles zur gesichtslosen Masse wird, als Sternbild an den Himmel werfen zur Erinnerung an unsere letzte Möglichkeit.« (225)

Der Durchbruch zu einer anderen Realität tritt auch hier deutlich hervor, und zugleich wird die inhaltliche Richtung dieses

Epiphanie-Erlebnisses bestimmt: es ist gleichsam die Bewußtwerdung des metaphysischen Sinns, den das menschliche Leben hat. Die Aufforderung, zum Botschafter dieses Sinnes zu werden, erweist sich zugleich als programmatische Vorwegnahme des Weges, den Nossack als Autor genommen hat: Zeugnis abzulegen von dieser Einsicht, Berichterstatter dieser Sinn-Erfahrung zu sein, sie als »letzte Möglichkeit« des Menschen festzuhalten, ununterbrochen an sie zu erinnern. Die Sinn-Projektion, mit der Nossack als Mensch und Autor der Wirklichkeit gegenübertritt und die Überwindung der unüberbrückbar scheinenden Kluft zwischen Ich und Realität versucht, meint keine vertraute moralische, ja säkularisierte christliche Züge tragende Restauration wie bei vielen Autoren. Sie ist religiös fundiert, aber außerhalb aller religionsgeschichtlichen Tradition, ist – wenn man Hilfsbegriffe heranzuziehen versucht – noch am ehesten in Analogie zur Mystik zu verstehen: der Umschlag in die Gewißheit der Hoffnung aus einem Zustand der umfassenden Vernichtung heraus.

Hier deutet sich bereits eine der Schwierigkeiten an, die in allen späteren Arbeiten Nossacks dazu führt, daß sowohl die personalen Verdeutlicher der Wandlung, die Engel-Figuren[11], wie auch die Grenzsituation der Schwellenüberschreitung selbst in seinen Texten zumeist nur als Leerstellen erscheinen, daß sie nur indirekt beschrieben werden, in einer spiralenartigen Bewegung, die man als Annäherung in Negationen bezeichnen könnte. In der Herausarbeitung dessen, was sie nicht sind, vermittelt sich die Ahnung, was sie sein könnten. Aber die begriffliche Fixierung fehlt. Das, was sich als mythische Reduktion der Realitätserfahrung Nossacks – er selbst spricht mit Vorliebe vom Märchen – zu erkennen gab, wird hier auf einer andern Ebene eingeholt, indem die Sprache wieder identisch wird mit dem Bild und damit im ursprünglichen Sinne zum Mythos. So ist es denn auch nur konsequent, wenn am Ende des »Untergangs« die Katastrophe und ihre Wirkung in einem Bild zusammengefaßt werden, in dem alles versammelt ist: das Ausmaß der Katastrophe, die Distanz von jenen Menschen, die vor der Grenzüberschreitung zurückschreckten und der eigene versuchte Durchbruch: »Dann kam einer zu uns in den Keller und sprach: Ihr müßt jetzt herauskommen, das ganze Haus brennt und wird gleich einstürzen. Die meisten wollten nicht, sie meinten, sie wären dort sicher. Aber sie sind alle umgekommen. Einige von uns hörten auf ihn. Doch es gehörte viel dazu. Wir mußten durch ein Loch hindurch, und vor dem

Loch schlugen immer die Flammen hin und her. Es ist gar nicht so schlimm, sagte er, ich bin doch auch zu euch hereingekommen. Da wickelte ich mir eine nasse Decke um den Kopf und kroch hinaus. Dann waren wir hindurch. Einige sind dann auf der Straße noch umgefallen. Wir konnten uns nicht um sie kümmern.« (255)

Nossack spricht selbst von einem Bild in einer »bilderlosen Sprache« (255), eine paradoxe Formulierung, die sich auch auf die Sprache des ganzen Prosastückes beziehen läßt, denn nichts ist metaphorisch im Sinne bildlicher Umsetzung und Übertragung, alles ist konkret, auch wenn im Vergleich mit den später geschriebenen Arbeiten Nossacks auffällt, wie sich die Sprache zumindest momentan zur Höhe eines Pathos aufschwingt, das wie ein expressionistischer Nachklang wirkt.

Gerade weil im »Untergang« noch alles in der konkreten Situation und im konkreten Bild beschlossen liegt und der Abschied von der Vergangenheit und die Wendung ins neue Leben vor allem gestisch veranschaulicht werden, läßt sich der fast fünfundzwanzig Jahre später geschriebene Text »Jahrgang 1901« als Ergänzung und Weiterführung betrachten. Er stellt eine Ergänzung dar, weil er die im »Untergang« verlorene Vergangenheit nun präzis im historischen Material seiner Lebenserfahrung rekapituliert, und zugleich eine Ergänzung, weil dieser Text den Bericht des Überlebenden da fortsetzt, wo »Der Untergang« aufhört. Nicht nur die autobiographische, die existentielle Dimension verbindet beide Texte, sondern auch der Aspekt, daß hier in einer bilderlosen Sprache das hervortritt, was als Botschaft in die Bildersprache seiner Erzählungen und Romane umgesetzt wird: die Botschaft vom potentiellen Menschen, die Verkündigung des Humanums.

Die Evidenz dieser Botschaft wäre ohne diese Authentizität seiner Erfahrung Mißverständnissen ausgesetzt. Unter diesem Aspekt gehört »Jahrgang 1901« ins Zentrum von Nossacks Werk. Was er im autobiographischen Material seiner Erfahrungen überzeugend klärt, hat er in einem Satz zusammengefaßt: »Die Grenzsituation ist für uns alles andere als existentialistische Pose.« (130) Der stellvertretende, über das bloß Private hinausreichende Charakter dieser Erfahrungen ist ihm bewußt: »Was in dieser Arbeit an Biographischem erwähnt wird, zählt nur insoweit, wie es als typisch für meinen Jahrgang gelten kann.« (128) Nossack beschreibt seine Kindheit als Verlorenheit in einem bürgerlichen Elternhaus, die Demaskierung aller Orientierungssysteme der Erwachsenenwelt in der irrationalen Aufbruchsemphase des Ersten Weltkrieges, an dem teilzunehmen er noch zu jung war, seine tastenden Versuche von gesellschaftlicher Aktivität, im konservativen Rahmen eines Freikorps, dann innerhalb einer schlagenden studentischen Verbindung, seinen radikalen Bruch mit diesen Verbänden, ja seine freiwillige Trennung von der ökonomischen Sicherheit des bürgerlichen Elternhauses, indem er sich als Werkstudent durchschlug, seine politische Arbeit in der kommunistischen Partei von 1930 bis 1933, seine erzwungene Tarnung als »ehrbarer Kaufmann« in der Firma seines Vaters nach 1933 und seine Auseinandersetzung mit dem Nationalsozialismus in der Illegalität.

Was sich in diesem Rechenschaftsbericht kristallisiert, ist zweierlei: die völlige Bankrotterklärung aller überkommenen moralischen und politischen Kategorien, eine Demaskierung der bürgerlichen und später der faschistischen Gesellschaft als von ideologischen Funktionalismen beherrschte Systeme: »...denn alles, ja, wirklich alles, was uns als Ewigkeitswerte und absolute Wahrheiten angepriesen wurde, hat dann im Ernstfall kläglich versagt und sich als das gezeigt, was wir mehr instinktiv vermuteten: als leere Fassade.« (124) und die Notwendigkeit der Außenseiterposition, des existentiellen Exils: »Wir waren Abtrünnige, ehe wir es selber wußten. Unter Exil soll hier das Heraustreten des Intellektuellen aus seiner ihm angeborenen, kleinen geschichtlichen Zeit in eine geistige Zeit verstanden sein.« (123)

Der im »Untergang« festgehaltene symbolische Verlust der Vergangenheit wird auf diesem Hintergrund nun zur Bestätigung und sinnbildlichen Potenzierung von Erfahrungen, die ihm schon vorher zuteil geworden sind: »Wir kehrten der Vergangenheit den Rücken.« (146) Das Partisanendasein, das Nossack führte und das die Literatur zum Ausdruck seines geistigen Lebens machte, zur intensivsten Form des Lebens für ihn überhaupt, stellt nicht die Fluchtbewegung eines introvertierten Intellektuellen dar, der von vornherein aus der Wirklichkeit in ein Gedankenreich flieht. Unter diesem Aspekt kommt der scharfen Selbstabgrenzung Nossacks von Rilke in »Jahrgang 1901« paradigmatische Bedeutung zu: »Er war und ist mir ganz einfach zu luxuriös.« (143) Literarische Ersatzideologien, die er auch am Beispiel von D. H. Lawrence und selbst seines Freundes Hans Henny Jahnn beschreibt[12], werden von ihm ausdrücklich als

»Flucht vor der Realität und als solche politisches Gift« (143) analysiert.

Das Schreiben von Büchern wird ihm nach vielen Versuchen der konkreten Aktion – »Auch in mir drängte alles zur Aktion« (147) – zur einzig möglichen Form der Aktivität in seiner historischen Situation. Das Antlitz des Menschen als »Sternbild an den Himmel zu werfen zur Erinnerung an unsere letzte Möglichkeit« (225), wie er im »Untergang« die Bedeutung der Literatur umschrieb, wird nun nüchterner, aber auf der gleichen Linie in »Jahrgang 1901« bestimmt: »...wenn sich unser Verhältnis zur Literatur überhaupt definieren läßt, daß sie uns ein Verständigungsmittel mit denen ist, die wie wir irgendwo in der Welt ein Partisanendasein führen, eine Art Geheimsender, der die Welt hinter den offiziellen Kulissen nach dem Menschen abtastet.« (147) Das ist das Gesetz, nach dem der Autor Nossack angetreten ist, das »Gesetz der Möglichkeiten des Menschen« (155), das er mit den in seinem Leben konkretisierten Negationen einkreist und so auf paradoxe Weise konkret werden läßt als ein Gesetz, das sich jenseits aller begrifflichen Formulierung und ideologischen Fixierung bewegt und durchaus in Beziehung zu setzen ist zu jenem Gesetz, das in Kafkas »Prozeß« den wissend unwissenden, seine Schuld als Mensch nie begreifenden Josef K. richtet.

Es gehört schon eine merkwürdige ideologische Blindheit dazu, dieser Position Nossacks zum Vorwurf zu machen, daß sie »die totale Wertzertrümmerung und Maßstablosigkeit zum Abgott erhob«[13], daß gar »die konstitutiven Elemente unseres faschistischen Jahrhunderts bereits in diesem intellektuellen Escapismus und Snobismus versammelt sind« (145), daß es sich um einen »bequemen Nossackschen Dualismus zwischen Exterritorialität und Gesellschaft« (144) handelt, »der sich zudem selbst als Lüge entlarvt...« (144) Denn wenn mit der Abstraktheit eines rhetorischen Postulats, das sich als inhaltsleer selbst aufhebt, von Nossack gefordert wird, »ein verbindlich geformtes und verbindlich formendes Bewußtsein« (145) zu verwirklichen, dann demaskiert sich gerade in dieser abstrakten Phrase »falsches Bewußtsein« (145), das Nossack andererseits zum Vorwurf gemacht wird.

Die existentielle Dimension von Nossacks Position wird im »Untergang« und in »Jahrgang 1901« konkret und auch die Unmöglichkeit, seine Sinn-Projektion als neue Heilslehre begrifflich zu verformeln und damit bereits im Ansatz zu verfälschen. Es unterstreicht geradezu die intellektuelle und moralische Redlichkeit des Autors Nossack, daß er die Spannung seiner historischen Lage voll austrägt und gerade in seiner Weigerung, ein neues Heilsprogramm zu verkünden, die Zuspitzung dieser Lage dokumentiert: er bleibt weder bei dem schockartigen Fremdheitsgefühl des Ichs stehen, noch sieht er in der Selbstaufhebung – obwohl der Selbstmord bezeichnenderweise ein zentrales Motiv seiner Arbeiten darstellt[14] – die einzig mögliche Antwort, sondern sein hartnäckiges Beharren auf dem Humanum, von der existentiellen Evidenz seines Lebens getragen, läßt das potentielle Ich noch als Zunkunftsmöglichkeit aufleuchten, freilich gleichsam jenseits der Worte und Begriffe in den metaphorischen Lücken und Leerstellen seiner Bücher, gleichsam in einer Sprache, die die gewohnte Sprache hinter sich gelassen hat, in einer Wirklichkeit, die als Partisanen-Wirklichkeit nicht abphotographierbar ist, die aber dennoch existiert.

3. Nossacks in den letzten Jahrzehnten stetig gewachsenes Œuvre, das sich zumindest in zehn größeren epischen Arbeiten in der Umgebung des Romans bewegt, soll im folgenden nicht in allen seinen Werkschichten untersucht werden. Gerade weil die thematische Konstanz diese Arbeiten zu epischen Bruchstücken eines einzigen großen Rechenschaftsberichtes macht, sollen die epischen Entfaltungsmöglichkeiten an bestimmten Beispielen demonstriert werden. Absicht ist dabei, nicht nur ein quantitatives Formenspektrum seiner Prosa auszumessen, sondern vor allem die Frage nach der künstlerisch überzeugenden Konkretisierung jener Botschaft zu beantworten, deren existentielles Gewicht er im »Untergang« und in »Jahrgang 1901« bestimmt hat.

Es fällt auf, daß in Arbeiten von »Nekyia«, »Interview mit dem Tode«, über »Nach dem letzten Aufstand« bis hin zu »Bereitschaftsdienst« in der Gattungscharakteristik »Bericht« keinerlei formale Einheitlichkeit betont wird, es sei denn daß die mythische Transponierung – was freilich kaum mehr für »Bereitschaftsdienst« gilt – des mitgeteilten Geschehens deutlicher ist und auch die monologische Perspektive des Berichtenden das Erzählte stärker bestimmt. Das gilt für den in eine archaische Mythenzeit verlegten »Bericht eines Überlebenden« in »Nekyia«, der, an die Erfahrung des »Untergangs« anschließend, aber auf einer stilisierten, abstrakten Ebene, Kunde von der großen sintflutähnlichen Katastrophe gibt, das trifft auf den zum allegorischen Roman tendierenden »Bericht« in »Nach dem letzten Aufstand« zu, der die Frage nach der sinnentleerten modernen Wirklichkeit in einer sich allegorisch verfilzenden Religionsmythe zu klären versucht. Mythische Transponierung und monologische Erzählperspektive gelten auch für viele Texte des Bandes »Interview mit dem Tode«, ursprünglich als »Berichte« unter dem Titel »Dorothea« erschienen, mit dem »Untergang« als wichtigstem Text.

Alle diese Texte versuchen, eine Existenzerfahrung begreifbar zu machen, die sich einer rationalen Fixierbarkeit entzieht und die in der Erzählung »Dorothea«[15] so umschrieben wird: »Es ist nicht gut, Dinge erklären zu wollen, die sich mit dem Verstand nicht erklären lassen. Es ist aber ebenso falsch, ihre Wirklichkeit nur deshalb zu verneinen, weil sie sich mit dem Verstand nicht erklären lassen. Denn da sie eine Wirkung haben und Spuren hinterlassen, müssen sie auch eine Wirklichkeit haben.« (59) In diesem Sinne sind Nossacks Berichte literarische Spurensicherung, erzählerische Verknüpfung eines Netzes von Indizien, die zwar den eigentlichen Beweis aussparen müssen, aber in der dokumentierten Wirkung auch die Existenz dieser neuen Wirklichkeit wahr werden lassen. In dem vor wenigen Jahren erschienenen »Bereitschaftsdienst« ist die mythische Transponierung deutlich zurückgetreten. Auch hier geht es um die Darstellung einer Katastrophe, aber diagnostiziert an einer realistischere Züge tragenden Modellsituation: einer epidemisch um sich greifenden Selbstmorderkrankung.

Der im »Roman einer schlaflosen Nacht«, »Spirale«, enthaltene Bericht »Unmögliche Beweisaufnahme«[16] stellt unter den frühen Arbeiten Nossacks die überzeugendste Konkretisierung einer formalen und thematischen Richtung dar, die auf anderer Ebene in »Bereitschaftsdienst« wieder aufgenommen wird und im Vergleich zudem die literarische Entwicklung Nossacks unter diesem besonderen Aspekt dokumentiert. Daß beide Bücher aufeinander zugeordnet sind, unterstreicht das in beiden auftauchende Motiv, ein zentrales Motiv Nossacks, in dem er die Erfahrung einer aus dem genormten Gleichschritt geratenden Wirklichkeit an einer Modellsituation bestimmt, die noch für viele Expressionisten einen archimedischen Punkt in ihrer alles bezweifelnden Abkehr vom Vergangenen und Hinwendung und Aufbruch in eine neue, noch unbestimmte Zunkunft darstellt: die Liebeserfahrung, die menschliche Kommunikation in der Zweierbeziehung[17].

Bei Nossack wird diese Beziehung als institutionalisierte Form der Ehe in die Diagnose der Wirklichkeitsveräußerlichung mit einbezogen. Der Schritt in die Partisanen-Existenz schließt auch den Verlust dieses Refugiums mit ein. Ja, das Erlebnis des Realitätssprungs, des Auseinanderbrechens der vertrauten Oberflächenwirklichkeit wird in beiden Büchern in der Erfahrung einer »Lücke«[18] begreifbar gemacht, die zugleich die Zerstörung der Ehe bedeutet.

So hat sich der Angeklagte in der »Unmöglichen Beweisaufnahme« vor dem Gericht zu verantworten, weil er offenbar seine Frau in eine Grenzsituation hineingetrieben hat, die die Kraft der Frau überstieg und an der sie offenbar zerbrochen ist. Das Gericht bemüht sich um die Klärung jenes Ereignisses, »das sich nach vorläufiger Einsicht im Ungreifbaren abgespielt haben soll« (94), das nur negativ als »eine sehr greifbare Lücke« (94) haftbar gemacht werden kann und am Indiz seiner Wirkung, des »völlige(n) Verschwindens« (94) der Frau. Es ist ein Schritt in eine Wirklichkeitserfahrung, die der Angeklagte, durch seinen Beruf als »Versicherungsagent« (54) zu einer ganz anderen Auffassung von Wirklichkeit konditioniert, mit dem Begriff des »Nicht-Versicherbaren« (97) umschreibt, einer sprachlichen Negation, die mit dem Bild der Situationslücke ebenso korrespondiert wie mit den im »Untergang« an verschiedenen Beispielen herausgestellten Bildern für den Durchbruch in eine andere Realität. In der Situation vor dem Aufbruch der Frau lautet das entsprechende Bild: »Man könnte die offene Küchentür geradezu bildhaft für diese Lücke setzen.« (168) Die »Lücke der Zeit« (168), die zugleich als Epiphanie-Erfahrung bestimmt wird, als ein »Augenblick Zeitlosigkeit« (168), als ein augenblickhaftes Begreifen des »mörderischen Kreislauf(s)« (40) in ihrem Leben mit der Konsequenz, die nicht klar ausgesprochen wird, die aber das Gericht zu Recht vermutet: »...handelt es sich um Selbstmord?« (95)

Der Rechenschaftsbericht des Angeklagten vor dem Gericht ist auch hier der Bericht eines Überlebenden, der die Katastrophe nicht im spektakulären Ausmaß eines Kriegsinfernos erlebte, sondern in einer zur leeren Routine gewordenen siebenjährigen Ehe. Er versucht nicht, eine Rechtfertigung seiner Schuld zu geben, da seine ganze Daseinsform ein Mißverständnis war, ein Selbstbetrug, der seiner Frau in jenem Augenblick klar wurde, als sie die Küchentür öffnete, in den Schnee hinausging und allmählich im Schneetreiben verschwand, den Schritt in jenes »Nicht-Versicherbare« tat, von dem er Bericht erstattet und zwar auf eine Weise, die der Verteidiger des Angeklagten so formuliert: »Alle Mißverständnisse ... kämen davon, daß sein Mandant Metaphysisches mit physischen Vokabeln zu erklären trachte. Daß nun das Metaphysische, was auch immer man darunter verstehen wolle, nicht etwa nur ein abstrakter Begriff sei, sondern höchst real existiere und unser physisches Dasein entscheidend beeinflusse, daran zweifle hier wohl kaum jemand.« (166) Das ist zugleich die Umschreibung dessen, was im Element der Leerstelle, der Lücke bisher bestimmt wurde.

Ist der Erkenntnisschub im Leben der Frau, der ihren Schritt ins »Nicht-Versicherbare« veranlaßte, wahrscheinlich durch eine unerklärliche Kleinigkeit ausgelöst worden, den Anblick einer aufgebrochenen Packung von Filtertüten im Schrank, denn: »Die Kleinigkeiten seien das Gefährlichste.« (21), so erscheint die gleiche Situation unter gleichen Vorzeichen auch in dem »Bericht über eine Epidemie«, dem Roman »Bereitschaftsdienst«. Der neunundzwanzigjährige Chemiker, der, bürgerlicher Herkunft und ein geordnetes bürgerliches Leben vor sich, als Universitätsassistent arbeitet, wird bei Ausbruch einer Selbstmordepidemie, die er als Helfer im Bereitschaftsdienst, einer Art Krankendienst, zu bekämpfen versucht, plötzlich mit dem unerklärlichen Faktum des Selbstmordes seiner Frau konfrontiert: Seine Frau hat sich mit Gas vergiftet, zusammen mit den Kindern, während sie bereits den Frühstückstisch für den nächsten Morgen deckte. Ein rätselhafter, unerklärlicher Bruch, den der Berichterstatter vergeblich zu begreifen versucht – »Die Frage bleibt offen, und das ist von allem das Erschreckendste.« (65) – und was seinen fünf Jahre nach der Epidemie abgefaßten Bericht motiviert.

Die Kernsituation deckt sich also mit der »Unmöglichen Beweisaufnahme«, aber zugleich wird sie modifiziert und ausgeweitet. Der Angeklagte in der »Unmöglichen Beweisaufnahme« ist ja von der Existenz des »Nicht-Versicherbaren« überzeugt, er hat den Schritt ins Partisanendasein schon früher vollzogen und sein Privatleben nur als Tarnung[19] benutzt. Der Berichterstatter im »Bereitschaftsdienst« wird erst durch den seine private Existenz betreffenden Selbstmord seiner Frau aus seinem geregelten Leben herausgerissen und auf die unbekannte Größe des »Nicht-Versicherbaren« gestoßen, zum Partisanen gemacht. Er bekennt als Wirkung des Ereignisses: »…ich meine damit, daß ich mich plötzlich ›außerhalb‹ befand, wenn ich es auch nicht sofort merkte.« (66) Wenn er in der Erinnerung an einen der Romane von Strindberg, die seine Frau gelesen hat und wo die Ehe eines älteren Paares analysiert wird, sagt: »…Haß sei das einzige, was die beiden noch zusammenhielte…« (75), so ließe sich das Beispiel durch den Hinweis auf das Ehepaar der »Unmöglichen Beweisaufnahme« ersetzen, über das der Präsident des Gerichtes sagt: »– ich glaube,… daß ein abgrundtiefer Haß zwischen Ihnen und Ihrer Frau bestand…« (175) Freilich ist das eine Diagnose, die auf seine eigene Ehe nicht zuzutreffen scheint und die das Rätsel des Selbstmords bei seiner Frau noch erschreckender, noch unerklärlicher macht.

Diese sich hier andeutende Radikalisierung zeigt sich auch auf anderer Ebene in der Ausweitung des stationären Falls zu einem Katastrophenzustand größten Ausmaßes. Was das Gericht in der »Unmöglichen Beweisaufnahme« als vermutlichen »Kriminalfall« (115) zu klären versucht, hat sich in »Bereitschaftsdienst« zu einer die ganze Welt erfassenden Epidemie ausgedehnt. Während die sogenannte normale Wirklichkeit, durch die Instanz des Gerichtes in der »Unmöglichen Beweisaufnahme« verkörpert, noch intakt scheint, geht die Krankheitsanalyse Nossacks in »Bereitschaftsdienst« viel weiter, da er den Einzelfall zu einem die ganze zivilisatorische Welt erfassenden Paradigma ausweitet, dessen rätselhafte Gründe auch nicht mehr allein aus der Innenperspektive des Betroffenen – in der »Unmöglichen Beweisaufnahme« des Angeklagten, hier des jungen Chemikers – analysiert werden, sondern in der Suche nach einer Antwort auch philosophisch, soziologisch, psychologisch abgetastet werden.

Der Wechsel, der sich im Entwicklungssprung vom »Untergang« zu »Jahrgang 1901« zeigt, gilt auch für den Vergleich von »Unmöglicher Beweisaufnahme« mit »Bereitschaftsdienst«. Die Überzeugtheit des subjektiven Pathos tritt immer mehr zurück und weicht der historisch differenzierten Beweisführung, die den Ausnahmezustand, die Erfahrung dieser anderen Wirklichkeit, ex negativo zu begründen versucht. Die auf eine große Katastrophensituation konzentrierte Parabel im »Untergang« weitet sich in »Jahrgang 1901« zu einer Summe von historischen Katastrophen im Spektrum einer Lebenserfahrung aus. Eine analoge Entfaltung zeichnet sich in der Gegenüberstellung der einen zentralen privaten Situation in der »Unmöglichen Beweisaufnahme«

mit den historischen Situationsbefunden in »Bereitschaftsdienst« ab. Mit dieser Abschwächung des parabelhaft Zugespitzten oder, anders formuliert, mit der stärkeren Berücksichtigung historischer Faktizität ist zugleich eine gewisse Reduktion des Berichterstatters verbunden. Im »Untergang« ist die Erkenntnisperspektive des Berichterstatters dominierend: er spricht nicht nur als Überlebender, sondern zugleich als Überzeugter. In »Jahrgang 1901« verlangt er nach dem »Urteilsspruch« eines »Gerichtes« (115), das ihn »nach dem Gesetz der Möglichkeiten des Menschen« (115) beurteilen soll.

»Unmögliche Beweisaufnahme« wird, obwohl objektivierend in der dritten Person berichtet, aus der Perspektive des Angeklagten erzählt, der den Schritt in die andere Wirklichkeit bereits getan hat. In »Bereitschaftsdienst« hat Nossack dieses erzählperspektivische Postulat der Überzeugtheit zurückgenommen, indem er den Bericht einem Verfasser zudelegiert, der, mit dem Rätsel dieser anderen Wirklichkeit konfrontiert, den Schritt ins Partisanendasein erst noch bewußt tun muß, was zum Beispiel auch für den Berichterstatter im »Fall d'Arthez« gilt. Und in »Bereitschaftsdienst« wird auch die Analyse gesellschaftlich konkreter, weil Nossack das Wissen vom »Nicht-Versicherbaren« nicht voraussetzt, sondern den Berichterstatter des Romans auf der Suche danach zeigt. So wird als einer der möglichen Gründe analysiert, daß »solche Neurosen, oder wie immer man es nennen will, stets nur dann aufgetreten wären, wenn ein altgewohntes Weltbild, das Jahrhunderte lang gültig gewesen war und den Menschen einen festen Halt gegeben hatte, in die Brüche ging und die Leute ohne Rahmen im Leeren zurückließ«. (94) Ebenso historisch konkret wird die Analyse, wenn darauf hingewiesen wird, daß die Häftlinge in den Gefängnissen als einzige von der Epidemie verschont bleiben. »Sie haben die Hoffnung, ... die Utopie auf Freiheit, das macht sie gefeit.« (130)[20]

Die größere Genauigkeit des Berichterstatters korrespondiert mit seiner größeren Unsicherheit, verbunden ist damit zugleich eine immer stärkere Aussparung der mythischen Archaisierung und eine stärkere Annäherung an eine in ihren gesellschaftlichen Realien erfaßte Wirklichkeit. Im »Fall d'Arthez« und »Dem unbekannten Sieger« zeichnet sich ein ähnlicher Vorgang ab, freilich erneut auf einer andern Ebene.

4. »Der Fall d'Arthez«[21] stellt in vieler Beziehung einen der auf-

schlußreichsten Romane Nossacks dar. Es ist ein Buch, das in seiner von einem recherchierenden Berichterstatter aus zahlreichen Quellen – »aus den Akten des Staatssicherheitsdienstes und andrer Behörden, aus Bandaufnahmen, Fernseh-Darbietungen, Presse-Interviews, Bild-Monographien« (10/11) – montierten Form, die zudem Erzählungen und Berichte von Beteiligten (Lamberts und Edith Nasemanns), als Dialoge aufgezeichnete Verhör-Szenen, mitgehörte Telefon-Gespräche und Auszüge aus dem literarischen Nachlaß Lembkes alias Lamberts (so die Schlußerzählung »Weiterungen«) umfaßt, von einer Komplexität ist, die über Bölls »Gruppenbild mit Dame«, ein naheliegendes Beispiel, noch hinausgeht.

Der Vergleich mit Böll ist auch unter anderm Aspekt berechtigt. Die historische Analyse der NS-Zeit und ihrer Auswirkungen auf die ersten Jahrzehnte des Nachkriegsdeutschlands in der Bundesrepublik ist ähnlich angelegt und an der Geschichte einer bestimmten Person orientiert wie im »Gruppenbild«. Die äußerliche Berufsidentität des Pantomimen Schnier in »Ansichten eines Clowns« mit dem Pantomimen d'Arthez bei Nossack ist hingegen nebensächlich. Viel eher ist das sich einer Beschreibung entziehende »Phänomen« d'Arthez mit dem Phänomen Leni Gruyten vergleichbar, da es in beiden Fällen um die Analyse einer menschlichen Daseinsform geht, die sich außerhalb der geläufigen Realitätsformen gestellt hat, im Widerstand zu politischen und gesellschaftlichen Konventionen steht und sich selbst in einer Weise zu verwirklichen sucht, die sich nur in der Wirkung auf andere indirekt aufzeigen läßt.

Das, was Böll im Begriff Leistungsverweigerung[21a] charakterisiert hat, das Beharren auf dem eigenen Ich, der Widerstand gegen gesellschaftliche Reglementierung, Anpassungsverweigerung, ließe sich auch zur Charakteristik des Widerstandes der Freunde Lambert[22] und d'Arthez heranziehen. Und wenn Böll trotz aller Versuche, gerade das zu vermeiden, daß Lenis Bild unfreiwillig zur Heiligen-Ikone gerinnt, dann taucht auch ein ganz ähnliches Bild an einer Stelle für die Hauptfigur in Nossacks Roman, d'Arthez, auf, der so beschrieben wird: »mit Augen wie bei so einer Ikone von irgendeinem hart mitgenommenen Heiligen.« (266)

Aber das ist eine Deutungsmöglichkeit, die im Kontext des Buches zugleich zurückgenommen und differenziert wird. Wichtiger ist der Unterschied zwischen beiden Büchern. Bölls »Verf.« ist nur in seiner abstrakten Funktion als Rechercheur aller Materialien und Zeugnisse, die das Leben Lenis hervortreten lassen, scharf umrissen, während sein Vorgehen im Kontext des Romans kaum konkret präzisiert wird. Nossacks »Berichterstatter« wird hingegen ganz präzis konturiert und ist sowohl in seiner konkreten (im Handlungszusammenhang des Romans) als auch abstrakten (im Kompositionssystem des Buches) Funktion ganz scharf umrissen. Er ist ein junger promovierter Jurist, von seiner Herkunft her mit besten bürgerlichen Referenzen versehen, bestrebt, Karriere zu machen und als Referendar im Staatssicherheitsdienst tätig, unmittelbar dem Amt des Oberregierungsrats Dr. Glatschke unterstellt, der, selbst aus dem Gebiet der heutigen DDR stammend, den aus der bekannten Industriellenfamilie der Nasemanns (einer Kunstseiden-Dynastie) stammenden und in Dresden geborenen berühmten Pantomimen d'Arthez (so sein Künstlername) von dem Berichterstatter observieren läßt. Von diesen Glatschke-Episoden her gesehen wird der Roman zu einer Satire auf aktuelle politische Betätigung, die von dem zur NS-Zeit berühmt gewordenen Unterhaltungsromancier Lambert, der, ein Freund von d'Arthez, in der Nachkriegszeit als Hilfsbibliothekar an der Universität Frankfurt unter seinem bürgerlichen Namen Lembke arbeitet, in einer seiner Notizen so definiert wird: »Freizeitbeschäftigung, vom Apparat einkalkuliert... Was sollen die Zweitklassigen anfangen? Und erst die Drittklassigen?« (160)

Aber das ist nur eine, wenn auch souverän durchgespielte Seite des Romans. Die ursprünglich für Glatschke unternommenen Aufzeichnungen des Berichterstatters, der ganz naiv an seine Aufgabe heranging, nehmen unter der Hand eine andere Bedeutung für ihn an: sie werden für ihn zur Entdeckungsreise in eine ihm bisher unbekannte Möglichkeit des Menschseins am Beispiel von d'Arthez, werden vor allem nach seiner freiwilligen Entlassung aus dem Staatssicherheitsdienst (weil Glatschke seine Beziehung zu d'Arthez' Tochter Edith Nasemann observieren läßt) nur noch von der Absicht bestimmt: »ein Licht auf das Phänomen d'Arthez (zu) werfen, um das allein es ja in den Aufzeichnungen geht.« (162) Daß der Berichterstatter gewissermaßen im Prozeß seiner Aufzeichnungen über d'Arthez aus seiner normalen Bahn geworfen wird, sein Leben ändert und sich auf drei Jahre als Entwicklungshelfer nach Nigeria verpflichtet, wird zu einer der nun in sein eigenes Leben übergreifenden Wirkungen von d'Arthez, den er als Person, als Mensch gerade im Aufweis der Wirkungen, die er gehabt hat, begreifbar zu machen versucht. Eine parallele Wirkung zeigt sich im Leben des Freundes Lembke, im Leben von d'Arthez' Tochter Edith, die sich von der Familie der Nasemanns lossagt, die ihre durch ihren Vater zustehende Familienerbschaft verschmäht, ihre Verlobung mit dem jungen Karrieristen Volker auflöst, ihr Hochschulstudium als Zeitverschwendung aufgibt und als Buchhändlerin tätig wird, eine Leistungsverweigerung, die deutlich an Lenis Sohn Lev in Bölls »Gruppenbild« erinnert.

D'Arthez steht bei Nossack in der Genealogie jener Figuren, die, im Bild des Engels veranschaulicht, sozusagen personifizierte Leerstellen darstellen, in denen sich die andere Wirklichkeit jenseits der Grenze des Normalen konstituiert. In dem Sinne ist er unmittelbar mit dem jüngeren Bruder in dem gleichnamigen Roman verwandt, aber im Unterschied zu der mythisierenden Aussparung der Figur dort wird d'Arthez sehr viel konkreter dargestellt und im Politischen angesiedelt. Von zentraler Bedeutung sind in diesem Zusammenhang die zahlreichen Hinweise auf Balzac[23]. Das zeigt sich einmal auf der satirischen Ebene in der Verhör-Szene[24] zwischen Glatschke und d'Arthez: eine in Montmartre ermordete zwielichtige Person, die eine Identitätskarte auf den Namen d'Arthez bei sich führte, veranlaßt eine Anfrage der französischen Polizei bei Glatschke und führt zum Verdacht einer politisch subversiven Bewegung mit Nasemann alias d'Arthez im Mittelpunkt. Während des Verhörs nun nach seiner Kenntnis des französischen d'Arthez von Glatschke befragt, identifiziert d'Arthez in satirischer Irreführung Glatschkes den französischen Namensvetter als die Figur aus Balzacs Roman »Verlorene Illusionen«, aus dem er ebenso seinen Künstlernamen bezog wie Lembke ehemals den seinen, nämlich Louis Lambert.

Aber diese Balzac-Beziehung reicht weiter. Denn wenn zugleich über Balzac geäußert wird: »Balzac war einer unsrer zuverlässigsten Berichterstatter.« (80), so wird die Gestaltungsabsicht des Romans, wenn auch in einer veränderten historischen Situation, bestimmt: nämlich auf die Wirklichkeit ausgerichtet zu sein, aber auf eine Wirklichkeit, die jenseits der Statistiken liegt und deren Dimension von d'Arthez selbst im Rekurs auf die Figur des Intellektuellen, des sich selbst rückhaltlos befragenden und nie korrumpierenden Namensvetters in Balzacs Roman, so gezeichnet wird: »Trotzdem ist d'Arthez unser Vorbild geblieben für die geduldig arbeitende, geheime intellektuelle Opposition.« (79/80)

In der in Lembkes Nachlaß vom Berichterstatter aufgefundenen Erzählung »Weiterungen« wird in einer Zukunftsvision, die die Wirklichkeit nur noch als Programm eines »Weltweiten-Planungs-Instituts« (305) zeigt, wo selbst der Tod der Menschen mit dem Computer ermittelt wird, die Identifizierung von Lembke und Nasemann mit den Balzacschen Romanfiguren Lambert und d'Arthez ganz vollzogen: »Die gesamte Prominenz ist von der Geschichte verprogrammiert, mit den Namen läßt sich daher nichts mehr anfangen. Aber d'Arthez lebt. Er hat sich damals nicht auf den Betrieb eingelassen, er hielt sich abseits, arbeitete, wartete und schwieg, deshalb ist er noch da. Man weiß nichts über seinen Verbleib, genau wie damals.« (318)

Nun wäre nichts falscher, als diesen in einem quasi poetischen Text Lembkes gegebenen Kommentar so zu verstehen, als habe das Überlebensprinzip des im Roman agierenden d'Arthez in einer chamäleonhaften Angleichung an die jeweiligen politischen Zustände bestanden, als habe sich d'Arthez grundsätzlich alles Handeln versagt.[25] Es spricht vielmehr für die Differenziertheit von Nossacks Darstellung, daß er an den Freunden beide Möglichkeiten demonstriert. Beide sind Künstler geworden, aber während Lambert im Dritten Reich den Weg der kompromißlerischen Anpassung ging und als erfolgreicher Autor von fünf Kitsch-Romanen berühmt und reich wurde, ging d'Arthez von Anfang an in die Opposition, hat in seinen Pantomimen, von denen es ja ausdrücklich heißt, daß sie »von alltäglichen Vorgängen und Situationen beeinflußt wurden, obwohl er sich so unbeteiligt gab.« (61) Position bezogen und ist dann auch, obgleich in Verbindung mit der offensichtlichen Denunziation seiner Ehefrau, durch eine Pantomime auf eine Nazi-Wahl »gleich hinter der Bühne verhaftet« (289) worden und, ohne die Möglichkeit kompromißlerischer Rechtfertigung für sich in Anspruch zu nehmen, bewußt in ein Konzentrationslager gegangen, in eine existentielle »Exterritorialität« (284), die mit einer Tarnungspose nicht das mindeste zu tun hat.

Bezeichnenderweise wird ihm auch in der Nachkriegssituation bei der Eröffnung des Testaments seiner Mutter, der Hauptteilhaberin der NANY–Werke, von den Familienmitgliedern vorgeworfen, daß er »sich auf Politik einließ...« (50), d. h. auf die politische Kollision mit dem Nationalsozialismus, während die

NANY–Werke »zu den wehrwichtigen Betrieben« (243) der Nazis gehörten und »über die allerbesten Beziehungen zu den höchsten Kommandostellen« (244) verfügten. Daß er wie auch seine Tochter Edith das ihnen zustehende große Vermögen ablehnen, ist eine Konsequenz ihrer moralischen Integrität. Erst das Beispiel des Freundes hat auch Lambert den Schritt in die Exterritorialität tun lassen, wenn auch der Bruch bei ihm viel langwieriger war, sich über das zehnjährige Martyrium seiner Ehe mit einer Halbjüdin erstreckte, die durch Selbstmord aus dem Leben schied.[26]

Der sich aller literarischen Arbeit verweigernde Lambert, der seine einstigen Erfolgsromane nur noch als Kitsch bezeichnet, bleibt jedoch in der Tarnung weiter aktiv, denn die von seinem Freund vorgeführten Pantomimen, die das Leben im Nachkriegsdeutschland satirisieren, sind Umsetzungen seiner Ideen, wie denn auch d'Arthez im Gespräch mit seiner Tochter bekennt: »Ich bin sein Hauptwerk... Sein Hauptwerk, und das darf nicht bekannt werden, sonst mißlingt es.« (148)

Und es ist durchaus konsequent, daß diese allmählich aus ihrer Tarnung hervortretende Aktivität in der sich ändernden Haltung des Berichterstatters ein Echo findet. Er wandelt sich aus einem funktionalen Werkzeug der Bürokratie in einen sich selbst in seiner Stellung zur Welt reflektierenden einzelnen, der mit seinem Entlassungsgesuch bei seiner Behörde zum ersten Mal eine wirkliche Entscheidung fällt, auf seine Art ebenfalls den Schritt in die Exterritorialität tut, indem er als Entwicklungshelfer nach Afrika geht und, im Schiff seine Aufzeichnungen reflektierend, zu der Erkenntnis kommt: »Was bleibt, sind Bilder, die nie fotografiert wurden.« (153)

Die moralische Integrität, die Nossack in »Jahrgang 1901« als existentielle Dimension einbringt, wird in der Geschichte von d'Arthez literarisch umgesetzt und begreifbar gemacht. Schon allein das unterstreicht den künstlerischen Glücksfall dieses Romas im Werk Nossacks. Die beiden charakteristischen Möglichkeiten der künstlerischen Konkretisierung seines Themas, nämlich mythische Reduktion oder parabelhafte Abstraktion, sind in diesem Text überwunden. Nossack hat im Gestaltungsspektrum dieses Buches einen Schritt auf den politischen Roman zu gemacht, der den in so vielfältiger Brechung hinter dem Buch sichtbar werdenden Namen Balzacs zu mehr als einem zufälligen literarischen Signal macht.

Wurde die Entwicklungstendenz des Desillusionsromans an zahlreichen Beispielen so bestimmt, daß die Kluft zwischen Ich und Wirklichkeit sich in der solipsistischen Verkapselung des Ichs immer mehr vergrößert, das sich in seine Innenwelt zurückzieht und seine Träume, Gefühle und Erinnerungen autonom werden läßt, so hat Nossack diese Entwicklung keineswegs vordergründig überspielt, sondern eine Antwort gegeben, die die aufgebrochene Kluft offenbar verringert. Denn die Exterritorialität als utopische Existenz- und Wirklichkeitsform, die der moralischen Identität des Ichs allein zu entsprechen vermag, ist ja nicht inhaltsleer, nur auf die Bewußtseinswelt des Ichs beschränkt. Sie ist das Ergebnis eines fortwährenden Prozesses der Auseinandersetzung mit einer sich jeder Sinn-Projektion widersetzenden verbürokratisierten und durchfunktionalisierten Realität, ist also als oppositionelle Haltung auf diesen Prozeß zugeordnet, ja vermag beispielhaft auf ihn einzuwirken, wie im Roman an Vertretern der jüngeren Generation, Edith Nasemann und dem Berichterstatter, dargestellt wird. Diese Annäherung ist offenbar auch die Voraussetzung dafür, daß es Nossack gelungen ist, in diesem Roman eine Vielschichtigkeit von thematischen Abwandlungen und Zuordnungen zu verwirklichen, die nicht nur im Kontext seines Werkes, sondern auch der zeitgenössischen deutschen Literatur außerordentlich ist.

Die politische Linie nimmt Nossack nochmals in seinem Roman »Dem unbekannten Sieger«[27] auf, obwohl das Gestaltungsspektrum wesentlich kleiner angelegt ist, ja sich eigentlich nur am Rande mit seiner Kernthematik berührt. Dennoch läßt sich dieser Roman in gewisser Weise als Ergänzung dem »Fall d'Arthez« zuordnen, da er das Problem der politischen Aktivität nun gleichsam von der Gegenseite her aufrollt. Das, was man der von ihm im »Fall d'Arthez« exemplifizierten Position mitunter vorgeworfen hat, nämlich daß Partisanendasein und Exterritorialität im Grunde Kaschierung von Passivität seien, wird nun in einem Gegenbeweis thematisiert.

Nossack demaskiert die These von der revolutionären Tat, vom Mythos der Revolution als Lüge, als Legendenbildung der Historiker und – konkret im Kontext des Romans – als Fiktion der wissenschaftlich auftretenden Historiker. Bei diesem im Jahre 1969 erschienenen Buch mag auch mit eine Rolle gespielt haben, daß der Mythos der Revolution im Rahmen der linken Studentenbewegung in Frankreich und Deutschland seine Aktualisierung erlebte. Unter diesem Aspekt erweist sich der Roman auch als ein Kommentar zur Zeitgeschichte, aber entscheidender ist dennoch der thematische Anschluß an den »Fall d'Arthez«.

Nossack stellt sich in gewisser Weise die Frage: Gibt es eine Alternative zu der Aktivität in der Exterritorialität, im Partisanendasein und läßt sich diese Alternative in politisch revolutionärer Handlung sehen? Sein historisches Exempel kehrt zum Anfang des Jahrhunderts zurück, zur Revolution von 1918 am Beispiel des Sturms auf Hamburg im Frühjahr 1919. Der Erzähler ist ein Studienrat, ein Historiker, der bei den Schülern seines Gymnasiums in Celle den Spitznamen »Professor Genau« (30) trägt und mit einer Dissertation über jenes historische Ereignis 1951 promoviert hat. Gewidmet ist sein Buch »Dem unbekannten Sieger«, der Legenden-Figur dieses revolutionären Aufstandes, einem namenlosen Revolutionär, der als »Genosse Hein« (60) erinnert wird und dessen – so die These des Erzählers in seiner Dissertation – »strategisches Genie« (61) den Erfolg des Aufstands entschied; auf der Höhe des Erfolges verschwand der »Genosse Hein« plötzlich, obwohl ihm vermutlich eine politische Karriere offenstand – in der Argumentation des Erzählers, der nichtsahnend in seinem eigenen Vater den Genossen Hein vor sich sieht: »Man hätte dich zumindest zum Bürgermeister von Hamburg gemacht.« (197)

Trotz aller sorgfältigen Recherchen, unzähliger befragter Dokumente, in denen der Erzähler freilich immer wieder auf Lücken stößt – die entscheidende[28] bezieht sich unmittelbar auf die Situation nach dem erfolgreichen Aufstand und den Zeitpunkt des Verschwindens der Hauptfigur – gelangt der Sohn zu einem Ergebnis, das der Vater einmal so charakterisiert: »...was du geschrieben hast, ist viel interessanter als die Wirklichkeit, aber stimmen tut es nicht.« (69) Mit andern Worten: die auf Fakten aufgebaute These des Sohnes vom »strategischen Genie des einfachen Soldaten während revolutionärer Bewegungen« (32) ist ebenso falsch wie die im einzelnen an Fakten belegte Behauptung, »daß der Plan... von dem Genossen Hein stammte.« (125) Indem der Vater, der die Dissertation liest, den Sohn immer wieder auf Lücken in den Dokumenten aufmerksam macht, versucht er dem Sohn klarzumachen, daß seine Aussagen über Hein nur aussprechen, was die »Dokumente sagen, aber nicht, was er nun wirklich war.« (95)

Indem er in einer fingierten Als-Ob-Erzählung für seine Familie den möglichen Verlauf der Ereignisse aus seiner Perspektive schildert und damit zugleich den tatsächlichen Hergang der Ereignisse dokumentiert, zerstört er die literarische Legende und macht hinter den Fiktionen von Strategie und Planung Zufälle und menschliche Spontaneität sichtbar, lauter Dinge, die sich der Fixierung in Dokumenten entziehen. Paradoxerweise kommentiert der Historikersohn, daß das »wie ein nettes Märchen klang« (121). Tatsächlich ist es umgekehrt, die offizielle Historienerzählung erweist sich als Märchen bis hin zu der Märtyrer-Legende, die sich um das rätselhafte Verschwinden von Hein gebildet hat: »Die Legende behauptet, daß er von der Reaktion umgebracht wurde. Die Behauptung liegt nahe, da sich die Rechtsradikalen damals genug Morde zuschulden kommen ließen.« (190) Erst am Ende gehen dem Sohn, vom Indiz eines alten Anzugs darauf hingewiesen, die Augen über die Identität seines Vaters mit Hein auf, und sein erzählter Bericht für einen ehemaligen Schulfreund erweist sich unter diesem Aspekt zugleich als eine Selbstkorrektur.

Das, was Nossack immer als existentielle Dimension einer Wirklichkeitserfahrung zu akzentuieren versucht, die sich nicht mit herkömmlichen Begriffen beschreiben läßt, hat er hier im Moment der ausgesparten menschlichen Spontaneität bei einem revolutionären Ereignis nachdrücklich konkretisiert. Unter diesem Aspekt läßt sich der Roman thematisch der Linie der unmöglichen Beweisaufnahmen zuordnen, da etwas, was sich nicht abphotographieren und in Dokumenten festhalten läßt, dennoch existiert. Aber wichtiger scheint es zu sein, das Buch im Kontext seines »Falls d'Arthez« als eine Antwort auf die Herausforderung zu sehen, daß die scheinbare Passivität des exterritorialen Partisanendaseins politischer Aktivität unterlegen sei. Die Parabel des Romans macht ja gerade deutlich, daß die äußerliche Passivität und honorige Bürgerrolle, die den alten Hinrichs in seinem späteren Leben charakterisieren, eine Tarnung sind, daß der scheinbar Passive der wirklich Aktive war und in dem Sinn später ein Partisanendasein geführt hat, dessen »Geheimnis ... (er) sein Leben lang zu wahren wußte« (43) und nur in jenem Augenblick auf dem Sterbebett, als ihn die Krankenschwester weinend findet[29], für einen Moment enthüllt.

Nossack demaskiert also die These von der politisch revolutionären Aktivität als Fiktion und unterstreicht damit zusätzlich seine im »Fall d'Arthez« dargelegte Position, die sich in einer

Formulierung von d'Arthez so zusammenfassen läßt: »Es geht nicht um das flüchtige Glück einer gelungenen Leistung. Genie ist die Gabe, Durststrecken schweigend zu bestehen.« (34)

Anmerkungen

1 Vgl. dazu das aufschlußreiche Nachwort von Ch. Schmid: »Prozeßberichte«, in: H. E. N., »Der jüngere Bruder«, Frankfurt/M 1973, 326-331.
2 »Kleine Ansprache«, 82, in: H. E. N., »Die schwache Position der Literatur. Reden und Aufsätze (= Position), Frankfurt/M 1966, 82-87.
3 Vgl. dazu auch den Satz, mit dem sein Roman »Die gestohlene Melodie« (Frankfurt/M 1975) beginnt: »Man könnte sich die Sache natürlich sehr viel einfacher machen, und die Dinge, von denen hier die Rede sein soll, nach den uralten Regeln der Erzählkunst berichten.« (7)
4 Band I, Frankfurt/M 1970.
5 Vgl. vor allem zu den frühen Arbeiten Nossacks die Dissertation von Ch. Schmid: »Monologische Kunst. Untersuchungen zum Werk Hans Erich Nossacks«, Stuttgart 1968.
6 Zitiert hier nach der Ausgabe in: »Interview mit dem Tode«, Frankfurt/M 1972, 200-255.
7 In: »Pseudobiographische Glossen« (= Glossen), Frankfurt/M 1971, 119-156.
8 Vgl. etwa das Nachwort von W. Boehlich zu der Einzelausgabe des »Untergangs«, Frankfurt/M 1971^5, 77-85.
9 Vgl. etwa H. Vormweg: »Exterritorial«, in: »Über Hans Erich Nossack«, hrsg. v. Ch. Schmid (= Schmid), Frankfurt/M 1970, 145-151.
10 »Glossen«, 149.
11 Vgl. dazu auch die Ausführungen des Theologen Eugen Biser: »Der Wegbereiter«, in: Schmid, 29-43.
12 Vgl. 142/3.
13 W. Emrich: »Le bourgeois partisan«, 144, in: Schmid, 136-145.
14 Was Nossack über Pavese schreibt, gilt auch für ihn selbst: »In seinem Tagebuch ›Das Handwerk des Lebens‹ sinnt er zwanzig Jahre lang über den Selbstmord nach.» (»Der Mensch in der heutigen Literatur«, 74, in: »Position«, 62-81).
15 In: »Interview mit dem Tode«, 12-61.
16 Zitiert nach der Einzelausgabe, Frankfurt/M 1970.
17 Das gilt u. a. etwa für Fritz von Unruh in seiner Dramen-Trilogie »Ein Geschlecht« oder für Georg Kaiser in »Von morgens bis mitternachts«.
18 »Unmögliche Beweisaufnahme«, 94.

19 Vgl. 81.

20 Eine interessante Bestätigung dafür findet sich in einer Reflexion Albert Speers in seinen »Spandauer Tagebüchern« (Berlin 1975): »Vielleicht lebe ich im Gefängnis behüteter als die Menschen draußen? Sartres Figuren sind in ihrer Einsamkeit offenbar noch stärker isoliert als wir hier in unserem Leben. Zudem ist ihr Eingeschlossensein unaufhebbar, sie werden nie frei sein. Ich habe zumindest eine Hoffnung...« (583/4)

21 Frankfurt/M 1968.

21a Vgl. dazu im einzelnen die Ausführungen des Verf. in dem Aufsatz »Leistungsverweigerung als Utopie?«, in: »Die subversive Madonna. Ein Schlüssel zum Werk Heinrich Bölls«, hrsg. v. R. Matthaei, Köln 1975, 82-99.

22 In »Jahrgang 1901« stellt Nossack eine direkte Beziehung zwischen sich und Lambert her: »... meine Kindheit... ließ sich... was das Atmosphärische anlangt, mit ›Louis Lambert‹ von Balzac vergleichen, eine Erzählung, die das völlige Verlorensein des Kindes im Gehege bürgerliche Ordnung darstellt.« (129)

23 Vgl. dazu auch die Hinweise Nossacks in seinem Essay »Freizeitliteratur« (in: »Position«, 135-164): »Und gerade Balzac schildert uns in ›Verlorene Illusionen‹ den Typ des begabten jungen Menschen, der sein Talent um des gesellschaftlichen Erfolgs willen ausbeuten möchte und daran zugrunde geht... Und als Gegentyp schildert Balzac uns d'Arthez, die Hauptfigur eines Kreises von Künstlern und Intellektuellen, die sich abseits von der hektischen Betriebsamkeit ihres Zeitalters halten... asketisch nur ihrem Werk und dem Glauben an ihr Werk leben. Auch das ist für alle Zeiten gültig und nicht durch das höhnische Argument des Elfenbeinturms zu entkräften.« (156)

24 Vgl. 69-80.

25 In diesem Zusammenhang muß nochmals auf die schon genannten Ausführungen W. Emrichs in »Le bourgeois partisan« eingegangen werden, da sie, obwohl in den wesentlichen Behauptungen unfundiert, durch die Veröffentlichung in dem Sammelband »Über Hans Erich Nossack« ein gewisses Echo, auch in der Sekundärliteratur (vgl. dazu die Ausführungen von W. Schmidt-Dengler: »Hans Erich Nossack«, 149, in: »Deutsche Dichter der Gegenwart«, hrsg. v. B. v. Wiese, Berlin 1973, 138-152) gefunden haben. Es kann nicht im folgenden versucht werden, alle Mißdeutungen und Verdrehungen richtigzustellen, da es zu viele sind; so sollen denn im folgenden nur die gröbsten sachlichen Fehler korrigiert werden. So wird über den Partisanenkampf des Pantomimen d'Arthez ausgeführt: »Denn als Imitator bleibt er an die Imitierten gebunden, repräsentiert selbst bis ins Detail ihre Lebensformen und -inhalte.« (137) Die Formulierung ergibt nur einen Sinn, wenn sie sich auf die künstlerische Tätigkeit von d'Arthez bezieht. Seine Pantomimen haben ja die Funktion,

Wirklichkeit kritisch bloßzustellen, was d'Arthez – wie zahlreiche Beispiele im Roman sichtbar machen – offenbar auch gelingt. Er ist aktiv, aktiv bis zum Einsatz seiner Existenz, denn durch seine als bewußte Provokation gespielte Pantomime auf die Nazi-Wahl wird er verhaftet und ins Konzentrationslager gebracht. Auf diesem Hintergrund erweisen sich Sätze Emrichs wie die folgenden: »Niemals geht dieser Partisan zum Angriff über...« (137) oder bei d'Arthez zeige sich »der Rekurs auf den ungetrübtesten Narzißmus« (140) als unverständliche, ja unfreiwillig zynische Unterstellungen, wenn man sich die Gleichung Konzentrationslager und Narzißmus vergegenwärtigt. Daß d'Arthez aus moralischer Redlichkeit das Geld der mit den Nazis verbundenen NANY-Werke bei der Testamentseröffnung ablehnt wie auch Edith, die hier keineswegs von ihrem Vater, wie Emrich behauptet, manipuliert wird, ist folgerichtig und hat mit der ethischen Integrität ihrer Charaktere zu tun und nicht damit, daß sie »schon zu Lebzeiten tot« (141) sind. Vergegenwärtigt man sich, daß d'Arthez durch seine Ehefrau (von der er sich scheiden ließ) bei den Nazis denunziert wurde und in einer keineswegs sexuellen Beziehung zu einer Frankfurter Dirne, der »Frau am Fenster« (106), die er als Mensch respektiert, gerade die gängigen Vorurteile des Bourgeois nicht imitiert, so läßt sich der merkwürdigen Verdrehung in Emrichs Satz nichts mehr hinzufügen: »Die Liebe ist ein sexuelles Bedürfnis, dem durch Huren Abhilfe geschieht.« (141) Ebenso falsch ist es, die ausdrücklich als fiktionalen Text Lamberts bezeichnete Erzählung »Weiterungen« so auszulegen, als sei es Nossack um die Himmelfahrt seiner Helden zu tun, wie Emrich unterstellt: »Die Himmelfahrt ist vollendet.« (141)

26 Vgl. den Hinweis: »Der Tod seiner Frau muß für Lambert tatsächlich ein entscheidender Wendepunkt gewesen sein.« (91)

27 Frankfurt/M 1969.

28 Hier läßt sich, allerdings inhaltlich anders akzentuiert, eines der zentralen Motive Nossacks wiedererkennen.

29 Vgl. 35.

X.A. Dieser langsame Weg zu einer größeren Genauigkeit. Gespräch mit Uwe Johnson

1. Erzähltheorie

D.: Herr Johnson, es fällt auf, daß Sie nur sehr selten etwas geschrieben haben, das man als Theorie des Erzählens bezeichnen könnte. Einer der wenigen Texte, wo Sie sich etwas detaillierter mit dieser Frage auseinandersetzen, scheint mir »Berliner Stadtbahn« zu sein. Ist der dort vertretene Standpunkt auch als theoretische Position gemeint und hat er eine Gültigkeit, die Sie auch aus heutiger Sicht unterstreichen würden?

J.: Dieser Aufsatz über die »Berliner Stadtbahn« ist nicht geschrieben worden, um eine Theorie des Erzählens darzustellen, sondern ist geschrieben worden für die Gelegenheit eines Vortrags in den USA, also als Versuch, einem amerikanischen Publikum das Thema zu erklären, auf das man damals eines meiner Bücher fehlerhafterweise zurückgeführt hat, nämlich »Mutmassungen über Jakob«. Darin sind einige Dinge enthalten, die Sie als Theorie in diesem Sinne definieren könnten. Es ist also nach wie vor das Mißtrauen gegenüber dem Begriff Kunst, der Literatur, und es ist nach wie vor der Zweifel an der Balzac-Position, natürlich auch ein Bemühen, die Wissenschaft zu benutzen und nicht nur die der Psychologie – dies sind, soweit ich mich erinnere, einige Punkte darin. Im übrigen habe ich es gesagt und will es nicht zurücknehmen. Nur: ich habe es 1961 geschrieben.

D.: Bestimmte Formulierung wie etwa die, daß der Autor nicht mit einem Schiedsrichter zu vergleichen sei, der auf hohem Stuhl über dem Spielfeld sich befinde und – wie Sie jetzt selbst wieder angedeutet haben – daß es Ihnen nicht primär darum geht, Kunst herzustellen, sondern eine Art Wahrheitsfindung zu betreiben – das sind doch Äußerungen, die, aus dem Kontext dieses Aufsatzes gelöst, sich doch beziehen lassen könnten auf die Art und Weise, wie Sie in den »Jahrestagen« erzählen?

J.: Das glaube ich eigentlich gar nicht. Hier tut der Kontext wieder einmal alles. Und wenn Sie ihn wegnehmen, dann wird es einigermaßen gefährlich. Es kommt mir nicht darauf an, primär Kunst zu betreiben – das habe ich gar nicht gesagt. Meines Wissens heißt es da: Der Autor sollte nicht für Kunst ausgeben, was immer noch eine Art Wahrheitsfindung ist. Und das ist der Bereich, in dem er – in diesem Falle ich – dem Publikum etwas vorführen will. Es gibt sicherlich diese Seite der Kunst, aber das ist die Seite der Arbeit, und diese Seite ist eben nicht vorführbar. Das ist, als wollte Ihnen ein Handwerksmeister, der Ihnen eine besonders schöne oder besonders brauchbare Sache gemacht hat, nun den Stichel, den Raspel und den Hobel noch obendrein zeigen. Das ist aber nicht nötig. Brauchbar ist die Kommode ohnehin. Was diese Sache mit dem Schiedsrichterstuhl angeht, so hat sich das ja beträchtlich geändert bis zu den »Jahrestagen« hin. Hier in den »Jahrestagen« habe ich von einer zugegebenermaßen erfundenen Person quasi den Auftrag oder ich habe mit ihr den Vertrag, hier ihr Leben wiederzufinden und aufzuschreiben in einer Form, die sie billigen würde. Da ist also eine gewisse Nähe zwischen Erzähler und Subjekt, und sehr oft wechselt da das erzählende Subjekt aus dem von dem Erzähler dargestellten Zustand der dritten Person in den der ersten Person, wenn nämlich die Vertragsperson findet, es sei jetzt besser, daß sie es einmal von sich aus formuliert, vom Ich-Standpunkt aus sagt, wobei nach wie vor zugestanden ist, daß, wenn sie sich auf die Position des Ichs begibt, der Erzähler selbst diesen Punkt nicht richtig ausfüllen kann, weswegen ihm ja nur das »er« geblieben ist. Dennoch ist da eine größere Nähe, als ich sie eben im Sommer 1967 für möglich gehalten habe.

D.: Mit der Formulierung vorhin, daß Sie keine Kunst herstellen wollen, habe ich vorhin gemeint, daß es Ihnen nicht darum geht, Sprachliches herzustellen, dessen Bedeutung in erster Linie nur im Sprachlichen selbst liegt, sondern daß Sie versuchen, im Resultat doch eine Bedeutungsintention sichtbar zu machen.

J.: Das ist richtig. Es läge mir nicht daran, die Sprache nur als ein Instrument vorzuweisen mit den Schönheiten und Stellungen, die ein Instrument einnehmen kann. Ich benutze an der Sprache hauptsächlich das, was zur Verständigung dient. Andererseits aber muß der Gebrauch der künstlerischen Mittel doch einen wesentlichen Teil der Arbeit einnehmen. Wenn Sie das nicht tun, dann wird die ganze Sache nicht haltbar und ist nach kurzer Zeit nicht mehr benutzbar.

D.: Wenn ich Ihren Text »Berliner Stadtbahn« richtig verstanden habe, dann scheint es mir so zu sein, daß Sie sich eigentlich auf ein bestimmtes erzähltheoretisches Problem konzentrieren. Sie haben das vorhin anklingen lassen, indem Sie auf den Erzählerstandpunkt verwiesen, und zwar im Kontrast zu der Balzacschen Posi-

tion, wie Sie gesagt haben. Die Balzacsche Position ließe sich ja auch verallgemeinert als die Position des allwissenden Erzählers betrachten. Sie haben Ihre neue Erzählposition in »Berliner Stadtbahn«, wenn ich Sie recht verstanden habe, so charakterisiert, daß die Informationen, die der Erzähler mitteilt, relativiert werden durch die Informationen, die den Personen der Erzählung zugänglich sind oder von den Personen der Erzählung in die Darstellung eingebracht werden, so daß sich eine Art Spannungsverhältnis, man könnte auch sagen: Wechselverhältnis zwischen diesen beiden verschiedenartigen Informationen ergibt. Was aber damit von Ihnen eigentlich aufgegeben wird, ist die Fiktion, daß Sie eine bestimmte Bedeutung, eine bestimmte Botschaft mit dem sprachlichen Text verbunden haben und diese Botschaft sozusagen weitergeben wollen an den Leser. Eine solche Botschaft gibt es doch offensichtlich nicht?

J.: Nein, das wäre ja auch ein Gewerbe völlig außerhalb des Erzählens. Ich kann ja nur vorbringen, was ich von einer Gruppierung von Personen weiß, und da würde ich es für richtig halten, daß ich diese Personen, obwohl ich sie erfunden habe, für Partner halte, daß sie also für mich einen sehr großen Grad von Realität besitzen, daß sie mit jeder Einzelheit, die sie dann selber hinzuerfinden in dem unbewußten Vorgang der Fiktion und die sie aus meiner Erfahrung haben, mehr Unabhängigkeit mir gegenüber gewinnen, so daß ich mit ihnen dann schon überhaupt nicht mehr, beileibe schon nicht nach Belieben umspringen kann, sondern nur nach den Möglichkeiten, die ich ihnen gegeben habe. Sie sind also meine Partner, und in Zusammenarbeit mit ihnen gelingt diese Erzählung. Und was erzählt wird, das ist nichts, als was diese Personen wissen bzw. was sie mit ihren Handlungen und Ihrem Wissen und allen ihren andern Möglichkeiten zu einer Geschichte macht, und diese Geschichte bringe ich vor. Eine Geschichte ist aber etwas, was erzählt worden ist, keine Botschaft. Wenn das eine Botschaft wäre, dann wäre es Aufgabe des Lesers, aus seiner Reaktion auf diese Geschichte sich eine zu machen, sich eine zu finden, eine herzustellen. Von mir kommt sie nicht, von mir kommt nur die Geschichte. Botschaft ist ja ein sehr heiliges Wort. Aber wenn ich Ihnen eine Geschichte erzähle, in der jemand durch einen Irrtum vorkommt, der aber nicht ein Irrtum von seiner Seite ist, sondern ein Irrtum, an dem sehr viele beteiligt sind, also Personen oder gesellschaftliche Mechanismen, was kann ich da anders erwarten, als daß der Leser hoffentlich zunächst einmal sagt: Ja, solche Ge-

schichten gibt's, oder ich habe mich geirrt, daß es solche Geschichten gibt, aber diese scheint ja wahr zu sein. Es ist dann richtig, daß es solche Vorfälle gibt. Beim Erzählen geht es mir ja nicht darum, daß der Leser wiedererkennend sagt: So ist es, und so leben wir, was immerhin, bitteschön, ein Genuß sein kann, ein Vergnügen, das nicht ausgeschlossen sein soll. Aber mir käme es noch auf eine zweite Stufe, auf das Wiedererkennen und auf die darin wiederum enthaltene Frage an: Ja, so wie es da geschrieben steht, so ist es, so leben wir. Aber wollen wir so leben? Das verlagert dann die Botschaft wiederum in die Reaktion des Lesers hinein. Ich kann ihm nur etwas zeigen und hoffen, daß er sich daraus etwas macht.

2. Sprachliche Verrätselung

D.: Ihre Begründung leuchtet ein, andererseits ist es eine Position, die angefochten worden ist. Peter Hacks hat zum Beispiel in einem seiner Essays Ihre Arbeiten, in erster Linie Ihr erstes Buch, als Beispiel dafür genommen, daß etwas sprachlich verrätselt und verkompliziert wird, hinter dem eigentlich keinerlei künstlerische Notwendigkeit stehe.

J.: Hacks hat irgendwann einmal mir eine philosophische Position, eine erkenntnistheoretische Position vorgeschrieben, wonach ich den Tisch, der morgens dasteht, nicht erkenne, und das Frühstück darauf auch nicht erkenne. Das ist nach meiner Meinung eine etwas schülerhafte Auslegung und beweist nur, daß er einmal an irgendeiner Stelle des philosophiegeschichtlichen Kollegs nicht gefehlt hat. Was hingegen das Verrätselte angeht, so möchte ich Sie geradezu bitten, mir aus irgendeinem dieser sechs Bücher, die Sie hier haben, doch eine verrätselte Stelle vorzulesen.

D.: Als kleiner Hinweis nur, daß beispielsweise das Personal in »Mutmassungen über Jakob« erst ganz allmählich identifiziert und auch für den Leser namentlich erkennbar wird, daß also beispielsweise der Nachname von Jakob Abs erst auf Seite 16 genannt wird.

J.: Auf der ersten Seite fällt er, da möchte ich wetten! Aber das Buch hat nun einmal diese drei Ebenen, und eine Ebene ist die des Dialogs, und der Leser wird dort nach meiner Erinnerung ziemlich realistisch in die Lage versetzt, einem Gespräch von zwei Leuten am Nebentisch zuzuhören. Das kommt des öfteren vor. Und dafür müssen Sie nicht einmal viel mit der Eisenbahn unterwegs sein. Sie hören zwei Leute diskutieren oder einander etwas erzählen, und erst allmählich kommt Ihnen aus diesem Zuhören eine Erleuch-

tung, um was es sich handelt und was da passiert und wann das war und was womöglich noch weiterkommt. Das ist eine realistische Situation, die geht eben nicht davon aus, daß da zwei Fremde, dem Leser fremde Leute, sich dem Zuhörer voll zuwenden und sagen: Ja, wissen Sie, wovon wir reden, das ist eigentlich das, und dann fangen sie ganz von vorn an und sagen: Es handelt sich um diese Person, die ist 1928 geboren. Das ist eine irrige Auffassung, was Sie davon vorhin angeführt haben. Das ist eine Sache der in Konstruktion übersetzten realen Verhältnisse, keineswegs eine sprachliche Verrätselung.

D.: Ja, dann gibt es allerdings den Standpunkt, daß eine gewählte Gattung dem Autor bestimmte Formalien bereitstellt, die er auch zu benutzen hat, d. h. daß beispielsweise ein Roman, wenn er geschrieben wird, wenn ein bestimmtes Personal eingeführt wird, daß also alles das sozusagen als Materialien, die der Autor verwendet, erkennbar gemacht wird, um den Rezeptionsvorgang beim Leser zu erleichtern. Das wäre, formelhaft vereinfacht, die Tradition des realistischen Romans, der trotz vielfältiger historisch bedingter Mutationen ja noch nicht völlig passé ist. Ein Romancier wie Breitbach ist zum Beispiel davon überzeugt: Die Höflichkeit gegenüber dem Leser eines Romans erfordere es, ein bestimmtes Personal im Sinne einer dramatischen Exposition zu erläutern und eine Handlung allmählich vorzubereiten.

J.: Ich bin sicher, daß Herr Breitbach vorzügliche Manieren hat. Ich bin über meine Manieren auch gar nicht so sehr im Zweifel. Nur glaube ich nicht, daß die persönlichen Manieren übertragen werden können auf das Geschäft, in dem Realität vorgetragen wird. Realität ist nicht höflich. Und nach Ihrer Definition dürfte man ja nur vorhandenes Formmaterial benutzen, und eine Entwicklung oder Einführung neuer Formen wäre unhöflich. Das ist doch sehr die Frage, ob man das immer so machen muß, wie Herr Fontane und seine Nachfolger und dem Leser Personen auf der flachen Hand hinhalten wie Spielzeugpüppchen, damit sie gleich alles sehen können; oder ob Sie den Leser durch kleine Einführungen, durch Gesprächsfetzen dafür interessieren wollen und ihn auf diesem langsamen Wege zu einer größeren Genauigkeit führen möchten. Genauigkeit des Aufnehmens, Erfassens, Zuhörens, größere Genauigkeit als sie vielleicht beim Leser bewirkt werden kann durch das Auf-dem-Tablett-Servieren, was die Tradition uns so empfiehlt.

D.: Sicherlich, man darf bestimmte historisch gewachsene For-

men nicht verabsolutieren und nur in der Erfüllung des vorgeprägten formalen Schemas einen Maßstab für künstlerische Qualität sehen. Aber könnte man nicht sagen, daß beispielsweise die Tatsache, daß im zweiten Band der »Jahrestage« im Anhang dem Leser sozusagen ein Erläuterungsschema des Romanpersonals geboten wird, darauf hindeutet, daß Sie diese realistische Tradition des Romans doch in gewisser Weise zu berücksichtigen versuchen, auch wenn Sie sie nicht integrieren in die Form Ihres Erzählens. Aber im Anhang taucht es immerhin auf. Das ist doch ein Zugeständnis an die Rezeptionsmöglichkeiten des Lesers oder nicht?

J.: Es ist eine Höflichkeit gegenüber dem Leser, der den ersten Band nicht kennt und dem das Personal des zweiten Bandes und die Zusammenhänge vor allem zwischen der Personnage des zweiten Bandes und dem ersten unbegreiflich erscheinen könnten. Ja, das schon. Nur: in Wirklichkeit erscheint das nach wie vor im Gestus des Romans selber, es ist eine vorweggenommene Situation. Der zweite Band endet mit dem Sommer 1945 und, wenn ich mich nicht irre, beschreibt diese Zusammenfassung: Was waren das alles für Leute? Eine reale Situation zwischen dieser Gesine Cresspahl und ihrem Vater, eine Gesprächssituation, in der ein junges Kind sich berauscht an antifaschistischen und überhaupt moralisch absoluten Idealen und den Vater sozusagen verhören will. Diese Sache ist ja wirklich vorgekommen, sie wird hier nur vorgezogen und dem Leser zuliebe so dargestellt, wie es war. Ich halte dies nicht für ein Zugeständnis, und ich halte die Art, wie ich meine Sachen vorbringe, durchaus nicht für aus dem Realismus gefallen. Nur glaube ich sehr wohl, daß ich jeder adjektivischen Bezeichnung, die dem Realismus in den letzten fünfzig Jahren angehängt worden ist, nicht zugeordnet werden kann, den Adjektiven des Realismus nicht, der Sache selber, dem Verfahren selber hoffe ich doch.

3. Gesellschaftsbezogenheit des Autors

D.: Sie kennen das Stichwort von dem »dritten Standpunkt«, wie Peter Weiss einmal seine Position als Autor bestimmt hat: gewissermaßen zwischen den Stühlen, keiner ideologischen Seite verpflichtet, ein permanenter Balanceakt. Ist das eine Charakteristik, der Sie auch aus Ihrer Sicht zustimmen könnten?

J.: Das halte ich nicht für eine individuelle Lage. Der Schriftsteller hat die Bindung an eine Klasse, an eine Gruppe, an einen Auftraggeber verloren, und das seit längerer Zeit. Ich zweifle sogar daran, ob man auch wirklich beweisen könnte, daß der Begriff des Engagements sich wirklich erfüllt hat in dem Jahrzehnt vor der Französischen Revolution, als das Bürgertum den Schriftsteller zu dem Zweck benutzte, sich selbst mit seiner praktischen Lage und seinen theoretischen Forderungen bekannt zu machen. Ob also hier das Engagement im wirklichen Wortsinne auftrat, Auftraggeber, Auftragempfänger und Moral – aber gut, wenn wir das annehmen, so hat es seitdem nirgends mehr eine Verbindung gegeben, einen verabredeten Ort zwischen dem Schriftsteller und der Gesellschaft, in der er lebt, ausgenommen natürlich jene Gebiete, die seit 1945 eine Spielart des Sozialismus entwickelten, wo der Schriftsteller ein Beauftragter der Arbeiterklasse ist oder sein soll. Ob das möglich ist, lasse ich dahingestellt. Das müßte man aus der Produktion dieser Schriftsteller beweisen können. Hier hingegen ist es völlig egal. Die Gesellschaft, die Lage und die Position und die Absicht des Schriftstellers sind gleichgültig. Der Schriftsteller wird zumeist eingeschätzt nach den Bedürfnissen, die er im noch lebenden Teil der Öffentlichkeit erfüllt, und ansonsten wird nichts mehr arrangiert und verabredet. Für die mehr repräsentativen Künste gibt es solche Verabredungen: für den Musiker gibt es das Opernhaus, für den Architekten die öffentlichen Aufträge, für den Schriftsteller gibt es die Preise, die in der Regel nicht so sehr seiner Intention zugewandt sind als dem Bedürfnis kommunaler oder anderer Interessengruppen, eine Repräsentation innerhalb der Gesellschaft bei dieser Gelegenheit vorzuführen. Insofern ist das auch keine dritte Position, sondern eine unabhängige Position, nicht eine dritte. Denn was wäre denn hier in einem Lande wie dem des Währungsgebietes DM die Position eins, was wäre Position zwei und Position drei? Hier sind wir doch leider zurückverwiesen auf einen undefinierbaren und dennoch von allen Leuten für definierbar gehaltenen Punkt, nämlich ist das wahr, was der da erzählt?

D.: Die Beurteilung, ob das wahr ist, was da erzählt wird, hängt offensichtlich von Voraussetzungen ab, die mit dem einzelnen Leser verbunden sind, und mit dem, was er an bestimmten Werthaltungen, ideologischer Art, mit sich bringt. Das heißt: ein sehr überzeugter DDR-Bürger wird ein Buch wie »Mutmaßungen über Jakob« von vornherein negativ sehen, und zwar nicht auf Grund einer ästhetischen Entscheidung, sondern auf Grund ideologischer Vorentscheidungen. Hacks ist ein Beispiel.

J.: Das heißt, er wird das Buch gar nicht gelesen haben und darüber urteilen.

D.: Ja, im Extremfall, oder er wird es so lesen –

J.: Ich meine jetzt nicht Hacks persönlich, weil er in einer Gesellschaft lebt, in der die Literatur traditionsgemäß eine höhere Achtung erfährt. Achtung muß nicht unbedingt liebevoll sein. Doch das ist die Erfahrung, die die russischen sozialistischen Führer um die Jahrhundertwende gemacht haben, die jeder Staatsmann einmal macht – und auch diese haben sie gemacht –, daß man sich bei der Befragung eines Jahrhunderts nicht so sehr auf diejenigen verläßt, die die Macht hatten, sondern auf die, die die tatsächlichen Zustände aufzuzeigen versuchten. Das heißt: wenn wir wissen wollen, was unsere Vorgeschichte in den letzten vierzig Jahren des 19. Jahrhunderts ist, dann werden wir eben nicht mehr vordringlich zu Bismarck greifen oder zu Bülows oder zu Caprivis und zu Bethmann-Hollwegs Erinnerungen, wir werden Fontane lesen, und da werden wir ein Bild der Gesellschaft bekommen, wo die konkreten Einzelheiten und das Verhalten der Personen uns viel mehr überzeugen. Und das wird dann allmählich unser 19. Jahrhundert werden. Dadurch ist dann die Literatur eine Macht. Und Sie werden sich erinnern, daß der sozialistische Realismus, der von dieser interessierten Seite her, von der Seite, die diesen Glauben hat, entwickelt worden ist, einen Begriff erfunden hat wie den der revolutionären Romantik. Das heißt: Du sollst als Schriftsteller im Auftrag der Arbeiterklasse die Welt nicht beschreiben, wie sie ist, sondern Du sollst die Welt zeigen, wie sie einmal sein wird, und dazu sollst Du Leute zeigen, die es heute noch gar nicht gibt und nur in Ansätzen als solche, die heute leben, damit sie auf die Leser, in diesem Fall immer gleich auf das Volk, folgende Wirkungen ausüben: 1) Hier habt ihr ein Beispiel, nach dem richtet euch; so soll man leben; 2) nicht das, was ihr täglich vor Augen habt bei der Arbeit oder in den öffentlichen Verkehrsmitteln, ist wirklich, sondern das, was die Literatur in ihrer unvergleichlichen Erkenntniskraft darstellt, das ist wirklich für heute. Dieser Begriff der revolutionären Romantik ist des Abklopfens wert. Das ist sicherlich ein großer Respekt vor der Literatur. Aber ich glaube nicht, daß dieses Respektverhältnis ein benutzbares Verständnisverhalten zwischen diesen Partnern, Auftraggeber und Auftragausführer, ergibt.

D.: Ich finde das Beispiel Fontane überzeugend, aber in der Retrospektive. In dem Sinne ist es vielleicht nicht vergleichbar mit der Situation eines Lesers heute bei einem Roman, der gerade geschrieben worden ist. Und was ich eigentlich andeuten wollte, war, daß die Kategorie »Das ist wahr!« oder »Was ist wahr?« eine Kategorie ist, die über den rein formalästhetischen Bereich des Romans hinausgeht und den Leser eigentlich miteinschließt. Denn ist es nicht so, daß bestimmte Haltungen vom Leser aus einfließen, die nun die Perspektive formen und bestimmen, unter der er zu erkennen glaubt, was wahr oder falsch ist?

J.: Wenn ein heute Siebzehnjähriger überhaupt das Bedürfnis hätte sich zu informieren, wie denn der Zweite Weltkrieg in der Sowjetunion sich tatsächlich praktisch dargestellt hat, dann hätte er ja die Möglichkeit, die Gedächtnisschriften irgendeines Infanterie- oder Luftwaffenregimentes nachzulesen, auf allerbestem Papier. Glauben wird er in der Regel Herrn Böll.

D.: Das mag richtig sein.

J.: Das liegt dann an der persönlichen Haltung Herrn Bölls, also an einer Haltung, die den Lesern, den Interessen dieses jungen oder auch älteren Lesers entspricht. Es wird bei Herrn Böll wahrscheinlich nicht mit großen Mengen Menschen gearbeitet, die man so in einem Satz in einem Haufen wegschmeißt, ohne sie je befragt zu haben nach ihrem Willen. Bei Herrn Böll wird mit einzelnen Leuten vorgegangen, die gefragt werden, ob sie wollen. Von denen erfährt man dann auch noch mehr als bloß die Nummer, die dann nach dem eingetretenen Todesfall durchzubrechen und den Angehörigen zuzuschicken ist. Bei Herrn Böll kriegt man sogar Vorgeschichten und persönliche Eigenheiten und Krankheiten und mentale Anpassungsschwierigkeiten oder praktische Anpassungsschwierigkeiten und was nicht alles mit, so daß einem bei der Person, die dann tatsächlich doch wieder geopfert wird, wie man es bei der Gedenkschrift dieses Luftwaffen- oder Infanterieregimentes gesehen hat, leid tut, daß sie geopfert wird.

4. Erzählposition der »Jahrestage«

D.: Darf ich die Frage des Erzählerstandpunktes jetzt einmal direkt auf die »Jahrestage« beziehen? Ich versuchte vorhin zu charakterisieren, daß Sie darauf verzichten, bestimmte Mitteilungen mit der Autorität eines allwissenden Erzählers vorzutragen, und daß das Personal Ihres Romans auch erzählerisch ein bestimmtes Eigengewicht gewinnt, indem bestimmte Informationen aus der Erfahrungsperspektive dieser bestimmten Personen mitgeteilt werden und der Erzähler sich sozusagen in der Haltung eines Abwartenden, eines Beobachtenden diesen Informationen gegenüber befindet. Nun könnte man allerdings –

J.: Ja, ich halte das auch für sehr viel wichtiger. Wenn Sie eine längere Lebensperiode zu schildern haben, dann können Sie natürlich sagen: Im April, Mai, Juni 1933 machte die Reichsregierung das und das. Ich muß mich aber praktischerweise daran halten, daß wir hier eine Person haben, die wütend ist über das Verhalten ihres Vaters, der sicher in England sitzt und dann doch zurückgeht nach Deutschland, anstatt sie als Kleinkind mit der Mutter nach England zurückzuholen. Sie erzählt sich das nämlich so: Die Reichsregierung machte meinem Vater folgende Angebote, zum Beispiel die Einführung der Todesstrafe auf diese und jene Weise, das Verbot seiner Partei auf diese und jene Weise, während sich der Vater um nichts kümmert als um eine Ulme, die da auf seinem Hof in Richmond bei London ihre Wachstumsschwierigkeiten hat. Ich ziehe es wirklich vor, das im Zusammenhang mit der Wohlfahrt und dem Untergang einzelner Personen darzustellen. So kann man es sehen und, so habe ich durch Lektüre gelernt, kann ich es selber sehen.

D.: Darf ich weiterfragen, wie das nun im einzelnen konkret aussieht? Das sind also bestimmte Figuren –

J.: Personen, Entschuldigung.

D.: – bestimmte Personen, die ein bestimmtes Eigengewicht annehmen. Sie haben das vorhin selbst in einer Formulierung angedeutet: Sie haben einen Auftrag erhalten von diesen Personen –

J.: Nur von einer.

D.: Von Gesine Cresspahl, und diese Person entwickelt ein bestimmtes episches Eigenleben, d. h. die Konzeption des Romans, wie Sie sie sich vielleicht theoretisch in einigen Hauptzügen vorher zurechtgelegt haben, wird variiert und verändert vom Eigenleben her, das diese Person gewinnt. Meine Frage nun: Wie sieht es konkret mit dem Erzähler Johnson aus, der sich ja selbst an gewissen Stellen wiederum in seinen Roman hineinbringt, sich als Erzähler sozusagen von der erzählten Person anreden läßt? Wie ist es um dieses Verhältnis bestellt, vor allem auch in bezug darauf, daß ja noch eine dritte Person hier eine wichtige Rolle spielt, auch rein im formalen Vorgang des Erzählens, nämlich die Tochter Marie? Mir ist nicht immer klargeworden, ob es tatsächlich möglich ist, das so realistisch zu motivieren, wie es offenbar gemeint ist. So wird in der Erzählung Gesines für Marie eine bestimmte Vergangenheit vergegenwärtigt, wobei die realistische Komponente doch bei Zeiträumen ausfällt, die sie gar nicht erlebt haben kann.

J.: Das besorge ich für sie.

D.: Gut, aber dann müßte man doch weiterfragen: Was ist der Ursprung von Gesines Informationen innerhalb dieser bestimmten formalen Konzeption des Romans? Sind das nun wiederum Erzählungen ihres Vaters, sind das bestimmte Materialien, die sie zur Verfügung hat? Auf der einen Seite verzichten Sie darauf, Materialien direkt in den Roman hineinzubringen und den Personen gegenüberzustellen. Sie motivieren auf realistische Weise, indem Sie bestimmte Erfahrungen Gesines als Hintergrund dieser Informationen annehmen. Aber das geht doch nicht immer, da ihr biographischer Erfahrungshorizont Lücken aufweist.

J.: Ich höre es nicht gern, wenn Sie das Materialien nennen. Sobald man anfängt, das zu erzählen, sind es doch ihre Familienerfahrungen. Und da genügt es doch, wenn ich weiß: sie hatte einen Großvater, der noch im vorigen Jahrhundert geboren wurde, Soundso heißt und dieses oder jenes Lebensjahr hatte um das Jahr 1920, als zufällig der Kapp-Putsch war. Dann ist es doch meine Aufgabe, da sie den Tag über arbeiten muß und dann am Abend dieses verlorenen Tages ein Familienleben mit diesem Kind unterhalten muß, da ja ein anderer Elternteil nicht am Leben ist – dann ist es doch meine Aufgabe, ihr das herauszufinden, wie das damals war, und dann abzuwarten, ob das zu ihr, so wie sie ist, paßt oder ob es nicht zu ihr paßt.

D.: Wenn Sie das so beschreiben, könnte man generell fragen, warum Sie nicht von vornherein viel stärker als Erzähler in Erscheinung treten, indem Sie z. B. auf solche als realistisch fingierte Motivation verzichten, um Informationen in den Roman hineinzubringen. Ein Beispiel: wenn Sie an einer Stelle in den »Jahrestagen« eine Gegenüberstellung der Situation in New York und West-Berlin erreichen wollen –

J.: Verzeihn Sie, ich will das nicht erreichen.

D.: Gut, wenn das geschieht, dann wird meiner Meinung nach eine Hilfskonstruktion verwendet, und zwar ruft Gesine bei einer Freundin in West-Berlin an, was mir, realistisch eingeschätzt, merkwürdig zu sein scheint, nämlich daß man – natürlich, das ist einfache Leserpsychologie – aus einer Zufallshaltung heraus ein teures Ferngespräch führt, nur um einige Informationen von einem Menschen zu erhalten. Warum wird das nicht direkt in Form eines Faktenstenogramms in die Erzählung hineingebracht, mit der Funktion eines Kontrasts? Warum diese realistische Verklammerung?

J.: Ja, zur Frage meines persönlichen Auftretens, da kann ich nur mit einer Gegenfrage antworten. Wer ist denn hier wichtig, ich oder die Person, deren Leben ich beschreibe? Ich würde diese letztere Möglichkeit wählen. Zum andern ist das Attentat auf Rudolf Dutschke in der Tradition eines solchen Lebens wie dem von Gesine Cresspahl von einem sehr, sehr hohen Stellenwert. Sie wird aber, wenn sie die »New York Times« anruft, nur erfahren: »Das ist alles, was wir wissen. Wenn wir mehr wüßten, hätten wir mehr gedruckt, Madam.« Und diesen Weg wird sie nicht wählen. Sie wird eine Freundin anrufen, und zwar ist das eine sogenannte beste Freundin, die obendrein noch im Zentrum dieses für sie wichtigen Geschehens sitzt, nämlich in West-Berlin. So teuer ist das gar nicht, das sind im schlimmsten Fall 18 Dollar gewesen. Und dann müssen Sie auch noch bedenken: wenn man eine hohe Telefonrechnung hat in New York, dann ruft kurz vor Abschicken der Rechnung ein Fräulein der Gesellschaft an und sagt: »Sie werden demnächst eine sehr hohe Rechnung haben. Wenn es Ihnen sehr unangenehm ist, können wir Ihnen gern einen Vorschlag machen, daß Sie das in Raten bezahlen dürfen.« Das ist also eigentlich nicht das Einschüchternde. Und Herr Rudolf Dutschke hatte etwas zu tun – um das zu erläutern – mit der Vorbereitung eines Sozialismus, den Gesine Cresspahl hat mehrfach scheitern sehen. Er war einer der – gut, sagen wir – Katalysatoren, an dessen Verhalten oder bzw. Erfolg/Mißerfolg sie hat erkennen können: wird es das einmal in Deutschland geben? Was würden Sie denn machen? Sie würden auch da anrufen, wo Sie es am allerschnellsten und allerdeutlichsten erfahren. Ich halte es nicht für eine Konstruktion, sondern das gehört zu ihren Lebensverhältnissen. Sie hat eben diese beste Freundin Anita. Wer soll es ihr denn sonst sagen? Und wem würde sie sonst glauben?

D.: Ich habe das auf dem Hintergrund als Frage gestellt, weil Sie in bestimmten Situationen, wo Gesine auf Grund biographischer Umstände Informationen nicht zugänglich sind, als Erzähler in Erscheinung treten und diese Informationen erzählend mitteilen.

J.: Das tu ich nicht, nein, nein, nein. Der Verfasser des Buches kommt ein einziges Mal vor bisher in direkter Partnerschaft. Und das ist die Sache mit dem Jewish American Congress. Da ist diese Mrs. Cresspahl unzufrieden mit der Ausführung des Vertrags, und um diese Unzufriedenheit deutlich zu machen, da erinnert sie sich an ein Problem, das sehr wohl das ihre ist, das Verhältnis zu den Juden. Sie benutzt die Gelegenheit, um dem Verfasser zu zeigen, daß er sich da blamabel aufgeführt hat. Und das rekapituliert sie ihm, und da fallen dann so kleine schnippische Bemerkungen, die aber eigentlich mit der Rekapitulation dieses ganzen Zwischenfalls oder Ereignisses den Effekt haben, daß von beiden Seiten aufgestaute Emotionen verbraucht werden und daß man wieder vernünftig über die Darstellung weiterverhandeln kann. Sonst nichts. Da taucht die Frage auf: Wer erzählt hier eigentlich? Wir beide, siehst Du doch! Und nachdem er dies hingenommen hat und hat hinnehmen müssen, geht das Normale weiter. Das werden Sie an der Sprachlage sehen.

D.: Ja, aber das ist nicht eigentlich das, was ich meinte, daß also der Erzähler Teil der erzählerischen Fiktion wird und selbst in Erscheinung tritt.

J.: Ich bin gar keine Fiktion.

D.: Ja, in gewisser Weise, erzählstrukturell, doch.

J.: Entschuldigung, mein Auftritt vor dem Jewish American Congress hat ja stattgefunden.

D.: Ja, aber Sie werden sozusagen momentan zumindest Teil einer erzählerischen Fiktion, indem Sie selbst erzählt werden.

J.: Ich gehe rein.

D.: Sie gehen rein in das Buch, Sie sind Bestandteil des Buches geworden und dadurch erzählerischer Bestandteil in dem Sinne, daß Sie Teil der erzählerischen Fiktion sind.

J.: Aber auch viele andere Sachen, die weiter nichts als zeitgenössische nachgewiesene Realität sind, gehen in das Buch rein, zum Beispiel die Judengesetze, die sich auf den Paten dieser Person, einen angeblich jüdischen Tierarzt, auswirken und sind auch bloß ein Gesetz mit außerordentlich großer Kraft der Wirklichkeit.

5. Die »New York Times« – ein Hilfsmedium des Erzählens?

D.: Ich wollte Sie noch zu einem andern Punkt fragen, der so scheint mir, auch die Funktion eines Hilfsmediums des Erzählens hat.

J.: Entschuldigung, ich habe da nichts konstruiert. Das waren Lagen, das waren Verhältnisse, die zu ihrem persönlichen Zustand gehören. Das ist nicht konstruiert.

D.: Gut, ich könnte für konstruiert auch komponiert oder erzählerisch verwirklicht sagen.

J.: Aber in Wirklichkeit ist es doch nur die Ausnutzung einer Situation, in der sie sich befindet. Diese ganze Situation ist doch durch die Vorbereitung des Buches bei mir hergestellt worden, und von nun an ist sie benutzbar.

D.: Sicherlich, aber wenn ich eine Formulierung von Ihnen höre wie die: Sie haben einen Auftrag erhalten von einer bestimmten Person. Diese Person ist fiktiv. Ist da nicht so etwas wie eine Mythisierung eines literarischen Sachverhalts im Spiel?

J.: Das ist eine scherzhafte Umschreibung für eine Lage. Ich habe diese Person in New York wiedergefunden, d. h. ich kannte sie recht gut aus einem früheren Buche, und mir kam der Einfall, diese, ihre Biographie zu beschreiben, und ich habe mich jetzt für sie in nicht ganz ernsthafter Weise darum bemüht, von dieser Person die Genehmigung zu bekommen, ihr Leben zu beschreiben. Daraus rührt ein Vertrag her. So kann man es ausdrücken. Natürlich ist das real nicht haltbar. Das war nur eine Hilfsdarstellung. Natürlich macht man das nur bei lebenden Personen, nein: bei juristischen Personen.

D.: Meine andere Frage in diesem Zusammenhang betrifft die Funktion der »New York Times« im Erzählkontext. Sie scheint mir als ein Hilfsmedium des Erzählens eingesetzt, ähnlich wie über längere Passagen des dritten Bandes das Fernsehen. Ist es nicht so, daß sich den beiden Erzählebenen des Buches, Erzähler–Gesine und Gesine–Marie – dazwischen kann gelegentlich der Erzähler selbst auftauchen – eine dritte Ebene zuordnet, und hier ergibt die Orientierung das Erzählmedium »New York Times«? Oder wie ist das, vom Autor her gesehen, gemeint?

J.: Ja, »gemeint« ist es im Grunde gar nicht. Was diese Marie angeht, so hat sie bei einer Autofahrt an einem Wochenende im Jahre 67 eingesehen, daß sie verschiedene Sachen, die die Mutter ihr erzählt – Wie warst Du denn als Kind in der Schule in meinem Alter? –, nicht begreift. Da erbittet sie sich von ihrer Mutter Tonband-Deposits. Diese Tonband-Deposits können durchaus entstehen, wenn das Kind dabei ist oder nicht. Das ist eine reale Situation, das Kind hat sich das ausgebeten. Und das wird dann auch gemacht. Ob das nun im Gespräch geschieht oder im Monolog, ist völlig gleich. Das führt eben zu dieser Situation, in der sich die Person Mrs. Cresspahl befindet. Was das andere angeht, so haben Sie schon in dem ersten Buch, in dem sie vorkommt, in den »Mutmassungen über Jakob«, daß sich jemand über ihre Angewohnheit beklagt, jeden Tag drei Pfund Zeitungen zu kaufen, und zwar jeden Tag. Das hängt mit ihrer Biographie zusammen. Sie hat einmal in einem Staat gelebt, in dem Zeitungen sich so und so verhielten, also offenbar in einer Weise, die als Reaktion provoziert, daß diese Gesine Cresspahl, sobald sie konnte, immer sehr viele Zeitungen gekauft hat. Das ist also gar nichts Neues. In New York ist es dann nach einer Weile die »New York Times« gewesen. Die »New York Times« ist eine Gewohnheit geworden, mit ihr beginnt sie den Tag. Sicherlich hat das für diese Gesine Cresspahl die Funktion der Vermittlung, denn da sie oft abwesend sein muß in der Arbeit, im Weg zur Arbeit, im – sagen wir mal – Familienleben, im Leben mit Freunden und so weiter, kann sie nicht mit eigenen Augen, Ohren und Sinnen erfassen, was im Nachbarhaus und in Südostasien an Todesfällen passiert. Dafür hat sie eben die »New York Times«, und hat sie nur die »New York Times«. Was da vorkommt am Anfang, in der Mitte oder am Ende der Kapitel als Nachrichten aus der »New York Times«, das ist nicht irgend etwas Objektives, sondern das ist etwas völlig auf das Subjekt dieser Mrs. Cresspahl Eingerichtetes, erstens durch die Auswahl: nur das, was nach ihrem Zustand und nach ihrer Entwicklung für sie von Interesse ist, kommt überhaupt vor, denn das hat sie nämlich genau gelesen. Das heißt: sie hat ungefähr 98 % der »New York Times« nicht gelesen oder weggelassen als nicht erheblich. Aber zu den Sachen, die sie selber ausgesucht hat, die dann in der Welt passieren, ob das eine Entscheidung in Bonn ist oder in Athen oder in Hanoi oder Saigon, in Buenos Aires oder in Frankfurt am Main, dazu hat sie bestimmte emotionale und theoretische Reizreaktionen. Das ist ein Bestandteil ihres Lebens, das ist niemals eine erzählerische Konstruktion, als ob ich hier ein Medium eingeführt hätte. Das Medium ist Bestandteil dieses Tageslaufes und Lebenslaufes.

D.: Das leuchtet ein, aber ich meine ja die Bedeutung, die diese Zeitung im Erzählvorgang selbst annimmt. Sie sagen ja selbst an einer Stelle, die Zeitung sei das Bewußtsein des Tages.

J.: Das ist nun wirklich ironisch gemeint, eine sehr unehrfürchtige Abwandlung der Reklamesprüche, die die Zeitung über sich selbst verbreitet. Denn das Bewußtsein des Tages kann eine Zeitung nicht sein, da diese Mrs. Cresspahl einiges an theoretischer und auch erkenntnistheoretischer Schulung in sich hat, da kann sie so etwas nicht ernst meinen.

D.: Bewußtsein des Tages in dem übertragenen Sinne – wie Sie es vorhin selbst angedeutet haben –, daß bestimmte Informationen dem einzelnen nicht zugänglich sind in seinem privaten Leben, 80% des Großstadtlebens in New York zum Beispiel.

J.: Weil man den größten Teil seines Lebens an sein Arbeitsver-

hältnis verliert.

D.: Ja. Um das, was ja mittelbar Bestandteil ihres Lebens ist, aber nicht sichtbar gemacht werden kann im Erfahrungsfeld der Figur, dennoch zu verdeutlichen, muß es auf andere Art erzählerisch integriert werden.

J.: Natürlich kann das sichtbar gemacht werden, insofern als diese »New York Times« – wie das immer so geht bei schwerer Sucht und Gewöhnung – personalisiert wird, obwohl sie doch nichts ist als eine Institution, und zwar sogar eine geschäftliche Institution. Diese »New York Times« wird überführt in den Status einer Tante, und zwar einer Tante, der man manchmal höflich zuhört, der man durch mimisches und anderes Ausdruckswesen seinen Unglauben und seinen Hohn beweist und der man offen widerspricht: Das ist ja doch ein dauernder Dialog zwischen dem, was Sie Medium nennen und was in Wirklichkeit eine Geschäftsgruppe ist. Die »New York Times« ist kein vom Erzähler erfundenes Transportmittel, sondern sie ist eine tägliche Funktion im Leben dieser Mrs. Cresspahl. Was Sie auch schon daran sehen, daß sie manchmal gar nicht vorkommt, dann hat sie nämlich keine gekriegt.

D.: Was ich zu sagen versuche, ist, daß ganz bestimmte Bereiche der Darstellung jenseits des Erfahrungshorizontes von Mrs. Cresspahl verlaufen. Ich denke als Beispiel an die Episode um Linda Fitzpatrick, den rauschgiftsüchtigen Teenager, der ermordet wird; durchaus ein realistischer Einzelzug, der bestimmte Aspekte der amerikanischen Großstadtgesellschaft beleuchtet.

J.: Das würde Ihnen Mrs. Cresspahl nie und nimmer zugestehen. Um nochmals nach der »New York Times« zu fragen: ich bin etwas verwundert, daß Sie die im Buch doch mehrmals geschilderte Situation nicht akzeptieren wollen. Das erste, was als Kontakt mit anderer als familiärer oder privater Wirklichkeit passiert, das ist das Lesen oder Anblättern der »New York Times« in der U-Bahn, das Lesen der »New York Times« in den wenigen Minuten, die ihr vor Arbeitsbeginn bleiben. Das tun doch die Leute in Berlin mit ihrer Zeitung genauso wie viele Leute – 800 000 Leute an der Zahl – in New York, die als erstes am Tage die »New York Times« lesen. Das ist ihr Eindruck von diesem Tag. Das ist also nicht arrangiert, das ist die Situation.

D.: Wenn schon realistische Fingierung, ist es dann nicht tatsächlich so, daß sich die meisten Leute über das, was passiert, am Morgen in den NBC-News informieren? Ich denke an die Sendung »Today«, die von 6 bzw. 7 Uhr früh bis ungefähr 10 dauert; ein

Pendant dazu ist seit kurzem die Sendung von ABC »America«. Hier werden die Ereignisse nicht nur in Form von Nachrichten von einem Sprecher weitergegeben, sondern auch in Filmberichten und Diskussionen kommentiert. Ist das nicht eigentlich eine sehr viel effektivere Nachrichtenvermittlung und Nachrichtenform, die auch, soweit ich orientiert bin, viel stärker beansprucht wird als beispielsweise die »New York Times«, bei der man sich die wesentlichen Informationen nicht nur aus einem Wust von Reklame herausschälen muß, sondern die zudem noch die Reputation einer Intellektuellen-Zeitung, eines Eliteblattes hat?

J.: Bei 800000 Auflage kann man das nicht sagen.

D.: Nun ja, 800000 Auflage in Relation zur Bevölkerung von Amerika vielleicht doch.

J.: Es ist eine New Yorker Zeitung.

D.: Die durchaus von Leuten in allen großen Städten Amerikas gelesen wird. Es ist fast eine Art Status-Symbol, zumindest am Sonntag die »New York Times« zu lesen und die Informationen, die man dann auf der Cocktail-Party im Gespräch einflicht, aus der »New York Times« zu nehmen.

J.: Richtig, das trifft zu, besonders diese Sonntags-Geschichte, das trifft zu. Nur: da wenden Sie eben zu wenig Respekt auf für die Vorgeschichte dieser Person. Sie ist eben mit Zeitungen groß geworden. Und zum andern: wenn sie aufwacht, dann ist das eine von den wenigen Stunden des Tages, wo sie mit ihrem Kind zusammen ist. Da kann sie sich nicht dazwischenquatschen lassen von einem Radio oder Fernsehapparat, sondern sie muß das Kind darauf vorbereiten, daß es die Aufgaben der Schule erledigt, und das sind eben nicht nur Schulaufgaben, sondern auch die andern Aufgaben der Schule, sie muß also mit dem Kind reden, es ist ja sonst niemand da. Da kann sie weder Rundfunk hören noch fernsehen, noch Zeitung lesen. Das ist eine Person mit einem einzigen Kind, sie ist in einer ganz andern Weise verantwortlich. Sie kann das also erst in der U-Bahn tun und in den Minuten, die sie zu früh ins Büro kommt, und das ist ihre Situation, sowohl der Entwicklung wie dem Sachverhalt nach. Und ich frage mich, warum man das nicht respektiert. Oder sollte sie sich statistisch gerecht verhalten?

D.: Ich akzeptiere es durchaus. Mir geht es ja nur gleichsam um eine erzähltechnische Präzisierung dieses Vorgangs, daß also dadurch eine Möglichkeit geschaffen wird, über ein solches Erzählmedium Wirklichkeit einzubringen, die von ihr privat-individuell nicht erfahrbar ist.

J.: Aber die »New York Times« ist kein Erzählmedium, sondern ein Aspekt des subjektiven Zustandes.

D.: Aber sind das nicht zwei Aspekte für den gleichen Sachverhalt? Wenn man die Erzählform des Buches untersucht, kommt man zu der Feststellung: Hier sind also bestimmte Wirklichkeitsbereiche, die erzählerisch dargeboten werden. Da ist die Erinnerung von Gesine Cresspahl, die also den gesamten Bereich Mecklenburg und auch den Bereich Auswanderung ihrer Eltern nach Richmond und Leben in England einbringt. Da ist aber auch der Bereich Großstadtwirklichkeit in New York. Und da gibt es einmal die privaten subjektiven Erfahrungen, das, was in ihrem individuellcn Leben passiert, und da gibt es bestimmte Dinge in dieser Wirklichkeit, zu denen sie keinen direkten Zugang hat, und der Kontakt stellt sich, vermittelt, in der Lektüre der Zeitung her.

J.: Aber was sie dann nach Hause bringt als Bewußtsein von den Meldungen der Zeitung, das ist genauso subjektiv wirklich wie der Mann in dem Käsegeschäft, der ihr die Ehe anbietet. Sie nennen das Konstruktion.

D.: Konstruktion ist deskriptiv von mir gebraucht. Es ist die Frage nach dem künstlerischen Kalkül der Romanstruktur.

J.: Ja, aber wenn sie schon, als sie in Hessen lebte, als sie in Düsseldorf lebte, immerzu diese Zeitungen kaufte, so ist das doch einigermaßen vorbereitet. Dann: sie ist pro-britisch erzogen, aber das einzige pro-britische Ressentiment, das sie in New York auf Zeitungen loslassen könnte, richtet sich naturgemäß auf die »New York Times«. Und dann sind aus ihren familiären und auch beruflichen Gegebenheiten gar keine anderen Anwendungsmöglichkeiten mehr da, als daß sie sich die Realität, die sie sonst nicht kriegen kann, mit einer Zeitung heranholt. Das ist ihre Lage. Das ist nicht etwas, was der Erzähler eingerichtet hat, um bestimmte Sachen der Wirklichkeit besser in den Griff zu kriegen. Nein. Das hat sich von vornherein so verhalten.

D.: Das ist richtig. Aber von der Person und ihrer Geschichte einmal absehend, geht es mir in diesem Fall ja nur um eine Beschreibung des künstlerischen Ergebnisses.

J.: Ja, aber sehen Sie, wenn Sie nun einen Teil ihrer Vorgeschichte einfach streichen, und Sie machen das mit den NBC-News, dann käme das über die NBC, und dann würden Sie wieder sagen: die NBC ist eine Erfindung des Verfassers.

D.: Sicherlich nicht. Ich habe die NBC-News sozusagen als statistischen Durchschnitt zitiert, aber das schließt nicht aus, daß ich nicht anerkenne, daß auf Grund der individuellen Entwicklung dieser Gesine Cresspahl die »New York Times« die sehr viel legitimere Möglichkeit darstellt, sich Informationen über diese amerikanische Umwelt zu beschaffen.

J.: Sie kann kein statistischer Durchschnitt sein, denn sie ist eine Person, die nicht dort geboren ist, die also eine europäische Vergangenheit mitgebracht hat. Und zum andern: die »New York Times« hat bei ihr überhaupt nichts zu tun mit diesem Snob-Appeal, sondern: was hat sie für einen Beruf? Sie hat zu tun mit der Vermittlung des Amerikanischen in die verschiedenen Sprachen, hauptsächlich Französisch, Italienisch und in geringerem Maße Deutsch. Woher und mit welchen Mitteln wird sie sich denn fit halten? Mit einem Instrument der Hochsprache, das ist die »New York Times«. Sie kann ja in ihre Briefe an die Bank des Heiligen Geistes in Turin nicht plötzlich Ausdrücke aus der Umgangssprache – das wäre höchst schwierig – einflechten, sie würde ihre Anstellung verlieren. Auch das ist ein Aspekt.

D.: Aber es geht mir ja überhaupt nicht darum, ein bestimmtes erzählerisches Mittel als unglaubwürdig oder als künstlerisch nicht überzeugend hinzustellen.

J.: Sie bleiben dabei, daß es ein künstlerisches Mittel ist. Dies ist der Sachverhalt dieser Person, keinesfalls ein Mittel. Das ist genauso real wie der Toast, den sie sich am Morgen leistet. Das ist eben vorhanden. Das ist nicht ein Mittel der Erzählung, sondern das ist für sie genauso ein Zugang zur Welt wie das, was sie dem Zeitungsmann sagt. Verstehn Sie: da hat sich nicht der Verfasser heimlich ein Instrument geschaffen. Dann wäre ja die Tatsache, daß Menschen sich erinnern können ein Instrument, und dann würde der Verfasser das den Personen so unter die Jacke gejubelt haben. Das habe ich alles nicht getan. Die Situation ist so da.

D.: Ja, es ist auf der andern Seite eine fingierte Situation. Daß es fingiert ist, vergißt man, wenn man sich die realistischen Voraussetzungen der Situation – Sie haben sie vorhin im einzelnen erwähnt – vergegenwärtigt. Ich bestreite das ja überhaupt nicht. Wenn man jedoch Abstand nimmt und den Roman unter dem Aspekt des Erzähltheoretischen, des erzählerischen Aufbaus betrachtet, kann man dann nicht sagen, daß die Zeitung – und im dritten Band, bezogen auf die Ermordung von Robert Kennedy, das Fernsehen – als bestimmte Filter eingesetzt werden, durch die Wirklichkeit eindringt, die nicht vermittelt werden kann in der subjektiven Erfahrung der Person, aber Wirklichkeit, die zu diesen Lebensumständen Gesines in New York, in Amerika gehört.

6. Zum Montage-Prinzip in den »Jahrestagen«

D.: Ich halte Ihr Vorgehen für legitim und habe diese Frage vor allem auch deshalb gestellt, weil es mir scheint – vielleicht ist das ein Irrtum –, daß hier ein formaler Weg beschritten wird, der sich zumindest in Ansätzen bereits bei Döblin und Dos Passos zeigt. Dos Passos wird ja auch von Ihnen genannt im Roman, im ersten Band.

J.: Das ist möglich, das erscheint dort nicht als Medium oder als Zeuge für ein Medium.

D.: Sie erwähnen ein Zitat.

J.: Dos Passos hat in seinen Romanen eine Aussage gemacht über die politischen Mechanismen der USA, und daraus geht hervor: die Politik des Präsidenten wird nicht einmal vom Präsidenten entschieden. Da sagt sie: das weiß ich von Dos Passos, oder jemand anders sagt es. Dos Passos ist da wirklich kein formaler Hinweis, das ist kein formaler Gruß an Dos Passos.

D.: Immerhin ist der Name da, möglicherweise stellt sich unterschwellig eine bestimmte Verbindung her zu der Technik der Newsreel-Montagen, wie sie Dos Passos in seiner Trilogie »USA« eingesetzt hat?

J.: Da ist die Montage als isoliertes technisches Mittel eingesetzt in ihrem eigenen Recht.

D.: Aber läuft das nicht am Ende auf das gleiche formale Ergebnis hinaus?

J.: Nein, nein, dergleichen hat Lettau in »Der tägliche Faschismus« gemacht. Aber ich habe das eben nicht isoliert, sondern in das Subjekt mithineingenommen, während Dos Passos das seinen Subjekten gegenüberstellt als Interpretation, als Summary, als Zusammenfassung, wie Sie wollen.

D.: Aber da gibt es einzelne Passagen in allen Bänden der »Jahrestage«, wo Zitate gebracht werden, die allerdings übersetzt sind – und da kommt der Erzähler hinein –, die sich aber andererseits durch die kleine Unterschrift »Copyright by the New York Times« als authentische Zitate – wenn man das so nennen kann – zu erkennen geben. Sind das nicht ebenfalls reine Materialzitate, nicht interpretiert im vorstellenden Bewußtsein Gesines?

J.: Nein, das ist ein Smoke-screen, das sind die Tage, an denen Sachen drin sind, Sachen dran sind, über die sie nicht reden möchte. Oder Tage, an denen das, was dort in der Zeitung steht, sie dermaßen überwältigt als Wirklichkeit der USA, daß sie glaubt, an diesem Tag nichts mehr sagen zu müssen. Das reicht. Da braucht sie keine Zusätze zu machen, das ist das. Hier lebe ich, und das ist das.

D.: Aber ist das nicht nur die Insider-Perspektive des Autors, die realistische Motivation der Textstelle? Könnte man nicht, wenn man eine Außenperspektive wählt, auch sagen, das ist ein Materialzitat, das hineinmontiert ist und im Erzählzusammenhang auch so erscheint?

J.: Nein, das glaub ich nicht. Denn an diesem Tag wird nicht die gesamte »New York Times« zitiert, sondern nur Artikel, das bedeutet subjektive Auswahl. Oder es ist subjektive Auswahl, weil diese Artikel nicht vollständig sind. Dann wird der Leser sich aus seinen bisherigen Erfahrungen fragen: Ja, und dieses Zitat ist alles? Warum sagt sie denn nichts dazu? Darauf sollte die Antwort ganz leicht sein. Weil dazu von ihr aus nichts zu sagen ist. Das ist dann für den Tag ihr Lebensgefühl.

D.: Aber ist es nicht auf der andern Seite so, daß dieses formale Element sich einordnen läßt in bestimmte, zumindest ansatzweise vorhandene Traditionen, und lassen sich von dieser Tradition her nicht Aspekte der Beurteilung entwickeln? Eine der Kategorien wäre, daß das tatsächlich als Montage zu sehen ist, Montage, die künstlerisch plausibel gemacht wird, weil sie völlig verschmolzen ist mit diesem individuellen Erzählvorgang. Aber das schließt doch nicht diese theoretische Beurteilung aus?

J.: Nur denke ich gar nicht daran, diese selber auszusprechen. Denn ich hab Ihnen das Material geliefert, und es steht Ihnen völlig frei, diese theoretischen oder technischen Überlegungen anzustellen. Das ist aber Ihre Ebene der Beurteilung. Ich kann Ihnen nur das Buch erklären, was in dem Buch drin ist und mehr nicht.

7. Literarische Tradition, aber keine Abhängigkeit

D.: Nun sind Sie selbst ein Autor, der literarhistorisch orientiert ist, der philologisch eine bestimmte Schulung hinter sich hat.

J.: Ich brüste mich eines Diploms.

D.: Obwohl hier der »Gestohlene Mond« von Barlach vermutlich nicht herangezogen werden darf, um bestimmte erzählerische Einzelzüge bei Ihnen zu erläutern. Aber ist es – davon unabhängig – nicht so, daß bestimmte vorhandene Traditionen oder ansatz-

weise vorhandene Traditionen modernen Erzählens von Ihnen bewußt aufgegriffen und weiterentwickelt worden sind? Oder ist es tatsächlich so, daß Sie sich völlig mit dieser Welt der Person Gesine identifizieren, daß Sie formale Überlegungen völlig überspringen können?

J.: So ist es nicht. Bei dem »Gestohlenen Mond« von Barlach handelte es sich ganz gewiß um die Überlegung: Wenn ich mich schon mit einem Buch ein halbes Jahr beschäftigen muß und ich darf mir aussuchen, was für ein Buch es ist, dann nehme ich eben das, mit dem ich am liebsten – wenn es überhaupt sein muß – das nächste halbe Jahr verbringe. Damals war's so, man konnte sich das Thema aussuchen, d. h. es mußte genehmigt werden, es wurde genehmigt. Das war das, das hatte – sagen wir mal – zum Teil sogar private Gründe. Das ist also in keiner Weise ein formales oder sonstiges Vorbild gewesen. Und sonst, was das andere angeht, so bin ich eben der Meinung, daß in den vier Jahren Universitätsstudium der deutschen Sprache und Literatur das irrationale und emotionale Verhältnis zu den Autoren schrumpft. Wenn Sie in Proseminaren zu erläutern haben, warum Mörikes Gedichte an einigen Stellen manchmal langsam sind und manchmal schnell, was sie überhaupt für Effekte erzielen oder warum Fontanes Anschlüsse manchmal verwischt sind, und Sie haben das sozusagen auf dem Wege der Auszählung festzustellen oder ob das nun Brecht betrifft oder andere – dann vergeht Ihnen das Schülerschaftsverhältnis relativ schnell. Was Sie hingegen übrig behalten, das ist der Katalog der formalen Möglichkeiten, die in der Welt vorhanden sind. Und ich bin ziemlich sicher, daß Sie die einmal entwickelten – sagen wir mal – Handwerkszeuge in der Erzählung benutzen dürfen, ohne daß das irgendeine Schülerschaft oder Gefolgschaft oder wie Sie wollen, bedeuten muß. Ich habe zum Beispiel an dem Roman »The Sound and the Fury« von William Faulkner gelernt, daß man diesen Kursivdruck sehr wohl benutzen kann für individuelle Optiken, die einander widersprechen. Das habe ich rein als technisches Mittel übernommen. In einem Buch von mir, »Die Mutmassungen über Jakob«, habe ich diese Signal-Mittel nicht benutzt im Faulknerschen Sinne, sondern ausdrücklich für meine eigenen Zwecke, und dadurch hat sich das Mittel verwandelt. Daß man die formalen Großentwürfe, die sich gleich auf ein ganzes Vorhaben richten, übernehmen kann, das halte ich für ausgeschlossen, weil dies ein Beruf ist für eine Person, das heißt die Person ist angewiesen auf Erfahrungen, die sie macht, und sehr oft sind das Erfahrungen, die nur sie hat machen können. Das bedeutet schon auf der sprachlichen Ebene, daß diese Person einen Stil entwickelt, der eine Vermittlung ist zwischen dem vorgefundenen Zeitstil und den Bedürfnissen, die dieses Individuum selber hat gegenüber den Ausdrucksmöglichkeiten der Sprache. Und dann erhalten Sie einen Personalstil, und den kann man weder von Gottfried Keller noch von William Faulkner übernehmen. Die haben ihren eigenen. Dann stehen Sie vor der Notwendigkeit, die jeweilige Geschichte, die Sie vorbringen wollen, zu untersuchen und für sie eine Möglichkeit zu finden, die nur dieser Geschichte angemessen ist, die sie am besten erscheinen läßt. Das bezieht sich auf Tempo, auf Belichtung, auf Struktur, das ist also eine Großstruktur, die aus der Geschichte hervorgeht, und auch dort kann Ihnen kein anderer vor Ihnen oder mit Ihnen lebender Autor helfen. Sie müssen das selber machen. Denn das sind ja Ihre Ressourcen, die Sie mit Technik haltbar machen wollen. Da können Sie sich mal einen Hammer ausborgen oder eine Kette oder was immer für Metaphern Sie da haben wollen für literarische Techniken: Sie werden sie während des Gebrauchs verändern. Und daß dies sozusagen ein großes Warenhaus, ein großes Vorratshaus ist, aus dem Sie etwas borgen, das ist ganz sicher. Man findet doch: genau wie die Geschichte, die Sie da haben, mit der Welt zu tun hat, hat auch das Handwerkszeug, das Sie entweder selber entwickeln oder borgen, zu tun mit der literarischen Tradition. Aber ich glaube, bei jemand, der seine Arbeit wert ist, nie auf dem Wege der Abhängigkeit.

D.: Was also eigentlich doch nicht die Möglichkeit ausschließt, daß sich unter dem Aspekt einer literarischen Beurteilung der Entwicklung des Romans bestimmte Zusammenhänge herstellen, die der Autor vielleicht nicht bewußt reflektiert hat.

J.: Ja, woher wissen Sie das, daß ich das nicht bewußt reflektiert habe? Einiges gebe ich allerdings zu: als die Türen zur Wissenschaft amtlicherseits geschlossen wurden und ich diesen andern Weg fand, dennoch weiter mit dem Kopf zu arbeiten, da habe ich mich auf diese Arbeit konzentriert und habe die theoretische Analyse aufgegeben und befasse mich mit der lediglich noch durch Rezeption.

8. Zur historischen Obsoletheit erzählter Ereignisse

D.: Es würde mich interessieren zu erfahren, ob sich bei Ihrem Roman-Unternehmen, das sich ja auch über eine beachtliche Entste-

hungsphase erstreckt, nicht bestimmte Schwierigkeiten dadurch ergeben haben, daß einzelne Materialien möglicherweise bereits in bestimmten Teilaspekten historisch überholt sind. Ich denke an den Vietnam-Konflikt, die Wahlkampagne, aus der Nixon als Sieger hervorging, die Rivalität zwischen Eugene McCarthy und Bob Kennedy, überhaupt die sehr ausführlich dargestellte Reaktion Maries und Gesine Cresspahls auf die Wahlkampagne Robert Kennedys. Sind das nicht Aspekte, die aus heutiger Sicht wenig Reizwert mehr als historisches Material besitzen?

J.: Das hätte ich mir ja früher sagen können, wenn ich für ein Buch eine erzählte Zeit von August 67 bis August 68 einrichte, daß einzelne Ereignisse innerhalb dieses erzählten Zeitraums sehr bald Zustände des Vergangenseins bis zum Obsoleten hin erreichen. Wenn es ein Risiko war, dann ist es ein sehr bewußtes Risiko. Darauf habe ich mich durchaus eingerichtet. Mir geht es darum, die Wirklichkeit dieses Jahres zu zeigen. Ich bin von Anfang an nicht in solche Spekulationen gegangen: Ist der Vietnam-Krieg eines Tages, wie Sie sagen, historisch überholt? Denn das ist er nie und nimmer. Das ist eine Funktion der amerikanischen Großmacht-Politik, des Weltpolizistentums und des Bedürfnisses der amerikanischen Armee, jedes Jahr ein Manöver an einem möglichst andern nationalen Kriegsschauplatz abzuhalten. Das ist für mich nicht obsolet und hat für mich beim Schreiben keinerlei Schwierigkeiten hervorgebracht.

D.: Ja, der Vergleich wäre hier etwa die Emigrantin Mrs. Ferwalters, in ihrer individuellen Problematik ein durchaus realistisches Porträt einer naturalisierten Amerikanerin. Das ist realistisch, wahr, aber nicht gleichzeitig bestimmten zeitgeschichtlichen Strömungen ausgeliefert, d. h. dieses Porträt wird auch noch in einigen Jahrzehnten begreifbar sein, während vielleicht zu dieser Zeit die Stalin-Tochter, die im ersten Band sehr ausführlich in »New York Times«-Zitaten behandelt wird, nur noch ein rein exotisches Faktum sein könnte, das nur mit Hilfe von Fußnoten begreifbar wird.

J.: Sind Sie so sicher?

D.: Möglicherweise. Ich stelle es als Möglichkeit hin. Die gleiche Frage würde ich stellen, bezogen auf Mayor Lindsay und selbst Eugene McCarthy.

J.: Nun schön, diese Kennedy-Geschichte, der Wahlkampf und die Einordnung: das ist für mich nicht obsolet, kann es auch nicht werden, da es ja nicht vorgeführt wird als eine Art Bestandteil des Panoramas der amerikanischen Zeitgeschichte von damals, son-

dern hier hat das Kind Marie einen Sieg errungen. Das Kind hat wegen der europäischen Vorurteile ihrer Mutter gegen das amerikanische Fernsehen zu solchen Sendungen immer in die Wohnungen von Freundinnen gehen müssen, und wie in vielen Fällen der Auseinandersetzung zwischen der Mutter und dem Kind hat sie hier einen Sieg errungen, und zwar einen, den sie selber für unglaublich hielt. Sie darf plötzlich ihr eigenes Fernsehen haben, und für sie ist das ein Höhepunkt im Kampf gegen die Mutter und ihren Entschluß, diese Stadt New York, die das Kind sich doch als Heimat erobert hat, zu verlassen. Das ist also mit den Personen verbunden. Und was die Stalina angeht, so habe ich sie nicht eingeführt in dieses Buch, also September/Oktober 1967, ohne zu wissen, daß ich späterhin genügend Grund haben werde. Aber da müssen Sie eben warten, bis das Buch fertig sein wird. So ist es bei sehr vielen Dingen. Wenn Sie sagen: Man wird das in einer Anmerkung nachlesen müssen, wer Joe McCarthy war, so gebe ich Ihnen natürlich recht, Joe McCarthy –

D.: Eugene.

J.: Eugene McCarthy, Entschuldigung, war eine Person, die diesen Haushalt und die mit diesem Haushalt befreundeten Personen ungeheuerlich bestimmt hat, weil es um bestimmte amerikanische Ideale ging und dann auch noch um europäische: Was ist Wahrheit? Was ist Anständigkeit? Was ist Integrität? Der bleibt für einen, der historisch nicht gebildet ist, in diesem Buch einfach übrig als eine merkwürdig ausführlich behandelte Person, die wirklich nur wichtig war, weil ein gewisser Kennedy ihr die Früchte des Wahlkampfs weggenommen hat. Das reicht mir aber.

9. Historische Personen als Katalysator

D.: Ich bin mir jedoch nicht sicher, ob man Ihrer Beurteilung dieses Faktums der amerikanischen Innenpolitik, also der Auseinandersetzung zwischen McCarthy und Kennedy, zustimmen kann. Gerade unter den amerikanischen Studenten, die sich anfangs sehr stark für McCarthy engagiert haben, sprachen sich später viele für Kennedy aus.

J.: Sie dürfen nicht vergessen, er wurde von einer großen Gruppe von Studenten als ein Dieb, als »chicken«, bezeichnet, also er wurde verachtet, weil er geklaut hat und weil er die Bemühungen der Studenten für McCarthy, die wirklich so etwas wie reine Zwecklosigkeit und Idealismus ausdrücken sollten, entwertet hat.

Außerdem fungiert McCarthy hier gar nicht so sehr als –

D.: Pardon, das scheint mir doch eine merkwürdige idealistische Verzeichnung der amerikanischen Studenten zu sein. Viele von ihnen haben als Wahlhelfer sehr viel Zeit geopfert und ganz realistische Absichten gehabt. Es war nicht ein Akt der Don Quichotterie. Als die Möglichkeit auftauchte, einen Kandidaten zu finden, der ihre Absichten besser als McCarthy gegen den Widerstand der amerikanischen demokratischen Partei, des Parteiapparates durchsetzen konnte – so schien es zumindest –, haben viele sich entschieden, Kennedy zu unterstützen.

J.: Ja, warum hat er's denn wohl nicht erreicht? Weil Bobby Kennedy gleich zwei feierliche Versprechen auf einmal gebrochen hat.

D.: Ich weiß, Sie zitieren das auch im Roman, aber das setzt nun eine so differenzierte Beurteilung der politischen Szenerie voraus, daß es fast zum isolierten Einzelfall wird und darauf hinausläuft, daß politische Entscheidungen eigentlich von bestimmten Sympathien und Antipathien programmiert werden.

J.: Dies wird ja in diesem Buch nicht dargestellt auf der Ebene der Studentenbewegung, weil keine der beiden lebenden Hauptpersonen Zugang zu dieser Bewegung hat. Die eine ist zu jung, die andere ist zu alt. Es wird dargestellt auf der Ebene: Was möchten wir denn, wenn wir dürften? Also: es wird diskutiert auf der Ebene von Wertvorstellungen. Das Kind hat die amerikanischen, die Mutter hat die europäischen, dort ist der Filter, und das ist eben nicht ein Mechanismus, um amerikanische Geschichte darzustellen, sondern dort taucht amerikanische Zeitgeschichte als ein Faktor in einem Kampf zwischen Mutter und Kind auf, womit, glaube ich, die Sache genügend an den Personen und an der Erzählung befestigt ist. Was würden Sie denn machen, wenn Sie in einem Seminar den »Schach von Wuthenow« lesen lassen würden, und die Studenten würden Ihnen sagen: Ja, das verstehe ich nicht, wieso dieser Schach von Wuthenow das Mädchen, das er wegen seiner Pockennarben eben noch unerträglich gefunden hat, nimmt, nur weil ein Vorgesetzter, ein Prinz Louis, es hübsch fand und es soweit bringt, daß er es heiraten muß. Bitte, dann würden Sie auch sagen, der Prinz Louis, das war der und der.

D.: Nur ist es in Fontanes Fall eine rein fingierte Situation.

J.: Das ist es ja nun auch bei mir.

D.: Nein, hier haben wir zumindest im Kern eine realistische Situation, die natürlich erzählerisch von Ihnen transponiert wurde.

J.: Ich halte das Verhalten von Herrn Schach von Wuthenow für durchaus real, und es ist noch nicht einmal mit den Mitteln der heutigen Psychologie eindeutig zu erklären, aber überzeugend ist es in jedem Falle, daß dieser Mann gerade in seiner Beurteilung einer Person in einem solchen Ständestaat umschwenkt. Das ist faszinierend geschrieben, und dieser Prinz Louis, Gott ja, er wird eine Fußnote brauchen, aber daß er ein Katalysator ist, das finde ich bei Fontane auch ohne Fußnote. Ich meine, meine Absicht war, daß dieser McCarthy bzw. dieser Exponent des Kennedy-Mythos für das Kind oder für die Mutter nur als Katalysatoren gewirkt haben.

10. Historisch gewordene Details?

D.: Ich könnte andere Beispiele bringen, wo es nicht unbedingt um historische Personen geht, Beispiele, die sich tatsächlich nur aus einer intimen Kenntnis der amerikanischen Situation verstehen lassen. Ich denke an ein zeitgeschichtliches Detail: die Auseinandersetzung zwischen den Studenten und der Administration der Columbia University, als der Morningside Park als Baugelände für eine Sportanlage verwendet werden sollte.

J.: Bei der die Neger nur von der Seite reindurften.

D.: Das war als Faktum der Zeitgeschichte für einen Amerikaner in Minneapolis oder Denver oder einer anderen entfernteren Stadt kaum mehr in seinen Hintergründen zu verstehen. Sie haben das selbst zudem sprachlich so verklausuliert dargestellt, daß Sie von einem Gymnasium sprechen, das errichtet werden soll, und damit Ihre deutschen Leser zumindest auf eine falsche semantische Fährte gesetzt.

J.: Es ist ja nicht eine Darstellung dieses Konflikts allein, sondern hier möchte das Kind auf Grund der absoluten europäischen Maßstäbe, die es von seiner Mutter gelernt hat, die Mutter endlich zu einem absoluten Bekenntnis zwingen, und dazu ist die Mutter nun nicht mehr imstande. Sie kann das nicht leisten. Und das ist ein Element in diesem allzu symbiotischen Zusammenleben, nämlich ohne ablenkende Person, ohne Vater. Dies wird erst einmal trivial für den Kampf zwischen den beiden. Und, bitteschön, es ist eben so vorgefallen. Was das Gymnasium angeht, so ist das ein das ganze Buch durchziehender sprachlicher Defekt, der auf den Zustand von Mrs. Cresspahl verweist: Sie kann nicht mehr richtig Deutsch. Sie sagt z. B., wenn sie Schlosserwerkstatt meint, mechanical workshop – mechanische Werkstatt. So sind sehr viele Beispiele. Sie hat sich infolge Ihres Berufes der Wohlfahrt des Kindes

– mein Kind soll es besser haben – so weit geopfert, daß manche deficiencies auftreten.

D.: Aber selbst wenn mechanische Werkstatt für Schlosserwerkstatt steht, so ist das eine verfremdete Beschreibung.

J.: Nein, jetzt unterstellen Sie die Intention des Autors, während es in Wirklichkeit die Intention des Autors ist, da einen Fehler zu zeigen.

D.: Ich denke in dem Zusammenhang zum Beispiel an die Beschreibung des Fahrrades, die im »Dritten Buch über Achim« steht.

J.: Das hat eine ganz andere Funktion. Da sollte diese Beschreibung wieder ablenken von dieser Populärinterpretation des Wortes Radfahren: nach unten treten und nach oben einen krummen Bukkel machen. Da sollte darauf hingewiesen werden, daß das Fahrrad ein Arbeitsgerät ist, und das war ein ganz anderer Versuch. Ich gebe zu, ich bin vielleicht bei dem Wort Gymnasium zu weit gegangen. Gut, das habe ich ein wenig zu deutlich dargestellt.

D.: Aber auch wenn es nicht um die Episode geht, sondern um bestimmte emotionale Haltungen, die dargestellt werden sollen: werden diese emotionalen Haltungen begreifbar, wenn der sachliche Anlaß nicht mehr nachzuvollziehen ist?

J.: Das liegt daran, ob Sie das emotionale Gewicht, das von beiden Seiten eingesetzt wird, glauben.

D.: Ja, aber daß man's glauben kann, ist ja eigentlich das Ergebnis der erzählerischen Überzeugungskraft. Die erzählerische Überzeugungskraft hat nicht nur mit der sprachlichen Formung zu tun, sondern auch mit dem Realitätsgehalt der Informationen.

J.: Ja, Sie entscheiden, was da überwiegt: ob es mir gelungen ist zu zeigen, daß es für das Kind todernst ist und für die Mutter bedauerlicherweise nicht ernst. Wenn mir das nicht gelungen ist, dann ist dieser Teil des Buches hin. Das gebe ich zu. Aber dieses Risiko geht man auch ein, wenn man bekannte Dinge beschreibt.

11. Einwirkung der Rezeption auf den Arbeitsprozeß

D.: Nun sind Sie mit einem sehr komplexen Roman-Unternehmen beschäftigt, das phasenweise verwirklicht wurde und wird und das sich – wohl auch für Sie selbst überraschend –, zu einem mehrbändigen Werk, zu einer Tetralogie ausgewachsen hat.

J.: Da muß ich Ihnen völlig widersprechen. Eine Tetralogie wie überhaupt eine Aufteilung jeder Art setzt voraus, daß jeder einzelne

Band in sich abgeschlossen und unabhängig ist. Dies ist nicht der Fall. Das ist einfach ein einziges Buch, das in Fortsetzungen abgeliefert wird.

D.: Aber ist es nicht so, daß diese Fortsetzungen, die sich ergeben haben, ursprünglich nicht in dieser Weise geplant waren? Ich habe hier die vervielfältigte Kopie eines Briefes, den Sie an Ihren Verleger geschrieben haben und wo Sie darauf hinweisen, daß sich in der Endphase der Arbeit eine völlig neue Situation hergestellt hat und daß Sie einigermaßen spontan den Entschluß faßten, den letzten Teil nochmals in zwei Bände aufzuteilen. Ist es nun nicht so, daß gerade bei einem nicht im voraus im einzelnen auskalkulierten Arbeitsplan die Rezeption auf die einzelnen Arbeitsstudien einwirken könnte? Wenn zum Beispiel die »New York Times« im dritten Band weniger zitiert wird, ist das möglicherweise auch ein Ergebnis der Rezeption, die die ersten Bände gefunden haben?

J.: Haben Sie das mal quantitativ nachgeprüft?

D.: Ich hab es nicht statistisch erfaßt.

J.: Das würde ich an Ihrer Stelle mal tun, dann würden Sie es nicht mehr sagen. Es ist weder der Intention noch der qualitativen Durchführung nach meine Absicht gewesen. Ich bin nach dem ersten Band des öfteren gefragt worden, was denn die Kritik für eine Auswirkung auf das weitere Schreiben hat. Ich habe mir überlegt, daß der Kritik bekannt ist, daß dies ein erster Band ist und daß ein zweiter folgt. Ich habe Stimmen der Kritik zusammengestellt und habe so schöne Dinge gefunden wie: In diesem Buch wird ein Baum beschrieben; bei den Nazis – Blut-und-Boden-Literatur – legte man großes Gewicht auf Baum- und Naturbeschreibungen, folglich ist dieser Verfasser ein – das wurde nicht ausgesprochen, aber deutlich. Dann: in diesem ersten Band wird Herr Cresspahl, also der Vater, gezwungen, einen Aufnahmeantrag für die Partei entgegenzunehmen. Er füllt ihn nicht aus, später einmal hat ihn dann ein Geselle gehabt, dann ist dieser Aufnahmeantrag verschwunden, es gibt ihn nicht mehr. Ich habe in acht Rezensionen gefunden: Cresspahl geht in die Partei. Daraus geht hervor, daß die Rezensenten oder die Kritiker – um das feinere Wort zu gebrauchen – nicht gelesen haben. Da habe ich gemerkt, daß es sinnlos wäre – selbst wenn die Kritiker wissen, daß die Rezension nicht nur eine Zensur ist, sondern eine Beratung beim nächsten Band –, sich von der Kritik eine Beratung zu erwarten. Infolgedessen habe ich von daher keine Störungen erfahren. Sie können mich jetzt darauf hinweisen, daß ich mit dem dritten Band jetzt etwas zu spät ge-

kommen bin. Da könnt' ich nur sagen, daß das Schwierigkeiten beim Schreiben sind, ich könnte sagen: es sind private Schwierigkeiten oder Zwischenfälle und dergleichen. Aber daß die Kritik da irgendwie produktiv eingegriffen hätte oder die Rezension des vereinigten westdeutschen Feuilletons produktiv eingegriffen hätte, das könnte ich nicht behaupten. Sicherlich gibt es Schwierigkeiten. Ich bin ja darauf angewiesen, einen großen Teil meiner Erfahrungen von anderen Leuten zu bekommen, denn ich war 1945 soundso alt, ich war damals auch nicht an der Ostsee. Ich habe also andere Leute fragen müssen. Und es hat kein Mensch für nötig befunden, mich auf diese vielen tausend KZ-Toten in der Ostsee aufmerksam zu machen. Ich habe das erfahren, aber immerhin, wie Sie gesehen haben, nicht rechtzeitig genug, um das in den zweiten Band einzubauen, wohin es chronologisch gehört hätte. Und dann mußte ich wieder ziemlich lange warten, bis ich das Buch fand, in dem das ganz genau beschrieben wird. Und so steht diese Einzelheit an einer chronologisch nicht richtigen Stelle, sie kommt erst im dritten Band zu einer Zeit, wo es ein wenig zu spät ist. Sie müssen nach diesem Material suchen und haben nicht immer das Glück, daß Ihnen ehrlich Auskunft gegeben wird. Das sind zum Beispiel Mittel der Verzögerung. Ich nehme nicht an, daß es so völlig falsch dort steht im dritten Band, da das für das Kind etwas zu tun hat mit dem Tod, und dies dann wieder eine Erinnerung an Tode wäre, wie sie die Nazi-Deutschen eingeführt hatten. Aber immerhin, dies ist ein Beispiel. Bei ganz präziser Arbeit hätte das im zweiten Band stehen müssen. Ja, nun suchen Sie mal, bis Sie das finden. Das ist mit keinem Zentral-Katalog zu lösen.

12. Auseinandersetzung mit Enzensberger

D.: Ich möchte nochmals einen Faden von vorhin aufgreifen und auf ein zeitgeschichtliches Detail eingehen, daß in den »Jahrestagen« eine große Aufmerksamkeit findet, die aber kaum von einem ähnlichen Echo in der damaligen zeithistorischen Situation in den USA getragen wird: die Auseinandersetzung mit Enzensberger.

J.: Das übertreibe ich.

D.: Ich bezweifle, ob man das damals so wichtig genommen hat.

J.: Das bezweifeln Sie ganz mit Recht. Das ist einfach die Auswirkung eines Effekts: daß sie als Deutsche, die ihren Paß noch hat, in einer amerikanischen Bank arbeitet und daß es unter diesen 999

Leuten, die in dieser Bank arbeiten, genug Leute gibt, die sagen: Sie sind doch eine Deutsche, erklären Sie uns das! Das ist die Ausgangssituation, sie soll diesen Leuten erklären, was mit diesem Menschen los ist. Das hat andererseits etwas zu tun mit einer linken Haltung, um die sich Mrs. Cresspahl bemüht mit allen Vorbehalten – sie sei nicht gebildet genug, sie habe kein Examen, sei nicht promoviert. Und eben diese linke intellektuelle Haltung, die scheint in diesem Offenen Brief außerordentlich klar dargestellt, und darauf reagiert sie. Und ich frage Sie, was daran obsolet sein soll? Es handelt sich doch gar nicht um Herrn Enzensberger. Es handelt sich um ein bestimmtes intellektuelles Verhalten, das sie nach ihrer Erfahrung in zumindest drei bewußt erlebten Gesellschaftssystemen für nicht praktikabel gefunden hat.

D.: Obsolet ist hier das Gerüst der Fakten. Die Kenntnis, daß Herr Enzensberger an einer Universität in Connecticut –

J.: Das tut doch nichts zur Sache, ob er da war oder sonst jemand. Es tut zur Sache, daß jemand sagt: Die Sowjetunion schickt niemand photographieren, und das ist das wichtige. Sie hat natürlich nicht die Möglichkeit, das über Zeitschriften und vielleicht noch gar über Personalnotizen in der »New York Times« zu verbreiten, aber sie hat die Möglichkeit, das an ihrer Arbeitsstelle richtigzustellen. Sie tut das.

D.: Welcher Ihrer deutschen Leser vermag auf Anhieb richtig einzuschätzen, daß jener Offene Brief nicht in der »New York Times Book Review« erschien, sondern in der »New York Review, of Books«?

J.: Aber gerade das ist doch wirklich identifiziert, daß das eine oberlinks gemachte feine Zeitung ist, bevorzugte Sprecher britisch, das steht da.

D.: Aber sind das nicht alles Informationen, die aus der Distanz von wenigen Jahren fast ein exotisches Aussehen annehmen?

J.: Das tun sie sicherlich, wenn man diese Sache reduziert auf den Kontext einer Auseinandersetzung oder Polemik gegen Herrn Enzensberger. Gerade das ist es ja nun nicht. Es ist eine Auseinandersetzung mit einer linken Haltung, an der Mrs. Cresspahl interessiert ist und die sie hier nicht ganz vorbildlich erfüllt sieht. Darum geht es: wie verhält man sich, wenn man vom Marxismus etwas weiß, wenn man seine Gegner kennt, zumindest in den politischen Ebenen und Zielen, wie verhält man sich dann, schreibt man dann »Yours sincerely«, also »Ihr ergebener«? Darum geht es. Es geht um Haltungsfragen.

D.: Aber es geht doch auch um die realistische Begründung dieser Haltung, um die Nachvollziehbarkeit solcher Haltung. Wird unter diesem Aspekt die Einbettung dieses zeitgeschichtlichen Sachverhalts nicht wichtig?

J.: Sie werden doch beim Lesen dieses Zwischenfalls vielleicht bemerken, daß Herr Enzensberger – oder sagen wir mal: ein exponierter Vertreter der deutschen Linken – eines Plagiats beschuldigt wird, eines Plagiats überführt wird. Sie könnten da eine Verbindung herstellen zwischen dem Diebstahl, den Herr Brecht begangen hat an Ammer bei der Villon-Übersetzung und gerechtfertigt hat mit seiner grundsätzlichen Laxheit in Fragen des geistigen Eigentums, und dem Plagiat, das Herr Enzensberger hier an Herrn Goodman begangen hat, und zwar nicht einmal um einen sachlichen Vorteil zu erreichen, sondern genau wie Brecht einen rhetorischen, einen schmückenden ästhetischen Effekt sich anzueignen. Da haben Sie doch eine Auskunft über linke Haltung, über den elitären Anspruch: ich darf alles, ich bin besonders heilig, ich darf die Arbeiter, die bloß so übersetzen oder Formulierungen finden, die darf ich erleichtern um das, was sie gefunden haben, wenn es mir in den Kram paßt. Bitte, ich halte das für wesentlicher als die Gegenstände in dieser Auseinandersetzung, daß man weiß, wo Middletown/Connecticut liegt; das soll irgendeine Landuniversität sein, und mehr ist da als Assoziation auch gar nicht nötig; das ist ja auch dort angegeben. Und wir wollen ja hoffen, daß Herr Enzensberger noch in dreihundert Jahren verfügbar ist als – sagen wir mal – Nebenkläger in dieser Sache. Aber das ist gar nicht wichtig. Wichtig ist, wie verhält man sich, wenn man links ist. Und diese Haltung zu verteidigen, ist Mrs. Cresspahl unmöglich, und das scheint mir die eigentliche Auskunft dieses Kapitels zu sein, ganz unabhängig von irgendwelchen Fußnoten zu Mexiko-City und Kuba und was damals so gefährlich war. Die linke Haltung ist damals offenbar gewesen: man sagte, ich geh jetzt sofort in das sozialistische Kuba, wo in einem einzigen Land Lebensfreude täglich auf Lebensmittelkarten verabfolgt wird, und dann fahr' ich rund um die Welt. Um diesen Widerspruch geht's, nicht darum, ob Herr Enzensberger mit Magnus bezeichnet werden kann.

D.: Aber wäre es dann nicht ebenso möglich gewesen, die ganze Sache auch im Sinne der erzählerischen Fabel zu fingieren? Warum dann überhaupt die Beibehaltung des Namens Enzensberger?

J.: Warum die Beibehaltung des Namens Lyndon B. Johnson?

Warum das? Das ist alles in den Jahren passiert. Das ist Eigentum dieses Subjekts.

D.: Das ist richtig, aber Johnson ist ein amerikanischer Präsident in einer bestimmten Reihe von Präsidenten und mit so viel Erinnerungskredit gesegnet –

J.: Nein, das ist gar nicht wahr. Lyndon B. Johnson war – und das war jedem, der unter seiner Regierung auch nur eine Aufenthaltsgenehmigung hatte, völlig klar, daß er in dem Book of Records erscheinen wird in der Klassifizierung: Lyndon B. Johnson was a bad President. Aus! Denn der Vietnam-Krieg wird sich zwangsläufig in der späteren historischen Perspektive erläutern als: It was begun by President Kennedy, John F.« Wenn Sie das Risiken nennen: die geh' ich furchtbar gern ein.

D.: Ich meinte das auch nur im formalen Sinne: die Galerie von amerikanischen Präsidenten wird nicht nur den amerikanischen High School-Schülern viel intensiver nahegebracht, sondern auch den deutschen Gymnasialschülern als etwa die deutschsprachige Literatur in den 60er oder frühen 70er Jahren.

J.: Aber jetzt scheinen Sie mir ein wenig zu sehr auf den Erfolg zu spekulieren. Es ist ja nicht so, daß ich hier einen statistischen Durchschnittsfall erzähle, sondern den Zustand und die Vorgeschichte einer bestimmten europäischen Person in New York. Die hat also nur das gehabt, und mit dem hatte sie sich auseinanderzusetzen, und das war, wie Sie es nennen würden, ihr Material. Ich kann das doch nicht verschönern und mich einfach dieser Risiken entheben, indem ich da irgend etwas Erfundenes hinsetze. Nein, das hat genau mit diesen banalen törichten Gegenständen wie Johnson, diesem minderen Spekulanten, zu tun gehabt. Und sie muß das nicht weiter erläutern, und ich muß das auch nicht. So ist es eben. So war es eben. Ich versuche, eine Periode der Wirklichkeit darzustellen, und ich kann mich nicht auch noch dafür genieren, daß diese Wirklichkeit nicht heroisch war.

X.B. Mimesis und Wahrheitsfindung. Probleme des realistischen Romans. Uwe Johnsons »Jahrestage«

1. In »Berliner Stadtbahn«[1], wo Johnson die Schwierigkeiten reflektiert, einen Ausschnitt zeitgenössischer deutscher Wirklichkeit im zweigeteilten Berlin verläßlich im Sinne von »Wahrheitsfindung« (728) zu beschreiben, bezeichnet er an einer Stelle die möglichen Irrtümer, die sich bei dieser schreibenden Erfassung von Wirklichkeit einstellen können: »Sein Schema kann spezifisch literarische Fehler produzieren. Er kann für allgemein halten, was einzeln ist. Er kann typisch nennen, was privat ist. Er kann ein Gesetz erkennen wollen, wo nur eine statistische Häufung erscheint. Unablässig ist er in der Gefahr, daß er versucht etwas wirklich zu machen, das nur tatsächlich ist.« (728)

Eine solche Überlegung scheint mehr als angebracht bei einem Roman-Unternehmen wie den »Jahrestagen«, das in den bereits vorliegenden drei Bänden auf fast 1400 Seiten angewachsen ist und voraussichtlich nur knapp unter dem Umfang von 2000 Seiten bleiben wird. Beginnt das, was als Wirklichkeit in diesem Roman greifbar gemacht werden soll, sich nicht bereits in seinen quantitativen Dimensionen der Intention der Wahrheitsfindung zu widersetzen, weil kaum ein System der literarischen Verarbeitung denkbar scheint, das dieses ozeanische Konglomerat von in Sprache umgesetzten Wirklichkeitspartikeln in die Qualität einer künstlerischen Organisation umsetzen könnte, die hinter dieser Summe von zum Teil fingierten und zum Teil authentischen Tatsächlichkeiten, empirischen Erfahrungsreizen die Vorstellung einer bestimmten Wirklichkeit vermittelt erscheinen ließe? Denn die Anhäufung von in Literatur umgesetzter extensiver Totalität scheint als künstlerisches Prinzip problematisch, da ihm keine strukturierende Intention innewohnt und es sich ständig fortsetzen könnte in einer endlosen Reproduktionsbewegung, die das Gegenteil von Reflexionsbewegung wäre.

Auf diesen Unterschied zwischen Wirklichkeit und purer Tatsächlichkeit macht ja Johnson selbst in seiner Reflexion aufmerksam. Wirklichkeit ist ja auch für ihn offenbar mehr als eine Summe von Einzelheiten, als eine Häufung von empirischen Fakten. Ginge der Begriff Wirklichkeit darin auf, ließe sie sich am verläßlichsten durch Statistiken erfassen. Die Zeit, in der der Roman – mit dem Beginn des 19. Jahrhunderts – die enzyklopädische Aufgabe übernahm, eine sich unter verschiedenen Wissenschaftsaspekten explosiv ereignende Wirklichkeitsaufschließung – psychologisch, soziologisch, ökonomisch, politisch – gleichsam in einer erzählerischen Synopse zusammenzufassen und als episches Kompendium zeitgeschichtlicher Sozietät zu präsentieren, scheint überholt. Die Dimensionen dieser Wirklichkeitserschließung reichen inzwischen so weit und sind so komplex, daß sie die Möglichkeiten einer epischen Synthese und auch das Imaginationsrepertoire von Romanautoren zu übersteigen scheinen. Zudem sind die technologischen Systeme der Informationsbündelung inzwischen so umfassend, daß auch unter diesem Aspekt der enzyklopädische Roman zum Anachronismus wird. Die extensive Totalität des faktisch Gegebenen erreicht in der intensiven Totalität des Romans eine neue Qualität, die sich als Erkenntnis der Wirklichkeit begreifen läßt und also hervorgeht aus der Dialektik von Besonderem und Allgemeinem, die ins Zentrum des künstlerischen Gestaltungsprozesses gehört.

Es ist aufschlußreich, daß Johnson in seinen vorangegangenen epischen Arbeiten dieses für den literarischen Umsetzungsprozeß entscheidende Faktum ständig zu reflektieren bemüht war. Unter diesem Aspekt ist es bezeichnend, wie er mit dem Blick auf sein »Drittes Buch über Achim« die Repräsentanz der zentralen Person bestimmt: »Jede individuelle Existenz enthält von ihrer menschlichen, von ihrer sozialen Umwelt genug Bezüge. Man kann die Umgebung darin sichtbar machen und auch daraus erschließen, sogar auf erzählerische Weise. Allerdings ist dieser Rennfahrer mit einiger Absicht ausgewählt, denn ich halte ihn für ziemlich stellvertretend für das, was Sie ›das Gesamtkolorit der DDR‹ nennen... er ist eine sehr vermittelnde Figur.«[2]

Dieser Begriff der Repräsentanz, die den einzelnen in seinem gesellschaftlichen und individuellen Aktionsfeld zur Verkörperung gesamtgesellschaftlicher Entwicklungen und Probleme macht, läßt sich zur ästhetischen Kategorie des Typischen in Beziehung setzen und als Kompositionskalkül einer ästhetischen Struktur, die in ihrer formalen Immanenz ein sich extensiv verflüchtigendes Wirklichkeitskonglomerat einfängt, so bestimmen, wie Lukács es angedeutet hat: »Die Typenhierarchie als ideelle Grundlage der Komposition verwandelt sich erst dadurch in eine wirkliche künstlerische Komposition: in die Evokation einer besonderen Welt, in welcher einerseits die einzelnen Gestalten,

Schicksale, Situationen eine selbständige, auf sich gestellte Sinnfälligkeit besitzen, in welcher andererseits deren konkrete Totalität sich zu einer besonderen Welt abrundet, einander verstärkend und ergänzend, nur die Funktion haben, die Besonderheit dieses neuen Ganzen ins Leben zu rufen.«[3]

Gewiß, das wird von Lukács hier abstrakt an einem Wunschmodell beschrieben, aber entscheidend ist, daß sich diese Richtung in den andern Romanen Johnsons vor den »Jahrestagen« durchaus erkennen läßt. Das gilt sowohl für »Mutmassungen über Jakob«, »Das Dritte Buch über Achim« wie für »Zwei Ansichten«.[4]

2. Im System der Personenbeziehungen wird vor allem im Erstlingsroman gesellschaftliche Realität exemplarisch ausgeleuchtet. Das gilt für Jakob Abs und Jonas Blach, die, beide miteinander befreundet und zugleich durch die Liebe zu Gesine Cresspahl in eine unterschwellige psychologische Konfrontation gerückt, bereits in ihrer beruflichen Rolle – Jakob als Streckendispatcher bei der Eisenbahn, als Techniker, als Mann der Praxis, als »Werktätiger«, und Jonas, der promovierte Anglistikassistent, als Intellektueller – zentrale gesellschaftliche Schichten mit allen damit verbundenen Problemen veranschaulichen.

Noch direkter, da quasi offiziell deklariert, ist im »Dritten Buch über Achim«[5] die Repräsentanz des zu seinem dreißigsten Geburtstag vom Staat mit einer »beispiellosen Ehrung« (15) gefeierten Radrennfahrers Achim, der, durch zähe Leistung von unten zum Volksidol aufgestiegen, schon in seiner öffentlichen Funktion zum Typus geworden ist, nämlich zum nachahmenswerten Beispiel für alle Bereiche gesellschaftlicher Aktivität. Das Typische, das bei Jakob Abs und Jonas Blach im Spektrum ihrer beruflichen Zuordnung hervortritt (qualifizierter Arbeiter und Intellektueller), bei Achim T. in der gleichsam öffentlichen Repräsentanz seiner Rolle, erscheint in Johnsons drittem Roman »Zwei Ansichten« in einer Variation: die beiden Protagonisten B. und D., die in eine zufällige Liebesbeziehung hineingerutscht sind, die im Fluchtplan der Ostberliner Krankenschwester D. unverhofft zu politischen Konsequenzen für B. führt, sind gleichsam statistischer Durchschnitt, als Individuen, einmal in der Bundesrepublik und zum andern in der DDR lebend, im negativen Sinne zu Typen eingeschrumpft, aber auch in dieser Reduktion repräsentativ.

Schon auf diesem Hintergrund scheint es schwierig, die Frage nach der Repräsentanz der seit 1961 in Amerika lebenden, als Dolmetscherin in einer großen Bank arbeitenden Gesine Cresspahl zu stellen, die in der erzählten Zeit des Romans, von August 1967 bis August 1968, fünfunddreißigjährig allein mit ihrer nun zehnjährigen Tochter Marie in New York lebt. Welche Gesellschaft, welche Realität läßt sich in ihrem Erfahrungsspektrum vermitteln, und wofür wären ihre Erfahrungen repräsentativ?

Diese Frage ist jedoch nicht zu lösen von einem Sachverhalt, der bereits in den vorangegangenen Romanen Johnsons die Gestaltung bestimmt und beim Versuch einer Antwort berücksichtigt werden muß. Denn keineswegs ist es so, daß diese in der Gestaltung aufgewiesene Kategorie des Typischen mit dem aus der erzählerischen Tradition her vertrauten Postulat einhergeht, Realität lasse sich im typologischen Personengleichnis mimetisch zuverlässig einfangen und so ein episches Abbild der Realität herstellen, das wahr ist im Sinne einer sich auf verschiedenen Ebenen ergebenden Identitätsgleichung. Dieser zur Konsequenz einer einheitlichen, von einem allwissenden Erzähler zeugenden Erzählperspektive führende »göttergleiche Überblick eines Balzac«[6] wird von Johnson jedoch in seiner historischen Situation relativiert: »Die Manieren der Allwissenheit sind verdächtig.« (733) Die aus der geschichtlichen Situation erwachsende Einschränkung seiner Überlegenheit als Erzähler wird nicht nur ausdrücklich eingestanden – »Der Verfasser sollte zugeben, daß er erfunden hat, was er vorbringt, er sollte nicht verschweigen, daß seine Informationen lückenhaft sind und ungenau« (733) –, sondern darüber hinaus in der erzählstrukturellen Anlage seiner Bücher konkretisiert.

Daß damit nicht nur gleichsam erzähltechnische Probleme angesprochen werden, sondern aus der Situation der Gegenwart heraus grundsätzlich die Frage nach den Möglichkeiten und der Legitimation des Erzählens gestellt wird, verdeutlichen bereits die ersten Bücher Johnsons. Denn so wie aus seiner historischen Situation heraus die Umsetzung von Wirklichkeit in Literatur als »eine Art der Wahrheitsfindung« (733) problematisiert wird – »Gewiß entstehen dabei Gesten, deren epischer Charakter umstritten ist...« (733) –, ist für ihn auch die Dialektik von Besonderem und Allgemeinem als Spiegelung des gesellschaftlichen Spektrums im Aktions-, Erfahrungs- und Bewußtseinsfeld der typischen Person problematisch geworden. Es macht die Besonderheit seiner literarischen Ausgangsposition aus, daß ihm von seiner literarhistorischen und literarischen Verwurzelung in der kulturellen Situation der DDR her zwar die wechselseitige Vermittlung von Ich und Gesellschaft als Programmpunkt der Literaturtheorie und -politik vertraut ist[7], daß er aber im Unterschied zu Romanen der sogenannten Aufbauphase der DDR[8] gerade diese Vermittlungskontinuität in Frage stellt, die Einschränkung seiner Erzählerrolle als Konsequenz der historischen Situation auch auf die Intention der epischen Gestaltung überträgt und die Wahrheitsfindung in seinen Romanen gerade im Nachweis der Brüchigkeit der programmatisch vorgeschriebenen Entsprechung von Ich und gesellschaftlicher Wirklichkeit gipfeln läßt.

Konkret am Beispiel seiner Romane gesprochen, führt das zu der Konsequenz, daß sich die Repräsentanz der Personen in ein Janusgesicht auflöst, dessen eine Hälfte, der Öffentlichkeit zugewandt, als wahres Gesicht genommen wird, während die andere Hälfte, in sich gekehrt, voller Selbstzweifel, sozusagen das wahre, von der Öffentlichkeitsmaske nur verdeckte Gesicht, in Widerspruch dazu steht. Es ist eine Diskrepanz zwischen der dem einzelnen von der Gesellschaft diktierten sozialen Rolle, die er vor allem in seiner beruflichen Funktion auszufüllen versucht, und dem moralischen Selbstbewußtsein der Person, das in der offiziellen Rolle nicht aufgeht, ja in Konflikt dazu gerät. Der Bruch tritt in »Mutmassungen über Jakob«[9] für Jakob Abs, der ja anfänglich diesem Staat, in dem er lebt, zu Dankbarkeit verpflichtet ist, ihm sein berufliches Fortkommen verdankt und mit dem er sich auch in naiver Selbstverständlichkeit identifiziert, in dem Augenblick hervor, als der Abgesandte des Staatssicherheitsdienstes Rohlfs nach Jerichow kommt, um über Jakob, seine Loyalität zum Staat voraussetzend, Gesine Cresspahl, die zu dieser Zeit bereits in Westdeutschland als Sekretärin in einer NATO-Behörde arbeitet, für die Spionageabwehr der Roten Armee zu gewinnen. Der Bruch manifestiert sich für Jonas Blach vor allem nach der Niederschlagung des ungarischen Aufstandes durch die Russen, die den programmatisch behaupteten menschlichen Sozialismus als »politische Physik« (178) demaskiert und damit die Politik völlig unberührt von jeglicher Moral zeigt. Freilich wird diese Demaskierung durch die Hereinnahme des Suez-Abenteuers der Engländer und Franzosen auch auf das politische System jenseits der Grenze ausgedehnt.

Die politische Macht-Arithmetik und das moralische Selbstbewußtsein der Personen befinden sich in Konflikt miteinander. Die die Gesellschaft äußerlich Repräsentierenden stehen am Ende desillusioniert dieser Gesellschaft gegenüber und sind auf der Suche nach einer Wirklichkeit, die ihrem moralischen Anspruch entsprechen könnte. Am Beispiel von Jakob wird das Ergebnis dieser Suche deutlich negativ akzentuiert: von einem Besuch bei seiner Mutter in West-Berlin, wohin er, unterschwellig mit dem Gedanken einer möglichen Flucht, aufbrach, zurückkehrend, fällt er einem rätselhaften Zugunfall zum Opfer. Das sich aus Gesprächen, Erinnerungen, Vermutungen, Erzählungen der Zurückgebliebenen, aus den Recherchen Rohlfs und Einschüben des Erzählers allmählich aus vielen Facettierungen zusammensetzende Bild des Toten spiegelt in seiner komplexen uneindeutigen Struktur die Schwierigkeit, die der Selbstverwirklichung des einzelnen entgegensteht, ist objektives Korrelat der fragwürdig gewordenen Wirklichkeitsbeziehung des Ichs.

Johnson hat – das macht die Besonderheit seiner Position aus – von ganz anderen Voraussetzungen her erzählerisch die Konsequenzen gezogen, die sich aus der geschichtsphilosophischen Situation des Romans ergeben. Die literaturtheoretische Basis, die an der objektiven Abbild-Funktion des Romans festhält und ihm Spiegelung gesellschaftlicher Realität im Personengleichnis der Protagonisten gleichsam auferlegt, ist für ihn zwar der Ausgangspunkt, aber er demonstriert im Erzählen zugleich die historische Überholtheit dieser Position, indem er einmal die Funktion des wissenden Erzählers einschränkt und zum andern den Vermittlungskontext von Ich und gesellschaftlicher Realität als ideologisch zurückweist.

Im »Dritten Buch über Achim« läßt sich die gleiche Linie noch verstärkt erkennen. Die dem westdeutschen Journalisten Karsch im offiziellen Auftrag erteilte Aufgabe, eine Biographie des vorbildlichen DDR-Sportlers und -Bürgers Achim T. zu schreiben, scheitert daran, daß er im Fortlauf seiner Recherchen allmählich erkennt, wie ihm das offizielle Bild des strahlenden Volksidols immer fragwürdiger und widersprüchlicher wird, wie Achim durch das Verschweigen seiner für Karsch in einem Photo belegten Teilnahme am Aufstand des 17. Juni 1953 zum Muster eines kompromißlerisch Angepaßten, eines Opportunisten wird, der nun indirekt, in seiner menschlichen Deformierung, zum Repräsentanten des Staates wird, den er als Rollenspieler äußerlich repräsentiert, und dadurch auch die menschliche Sympathie der

Frau, die ihn liebt, der Schauspielerin Karin S. (die Karsch zum Besuch veranlaßte) verliert. Sie zieht die Konsequenzen, vor denen Achim zurückschreckte: sie flieht.

Und auch hier ist die erzählerische Struktur des Romans – aus dem ausschnittweise mitgeteilten Material Karschs, aus Antworten auf Fragen von Freunden nach seiner Rückkehr in die Bundesrepublik entwickelt sich allmählich das widersprüchliche Porträt – eine Konsequenz dieser von Johnson nachdrücklich dokumentierten Situation des Romans: die Eindeutigkeit einer Biographie eines die Gesellschaft vorbildlich Repräsentierenden ist ebenso unmöglich geworden wie die These, daß eine fragwürdig gewordene Gesellschaft sich noch in der Erfahrung und Aktivität eines bestimmten Ichs vermitteln läßt. Die Repräsentanz, die zustande kommt, ist negativ akzentuiert: das Ich als gesellschaftliches Vorbild wird zum Rollenspiel um den Preis seiner moralischen Korrumpierung und Verleugnung seiner Intention auf Selbstverwirklichung gedrängt.

Auch in »Zwei Ansichten«[10] läßt sich ungeachtet der erzählerischen Simplizität der gradlinig dargestellten Geschichte von zwei Personen eine Fortführung der gleichen Linie erkennen, freilich auf einer ganz anderen Ebene. Die Repräsentanz der beiden Protagonisten, des jungen bundesdeutschen Photographen B. und der Krankenschwester D. in Ost-Berlin, ist völlig äußerlich geworden, wie auch die Personen gleichsam nur in Äußerlichkeiten aufgehen, B. als Autofetischist in seiner Konsumbeherrschtheit und D. in ihrer routinehaften Pflichterfüllung. Sie verkörpern sozusagen weitverbreitete Haltungen in den beiden gesellschaftlichen Systemen, zu denen sie gehören, sind als statistischer Durchschnitt eindimensional angelegt. Eine Projektion von Äußerlichkeiten stellt auch ihre Liebesbeziehung dar: B. formt das Bild der D. in seiner Phantasie nach Vorstellungsklischees um und läßt sich von diesen Klischees falsche Gefühle eingeben; für die D. wird B. hingegen nur zum Ausweg aus einer beruflichen Konfliktsituation, sie flieht in den Westen, um den Schikanen einer Vorgesetzten an ihrem Arbeitsplatz zu entgehen. Als sie B., der durch eine Autopanne am rechtzeitigen Eintreffen in Berlin verhindert ist, nach der erfolgreichen Flucht nicht in West-Berlin antrifft, ist damit auch ihre Beziehung zu ihm für sie beendet.

Was Johnson am Beispiel von Achim T. im »Dritten Buch über Achim« prozeßhaft aufwies, wird in »Zwei Ansichten« gewissermaßen als Normalfall vorgeführt: ein entfremdetes, veräußerlichtes Verhalten der Menschen, das sie nur in einer funktionalen, äußerlichen Beziehung zu der Gesellschaft, in der sie leben, zeigt, geprägt von einem Bewußtsein, das sich gleichsam aufgegeben hat und selbst Gefühlsbeziehungen zu Mittel-Zweck-Beziehungen verflacht. Ihre Innerlichkeit ist ausgehöhlt, Zufälligkeiten wie die, daß B. unbedingt bei der Ankunft der D. mit einem neuen Auto vor ihr renommieren möchte und dann nicht rechtzeitig in Berlin eintrifft, aber auch, daß die D. diesem Zufall schicksalhafte Bedeutung beimißt und sich von B. danach spontan trennt, treten als Motivation des Verhaltens an die Stelle eines sich reflektierenden und kontrollierenden Bewußtseins.

Es hat daher nichts mit einer Konversion Johnsons zu einer traditionellen Erzählhaltung zu tun, wenn er diese Personen ebenso flächig beschreibt, wie sie erscheinen. Wer so zum Inventar geworden ist, läßt sich auch nur so registrieren. Denn daß der Autor in der Tat nicht plötzlich von der Warte eines allwissenden Erzählers aus darstellt, wird am Ende des Buches deutlich signalisiert, indem der Erzähler sich selbst zu B. und D. in Beziehung setzt, B., der in einen Unfall verwickelt wird, hilft – »Ich habe ihn aufheben helfen und bin mit dem heulenden Krankenwagen zur Unfallstation gefahren.« (239) – und von D., die er bei einem befreundeten Ehepaar kennenlernt, ihre Geschichte erfährt: »Sie erzählte höflich, ein wenig befangen, von Ostberlin. Später nahm sie mir ein Versprechen ab. – Aber das müssen Sie alles erfinden, was Sie schreiben! sagte sie. Es ist erfunden.« (242)

Der Erzähler fingiert also auf der einen Seite die Authentizität seines Berichtes und schränkt auf der andern seine Erzählperspektive ein, indem er die Quelle seiner Informationen ausdrücklich bekennt. Johnson hat in »Zwei Ansichten« gewissermaßen den Gegenpol zu »Mutmassungen über Jakob« erreicht. Das ist nicht im stofflich-äußerlichen Sinne gemeint, daß die Krankenschwester D. ihr Leben da fortsetzt, wo Jakob nicht leben zu können glaubte, nämlich in West-Berlin. Es ist für sie keine moralische Entscheidung mehr wie für Jakob, sondern einfach eine Frage des Am-Leben-Bleibens, der Anpassung. An der grundsätzlichen Problemlage hat sich wenig geändert: Nur das sich selbst preisgebende Ich vermag sich an die Gesellschaft, gleichgültig, welche politischen Vorzeichen sie trägt, zu assimilieren. Sobald das Ich die Frage seiner Selbstbestimmung zum Regulativ auch seines gesellschaftlichen Handelns macht, ist die Konfliktlage nach wie vor da, und auch der Erzähler, der in diese Konfliktlage hineingestellt ist, vermag keine Lösung zu bieten.

Indem Johnson in »Zwei Ansichten« bestimmte Lebenshaltungen gleichsam in ihrer statistischen Durchschnittsgeltung registriert hat, nimmt er zugleich als gegeben hin, was in den beiden ersten Romanen gerade zum Ausgangspunkt der künstlerischen Wahrheitsfindung gemacht wurde: ob die quantitative Norm auch als eine qualitative hinzunehmen sei oder ob nicht gerade in der Infragestellung der Anpassungsmechanismen das verschüttete wahre Gesicht der gesellschaftlich reglementierten und konditionierten Personen sichtbar zu machen sei. In diesem Sinne stellt sich bei »Zwei Ansichten« die Frage, die er in »Berliner Stadtbahn« an einer Stelle so formuliert: »Ist aber der Durchschnitt repräsentativ, wenn das Außerordentliche übersehen wurde, in dem doch sehr viel mehr Realität versammelt sein mag?« (728) Der Johnson der »Jahrestage« ist zu dieser Frage zurückgekehrt. Das gilt zumindest bezogen auf die zentrale Person, Gesine Cresspahl, deren Bewußtsein den Erzählhorizont der »Jahrestage«[11] bestimmt.

3. Gesine Cresspahl, die in den »Mutmassungen über Jakob« nur mittelbar in Erscheinung tritt, hat 1953 den Schritt getan, vor dem Jakob Abs 1956 zurückschreckt: »...diese G. Cresspahl geht... weg aus einem Staat der Arbeiter und Bauern, bloß weil Bauern und Arbeiter Aufstand machen gegen solchen Staat.«[12] Sie ist 1953 in die Bundesrepublik übergewechselt, hat in Frankfurt und Düsseldorf gelebt, ist 1961 nach New York gezogen und hat hier ein neues Leben aufgebaut, in dessen Mittelpunkt die Sorge um ihre Tochter, Jakobs Kind, steht, das 1967 zehn Jahre alt ist. Aber diese Wendung in ihrem Lebensweg ist keineswegs als solipsistische Abkapselung gemeint, als ein Sich-Absetzen in die Gesellschaft, die mit dem höchsten Lebensstandard lockt.

Die Zeitungsinformation in der »New York Times« über die chemische Fabrik Dow Chemical, die neben Haushaltsprodukten auch die Napalm-Bomben für Vietnam herstellte, löst in Gesines Reflexion eine rhetorische Frage aus, die ihre Einstellung generell charakterisiert: »Wo ist die moralische Schweiz, in die wir emigrieren könnten?« (I, 382) Es ist die Frage nach einer Wirklichkeit, die der moralischen Integrität des eigenen Ichs entsprechen könnte, gestellt im Angesicht einer Welt, die, mit allen Zügen der moralischen Schuld versehen – der Vietnam-Krieg fungiert in diesem Kontext als übergroßes zeithistorisches

Gleichnis –, diesen utopischen Anspruch des Ichs zurückweist.

Hinter der Entscheidung Karin S.s im »Dritten Buch über Achim«, die DDR zu verlassen, hinter dem Entschluß Karschs in »Eine Reise wegwohin«[13], die Bundesrepublik hinter sich zu lassen und nach Italien zu gehen, stehen ähnliche Gründe. Sie alle sind unterwegs in eine Wirklichkeit, die dem moralischen Anspruch ihres Ichs entsprechen könnte. Sie ziehen sich nicht in ihre Innerlichkeit zurück oder begeben sich von vornherein auf die Reise in erträumte Orte wie Tynset oder Orte der Reduktion wie Meona, die bei Hildesheimer als Wirklichkeitskorrelate des potentiellen Ichs bestimmt werden. Sie bleiben in der Wirklichkeit, weil ökonomisch unfrei und zum Gelderwerb gezwungen, zum Teil aus politischem Verantwortungsbewußtsein.

Wie entscheidend diese Motivation für Gesine Cresspahl ist und bleibt, hat Johnson in einem Hinweis auf den vierten Band der »Jahrestage« hervorgehoben: »...nur mit ausführlicher Beschreibung des Anfangs werde ich zeigen können, wie sie es, im Alter von 35 Jahren, doch noch einmal versuchen will mit dem Sozialismus, nach reichlich Enttäuschungen mit dem, der in der Tschechoslowakei fast ein halbes Jahrhundert dauerte. Dies, dazu der bevorstehende Abschied von der neuen Heimat New York...«[14] Gesine beschreitet also nicht den Weg von B. und D. in »Zwei Ansichten«, gleicht sich nicht an, assimiliert sich nicht an die amerikanischen Lebensumstände, sondern wird gerade durch die Konfrontation mit ihrer sich in ihrer Entwicklung folgerichtig amerikanisierenden Tochter Marie und deren Fragen nach der Vergangenheit, konzentriert auf die Geschichte ihrer Eltern, ständig zur Reflexion ihrer Umwelt provoziert, wird von aktuellen Wahrnehmungsreizen in dieser Umgebung permanent auf die Erinnerungsreise in ihre Vergangenheit geschickt.

Aber in dem Maße, in dem eine negative Identifizierung, nämlich durch Aushöhlung ihrer Innerlichkeit und Angleichung an das Bewußtsein des »American Way of Life«, ausbleibt, steht sie auch ständig in einem Spannungsverhältnis zu dieser Wirklichkeit, vermag sich keineswegs zu integrieren, beschränkt sich in der Beziehung zu wenigen Freunden und vor allem zu ihrer Tochter Marie auf eine Zone der Privatheit, die mit ihrer gesellschaftlichen Umgebung nur noch mittelbar zu tun hat. Gesine Cresspahl befindet sich in ihrer sozialen Rolle in der amerikanischen Wirklichkeit gleichsam in einem Schwebezustand. Einerseits wird unter dem Datum des 21. März 1968 am Beispiel des

Schauspielers Wolfgang Kieling ausdrücklich eine Möglichkeit relativiert, die andererseits die Analogie zu ihrem eigenen Leben einlädt, da sie nun im Alter von fünfunddreißig Jahren bereits »in vier gesellschaftlichen Systemen«[15] gelebt hat: »Ein westdeutscher Schauspieler, der einmal ein ostdeutscher Schauspieler war, ist zurückgegangen nach Ostdeutschland, weil er weiß, daß die dortige Herrschaft nicht beteiligt ist an der Unterdrückung der Neger in den U.S.A. und auch nicht am amerikanischen Krieg in Viet Nam. Er wußte das vorher nicht. Wenn Einem eines Landes Verbrechen im Gewissen liegen, geht man schlicht in ein anderes.« (II, 894/5)

Ist das nicht genau das Problem Gesines, da sie sich von ihrer Tochter sagen lassen muß: »So kann ich nicht leben, wie du es von mir verlangst! Ich soll nicht lügen, weil du nicht lügen magst! Du wärst längst ohne Arbeit, und ich aus der Schule, wenn wir nicht lögen wie drei amerikanische Präsidenten hintereinander! Du hast deinen Krieg nicht aufgehalten, nun soll ich es für dich tun!« (I, 494)

Erweist sich also der moralische Anspruch, mit dem sie der Wirklichkeit gegenübertritt, nicht bereits in ihrem eigenen Leben als Schein, als widerlegt durch die von der Praxis aufgezwungenen Kompromisse? So dient ihr zwar einerseits der »Krawallsozialismus« (III, 1377) von westdeutschen Intellektuellen wie Enzensberger, dessen als moralische Entscheidungstat in einem Offenen Brief propagierte Rückgabe eines Stipendiums an die amerikanische Wesleyan University[16], Abschied von Amerika und Weiterreise ins sozialistische Kuba über Australien, wo vorher ein anderes Stipendium in Empfang zu nehmen war, in den Aufzeichnungen Gesines vom Januar 1968 ausführlich rekapituliert, dazu, der amerikanischen Bekannten zu erklären: »Naomi, deswegen mag ich in Westdeutschland nicht leben. – Weil solche Leute dort Wind machen? – Ja, solche guten Leute.« (II, 803) Aber andererseits weiß sie, mit dem Vietnam-Debakel konfrontiert, das die Ehe der Freundin Annie zu zerbrechen droht, auf die Frage der Freundin: »Wie kannst du leben wollen in einem solchen Land, Gesine« (II, 583) nur mit einer Verlegenheitsantwort zu erwidern: »Weil es das Leben von Marie geworden ist... Das Kind soll haben, was ich nicht bekam« (II, 583), wobei sie sich den Vorwurf gefallen lassen muß: »Das Kind, das Kind, das Kind. Dein Notfallschirm, deine heilige Ausrede.« (II, 583)

Denn tatsächlich bleibt ihr in diesem Schwebezustand nur eine

Alternative: entweder die Verzichthaltung und resignative Selbstaufhebung oder die Sehnsucht nach einer utopischen Wirklichkeit. Die erste Möglichkeit wird am Beispiel ihrer Mutter Lisbeth begründet, die ihr Kind offenbar in einer Regentonne ertrinken lassen wollte, was nun dieses am Leben gebliebene Kind, Gesine, seinerseits dem Kind Marie so erklärt: »Sie hätte das Kind sicher gewußt, fern von Schuld und Schuldigwerden. Und sie hätte von allen Opfern das größte gebracht.« (II, 618) Auch wenn man das aus der Psychologie ihrer Mutter, die später, Opferlamm und Märtyrerin zugleich, in den Flammen umkommt[17], rechtfertigen könnte, wie Gesine ja versucht, wird die Absurdität dieser Möglichkeit konkret durch ihr eigenes Verhalten Marie gegenüber entlarvt, da sie bereit ist, ihrer Tochter wegen alles auf sich zu nehmen, nur damit ihr Kind es besser hat.

Auch in der andern Möglichkeit, aus diesem Schwebezustand herauszugelangen, tauchen vertraute Muster auf, nämlich im Hineinträumen in eine utopische Wirklichkeit, die jenseits der existierenden angesiedelt ist. Gesines Tynset liegt gewissermaßen »am Park Silbersee« (III, 1223), ist eine Naturidylle fern von aller zivilisatorischen Welt – »Hier hast du Leben auf dem Lande, Mecklenburg, California« (III, 1223) – oder wird in einem in den Westen transponierten Jerichow[18] imaginiert. Aber wie wenig solche Utopien in der Realität anzusiedeln sind, beweist die ausführlich rekapitulierte nostalgische Reise in die Nachbarschaft Lübecks, in das Landschaftsidyll der Holsteinischen Schweiz, die aus der Vorzeigeperspektive eines Reiseleiters zur vermarkteten Natur, zur »vorausbezahlten Landschaft« (III, 1248) verzerrt wird. Der Besuch der »ehemaligen Kadettenanstalt« (III, 1249) in Plön, wo einmal die Hohenzollern-Prinzen erzogen wurden, und die naiv von den Bustouristen nachgegrölten Lieder des »Großdeutschen Rundfunks und der Naziwehrmacht« (III, 1249) setzen die entsprechenden Akzente: »Er sagte ihnen nichts von den 7300 Häftlingen der Nazis, die bei vergleichbar angenehmem Wetter im Mai 1945 sterben mußten im Meer vor der Stadt...« (III, 1250)

Vergegenwärtigt man sich zudem, daß New York auch in der Konzeption des Romans nur eine Zwischenstation bleibt, Gesine im vierten Band die Stadt wieder verläßt, da sie es »noch einmal versuchen will mit dem Sozialismus«[19], so erweist sich dieser gesellschaftliche Schwebezustand als prekär, bezogen auf die Gestaltung der Wirklichkeit, in der sie lebt. New York ist für sie nur von funktionaler Wichtigkeit, es ist der Ort, an dem sie arbeitet, in dem sie zwar einige neue Freunde findet, aber mit dem sie sich nie zu identifizieren vermag, der ihr fremd gegenübersteht, der ihr in ihrer vergleichsweise privilegierten beruflichen Tätigkeit nur in winzigen Ausschnitten konkret zugänglich wird, der sich aber in den meisten Fällen für sie in ein Verkehrs- und Dienstleistungssystem verwandelt, an dem sie teilhat, das sie benutzt. Das, was das zivilisatorische Leben dieser Stadt und Amerikas ausmacht, nimmt sie nur passiv wahr, wird ihr aufbereitet in dem enzyklopädischen Tageskompendium der »New York Times«, ihrer wichtigsten Informationsquelle.[20]

Gesine, um die sich neben dem aus der ostdeutschen Heimat stammenden, nun in Amerika lebenden Physikprofessor Erichson auch der Vizepräsident ihrer Bank de Rosny bemüht, vermag in ihrem Lebensumkreis nur sehr indirekt die Probleme der Gesellschaft, in der sie lebt, zu vermitteln, erreicht auch als Amerika-Emigrantin nie die Repräsentanz, die Johnson beispielsweise gelungen ist, im Bild der Einwanderin Mrs. Ferwalters[21] sichtbar zu machen. Gesine nutzt die Vorteile ihrer ökonomischen Stellung aus, um Schutzwälle zwischen sich und der amerikanischen Realität zu errichten, die sie nur in bereits ausgesiebter und abgeschwächter Form in der Lektüre der »New York Times« registriert.

Daß Johnson diese Problematik bewußt ist, hat er in seiner Büchner-Preis-Rede bekannt: »Der Verfasser wird im weiteren Schreiben seiner Person Mrs. C. noch deutlicher vor Augen halten müssen, in welchem Land sie vorzieht zu leben.« (222/3) Das ist der entscheidende Punkt. Denn auch die formalen Probleme, die Johnson sich mit der Darstellung Amerikas eingehandelt hat, wurzeln hier. So ist es zwar in der epischen Gestaltung der Großstadt nichts Neues, daß der komplizierte gesellschaftliche Horizont im Verbundsystem einer großen Stadt den Erfahrungshorizont eines einzelnen weit übersteigt und eingeblendete Auszüge aus Zeitungen die Funktion erhalten, das gesellschaftliche Spektrum der Aktivität des einzelnen zu ergänzen. Das hat es von Dos Passos bis Döblin – und auch vorher schon – gegeben[22] und ist zumeist auf dem formalen Weg der objektiven Montage erreicht worden: kompakte Materialzitate, die der Erzähler als Kontrast oder Hintergrund der individuellen Erfahrung einblendet und die er dabei nur strukturell und nicht psychologisch funktional auf das Bewußtsein der Protagonisten bezieht. Mit andern Worten: es ist nicht von den Protagonisten verarbeitete Information, sondern vom Autor hinzugefügte Informationsergänzung.

Gerade in dieser Betonung von zwei unterschiedlichen Gestaltungsebenen, in der fehlenden psychologischen Verbindung von Bewußtsein des Protagonisten und Materialblöcken, wird ein soziologisches Faktum nachdrücklich unterstrichen: daß sich die Wirklichkeit nicht mehr im Erfahrungsfeld des einzelnen umfassend vermittelt, daß sie in weiten Teilen dem handelnden Ich fremd und als reines Inventar gegenübersteht. Diesen geschichtsphilosophischen Sachverhalt der Trennung von Wirklichkeit und erlebendem Subjekt hat Johnson in seinen vorangegangenen Büchern präzis akzentuiert, indem er die Gradlinigkeit eines epischen Berichtes vermied und, die vorausgesetzte Identität von Ich und gesellschaftlicher Wirklichkeit als ideologisch erweisend und auch die Identifikation des Erzählers mit einer Mittelpunktperson vermeidend, in seiner Erzählweise dokumentierte, wie fragwürdig die Prämissen traditionellen realistischen Erzählens geworden sind: die Wahrheit der Person oder auch der Verlust dieser Wahrheit durch einen gesellschaftlichen Erosionsprozeß lassen sich nicht mehr am Handeln dieser Person ablesen, sondern müssen indirekt erschlossen werden.

Diese Voraussetzung hat sich auch in den »Jahrestagen« nicht geändert. Aber welche formalen Konsequenzen zieht Johnson hier daraus? Sein Lösungsversuch ist paradox, da er sich als Erzähler erstmals nahezu vollständig der Perspektive einer Mittelpunktperson unterordnet und die Wirklichkeitsdarstellung damit zum Reflex ihres Bewußtseins macht. Er hat den Erzählvorgang selbst so zu erklären versucht: »Begonnen hat das Buch ja als ein Versuch, dieses Bewußtsein Gesine Cresspahls darzustellen – was es alles enthält an Vergangenheit und Gegenwart. Durch das Verhältnis zur Tochter ist die Möglichkeit hinzugekommen, es hier und dort in Gespräche aufzuteilen. Es gibt im zweiten Band gewisse Mitteilungen, die Gegenwart betreffend, die dem Kind vorsorglich gemacht werden, damit es in zehn Jahren sich nicht den Kopf zerbrechen muß über Entschlüsse ihrer Mutter im Jahre 68. Grundsätzlich aber ist es so, daß der Verfasser von seiner Person die Lizenz und den Auftrag hat, die Vorgänge in ihrem Bewußtsein darzustellen... Er versucht sozusagen ihr Bewußtsein des Tages darzustellen.«[23]

Hier beginnen die eigentlichen Probleme. Ein umfassendes Bewußtseinsprotokoll kann damit kaum gemeint sein. Schon die grammatische From signalisiert, daß es sich großenteils um erlebte oder verschleierte Rede handelt, streckenweise um direkten Tonband-Monolog: erzählerische Introspektion mit dem Autor als Souffleur. Zudem fällt auf, daß der gesamte Bereich der Phantasien, der triebhaften Wünsche und Sehnsüchte, die Bewußtseinszone des Es, amputiert ist. Gesine ist gewissermaßen eine Frau ohne Geschlechtsleben. Gewiß, da werden gelegentliche Werbungen von Männern erwähnt, am häufigsten von D.E., dem Landsmann aus der alten Heimat, da wird im dritten Band ihre Verliebtheit in Jakob Abs[24] angeführt. Aber daß der Bereich des Unterbewußten ausgeklammert ist, verdeutlicht auch das Fehlen jedes das grammatische Regelsystem der Sprache überflutenden Inneren Monologs. Gesine wird so, ob freiwillig oder unfreiwillig, zu einer Puritanerin par excellence, oder anders formuliert: reduziert um eine vitale Dimension ihrer Existenz[25], was sie zum Beispiel fundamental von Bölls Leni Gruyten in »Gruppenbild mit Dame« unterscheidet.

Nicht der Erzähler setzt ihr Bewußtsein in Sprache um, sondern sie selbst rekapituliert Dinge, die sie in ihrem Gedächtnis trägt, sie beredet sie im Dialog mit ihrer Tochter Marie, sie spricht sie auf Tonband als Dokumente zum späteren Gebrauch für ihre Tochter. Sie reflektiert also von vornherein: »Aus dem allwissenden Erzähler wird der alles besser wissende Held.«[25a] Aber auch so sind Unterschiede vorhanden. Gesines Bewußtsein funktioniert einmal instrumental als reine Instanz der Registrierung von sekundären, schon aufbereiteten Erfahrungen. Und hier ist der Filter, durch den die Realitätspartikel schon versprachlicht eindringen und gleichsam als Reize in ihrem Gehirn registriert werden, die »New York Times«, die an einer Stelle selbst einmal »das Bewußtsein des Tages« (I, 68) genannt wird.

Sicherlich, Gesine wählt dabei aus, und das System der Auswahl scheint davon bestimmt, daß bestimmte Nachrichten als aktuelle Reize wirken, die auf dem Wege der psychologischen Assoziationskette die Aufarbeitung der Vergangenheit in ihrer Erinnerung stimulieren. In der Grobstruktur sind die Relationen durchaus zu erkennen: das Amerika der Rassendiskriminierung, der Vietnam-Psychose, des Mordes an Martin Luther King und Robert Kennedy tritt in Parallele zu den Ereignissen, die sich in Deutschland, im Mecklenburg der dreißiger Jahre, entwickeln, vergegenwärtigt in der Geschichte ihres Vaters Cresspahl und ihrer Mutter Lisbeth Papenbrock und von deren honoriges reiches Bürgertum repräsentierender Familie. Der Antisemitismus in Deutschland und die Rassendiskriminierung der Farbigen in den USA ergeben Kontrapunkte, wie auch, zumindest im ersten Band, ihr Leben in der Fremde mit seinen Problemen sich spiegelt in dem Leben ihrer nach Richmond in die Nähe von London ausgewanderten Eltern.

Johnson hat dieses psychologische Verfahren der Assoziationsreihung selbst als Gestaltungsprinzip in den »Jahrestagen« betont: »Es kommen aus der amerikanischen Gegenwart sehr wohl Anstöße, es werden Ereignisse von damals heraufgerufen durch Ereignisse von heute, lediglich aber hervorgerufen. Wenn zum Beispiel bei den Unruhen in Washington eine Häuserzeile abgebrannt ist, so ist es für sie die Folgerung: So sähe ein Krieg in amerikanischen Städten aus. Von diesem Vorstellungsbild kommt sie zurück auf ihren eigenen Krieg, auf das Jahr 1945; daran schließt sich das Sterben des Flughafens Mariengabe bei Jerichow an.«[26] Aber läßt sich ein psychologisches Verknüpfungsprinzip direkt in ein künstlerisches umsetzen? Es sei denn, man hält an der als realistisch fingierten Voraussetzung fest, daß sei innerhalb eines bestimmten Zeitraumes alles passiert und dadurch als Vorstellungsmaterial eines bestimmten Bewußtseins wichtig. Aber deutet nicht bereits die historische Abrückung von vielen zeitgeschichtlichen Realitätspartikeln – etwa die ausführlichen Hinweise auf die Stalin-Tochter im ersten Band, auf Sachverhalte der amerikanischen Innenpolitik, so die Beziehung zwischen den Wahlkandidaten Eugene McCarthy und Robert Kennedy, ja selbst der Vietnam-Krieg – darauf hin, daß dieses Informationen aufsaugende Bewußtsein gerade das wird, was Johnson für ihren Filter, die »New York Times«, nicht gelten lassen will: »Der nur in wenigen, oft unumgänglichen Stellen blinde Spiegel der täglichen Ereignisse.« (II, 515)? Tritt nicht genau die Gefahr ein, die an einer Stelle so formuliert wird: »Erblindung durch Wiederholung.« (II, 521)?

Denn auch die Argumentation, daß dieser Gesines Bewußtsein überschwemmende Informationsfluß künstlerische Funktion erhalte, da er zum katalytischen Material werde, an dem sich Gesines Nachdenken über die Vergangenheit ihrer Eltern klärt, ergäbe nur eine abstrakte Rechtfertigung und eine Art blinden Anspruch an den Leser: das alles, selbst wenn es sich bereits in Informationsschutt der jüngsten Zeitgeschichte verwandelt, nur in Kauf zu nehmen, weil es wichtig für die Mittelpunktperson sei.

Kapituliert damit nicht der Erzähler im Grunde vor der eigenen Romanfigur, wie sie ja auch konkret an zwei Stellen im Erzählvorgang die Führung übernimmt und den Autor ironisch maßregelt, so an der Stelle, wo Johnson selbst im Bericht über sein Auftreten auf dem »Jewish American Congress« in seiner Erzählung verschwindet und sich folgender Dialog zwischen Romanperson und Erzähler entspinnt: »Wer erzählt hier eigentlich, Gesine. Wir beide. Das hörst du doch, Johnson.« (I, 256), dem sich ein anderer im dritten Band zugesellt: »Mein gutes Englisch, du Schriftsteller. Deins war es nicht. Aber nicht solch Krüppeldeutsch.« (III, 1039)

Degradiert sich also nicht der Erzähler gleichsam zu einem Artikulationsinstrument[27] der Romanfigur, was auch in der rein additiven Reihungsstruktur des Buches zum Ausdruck kommt: »Jahrestage« wörtlich gemeint als in Sprache umgesetzte Lebenstage innerhalb eines bestimmten äußerlich begrenzten Zeitabschnittes, nämlich eines Jahres. Das wird durch die quasi dokumentarische Authentizität[28] nur äußerlich abgestützt. Denn so wie das Ende des Buches mit dem Einmarsch der Russen in das Prag des Reformkommunismus im August 1968 ein historisches Ereignis hervorhebt, das an die Ereignisse erinnert, die auf das Leben der andern Protagonisten in Johnsons Romanen eingewirkt haben, an den Aufstand des 17. Juni 1953, den Einmarsch der Russen in Ungarn 1956, das Suez-Abenteuer der Franzosen und Engländer im gleichen Jahr, scheint es auch für das Leben Gesines zur Zäsur zu werden.

Johnson hat diese Übereinstimmung zwischen Romanende und Zeithistorie zwar als zufällig betont[29], aber das bedeutet unter anderm Aspekt nur, daß er die realistische Fingierung in seinem Buch so ausdehnt, daß seine Darstellung und die Zeitgeschichte sozusagen ununterscheidbar werden. Daß hier jedoch eine bewußte Akzentuierung vorliegt, verdeutlicht schon der Blick auf die andern Romane Johnsons. Vorzuwerfen ist ihm lediglich, daß er diese strukturelle Akzentsetzung nicht stärker durchgeführt hat. Der Hinweis, das sei eben alles passiert und für das Bewußtsein dieser Person gegeben gewesen, wäre ja erst einmal in ein künstlerisches Postulat an den Erzähler umzusetzen und nicht einfach als Aufforderung an den Leser weiterzugeben. Wenn Johnson bekannt hat: »Es handelt sich um einen Aufruf zu moralischer Genauigkeit in der Gegenwart.«[30], so wird dieser Anspruch erst plausibel, wenn er mit künstlerischer Genauigkeit synchron geht. Aber wo wäre das künstlerische Kalkül in den Reihungssystemen dieser Fakten?[31] Es ergibt sich nur in der Grobstruktur eine chronologische Gliederung, einmal in der Erinnerungszeit, auf die Situation der dreißiger Jahre gerichtet, im dritten Band auch auf die Situation der Nachkriegszeit, und zum andern auf die Gegenwartszeit Gesines und ihrer Tochter in New York bezogen. Der chronologische Rhythmus dieser Gegenwartszeit ergibt auch den epischen Rhythmus des Buches. Die Atomisierung der Fakten, die isoliert aneinander gereiht werden, führt nicht nur letztlich zur Auflösung von Zusammenhängen, sondern dokumentiert auch unfreiwillig das Brüchigwerden einer auf umfassende Wirklichkeitsmimesis ausgerichteten epischen Form.

So ist denn auch das registrierende, Material filternde Bewußtsein Gesines nur äußerlich zentral, wichtiger ist, auf die Aufarbeitung der Vergangenheit gerichtet, ihr Bewußtsein als moralische Instanz, als Suche danach, wie man leben sollte, exemplifiziert im ersten und zweiten Band der »Jahrestage« an der Geschichte ihres Vaters Cresspahl, des aufrechten, in die Fänge der Geschichte geratenen Mannes, dessen Rolle im dritten Band Maries Vater, Jakob Abs, ein Mensch von Gerechtigkeit, wie er genannt wird, zu übernehmen beginnt, nachdem Cresspahl 1945 von den Russen inhaftiert und verschleppt wurde. In der Konzentration auf das Leben dieser Personen konstruiert sich Gesine gleichsam aus Erinnerungspartikeln die Wirklichkeit, in der sie leben möchte; sie ist so utopisch und vergeblich, wie es das Scheitern Cresspahls und Jakobs in der Situation ihrer Zeit bezeugt. Erst indem Gesine in ihrer erinnernden Reflexion das Leben beider klärt, gewinnt sie Halt und Boden unter den eigenen Füßen. Die Wirklichkeit, die sie so gewinnt – und darin unterscheidet sie sich nicht von den Protagonisten anderer Desillusionsromane – ist eine Wirklichkeit der Introspektion, verkörpert im säkularisierten Heiligen-Gestus einzelner gerechter Menschen, aber immer noch getragen von der Hoffnung auf eine mögliche Verwirklichung, die in der Adressatin von Gesines Geschichte, dem in Amerika Wurzeln schlagenden Kind Marie, konkret zum Ausdruck kommt.

Anmerkungen

1 In: »Merkur« 15 (1961), 722-733 (= Stadtbahn).
2 In: H. Bienek: »Werkstattgespräche mit Schriftstellern«, München 1965, 107.
3 »Über die Besonderheit als Kategorie der Ästhetik«, Neuwied 1969, 361/2.
4 Vgl. zu diesen Romanen im einzelnen die detaillierten Ausführungen des Verf. im dritten Hauptteil, »Wirklichkeitserkundung und Utopie. Die Romane Uwe Johnsons«, seines Buches »Der deutsche Roman der Gegenwart«, Stuttgart 1973², 194-269.
5 Zitiert hier nach der Ausgabe in der »edition suhrkamp«, Frankfurt/M 1964.
6 »Stadtbahn«, 733.
7 Vgl. dazu auch Johnsons Bericht »Einer meiner Lehrer« in der Mayer-Festschrift (»Hans Mayer zum 60. Geburtstag«, hrsg. v. W. Jens u. a., Reinbek 1967, 118-126), wo er z. B. über die mündliche Abschlußprüfung seines Germanistikstudiums bei Mayer ausführt: »Es war ein reichlich skeptisches Gespräch aus Vergleichen zwischen einer vorhandenen Theorie der Literatur und der Theorie des sozialistischen Realismus...« (124)
8 Vgl. dazu u. a. die Ausführungen von B. Greiner: »Von der Allegorie zur Idylle: Die Literatur der Arbeitswelt in der DDR«, Heidelberg 1974.
9 Zitiert hier nach der Ausgabe der Fischer Bücherei, Frankfurt/M 1962.
10 Zitiert nach der Erstauflage, Frankfurt/M 1965.
11 »Jahrestage. Aus dem Leben von Gesine Cresspahl« I (= I), Frankfurt/M 1970; II (= II), Frankfurt /M 1971; III (= III), Frankfurt/M 1973.
12 Brief Johnsons an seinen Verleger S. Unseld v. 21. 9. 73 (= Brief), nach einer Kopie zitiert.
13 Vgl. zum Stellenwert dieser Erzählung in Johnsons Œuvre die Ausführungen des Verf. in »Der deutsche Roman der Gegenwart«, 232-237.
14 Zitiert nach dem Brief an Unseld.
15 »Nachforschungen in New York« (= Büchner-Preis-Rede), 219, in: »Büchner-Preis-Reden 1951-1971«, Stuttgart 1972, 217-240.
16 Vgl. II, 737ff.
17 Vgl. II, 738-744.
18 Vgl. III, 1240ff.
19 Briefe an Unseld.
20 Im zweiten Band übernimmt die Lübecker Zeitung (vgl. u. a. II, 870, 910) mitunter eine analoge Funktion, bezogen auf die Situation in NS-Deutschland. Im dritten Band, besonders im Zusammenhang mit

dem Mord an Robert Kennedy, übernimmt streckenweise das Fernsehen eine ähnliche Aufgabe.

21 Vgl. u. a. II, 789-792.

22 Vgl. dazu u. a. die Ausführungen von V. Klotz: »Selbstverständnis und Stadtverständnis: Zeitung im Roman«, in: »Die erzählte Stadt«, München 1969, 419-429.

23 D. E. Zimmer: »Das Gespräch mit dem Autor: Uwe Johnson. Eine Bewußtseinsinventur« (= Zeit-Gespräch), in: »Die Zeit« Nr. 48 v. 26. 11. 1971, Lit. 3.

24 Vgl. III, 1080-1084.

25 Das zeigt sich auch in der Präsentation ihres Bildes von New York. Sigrid Bauschinger hat zu Recht darauf aufmerksam gemacht: »Es ist eine merkwürdig farblose Stadt, unmusikalisch, unmusisch. Der Rhythmus, der die Stadt durchpulst, ihre Lieder, ihre Tänze, all das fehlt.« (»Mythos Manhattan. Die Faszination einer Stadt«, 391, in: »Amerika in der deutschen Literatur«, hrsg. v. S. B. u. a., Stuttgart 1975, 382-397)

25a H. P. Piwitt: »Rückblick auf heiße Tage«, 41, in: »Literaturmagazin 4. Die Literatur nach dem Tod der Literatur. Bilanz der Politisierung«, Reinbek 1975, 35-46.

26 Zeit-Gespräch.

27 Vgl. dazu den Hinweis von R. Baumgart: »Statt eines Nachworts: Johnsons Voraussetzungen« (in: »Über Uwe Johnson«, hrsg. v. R. B., Frankfurt/M 1970, 165-174): »Kein Wunder, daß dieser Autor sich während der Niederschrift nur noch vorkommt wie das Medium der Geschichte selbst, nur noch ihr Durchlaß...« (172)

28 Johnson hat Manhattan nicht nur während seines Aufenthaltes von 1966 bis 1968 erkundet, im Auftrag des Hartcourt & Brace Verlages mit der Edition eines deutschen Textbuches beschäftigt, sondern ist 1971 nochmals auf fünf Wochen nach New York zurückgekehrt, auf der Suche nach zusätzlichem Material (vgl. Büchner-Preis-Rede, 238).

29 Vgl. den Hinweis im Zeit-Gespräch: »...der letzte Tag des geplanten Buches wird der 20./21. August 1968 sein, der wirkt ziemlich ominös. Ich kann Sie nur bitten, mir zu glauben, daß es Zufall war.«

30 Zeit-Gespräch.

31 Johnsons formale Probleme erinnern an das Dilemma, in das Arno Holz mit seinen immer monströser und umfangreicher werdenden »Phantasus«-Umarbeitungen geriet. Auch hier zielt die Intention auf einen mikroskopisch genauen Realismus, was jedoch im Ergebnis genau das Gegenteil erreicht: »Die Natur, bzw. die menschliche Vorstellungswelt wird restlos verwortet, wird fugendicht ins Wort gebannt, so daß sie vom Leser nicht mehr oder nur noch sehr schwer vorgestellt werden kann.« (W. Emrich: »Arno Holz und die moderne Kunst«, 168, in: W. E., »Protest und Verheißung«, Frankfurt/M

1960, 155-168) Diese Feststellung läßt sich modifiziert auch auf die Rezeption der »Jahrestage« beziehen. Wird der Stellenwert von Details so diffus, läßt sich auch kaum mehr vom Leser verlangen, die Gedächtnis-tour-de-force Gesines nun seinerseits zu reproduzieren. Sind also die von der Kritik falsch angegebenen Faktendetails nicht im Grunde der Kompositionsform des Buches zur Last zu legen? Wenn beispielsweise die Aufzeichnung vom 6. 12. 1967 in der Informationskadenz ausklingt: »Er wünschte Sicherheit für die Familie vor wirtschaftlicher, vor politischer Gefahr, vor Feuer und Blitzschlag. Und deshalb ging er (Cresspahl) Anfang Juni 1934 aufs Rathaus von Jerichow und ließ sich von Friedrich Jansen einen Aufnahmeantrag für die Nazipartei geben.« (I, 418), so muß das künstlerische Kalkül, mit dem diese Information im Kontext plaziert wurde, bezweifelt werden, da der Schluß nahegelegt wird, Cresspahl sei auch faktisch eingetreten, was nicht der Fall ist. Der Gestus dieser Information ist dann im Kontext zumindest irreführend. Die Tatsache, daß der erste Band der amerikanischen Übersetzung Band I und II der deutschen Ausgabe, unter Auslassung von Textpartien, verschmolzen hat, läßt sich – von den pragmatischen Gründen, die dahinter stehen, einmal abgesehen – auch so deuten, daß die Reihungsstruktur der »Jahrestage« in der Tat variabel ist; selbst für den Autor.

XI.A. Wir leben in einer unüberblickbaren Welt. Gespräch mit Walter Höllerer

1. Die Ausstellung »Welt aus Sprache«

D.: Herr Höllerer, ich habe hier das Programm der Ausstellung »Welt aus Sprache« vor mir liegen, die Sie vor einiger Zeit in der Berliner Akademie der Künste veranstaltet haben. Thematisch sind enge Beziehungen vorhanden zwischen dieser Ausstellung und Ihrem Roman. Das geht wohl sogar so weit, daß die Vorbereitung dieser Ausstellung in den letzten Teil Ihres Romans, zumindest zum Teil, hineingearbeitet worden ist. Ist es nun so, daß die Ausstellung, die die Romanfigur Gustaf Lorch offensichtlich im Roman nicht zu Ende gebracht hat, daß die in der Realität ansatzweise tatsächlich stattgefunden hat? Welche Beziehungen sind überhaupt zwischen dieser Ausstellung und Ihrem Roman vorhanden?

H.: Es ist natürlich nicht diese Ausstellung, die in dem Roman vorkommt, oder die Vorbereitung auf diese Ausstellung, sondern es ist die Vorbereitung auf eine Ausstellung, die der Gustaf Lorch machen will. Und da ich mit diesem ganzen Komplex im Roman zu tun hatte, interessierte mich natürlich, wie so etwas läuft. Aber das ist eine grundsätzliche Frage, wie Realität in dem Roman erscheint. Es ist nicht so, daß das eine spiegelbildlich zum andern da ist, also daß da eine Realität vorhanden ist und daß dann das Spiegelbild in der Fiktion da ist, sondern das geht schon etwas komplizierter, etwas verquerer. Ich war mit dem Problem beschäftigt, wie man heutzutage – wenn man sich nicht festlegt auf ein vorhandenes System oder auf Grammatik – eine Anhäufung von Signalen bewältigt. Natürlich kann man das in einem gewissen Rahmen in einer Ausstellung machen. Es stellt sich das Ziel: Kann man die verschiedensten Zeichen, Verkehrszeichen, Straßensysteme, die körperlichen Zeichen, das alles bezogen auf die verschiedenen Sinne, kann man so etwas in einer Ausstellung bewältigen? Und während ich in meinem Kopf mit dem Roman beschäftigt war, gab es die Möglichkeit, so etwas in einem kleineren Rahmen zu realisieren. Es ging also in eine ähnliche Richtung. Das heißt: was ich hier in der Akademie als Programm machen konnte, das unterstützte mich in dem, was ich schreiben wollte. Es war aber nicht so, daß das nun die Ausstellung war, die der Gustaf Lorch vor-

hatte, sondern es war für mich eine Möglichkeit zu sehen, wie so was in der Realität läuft. Und damit gab's bestimmte Parallelen, bestimmte Vergleichspunkte, aber es lief natürlich nicht so, wie es im Roman der Fall war. Die Ausstellung, die ich gemacht habe, hatte einen viel engeren Rahmen und hat auch nicht diese ungeheure Überforderung und Chimärenhaftigkeit, die sie für Lorch annehmen mußte, weil er ja damit die ganze Welt ausstellen wollte, während ich mich dort beschränkt habe auf Ausstellungsteile, die ich überblicken konnte. Das ist der Unterschied.

D.: Nun ist es auf der andern Seite so, daß Sie sehr lange an diesem Roman gearbeitet haben, mit großen Unterbrechungen. War es da nicht so, daß die Aktualisierung Ihres Themas in der Ausstellung sich produktiv ausgewirkt hat auf die Arbeit an Ihrem Roman? Ist also nicht in der Weise doch eine relativ enge Beziehung vorhanden?

H.: Sie hat sich produktiv ausgewirkt auf den Roman, aber die Idee für die Ausstellung und die Idee zum Roman, das lief beides parallel. Es hat sich dann ausgewirkt, obwohl schon ein paar Passagen vor diesen Ausstellungsdingen geschrieben waren. Das Buch ist natürlich nicht kontinuierlich durchgeschrieben, sondern ist fleckenhaft geschrieben. Ich könnte mich wahrscheinlich nie hinsetzen und ein Buch von A bis Z durchschreiben. Es ist nachträglich dann auch komponiert. Und die Möglichkeit, Erfahrungen zu sammeln, wirkte sich schon direkt auf den Roman aus, zum Beispiel sah es mittendrin einmal aus, als wenn diese Ausstellung nicht stattfinden könnte, weil keine Gelder zur Verfügung gestellt wurden. Dieser psychologische Effekt, daß etwas, wofür man sich sehr angestrengt hat, dann plötzlich abgewürgt wird aus Einsparungsmaßnahmen, der hat sich schon auf die Handlung dieses Romans als Erfahrung ausgewirkt. Es gibt überhaupt nichts in diesem Roman, was ich nicht in irgendeiner Andeutungsform erfahren hätte.

2. In den Roman umgesetzte Realität?

D.: Ist es nicht so, daß in die Abschnitte, die sich mit der Vorbereitung dieser Ausstellung in der Akademie der Künste beschäftigen, viel real Geschautes eingeflossen ist, ja daß man sogar streckenweise diesen Teil des Romans als Schlüsselroman verstehen könnte? Das heißt: gewisse Figuren, die verwandelt dort auftauchen, haben sich wiedererkannt.

H.: Das, glaube ich, ist es nicht. Das habe ich durchweg vermie-

den. Für mich würde das einen falschen Naturalismus bedeuten, der dann auch ganz woanders hinläuft. Zum Beispiel: der Huder, der ja tatsächlich in der Akademie vorhanden ist, hatte mit der Ausstellung überhaupt nichts zu tun. Nur deswegen, weil er überhaupt nichts damit zu tun hatte, habe ich ihn namentlich hereinnehmen können. Die Leute, die mit der Ausstellung zu tun hatten, tauchen auch nicht verschlüsselt in diesem Roman auf. Und die Leute, die sozusagen als vielleicht halbwegs verschlüsselte Typen auftauchen, haben wiederum nichts mit der Ausstellung zu tun.

D.: Ja, vielleicht darf ich noch einflechten, daß Herr Huder mir erzählt hat, daß beispielsweise der Spaziergang vom Bahnhof Zoo zur Akademie topographisch äußerst exakt von Ihnen beschrieben worden sei und daß beispielsweise die Begegnung zwischen der Romanfigur Gustaf und Huder auch sehr realistisch dargestellt worden sei, d. h. die Situation, als er dabei war, die Heizung zu reparieren. Das sei tatsächlich vorgefallen. Er meint auch, daß beispielsweise die Transponierung der Romanfigur Oskar Matzerath in diese Szenerie einen durchaus realistischen Hintergrund habe, und zwar habe er Ihnen den Ordner gezeigt mit Korrespondenz von Grass, und da hätten Sie gesagt: Das ist ja so, als wenn der Oskar bei Ihnen arbeitet! Der nächste Schritt der Umsetzung sei eben gewesen, daß dieser Oskar bei Ihnen als quasi reale Figur in dieser Szene beschrieben worden sei.

H.: Das finde ich jetzt ungeheuer interessant, was Sie sagen. Das zeigt nämlich, wie Realität läuft, wie es auch bestimmt im Gehirn von einzelnen Leuten, notgedrungen wahrscheinlich, so in der Rückblende erscheinen muß. Vermutlich erscheint es dem Huder jetzt so, als hätten wir uns jetzt, nachdem er das gelesen hat, tatsächlich so kennengelernt: daß er an der Heizung gesessen wäre, und ich hätte ihn damals erkannt. Das ist überhaupt nicht so gewesen. Ich habe ihn hier bei Altenberg, dessen Doktorand er war, kennengelernt, hier in der TU, und die Sache mit der Heizung ist völlig erfunden. Das bezieht sich auf ein Kindheitserlebnis, wo ich also – wie viele Sachen Kindheitserlebnisse sind – zu Hause jemanden reparieren sah und dachte, es sei ein Handwerker, in Wirklichkeit war es ein Kollege meines Vaters. Diese seltsamen Überquerstellungen, die sind für mich ganz einsichtig, daß das passiert. Huder hat das Buch eben mit großem Interesse gelesen, weil er darin vorkommt – ich hab's ihm auch angekündigt, daß er in dem Buch erscheint, und ob er damit einverstanden sei, natürlich –, nun hat er also in seinem Kopf diese Vorstellung. Das ist kein Schwin-

del, wenn er das macht, sondern es stellen sich bei ihm Mechanismen her, die er auf tatsächliche Situationen zurückprojiziert. Ich kann mich zum Beispiel an überhaupt keine Situation erinnern, daß er mir eine Korrespondenz mit Grass gezeigt hätte, sondern die Oskar-Passage in der Akademie ist eine reine Erfindung von mir.

D.: Ein anderes Beispiel, das in die gleiche Richtung weist: Als Gustaf Lorch in das Literatur-Archiv der Akademie eintritt, wird von Ihnen dieser Durchblick beschrieben. Er hat mir vorhin diesen Durchblick gezeigt. Genauso war's, und dort an dem runden Tisch habe Höllerer den Oskar gesehen.

H.: Es ist richtig, was Topographien anbelangt, die kann man ja nicht erfinden. Man soll sie auch nicht erfinden, weil man dann ins Vage gerät. Das ist etwas, was ich sehr ernst nehme, z. B. der Gang vom Bahnhof Zoo über diese Brücke – das ist ja gleich in der Nähe der TU – rüber zur Akademie, das beruht auf einem wirklichen Gang von mir, den ich des öfteren gemacht habe, den ich allerdings nicht hier in Berlin beschrieben habe – das hätte mich sehr gestört –, sondern abseits von Berlin. Ich glaube nicht, daß man den Ort, an dem man sitzt, beschreiben kann. Das ist eine Sache, die mich einerseits sehr beschäftigt, mich andererseits sehr stört, daß ich nicht etwas direkt hereinnehmen kann. Ich brauche einen topographischen Absprung, oder ich brauche eine fiktionale Handlung, die innerhalb dieser Topographie spielt. Ähnlich ist es mir mit Marbach gegangen. Innerhalb dieser festen Topographie ist alles glaubwürdig, es hat aber nicht stattgefunden, es hätte stattfinden können.

D.: Ein anderes Beispiel, das dann also ebenfalls illustriert, wie sich die Sachverhalte für den Leser im Rückblick verändern: einer Ihrer ehemaligen Assistenten hat gemeint, daß große Teile der im Roman stattfindenden Unterhaltungen tatsächlich so abgelaufen seien und nur geringfügig transponiert in den Roman übernommen worden wären.

H.: Das stimmt nicht. Es sind einige Formulierungen, sicherlich, wirklich gefallen, wohl aber nicht in dem Zusammenhang, in dem ich sie da bringe. Ich arbeite ja sehr stark mit Notizen. Ich muß immer mit einem Bleistift oder einem Kugelschreiber herumlaufen, und immer, wenn mir etwas auffällt, schreib ich das auf Zetteln auf, und dieses ungeheure Zettel-Material, das ein bißchen mit der Lorchschen Situation zusammenhängt, das benütze ich dann auch. Das sind dann sehr zugespitzte Dinge, die mich stimulieren, wenn ich eine größere Passage erfinden will. Ohne die könnte ich auch nicht arbeiten. Und aus Unterhaltungen z. B. mit Herrn Berend, dem Herausgeber der Jean-Paul-Ausgabe, sind schon einige wörtliche Formulierungen drin, die dem Professor Pronofsky zugeschoben werden. Aber diese Unterhaltung hat nie so stattgefunden im Kontinuum, sondern das sind Splitter aus solchen Unterhaltungen. Schmidt-Henkel meint wahrscheinlich bei Dr. Bleybtreu und solchen Sachen, das seien Unterhaltungen mit den Assistenten gewesen. Das mag schon sein, daß die eine oder andere Formulierung von Schmidt-Henkel oder Enders eine Rolle gespielt hat, aber nicht in dem ganzen Zusammenhang. Es ist nicht so, daß das Tonband-Aufnahmen wären, die dann abgeschrieben worden seien. Und es ist auch nicht so, daß das von mir gemachte kontinuierliche Erinnerungsstenogramme ganzer Unterhaltungen gewesen wären.

3. Das Tonband als Arbeitsinstrument und erzählerisches Transportmittel

D.: Sie haben gerade erwähnt: das seien nicht Transkripte von Tonband-Aufnahmen. Ist es aber nicht so – der Stil, die Sprachform, deutet darauf hin –, daß nun tatsächlich auf Band festgehaltene Monologe später schriftlich fixiert wurden? Ich meine damit konkret Ihren Schreibvorgang. Ich denke an die vielen elliptischen Satzfiguren, überhaupt die sehr parataktische Satzform, es werden selten größere Perioden gebaut. Alles das deutet auf einen Reflexionsvorgang hin, der sich sozusagen von einer kleinen Station zur andern schlängelt. Oder ist das ein Fehlschluß?

H.: Nein, ich glaube, die grundsätzliche Beobachtung, daß es so komponiert ist, von einer kleinen Station zur andern, ist richtig. Das ist auch bei der ganzen Konzeption notwendig, wenn es sich um diese Besessenheit von Lorch – solange es darum geht – handelt. Das kann eigentlich nicht anders laufen, weil es ja auch ein enormer Absprung ist: dorthin, zu seiner Obsessionsfigur G, und wieder zurück. Das Tonband habe ich sicherlich auch hier und da mal benutzt. Es gibt eine Passage, die wirklich eine zusammenhängende Tonbandaufnahme ist, und das ist die Passage im Berliner Hinterhof, wo der Betrunkene diesen großen Krakeel macht. Das ist eine rein naturalistische Passage, die so, wie sie da abgedruckt ist, passierte, ohne Veränderung. Da habe ich als einziges Mal das Tonband kontinuierlich gebraucht. Sonst habe ich das Tonband manchmal gebraucht, um zum Beispiel Notizen auf der Straße zu machen; ich konnte sie nicht aufschreiben, weil ich gelaufen bin, und ich habe dann einige Beobachtungen auf Tonband gesprochen, wobei ich dann keine Abschrift der Tonbänder gemacht habe, sondern mir angehört habe, ob da überhaupt etwas zu gebrauchen war. Das sind hauptsächlich Berlin-Passagen. Aber sonst ist das Tonband nie kontinuierlich verwendet worden. Ich habe nie Tonbänder abgeschrieben und dann den abgeschriebenen Tonband-Text verwendet, bis auf diese lange Geschichte.

D.: Aber dann die Frage: Warum die Verwendung innerhalb des Romans, die Verwendung des Tonband-Gerätes, der Aufzeichnung als strukturelles Organisationsprinzip?

H.: Ganz genau ähnlich im Wirklichkeitsverhältnis, wie ich das vorhin andeutete bei dieser Ausstellung. Ich halte es wirklich für wichtig, daß dieses Tonband unsere gegenwärtige Kommunikation oder Nichtkommunikation bestimmt und weitgehend das Tagebuch abgelöst haben könnte. Ich mache mir auch Tonbandaufzeichnungen, z. B. von Fernseh-Sendungen, auch manchmal von Unterhaltungen, wenn der Betreffende weiß, daß das Tonband läuft. Das ist für mich wichtig, das signalisiert für mich eine Struktur des gegenwärtigen Daseins. Deswegen benütze ich es auch fiktional in diesem Roman, so daß dieser Lorch tatsächlich mit diesem Tonband arbeitet. Aber ich glaube nicht, daß ich einen einigermaßen anständigen Text herausbekäme, wenn ich diese Tonbandstruktur, die also wichtig ist für die gegenwärtige Bewußtseinslage, naturalistisch gebrauchen würde, d. h. wirkliche Tonbandaufnahmen nehmen, abschreiben und komponieren würde. Da fehlt mir ein Grad Umsetzungsprozeß dabei.

D.: Ja, nun ist es aber doch so, daß die, sagen wir, fiktionale Verwendung des Tonbands in Ihrem Roman die Sprachform beeinflußt hat.

H.: Natürlich, weil ich mich auf diese Situation einstellen kann, daß das eine Tonband-Geschichte ist. Ich erfinde mir sie so, wie ich sie mir als Tonband nicht nur vorstelle, sondern auch aus meiner Erfahrung her kenne. Aber ich erfinde sie.

D.: Sie müssen sich dann in die Sprachform hineinzufühlen versuchen, wie das real wäre, wenn es als Tonband-Aufzeichnung monologisch vorgetragen würde.

H.: Schaun Sie, das widerspricht sich ja nicht. Wenn ich das Tonband wirklich gebrauche, weiß ich auch, wie so ein Text ausschaut. Er schaute allerdings anders aus, wenn ich ihn abschreiben würde, als wenn ich ihn nach dieser Erfahrung erfinde. Denn da kommt ein verfremdender und komponierender und gleichzeitig kompri-

mierender Effekt hinein, der mir verlorenginge, wenn ich das nicht machen würde. Mir scheint, daß man fiction auf Grund von solchen Erfahrungen machen kann. Wenn man sie ohne diese Erfahrungen macht, kommt man nicht dorthin, wie heutzutage diese Strukturen laufen. Wenn man sie aber einfach krud-naturalistisch übernimmt, kommt man wieder nicht da hin, die Sache so zusammenzubringen, sondern dann läuft es viel oberflächlicher. Man kriegt nicht – wie ich es in dem Buch versucht habe – die Gelenkstellen dieser psychologisch, soziologisch greifbaren Schwierigkeiten, sondern man bleibt einfach an der Oberfläche. Das interessiert mich nicht. Das wird mich auch an meinem zweiten Roman nicht interessieren, nur protokollarische Literatur zu machen.

D.: Irgendwie sehe ich da doch einen Widerspruch: Warum etwas fingieren, das man real gebraucht und das zudem große Auswirkungen auf die Romanform hat.

H.: Sicher, das hat große Auswirkung auf die Struktur, natürlich, weil der Autor sich da hineinversetzt. Er gibt bestimmte Eingrenzungen, er kann nicht das und das in dem und dem Stil sagen, weil es ganz unmöglich wäre, so würde er nie auf Tonband sprechen. Das weiß man. Aber ich benütze ja nicht diese Tonbänder, die ich angefertigt habe.

D.: Es wäre doch auch eine andere Möglichkeit vorhanden gewesen, etwa ihn im Tagtraum monologisieren zu lassen. Warum lassen Sie ihn nicht durch irgendwelche Assoziationsanstöße in bestimmte Gedankenrichtungen gleiten?

H.: Sicherlich, aber das wäre doch dann ein ganz anderer Typ. Der Typ, der diese Ausstellung vorbereitet, muß doch für diese Ausstellung dauernd die Außenwelt präsent haben.

D.: Sie als Autor sagen, daß die Zettel, die Sie sich notieren, viel wichtiger sind, und Sie verzichten sozusagen auf das technisch bessere Medium. Auf der andern Seite sehen Sie dieses technische Medium als sehr viel adäquater für Ihren Romanhelden an, und Sie lassen ihn die Sache verwenden.

H.: Genau richtig, aber ich seh das technisch bessere Medium gleichzeitig als eine Gefahr für solch eine Darstellung, weil es mir zu glatt läuft. Ich kann ja keinen Roman meinetwegen zehnmal so lang schreiben. Das technisch bessere Medium würde sich natürlich vertragen mit diesem Buch, aber das wäre dann eine ganz andere Art von Literatur. Ich will etwas in einer ganz bestimmten Komprimierung zeigen und nicht aus dieser Gegenwart ableiten, indem ich einfach einen Inneren Monolog sprechen lasse, der heutzutage für solch einen Typ, der ja Realisationen macht, nicht als Arbeitszeug möglich ist. Ich seh schon ein, was Sie meinen: Warum gebrauchen Sie Zettel, und die Zettel gebrauchen Sie, um eine Tonband-Struktur zu fingieren, obwohl Sie doch eigentlich dieses Tonband zur Verfügung hätten. Das ist aber gerade der Punkt. Genauso können Sie mich fragen: Warum benützen Sie nicht wirklich Ihre ganzen Aufzeichnungen von dieser Ausstellung und bringen sie in den Roman ein? Natürlich, das wäre eine ganz andere Form, das hätte nicht diesen fiktional verfremdenden Effekt und würde auch auf den Leser einen ganz andern Eindruck machen, als wenn ich es so mache. Es ist allerdings meine Überzeugung, daß fingierte moderne Realität im Zeichen der Massenkommunikation stärker auf die wunden Punkte hinweist, als wenn man photographisch einfach diese Realität im Zeichen der Massenkommunikation reproduziert. Da schaltete ich einfach meine umsetzenden Relais aus. Sie nicht ausschalten zu müssen, das allein kann mich eigentlich dazu bringen, einen Roman zu schreiben. Sonst würde das sinnlos sein. Dann ist es einfach eine Dokumentation. Wenn ich eine Dokumentation machen will, dann fallen alle diese Anstrengungen weg. Aber dann hätte das auch eine ganz andere Wirkung. Dann akzeptier' ich einfach das, was hier in der Gegenwart so läuft, ohne mich einzuschalten, auch ohne mich kritisch einzuschalten. Ich leg's dem Leser so vor, wie es gelaufen ist. Das wäre dann eine andere Art von Einstellung zu dieser Wirklichkeit, nämlich: daß ich sie akzeptiere.

4. Chimären und greifbare Dinge

D.: Darf ich die Anfangsfrage nochmals auf andere Weise stellen? Sie haben jetzt einigermaßen deutlich gemacht, daß realistische Materialien nur sehr verfremdet und bruchstückhaft in den Roman eingegangen sind. Warum aber auf der andern Seite das Festhalten an realistischen Personen, realistisch mit Einschränkung versehen, d. h. Namen von authentischen Personen tauchen auf. Huder ist schon erwähnt worden. Es gibt eine Episode, wo Sie Bender, Bisinger und Wolfgang Maier nennen. Es gibt vielleicht noch andere Beispiele. Bei dieser sehr bösen Satire auf einen Universitätskollegen, Herrn Testor, sieht es für den Leser so aus, als wenn sich dahinter eine zeithistorische Persönlichkeit verbirgt.

H.: Der Testor ist eigentlich Textor, und übersetzt heißt er Weber. Das ist der Gottfried Weber. Das ist eine Schlüsselfigur. Warum dieses Spiel?

D.: Ist es Irritation, an die Adresse des Lesers gerichtet?

H.: Ich glaube, immer an den Stellen, wo der Huder z. B. auftritt, geschieht es nicht, um den Leser zu irritieren. Der Huder erscheint als Figur besser mit seinem Namen, als wenn ich ihn erfinde. Den Huder kann man gar nicht so gut erfinden, wie er in der Realität herumläuft. Den Gottfried Weber möchte ich nicht so, wie er in der Realität herumgelaufen ist, in den Roman hereinstellen, sondern den überdreh ich um einige Schrauben und mußte ihm natürlich dann auch einen andern Namen geben. In der Komposition dieses Romans gibt es eine Skala von der Nähe zum greifbaren Objekt bis hin zum völlig im Traum erschienenen Phantasiegebilde, das trotzdem gleichberechtigt mit diesem Huder auf einer Ebene vorkommt. Das hängt mit dem Zustand zusammen, den ich allerdings heute für sehr verbreitet halte: dieses Ineinander von Geträumtem, von Vorstellungen, – und tatsächlich faktisch, empirisch wahrnehmbaren Sachen. Das spielt zur Zeit die allergrößte Rolle. Das versuche ich, in dem Roman auch vorzuführen. In dem Moment, wo ich es tue, kriegt auch der Roman eine schwebende Tonart zwischen faktisch greifbaren Sachen, die man auch kennt, z. B. die Gombrowicz-Passagen (die auch wirklich so passiert sind, wenn sie auch erzählt werden als eine Art Predigt-Märlein), und auf der andern Seite Figuren, die gebündelt sind, so daß eine Figur im Roman also z. B. fünf Figuren in Wirklichkeit im Hintergrund hat. Oder eine andere Geschichte: wo dann plötzlich nicht Grass auftritt, sondern der Oskar, und dann der Oskar andersherum seinen Autor beschreiben will, statt daß der Autor den Oskar beschreibt. Hier erfindet also die Fiktion den Autor. Das gehört alles in dieselbe Richtung: Ich will zeigen, wie sich die Chimären mit den tatsächlich greifbaren Dingen verschränken. Man braucht nicht weit zu gehen, um auch eine wissenschaftliche Verifikation für diesen Zustand von Realität zu finden, wo Chimären dann tatsächlich gleich Realitäten sind. Sie brauchen ja bloß daran zu denken – das wird z. B. in der Salzgitter-Passage geschildert –, daß es ja ganze Fabriken gibt, tatsächlich gibt, die es schon längst nicht mehr gibt, weil sie abgeschrieben sind; also es gibt sie nicht mehr im Zustand des Juristischen und Verwaltungsmäßigen; auf der andern Seite gibt es Fabriken, die es in Wirklichkeit nicht gibt, die bloß in Form von Aktienbündeln vorhanden sind. Und diese chimärische Welt will ich darstellen, daß also manches da ist, was man greifen kann, und manches da ist, was man nicht greifen kann, was aber mit Realitätswert gleichbedeutend ist. Das macht doch die Struktur sehr stark aus, und dieses Gefühl, daß man es damit zu tun hat, soll ja auch dem Leser von vornherein mitgegeben werden. Ich befinde mich manchmal in solchen Situationen, wo ich mich fragen muß, ob das geträumt oder wirklich erlebt worden ist.

5. Zur Kompliziertheit der Romanstruktur

D.: Wenn ich einen Augenblick von meiner eigenen Leseerfahrung sprechen darf: auch nach zweimaliger Lektüre ist es noch so, daß gewisse Passagen des Romans sehr schwer zu durchdringen sind. Sie zitieren an einer Stelle in Ihrem Buch »Elephants never forget.« Das trifft natürlich nicht auf den Leser zu, d. h dieses umfassende Gedächtnis ist bei ihm nicht vorhanden, das es ermöglichen würde, den Roman so zu rezipieren, daß alle Aspekte im jeweiligen Vorgang des Lesens einer Passage so gegenwärtig sind, daß man alle Zusammenhänge herstellen kann. So kommt es wohl dazu, daß sich die Apperzeption des Lesers geradezu auf die Figuren stürzt, die aus einem andern Kontext her vertraut sind, die damit realistisch Fleisch ansetzen. Meine Frage also: sind nicht in der Struktur des Romans möglicherweise Irrwege und Sackgassen angelegt, die, sieht man sich die Reaktion des Lesers an, eigentlich verhindern, daß er die intendierte Struktur des Romans erkennt?

H.: Das mag sein. Ich meine, das muß der Kritiker entscheiden, ob es so ist. Es war natürlich nicht darauf hin angelegt, daß es diesen Effekt haben soll. Ich meine auch nicht, daß es der einzige Roman ist, moderne Roman ist, der nach zweimaligem Lesen in allen Bestandteilen und Elementen integriert ist.

D.: Völlig richtig. Joyce ist erwähnt worden, auch in der Kritik. Aber hat nicht Joyce Stuart Gilbert im einzelnen genau erzählt, wie viele Sachen im »Ulysses« zu verstehen seien? Gilbert hat das dann in sein Buch hineingebracht, und die Joyce-Forschung ist, zumindest zum Teil, dadurch kanalisiert worden.

H.: Aber wenn man das so macht und das Buch so auf ein Muster bringt, hat man schon das verfehlt, was Joyce wirklich, meines Erachtens, wollte. Er wollte ja gerade signalisieren, daß wir in einer unüberblickbaren Welt leben, und wie er in dieser unüberblickbaren Welt mit seinem Gehirn oder dem Gehirn seiner Helden herumläuft. Diese leichte Konsumierbarkeit eines auf ein Muster gebrachten Schemas hat er vermieden. Die Interpreten haben es dann, um die Sache zu erleichtern, wiederhergestellt, natürlich stimmt das Schema nie. Man kann mehrere Modelle anlegen, die alle halbrichtig sind und die dieses Muster eines sehr labyrinthischen Ganges auch andeuten. Man muß ja einem Schema voraus sein, sonst könnte man ja gleich ein Schema schreiben. Aber – ich will mich natürlich gar nicht mit Joyce vergleichen – es ist doch wohl, glaub' ich, einsichtig, daß man, wenn man diese Erfahrung hat, daß das Bewußtsein der Zeit nicht eindeutig ist, nicht festgelegt ist auf Handlungsstränge, daß das eigene Leben nicht so funktioniert, daß jeder Tag in seinem Miteinander von imaginierten, gedachten Dingen nicht monokausal abläuft, Dingen, die einen ungeheuer real betreffen, die vielleicht sogar schon vorbei sind, – daß man so dann zu einem Bewußtsein kommt, mit dem wir leben müssen, das es jedoch einmal festzuhalten gälte, jedenfalls den Versuch zu machen, es zu zeigen, wie das nun eigentlich ist. Der Versuch führt wahrscheinlich in eine verquere Situation, von der Lorch einfach überfordert ist, weil er das eine nicht vom andern weghalten kann. Hätte ich einfachere Strukturen benützt, hätte ich es weniger glaubhaft machen können, daß er so überfordert ist. Das entspräche auch nicht meiner eigenen Verletzung in der gegenwärtigen Welt, der gegenwärtigen Mühle, in die jeder von uns – und Ihnen wird's nicht anders gehen – hineingestellt ist. Und das zu signalisieren, bringt die Schwierigkeit für den Leser. Was heißt Einfachmachen? Es gibt kein absolutes Einfaches, bei Einfachmachen meint man, es möglichst der bisherigen Gewohnheit angleichen, dann wäre es eben einfacher. Und das, was eben nicht der Gewohnheit angeglichen ist, bestimmt die Schwierigkeiten, für den einen mehr, für den andern weniger. Ich glaube nicht, daß ich da sagen kann, wo mein Unvermögen eintritt und wo vielleicht die Nichtgewöhnung des Lesers am Werk ist, wenn bestimmte Sachen nebelhaft erscheinen. Das mag beides zusammenwirken.

D.: Immerhin hat auch ein sehr wohlwollender Kritiker in seiner Besprechung Ihres Romans hervorgehoben, er bekenne fröhlich, daß er ganze Partien des Buches nicht verstanden habe. Aber ich sehe, wenn ich mich nicht irre, hier ein grundsätzliches Dilemma. In der Einleitung zu dem Katalog der zu Anfang erwähnten Ausstellung »Welt aus Sprache« weisen Sie darauf hin, daß dieses Exponat oder diese Summe von Exponaten nicht abgeschlossene Kunstwerke sein sollen, sondern jeder Besucher der Ausstellung, jeder Leser des Katalogs solle Position dazu beziehen und produktiv die Sachen verarbeiten, sein Artefakt daraus machen. Ich finde eine Parallele dazu in Ihrem Roman, wenn Sie an einer Stelle den

Leser im kollektiven Hirn anreden und sagen: Dieser Roman ist nichts Abgeschlossenes, sondern er verändert sich mit jedem Blick aus einem andern Gehirn. Das Dilemma ist, daß Sie sozusagen so etwas wie eine geschlossene Romanstruktur, zumindest von diesen beiden Stellen her gesehen, aufgeben. Dann wird doch in gewisser Weise, was die Rezeption betrifft, der Willkür – ich übertreibe – Tür und Tor geöffnet. Andererseits haben Sie jedoch vorhin gerade argumentiert, daß der eine Leser möglicherweise adäquater in den Roman eingedrungen sei als der andere. Das deutet doch wieder darauf hin, daß eine bestimmte, wenn auch verrätselte Struktur vorhanden ist, ein intendierter Strukturzusammenhang, im konventionellen Sinne so etwas wie eine ästhetische Struktur.

H.: Ein Dilemma, ja, das würde ich zugeben; ein Dilemma auch für den Autor, wenn er so etwas vorhat. Ich glaube, das ist eine ganz richtige Beobachtung von Ihnen, und zwar nicht nur abzustützen auf ein paar Stellen im Roman, wo es wirklich ausgesprochen wird. Dieser Roman, nachdem Lorch ihn geschrieben hat, ist quasi die Ausstellung, die er hätte machen wollen. Und in dem Moment ist es auch so, daß dieser Roman die Funktion dieser Ausstellung hat, d. h. daß derjenige, der diese Ausstellung betritt oder der den Roman liest – setzen wir das mal parallel – sie nicht betritt, um sie also nur schön zu finden oder eben mal »Ah, ja!« zu sagen, sie also nur zu konsumieren, sondern er soll tatsächlich mit einem andern Gestus durch diese Ausstellung gehen können, nämlich – wie es dann auch tatsächlich in den Presseberichten bei dieser eingeschränkten Ausstellung, die wirklich gemacht worden ist, zustandekam – daß er wirklich beschäftigt wird und daß er bei jedem größeren Element und im Sprung zum nächsten Element erinnert wird an das, wo er selbst drinnen steht, daß er sich fragt, ob er nicht ganz ähnliche Engpässe durchlaufen hat und ob er sich betäubt hat oder ob er sich dadurch angestrengt hat, solche Sachen selbst zu bewältigen; seien es nun Ehegeschichten, die Gustaf erzählte, oder sei es der Geliebten gegenüber. Es kommen ja sehr reale Alltagssituationen vor, z. B. auch das politische Dilemma zwischen Ost- und Westdeutschland. Solche Sachen also, die jeder Leser irgendwann erlebt hat als Grundfigur und die er nun hier vorgeführt bekommt, ohne daß sie ihm eigentlich als Rezept signalisiert wird; es wird ihm nur gezeigt, wie Gustaf sich drinnen verhält. Es ist allerdings meine Meinung, daß ich interessiert bin etwas zu machen, wo der Leser quasi zum Mitarbeiter oder zum Partner wird, der sich das Buch nicht als eine angenehme – na ja, sagen wir mal – Freizeitbeschäfti-

gung zum Totschlagen von Zeit hernimmt, sondern schon als etwas begreift, was mit seinen eigenen Alltagsproblemen sehr stark zu tun hat. Nun können Sie sagen, das Dilemma liegt darin, daß das Buch ja so geschrieben ist, daß sehr viele – gerade durch diese Schwierigkeiten einer nicht eingehaltenen geschlossenen Struktur – Schwierigkeiten haben, da vorwärtszukommen und durchzukommen. Das stimmt, das ist ein Dilemma. Ich kann da auch nicht helfen. Ich meine: auf der einen Seite würde ich meinen Anspruch verfehlen, würde ich es dem Leser so leicht machen, daß er eben auf den bisher gegangenen Wegen durchkommt. Dann hätte er das so, dann könnte er es sehr leicht hinnehmen. Dann hätte ich allerdings weniger erreicht, als wenn wenigstens über Strecken sich der Effekt einstellt, den ich beschrieb und den ich für wichtig halte und den ich auch in der modernen Literatur für richtig halte. Da steckt eine Auffassung von Ästhetik dahinter, die allerdings nicht zum Ziel hat, ein weiteres Museumsstück in das Museum der Literatur reinzustellen – gebundene Form –, sondern die Literatur als Prozeß sieht, wobei der Leser eine ziemlich gleichberechtigte Rolle wie der Autor hat, mithilft, daß dieser Prozeß Literatur in Gang kommt, in Gang bleibt und auch dauernd in Veränderung bleibt. Das ist für mich das Interessante an Literatur. Ich glaube auch nicht, daß das so wahnsinnig neu ist, das ist mit andern Mitteln immer wieder so passiert.

D.: Sie haben einmal in anderm Zusammenhang, als die Frage gestellt wurde, welche Zielgruppe Sie mit Ihrem Roman eigentlich erreichen wollen, gesagt, das sei ein unwichtiger Gesichtspunkt für Sie. Die Literatur, die hier in Frage käme und auf die Sie sich beziehen könnten – die Namen von Kafka und Joyce wurden genannt –, sei ohne einen Blick auf irgendeine Zielgruppe geschrieben worden. Das ist sicherlich richtig. Aber Joyce hat andererseits beispielsweise einen bestimmten mythologischen Apparat benutzt, der gewiß variiert und verfremdet worden ist, der aber enträtselt werden kann. Das heißt: bestimmte Teilbereiche der Romanstruktur lassen sich von dorther in ihrem Kalkül beschreiben.

H.: Wenn man dabei anerkennt, daß er sich wirklich auf die Mythologie bezieht. Das ist aber nur ein Aspekt.

D.: Sicherlich. Und bei Kafka ist es beispielsweise so, daß die Handlung als solche, so verfremdet und erschreckend sie sein mag, begreifbar ist, emotional nachvollzogen werden kann. Da sind also bestimmte Strukturen vorhanden, die der Apperzeptionsfähigkeit der Leser entgegenkommen.

H.: Das war natürlich in der Gegenwart von Joyce und Kafka nicht der Fall. Nur aus unserem zeitlichen Abstand erscheint es uns jetzt so. Es gibt den Effekt, daß eine gewisse Ungleichzeitigkeit in der Rezeption vorhanden ist. Ich will damit gar nicht ausschließen, daß manchmal auch wirkliche Schwächen in diesen 530 Seiten drin stecken, wo bestimmte Sachen, die ich sagen wollte, nicht so genau gesagt sind, wie ich es hätte wirklich sagen wollen. In der Unterhaltung mit den Lesern oder in unserer Unterhaltung jetzt kommt es einem so vor. Aber ich glaube, enträtselbar, wie Sie sagen, ist das Buch mindestens genauso wie diese von Ihnen herangezogenen Bücher. Natürlich kann man auch ein mythologisches Modell auf dieses Buch anwenden und man kann ein gesellschaftsbezogenes Modell anwenden, ein biographisches Modell, ein psychoanalytisches Modell. Diese Modelle werden alle durchführbar sein. Sie werden auch alle nicht ganz falsch sein. Sie werden genausowenig das Buch erschöpfen, wie etwa ein solches Modell, angewendet auf den »Ulysses«, das Buch erschöpft, was ja auch im Vergleich der Interpretationen herauskommt.

6. Die Schemenhaftigkeit des Romanpersonals

D.: Ich meine auch vergleichsweise banale Dinge, daß beispielsweise Leser Schwierigkeiten haben, ein bestimmtes Personal, das im Roman auftaucht, so in ihrer Erinnerung dingfest zu machen, daß sie sich damit bestimmte Teile des Romans vergegenwärtigen können. Zum Beispiel: all die weiblichen Figuren, die unter dem Namen Susanne auftauchen – da ist also offensichtlich die Witwe von G, da ist eine Anna Susanna, die Mitarbeiterin von Gustaf Lorch. Ich bezweifle, ob es überhaupt möglich wäre, kurze Steckbriefstenogramme des Romanpersonals herzustellen.

H.: Es ist möglich. Ich weiß nur nicht, ob es dem, was da gesagt werden soll, sehr viel hilft. Was zum Beispiel diese weiblichen Figuren betrifft: wenn es ein psychologischer Roman wäre, an den man gewöhnt ist und wo man dann diese Figuren ganz schön beschreiben kann und im Kopf hat, würde es auf eine historische Lage zurückweisen, in der wirklich solche Personen herumlaufen. Aber erinnern Sie sich mal an alle Ihre Frauenbekanntschaften, ob die in Ihrem Kopf geblieben sind als abgerundete Persönlichkeiten, wie unverwechselbar, wenn es darauf ankäme, sie als unverwechselbare Personen auch zu zeigen. Das ist es eben heutzutage nicht. Es hängt auch mit der Überreizung unseres Gehirns zusammen, daß das doch mehr oder minder Schemengestalten sind, die man auch als solche Schemengestalten mit bestimmten pathologischen Zügen vorführen kann, wobei dann die eine oder andere stärker profiliert herausragt. Das ist bei den Männer-Bekanntschaften nicht anders. Das, scheint mir, ist ein besserer Hinweis auf die gegenwärtigen Begegnungen, als wenn man das wieder im Sinne von Balzac zu ganz unverwechselbaren – auch mit den dazugehörigen Anzugskomponenten usw. – Figuren abrundet und die nun als abgerundete Personen von A bis Z durchführt. Das würde das verfehlen, was ich meine. Es würde auch verfehlen, was wir selber, glaub' ich, erfahren. Wir lügen uns etwas vor, daß es noch so ist, weil es in unser Panoptikum hineingehört, daß wir solche Liebesgeschichten erleben, wie sie Balzac geschildert hat. Wir erleben sie gar nicht. Wir erleben vielmehr solche Dinge – meines Erachtens, ich kann mich täuschen, ich bin nicht allwissend. Ich kann nur das schreiben, was mein eigener Eindruck ist. Und ich meine auch, bestimmte Klarstellungen machen zu können: Wir leben vielmehr in der von mir angedeuteten Richtung. Und dann kommt es nicht so sehr darauf an, daß man also das Personal im Kopf hat, sondern es kommt mehr auf das Erlebnis dieser – mehr oder minder – Scheinfiguren an. Aber das hängt natürlich wieder mit dem zusammen, was ich vorhin sagte: mit dem Ineinanderschieben von tatsächlichen Namen mit erfundenen Namen, mit halberfundenen Namen, mit gebündelten Personen, die dann als eine Figur auftreten. Das macht insgesamt, glaub ich, diesen Eindruck. Das hat einen starken Irritationseffekt, das geb' ich schon zu. Das ist zunächst nicht als Irritation gedacht. Nur zu irritieren, das halte ich für blöd.

D.: Gut, das leuchtet ein als Realitätserfahrung, die man hat. Aber auf der andern Seite wird doch von Ihnen versucht, durch das Erkenntnissystem der Semiologie ein neues Bewußtsein heraufzuführen, d. h. das gelähmte Bewußtsein aufzustoßen. Dann müßten doch eigentlich in dem Roman Mittel verarbeitet liegen, die es dem Leser ermöglichen, diese Aufstoßung, diese Aufreißung seines Bewußtseins zu vollziehen. Aber wenn sich der Leser nur bestätigt fühlt in dieser schwebenden, verschwimmenden, konfusen Realitätserfahrung, die er hat, und sagt: Das ist tatsächlich so, so erinnere ich mich – dann zeigt sich doch ein neues Problem für die Intention der Gestaltung.

H.: Jetzt argumentieren Sie von der andern Seite her! Das ist nicht so, denn der Leser erlebt es nicht so. Er ist ja noch nicht dahinter gekommen, daß er eben nicht mehr z. B. in der alten Weise liebt und Frauen erlebt, er meint, er täte es. Und deswegen muß man ja sehen, was im Bewußtsein vorhanden ist. Im Bewußtsein sind immer noch die alten Liebesgeschichten vorhanden, ist vorhanden, daß man auch so durchs Leben geht. Um dem zu entgehen, um eben das aufzustoßen, um diese Scheinrealität wegzunehmen, wird das hier so gemacht; genauso wie man auch mit dem fiktiven Tonband eine Verfremdung einsetzt, um nicht zu signalisieren: so sieht's in der Welt, die einfach so laufen muß und die nicht anders laufen kann, aus; die Gewichtung ist anders. Ich weiß nicht, ob ich mich verständlich mache. Jetzt mal ganz beiseite, ob das gelungen ist oder nicht. Ich gebe gern zu, daß das vielleicht in Passagen gelungen ist, daß es dann wirklich dem Leser einen Anstoß gegeben hat, daß es in anderen Passagen eben nicht gelungen ist, daß ich es nicht ganz in den Griff bekommen habe. Aber vom Prinzip her müßte ich schon dabei bleiben, was ich schon sagte: Es gehört für mich dazu, das Bewußtsein aus den alten Mustern befreien zu helfen, indem ich z. B. die Frauen in dieser Art schildere, in der Art wie Lorch sie tatsächlich in seinem Kopf herumträgt. Er wird auf etwas aufmerksam, wenn er nicht darauf aufmerksam wird, wird er sich auch immer falsch verhalten. Daher alle diese falschen Sentimentalitäten gegenüber den Frauen; das führt dann zu diesen Neurosen, weil etwas auftritt, von dem man meint, daß es Wirklichkeit ist. In Wirklichkeit ist es nicht Realität, sondern das ist die Romanhaftigkeit, die man als Maßstab anlegt. Das allerdings möchte dieser Roman nicht praktizieren, deswegen ist es auch nicht solch eine Liebesgeschichte, eine Ehegeschichte, ein Arsenal von fünf, sechs Frauen, ein Fünfmädelhaus.

D.: Interessant ist, daß gerade in der Michaelis-Rezension – wenn ich mich recht erinnere – dieser Aspekt, den Sie jetzt zurückweisen – Stichwort Romanhaftigkeit – sehr positiv hervorgehoben wurde. Auf der einen Seite ein hochverschlüsselter Roman mit einer exakten Umsetzung von Joyce, ohne exakte Belege allerdings, andererseits die Rückbeziehung auf Jean Pauls »Unsichtbare Loge«, Gustaf Lorch und der Gustav in Jean Pauls Roman, die Organisation ILI, die genauso schemenhaft im Hintergrund bleibt, die immer da ist –

H.: Freimaurer oder Gesellschaft vom Turm oder so etwas.

D.: – jedenfalls, das gibt dem Leser die Vorstellung von differenzierten literarischen Bezügen, die verarbeitet wurden. Aber genauso die Betonung der realistischen Romangestaltung mit vielen satirischen Lichtern. Hier scheint mir genau das einzutreten, was ich vorhin als Sackgasse bezeichnet habe: man stürzt sich auf die

Dinge, die einem aus einem andern Kontext her vertraut sind. Erscheint in diesem ganzen Katalog von möglichen Modellen, die man auf den Roman anlegen kann, nicht erneut das Element der Willkür in der Rezeption, wovon ich schon vorhin sprach?

H.: Gut, ich sage ja auch nicht, daß das unbedingt die einzig richtige Rezeption ist, obwohl Michaelis als einer der ersten Leser schon einiges von dem signalisiert hat, was in dem Roman auch steckt.

7. Keine Nachahmung von Mustern

D.: Ohne daß Sie es jetzt im einzelnen ausführen: Sind solche Beziehungen zu Joyce und Jean Paul bewußt hineingearbeitet worden,

H.: Jetzt darf ich nicht in ein falsches Gleis kommen. Ich möchte woanders ansetzen und sagen, daß viele Beziehungen zwischen Mann und Frau stattfinden, daß eine Ehe schwierig ist, daß jemand Schwierigkeiten im Beruf hat und besonders heutzutage, daß jemand sich unwohl fühlt in einer bestimmten Stadtstruktur usw. Das sind zunächst einmal nicht literarische Topoi, sondern das sind zunächst einmal ganz krud vorhandene, am eigenen Leib erfahrene Sachen, die mich interessieren. Wenn die nicht vorkämen in dem Roman, dann würde ich sagen: der Roman schwebt in einem Wolkenkuckucksheim, er interessiert mich nicht, weil er sich herumdrückt um Sachen, die mein Leben ausmachen. Das ist das Primäre. Und nun können Sie allerdings sagen: Gut, aber wie Sie es dann schreiben, denn Sie müssen es ja in irgendeiner Weise schreiben, da gibt es irgendwelche Anklänge an Leute, die das vor Ihnen schon gemacht haben. Ja, natürlich habe ich mich mit Jean Paul beschäftigt, wie Sie wissen. Ich habe Jean Paul von vorn bis hinten gelesen, ich hab' ihn herausgegeben, kommentiert. Dann habe ich Joyce gelesen, Aufsätze über Joyce geschrieben. Wenn man das getan hat, dann geht das natürlich nicht spurlos an einem vorbei, dann schärft man seine Schreibe an dem, was man für gut hält.

D.: Ja, dann ist die gesamte intellektuelle Biographie eines Autors beteiligt am jeweiligen literarischen Werk. Aber das ist eine sehr generelle Feststellung.

H.: Ich geh schon auf das Problem noch etwas stärker ein. Sie können es nicht davon ablösen. Ich will nur etwas richtigstellen. Es ist nicht so, daß ein Muster da ist, das man nachahmt, sondern ich setze mich mit der Gegenwart und meinen eigenen Erfahrungen auseinander, und man muß das in einer literarischen Form tun. Ich versuche es, mit einer gegenwärtigen Form zu tun, und natürlich bin ich nicht daran interessiert, Joyce oder Jean Paul nachzuahmen, aber alle Leute haben Väter, und sie können nicht tabula rasa machen. Was die Gruppe 47 damals vielleicht machen wollte, also Kahlschlag-Literatur, die gibt es einfach nicht, die wäre gelogen. Deshalb wird man so schreiben, daß ein distanzierter Beobachter feststellen kann, da gibt es wirklich schon gewisse Anklänge. Natürlich weiß er dann auch, womit er sich beschäftigt hat, und kommt dann auch schnell dahinter: die Anklänge liegen so und so. Ich glaube nicht, daß die Anklänge an die »Unsichtbare Loge« direkt so stark sind, wie Michaelis sie sieht. Das ist ein Buch, das er sehr gut kennt, das ist: der Rezipient hat seine eigenen Nervenfäden, und ein anderer Rezipient hat andere. Er sieht das, was er selber besonders gut kennt. Aber ich möchte überhaupt nicht leugnen, daß zum Beispiel bestimmte Möglichkeiten von Joyce, die ich als richtig erkannt habe – Augenblicksbewältigungen –, daß die bei mir eine sehr große Rolle gespielt haben, obwohl ich versucht habe, die nicht zu imitieren. Ich glaube aber nicht, daß man von daher den Roman dann gleichsam zurückprojizieren kann. Denn es gibt da entgegengesetzte reale Passagen, die sind mit den gleichen Vorbedingungen geschrieben, und sie enthalten, wenn man genauer hinschaut, ebenfalls die Nähe zur Epiphanien-Theorie, die Joyce entwickelt hat. Das ist eine richtige Beobachtung, daß wir nicht dem entfliehen können, was wir kennen, daß es auch, glaube ich, eine Illusion wäre, sich in der Bewältigung der gegenwärtigen Schwierigkeiten und auch der gegenwärtigen Träume und Hoffnungen als Originalgenie dem entgegensetzen zu wollen und zu sagen: Da gibt es die gegenwärtigen Schwierigkeiten, und da hab' ich meine gegenwärtige Schreibstrategie, und die darf nichts zu tun haben mit den Sachen, die ich kenne. Das kann kein Mensch. Das wäre allerdings dann kritisch anzumerken, wenn man sagt: er hat etwas Historisches ohne eigenen Impuls imitiert, wobei dieses historische Spiel die gegenwärtigen Schwierigkeiten nicht treffen kann. Das ist ein ganz legitimer Ansatzpunkt der Kritik.

D.: Meine Frage war nicht als Frage nach möglicher literarischer Ableitbarkeit gemeint, sondern als Frage nach der Umsetzung von literarischem Material, also nach der möglichen Erkennbarkeit von bestimmten Strukturverhältnissen, erkennbar zurückgespiegelt auf das Modell. Das war also nicht eine Frage nach Nachahmung, Epigonalität usw.

H.: Ja, da kann ich nur von mir aus sagen: Ich habe es darauf angelegt, Muster – so wie etwa Joyce – für Verständlichmachung heranzuziehen. Joyce hat sich ja bewußt an den Homer, an die »Odyssee« angelehnt und diese Einteilung in Gesänge übernommen; ich bin überzeugt, aus zweierlei Gründen: erstens mal für sich, weil er ja zeitweise auch in der Gefahr stand, ins Uferlose zu geraten, um also für das Buch ein bestimmtes Ordnungssystem zu bekommen; die Parallelität zu diesen Homerischen Gesängen hat für mich eine ganz geringe Stringenz, das ist eine Konstruktion, um ihm das Schreiben zu ermöglichen. Und zweitens, als er dann gesehen hat, daß das geht, kommt der andere Effekt: er macht Anspielungen dann eben auch für den Leser. Joyce war ja auch ein Ironiker: er hat dem Leser dann auch ein paar Krücken gegeben, um ihn – ich weiß nicht, ob immer – auf den richtigen Weg zu bringen, obwohl das Ganze dann doch ganz anders ist als die »Odyssee«. Das ist vielleicht ein Muster, wo sich zunächst einmal eine Anknüpfung ermöglicht. Aber ich glaube, daß das nicht die richtige Joyce-Interpretation ist, wenn man das nur auf dieses Muster zurückführt, während es bei ihm ja weit über dieses Muster hinausgeht.

8. Kommunikationssignale für den Leser

D.: Was Sie mit der Formulierung »ein paar Krücken geben« eher pejorativ akzentuiert haben, halte ich für sehr wesentlich. Das sind doch Elemente der ästhetischen Struktur, die die Kommunikation mit dem Leser ermöglichen.

H.: Ich habe dem Leser auch Krücken gegeben, ohne daß ich es, so scheint es zunächst, mit meiner eigenen Auffassung in Übereinklang bringen konnte, und zwar am Beispiel dieser Zeitabfolge.

D.: Richtig, ich würde auch sagen: die generelle Struktur ist klar. Man weiß, was dieser Gustaf Lorch macht; da gibt es andererseits diese eingerückten Passagen, wo die Erzählung dann in den Monolog übergeht. Auch der Handlungsabriß ist in etwa klar, die einzelnen Stationen. Aber das ist doch die Oberflächenstruktur.

H.: Na, ja, nicht nur die Oberfläche. Daß er sich das Ganze sozusagen als Rechenschaftsbericht aufschreibt, ergibt ja eine Sukzessivität, die ich ja schon um der Verständlichkeit willen einführe. Stellen Sie sich vor, der ganze Roman wäre nur so geschrieben wie die G-Passagen und nicht mit dieser Klammer und dieser Zeitabfolge usw., es wäre viel schwerer verständlich.

D.: Ja, ich finde auch das große Integrationsbild, das den ganzen Roman durchzieht, überzeugend: das Bild der Elephantenuhr. Das wird ja zum Teil metaphorisch verwendet, anekdotisch verwendet, also am Beispiel dieser Anekdote über Schiller, der Goethe als Elephanten sieht. Dann wird es auch als Signalzeichen verwendet: der Elephantenrüssel, der in der Akademie hängt. Andererseits wird in diesem Bild das Thema angesprochen, es wird zu einer Konkretisierung des Themas: das absolute Bewußtsein der Elephanten, die Ähnlichkeit im Gehirn, die Gleichzeitigkeit aller, wenn man so sagen will, Gehirnpartien, daß also das Weitzurückliegende verbunden ist mit dem Gegenwärtigen. Das wird ja auch an einer Stelle angedeutet, wo es heißt: es gehe darum, einen solchen Zusammenhang herzustellen, der dem Elephanten offensichtlich gegenwärtig ist. Aber später heißt es dann dem Sinn nach: Ein solcher Zusammenhang läßt sich nicht herstellen. Man müßte ein Elephanten-Gehirn haben, sagt Gustaf. Er sei nur ein negativer Kompositeur.

H.: Das stimmt schon. Auch die Elephanten geben ein Muster her, das durchgeht, und in irgendeiner Kritik stand das ganz richtig: das sei eigentlich eine Gegenposition, der Elephant gerichtet gegen diese nervöse hin- und herspringende Augenblickshaftigkeit, was auch in der Komposition, in der Struktur nicht nur als ein Motiv, sondern auch als in der Struktur selbst vorfindbare Sache festgemacht wird. Und gleichzeitig natürlich auch die Utopie: wenn ein menschlicher Verstand so groß und weiträumig sein könnte wie eben ein Elephantenkopf. Wenn das möglich wäre. Dann würde das Museum auch wirklich ein geschlossenes Museum sein können, während das in diesem Fall und auch in unserer transitorischen Gegenwart nicht so sein kann. Die Schwierigkeit wird vorgeführt. Ich meine, das Ganze ist auch nicht aufzulösen. Ich habe es bei vielen Leser-Diskussionen erlebt, daß dann so gefragt wird: Herr Kästner, wo bleibt das Positive? Wie ist die Geschichte denn nun wirklich zu lösen? Sie ist zunächst mal nicht zu lösen. Es ist für mich die Sichtbarmachung einer Diskrepanz, die ich zunächst einmal erkennbar machen muß. Wenn ich das nicht täte und frühzeitig wieder auf eine ganz und gar abgerundete Komposition käme oder eben auch zu einem Rezept, wie man aus dieser Kommunikationsschwierigkeit herauskäme, dann müßte das gelogen sein. Ich meine, dann würde ich lügen. Ich habe nicht dieses Rezept. Ich kann nur geben, was ich habe. Ich habe allerdings sehr viele einzelne Aspekte und versuche ja, in den einzelnen Kapiteln zu zeigen, wo ich meine, daß es besser sein könnte und weitergehen könnte, wo man tatsächlich Aufklärung nicht mit Aufklärung verwechselt. Man sagt da und dort Aufklärung und meint eine neue Scholastik.

9. Handlungsplausibilität des Romans

D.: Ich will jetzt sicherlich nicht in den Fehler verfallen, eine solche Scholastik von Ihnen zu verlangen, ein dogmatisches System, das den Schlüssel hergibt für ein Verständnis des Romans. Was Sie angesprochen haben, ist klar und dem Leser sinnlich gegenwärtig. Aber die Schwierigkeiten tauchen auf, wenn er beispielsweise – und ich komme jetzt auf einige Details – liest, daß dieser G eine große Arbeit geschrieben hat, die dann Gustaf aufzuarbeiten versucht, und daß er hofft, daß er dadurch von einem Institut frei wird, und die Forschungsarbeit dieses Institutes ist finanziert worden von dem Vater seiner Frau, gleichzeitig hört man ein bißchen später: er macht eine Vorlesung für irgendwelche Brückenbauer und meditiert sehr lange und ausführlich über den Begriff der Leere. Ich könnte jetzt noch andere Beispiele bringen für dieses sehr diffuse Aktionsfeld.

H.: Ich glaube, so wie es dort steht, sieht es wie folgt aus, um einfach mal das Faktum darzustellen: dieser G ist an einem Sprachen-institut, und diese Brückenbauer, diese künftigen Ingenieure, sollen dort Sprachen lernen usw. Er kann sehr viele Sprachen, und er macht Vorlesungen. Er ist noch nicht an der Universität mit einem Lehrstuhl, aber er soll darauf gesetzt werden, wenn er wirklich diese Frau heiratet. Dann käme er weg von diesem Spracheninstitut, er sagt sich: dann kommst du weg von diesem Spracheninstitut und kommst endlich an eine Universität. Dann würde der Schwiegervater mit seinem Zahnpasta-Geld diesen Lehrstuhl für komparatistische Linguistik stiften. Er schreibt diese Arbeit, um sich zu habilitieren, um aus diesem Kärrner-Dasein einer solchen peripheren Arbeit, wo er nur Hilfsdienste für Techniker gibt, herauszukommen und an die Universität zu kommen, wo er dann einen Lehrstuhl hat, ein Professor ist, ein selbständiger Mann. Das ist, glaub' ich, ganz deutlich da, – und dann zweifelt er an seiner Arbeit, die er als Habilitationsschrift geschrieben hat, weil sie ihm in der alten Weise geschrieben scheint. Es scheint eine indogermanistische Arbeit zu sein, die alles auf irgendwelche Urwurzeln zurückverfolgt. Das ist doch überhaupt nicht die Sache, sagt er sich. Die Sache sieht ganz anders aus. Da bekommt er seine semiologischen

Obsessionen, indem er sagt: man kann das nicht mit der Grammatik lösen, die Verständigungssysteme sind viel weiter usw. usw. Ich finde schon, daß da ein größerer, begreifbarer Zusammenhang da ist, wenn man sich die Mühe macht, sich die einzelnen Stationen zusammenzusetzen, die nun freilich nicht in der ›richtigen‹ Reihenfolge gegeben sind. Aber würde ich sie in einer kontinuierlichen Reihenfolge geben, würde ich schon wieder die ganze Hektik und die ganze Stimmung des Bewußtseins von Gustaf umgehen, weil ja doch der G-Versuch ein Vorgang in Gustafs Kopf ist. Das kann ja gar nicht eine Biographie sein, sondern das sind ja immer nur einzelne Stationen, die ihm, dem Gustaf, in einer parallelen Situation einfallen. Das ist ja der Kernmoment des ganzen Buches, daß das drinnen ist und daß nicht zwei parallel geordnete Biographien schön ablaufen. Das würde nicht diesen Zustand, diesen obsessiven Zustand, signalisieren, der in Gustaf vorhanden ist, und der, soweit ich meine Studenten und Kollegen kenne, fast in jedem dieser Köpfe heute vorhanden ist, die sich das allerdings dann nicht eingestehen. Sie kommen dann in solche Situationen, wo sie es sich nicht eingestehen wollen. Wie lang geht das gut? Solang, bis sie verrückt werden oder bis sie abschalten und sich völlig beschränken auf ihre vorhandenen Muster. Sie werden dann zwar nicht verrückt, aber sie verblöden auf andere Weise. Das allerdings bleibt dem Gustaf erspart. Was da am Schluß in diese Handlung kommt, darüber kann man streiten, ob es ein Zeichen von Verrücktheit ist oder eine vorübergehende Therapie – daß er das Denkmal und den Museums-Neubau in die Luft sprengt. Ich habe mich jedenfalls bemüht zu zeigen, daß da durchaus zwischen den einzelnen Stationen Zusammensetzung plausibler Art stattfinden kann, auch mit der Kindheit von G, die auf dem Balkan spielt. Später hat er ein zweites Leben angefangen in Amerika, dann kommt er wieder zurück, er versucht, sein eigenes Leben zu erforschen. Würde das als kontinuierliche Story erzählt, dann käme nicht dieses Gustaf-G-Verhältnis zustande, das das allerwichtigste in diesem Roman ist.

D.: Da tauchen Figuren auf wie Cabral, Jurascu. Auf der einen Seite werden immer bestimmte realistische Definitionsformeln angeboten. Der eine ist Zoodirektor, der andere ist der Präsident oder Inhaber einer Handelsfirma. Auf der andern Seite sieht es aber so aus, als seien das nur Figurenmasken für G, der sich also verwandelt in diese Figuren.

H.: Natürlich, diese ganzen Vorgänge bei G sind ja überhaupt keine realen Vorgänge, sondern das sind ja Obsessionen von die-

sem Gustaf, insofern muß es die Traumfigurenhaftigkeit behalten, weil es sonst einfach nur eine Doppelhandlung wäre, die auf der gleichen Ebene spielt. Wenn Sie aber in diesen Kopf von Gustaf sehen und in diesen Kopf von G, und gleichzeitig diese Veränderungen des G sehen, die wiederum mit Gustafs Veränderungen zusammenhängen, dann muß es wohl so aussehen. Die Gustaf-Geschichte, die läuft ja ganz substanzhaft, aber was da drinnen im Kopf spielt, das darf nicht genauso passieren. Daher ist das zu erklären, auch die Namen; das sind Traumnamen, Phantasienamen, Cabral; Jurascu, das ist also G's Pseudonym in Amerika, und der Name geht zurück auf seine rumänische Abstammung, rumänisch-jüdische Abstammung. Natürlich gibt es auch für mich Erfahrungen, die da eingegangen sind, so Leute wie etwa Paul Celan, der aus der rumänisch-deutsch-jüdischen Gegend kommt, solche Figuren, die in meinem Kopf eine ähnliche Rolle spielen wie etwa der Jurascu in dem Kopf von dem Gustaf. So ähnliche Figuren wie andere, die mit dieser Gegenwart eine feste Liaison eingegangen sind, die herumwandern unter Namen, die nicht ihre eigenen Namen sind. Er hieß gar nicht Celan, sondern Antschel, und das sind – wenn Sie das auf den Biographismus bringen wollen – durchaus nachrechenbare Sachen. Damit wird dann auch der Gustaf autobiographischer, als man es zunächst haben will. Sie haben hier die Anhaltspunkte. Und diese Anhaltspunkte liegen in der gegenwärtig gelebten Wirklichkeit. Was zum Beispiel den Cabral betrifft, der ja von vornherein mit dem G verbunden ist als dessen einziger Freund, und zwar kein Sprachwissenschaftler, sondern ein Biologe: er hat diesen Ehrgeiz, herauszukommen aus dem zoologischen Garten von Rom, wo er zunächst mal arbeitet; dann wird er – was durchaus möglich ist – der Direktor des Fleischhacker-Zoos – den es unter diesem Namen gibt – in San Franzisko. Und dort in San Franzisko bleibt er G's Freund und holt ihn herüber und macht es erst möglich, daß der G emigriert, und er verschafft ihm drüben als jemand, der schon eine feste Stellung hat, eine neue Existenz. Ich glaube auch, daß man das heutzutage durchspielen könnte, wenn man einen guten Freund hat: der kann einem in Amerika sozusagen eine zweite Geburt verschaffen, passend mit allem Drumunddran. Das Verhältnis wird nun allerdings dadurch schwierig, daß es zu einem Konkurrenz-Verhältnis wird, wo beide von Machtkomplexen besessen sind, und das ist allerdings wieder ein Machtspiel in dem Kopf von Gustaf. Ich sehe schon, daß das schwierig ist. Aber würde ich mich davor drücken, würde ich um diese interessante Geschichte herumkommen. Ich denke also, daß unterbewußte Gestalten auf einer zweiten Ebene des Buches spielen müssen, wenn das in meinem Sinn ein wirklich realistischer Roman werden soll. Für mich ist Realismus heute Auseinandersetzung mit dieser Chimärenhaftigkeit. Das Übernehmen von angeblich klar zutage liegenden Verhältnissen wäre ein Irrtum. Sie liegen nicht klar zutage, und wenn man so tut, als lägen sie klar zutage, dann nimmt man nicht Realität, sondern Erzählmuster wahr, die allerdings klar zutage liegen, weil sie früheren Zeiten angehören, und weil man sich an sie gewöhnt hat.

10. Der sich selbst reflektierende Roman

D.: Nun wird die Schwierigkeit für den Leser noch dadurch zusätzlich gesteigert, daß es in dem Roman immer wieder Momente gibt, wo – für den Leser jetzt ganz realistisch – reflektiert wird über das, was geschieht. Also beispielsweise die Stelle, wo Gustaf sich die Alternative vergegenwärtigt, die er hat: etwa einen wissenschaftlichen Bericht für die schwedische Akademie zu schreiben. Ist das eine Spiegelung der Schwierigkeiten, die G in der Vorstellung von Gustaf an dem Institut hat? Die Satirisierung der schwedischen Linguisten in diesem Zusammenhang?

H.: Die schwedische Arroganz, die mit dem Nobelpreis zu Gericht sitzt über die ganze geistige Welt, sie ist die schlichtende Instanz, während sonst überall keine Objektivität herrscht. Da sitzen Leute in London, beweglich; in Rom sind es die Leute, die ganz konservativ sind, in Paris sind es Leute, die ganz technokratisch sind, und in Schweden sitzen dann die Leute, die alles nur deswegen ausbalancieren, um ihre Geschäfte zu machen, nämlich um die Industrie, ihre Industrie, mit diesen Methoden anzukurbeln, weil man dazu wieder Apparate braucht, damit die Dinge transportierbar sind. So sieht es in diesem Roman aus. Das spielt ja nun ganz auf der G-Ebene, nicht auf der Gustaf-Ebene.

D.: Ich habe das im Kontext nur als Beispiel dafür anführen wollen, daß hier Reflexion auftaucht, die bezogen auf das, was in dem Roman vorliegt, dem Leser bestimmte Definitionsformeln anbietet. Eine andere, die Reflexion über den verlorengegangenen Zusammenhang, ist schon vorhin erwähnt worden. Natürlich stürzt sich die Apperzeption des Lesers auf solche Sachen.

H.: Ja, warum schreibt der Mann nicht einen Essay in der Richtung? sagt der Leser. Oder er sagt: Warum schreibt er nicht ein ver-

ständliches Szenarium mit greifbaren Frauengestalten? Das sind genau die Sachen, die ich nicht will.

D.: Um die vorhin erwähnte Reflexion Gustafs nochmals aufzugreifen: seine Alternative ist ja nicht entweder wissenschaftlicher Bericht oder fiction, sondern: oder ein nonfiction-Roman.

H.: Ich habe nie auf diesen Roman angewandt, daß das ein nonfiction-Roman sei. Diese Bündelung, Mischung von wahrnehmbaren, wirklich ertastbaren Sachen mit Chimären-Sachen, das soll ja gerade zeigen, daß es für mich keine Trennung gibt, daß ich das für einen falschen Zugriff halten würde, einen fiction-Roman zu schreiben, wo ich mir glücklich alles ausdenke, um nicht die für mich so alptraumhafte und chimärenhafte Realität, soweit sie eben die Fiktion übersteigt, zu zitieren. Auf der anderen Seite seh ich's als ebenso falsch an, einen nonfiction-Bericht zu schreiben, ein Sachbuch, sei es in der Form von Tonband-Protokollen oder von Ausstellungen, wie ich sie vorbereite, was auch sehr interessant wäre, oder in der Form von mehr oder minder wissenschaftlichen Essays, einem diskursiv, begrifflich entwickelnden Prosatext. Das ist genau das, wo ich meine, daß man da diese Wirklichkeit nicht erreicht durch diese alten Dinge, sondern daß man eine Mobilisierung all der sprachlichen und all der Möglichkeiten der Wahrnehmung der Phantasie braucht, um dahinter zu kommen: in welchem Bewußtsein bleiben Fiction dieser Art und wissenschaftliche Abhandlung dieser Art stecken? Es ist natürlich schwierig, etwas benennen zu wollen, was, wie mir scheint, noch nicht benannt ist, und was, selbst wenn ich Mittel gebrauche, kombinierte Mittel von Leuten gebrauche, die im einzelnen solche Elemente schon benutzt haben, noch nicht da war. Diese Art von Kombinatorik war zunächst einmal notwendigerweise zu finden, um einen Roman zu schreiben, der dort hinkam, wo ich hin will, für mich selber, von mir selbst aus gesehen.

D.: Es ist interessant, daß Sie gerade nonfiction-Roman variiert haben, Sie haben gesagt: ein Sachbuch. Der nonfiction-Roman hält ja noch an gewisse vom traditionellen Roman her bekannte Schemata fest, nur greift er sogenannte Realien auf und montiert sie.

H.: Das würde eben nicht meine Möglichkeit sein. Das würde vielleicht den Leser befriedigen. Es ist nicht das Instrumentarium, das aussagen würde, was ich tatsächlich meine, was mich zur Zeit tatsächlich beschäftigt, auch typisch erscheint für das, was wir erleben. Ich bin überzeugt, daß es nicht nur mein individualistisches

Erleben ist. Ich sehe an so vielen Fällen, an zu vielen schiefgelaufenen Fällen, wie sich die gegenwärtige Konstellation ausgewirkt hat. Ich brauche da nur an meinen Freund Peter Szondi zu denken, wie das bei ihm gelaufen ist. Das sind reale Fälle, die ich weder mit dem einen noch mit dem andern Schema andeuten, nicht mal andeuten kann, die ich aber so wenigstens andeuten kann.

11. Beschreibbarkeit der Struktur?

D.: Aber wenn solche Kategorien angeboten werden, dann ist es doch legitim, daß Perspektiven der Beurteilung am ästhetischen Material analysiert werden. Sie machen das ja im Grunde auch mit dem großen Integrationsbild, der Elephanten-Metapher. Und hier ist das plausibel. Aber wenn das auf der abstrakten Ebene geschieht, dann wird die Integration sozusagen zur Aufgabe des Lesers. Er wird diese Kategorien nehmen und sagen: Ja, das stimmt. Da gibt es vieles von einem wissenschaftlichen Bericht. Er kann beispielsweise bestimmte Dinge aus dem Ausstellungskatalog »Welt aus Sprache« nehmen und sagen: Ja, da gibt es Paralleles, beispielsweise die Semiologie irgendwelcher Geschmacksgattungen. Und hier ist es durchaus ein Aspekt der Wissenschaftlichkeit, anders formuliert: ein Element des Romans deutet auf eine wissenschaftliche Wurzel. Und bei der Kategorie nonfiction–Roman wird er sich sagen: nun gut, da gibt es Dokumentarisches, offensichtlich. Da sind wir ja ganz zu Anfang in unserem Gespräch drauf eingegangen. Da sind also Leute, die gesagt haben, das ist ein Schlüsselroman, die haben sich darin wiedererkannt usw. Auf der anderen Seite ist es natürlich auch ein Roman, d. h. da sind bestimmte Figuren, die in bestimmten Konstellationen gezeigt werden, die sicherlich ihre Basis in der Phantasie des Autors haben. Das ist also alles da. Der Leser wird sich das also zusammensuchen. Er hat also die Elemente des Puzzles und ist in der Situation, wo er sich fragt: wie leg' ich das jetzt aneinander, damit sich so etwas wie eine ästhetische Struktur ergibt, die mir verständlich wird, ohne das Ganze zu schematisieren?

H.: Ich könnte mir schon einen Leser vorstellen, der zwar sagt: Ja, gut, da sind also diese Passagen der Reflexion drinnen, und würde ich die alle herausnehmen und aneinandersetzen, dann hätte ich etwas ähnliches wie diesen Ausstellungskatalog; damit ist das Ganze leicht begreifbar, weil ich dann nicht von vornherein irritiert werde durch Passagen, die halbironische Allegorien sind wie etwa diese Elephanten, die nichts mit dieser Art von Reflexionsprosa zu tun haben. Aber ich könnte mir auch einen Leser vorstellen, der sagt: Ja, es stimmt, daß unser Leben in weiten Teilen bestimmt wird durch solche begrifflichen Vortastungen in der Reflexionsprosa, und die kann man nicht weglassen, wenn man das gegenwärtige Bewußtsein fassen will, weil sie weite Teile des gegenwärtigen Bewußtseins bestimmen; auf der andern Seite laufen fast gleichzeitig ab oder sind vorhanden – wie das Gehirn konstruiert ist, das hat noch niemand herausgebracht – Alpträume und Bilder, die aus sehr viel älteren Zeiten kommen, die mit diesen Reflexionsdingen im Gehirn gleichzeitig vorhanden sind. Und dieses gleichzeitige Vorhandensein muß meines Erachtens in einem solchen Roman zum Ausdruck kommen, wenn dieser Roman ein wirklich realistischer Gegenwartsroman sein soll. Lasse ich das eine zugunsten des andern oder das andere zugunsten des einen weg, hat man einfach nur die Hälfte dessen, was heute tatsächlich gespielt wird. Und ich muß es so machen, daß es nicht einfach getrennt voneinander ist, selbst wenn man es besser verstehen könnte, sondern ich muß es genau in dieser zunächst mal irritierenden Nachbarschaft zeigen, zuweilen sogar in der Überschneidung und Überlappung, wo das eine das andere so stark beeinflussen kann, daß man nicht mehr sagen kann: das ist Reflexionsprosa, und das sind diese Traumbilder. Mich interessiert nicht ein rein metaphorischer Roman auf surrealistischem Hintergrund, der nur mit diesen Resten von Allegorien arbeitet und dabei einen leicht interpretierbaren Bilderhorizont schafft. Ich will nicht einen Roman, der zusammengesetzt ist nur aus reflexiven Stellen, wo man sagen kann: das ist ein Roman, aber er ist ganz und gar auf dieser Ebene gearbeitet, auf die ich alles logisch genau und begrifflich beziehen kann. Mich interessiert vielmehr, daß dieses beides, das sich in mir spiegelt, sich bei mir auch in einer gewissen Ungleichzeitigkeit vollzieht, weil dauernd die Reflexion den Gefühlen vorauseilt, zum Ausdruck kommt.

D.: Aber ist nicht auch das Umgekehrte denkbar, daß die Gefühle der Reflexion voraus sind? Wird hier nicht ganz und gar Ihre eigene Bewußtseinsinstanz zugrundegelegt? Ist es nicht »normalerweise« so, daß die Reflexion sekundär ist im Verhältnis zu bestimmten emotionalen Anstößen?

H.: Aber schaun Sie, wenn man beim Schreiben nicht das, was man zu geben hat, sondern das, was man in dem andern vermutet, macht, dann kommt man wirklich auf Irrwege. Vermutlich ist das so bei den Leuten, die sich so Zielgruppen ausdenken und für aus-

gedachte Zielgruppen schreiben. Denn analysiert hat man sie ja nicht. Das ist eine gewisse arrogante Haltung, die ich nicht akzeptieren kann. Ich würde sagen, ich kann nur das geben, was ich habe, ich kann nicht heruntergehen, ich kann nicht drüber weggehen.

D.: Aber haben Sie damit indirekt nicht doch für eine Zielgruppe geschrieben, ein intellektuelles Publikum, d. h. ein Publikum, dessen Bewußtsein ähnlich strukturiert ist?

H.: Ich glaube, das ist ein bißchen von außerhalb gefragt. Wenn Sie selber mal versuchen, einen Roman zu schreiben, dann werden Sie nicht mehr so fragen. Denn dann können Sie gar nichts anderes als Ihre letzte Kraft ausschöpfen mit allen Ihren Möglichkeiten. Dann können Sie gar nicht fragen, für wen das geeignet sein soll, sondern Sie geben das, was Sie schreiben können. Sie haben im Hinterkopf natürlich das Wissen, daß das gelesen wird, was Sie schreiben, und das sind dann nicht die Intellektuellen, sondern alle Leute, die Ihnen einigermaßen nahestehen. Das kommt dann auf Ihre Herkunft an, auf Ihren Umgang, diese Leute werden mitspielen, die werden irgendwie berücksichtigt sein, ohne daß Sie das als Ziel betrachten. Für mich sind es nicht die Intellektuellen als Zielgruppe, sondern die Leute, die ich kenne, und das sind oft überhaupt keine Intellektuellen. Meine Schulfreunde sind immer noch meine Freunde, mit denen ich mich unterhalten kann. Die werden dabei genauso berücksichtigt wie eben Leute, die bei mir studieren und die mir oft auffallen und mit denen ich mich gerne unterhalte. Aber das ist nicht so direkt zu verstehen, daß ich mir das so ansammle und mir nun sozusagen als gemischte Zielgruppe beim Schreiben immer vorhalte. Es ist aber sehr wohl so – wenn ich darüber genau nachdenke –, daß das eine Rolle spielt beim Schreiben.

12. Die Position der Wissenschaftlichkeit im Roman

D.: Aber führt nicht bereits die bestimmte wissenschaftliche Position, die Semiologie, die Sie in die Gestaltung des Romans ja nicht nur illustrativ, sondern auch strukturell einbeziehen, dazu, daß das Buch eine gewisse Exklusivität für sich beansprucht. Wenn Döblin in »Berlin Alexanderplatz« bestimmte körperliche Reaktionsweisen Biberkopfs in naturwissenschaftliche Abläufe zerlegt und also auch eine Position der Wissenschaftlichkeit einbezieht, so ist das – natürlich aus der Perspektive von heute – in seiner Funktion erkennbarer.

H.: Die Position des Wissenschaftlichen unterscheidet sich hier natürlich von dem naturwissenschaftlichen Aspekt bei Döblin, weil es ja hier Sachen sind, die mit Sprache zu tun haben, also hier sprachwissenschaftliche Positionen vertreten werden, wenn auch in einem sehr weiten Sinn. Wenn es eines Tages »Zeichenkunde« gibt, wird natürlich die Sprachwissenschaft dazu gehören. Das macht dann den Abstand geringer zwischen dem, was als Kunstwerk da ist, und dem, was dort wissenschaftlich behandelt wird, wobei es sich mehr um biologische, soziologische Elemente der Wissenschaft handelt. Beides aber muß doch möglich sein, daß man eine Wissenschaft deswegen nicht auszuklammern hat, weil sie sich mit dem Handwerkszeug der Sprache in einem stärkeren Konflikt befindet. Das ist auch die größere Schwierigkeit dabei, weil das eigene Handwerkszeug dann mitreflektiert wird, was bei Döblin noch nicht der Fall ist. Da ist nur der Abstand vorhanden. Das zeigt auch die weiter fortgeschrittene Situation: so wie man damals schrieb, ist das noch nicht so weit fortgeschritten gewesen, daß nämlich die Kommunikationsmittel, die Verständigungsmittel selber zum Gegenstand der Reflexion geworden sind. Ich kann eben nicht mehr zurück. Ich bin dazu verurteilt, die weitertreibende Situation in einem Roman so zu erfassen, wenn ich mich tatsächlich daran wage. Das ist das, was mir als der brennende Punkt der gegenwärtigen Schwierigkeiten erscheint. Hinzu kommt die bis ins Unendliche gehende Reproduzierbarkeit, die damals für Döblin noch nicht vorhanden war, aber als chimärisches Element in diesem Roman eine Rolle spielt. Es werden auch einfach vom Archivarischen her ungeheuer viel Sachen gespeichert, weil alles speicherbar, aufnehmbar ist. Alles, was ich hier sage, wird ja aufgenommen, das war bei Döblin überhaupt noch nicht der Fall. Und das macht auch den Druck aufs Gehirn noch sehr viel stärker. Von daher muß man wohl auch sehen, daß das ein anderer historischer Zustand ist. Es geht mir hier darum, daß man das sieht, daß hier eine Gegenläufigkeit oder auch ein ungeheures Aufeinanderprallen von menschlichen Bewußtseinsvorgängen stattfindet: die einen, die tatsächlich mit den Elementen der Reflexion, der logischen Begrifflichkeit manifest werden, und die andern, die gleichzeitig die Reste von Allegorien, keine geglaubten Allegorien mehr sind. Die ganze Elephanten-Geschichte würde, wenn diese reflexiven Sachen fehlen würden, allzu sehr ins Magische spielen, erst in diesem Ineinander und in diesem dauernden Kontrast mit den reflexiven Passagen signalisieren sie meines Erachtens das, was un-

sere Erfahrung ist, die ich allerdings nicht auf einen Begriff bringen kann. Hätte ich sie auf einen Begriff bringen können, wäre es nicht so zu machen, dann würde es ganz und gar richtig sein, so eine Art Essay-Roman zu schreiben. Aber ich kann das nicht auf den Begriff bringen. Deshalb sind die Elephanten auch für mich – wenn Sie mich danach fragen – nicht auflösbar, sondern sie sind so, wie sie dastehen, die äußerste Möglichkeit.

XI.B. Der Roman als offenes System. Walter Höllerers »Elephantenuhr«

1. »Festhalten wird man, daß anderswo einmal, Balzac, Dostojewsky, Joyce, Autoren, Semiologen es verstanden haben, ihre Gesellschaft, die orts- und zeitgebundene, aus der Beliebigkeit herauszubringen, durch formulierte Hintergründe- und Ober-Flächen von Schwierigkeiten, mitsamt den Fortgangs-Zeichen, – daß das aber dieser gegenwärtigen deutschen Gesellschaft gegenüber offensichtlich nicht gelungen ist. Böll, Grass, Johnson, Arno Schmidt – sie haben solche Versuche unternommen. Reichen sie aus?« (458)

Das läßt sich, aus dem Kontext gelöst, auch auf die Absicht von Höllerers eigenem Roman[1] beziehen. Die Intention des Buches wird hier auf der reflexiven begrifflichen Ebene, im diskursiven Dialog zwischen G und Ipkin, ebenso eingekreist wie in den zahlreichen sich zu einem großen Bildstrang zusammenfügenden Hinweisen auf das Elephanten-Thema, das hier mehr als eine zentrale Metapher mit leitmotivischer Funktion im Erzählgewebe des Romans, vielmehr ein Integrationsbild ist, ein Prisma, das das Streulicht der Erzählung wieder sammelt und zu einer Lichtquelle vereint, die sich begrifflich noch nicht zerlegen läßt, gleichsam Konkretisierung jener »Zentralsprache« (56) ist, nach der G, das erkenntnishungrige potentielle Alter-Ego des Murrbacher Museumsangestellten Gustaf Lorch, sucht.

Warum das Bild des Elephanten? »Weil kein Tier zu finden ist, das dem Menschen in seinem Gehirn so ähnlich ist, und das seine Zeichen so schnell versteht. Als fehle ihm nichts als die Sprache. Gewinn durch die Sprache, für uns. Auch Verlust, durch Sprechen... Findest du dort, was bei dir *auch*-noch-vorhanden ist, vor? Was bei dir, durch speziellere Strukturen, ins-Unterbewußtsein-gedrückt worden ist, in den Traum?... Und sind die Bilder, die dich mit dem Elephanten verbinden, ein Ansatz zu einer Verständigung, über die Erinnerung der menschlichen Gattung hinaus? in eine ältere Zeit zurück? und auch zu anderen Menschen, wenn du mit Reden am Ende bist? in eine kommende Zeit voraus?... Und sind die in meinem Bewußtsein pendelnden Elephanten im Gegeneinander von Bleiben und Änderung ein Hinweis auf die sich ändernden Möglichkeiten von Zeit? Wie geht diese pendelnde Uhr, im schnellen Hick und Hack der Chronometer der Uhren-Läden? Wie geht diese Elephanten-Uhr, in die kein Terminplan paßt? Was bleibt uns an Identität, an Zusammenhang, wenn die Fahrpläne, Ausbildungspläne, Vierteljahrespläne: fallen?« (320/1)

Die Frage, die in den andern hier erörterten Romanen gestellt wird, steht auch für Höllerer im Mittelpunkt: die Frage nach der Identität des Ichs in einer Wirklichkeit, die das Ich verplant, alle seine »Maßstab-Möglichkeiten« (321) auf ein »Normalmaß« (321) reduziert: »es wird in eine verrechteckte Welt gepreßt, die der Struktur des Gehirns zuwider ist...« (524) Die geschichtsphilosophische Ausgangssituation, der zwischen Ich und Wirklichkeit zerrissene Kontext, läßt sich auch bei Höllerer klar erkennen. Aber im Unterschied zu den meisten Autoren, die sich von hier aus auf die Suche nach einem potentiellen Ich begeben, das von der Hoffnung auf einen neuen Zugang zu dem Rätsellabyrinth Wirklichkeit getragen wird, geht es Höllerer nicht primär um die Wiederherstellung einer moralischen Identität des Ichs. Das macht besonders der Vergleich mit Johnson deutlich.

Johnsons Aufruf zu moralischer Genauigkeit wird exemplifiziert an der erzählerischen Aufarbeitung der Vergangenheit durch die Erzählerin Gesine, die so ihre eigene Suche nach moralischer Integrität im historischen Material der Lebensgeschichte ihres Vaters Cresspahl und des Mannes, den sie liebte, Jakob Abs abstützt. Obwohl Johnson die Moralität seiner Romanpersonen in keine überlieferten religiösen und ethischen Systeme mehr einbettet, sondern sie zur inneren Angelegenheit dieser Menschen macht, hält er dennoch an einem moralischen Regelsystem, mit dem das Ich der Wirklichkeit gegenübertritt, fest, wie auch das tradierte System der Sprache, die Euklidische Grammatik gleichsam, für ihn noch gültig ist, auch wenn er eigenwillig mit der Sprache verfährt, sie als Instrument seines Schreibens, oft gegen ihren System-Widerstand, für sich zurecht biegt.

Dieser Instanzcharakter der Sprache zeigt sich bei ihm auch darin, daß das, was als Realität New Yorks Gesines Bewußtsein erreicht, großenteils schon Sprache geworden ist, sie auf dem Wege der sprachlichen Umsetzung in der »New York Times« erreicht und damit, von der Intention Höllerers her beurteilt, im Zustand der höchsten Abstraktion, als reines begriffliches Zeichensystem. Die Sprache als Kontinuum, von Johnson nicht eigentlich bezweifelt, tritt noch stärker in jenen Tonband-Deposits der Erzählerin Gesine für ihre Tochter Marie hervor, denn diese vom Tonband aufgezeichneten Rechenschaftsberichte, in denen Gesine vor allem die Vergangenheit reflektierend klärt, sind sprachlich traditionell strukturiert, halten noch fest an der Euklidischen Grammatik, sind subjektive Abbild-Stenogramme der Realität, aus denen sich die moralischen Vorbild-Figuren für ihr eigenes Leben abheben.

Gesines Tonband-Monologe laden den Vergleich mit den Tonband-Monologen in Höllerers Roman geradezu ein. Der in seinen engen Lebensumkreis eingezwängte Gustaf Lorch spielt in der Befreiung seines Gehirns von allen determinierenden Regelsystemen sein potentielles Ich als Reservoir von Vorstellungs-, Lebens- und Identitätsmöglichkeiten auch im Sinne von neuen möglichen Existenzen als Sprachforscher G, als Zoodirektor Cabral und dessen Freund Jurascu durch. Wo Gesines Rollenmonolog sich als vom Autor stilisierte erlebte Rede erweist, deren Fluß durch einzelne Assoziationsschübe selten in Wallung gerät und damit zum Korrelat eines von traditioneller Kausalität und Chronologie bestimmten Bewußtseins wird, versucht Höllerer bereits das in der Form dieser Monologe zu verwirklichen, was für den Aufbau des Buches insgesamt gilt: die Überwindung der alles in Rechtecke einteilenden Begriffsapparate, die durch sprunghafte Kombinatorik erreichte Ineinanderverschränkung von verschiedenen Zeit- und Ort-Ebenen, die Auflösung des traditionellen personalen Identitätsbegriffes, eine Gleichzeitigkeit des Hier und Jetzt im Bewußtsein, eine Austauschbarkeit von Imaginiertem und Erlebtem, eine vollkommene Simultaneität, für die als utopisches Ziel das Bild der Elephantenuhr steht und die auf der begrifflichen Ebene das alles erfassende Erkenntnissystem der Semiologie[2] umschreibt.

Der einmal zitierte (von Agatha Christie stammende) Satz: »Elephants never forget.« (225) deutet die Über-Zeit dieser Elephantenuhr an: die umfassende Gegenwärtigkeit von allem, was je das Gehirn berührt hat und was in ihm aufgespeichert ist, individualgeschichtliche Erinnerung ebenso wie stammesgeschichtliche. Die Semiologie ist, in Entsprechung zu dieser Elephantenuhr, das dieser Uhr zugrundeliegende System, der Versuch ihrer menschlichen Konkretisierung, »das Prinzip, *alles* zu fassen, nichts weniger, nichts mehr.« (60), ein utopisches Erkenntnisziel, das den Blick auf ein verlorengegangenes Paradies zurückrichtet: »daß wir uns aus den Ketten um ein weniges lösen, ein Schimmer von hellerem Bewußtsein, von der Wurzel Paradies.« (49)

Höllerer hat also die Position der moralischen Genauigkeit bei Johnson weiter vorangetrieben, indem er nicht bei dem Konflikt zwischen dem moralischen Anspruch des einzelnen und der politischen Physik der Mächtigen stehenbleibt und auch nicht die Möglichkeit der Verinnerlichung, der solipsistischen Abkapselung oder die Aufreibung des Ichs an der Wirklichkeit, seine Agonie und Zerstörung, als Alternative gelten läßt. Seine Position ist radikaler, indem er die Konfliktsituation zwischen Ich und Wirklichkeit nicht nur auf eine moralische, sondern gleichsam auf eine erkenntnistheoretische Ebene verlagert. Das Ich fühlt sich auch bei ihm durch die Wirklichkeit in Frage gestellt, aber reagiert nicht mit Abwehrgesten oder mit der Wendung zu vergangenheitsbezogenen Sehnsuchtsbildern, sondern es bezieht diese Infragestellung unmittelbar auf sich selbst, auf seine tradierten Systeme der Wirklichkeitserfassung, die, in historisch zurückliegenden Zeiten entwickelt, mit der Wirklichkeit, in der es lebt, nicht mehr synchron gehen.

Das bedeutet nicht nur den Verzicht auf tradierte Psychologie, Grammatik, Kausalitätsdenken, teleologisch ausgerichtete Begrifflichkeit, sondern auch die Absage an die tradierte Subjekt-Objekt-Beziehung. So wie nach der Sprengung des Schiller-Denkmals vor dem Museum zu Murrbach, hinter dem sich, kaum verschlüsselt, Marbach verbirgt, der im Gefängnis sitzende und reflektierende Gustaf Lorch in den in der Phantasie durchgespielten verschiedenen Konfigurationen und Konstellationen G's sein potentielles Ich ausbreitet, gleichsam sein Bewußtsein, sein Gehirn, in all seinen Verästelungen ausstellt (nachdem die in der Berliner Akademie der Künste angestrebte Ausstellung scheiterte), ist auch die Wirklichkeit mit der Erfahrung des Subjekts verschmolzen. Alles, was im Bewußtsein gespeichert ist, macht diese Wirklichkeit aus: neben die Wirklichkeit der Dinge tritt die der Träume und Phantasien, der aus dem kollektiven Gehirn aufblitzenden Erinnerungen.

Was Nossack im Begriff des Nicht-Versicherbaren jenseits von Beschreibbarem und Definierbarem als zur Wirklichkeit gehörig postuliert, gilt auch für Höllerer, ist auch für ihn Teil der Wirklichkeit und wird daher in den Tonband-Monologen des Alter ego G ebenso in Sprache umgesetzt wie das, was auf der Ebene der Geschehensabläufe im biographischen Modell von Gustaf Lorchs Erfahrungen haftbar gemacht wird. Die Suche nach dem verlorenen Zusammenhang, nach der Wiederentdeckung einer

Identität von Ich und Wirklichkeit stellt sich auf diesem Hintergrund bei Höllerer anders dar: sie ist nicht mehr gemeint als moralischer Anspruch des Ichs an die Wirklichkeit, die sich zu ändern habe, sondern erweitert sich zum an das Ich selbst gerichteten Appell der Änderung. Die Komplexität, die die Erkenntnis der Wirklichkeit für das Ich so erschwert hat, wird nicht allein aus dem Verlust der Sinnimmanenz in der Wirklichkeit erklärt, aus einem Zustand der Entfremdung, sondern auch als eine Folge der Standardisierung und begrifflichen Versteinerung der Erkenntnisreserven des Ichs gedeutet.

Der an einer Stelle ausgesprochene Appell: »Lassen Sie, von einem Tag zum anderen, die Denkmäler hochfliegen!« (137), von Lorch am Ende ja selbst beispielgebend in die Tat umgesetzt, ist nicht nur gegen die das Bewußtsein einengenden historischen Ablagerungen in der Außenwelt gerichtet, gegen Vorbilder, Normen, Idole, sondern auch gegen die Leitbilder, die sich im Gehirn des Ichs verfestigt haben: »Leben ohne ein Denkmal (G). Widerstand gegen Denkmäler im inneren Gehirn. Widersprich den Systemen.« (29) Den Gegenpol zu Denkmal bezeichnet das Wort Möglichkeit, der Ausbruch aus allen vorgefertigten Definitionen: »Prüfe das Wort *Möglichkeit.* Gib dich nicht zufrieden mit Angeboten, auf die man dich festlegen will.« (278)

Höllerer hat hier eine Intention aufgenommen, die in der Durchführung vielleicht noch rigoroser aus Oswald Wieners Roman »Die Verbesserung von Mitteleuropa«[3] entgegentritt, wo es am Ende einer Bewußtseins-Ausstellung, die fast alle Reste traditioneller Erzählbarkeit in einer sich ständig selbst aufhebenden Reflexionsspirale zerstört, heißt: »wenn der leser einen gewinn aus der lektüre meines buches ziehen kann, so wird das, hoffe ich, ein gefühl davon sein, daß er mit aller kraft gegen den beweis, gegen alles richtige, unabwendbare, natürliche und evidente richten muß, wenn er eine entfaltung seiner selbst – und sei es auch nur für kurze zeit – erleben will. möge er bedenken, welcher kraft, welchen formats es bedarf, gegen eine im großen und ganzen abgerundete, stimmige, einhellige welt aufzustehen, wie sie uns in jedem augenblick an den kopf geworfen wird.« (CXCI)

Wiener hat den Desillusionsroman[4] gleichsam auf die letzte Spitze getrieben, indem er nicht dabei stehenbleibt zu zeigen, wie sich die Realität dem Ich entwindet, sondern indem er das Ich selbst mit seinen auf die Wirklichkeit gerichteten Definitions- und Erkenntnissystemen Schritt für Schritt als bloßes Konstrukt demontiert. Wiener führt dadurch konsequent durch, wozu Höllerers Lorch aufruft: zur Zerstörung der Denkmäler im inneren Gehirn. Die Attentate auf die Konventionen der Sprache sind Attentate auf die konventionellen Auffassungen des Ichs. Auch Höllerer ist es um diese radikale Desillusionierung des Ichs zu tun, auch er versucht, jene Normen und sprachlichen Klischees abzubauen, die sich zwischen Ich und Wirklichkeit als Trennmauer schieben. Aber er teilt offenbar nicht die radikale Skepsis Wieners. Bei Wiener bezieht der Desillusionierungsvorgang alles ein. Er gilt für die Sprache – »der einzelne satz ist ebenso unverständlich wie das einzelne wort. die sprache ist unverständlich.« (XXXVI) – wie auch für die Erkenntnis der Wirklichkeit. Den Vico–Satz »nur die geschichtliche welt kann erkannt werden« pariert er mit der Antwort: »wohl! aber wie? wozu?« (LXXIII) Konsequent wird auch das Erkenntnissystem der Literatur in diese Negation miteinbezogen: »dichtung aus hilflosigkeit im umgang mit der sprache. du machst ein anderes bild damit du mehr begreifst...« (XV)

Was Hildesheimer noch im Personengleichnis seines Erzählers am Ende von »Masante« dargestellt hat, sein Verschwinden und vermutliches Zugrundegehen in der Wüste, läßt sich auch bei Wiener als Ergebnis dieser Desillusionierung erkennen, eine Trümmerstätte, eine Wüste: »...hier liegen die trümmer der Wirklichkeit...« (XCIII) Die utopische Gegenbewegung dazu, die Wiener in den »notizen zum konzept des bio–adapters« andeutet, scheint die Exekution des Ichs zu besiegeln. Denn diese vom »einfluß kybernetischer denkmodelle« (CXLVIII) geprägte Utopie, die »eine vollständige lösung aller weltprobleme... befreiung von philosophie durch technik« (CLXXXV) postuliert, bedeutet, daß das vollkommene Simulationsinstrument des Adapters – der Vergleich und auch der Unterschied zu Höllerers Konzept der Elephantenuhr liegt auf der Hand – ebenso die Wirklichkeit für den Menschen allmählich ersetzt, wie es auch das Bewußtsein des Ichs selbst simuliert. Die Wirklichkeit, die dem Ich erscheint, wird zu einer vom Adapter erzeugten Fiktion: er übernimmt allmählich die Funktion von Gehirn und Nervensystem und ersetzt die »kontinuität des ich-bewußtseins... durch die konstanz der information« (CLXXXIII).

Die Identität von Ich und Wirklichkeit ist damit auf paradoxe Weise wiederhergestellt, da der Bio-Adapter beides fingiert. Es ist ein Zustand der Verabsolutierung des Ichs, seine vollkommene Glückserfüllung, die jedoch zugleich seine Auslöschung bedeutet, seine Himmelfahrt in ein computererzeugtes Paradies. Hier vor allem zeigt sich der Unterschied zu Höllerer. Was Wiener nur dem Bio-Adapter zuschreibt, wird als Erkenntnisaufgabe der Semiologie als eines alles umfassenden Erkenntnissystems bestimmt. Wo Wiener die Lösung aller Welt-Probleme durch die »befreiung von philosophie durch technik« erhofft, ist Lorchs Erkenntnisintention ausdrücklich auch gegen die sich verabsolutierende Technik gerichtet, gegen ein »rationalistisches Computer-Wesen« (270), wie auch gegen die alles dogmatisierende und in Macht-Positionen umsetzende »Sprach-Organisation ILI« (238), eine Art linguistischen Dachverband, mit dem sich G in Konflikt befindet.

Wo Wiener die Erkenntnisbewegung Wittgensteins in seinem »Tractatus logico–philosophicus«[5] – »Meine Sätze erläutern dadurch, daß sie der, welcher mich versteht, am Ende als unsinnig erkennt, wenn er durch sie – auf ihnen – über sie hinausgestiegen ist. (Er muß sozusagen die Leiter wegwerfen, nachdem er auf ihr hinaufgestiegen ist.) Er muß diese Sätze überwinden, dann sieht er die Welt richtig.« (115) – in der »Verbesserung von Mitteleuropa« nachvollzieht und mit seinem Buch die Erkenntnismöglichkeit von Literatur generell verneint, hält Höllerer, wie an einer Erkenntnisutopie, so auch an der Erkenntnismöglichkeit der erzählerischen Fiktion noch fest. Freilich ist sie mit der tradierten Erzählens nicht mehr in Übereinstimmung zu bringen.

2. Höllerer hat in der Rede[6] zur Verleihung des Kulturpreises seiner Heimatstadt Sulzbach-Rosenberg an ihn sein Bekenntnis zu einer veränderten epischen Form, die Vergangenheit und Gegenwart erinnernd kombiniert, Fernzurückliegendes und Nahes vereint, so formuliert: »Solche Spannungen sind es, die einen großen Teil meines Schreibens ausmachen, und so wurde es möglich, Wirklichkeit zu zeigen nicht im bloßen Nachsprechen von bereits vorhandenen Formeln und Mustern, sondern Wirklichkeit Schritt-für-Schritt aufzubauen und ihrer habhaft zu werden bis hin zu den schwierigen Momenten der sozialen und politischen Einsichten.« (10)

Bei aller Verwirrung und Irritation, die von seinem Roman »Die Elephantenuhr« ausgehen und die zum Teil zumindest Ergebnis der Absicht sind, jenen Prozeß der Bewußtseinsveränderung, der sich in der Beziehung zwischen Gustaf und G vollzieht, zum strukturellen Stimulans des Buches werden zu lassen, ist das Buch mehr als in Literatur umgesetzte Wissenschaft, mehr als eine erzählerische Systematisierung jener semiologischen Ausstellung, die Höllerer unter dem Titel »Welt aus Sprache«[7] im Herbst 1972 in der Berliner Akademie der Künste durchführte, mehr als das alexandrinische Romandokument eines vielseitigen und vielerfahrenen Homo literatus, der zudem die Personalunion von Wissenschaft und Literatur in seiner eigenen Person vorlebt.

Gewiß, der Reflexionsaufwand ist beträchtlich, das Buch läßt sich in jenen Teilen, in denen Lorch Material für eine in der Berliner Akademie der Künste gedachte Ausstellung von G's Unternehmen sammelt, auch als thematische Auffächerung der verschiedenen Facetten sehen, die als Arbeitsfelder einer Semiologie zum Teil in der Ausstellung »Welt aus Sprache« realisiert wurden, wo etwa am Beispiel des sogenannten »Pentagons der Sinne«[8] Ansätze zu einer Semiologie von Riechen, Tasten, Schmecken, Sehen, Hören entwickelt wurden. Paralleles findet sich auch als Materialstrang in der »Elephantenuhr«. Die »Notizen... zur Vorbereitung einer künftigen Semiologie« (207) umfassen die »älteste Semiologie« (210), die Semiologie der Gerüche: »man kennt über 400000 verschiedene Gerüche« (210), eine Semiologie der Nasen[9], der Genitalien[10], eine Semiologie der »Autokultur« (326), eine »Semiologie der Liebesgenüsse« (135), eine »Eisenbahn-Semiologie« (160), um nur einige Beispiele zu erwähnen.

Eine Kombination all dieser Zeichensysteme in einer Ausstellung führte nicht zu einer tautologischen Reproduktion der Wirklichkeit, sondern zu einer Sichtbarmachung all jener Zonen der Auffassung von Realität, die jenseits der begrifflichen Sterilisierung liegen. Eine solche Ausstellung wäre damit zugleich ein Exponat von G's Gehirn, eine Veranschaulichung aller Schichten, die sein Bewußtsein ausmachen, Verdeutlichung also einer Erkenntnis, die begrifflich diskursives Denken weit übersteigt. Wenn es an einer Stelle über die Arbeit der Semiologen heißt: »So haben wir, nebenbei, babylonische Türme gebaut. So sitzen wir, jeder in seinem *einsturzbereiten* Turm.« (292), so scheint das eine Feststellung, die auch für den Roman selbst gelten könnte. Der Turm der Sprachen, der in die Sprachverwirrung mündet, eine immer stärkere Ausbreitung von Verständigungssystemen mit dem Ergebnis, daß Verständigung völlig unmöglich wird – scheint das nicht in dieser paradoxen Zuspitzung auch auf die

Form dieses Romans zuzutreffen?

Aber so wie G Gustaf Lorch zugeordnet ist, wie die verschiedenen durchgespielten Ichs von Cabral und Jurascu bis zu dem aus Königsberg stammenden, in Frankfurt lebenden Antiquar Praudszus, dessen Hobby »semiologische Modelle« (300) sind, in Lorch zurückgespiegelt werden, Projektionen seines Gehirns sind, in ihm ihren Ausgangspunkt und ihr Ziel haben, so läßt sich dieser polare Rhythmus als festigendes Strukturprinzip auf allen Ebenen des Romans nachweisen. Die oszillierende Komplexität der monologischen G-Passagen wird kontrastiert von den Erzähleinschüben, die am biographischen Gerüst von Lorchs Erfahrungen festgemacht werden. Der springenden Kombinatorik seines Bewußtseins steht das Gleichmaß der Elephantenuhr gegenüber. Dem topographischen Zentrum des Murrbacher Museums in der ersten Hälfte des Buches entspricht in der zweiten die Berliner Akademie der Künste. Den Rom-Passagen sind die San Franzisko-Passagen gegenübergestellt. Dem Trümmerberg Testaccio in Rom steht der aus aufgeschütteten Trümmern entstandene Teufelsberg in Berlin als zentraler »semiologischer Orientierungs-Punkt« (291) gegenüber.

Sind diese Trümmerberge, die gleichfalls als zentraler Bildstrang aus den Erzählgeschichten des Romans hervorragen, nicht zugleich in bildliche Anschauung umgesetzte babylonische Türme, Schädelstätten der Geschichte, in denen die historische Chronologie verstummt ist, in denen alles mit allem verbunden ist und Historie kompakt und synchron vorhanden ist, Erkenntniseinstiege nicht nur in ihrer Funktion als Aussichtspunkte, sondern Erkenntniseinstiege auch durch den archäologischen Querschnitt, mit dem man in sie eindringt? Die Trümmerberge sind nicht nur Müllhalden der Geschichte, sondern zugleich historische Gedächtnisstätten, gehören als topographische Punkte in die Dimension der Elephantenuhr, da sie teilhaben an der Gleichzeitigkeit der Elephantenuhr.

Keine der Möglichkeiten, die an einer Stelle des Romans erwogen werden – »die Dokumente zu einem Sensations-Bericht zu verwenden? zu einem Non-Fiction-Roman ›Das Leben von G‹? oder bleibt es bei dem wissenschaftlichen Bericht für die schwedische Akademie?« (297) – wird in dem Roman umgesetzt. Keines der erprobten Schemata wird übernommen. Indem die Spannung zwischen Absicht und nicht zu erreichendem Ziel permanent aufrecht erhalten wird und als polarer Rhythmus den

Aufbau des Buches strukturiert, das Pendel zwischen dem theoretischen Entwurf einer umfassenden Semiologie und dem Integrationsbild der Elephanten hin und her schwingt, wird diese Offenheit zur Konkretisierung des Zustandes der Möglichkeit, in dem Lorch sein potentielles Ich erprobt. »Die Welt-in-*einem*-Kopf« (296), die so in Anschauung umgesetzt wird, ist keine abgerundete, stimmige Welt, so wenig wie dieser Roman abgerundet und stimmig ist, so wenig wie sich Lorchs Ich in ein psychologisches Schema auflösen läßt. Diese komplexe Form, die die Projektionen des Ichs und das, was als Erfahrung von sogenannter Wirklichkeit gilt, gegeneinander austauschbar werden läßt, die das Ich gleichsam als eine Relaisstation vielfältigster Kommunkationssysteme begreift, wird gegen Ende des Romans in einer Episode thematisiert.

In der Berliner Akademie, wo »von der Decke, in der Mitte, ein Elephanten-Rüssel hängt, in langsamem Pendelschwung.« (445), begegnet Lorch der Hauptfigur Oskar Matzerath aus Grass' Roman »Die Blechtrommel«, auf der Materialsuche für »eine Biographie des Autors« (441) Grass. Die Wirkung der poetischen Fiktion reicht so weit, daß das Leben des Autors von dem Muster, das er in seiner Romanfigur geschaffen hat, aufgesogen wird, daß man sein Leben gleichsam nach dem poetischen Modell umarrangiert und Imagination und sogenannte Realität ununterscheidbar werden.

Die Probleme, die Oskar beim Abfassen seiner Grass-Biographie hat, sind auch die Probleme von Höllerer, bezogen auf Gustaf Lorch und G: »Liefern Sie uns Biographen doch endlich ein Instrument, mit Ihrer Semiologie!« (441) Die Notwendigkeit dieses Instruments läßt sich jedoch vorerst nur negativ hervorheben, im Hinweis auf die Unzulänglichkeit aller bisherigen Instrumente, die »alle das grob-gerasterte biographische Bild« (441) ergeben. Oskars Unwillen über die Unzulänglichkeit der Sprache – »Ausdrücke sind rar, im Zwischenfeld« (442) –, sein Widerwille gegen die dogmatisierenden Linguisten – »Und die Linguisten, diese Industriellen der Verwertung Wort mit einigen Feigenblättern von Marx auf ihren Blößen, liefern für mich – unbrauchbare Scholastik.« (442) –, seine Abneigung gegenüber der idealistischen Verzeichnung der Literarhistoriker – »Die Germanisten mit ihrem Gehüpf aus dem alten Wahn ins neue Wahre, das nicht neuer, nicht wahrer ist!« (442) –, sein Abscheu vor der Psychologie – »Und die Psychologen! Auf tausend Seiten verpackt ein Bruchteil von dem, was meine Großmutter, auf vergleichbarem Gebiet, als eiserne Ration bereithielt! Finden-Sie-nicht, daß diese Art Wissenschaften mit Abstand hinter-dem-Menschenverstand-her *fußkrank* geblieben ist?« (442) – das sind zugleich Hinweise auf Schwierigkeiten, die für Höllerer selbst gelten.

Oskars momentaner Arbeitsstand – »Zettel in Zettel, und Ärger über Ärger!« (442) – charakterisiert auch G's Entwurf einer Semiologie im Sichverweigern jeglicher Systematik, im gerade aus der Erkenntnis scholastischer Tendenzen einzelner linguistischer Richtungen erwachsenden Appell für eine Offenheit des Systems, die auch die Romanform selbst charakterisiert: »folglich ist es unmöglich, heute Zusammenhang zu erreichen, es sei denn, den schlechten; folglich ist heute jedes zustande gebrachte Gebäude (Perzeption, Apperzeption) fraglos schlecht; folglich bin ich, der das feststellt, der einzig noch mögliche, wenn auch ein negativer Kompositeur.« (362) Dieser Erkenntnis wird freilich gleich die Einschränkung hinterhergeschickt: »So jagen die Winde des ›folglich‹ das Gehirn... im Papier.« (362)

Auf diesem Hintergrund wirkt in der Tat – und das gilt wiederum auch für die Verwendung dieses Integrationsbildes in der Romanstruktur – die »Elephanten-Semiologie als ein Kontrast-Programm« (318). Im Gehirn des Elephanten ist alles schon da, ist alles erreicht, die Gleichzeitigkeit aller gespeicherten Erfahrungen, die Universalität eines Zeichensystems, das die Sprache hinter sich gelassen hat: »Alles durch Zeichen gefiltert, alles, was dich überrascht, wird durch Zeichen ins lang schon Bekannte zurückgespult.« (320) Der sich gleichsam überschlagenden Reflexion G's tritt das Gleichmaß des pendelnden Rüssels gegenüber, der von Eindrücken überschwemmten wehrlosen Netzhaut des Auges die Ruhe des Elephantenblicks. Diese aus den Reflexionswallungen des Romans herausragenden Bildinseln sind jenseits von ausdeutbarer Sprache vorweggenommene Evokation des utopischen Ziels, Verdeutlichung jenes kollektiven stammesgeschichtlichen Gehirns, das die Erkenntnisanstrengungen der Semiologie wieder bloßlegen wollen.

3. Es ist überraschend festzustellen, wie hier bei Höllerer Konstellationen auftauchen, die trotz aller Modifikation und Zuspitzung nicht nur auf die Parallele zu Wieners »Die Verbesserung von Mitteleuropa«, sondern auch auf Canettis Roman »Die

Blendung« zurückweisen, und wie sich hier mit Höllerers Roman das hier vorgeführte Spektrum epischen Schaffens rein zeitlich schließt und darüber hinaus auch im Erkenntnisentwurf. Die Verbindungslinien sind vielfältig. Dem Sinologen Kien tritt der Semiologe G gegenüber, beides, wenn man so will, Philologen, die Erkenntnisintention wird primär im sprachlichen Material bestimmt, wobei Höllerer zugleich weiter geht, indem er alle andern Zeichensysteme, die auf den Menschen bezogen sind, vor allem die Zeichensysteme der Körpersprache, mit einbezieht. Doch im Kern läßt sich auch Canettis Theorie der akustischen Maske, die unverlierbar zu jedem Menschen gehört, als ein semiologisches Modell deuten, als das – wenn auch überwiegend im sprachlichen Ausdrucksmaterial sichtbar gemachte – individuelle Zeichensystem eines jeden Menschen. G's Erkenntnis deutet in die gleiche Richtung: »semiologisch gesehen hat fast jeder von uns nur *eine* Grundfigur zur Verfügung« (153).

Sieht sich Kien als größten lebenden Philologen, als exemplarisches allen andern überlegenes Gehirn, so ist sich G an einer Stelle in seiner Reflexion seiner »doch wohl höchsten Begabung, die derzeit zu finden ist« (362) bewußt. Kiens Tendenz, die Wirklichkeit der Sprache unterzuordnen, indem er sich in seinem Bibliotheksturm, einem babylonischen Turm gewissermaßen, einen aus Worten bestehenden Realitätsersatz schafft, gilt zumindest anfänglich auch für den Philologen G, der über den Entwurf einer sprachgeschichtlichen Arbeit brütet, die die Vielfalt der Worte auf einige wenige Konstanten, »die Wurzel kra« (154), zurückzuführen versucht. Das Scheitern dieser Arbeit und damit das Scheitern der wissenschaftlichen Karriere und die gesellschaftliche Domestizierung G's zum Museumsangestellten Gustaf Lorch wird zum auslösenden Moment jener semiologischen Obsession, die die Wirklichkeit in einem komplex ineinanderverschachtelten System von Zeichensprache anschaulich machen will und sie damit in ähnlicher Weise neu erschafft, wie sie, eingeengter und steriler, im Bibliotheksturm Kiens bei Canetti simuliert wird.

Der Brand von Kiens Bibliothek, in der er, wahnsinnig geworden, zugrunde geht, und die Explosion des Denkmals am Schluß von Höllerers Roman sind in beiden Fällen Signale für eine nicht mehr zu ertragende Spannung, sind beidesmal gerichtet gegen eine archivarisierende Begrifflichkeit, gegen die sterile Rationalität diskursiven Denkens. Und was Höllerer im Erkenntnismodell der Semiologie als Entwurf einer neuen Sprache, der Zentralsprache, beschreibt, die jenseits der konventionellen Worte zur »Wurzel Paradies« (49) zurückdringt und im Integrationsbild der Elephantenuhr vorwegnehmend andeutet, das erscheint bei Canetti gleichfalls als Entwurf im Bild des in einen Affen zurückverwandelten Menschen, der sich eine neue Sprache erfunden hat, die von Canetti gewissermaßen als semiologischer Kode beschrieben wird: »Jeder Silbe, die er hervorstieß, entsprach eine bestimmte Bewegung. Für Gegenstände schienen die Bezeichnungen zu wechseln... die Namen hingen von der Gebärde ab, mit der er hinwies. Vom ganzen Körper erzeugt und begleitet, tönte kein Laut gleichgültig.«[11]

Die Verbindung von kollektivem, stammesgeschichtlichem und individualgeschichtlichem Gehirn erscheint als Erkenntnisziel bei Canetti ähnlich als angestrebte Integration des Irrationalen ins Rationale, als Überwindung eines schematisierten Denkens: »Der Verstand, wie wir ihn verstehen, ist ein Mißverständnis... Wir brauchen Visionen, Offenbarungen, Stimmen – blitzartige Nähen von Dingen und Menschen...« (360) Über den »Todes-Schrei eines Affen« (186), an den sich G erinnert und den Cabral an dem Schimpansen Ciocco im Zoo von San Franzisko erlebt, heißt es einmal: »Keystone der Semiologie« (187).

Aber Höllerer hat nicht nur die Erkenntnisbewegung Canettis wieder aufgenommen – »das Auge... von Canetti« (470) wird am Ende des Romans einmal beziehungsreich als Auge eines der Semiologen erwähnt, deren Blick Gustaf im Rücken spürt – und intensiviert, er hat sie zugleich in Gestaltung umgesetzt, hat in der erzählerischen Ausstellung von Lorchs/G's Bewußtsein jene »blitzartigen Nähen von Dingen und Menschen« in konkrete Anschauung überführt, die Canetti in seinem Roman als Erkenntnisziel beschreibt. Höllerer hat auch, seine Position als Erzähler radikalisierend, auf die Perspektive des außenstehenden Beobachters verzichtet wie auf die in biographische Fiktion unterscheidbar eingebettete Identität von Romanfiguren. Peter Kien und sein Alter-Ego, das in seinem Bruder Georges erscheint, sind der Koppelung von Gustaf Lorch und G ähnlich, nur daß aus der erzählerischen Innenperspektive die personalen Identitäten aufgehoben, zu Projektionen eines Bewußtseins geworden sind.

So wie Höllerers Semiologie auf das utopische Ziel eines absoluten Gedächtnisses und damit eines absoluten Bewußtseins gerichtet ist, in eine neue alles umfassende Sprache einmünden will, zeigt sich beim Versuch ihrer Konkretisierung in der Realität auch jener andere Pol, der von der akustischen Maske her bei Canetti im Moment des Satirischen hervortritt. Lorchs Aufruf, »dem Theophrast einen Kranz zu winden, dem Semiologen aus dem Jahr dreihundertzwanzig vor« (59) ist gewissermaßen auch Canetti gefolgt, der die Intention von Theophrasts »Charakteren« nochmals in der Sammlung von »fünfzig Charakteren« seines Bandes »Der Ohrenzeuge«[12] aufgenommen und fortgeführt hat. Am Beispiel von Praudszus' »Semiologie, die-auf-dem-Weg-ist« (303) wird in einer Sammlung von semiologischen Charakteren, die, in der satirischen Zuspitzung vielfach aktueller als Canetti, in Anschauung umsetzen, was Gustaf/G in seinem Entwurf einer Semiologie zu überwinden versucht, der »Mechanismus einer Klappenschrank-Apparatur« (59) im Denken ebenso attackiert »wie-unter-einer-Glocke-Beweise zu führen, unter dem Kuchensturz eines Museums, einer Akademie, einer Modenschau, einer Ideologie« (59).

So erweisen sich Charaktere wie »Der Boomist« (307), »Der moralische Neokameralist« (308), »Der Richtlinienhecker« (309), »Das duftende Gehirn« (310), »Der Kollketivgewinnler« (310), »Die Glücksbringerin« (312), »Der Expandierer« (313), »Der Neudurchdenker« (314), »Der Marketing Logistiker« (314), »Der Umfunktionierer« (314), »Der überständige Erfinder« (315), »Der Funkturm« (316), »Der nette Mensch« (317) nicht nur als illustrierende Belege für eine Theorie, sondern zugleich als semiologische Röntgenaufnahmen von lebenden Denkmälern, von petrifiziertem Denken, das, gleichsam auf seine semiologische Grundfigur gebracht, ebenso satirisch bloßgestellt wird wie bei Canetti, der in der akustischen Maske seiner Figuren die wirkliche Fratze hinter der einstudierten Pose enthüllt.

Nimmt man noch jene andern Passagen mit hinzu, wo die semiologischen Grundfiguren größerer Kommunikationszusammenhänge aufgedeckt werden, etwa die Episode über die Wahl eines Institutspräsidenten[13], über die Universitätsaktivität des Kollegen Testor[14], über das Ehe-Modell »Anna und Tadäus Kraut«[15], über den »semiologischen Bestand« (90) Berlins am Beispiel der die Stadt durchziehenden Denkmalsrelikte, die den »zusammengeflickten Anspruch der Vergangenheit« (91) und die »Identitäts-Neurose in beiden Teilen Berlins«[16] dokumentieren, die zu einer semiologischen Besichtigung des gegenwärtigen Deutschlands werdende Autofahrt von Murrbach über Frankfurt nach Berlin, mit »lauter kleinen Nietzsches in den Autos« (328) auf der Autobahn, so wird die »Entlarvung durch Semiologie« (336) nicht nur postuliert, sondern konkretisiert. Höllerer gelingt es, »einen stellenweise furios zeit- und gesellschaftskritischen Roman«[17] zu schreiben, also keinen neuen Turm zu Babel zu errichten, der die Sprachverwirrung auf den Gipfel treibt, sondern in der epischen Zerlegung eines Augenblicks der Elephantenuhr, der erzählerisch die Spanne einer Woche umfaßt, den Aufbruch zu einer Reise begreifbar zu machen, die den verlorenen Zusammenhang zwischen Ich und Welt nicht zum Wunschziel einer besseren künftigen Wirklichkeit macht, vielmehr in eine Aufforderung an das Ich zur Änderung seiner selbst verwandelt: »Prüfe das Wort *Möglichkeit.* Gib dich nicht zufrieden mit Angeboten, auf die man dich festlegen will. Es ist wahr, ich dachte an Philipp. Ich dachte an den verbrannten Storch. Ich dachte an G. Ich dachte über Methoden der Ausstellung nach.« (278)

Zwischen Storch, dem alten Vater von Lorchs Murrbacher Mitarbeiterin, der in der »Verwahr-Anstalt« (262) verbrennt, ins Räderwerk der inhuman gewordenen Wirklichkeit gerät, und dem Kind Philipp, das, noch vor der Initiation in die Erwachsenenwelt stehend, sich dem Zugriff dieser »verrechteckten Welt« (524) entziehen kann, erstreckt sich die Skala des Wortes Möglichkeit. Höllerer mißt sie mit einer im gegenwärtigen deutschen Roman seltenen intellektuellen Rigorosität aus und treibt damit die Möglichkeiten des Romans zugleich bis an seine Grenzen vor. Entstanden ist so ein Roman, dessen Möglichkeiten erst dann voll ausgeschöpft werden, wenn er, aus dem System der katalogisierenden Literatur entlassen, jene Bedeutung annimmt, die an einer Stelle so formuliert wird: »Hier sitzt er, der Schreiber, im kollektiven Gehirn; dort sitzt du, der Leser, im kollektiven Gehirn; das Gehirn ändert sich; das Buch, festgelegt, auf den ersten Blick, wird verändert durch den Blick aus einem immer anders sich ändernden Gehirn. Und das Buch gibt den Zündsatz zu solchen Verfahren.« (213)[18]

In diesem Sinn hat auch die Denkmalssprengung am Ende des Buches eine evokative Bedeutung, ist eine Aufforderung zur Sprengung der Denkmäler im inneren Gehirn. Sicherlich, das ist alles andere als »ein mäßiger Studentenscherz«[19], aber es bleibt dennoch metaphorisch. Aber ist nicht andererseits auch die Sprengung, die Oswald Wiener in »Die Verbesserung von Mitteleuropa« an der Form des Romans vollzieht, letztlich metaphorisch? Es handelt sich in der Reflexion von Lorch um »kleine fortwirkende Explosionen« (213), um nicht mehr als »ein Blinken im Tunnel der Menschheit«, »ein Kontakt-Blitz zwischen den Außen-Architekturen, der bis ins Verließ hineindringt!« (213) Doch ist dieses »Blinken im Tunnel der Menschheit« nicht zugleich auch »ein Schimmer von hellerem Bewußtsein« (49)? Höllerer hat es im Prisma seines Romans eingefangen.

Anmerkungen

1 Frankfurt/M 1973.

2 Der Begriff der Semiologie geht auf den Vater der modernen Linguistik, den Genfer Sprachforscher Ferdinand de Saussure, zurück, aus dessen »Cours de linguistique générale« auch die Definitionsformel für den Begriff in dem Katalog der Ausstellung »Welt aus Sprache« (= Katalog, Akademie der Künste, Berlin 1972) zitiert wird: »Die Sprache ist ein System von Zeichen, die Ideen ausdrücken und sofern der Schrift, dem Taubstummenalphabet, symbolischen Riten, Höflichkeitsformen, militärischen Signalen usw. usw. vergleichbar. – Man kann sich also vorstellen eine Wissenschaft, welche das Leben der Zeichen im Rahmen des sozialen Lebens untersucht;... wir werden sie Semiologie nennen. Sie würde uns lehren, worin die Zeichen bestehen und welche Gesetze sie regieren. Da sie noch nicht existiert, kann man nicht sagen, was sie sein wird.« (Katalog, 28) Zur Definition des Begriffs Semiologie bzw. Semiotik, wie der Begriff in der neueren Linguistik von Peirce and Morris modifiziert wurde, vgl. auch das Eingangskapitel »Das semiotische Feld« in Umberto Ecos Buch »Einführung in die Semiotik« (München 1972).

3 Hamburg 1969.

4 Vgl. dazu die Ausführungen des Verf. »Ende des Romans. Oswald Wieners ›Die Verbesserung von Mitteleuropa‹ und die Folgen« in: »Der deutsche Roman der Gegenwart«, Stuttgart 1973[2], 359-370.

5 Zitiert nach der Ausgabe in der »edition suhrkamp«, Frankfurt/M 1963.

6 »Hier, wo die Welt anfing«, Sulzbach-Rosenberg 1974.

7 Zur Resonanz der Ausstellung in den Reaktionen der Besucher vgl. auch die Dokumentation »Welt aus Sprache. Erfahrungen und Ergebnisse«, Akademie der Künste, Berlin 1972.

8 Vgl. Katalog, 66ff.

9 Auch dazu gibt es eine interessante Parallele in der Ausstellung: Johann Caspar Lavater, »Ein Wort über die Nase«, in: Katalog, 90.

10 Vgl. 304/5.

11 Zitiert nach der Ausgabe der Fischer Bücherei, Frankfurt/M 1965, 356.

12 München 1974.
13 Vgl. 188-190.
14 Vgl. 273-275.
15 Vgl. 246-251.
15 Vgl. 246–251.
16 R. Michaelis: »Wiederaufbau des Turms zu Babel«, in: »Frankfurter Allgemeine« Nr. 150 v. 30. 6. 1973.
17 Michaelis.
18 Vgl. dazu auch Höllerers an den Besucher der Ausstellung »Welt aus Sprache« gerichteten Appell: »Der Besucher wird also nicht aufgefordert, Endprodukte zur Kenntnis zu nehmen, er wird aufgefordert mitzuarbeiten, die Exponate weiterzudenken mit den Erfahrungen, die er selber mitbringt.« (Katalog, 7)
19 S. Wirsing: »Der Elephant als Floh im Ohr. Walter Höllerers sagenumwobener Roman ›Die Elephantenuhr‹«, in: »Die Zeit« Nr. 36 v. 31. 8. 73, 22.

XII. Über den Umgang mit Autoren

Die hier vorgelegten Autoren-Gespräche sind in der Zeit vom Frühjahr 1973 bis Frühjahr 1975 geführt worden. Auf ein Gerüst herkömmlicher Interview-Fragen wurde dabei verzichtet. Jedes Gespräch war offen angelegt und entwickelte sich nach seinem eigenen Rhythmus. Es war nicht geplant, den Autor auszufragen, da die gemachte Unterstellung, jeder Autor verfüge über eine begrifflich parate Schreibstrategie, die gleichsam lexigraphisch abzufragen sei, von vornherein vermieden werden sollte.

Als Idealfall war an die Situation eines Gespräches gedacht, in dem die Intention des jeweiligen Buches vom Autor wieder aufgenommen und in ständiger Rückbeziehung auf ihre literarische Konkretisierung doch auf einer Ebene der Abstraktion diskutiert werden sollte. Nicht Monologe mit dem Fragenden als Stichwort-Geber waren geplant, sondern Dialoge, an deren Erkenntnisbewegung beide Gesprächspartner möglicherweise partizipierten. Es versteht sich, daß dabei nur Annäherungswerte erreicht werden konnten.

Der Gesprächsverlauf blieb, obwohl er komprimiert und in einigen Fällen stark gekürzt wurde, im großen ganzen erhalten. Die eingeschobenen Zwischenüberschriften haben sich erst nachträglich ergeben und entsprechen keinem im voraus vorhandenen Fragen-Katalog. Sie sollen als thematische Klammern lediglich den Gesprächsverlauf nach außen hin konturieren.

Indem sich die Wiedergabe auf den reinen Sprach-Dialog beschränken mußte, ist alles das weggefallen, was das Hier und Jetzt dieser Gespräche, vor allem ihren emotionalen Kontext oder auch die spezifische Repräsentation des Autors in der jeweiligen Situation – ob bewußt oder unbewußt – charakterisieren könnte. Das ganze Instrumentarium von Stimmlage, Gestik, Sprechrhythmik, Sich-ins-Wort-Fallen ist so ausgelassen. Natürlich ließen sich für jedes Gespräch bestimmte emotionale Kurven skizzieren, die sich auf indirekte Weise, gleichsam zwischen den Worten, abzeichneten.

Das sei nur an zwei Beispielen etwas ausführlicher erläutert, und zwar an einer Gegenüberstellung der beiden Gespräche mit Handke und Johnson. Ich habe Johnson damals noch in Berlin und Handke damals noch in Kronberg bei Frankfurt aufgesucht, traf sie also in ihrer vertrauten häuslichen Umgebung an. Schon im Vorfeld dieser Gespräche gab es eine Reihe von Signalen, die im Gedächtnis haften geblieben sind und für mich zum Kontext dieser Gespräche gehören.

So entsinne ich mich noch immer lebhaft meiner Verblüffung, als Handke, mit dem ich vorher den Zeitpunkt meines Eintreffens genau abgesprochen hatte, die Tür öffnend, die – auch das ein Zeichen, das zu ihm gehört – statt des Namens ein kleines Bild mit einer Blockhütte und darunter die Inschrift »Directed by John Ford« trug, sich beim Handgeben mit »Handke« vorstellte, ein bißchen befangen, konfus, ohne irgendwelche Pose, eher mit Zügen von Unsicherheit. Als kennte man ihn nicht, ihn, der von den Medien so intensiv vermarktet worden ist.

In den Kontext dieses Gespräches gehört auch die Tatsache, daß während der fast sechs Stunden, die wir redeten, seine kleine Tochter Amina – eine Tortur eigentlich, wenn ich im Rückblick daran denke – als zur Stummheit verurteilter und sich langweilender Dritter zugegen war. Er hat ihr während des Gespräches immer wieder Spielsachen herangeschleppt, als »Schweinchen Dick« im Fernsehen gebracht wurde, zogen wir auf die Terrasse, eine Zeitlang hat sie die Unterhaltung durch intensives Zupfen an einer Gitarre zu unterbrechen versucht. Er schrie dann zwar gelegentlich ein paar Kommandos durch den Raum, aber korrigierte sich bei ihrem zaghaft angemeldeten Widerspruch mit einer rührenden Entschuldigungsformel: »s' ist schon gut!«, die, österreichisch gefärbt und in einer abkippenden Tonlage, zum Ausdruck brachte, daß er sich bewußt wurde, was er dem kleinen Mädchen da abverlangte.

Auch die Art, wie er seiner Tochter später das Abendbrot anrichtete, sie badete, ins Bett brachte und ihr Geschichten zum Einschlafen vorlas, ist für mich Teil dieses Kommunikationskontextes, der sich herstellte, gab jenseits sprachlicher Artikulation Einblick in seine Person. Das Gespräch begann eher schrill, kontrovers, auch durch die Thematisierung seiner Wirkung, entspannte sich dann immer mehr und klang dann fast friedlich aus.

Genau in der andern Richtung verlief die emotionale Kurve im Gespräch mit Johnson. Als er in Lederpantoffeln zur Tür schlurfend, um den Hals einen Schal gewickelt – er war an Grippe erkrankt – öffnete, musterte er mich einen Augenblick überrascht und fragte, was für ein Jahrgang ich sei. Seine sehr kontrollierte Gestik und Stimmlage begann sich erst allmählich zu ändern, wie er auch weniger in dem, was er tat, seine Person artikulierte als durch die Dinge, von denen er umgeben war: die großen Landkarten an den Wänden, das hochempfindliche Braunsche Kurzwellenradio, wo auf dem Marineband die Frequenz von Radio Kiel sorgfältig eingetragen war. Durch eine gewisse, von mir an den Tag gelegte Hartnäckigkeit während des Gespräches begann seine Stimme – auch hier ein großer Kontrast zu Handkes ständig abbrechendem, fast stotterndem Sichartikulieren – allmählich ihre ausbalancierte Tonlage zu verlieren, eine gewisse Hektik, ja mitunter Gereiztheit an den Tag zu legen, gerade an den – in dem hier vorgelegten Transkript ausgelassenen – Punkten, wo sich die Fragen auf den noch zu schreibenden vierten Band der »Jahrestage« richteten.

Welcher Unterschied auch zwischen der überströmenden Eloquenz Walter Höllerers, in dessen Darlegungen ich ständig Keile hineintreiben mußte, um die Gefahr des Monologischen zu vermeiden, und der ganz anderen monologischen Verschlossenheit Nossacks, die ich in immer neuen Anläufen aufzubrechen versuchte. Ein ähnlicher Kontrast zeigte sich auch in dem ständig seinen Assoziationssprüngen nachgebenden Breitbach, den ich in meinen Fragen immer zur Literatur zurückzubringen versuchte, da er auf die verschiedenartigsten Themen – politischer, historischer, ökonomischer Art – auswich, so als wollte er ständig zum Ausdruck bringen, wie relativ nebensächlich Literatur für ihn sei.

Ganz anders die kontrollierte Rationalität von Siegfried Lenz, der selten den Gedanken- und Satzbau aus den Augen verlor und selbst an den Punkten, wo er Widerspruch anmeldete, von einer ruhigen Konzilianz blieb. Bei ihm fällt es mir im Rückblick am schwersten zu sagen, wo es Signale gab, die das Bild des Schriftstellers, sein Öffentlichkeitsbild, erweiterten, auf Zonen der Privatheit hinwiesen, die vom Öffentlichkeitsbild nicht bereits absorbiert sind.

Völlig verschieden war die Gesprächssituation bei Böll und Hermann Lenz. Ich hatte Lenz auf der Rückkehr von einer Ferienreise in Begleitung meiner Frau und unserer beiden Kinder besucht. Die Art und Weise, wie Lenz zu den Kindern Kontakt fand, mit seiner überströmenden Güte menschliche Kommunikation ganz spontan herstellte, gehört als Gedächtniskontext zu diesem Gespräch. Auch bei Böll waren alle vom Öffentlichkeitsbild des Schriftstellers her vertrauten Signale des Literarischen so sehr in der menschlichen Geste aufgehoben, daß das Schriftstellerische im Gespräch gleichsam die Qualität von vertraut Handwerklichem annahm, durchweg sozial, auf Kommunikation hin angelegt, nirgendwo esoterisch.

Canetti, den ich von allen genannten Autoren am längsten kenne – und das heißt auch in einer Reihe von Situationen – ist mir als Bild des Autors so gegenwärtig, daß es mir schwerfällt, davon zu abstrahieren. Augen- und Ohrenzeuge der Wirklichkeit zu sein, ist für ihn keine abstrakte Schreibstrategie, literarische Methode, sondern sein Zugang zur Wirklichkeit. Während eines Mittagessens an einem der holsteinischen Seen bevölkerte plötzlich ein Trupp von Reitern, jungen holsteinischen Bauern, das Restaurant. Er konnte sich nicht beruhigen, wies ständig auf die Gesichter, die Art der Sprache hin, wie er auch eines Morgens in aller Frühe zu einer Fahrt auf einer Fähre in der Kieler Förde aufbrach, nur um den Gesprächen und dem Tonfall der Leute zuzuhören.

Während einer Autofahrt wurde er für meinen damals siebenjährigen Sohn zu einem theatralischen Wundermann, zu einem pantomimischen Zauberer, indem er ihm mit seinem Gesicht alle Masken vorspielte, die er sehen wollte.

Es fällt schwer, im einzelnen Vergleichspunkte zu nennen, aber im Gestus schien mir keiner der Autoren Canetti ähnlicher als Hildesheimer. Auf dem Hintergrund ist es kein Zufall, daß an einer Stelle das Gespräch unmittelbar auf Canetti kam.

Literatur ist uns bewußt als eine öffentliche Angelegenheit, als eine Sache der Medien, der Rezensionsteile der Zeitungen, der Buchmessen, der Autorenlesungen, der Funk- und Fernseh-Features, der Bibliotheken und des philologischen Apparates, der Dissertationen und Editionsvorhaben. Literatur ist eine private Angelegenheit. Kein Eindruck war stärker als der bei allen Autoren: die Reflektionsanstrengung auf sich gestellter, großenteils isolierter einzelner, in einem Niemandsland auf vorgezogenen Brückenköpfen. Kommunikation, soweit sie sich querstellt und nicht aufgeht im Betrieb, ist privat, läuft über die Briefe, die Leser schreiben, und fern jener programmierten Wege, Literaturkritik und Literaturwissenschaft, die eigentlich doch der Literatur synchron laufen müßten oder sich zumindest in ihrer Richtung daran orientieren sollten. Nimmt man die Erfahrung der Autoren, so ist nichts weniger als das der Fall.

Sicherlich, die Reihe der hier behandelten zehn Autoren ließe sich erweitern oder variieren. Die Auswahl ist von Vorentscheidungen geprägt, die subjektiv sind, die mit meiner Beziehung zu der von diesen Autoren geschaffenen Literatur zu tun haben. Sie haben mein Verständnis von Literatur erweitert, und sie haben mir vor allem die Unsinnigkeit jenes Imponier-Signals deutlich gemacht, das mir aus dem Mund eines Berliner Oberseminar-Leiters noch im Ohr klingt: »Die Autoren wissen ja gar nicht, was sie schreiben. Wir müssen ihnen das erst sagen!« Die Unsinnigkeit dieses Postulats zu widerlegen, war nicht nur eine Prämisse dieser Gespräche, sondern sie ist auch, vielfältig belegt, eines der Ergebnisse.

Nachbemerkung

Vorformen der Studien über Breitbach, Canetti und Hermann Lenz erschienen in den »Akzenten«. Hans Bender sei für die Erlaubnis zum Nachdruck der geänderten und erweiterten Beiträge herzlich gedankt.

M. D.

Personenregister

Adenauer: 230
Adorno: 12, 15, 28, 45, 68, 126, 223
Altenberg: 484
Ammer: 459
Anaximander: 289
Andersch: 238, 339
Anzengruber: 255, 329, 331
Arendt: 10
Aristophanes: 88
Arnold: 57, 224
Artmann: 244
Auerbach: 245

Baader: 144, 145, 168, 204
Babel: 9
Balzac: 10, 25-26, 48, 57, 64, 419-420, 421, 426, 428, 429, 430, 464, 496, 512
Bang: 240
Barlach: 197, 212, 448-449
Barnes: 275
Baumgart: 155, 313, 368, 480
Bauschinger: 480
Beach: 10
Beckett: 101, 117
Bender: 269, 489
Benjamin: 12, 15, 47
Benn: 9, 47, 381
Berend: 486
Bernanos: 133
Bethmann-Hollweg: 435
Beutin: 224
Bienek: 85, 121, 126, 127, 269, 479
Bierce: 377
Bischoff: 125, 126
Biser: 370, 425
Bisinger: 489
Bismarck: 435
Blake: 284
Bloch: 14, 15, 27, 48, 398
Blum: 83
Boehlich: 425
Böhme: 43
Boehringer: 264, 269
Böll: 35, 37-38, 40, 128-176, 204, 206, 207, 234, 284, 293, 295, 345, 379, 403, 417, 426, 436, 476, 512, 531-532
Bogart: 44
Borges: 126
Brecht: 89-90, 112, 331, 449, 459
Breitbach: 35, 36, 37, 50-85, 432, 531
Brinkmann: 22
Broch: 9, 10, 12, 19, 20, 21, 24, 29, 31, 33, 36, 47, 48, 93, 94, 98, 103, 110-111, 118, 121 bis 122, 124, 168, 241, 279, 333, 334, 359, 368, 373-374, 376, 383, 397
Brod: 273
Buddha: 120
Büchner: 312, 313, 329, 473, 479, 480
Bülow: 435
Bürger: 372
Bulatovic: 126

Camus: 336
Canetti: 36-37, 41, 86-127, 241, 288-289, 333, 349, 359, 368, 397, 522-525, 532
Caprivi: 435
Casals: 297, 298
Cervantes: 24-25, 36
Chandler: 44, 48, 338
Chandos: 274, 275
Chesterton: 133
Christie: 514
Cohn-Bendit: 388
Courts: 175

Croce: 12
Curtius, E. R.: 62
Curtius, M.: 126

Dante: 18, 133
Dery: 380
Descartes: 244
Dessoir: 12
Dickens: 10
Dilthey: 14
Dissinger: 126
Doderer: 36, 63, 241, 379, 380
Döblin: 10, 22, 30, 126, 279, 447, 473, 509-510
Donne: 44
Dos Passos: 447, 473
Dostojewski: 14, 15, 31, 67, 88, 95, 133, 324, 400, 512
Drews: 224
Droste-Hülshoff: 67
Dutschke: 439

Eco: 527
Eichholz: 269
Eliot: 43
Emrich: 10, 12, 47, 366, 425, 426-427, 480
Engels: 25, 48
Enzensberger: 61, 457-459, 471

Faulkner: 31, 203, 207, 327, 449, 450
Ferdinand v. Aragon: 103
Fichte: 13, 14, 47
Fitzgerald: 357
Flake: 10, 126
Flaubert: 24, 27, 76, 175
Fontane: 68, 137, 138, 432, 435, 449, 453-454
Ford: 358-359, 367, 530
Forster: 10
Franz Joseph (Kaiser v. Österreich): 38, 225, 231, 242, 245, 261
Freedman: 9, 18
Freese: 224
Freud: 241
Fried: 100, 104, 116, 126, 295
Frisch: 74, 84, 295
Frisé: 84
Frye: 43

Gadamer: 396
(de) Gaulle: 228
George: 15, 239, 240, 253, 264, 269, 342
Gerstäcker: 335
Gide: 9, 10, 31
Gilbert: 491
Globotschnik: 293
Glockner: 47
Goebbels: 62
Göpfert: 126
Goethe: 16, 24, 29, 30, 175, 380, 501
Gogol: 88, 95
Goldmann: 12, 32-33
Gombrowicz: 490
Goodman: 459
Grass: 110, 202, 204, 382, 484, 485, 490, 512, 521
Greiner: 479
Grillparzer: 227-228, 240
Grimm, G.: 49
Grimm, R.: 9, 47
Gropius: 96
Grosz: 91, 117
Guevara: 192
Guggenheimer: 269

Haas: 47
Hacks: 431, 434, 435
Haecker: 157
Härtling: 382
Hamm: 368
Hamsun: 239
Handke: 35, 38-39, 243-244, 248, 269, 314-368, 401, 403, 529-530
Harth: 48
Hartung: 125, 126, 224
Hauptmann: 26

Hawks: 44
Hebbel: 65
Hegel: 10, 11, 12, 13, 14, 16, 23, 380
Heißenbüttel: 298, 344
Helmer: 391
Hemingway: 208, 239
Herder: 16
Hesse: 9, 10
Heym: 381
Hildesheimer: 38-39, 185, 271 bis 313, 345, 349, 401, 470, 517
Hirsch: 43, 48
Hitchcock: 368
Hitler: 233, 236, 248, 253
Hölderlin: 66, 241, 380
Höllerer: 35, 40, 41, 168, 482 bis 528, 531
Hoffer: 367
Hoffmann, D.: 269
Hoffmann, E. Th. A.: 67
Hofmannsthal: 31, 53, 239, 240, 253, 333, 359, 368
Hohendahl: 48, 49
Holz: 480
Homer: 500
Horaz: 240
Horváth: 116, 331, 374
Huchel: 240
Huder: 284, 489, 490
Hughes: 342
Humphrey: 175

Iser: 45-46, 48, 49

Jahnn: 409
Jansen: 224
Jaspers: 375
Jean Paul: 497, 498-499
Jens: 279, 282, 312, 479
Jess: 240
Jeziorkowski: 175
Johannes (Papst): 287
Johnson, L. B.: 459-460
Johnson, U.: 40-41, 65, 207, 337, 345, 428-481, 512, 513-514, 529, 530-531
Jonke: 366
Joyce: 9, 10, 20, 24, 29, 31, 98, 101, 185, 207, 273, 275-279, 313, 333, 334, 491-492, 494, 495, 497, 498-500, 512
Jünger: 63
Jung: 371-372
Just: 85, 223

Kästner: 501
Kafka: 21, 27, 31, 74, 87, 94, 103, 107, 176, 228-229, 232, 268, 273, 309, 324, 347, 348, 371, 410, 494, 495
Kahler: 12
Kaiser: 74, 84, 425
Kant: 13
Kapp: 438
Karasek: 367
Karl V.: 265
Kayser: 10, 154
Keller: 356, 357, 450
Kennedy, J. F.: 460
Kennedy, R. F.: 446, 451, 452 bis 453, 454, 475, 479
Kerenski: 62
Kiepenheuer: 62, 393
Kieling: 471
King: 475
Kleist: 135
Klotz: 480
Kluge: 293, 294
Koch: 125, 175
Koeppen: 82
Kolbenhoff: 238
Koopmann: 47, 48
Korn: 237
Kramberg: 84, 269
Kramer: 240
Kraus: 86-87, 88, 89, 90, 91, 95, 97, 115-116, 117, 120, 126, 241, 242
Kubin: 264
Kürnberger: 335

Lasker-Schüler: 273
Lattmann: 85
Lavater: 527
Lawrence: 409
Lenin: 380, 381, 393
Lenz, H.: 35, 38-39, 225-270, 345, 346, 401, 531
Lenz, S.: 35, 37, 38, 40, 177-224, 345, 403, 531
Lessing: 16
Lettau: 269, 447
Lincoln: 357, 358
Lind: 100
Linder: 367
Lindsay: 451
Link: 45-46
Litten: 366
Ludz: 16, 47
Lukács: 9-41, 47, 48, 125, 220, 250, 269, 463
Lunarcharski: 73

Magris: 269
Mahler: 96
Maier: 489
Mandelkow: 48
Mann, H.: 68, 82, 83, 118
Mann, K.: 63
Mann, Th.: 9, 12, 22-23, 24, 29, 47, 48, 63, 98, 238, 240, 268, 270, 298, 374, 381
Marc Aurel: 225, 231, 255, 257, 259, 260, 264, 265, 266
Martini: 47, 230
Marx: 48, 521
Matthaei: 426
Mauriac: 62
Mayer: 224, 479
McCarthy, E.: 451, 452-453, 454, 476
McCarthy, J.: 452
Meinhof: 144, 145, 168, 171, 204
Melville: 223
Metternich: 227-228, 265, 266
Michaelis: 85, 224, 497-498, 528
Miller: 391
Minor: 47
Mörike: 239, 252, 253, 255, 259, 266, 273, 449
Moritz: 356
Morris: 527
Moser: 126
Mozart: 286
Müller: 28
Musil: 9, 10, 21, 24, 27, 29, 31, 36, 87, 103, 124, 333, 334, 335, 359, 368
Mutschmann: 293

Nabokov: 206, 223
Nestroy: 95-96, 97, 116
Neumann: 282
Nietzsche: 526
Nixon: 37, 451
Nolde: 211, 212
Nonnenmann: 269
Nossack: 35, 39-40, 345, 369 bis 427, 515, 531
Novalis: 30

Oprecht: 63
Owsejenko: 73

Pascal: 318, 326, 400
Pavese: 400, 425
Peirce: 527
Pessoa: 240
Pirandello: 340
Piwitt: 315, 480
Platon: 398
Plessen: 168
Pontoppidan: 26-27, 48
Poulet: 48
Proust: 29, 178

Qualtinger: 243
Quevedo: 124

Raabe: 240
Racine: 67
Reich-Ranicki: 126, 223, 331, 367, 370

Reinfrank: 295
Reisiger: 268
Rheinisch: 84, 85
Richter: 238
Rilke: 348, 365, 381, 409
Robbe-Grillet: 324, 337
Rodewald: 282, 312, 313
Rohrmoser: 13, 22, 23
Roth: 71, 242, 374
Rousseau: 311
Rudolph: 223
Russ: 223

(de) Saint-Exupéry: 157
Salazar: 228
Salinger: 213-214, 217, 224, 341
(a) Santa Clara: 116
Sartre: 375, 426
(de) Saussure: 527
Scharang: 366, 367, 368
Scheffel: 316
Scheffler: 312
Schiller: 16, 135, 171, 357, 501, 515
Schlegel: 10, 23-24, 48
Schlumberger: 63
Schmid: 425
Schmidt: 278, 339, 512
Schmidt-Dengler: 426
Schmidt-Henkel: 486
Schmiegelt: 84
Schmitt: 223
Schneider: 342
Schnitzler: 240, 368
Scholl: 236
Schultz: 374
Schumacher: 84, 85
Schweitzer: 297, 298
Sealsfield: 335
Seeler: 188, 189
Shakespeare: 104, 320
Simmel, G.: 14, 16, 47
Simmel, M.: 18
Solger: 23
Solschenyzin: 204
Speer: 426
Sperber: 380
Spengler: 226
Spielhagen: 157
Spitzweg: 249
Stalin: 62, 451, 476
Stalina: 451, 452, 476
Stanzel: 9
Stauffenberg: 233
Steinecke: 47
Stendhal: 57, 88, 95
Sternheim: 112
Stifter: 228, 240
Stoltenberg: 292
Stomps: 245
Strauß: 292
Strindberg: 374, 381, 395, 400, 415
Szondi: 23, 48, 507

Theophrast: 525
Togliatti: 380
Toller: 404
Tolstoj: 24, 30, 31

(von) Unruh: 425
Unseld: 479

Vico: 305, 517
Villon: 459
Vittorini: 380
Vormweg: 85, 425
(von der) Vring: 237, 240, 252

Walser: 70
Warning: 49
Weber, G.: 489, 490
Weber, M.: 12
Weinrich: 48
Weiss: 271-272, 433
Welzig: 32
Werfel: 89
Wiechert: 18
Wiener: 344, 517-518, 522, 526, 527
(von) Wiese: 313, 426

Williams: 391
Willkomm: 335
Wimsatt: 43, 44
Winckelmann: 16
Winogradow: 55
Wirsing: 528
Wittgenstein: 345, 366, 518
Wolfe: 177
Woolf: 9
Woroschilow: 56

Zehm: 84
Zeller: 366
Zimmer: 313, 480
Zimmermann: 150
Zinn: 397
Ziolkowski: 367
Zweig: 88, 89

Schriften zur Literaturwissenschaft in den suhrkamp taschenbüchern

Theodor W. Adorno, *Versuch, das Endspiel zu verstehen.* Aufsätze zur Literatur des 20. Jahrhunderts I. Band 72

– *Zur Dialektik des Engagements.* Aufsätze zur Literatur des 20. Jahrhunderts II. Band 134

Basis. Jahrbuch für deutsche Gegenwartsliteratur. Bd. 5. Herausgegeben von Reinhold Grimm und Jost Hermand. Band 276

Materialien zu Samuel Beckett »Warten auf Godot«. Zusammengestellt und übersetzt von Ursula Dreysse. Band 104

Das Werk von Samuel Beckett. Berliner Colloquium. Herausgegeben von Hans Mayer und Uwe Johnson. Band 225

Walter Benjamin, *Ursprung des deutschen Trauerspiels.* Revidierte Ausgabe besorgt von Rolf Tiedemann. Band 69

– *Der Stratege im Literaturkampf.* Zur Literaturwissenschaft. Herausgegeben von Hella Tiedemann-Bartels. Band 176

Hermann Broch, *Schriften zur Literatur.* Band 246 – Kritik, Band 247 – Theorie. Herausgegeben von Paul Michael Lützeler

Franco Buono, *Zur Prosa Brechts.* Aufsätze. Aus dem Italienischen von Maria Böhmer-Volo. Band 88

Materialien zu Alfred Döblin »Berlin Alexanderplatz«. Herausgegeben von Matthias Prangel. Band 268

Zur Aktualität von T. S. Eliot. Zum 10. Todestag. Herausgegeben von Helmut Viebrock und Armin Paul Frank. Band 222

Frederic Ewen, *Bertolt Brecht. Sein Leben, sein Werk, seine Zeit.* Deutsch von Hans-Peter Baum und Klaus-Dietrich Petersen. Band 141

Ernst Fischer, *Von Grillparzer zu Kafka.* Sechs Essays. Band 284

Erich Heller, *Thomas Mann. Der ironische Deutsche.* Band 243

– *Nirgends wird Welt sein als innen.* Versuche über Rilke. Band 288

Stephan Hermlin, *Lektüre 1960-1971.* Band 215

Materialien zu Hermann Hesse »Der Steppenwolf«. Herausgegeben von Volker Michels. Band 53

Materialien zu Hermann Hesse »Das Glasperlenspiel«. Band 1: Texte von Hermann Hesse. Herausgegeben von Volker Michels. Band 80

Materialien zu Hermann Hesse »Das Glasperlenspiel«. Band 2: Sekundärliteratur. Herausgegeben von Volker Michels. Band 108

Materialien zu Hermann Hesses »Siddhartha«. Erster Band. Texte von Hermann Hesse. Herausgegeben von Volker Michels. Band 129

Ödön von Horváth, Leben und Werk in Dokumenten und Bildern. Herausgegeben von Traugott Krischke und Hans F. Prokop. Band 67

Hans Mayer, *Georg Büchner und seine Zeit*. Band 58

Siegfried Melchinger, *Geschichte des politischen Theaters*. Band 153 und Band 154

Robert Minder, *Dichter in der Gesellschaft*. Erfahrungen mit deutscher und französischer Literatur. Band 33

Materialien zu Rainer Maria Rilke »Die Aufzeichnungen des Malte Laurids Brigge«. Herausgegeben und mit einem Nachwort von Hartmut Engelhardt. Band 174

Rainer Maria Rilke, »Die Weise von Liebe und Tod«. Rilkes »Cornet« in den drei Fassungen. Texte und Dokumente. Bearbeitet und herausgegeben von Walter Simon. Band 190

Rilke heute. Beziehungen und Wirkungen. Herausgegeben von Ingeborg H. Solbrig und Joachim W. Storck. Band 290

Jean Rudolf von Salis, *Rilkes Schweizer Jahre*. Ein Beitrag zur Biographie von Rilkes Spätzeit. Band 289

George Steiner, *Sprache und Schweigen*. Essays über Sprache, Literatur und das Unmenschliche. Band 123

Siegfried Unseld, *Hermann Hesse, eine Werkgeschichte*. Band 143

Siegfried Unseld (Hrsg.), *Wie, warum und zu welchem Ende wurde ich Literaturhistoriker?* Eine Sammlung von Aufsätzen aus Anlaß des 70. Geburtstages von Robert Minder. Band 60

Der andere Hölderlin. Materialien zum »Hölderlin«-Stück von Peter Weiss. Herausgegeben von Thomas Beckermann und Volker Canaris. Band 42

Ernst Wendt, *Moderne Dramaturgie. Bond und Genet. Beckett und Heiner Müller. Ionesco und Handke. Pinter und Kroetz. Weiss und Gatti*. Band 149

st 264 Hermann Kasack, Fälschungen. Erzählung
256 Seiten
Kasack erzählt die Geschichte einer Kunstfälschung, der ein deutscher Industrieller und Sammler zum Opfer fällt. Die Konsequenz, die der Sammer für sich aus der Erfahrung zieht, daß niemand mehr ein verläßliches Gefühl für die alten Kunstwerke besitzt, ist zugleich eine innere Läuterung: ihm wird die Lebensfälschung sichtbar, der er selbst unterlag.

st 265 Fritz Rudolf Fries, Der Weg nach Oobliadooh
Roman
232 Seiten
Die jungen Leute, die diesen Roman bevölkern, leben im Leipzig der fünfziger Jahre. Sie hängen ihren eigenen Sehnsüchten nach und pfeifen auf die strengen Riten der Gesellschaftsordnung. Sie folgen der Verführung des Westens, der sich ihnen in Oobliadooh, einem Schlager von Dizzy Gillespie entnommen, symbolisiert. Doch kehren sie bald von ihrem Ausflug zurück.

st 266 Walter Höllerer, Die Elephantenuhr. Roman
Vom Autor gekürzte Ausgabe
336 Seiten
»Höllerer schreibt einen stellenweise furios zeit- und gesellschaftskritischen Roman über das Deutschland dieser Jahre, mit bemerkenswerten Kapiteln über das Verhältnis der beiden Staaten in Deutschland oder über die Identitätsneurose in beiden Teilen Berlins, mit satirisch funkelnden Skizzen über die Zustände an den Universitäten ...« *Rolf Michaelis*

st 267 Ernst Penzoldt, Die Kunst, das Leben zu lieben und andere Betrachtungen
Ausgewählt von Volker Michels
144 Seiten
Diese Auswahl aus den Bänden *Causerien* und *Die Lie-*

bende versammelt 25 Betrachtungen von zeitloser Aktualität. Zwei Jahrzehnte nach Penzoldts Tod erinnert der Band damit an einen in der Literatur unseres Jahrhunderts nicht eben häufigen Autorentypus, der bei aller Sympathie für das Rebellische, bei allem Spott gegen das Inhumane, Routinierte und Überlebte, bei allem Esprit und übermütigem Witz nie das Naheliegende übersehen oder es einer Tendenz zuliebe unterdrückt hat.

st 268 Materialien zu Alfred Döblin
›Berlin Alexanderplatz‹
Herausgegeben von Matthias Prangel
272 Seiten
Döblin hatte seinen größten Erfolg mit dem 1929 erschienenen *Berlin Alexanderplatz* (Bibliothek Suhrkamp 451). Zu diesem Buch stellt der Materialienband Dokumente der Entstehung und Wirkung zusammen. Neben Vorformen, Passagen früherer Fassungen des Werks und dem vollständigen Hörspieltext stehen Selbstzeugnisse des Autors, zeitgenössische Rezensionen und wissenschaftliche Arbeiten, die den derzeitigen Forschungsstand umreißen sollen.

st 269 Fritz J. Raddatz. Traditionen und Tendenzen.
Materialien zur Literatur der DDR. Erweiterte Ausgabe
2 Bde., zus. 814 Seiten
»Der Raddatz« (*Peter Wapnewski* in der *Zeit*) gilt als verläßlichste, brauchbarste Information über die DDR-Literatur wie zugleich als kritisch-selektive Analyse eines kenntnisreichen Literaturhistorikers. Raddatz hat seine Studie auf den neuesten Stand gebracht, die Bibliographie wurde erweitert und erfaßt die Primär- und Sekundärliteratur bis 1975. Was hier vorliegt, ist Lesebuch und Arbeitsmaterial zugleich.

st 270 Erhart Kästner, Der Hund in der Sonne
und andere Prosa
Aus dem Nachlaß
Herausgegeben von Heinrich Gremmels
160 Seiten
Alle Bücher Kästners sind byzantinischen Mosaiken ver-

gleichbar, und so bot sich an, die literarischen Fragmente ebenfalls mosaikartig zu ordnen. *Im ersten Teil* geht es um Begriffe wie Wissenschaft, Technik, Verbrauch, also um Kästners leidenschaftlichen Umgang mit dem Wesen der modernen Zivilisation. *Im zweiten Teil* folgen wir ihm auf das Erlebnisfeld zwischen Vergangenheit und Zukunft, geschichtlicher, also erlebter und gemessener, also abstrakter Zeit bis hin zu den Grenzproblemen des Todes. *Im dritten Teil* kommt der Zeitgenosse ins Bild in seinen verschiedenen Aspekten als Habenichts, Wohlständler, Langweiler, als Schweiger, Künstler, Einsiedler. Nicht Modelle des täglichen Lebens sind gemeint, sondern Symbolgestalten des Zeitgeistes.

st 271 Jurek Becker, Irreführung der Behörden. Roman
250 Seiten
»Der wieder, besonders im skurrilen oder grotesken Detail, einfallsreiche Erzähler legitimiert den Anspruch, einer der besten Erzähler deutscher Sprache zu sein.«
Rolf Michaelis
Für diesen Roman erhielt Becker den Bremer Literaturpreis 1974.

st 273 Stanislaus Joyce, Meines Bruders Hüter
Mit einem Vorwort von T. S. Eliot und einer Einführung von Richard Ellmann. Deutsch von Arno Schmidt
348 Seiten
Stanislaus Joyce hat bis zu seinem Tode an diesem Erinnerungsbuch geschrieben, in dem er die Dubliner Jugendjahre dieses großen irischen Dichters abschildert, gemeinsam erlebte und gemeinsam durchlebte Jahre, in denen sich Geist, Weltansicht und Genie von James Joyce herausbildeten. Er hat ein Werk geschaffen, das durch lebendige Fülle des Details, durch Humor und Bitterkeit, durch schriftstellerischen Glanz an die Seite der Bücher des Bruders tritt und selbst ein bedeutendes Stück Literatur geworden ist.

st 274 Hermann Hesse, Narziß und Goldmund
Erzählung
324 Seiten
»Diese Erzählung wetteifert nicht mit der Reportage, kümmert sich nicht um Aktualität, kitzelt nicht mit poli-

tischer Tendenz, verrücktem Getu oder Pikanterie, sondern ist – im besten Sinne des Wortes – Poesie, unzeitgemäße Poesie!« *Max Herrmann-Neiße*

st 275 The Best of H. C. Artmann
Herausgegeben von Klaus Reichert
394 Seiten
Von allen deutschen Autoren, die nach 1945 zu schreiben begannen, ist Artmann ohne jeden Zweifel der vielseitigste, originellste und erfinderischste. So wie Artmann in fast allen Gattungen gearbeitet hat, so hat er seine Quellen seine Herkunft überall: in der Artusepik, in barocker Schäferpoesie, in den Wörterbüchern und Grammatiken von gut zwei Dutzend Sprachen, in Irland und im England des Sherlock Holmes, bei Villon und dem Wiener Vorstadtdialekt. Lorca, Gomez de la Serna, den Surrealisten und Dadaisten, in den Detektivheftchen der 20er Jahre und den Comic strips von damals bis heute.

st 276 Basis. Jahrbuch für deutsche Gegenwartsliteratur. Band 5
Herausgegeben von Reinhold Grimm und Jost Hermand
238 Seiten
Ohne methodisch starr festgelegt zu sein, sucht *Basis* eine Literaturbetrachtung zu fördern, die an der materialistischen Grundlage orientiert ist. *Basis* erscheint einmal im Jahr und bringt Essays, Interviews und Rezensionen zur deutschsprachigen Gegenwartsliteratur.

st 277 Max Frisch. Andorra. Stück in zwölf Bildern
132 Seiten
Die Kernzelle von *Andorra* findet sich in Max Frischs *Tagebuch* als Eintragung des Jahres 1946. Andorra ist der Name für ein Modell: Es zeigt den Prozeß einer Bewußtseinsveränderung, abgehandelt an der Figur des jungen Andri, den die Umwelt so lange zum Anderssein zwingt, bis er es als sein Schicksal annimmt. Dieses Schicksal heißt in Max Frischs Stück »Judsein«.

st 278 Czesław Miłosz, Verführtes Denken
Mit einem Vorwort von Karl Jaspers
256 Seiten
Miłosz, zwar nicht Kommunist, aber zeitweilig als pol-

nischer Diplomat in Paris, beschreibt die ungeheure Faszination des Kommunismus auf Intellektuelle. Er stellt sich als Gegenspieler marxistischer Dialektiker vor, deren Argumente von höchstem Niveau und bezwingender Logik sind. Was der konsequente totalitäre Staat dem Menschen antut, zeigt Miłosz in einer Weise, die den Menschen am äußersten Rand einer preisgegebenen Existenz wiederfindet. Von solcher Vision beschreibt der Autor ohne Haß, wenn auch mit satirischen Zügen, die Entwicklung von vier Dichtern, die aus Enttäuschung, Verzweiflung, Überzeugung oder Anpassung zu Propagandisten werden konnten.

st 279 Harry Martinson, Die Nesseln blühen
Roman
320 Seiten
Dieser Roman des Nobelpreisträgers für Literatur 1974 erzählt die Geschichte einer Kindheit. In fünf Kapiteln stehen sich Menschen in der Unordnung von Zeit und selbstgerechten Gewohnheiten gegenüber. Von der Kinderversteigerung geht der Weg Martin Tomassons durch die Schemenhöfe der Furcht, des Selbstmitleids und der Verlassenheit, bis ein fremder Tod ihn aus dieser Scheinwelt stößt. Zuletzt kommt Martin als Arbeitsjunge ins Siechenheim. In dieser Welt des Alterns, der Schwäche, der Resignation regiert der schmerzvolle Friede der Armut. Martin klammert sich an Fräulein Tyra, die Vorsteherin. Ihr Tod liefert ihn endgültig dem Erwachen aus.

st 280 Robert L. Heilbroner, Die Zukunft der Menschheit
Aus dem Amerikanischen von Nils Thomas Lindquist
128 Seiten
Der Ausblick in die Zukunft der Menschheit: sprunghaftes Wachstum der Bevölkerung; verschärfte Polarisierung zwischen Arm und Reich, die zur *ultima ratio* einer atomaren Erpressung der Überflußgesellschaften durch die Habenichtse führen könnte. Wo die Warnungen des »Club of Rome« und der »Blueprints for Survival« stehenbleiben, geht Heilbroner in seiner illusionslosen Analyse, aber auch in seinen politischen Konsequenzen weiter.

st 281 Harry Martinson, Der Weg hinaus
Roman
362 Seiten
Dieser Band setzt die Geschichte des Martin Tomasson fort. Das ist Martins Problem: die Bauern, bei denen er als Hütejunge arbeitet, beuten seine Arbeitskraft aus. Er wird mit Gleichgültigkeit behandelt, die Gleichaltrigen verhöhnen ihn mit kindlicher Grausamkeit. Ihm bleibt nur die Flucht ins »Gedankenspiel«, in eine Scheinwelt, aufgebaut aus der Lektüre von Märchen und Abenteuergeschichten. Die Zukunft, von der Martin sich alles erhofft, beginnt trübe: der Erste Weltkrieg ist ausgebrochen. Der Dreizehnjährige schlägt sich bettelnd durchs Land, um zur Küste zu kommen. Immer in Gefahr, aufgegriffen zu werden, erreicht er zu guter Letzt eine der Seestädte.

st 284 Ernst Fischer, Von Grillparzer zu Kafka
Sechs Essays
284 Seiten
Der Band enthält sechs kritische Essays des Literaten Fischer: Grillparzer, Lenau, Nestroy, Kraus und Musil, im besonderen aber Kafka werden dem Vorurteil der Bürgerlichkeit wie dem der Entartung entzogen, damit in der Freilegung ihre Bedeutung zu erkennen und ihr Verdienst im Blick marxistischer Theorie zu analysieren ist.

st 285 Kurt Weill, Ausgewählte Schriften
Herausgegeben mit einem Vorwort von David Drew
240 Seiten
Dieser Band druckt Weills eigene in wichtigen Musikzeitschriften veröffentlichte Beiträge wieder ab. Darüber hinaus bringt er zum ersten Mal eine Auswahl aus etwa 400 Artikeln, die Weill in den Jahren 1925–1929 für die Berliner Wochenzeitschrift *Der Berliner Rundfunk* schrieb. Diese Aufsätze zum Thema Rundfunk sind eine wichtige Ergänzung zu den theoretischen Aufsätzen, in denen Weill sich zu Funktion und Wirkung des Musiktheaters in einer modernen Gesellschaft äußert und die Aspekte seiner Zusammenarbeit mit Georg Kaiser, Bertolt Brecht und Caspar Neher untersucht.

st 286 Max Frisch, Mein Name sei Gantenbein
Roman
292 Seiten
Der Roman spiegelt die Verschiebung von Realität und Phantasie im Bannkreis einer Situation, die die erprobte Rolle eines Menschen in Frage stellt, sein Ich freilegt. Die Geschichten des Buches sind nicht Geschichten im üblichen Sinn, es sind Geschichten wie Kleider, die man probiert. Es sind Rollen, Lebensrollen, Lebensmuster, die die Wirklichkeit erraten haben.
»Der Rückzug vom Menschen auf die Spielfigur, der das ästhetische Signum dieses Buches ist, hat dem Autor zu einer neuen Souveränität verholfen.« *Günter Blöcker*

st 287 Horst Bingel
Lied für Zement. Gedichte
Mit einem Nachwort von Karl Krolow
94 Seiten
Karl Krolow sagt zu diesen Gedichten: sie sind »auf den Augenblick und für den Augenblick (und seinen Abgrund)« geschrieben. Der Eigenart der knappen Äußerung, des sprachlichen Kürzels entspricht die Absicht: Rebellion gegen konventionelle Denkschemata, Desillusionierung.

st 288 Erich Heller, Nirgends wird Welt sein als innen
Versuche über Rilke
150 Seiten
Inhalt: Die Reise der Kunst ins Innere; Rilke und Nietzsche. Mit einem Diskurs über Denken, Glauben und Dichten; Rilke in Paris. »Erich Hellers literarische Essays üben seit vielen Jahren eine geheimnisvolle Faszination auf seine Leser aus. Wie er seine Themen anzupacken versteht, das deutet auf eine unendliche eindringliche, schmeichelnde, schöne und sichere Stimme hin – mit der Verführungskraft der Authentizität.« *Bücherkommentare*

st 289 Jean Rudolf von Salis, Rilkes Schweizer Jahre
Ein Beitrag zur Biographie von Rilkes Spätzeit
316 Seiten
Aus dem Zusammentreffen des Autors mit Rilke 1924 in Muzot ergab sich in wiederholten Begegnungen und

einem Briefwechsel eine Beziehung, die bis zu Rilkes Tod anhielt. In der Diskussion, wie die heute einsetzende Rilke-Renaissance sich mit der Besonderheit, Unverwechselbarkeit, Isoliertheit der Rilkeschen Lyrik auseinandersetzen und wie sie von neuem aufgenommen wird, kann dieser Band einen wertvollen Beitrag leisten.

st 290 Rilke heute. Beziehungen und Wirkungen
Herausgegeben von Ingeborg H. Solbrig und Joachim W. Storck
331 Seiten
Die hier versammelten Arbeiten gruppieren sich um ästhetische Einzelprobleme, um rezeptionsästhetische und komparatistische Fragen, endlich um allgemein literarhistorische Aspekte und die damit zusammenhängende politische-gesellschaftliche Wirkung. Damit wird ein breites Spektrum von wissenschaftlicher Relevanz erfaßt, werden auch gelegentliche Konfrontationen gegensätzlicher Thesen und Lösungsversuche nicht vermieden. Gerade dies kommt einer getreuen Spiegelung der gegenwärtigen Forschungssituation zugute.

st 291 Hermann Hesse, Die Märchen
Zusammengestellt von Volker Michels
282 Seiten
Dieser Band versammelt erstmals alle Märchen Hesses. Sowohl die frühe, erstmals 1920 unter dem Titel *Märchen* publizierte Sammlung als auch die späteren, in verschiedenen Büchern verstreuten Märchen aus dem *Fabulierbuch* (1935), den Sammelbänden *Traumfährte* (1945), *Krieg und Frieden,* sowie einige bisher noch kaum bekannte, zu Hesses Lebzeiten noch nicht in seine Bücher aufgenommene Stücke ergänzen diese Sammlung.

st 292 Lillian Hellman, Eine unfertige Frau
Ein Leben zwischen Dramen
Aus dem Englischen von Kyra Stromberg
Mit Abbildungen
288 Seiten
Der Lebensbericht der berühmten Theaterautorin, Harvardprofessorin und erfolgreichen Journalistin Lillian Hellman beginnt mit einer faszinierenden Schilderung

ihrer Jugend zwischen New York und New Orleans. Sie beschreibt ihre ersten Jahre in einem New Yorker Verlagshaus, ihren Aufenthalt in Spanien während des Bürgerkriegs, in Rußland während des 2. Weltkriegs. Temperamentvoll beschreibt die Autorin ihre Begegnungen mit großen Namen: Dorothy Parker, Nathanael West, Ernest Hemingway, Scott Fitzgerald, Dashiell Hammett, Norman Mailer, Louis Aragon, Sergej Eisenstein.

st 293 Gustav Regler, Das Ohr des Malchus
Eine Lebensgeschichte
528 Seiten
An allen Fronten, wo in geistiger Auseinandersetzung oder mit der Waffe in der Hand das Schicksal unseres Jahrhunderts bestimmt wurde, ist der Journalist und Schriftsteller Gustav Regler dabei gewesen. Er ging auf die Barrikaden, kämpfte in der Spartakistenzeit und in der Räte-Republik. Er teilte die Illusionen des Sozialismus und des Kommunismus. Mit der Beschreibung seines Lebens schildert Regler eine Fülle von Personen und Bewegungen, die er gekannt hat: Stefan George, Karl Wolfskehl, Maxim Gorki, André Malraux, Ernest Hemingway, Ludwig Renn, um nur einige zu nennen.

st 294 Marieluise Fleißer, Eine Zierde für den Verein.
Roman vom Rauchen, Sporteln, Lieben und Verkaufen
206 Seiten
Ihren einzigen Roman, 1931 unter dem Titel *Mehlreisende Frieda Geier* erschienen, hat Marieluise Fleißer 1972 neu bearbeitet und ihm den Titel *Eine Zierde für den Verein* gegeben. In der vermeintlichen Idyllik einer deutschen Provinz in den Jahren vor 1933 sucht Gustl Amricht, Zigarrenladeninhaber und Schwimmphänomen, die Nähe von Frieda Geier, erobert und heiratet sie. Aber an der Selbständigkeit Friedas prallen »die natürlichen Machtmittel des Mannes« ab, sie läuft ihm davon.

st 295 Wolfgang Hildesheimer, Paradies der falschen Vögel
Roman
172 Seiten
Guiskard, der König der Fälscher, erfindet den Maler Ayax Mazyrka und auch einen Kunsthistoriker, der die

Biographie des Malers schreibt. Die Hauptwerke Mazyrkas werden zu den begehrtesten Objekten des internationalen Kunsthandels, und der phantasiebegabte Fälscher bringt es zum Kultusminister.

st 296 Hermann Broch, Der Tod des Vergil
Roman
522 Seiten
»Das Buch schildert die letzten achtzehn Stunden des sterbenden Vergil, beginnend mit seiner Ankunft im Hafen von Brundisium bis zu seinem Tod am darauffolgenden Nachmittag im Palast des Augustus. Obwohl in der dritten Person dargestellt, ist es ein innerer Monolog des Dichters. Es ist daher vor allem eine Auseinandersetzung mit seinem eigenen Leben, mit der moralischen Richtigkeit oder Unrichtigkeit dieses Lebens, mit der Berechtigung und Nichtberechtigung der dichterischen Arbeit, der dieses Leben geweiht war.« *Hermann Broch*

st 297 Brecht in Augsburg. Erinnerungen, Texte, Fotos
Eine Dokumentation von Werner Frisch und K. W. Obermeier unter Mitarbeit von Gerhard Schneider
Mit einem Vorwort von Werner Mittenzwei
400 Seiten
Es war nicht die Absicht der Autoren, die Biographie des jungen Brecht zu schreiben, und was vorgelegt wird, ist eigentlich weit mehr: eine minuziös gespannte und aufgebaute Materialmontage. Es ist ein hochinteressanter, mit Dokumenten und Fotos ausgestatteter Bericht entstanden der nicht nur Dokumentwert für die weitere Forschung hat, sondern der auch höchst vergnüglich zu lesen ist. Das Buch schließt mit den frühen Veröffentlichungen des »Berthold Eugen«.

st 298 Julio Cortázar, Das Feuer aller Feuer
Erzählungen
180 Seiten
Der große argentinische Schriftsteller Julio Cortázar ist, wie Jorge Luis Borges, Schöpfer einer »phantastischen Literatur«, und so sind auch die Erzählungen zu lesen. Er umkreist das Drama, das sich durch die Bedrohung verborgener Wirklichkeiten entzündet, um sich im Wirklichen abzuspielen, und mit geradezu tödlicher Sicherheit

berührt Cortázar die Dimensionen des Wunderbaren und Unheimlichen.

st 299 Karl Heinrich Waggerl, Brot
Roman
294 Seiten
»Der Erstlingsroman Waggerls erschien 1930. Dem Buch wurde damals sofort die illegitime Vaterschaft des großen Hamsun nachgesagt. Mit Recht, denn auch Waggerl läßt einen Urbauern in der Einöde sich ansiedeln und ein neues Leben aufbauen. Das ›Blut und Boden‹-Motiv ist damit zwar angeschlagen, aber doch noch auf jene unbefangene Weise, die den Kern eines jeden Bauernromans von jeher ausmachte. Das Sprachliche und der ganze Duktus freilich hamsunisch bis in den Tonfall hinein.« *Bücherei und Bildung*

st 301 Paul Celan, Von Schwelle zu Schwelle
Gedichte
70 Seiten
Dem 1952 erstmals erschienenen Gedichtband *Mohn und Gedächtnis* (st 231) folgten drei Jahre später die Gedichte *Von Schwelle zu Schwelle*; beide Bücher begründeten Celans Ruhm. 1958 wurde Celan der Bremer Literaturpreis verliehen. – »Gedichte«, sagt Paul Celan in seiner Bremer Ansprache, »halten auf etwas zu. Sie sind unterwegs, sind in Bewegung, suchen Richtung zu gewinnen.« Den eigenen Anlaß, Gedichte zu schreiben, begründete Celan damals folgendermaßen: »Um zu sprechen, um mich zu orientieren, um zu erkunden, wo ich mich befand und wohin es mit mir wollte, um mir Wirklichkeit zu entwerfen.«

st 302 Stanisław Lem, Die Jagd. Neue Geschichten des Piloten Pirx
262 Seiten
Pirx, der skeptische und unheroische, aber doch couragierte Held dieser sechs Erzählungen, ist von Mißtrauen gegen »unsere eisernen Brüder«, die Roboter, erfüllt. Für ihn repräsentieren sie eine unbestimmte Gefahr, einen Faktor des Unheimlichen. Nicht zuletzt deshalb, weil sie ihn an die Schuld des Menschen der Maschine gegenüber erinnern.

st 303 Hannah Arendt, Die verborgene Tradition. Acht Essays
170 Seiten
Kurz nach dem Zweiten Weltkrieg erschienen sechs Essays von Hannah Arendt über politisch-soziologische und philosophisch-literarische Themen, geschrieben im Bewußtsein der Zeit, das ein Bewußtsein des jüdischen Schicksals war: Über die organisierte Schuld, den Imperialismus, die Existenzphilosophie, über die verborgene Tradition eines Heine, Kafka, Chaplin oder Stefan Zweig. Die Aufsätze dieses bisher nicht mehr erschienenen »Buches seiner Zeit« sind für die vorliegende Ausgabe um zwei Aufsätze über die Aufklärung und die Judenfrage erweitert.

st 304 Anton Koch, Symbiose – Partnerschaft fürs Leben
272 Seiten
Das vorliegende Buch hat sich ein ebenso faszinierendes wie vielfältiges Phänomen zum Thema gesetzt, das von jeher auch den Laien angesprochen hat, wenngleich ihm oft kaum mehr über Symbiose bekannt ist als die Partnerschaft zwischen Einsiedlerkrebs und Seerose oder die zwischen Läusen und Ameisen.

st 305 Gion Condrau, Angst und Schuld als Grundprobleme der Psychotherapie. Philosophische und psychotherapeutische Betrachtungen zu Grundfragen menschlicher Existenz
Mit einem Geleitwort von Medard Boss
304 Seiten
Die Angst ist zur »Krankheit« unseres Jahrhunderts geworden. Die Begegnung des Menschen mit der Angst führt ihn an die Frage nach dem Sinn seines Lebens. Damit eröffnet sie ihm den Blick für die Übernahme seiner Verantwortlichkeit und seiner existentiellen Schuldhaftigkeit. In der Ablehnung und Verdrängung dieser »Schuld« sieht der Verfasser den Hauptgrund jeder neurotischen Erkrankung. Es muß das Anliegen der Psychotherapie sein, den Menschen zu befähigen, seine Schuldhaftigkeit anzuerkennen, sich selbst und damit der Welt gegenüber ehrlicher zu werden, zu Reife und Verantwortlichkeit zu gelangen.

st 306 Thomas Bernhard, Der Kulterer. Eine Filmgeschichte
122 Seiten
Der Gefangene Kulterer fürchtet sich vor der Freiheit, in die er wieder entlassen werden soll. Das Fundament dieses in Worten ablaufenden Films ist eine Erzählung, die Bernhard 1962 geschrieben hat. Dieser Band stellt nun die beiden Versionen gegeneinander: diejenige von 1962 und die von 1973, die inzwischen mit Helmut Qualtinger verfilmt wurde.

st 310 Manfred von Ardenne, Ein glückliches Leben für Technik und Forschung. Autobiographie
424 Seiten
Es ist selten, daß ein Mann vom Rang Ardennes – einer der größten Physiker und erfolgreichen Forscher unserer Zeit – den Blick auf sein Leben, auf seine Arbeit freigibt: der Schüler, preußischer Offizierssohn, der mit zwölf Jahren einen der ersten Radioapparate baut, der heranwachsende junge Mann, der mit sechzehn Jahren sein erstes Patent anmeldet, der Vierundzwanzigjährige, der u. a. einen brauchbaren Apparat zur Lungendiagnostik entwickelt. Als er mit seiner Elektronenstrahlröhre ein erstes Bild auf den Bildschirm projizierte, war dies nur einer von unzähligen Entdeckertagen, in deren Verlauf sich Erfindung an Erfindung reihte. Heute wartet die wissenschaftliche Welt auf die fortschreitenden Ergebnisse seiner Krebsforschung.

st 317 Materialien zu Hermann Broch ›Der Tod des Vergil‹
Herausgegeben von Paul Michael Lützeler
368 Seiten
Inhalt: Die Fassungen des Romans. Briefliche Kommentare zur Entstehung und Wirkung. Beiträge aus der Forschung von Götz Wienold, Walter Hinderer, Jean Paul Bier, Paul Michael Lützeler.

Alphabetisches Gesamtverzeichnis der suhrkamp taschenbücher

Achternbusch, Alexanderschlacht 61
– Happy oder Der Tag wird kommen 262
Adorno, Erziehung zur Mündigkeit 11
– Studien zum autoritären Charakter 107
– Versuch, das ›Endspiel‹ zu verstehen 72
– Zur Dialektik des Engagements 134
– Versuch über Wagner 177
Aitmatow, Der weiße Dampfer 51
Alfvén, M 70 – Die Menschheit der siebziger Jahre 34
– Atome, Mensch und Universum 139
Allerleirauh 19
Alsheimer, Vietnamesische Lehrjahre 73
Artmann, Grünverschlossene Botschaft 82
– How much, schatzi? 136
– The Best of H. C. Artmann 275
von Baeyer, Angst 118
Bahlow, Deutsches Namenlexikon 65
Becker, Eine Zeit ohne Wörter 20
– Irreführung der Behörden 271
Beckett, Warten auf Godot (dreisprachig) 1
– Watt 46
– Endspiel (dreisprachig) 171
– Das letzte Band (dreisprachig) 200
– Molloy 229
– Glückliche Tage. Dreisprachig 248
Materialien zu Becketts »Godot« 104
Benjamin, Über Haschisch 21
– Ursprung des deutschen Trauerspiels 69
– Der Stratege im Literaturkampf 176
Zur Aktualität Walter Benjamins 150
Bernhard, Das Kalkwerk 128
– Frost 47
– Gehen 5
– Salzburger Stücke 257
Bilz, Neue Verhaltensforschung: Aggression 68
Bingel, Ein Lied für Zement 287
Blackwood, Das leere Haus 30
Bloch, Naturrecht und menschliche Würde 49
– Subjekt–Objekt 12
– Vorlesungen zur Philosophie der Renaissance 75
– Atheismus im Christentum 144
Braun, Stücke 1 198
Brecht, Geschichten vom Herrn Keuner 16
– Schriften zur Gesellschaft 199
– Frühe Stücke 201
– Gedichte 251
– Brecht in Augsburg 297
Bertolt Brechts Dreigroschenbuch 87
Bond, Die See 160
Broch, Barbara 151
– Die Schuldlosen 209
– Schriften zur Literatur 1 246
– Schriften zur Literatur 2 247
– Der Tod des Vergil 296
Materialien zu Der Tod des Vergil 317
Broszat, 200 Jahre deutsche Polenpolitik 74
Buono, Zur Prosa Brechts. Aufsätze 88
Butor, Paris–Rom oder Die Modifikation 89

Celan, Mohn und Gedächtnis 231
Chomsky, Indochina und die amerikanische Krise 32
– Kambodscha Laos Nordvietnam 103
– Über Erkenntnis und Freiheit 91
Conrady, Literatur und Germanistik als Herausforderung 214
Cortázar, Das Feuer aller Feuer 298
Dedecius, Überall ist Polen 195
Der andere Hölderlin. Materialien zum »Hölderlin«-Stück von Peter Weiss 42
Der Friede und die Unruhestifter 145
Dolto, Der Fall Dominique 140
Döring, Perspektiven einer Architektur 109
Duddington, Baupläne der Pflanzen 45
Duke, Akupunktur 180
Duras, Hiroshima mon amour 112
Eich, Fünfzehn Hörspiele 120
Eliot, Die Dramen 191
Zur Aktualität T. S. Eliots 222
Enzensberger, Gedichte 1955–1970 4
Ewald, Innere Medizin in Stichworten I 97
– Innere Medizin in Stichworten II 98
Ewen, Bertolt Brecht 141
Fallada/Dorst, Kleiner Mann – was nun? 127
Fleißer, Eine Zierde für den Verein 294
Freisprüche. Revolutionäre vor Gericht 111
Fries, Der Weg nach Oobliadooh 265
Frijling-Schreuder, Wer sind das – Kinder? 119
Frisch, Dienstbüchlein 205
– Stiller 105
– Stücke 1 70
– Stücke 2 81
– Wilhelm Tell für die Schule 2
– Mein Name sei Gantenbein 286
– Andorra 277
Frischmuth, Amoralische Kinderklapper 224
Fromm/Suzuki/de Martino, Zen-Buddhismus und Psychoanalyse 37
Fuchs, Todesbilder in der modernen Gesellschaft 102
García Lorca, Über Dichtung und Theater 196
Gibson, Lorcas Tod 197
Glozer, Kunstkritiken 193
Goldstein, A. Freud, Solnit, Jenseits des Kindeswohls 212
Goma, Ostinato 138
Gorkij, Unzeitgemäße Gedanken über Kultur u. Revolution 210
Grossmann, Ossietzky. Ein deutscher Patriot 83
Habermas, Theorie und Praxis 9
– Kultur und Kritik 125
Habermas/Henrich, Zwei Reden 202
Hammel, Unsere Zukunft – die Stadt 59
Handke, Chronik der laufenden Ereignisse 3
– Der kurze Brief 172
– Die Angst des Tormanns beim Elfmeter 27
– Ich bin ein Bewohner des Elfenbeinturms 56
– Stücke 1 43
– Stücke 2 101
– Wunschloses Unglück 146
– Die Unvernünftigen sterben aus 168
– Als das Wünschen noch geholfen hat 208
– Falsche Bewegung 258
Heller, Thomas Mann 243
– Nirgends wird Welt sein als innen 288
Hellman, Eine unfertige Frau 292

Henle, Der neue Nahe Osten 24
Hentig, Magier oder Magister? 207
– Die Sache und die Demokratie 245
Hermlin, Lektüre 1960–1971 215
Hesse, Glasperlenspiel 79
– Klein und Wagner 116
– Kunst des Müßiggangs 100
– Lektüre für Minuten 7
– Unterm Rad 52
– Peter Camenzind 161
– Der Steppenwolf 175
– Siddhartha 182
– Demian 206
– Ausgewählte Briefe 211
– Die Nürnberger Reise 277
– Lektüre für Minuten. Neue Folge 240
– Eine Literaturgeschichte in Rezensionen 252
– Die Märchen 291
– Narziß und Goldmund 274
– Eine Werkgeschichte von Siegfried Unseld 143
Materialien zu Hesses »Glasperlenspiel« 80
Materialien zu Hesses »Steppenwolf« 53
Hildesheimer, Paradies der falschen Vögel 295
Hobsbawm, Die Banditen 66
Höllerer, Die Elephantenuhr 266
Hortleder, Fußball 170
Horváth, Der ewige Spießer 131
– Ein Kind unserer Zeit 99
– Jugend ohne Gott 17
– Leben und Werk in Dokumenten und Bildern 67
– Sladek 163
– Die stille Revolution 254
Hudelot, Der Lange Marsch 54
Jakir, Kindheit in Gefangenschaft 152
Johnson, Mutmaßungen über Jakob 147
– Das dritte Buch über Achim 169
– Eine Reise nach Klagenfurt 235
– Berliner Sachen 249
Jonke, Im Inland und im Ausland auch 156
Joyce, Ausgewählte Briefe 253
Joyce, Stanislaus, Meines Bruders Hüter 273
Kästner, Offener Brief an die Königin von Griechenland. Beschreibungen, Bewunderungen 106
– Der Hund in der Sonne 270
Kardiner/Preble, Wegbereiter 165
Kasack, Fälschungen 264
Kaschnitz, Steht noch dahin 57
Katharina II. in ihren Memoiren 25
Kluge, Lebensläufe. Anwesenheitsliste für eine Beerdigung 186
Koch, See-Leben I 132
Koeppen, Das Treibhaus 78
– Nach Rußland und anderswohin 115
– Romanisches Café 71
– Der Tod in Rom 241
Koestler, Der Yogi und der Kommissar 158
– Die Wurzeln des Zufalls 181
Kracauer, Die Angestellten 13
– Kino 126
Kraus, Magie der Sprache 204
Kroetz, Stücke 259
Krolow, Ein Gedicht entsteht 95
Kühn, N 93
– Siam-Siam 187
Lagercrantz, China-Report 8
Lander, Ein Sommer in der Woche der Itke K. 155
Laxness, Islandglocke 228
Lem, Solaris 226
Lepenies, Melancholie und Gesellschaft 63
Lévi-Strauss, Rasse und Geschichte 62
– Strukturale Anthropologie 15
Lidz, Das menschliche Leben 162

Lovecraft, Cthulhu 29
– Berge des Wahnsinns 220
Malson, Die wilden Kinder 55
Martinson, Die Nesseln blühen 279
– Der Weg hinaus 281
Mayer, Georg Büchner und seine Zeit 58
– Thomas Mann 233
McHale, Der ökologische Kontext 90
Melchinger, Geschichte des politischen Theaters 153, 154
Meyer, Eine entfernte Ähnlichkeit 242
Miłosz, Verführtes Denken 278
Minder, Dichter in der Gesellschaft 33
Mitscherlich, Massenpsychologie ohne Ressentiment 76
– Thesen zur Stadt der Zukunft 10
– Toleranz – Überprüfung eines Begriffs 213
Mitscherlich (Hg.), Bis hierher und nicht weiter 239
Muschg, Liebesgeschichten 164
– Im Sommer des Hasen 263
Myrdal, Politisches Manifest 40
Nachtigall, Völkerkunde 184
Norén, Die Bienenväter 117
Nossack, Spirale 50
– Der jüngere Bruder 133
– Die gestohlene Melodie 219
– Um es kurz zu machen 255
Nossal, Antikörper und Immunität 44
Olvedi, LSD-Report 38
Penzoldts schönste Erzählungen 216
– Die Kunst das Leben zu lieben 267
Plenzdorf, Die Legende von Paul & Paula 173
Plessner, Diesseits der Utopie 148
Portmann, Biologie und Geist 124
Prangel, Materialien zu Döblins Alexanderplatz 268
Psychoanalyse und Justiz 167
Raddatz, Traditionen und Tendenzen 269
Rathscheck, Konfliktstoff Arzneimittel 189
Regler, Das Ohr des Malchus 293
Reik, Der eigene und der fremde Gott 221
Reiwald, Die Gesellschaft und ihre Verbrecher 130
Riedel, Die Kontrolle des Luftverkehrs 203
Riesman, Wohlstand wofür? 113
– Wohlstand für wen? 114
Rilke, Material. zu »Malte« 174
– Materialien zu »Cornet« 190
– Rilke heute 290
Rosei, Landstriche 232
Roth, die autobiographie des albert einstein. Künstel. Der Wille zur Krankheit 230
Russell, Autobiographie I 22
– Autobiographie II 84
– Autobiographie III 192
Salis, Rilkes Schweizer Jahre 289
Sames, Die Zukunft der Metalle 157
Shaw, Die Aussichten des Christentums 18
– Der Sozialismus und die Natur des Menschen 121
Simpson, Biologie und Mensch 36
Sperr, Bayrische Trilogie 28
Steiner, In Blaubarts Burg 77
– Sprache und Schweigen 123
Sternberger, Panorama oder Ansichten vom 19. Jahrhundert 179
– Gerechtigkeit für das 19. Jahrhundert 244
Stuckenschmidt, Schöpfer der neuen Musik 183
Suyin, Die Morgenflut 234
Swoboda, Die Qualität des Lebens 188

Szabó, I. Moses 22 142
Terkel, Der Große Krach 23
Unseld, Hermann Hesse. Eine Werkgeschichte 143
– Begegnungen mit Hermann Hesse 218
– Mein erstes Lese-Erlebnis 250
– Peter Suhrkamp 260
Unseld (Hg.), Wie, warum und zu welchem Ende wurde ich Literaturhistoriker? 60
– Bertolt Brechts Dreigroschenbuch 87
– Zur Aktualität Walter Benjamins 150
Unterbrochene Schulstunde. Schriftsteller und Schule 48
Waggerl, Brot 299
Waley, Lebensweisheit im Alten China 217
Walser, Das Einhorn 159
– Gesammelte Stücke 6
– Halbzeit 94
Weber-Kellermann, Die deutsche Familie 185
Weiss, Das Duell 41
– Rekonvaleszenz 31
Materialien zu Weiss' »Hölderlin« 42
Wendt, Moderne Dramaturgie 149
Wer ist das eigentlich – Gott? 135
Werner, Wortelemente lat.-griech. Fachausdrücke in den biologischen Wissenschaften 64
Werner, Vom Waisenhaus ins Zuchthaus 35
Wilson, Auf dem Weg zum Finnischen Bahnhof 194
Wittgenstein, Philosophische Untersuchungen 14
Wolf, Punkt ist Punkt 122
Zivilmacht Europa – Supermacht oder Partner? 137